BYZANTINOSLAVICA

RECUEIL POUR L'ÉTUDE DES RELATIONS
BYZANTINO-SLAVES

PUBLIÉ PAR LA COMMISSION BYZANTOLOGIQUE
DE L'INSTITUT SLAVE

SUPPLEMENTA
I.

LES LÉGENDES
DE CONSTANTIN ET DE MÉTHODE
VUES DE BYZANCE

PAR

FR. DVORNÍK,
PROFESSEUR À L'UNIVERSITÉ CHARLES IV DE PRAGUE

PRAHA
V GENERÁLNÍ KOMISI NAKLADATELSTVÍ «ORBIS», PRAHA XII
TISKEM STÁTNÍ TISKÁRNY V PRAZE
1933

LES LÉGENDES

DE

CONSTANTIN ET DE MÉTHODE

VUES DE BYZANCE

PAR

FR. DVORNÍK,

PROFESSEUR À L'UNIVERSITÉ CHARLES IV
DE PRAGUE

SECOND EDITION

WITH A NEW INTRODUCTION
AND NOTES TO THE TEXT
BY THE AUTHOR

ACADEMIC INTERNATIONAL

1969

RUSSIAN SERIES / VOLUME 12

Francis Dvornik, LES LÉGENDES DE CONSTANTIN
ET DE MÉTHODE VUES DE BYZANCE

Second Edition 1969

First published in Prague in 1933

Library of Congress card number: 71-77375

Standard Book Number: 87569-009-2

Printed in the United States of America

Orders should be addressed directly to

ACADEMIC INTERNATIONAL / ORBIS ACADEMICUS
HATTIESBURG, MISSISSIPPI

MÉ MATCE
K ŠEDESÁTINÁM

AVANT-PROPOS.

*L'histoire des deux Apôtres slaves, Constantin-Cyrille et Méthode, est un des sujets qui passionnent le plus les historiens et les philologues slaves et la bibliographie relative à la question a atteint de telles proportions qu'on se sent presque gêné à aborder de nouveau cette histoire. Il s'en faut pourtant que ce soit là œuvre superflue; en dépit de la multiplicité des ouvrages et des articles qui leur ont été consacrés, les problèmes concernant la vie des deux frères sont loin d'être tous définitivement résolus. M'efforçant, il y a quelques années, dans mon ouvrage sur les Slaves, Byzance et Rome au IX*e* siècle (Paris, 1926), de tracer le tableau d'ensemble de l'évolution des Slaves à une époque aussi importante pour leur histoire, j'ai été conduit à aborder quelques-uns des problèmes relatifs à Saint Cyrille et à Saint Méthode. Loin de moi était alors l'intention d'examiner en détail tous les aspects de la question cyrillo-méthodienne; j'avais trop bien compris qu'elle méritait mieux que quelques pages rapides et qu'il lui faudrait consacrer une étude approfondie en se plaçant du point de vue de l'évolution byzantine au IX*e* siècle, c'est-à-dire en la considérant sous un angle sensiblement différent de celui sous lequel l'ont généralement vue les historiens et les philologues. Mon maître, M. Charles Diehl, membre de l'Institut, a bien voulu m'encourager avec insistance à poursuivre mes recherches dans cette direction.*

*La voie choisie n'est pas, avouons-le, tout à fait nouvelle. Des savants russes surtout, et Voronov et Malyševskij notamment, s'y sont engagés mais, pour être arrivés à certains résultats heureux, ils n'en ont pas moins, finalement, fait fausse route et leur insuccès a peut-être découragé les érudits qui auraient été enclins à suivre leurs traces. Une autre tentative du même genre a pourtant été faite à Prague où deux élèves de M. le professeur Bidlo, MM*elles* Procház-ková et Suchá, ont publié en 1915, dans le « Časopis Matice Moravské », une étude sur les légendes de Constantin et de Méthode en les comparant aux autres textes hagiographiques byzantins (« Poměr t. zv. pannonských legend k legen-dám byzantským stol. 8—10 »). L'essai était timide mais intéressant et il prou-vait, en tout cas, que M. Bidlo, inspirateur de cette étude, voyait bien comment*

VII

se posait le problème. M'aventurant à mon tour dans une voie qui n'a pas encore été suivie jusqu'au bout, j'ai espéré être assez heureux pour pousser un peu plus loin que mes devanciers et montrer qu'une étude faite du point de vue byzantin a vraiment sa raison d'être.

Je me rends parfaitement compte que la méthode adoptée dans cet ouvrage présente certains inconvénients et qu'au lieu d'étudier, chapitre par chapitre, les données des deux Légendes slavonnes — appelées à tort pannoniennes par leurs premiers éditeurs — on aurait peut-être pu procéder plus systématiquement et ne pas suivre pas à pas l'auteur de chacune de ces Vies. Mais quelques inconvénients qu'elle ait, la méthode à laquelle je me suis tenu n'est pas non plus dépourvue d'avantages; les deux Légendes, en effet, étant nos meilleures sources pour la vie et pour l'œuvre des deux frères, tout le problème consiste à rechercher jusqu'à quel point il est possible de se fier à elles et la chose n'est guère permise qu'à condition de les suivre dans leur développement. Au demeurant, je me suis efforcé de parer aux inconvénients les plus évidents en subdivisant les chapitres d'une façon détaillée et en établissant un index aussi complet et aussi précis que possible.

Cet ouvrage n'est pas destiné seulement aux slavisants; il s'adresse surtout aux historiens et, plus spécialement, aux byzantinistes. Il se peut que chaque catégorie de spécialistes trouve un peu longue l'étude de points de détail ne ressortissant pas à cette spécialité; qu'ils veuillent bien m'en excuser en songeant que leurs collègues d'une autre branche d'activité scientifique feront la même remarque à propos de pages qui leur semblent, à eux, les seules dignes d'attention. Qu'on me permette d'ajouter encore quelque chose à ma décharge: l'ouvrage devait primitivement comprendre deux tomes, l'Institut Slave de Prague — qui a si généreusement assumé l'impression de ce volume et à qui je ne saurais trop exprimer ma gratitude — ayant en effet décidé de confier à M. le professeur Weingart la publication des principaux textes relatifs à Constantin et à Méthode, publication dans laquelle j'aurais été chargé de la traduction française; l'utilité d'un tel projet n'avait pas besoin d'être justifiée, une édition critique des documents en question étant plus que nécessaire. Les difficultés actuelles ont malheureusement obligé l'Institut Slave à ajourner cette édition qui aurait constitué le second tome de l'ouvrage dont mes recherches historiques devaient former le premier et j'ai naturellement été contraint — j'en demande pardon aux philologues — d'empiéter un peu sur un domaine qui n'est pas tout à fait le mien et d'ajouter, à mon développement une traduction française des deux Légendes sans pouvoir attendre l'édition slavonne définitive. Qu'on

VIII

m'excuse encore si, dans l'ensemble, j'ai paru verser dans l'abondance dont les mauvaises langues font une caractéristique du génie slave; pour certains, d'ailleurs, on n'est jamais trop long ...

Si la traduction que j'ai donnée repose sur l'édition Miklosich—Pastrnek ce n'est pas que je considère cette dernière comme définitive — l'édition définitive est, répétons-le, encore à venir — mais parce qu'elle est la plus accessible aux savants non-slaves qui pourront ainsi plus facilement exercer leur contrôle et à l'intention desquels j'ai précisément renvoyé, au cours de l'ouvrage, à cette édition et non pas à ma traduction. En procédant à cette traduction, je sais, du reste, avoir réalisé le désir de M. André Mazon, professeur au Collège de France, qui dans ses cours l'a bien souvent exprimé.

Qu'il me soit permis maintenant de remercier ceux qui m'ont aidé dans mes efforts. Je suis, en premier lieu, grandement redevable à M. J. Bidlo, professeur à la Faculté des Lettres de l'Université Charles, dont les conseils m'ont été fort utiles et qui a bien voulu recommander le présent travail à l'Institut Slave. Mais je dois aussi plus d'une suggestion — dans le domaine de la philologie surtout — à mon collègue, M. Miloš Weingart qui, comme rédacteur des Byzantinoslavica, a très aimablement surveillé l'impression de l'ouvrage. Je remercie très sincèrement la Société des Bollandistes de Bruxelles qui a mis à ma disposition sa riche Bibliothèque hagiographique, et surtout le R. P. Peeters dont les conseils, en matière d'hagiographie orientale particulièrement, m'ont guidé très sûrement. Mon collègue, M. J. Schránil, dont on connaît la compétence dans tout ce qui touche à l'archéologie tchèque m'a également fourni de très utiles indications sur ce point particulier de mon étude et je le remercie en même temps que M. H. Grégoire, professeur à l'Université de Bruxelles, qui a suivi mon travail avec intérêt et m'a fait, plus d'une fois, profiter de ses vastes connaissances en matière d'histoire et de philologie byzantines. A mon ami M. Lucien Bochet, professeur au Lycée français de Prague, qui a bien voulu, du point de vue de la langue, revoir mon manuscrit et qui m'a très généreusement aidé dans la correction des épreuves, j'exprime enfin toute ma reconnaissance.

S'il m'a été permis de mener à bonne fin la délicate étude entreprise, ç'a été, en grande partie, grâce à des séjours de plusieurs mois à Londres au cours des vacances de 1931 et 1932. Je tiens à dire ici toute la gratitude que je ressens à l'égard de la Direction du British Museum et de Messieurs les « Superintendents of the Reading-Room » pour l'extrême bienveillance que, suivant une tradition bien anglaise, ils réservent aux savants étrangers travaillant au British Museum. Deux souhaits sont à formuler au sujet de ce dernier: que son exemple d'abord soit suivi par d'autres établissements analogues, y compris la Bibliothèque Nationale de Paris, et que lui-même ensuite, conservant cette tradition, puisse, dans l'intérêt du prestige britannique comme dans celui du monde savant international, compléter encore son fonds déjà si précieux surtout en matière d'études slaves.

Londres, St George's Cathedralhouse, le 28 septembre 1932.

INTRODUCTION TO THE SECOND EDITION
WITH NOTES TO THE TEXT

Since their discovery in the seventeenth century, the Legends of Constantine and Methodius have become objects of numerous studies written mostly by Slavic philologists and historians. This new information on the two brothers and their work was not accepted without skepticism — a skepticism which was especially voiced by the father of modern Slavic studies, Joseph Dobrowský, in his *Cyrill und Method: der Slawen—Apostel,* published in Prague in 1823. This mistrust seemed to be founded on the fact that the Lives gave much information which, thus far, had not appeared to be confirmed by other sources. Because most of their information concerns Byzantine history and reveals that their authors must have lived in the Byzantine society of the ninth century, I decided to study them from the Byzantine point of view, and published the results of my research in the monograph *Les Légendes de Constantin et de Méthode vues de Byzance* in 1933. This new method proved to be successful and has shown "that both legends are historical sources of first class importance, two historical monographs with the character of personal memoirs, written originally in the old Slavonic language by two different authors, at least one of them being a contemporary disciple of the brothers. They were composed in Moravia in the ninth century A.D." Such was the conclusion made by the reviewer of this book, the most prominent Slavic specialist, M. Weingart, in *Byzantinoslavica,* 5 (1933-34), 427-29. This judgment was also confirmed by another distinguished Slavic philologist, J. Vajs, in his critical re-edition of Dobrowský's work, *Cyril a Metod, apoštolovi slovanští* (Prague, 1948), 114.

Their judgment was generally accepted and both Lives are, at last, vindicated. This justification revived the interest of Slavic philologists and historians in the Legends. The celebration of the eleven hundredth anniversary of their arrival in Moravia, in 863, gave occasion for new editions and translations of the Legends, and the publication of many monographs concerning the life and work of the brothers.

In this introduction to the new impression of my book, I am giving all the new findings or controversial aspects contained in works published since 1933 which deal with problems discussed in my book. In my introduction I am also adding a résumé of surprising archaeological discoveries made in Moravia since 1949, and include other problems, which were only indirectly touched upon in my work of 1933. In a new study on the *Byzantine Slavic Missions,* shortly to be published by Rutgers University Press, I shall discuss these problems more fully.

Chapter I. *Young Years of Constantine and Methodius*
Page 4 ff. These indications on the foundations of the *themata* were supported

by more current research on the subject. For more detail, see the bibliography from 1933 in the first chapter of my forthcoming book, *Byzantine Slavic Missions*. G. Ostrogorsky, in *History of the Byzantine State* (New Brunswick, 1956), 172, has shown that the *thema* of Peloponnesus had already existed before 805.

Page 15. According to an old Slavonic panegyric in honor of St. Methodius, published by P. O. Lavrov (*Materialy po istorii voznikoveniia drevnei slavianskoi pis'mennosti* (Leningrad, 1930), 122ff.), Methodius was married. There is no other evidence for this, but many cases did exist in Byzantium where a husband and wife decided to renounce their common life and retire into a monastery and a convent.

Page 21. Bridal Contests. Compare also G. Hunger, "Die Schönheitskonkurenz in Belthandros und Chryzantza und die Brautschau am byzantinischen Kaiserhof," *Byzantion,* 55 (1965), 150-158.

Chapter II. The Career of Constantine in Byzantium
(Vita Constantini, Chapter IV, 352, 353)

Page 39 ff. See a detailed study on Leo the Mathematician by E. E. Lipshich, "Vizantiiskii uchenyi Lev Matematik," *Vizantiiskii Vremmenik,* 2 (1949), 106-149. On Photius, compare F. Dvornik, "Patriarch Photius. Scholar and Statesman," *Classical Folia,* 13 (1959), 3-18; 14 (1960), 3-22.

Page 45. Constantine's definition of philosophy in Chapter IV of his Life, given to the Logothete Theoctistus: "Knowledge of things divine and human, as much as man is able to approach God, for it teaches man by deeds to be the image and after the likeness of the One who created him." This definition goes back to the Stoic teaching that wisdom consisted in the knowledge of things divine and human. The second part of this definition recalls Plato's idea that man has to approach God according to his ability. The source of this definition is to be sought not in St. Gregory of Nazianzus' thinking, as has been suggested by F. Grivec in his "Vitae Constantini et Methodii" (*Acta Academiae Velehradensis,* 17 (1941), 10, 12, 17, 55), but rather in the standard Byzantine textbooks for the study of dialectics. The Stoic and Platonic definitions of philosophy are frequent in patristic and Byzantine literature. It is to the credit of I. Ševčenko to have drawn the attention of specialists to these sources in his well-documented study, "The Definition of Philosophy in the Life of Saint Constantine," *For Roman Jakobson* (The Hague, 1956), 449-457. The author stresses especially the importance of the *Isagoge* of Porphyry (died in 305) and of the numerous commentaries on it from the fifth, sixth, and seventh centuries. We can suppose that these textbooks were also the basis of Constantine's teaching at the university.

Page 45-66. So far, these pages present the only treatise on ecclesiastical charges

XII

in Byzantine patriarcheion.

Page 66. See also my paper "Two Problems in the History of St. Constantine-Cyril," *Orbis Scriptus. Festschrift für D. Tschiżewskij* (Munich, 1966), 181-186. It is not certain that Constantine was ordained priest. It could have happened only before the Khazarian or Moravian missions. Moreover, he could have been ordained priest by Photius alone. The theory that he had been ordained bishop in Rome at the same time as Methodius has been definitely disposed of by P. Meywaert and P. Devos in their study "Trois énigmes Cyrillo-méthodiennes de la 'Légende Italique' résolues grace à un document inédit," *Analecta Bollandiana,* 73 (1955), 375-461. They have rejected this view, which stems from a corrupt passage in the manuscript of the *Legenda Italica,* on the strength of an uncorrupted manuscript of the same document which they found in Prague.

Page 73 ff. (Vita Constantini, Chapter V, 353, 354) *Constantine's discussion with the ex-Patriarch John the Grammarian,* although not impossible, may be rather an invention of the biographer who might have used a short treatise, written by Constantine, and directed against the iconoclasts. This treatise may be one of the eight *besedy,* treatises of Constantine which were translated into Slavonic by his brother Methodius. Such translations are mentioned in Chapter X (*Vita Constantini,* 367, 368) of Constantine's biography. On the religious situation in Byzantium after the condemnation of Iconoclasm, see my paper "The Patriarch Photius and Iconoclasm," *Dumbarton Oaks Papers,* 7 (1953), 69-97. In Chapter V (*Vita Constantini,* 353) of Constantine's biography this discussion is presented as a public examination and was interpreted as a promise to Constantine that he would obtain the chair of philosophy at the university, if he defeated the ex-Patriarch. According to some specialists in Slavic philology this passage should be translated and interpreted as a challenge to the ex-Patriarch: "If you can defeat this young man, you will get back your chair," namely the patriarchal chair. There is a controversy about the replies of the ex-Patriarch: "One should not look for flowers in the autumn, nor compel an old man, one Nestor, into a fight as if he were a young man." It has been suggested that the Nestor mentioned in this passage is a young Christian called Nestor who, in the presence of the Emperor Maximian, in Thessalonika, had defeated in single combat a famous gladiator Lyacus. Because he confessed to being a Christian, Nestor died a martyr's death. Constantine's biographer certainly knew this story, which must have been popular in Thessalonika — it is told in the Life of Demetrius, patron saint of that city, and his feast is listed in the Old Slavonic glagolitic calendar of Asseman on October 25 — but the context of the biographer's narrative excludes this interpretation. The Nestor mentioned in this passage is the well-known figure who was hailed in Classical literature as an archetype of a wise old man.

On iconoclasm and St. Nicephorus see also P. J. Alexander, *The Patriarch Nicephorus of Constantinople; Ecclesiastical Policy and Image Worship in the Byzantine Empire* (Oxford, 1958); M. V. Anastos, "Iconoclasm and Imperial Rule 717-842," *Cambridge Medieval History* (Cambridge, 1966), I, 61-104.

Page 79. On Byzantine learning in the eleventh century see J. M. Hussey, *Church and Learning in the Byzantine Empire* (Oxford, 1937), 37 ff. When speaking on the learning in the ninth century (pages 22-36), the author overlooked what was said in *Les Légendes.*

Page 85 ff. (Vita Constantini, Chapter VI, 354-358) *The Arab Mission.* Because the historicity of this embassy has recently been questioned by some authors, I have devoted a special study to it, "The Embassies of Constantine-Cyril and Photius to the Arabs," *To Honor Roman Jakobson* (The Hague, 1967), 369-376. From 845/846 to 851 no military actions are reported in Asia Minor on the Arab frontier. The Byzantines were, at that time, heavily engaged in fighting the Arabs in Sicily. It is possible that in 851 the Byzantines attempted to renew the truce with the Khalif so as to leave their hands free for their operations in Sicily, which were not going well. The biographer's description of the city where the conference was held corresponds to what was known at that time of the residence of the Khalifs, which, from 836 to 889, was in Samarra, near Bagdad. The report of the biographer that Constantine was asked by the Arabs why the Byzantines refused to pay tribute to them seems to indicate that the Arab request for tribute was a condition for the continuance of that truce, and that the ambassadors had refused. The embassy was probably led by the asecrete George, mentioned by the biographer. The reading *polaša* is not correct (page 93). Since it was expected that religious problems would be discussed at the Khalif's court in view of Muttawakkil's great interest in these matters, Constantine, as a young cleric and scholar, was present. It is thus possible that diplomatic negotiations were opened between the Byzantines and the Khalif in 851, and that a religious dispute did take place at the Khalif's court, during which Constantine defended the Christian faith. If this embassy did take place, it did not fulfill the hopes of the Byzantines. This would seem to be indicated by the biographer's report that the Arabs wanted to poison Constantine. According to Tabari, the Arab historian, hostilities between the Byzantines and the Khalif were already initiated in the summer of 851 and went on in 852 and 853. We cannot associate Constantine with an embassy to the Arabs in which Photius also participated. It seems established that an exchange of prisoners in 855-856 was arranged by a solemn embassy sent by the Empress Theodora and her Prime Minister, Theoctistos, to the Khalif Muttawakkil. It was to this embassy that Photius was attached. He was most probably absent from the city between January and March, 856, when the logothete Theoctistos was murdered by the supporters of Theodora's brother, Bardas, and the Empress was dispossessed of the regency.

It can be supposed that Constantine had summarized the discussion at the Khalif's court in a short treatise written in Greek. This could be another *beseda* which Methodius translated into Slavonic. This translation may have been used by Constantine's biographer in his description of the embassy.

On theological controversies between the Arabs and the Byzantines see also the following studies: C. Güterbock, *Der Islam im Lichte der byzantinischen Polemik* (Berlin, 1912); W. Eichner, "Nachrichten über den Islam bei den Byzantinern," *Der Islam,* 23 (1936), 133-162, 192-244; A. Jeffery, "Ghevond's Text of the Correspondence Between Umar II and Leo III," *Harvard Theological Review,* 37 (1944), 269-332; A. Abel, "La lettre polémique 'd'Aréthas' à l'émir de Damas," *Byzantion,* 24 (1954), 343-370; P. Khoury, "Jean Damascène et l'Islam," *Proche Orient Chrétien,* 7 (1957), 44-63; 8 (1958), 313-339; J. Mayendorff, "Byzantine Views of Islam," *Dumbarton Oaks Papers,* 18 (1964), 115-132. On political and cultural relations between the Arabs and the Byzantines see A. S. Vasiliev, H. Grégoire, M. Canard, *Byzance et les Arabes* (Bruxelles, 1935). For general information see M. Canard, "Byzantium and the Muslim World to the Middle of the Eleventh Century," *Cambridge Medieval History* (Cambridge, 1966), 697-736.

Chapter IV. *Mount Olympus*

(*Vita Constantini,* Chapter VII, 358; *Vita Methodii,* Chapter III, 385)

Page 112 ff. On the political coup of 856 — the assassination of Theoctistos, deposition of Theodora, and the rise of Bardas — its circumstances and consequences, see the first chapter of my book, *The Photian Schism, History and Legend* (Cambridge, 1948), 1-38: "Political and Religious Parties in Byzantium." A more thorough examination of the Acts of the Photian synod of 861 and of other documents, especially the anti-Photianist Collection (Mansi, Joannes Dominicus. (Ed.) *Sacrorum Consiliorum Nova Et Amplissima Collectio.* (31 vols. Florence and Venice, 1758-98), 16, cols. 410-458), has shown that Ignatius had res'gned on the exhortation of the bishops, who wanted to avoid a conflict with the new government; furthermore, that he did not appeal to Rome; and that Photius was thus canonically elected and recognized as the legitimate Patriarch by all bishops, even by Ignatius' supporters. For details see my book, quoted above, pages 39-90. Ignatius was not responsible for the revolt by some of his supporters against Photius. This revolt had a political motive — the reinstallation of Theodora in the regency. On the conflict between Ignatius and Bardas see my paper, "Patriarch Ignatius and Caesar Bardas," *Byzantinoslavica,* 27 (1966), 7-22. The examination of two documents, so far neglected, has disclosed some new information concerning Caesar Bardas. The *Life of St. Eustratius,* Abbot of the Monastery of Agauron, published by A. Papadopoulos-Kerameus in the 'Ἀναλέκτα ἱεροσολυμιτικῆς σταχυολογίας (St. Petersburg), 4 (1897), 367-400, gives some new details on Bardas' second wife. Her name was Theodosia and she lived, separated from her husband, in a house with servants where she was often visited by the Saint. Although the anonymous author discloses that Theodosia "had been banished from cohabitation with her husband and thus injured by him," he does not mention Bardas' incestuous relations with his daughter-in-law, Eudocia, which is believed to have been the reason for the Caesar's divorce. The Life was written at the end of the ninth century. The author of the life of Theodosia's sister, St. Irene, (*Acta Sanctorum,* [Societé des Bollandistes, Brussels, 1863-] July 28, vol. 6) calls Bardas "quite an unworthy man, completely consumed by ill-will," but although he says that he had become husband of Irene's sister, he is silent about Bardas' supposed misbehavior. He does not even mention Bardas' separation from his wife. The two sisters remained in intimate contact even after Theodosia's marriage. Irene is said to have sent a prophetic message to her sister from her convent, disclosing that her husband would be killed. Theodosia, although forbidden by Irene to do so, "overcome by the love of her husband," revealed to him the secret message. Asked by Bardas to reveal the name of the future killer, Irene refused to do so. These two new sources, so far overlooked, considerably weaken the credibility of the infamous story reported by Bardas' enemies. It seems to have been slanderous propaganda spread by the enemies of the new régime. It is possible that Ignatius took these rumors seriously, and the report that he refused the holy communion to Bardas might have taken place, although the scene depicted by Nicetas appears somewhat exaggerated. It was, however, not this scene which brought about the downfall of Ignatius, but rather his refusal to tonsure Theodora and her daughter, who, in the autumn of 868, were ordered to take monastic vows by authority of the new régime. Photius was accepted as Ignatius' successor even by the supporters of Ignatius because he had not been involved in the political upheaval which had taken place in Byzantium. He was absent from the capital, at that time returning from the embassy to the Khalif.

On the Ignatian and Photian controversy, see also my lecture given at the Eleventh International Byzantine Congress in Munich in 1958: *The Patriarch Photius in the Light of Recent Research* (Munich, 1958).

On the monks and their relations with Photius see the supplementary remarks in my *Photian Schism,* (14, 63 ff.). The canons voted at the Photian synod of 861 show that Photius was anxious to eliminate abuses in Eastern monasticism which had been rife since before the iconoclastic days.

Pages 143, 147. Constantine stayed with his brother in the latter's monastery at Mount Olympus — or was it that of Polychron in the environment of Olympus of which Methodius later on was appointed Abbot? — most probably to the year 860. It seems safer in this case to follow the author of the Legend, who says in Chapter VIII, that the Emperor had to look for Constantine when the Khazarian embassy had arrived.

Chapter V. Byzantium and the Khazars
(Vita Constantini, Chapters VIII-XIII, 358-371;
Vita Methodii, Chapter IV, 385)

Page 148. The Russian Attack on Constantinople. For more details see A. Vasiliev, *The Russian Attack on Constantinople in 860* (Cambridge, Mass., 1946) with full bibliography. A clear, succinct review of all problems concerning this event and the role of Photius during the siege of the city was given by C. Mango, *The Homilies of Photius, Patriarch of Constantinople* (Cambridge, Mass., 1958), 74-82. It was the first Russian attack, as has been shown by G. Da Costa-Louiet in her paper, "Y eut-il des invasion russes dans l'Empire byzantin avant 860?", *Byzantion,* 15 (1940-41), 231-248. On the origin of the name "Russians", "Rhôs", see F. Dvornik, *The Making of Central and Eastern Europe* (London, 1949), 62 ff., 305-314. On the Christianization of the Russians see *ibid.*, 162-184 and my *Byzantine Slavic Missions,* Chapter VII, Part III.

Page 149 ff. A complete bibliography of works on Khazar history published until 1939 was compiled by the Slavic division of the New York Public Library: *The Khazars, a Bibliography* (New York, 1939). On Khazar history from the fifth to the seventh century, see M. I. Artamov, *Ocherki drevneishii istorii Khazar* [Studies on the Ancient History of the Khazars] (Leningrad, 1936). A more recent history is M. I. Artamanov's *Istoriia Khazar* (Leningrad, 1962).

Page 157 ff. On the Christianization and Judaization of the Khazars compare P. Peeters, "Les Khazars dans la Passion de S. Abo de Tiflis," *Analecta Bollandiana,* 52 (1934), 21-56. D. M. Dunlop, in his *The History of the Jewish Khazars* (Princeton, 1954, 89-170), after examining the Arabic and Judaic sources, comes to the conclusion that about the year 740, the Khagan accepted a modified form of Judaism, and around 800 his successor accepted Rabbinic Judaism. S. Szyszman, in his studies, "Le roi Bulan et le problème de la conversion des Khazars" (*Actes du X. Congrès International des études byzantines* (Istanbul, 1957), 249-252) and "Les Khazars, problèmes et controverses," (*Revue de l'Histoire des religions,* 152 (1957), 174-221), thinks that the first missionaries — Karaites — came from Khorezm in the eighth century, but that the final conversion should be attributed to the Karaites coming from Byzantium through the Crimea or the

XVII

Caucasus region. S. P. Tolstov, in *Po sledam drevnokhorezminskoi tsivilizatsii* [On the Traces of the Civilization of Ancient Khorezm] (Moscow, 1948), 226, 227), also connects Judaization of the Khazars with the expulsion of Jewish scholars from Khorezm by Kutaiba after the defeat of Khurzad's insurrection (712-730).

Page 168. H. Grégoire rejected the authenticity of the Jewish document — the correspondence between the minister of the Khalif of Cordova with the Khazar Khagan — in his paper, "Le Glozel Khazare," *Byzantion,* 12 (1937), 225-266. A. Zajaczkowski, in his study, *Ze studiow nad zagadnieniem Chazarskim* [Studies on the Khazar Problem] (Cracow, 1947), admits the apocryphal character of the Jewish letters on Khazar history — he dates them from the twelfth century — but shows that they are based upon a national Jewish tradition and should not be neglected.

Page 173. The raids mentioned by the Lives of St. Stephen of Sugdaea and of St. George of Amastris did not happen before 860, as J. Da Costa-Louiet showed in her study mentioned above. The Life of St. Stephen of Sugdaea is only a very late composition influenced by the Greek Life of St. George of Amastris. The description of the invasion given by the Slavonic life is legendary. The raid on Amastris in Paphlagonia should be viewed in connection with the expedition made by Igor of Kiev in 941 against Constantinople. The author of the Life says explicitly that the invaders came "from the Propontis," which means from the direction of Constantinople, on their return from the raid. The fortifications on the Don delta constructed by the Greeks at the request of the Khazars in 833, had to protect the Khazar territory, as well as the Byzantine possessions in the Crimea, probably against the Magyars who were threatening them.

Page 174. The reorganization of the Byzantine possessions in the Crimea was most probably motivated by the same threats. The creation of the *thema* of Paphlagonia was in line with Theophilus' policy of strengthening the Asiatic provinces against the Arab danger.

Page 176. The author of the Life of Constantine (Chapter VIII) speaks about a Khazar embassy to the Byzantine Emperor asking him to send a learned theologian to the Khagan who would explain to his nation the Christian creed and refute the arguments of the Jews and Musulmans who were persuading the Khazars to accept their religion. This recalls the information given in the Cambridge Fragment (quoted on pages 169, 170) that a Khazar Khagan had asked a Byzantine Emperor — it could only have been Leo III (717-740) — to send him men capable of debating with the Jews and Musulmans. Although the reliability of this Jewish document is still disputed, this report seems to be based on quite solid grounds. As I mentioned before, Jewish or Karaite propaganda in

XVIII

Khazaria circulated very actively between 712 and 730, and the conversion of Balan to Judaism is dated from 731. A Khazar request for learned Christians who could discuss with Jewish and Musulman scholars seems quite possible at the time when the Khagan was hesitating between accepting the Jewish, Christian, or Musulman creeds. The report of Constantine's biographer seems to be a reminiscence of what had actually happened about 730. In reality, if there was a Khazar embassy to Constantinople in 860, 861, it was sent not for religious reasons, but for political ones. Most probably there was only a Byzantine embassy to the Khazars, motivated by the danger of new invaders — the Russians — which was sent to strengthen the alliance with the Khazars. The Khazars themselves were already aware of the new danger. Well before 860 they had lost a very prized possession on the Dnieper — the Slavic city of Kiev. We do not know the exact date of Kiev's occupation by the Varyag leaders, Ascold and Dir. It must have happened around 840, because the new masters of this important Slavic settlement needed a few decades to strengthen their rule over the Slavic tribes on the Dnieper, before they could organize their raid against Constantinople in 860. The Byzantines made their first acquaintance with the Varyags — they called them Rhôs — in 838-839. That year, according to the *Annales Bertiniani,* the Emperor Theophilus sent to Louis the Pious some Rhôs envoys with his embassy whom their khagan had sent to Constantinople to assure the Emperor of friendly relations. Theophilus requested Louis to let them pass through his lands to their home, Sweden, because they could not return by the way they had come, since it was infested by "barbarous and very ferocious invaders." One can imagine that such an embassy could have been sent by the Khazar Khagan who may have had some Varyags in his service. In such a case, however, the Emperor could have sent them by boat to the Cherson, whence they could easily reach Khazaria. When we exclude this possibility, then this embassy could have come from a Varyag center. It could have been sent from the region of Novgorod-Ladoga, but also by Ascold from Kiev, who may have been in possession of this city even before 838. In this case, the first contacts of Byzantium with the Rhôs were friendly. Ascold would have wanted to assure the Emperor that although he had taken possession of a city which had belonged to the allies of Byzantium, this did not mean any hostile act against the Emperor. In this case we would also better understand why the envoys could not return by the same way (Dnieper) because of new invaders, perhaps the Magyars. The Pechenegs had forced the Magyars and the Cabars — the allies of the Khazars — to evacuate the territory of the Don-Dnieper only after 880. Anyhow, the Varyag envoys knew that they could return from Constantinople to Novgorod by the Mediterranean and through Germany from where, going across the Baltic, they could reach the region of Novgorod-

Ladoga and further, via the river Dnieper, Kiev. The Byzantine embassy sent to the Khazars in 861 had thus an important political goal — to strengthen the Khazar-Byzantine alliance against a new common enemy — the Rhôs (Russians).

Page 183. The reading, Caspian Gates of the Caucasus Mountains, was confirmed as the only one acceptable by the Slavic philologist, J. Vašica, in his Czech translation and commentary of the Legend. This view is contrary to that of M. Weingart, Czech reviewer of my Legends, who favored the reading, "Kaspiskaja" instead of "Kapiskaja vrata" (*Byzantinoslavica,* 5, (1933-34), 239). See Vašica's commentary in the Czech collection *Na úsvitu Křestǎnství* [On the Dawn of [Czech] Christianity] (Prague, 1942), 246. The reading "Kaspiskaja" would mean the Strait of Panticapaeum (Kerch). The fact that the Khagan had sent one of his men to meet the Byzantine embassy in Cherson, could be interpreted as an indication that he was informed of the dispatch of an embassy by the Emperor. This intelligence could have been given to him by his own ambassadors on their return — if there was any Khazar embassy to Byzantium — or, more probably, by the *stratege* of Cherson. The Khazar messenger probably came from Itil, the Khazar capital, to Sarkel on the Don from where he sailed to Cherson. He had to conduct the Byzantine envoys to Semender on the Caspian Sea, the summer residence of the Khagan.

Page 185 ff. Psalter Written with "rus'k" (Russian?) Letters. It has been established that we should read "surs'k" which means "Syriac." See A. Vaillant, "Les lettres russes de la Vie de Constantin," *Revue des études slaves,* 15 (1935), 75-77. This solution of the problem is generally accepted by specialists. Compare R. Jakobson, "Saint Constantin et la langue Syriaque," *Annuaire de l'Institut de philologie et d'histoire orientales et slaves,* 1 (1939-44), 181-186; *Idem,* "Sources for Early History of the Slavic Church," *Harvard Slavic Studies,* 2 (1954), 68 ff.; D. Gerhard, "Goten, Slaven und Syrer im alten Cherson," *Beiträge zur Namenforschung,* 4 (1953), 78-88; K. Horálek, "St. Kirill i semitskie jazyki," *For Roman Jakobson* (The Hague, 1956), 230-234.

Page 195. It should be stressed that neither Irenaeus, nor Eusebius and Jerome, the oldest Christian authors, knew anything about the martyrdom of Pope Clemens.

Page 196. See the Old Slavonic text of the transfer with Latin translation, historical commentary and bibliographical indications, in J. Vašica's study, "Slovo na perenesenie moštem preslavnago Klimenta neboli Legenda Chersonská," *Acta Academiae Velehradensis,* 19 (Olomouc, 1948), 38-80. Compare also A. P. Péchayre, "Les écrits de Constantin le Philosophe sur les reliques de St. Clément de Rome," *Echos d'Orient,* 35 (1936), 465-472. Also compare A. Essen, "Wo fand des hl. Konstantin-Kyril die Gebeine des hl. Clemens von Rom?", *Cyrillo-Méthodiana,* Slavische Forschungen, R. Olesch, ed., (Cologne, Graz, 1964) vol. 6,

126-147.

Page 198. Constantine certainly composed a treatise, translated into Slavonic, by Methodius, which defended the Christian creed against Jewish criticism. The text (page 368) is not clear. It could mean that this treatise was one of the eight composed by Constantine and translated by Methodius, but also that Methodius had divided his translation into eight chapters.

Page 205. The Incident at Phoulae (Vita Constantini, Chapter XV, 370, 371). I. Dujčev in his paper "Zur literarischen Tätigkeit Konstantins des Philosophen," (*Byzantinische Zeitschrift*, 44 (1951), 105-110) detected a confusion over the name "alexandros," given in the text to the oak tree. The word is a Greek adjective meaning "protecting men." It seems that the author of the Legend misunderstood this passage, interpreting the word as a name given to a man. This new interpretation explains more satisfactorily why women were not allowed to participate in the cult of the sacred tree. Similar tree cults were also practiced by the Abasgians, whose habitats extended from the Crimea to the Caucasus, as is attested by Procopius (*De bello gothico.* VIII, 3, ed. Teubner (1936), vol. 2, 498). Constantine Porphyrogenetus in his *De administrando imperio* (G. Moravcsik, R. J. H. Jenkins, eds., 2nd ed., (Washington, 1967), Chapter 9, *l.* 77, *l.* 78, page 60) reports that the Rhôs (Russians) were offering sacrifices on the island of St. Aitherios in the Dnieper "because a gigantic oak tree stands there." J. G. Frazer, *The Golden Bough* (London, 1913, I, 10), speaks on tribes on the Volga river who venerated sacred trees. Women were usually forbidden to participate in the cult.

Page 209. Constantine's Activity After His Return From Khazaria. I have shown in my study "Photius et la réorganisation de l'Académie patriarchale" (*Analecta Bollandiana,* 68 (1950), cols. 108-125), that Constantine became professor of philosophy in the patriarchal Academy. The Academy for the education of the clergy had its headquarters in, or near, the Church of Holy Wisdom and had branches in different ecclesiastical institutions. It was reorganized by Photius after 861, who reintroduced the teaching of philosophy and other profane disciplines in the schools surrounding the Church of the Holy Apostles. Constantine gave these courses of philosophy. This is the meaning of the biographer's words "he was sitting in the Church of the Holy Apostles." Even in antiquity, teachers were generally represented as sitting. In early Christian art Christ used to be represented sitting as teacher.

Constantine's Reading of the Prophecies on Solomon's Cup. On this problem see the study by I. Ševčenko, "The Greek Source of the Inscription on Solomon's Chalice in the Vita Constantini," *For Roman Jakobson* (The Hague, 1967), 1806-1817. So far only Slavic parallels to these "prophecies" were known, in two main versions, either as separate narratives, or in the so-called "Sayings of the Holy Prophets," all in manuscripts of Russian recension. One version agrees with the saying of the Legend; the other adds to all three lines of the inscription, a kind of exegesis. This circumstance induced many scholars to suggest that the story of the chalice may be an interpolation taken from a separate narrative; others felt that it is an integral part of the account given in Chapter 13. The question was raised whether the original of the narrative was in Hebrew or in Greek. I. Ševčenko, who gives a full bibliography of these discussions, discovered in Escurial, a Greek manuscript (Escurial ψ III.7), dating from the 11th century, which contains on Folio 317r, a Greek text corresponding almost completely to the two lines of the inscription as they stand in the Legend. This indicates that such a "prophecy," or at least, one similar, did exist in Byzantine apocryphal literature. Although no other text corresponding to the rest of the inscription has been found so far, it can be supposed that the source of the narrative contained in the Legend was a Greek apocryphal prototype translated by the author, not in verses, as is sometimes supposed, but in prose. This translation appears to have been done in the ninth century, because the Slavonic text uses for "assembly" a word that points to this period. Unanswered, remains the question whether the story as told by the author is genuine or whether it was invented by him in order to show his hero's linguistic mastery. Mr. Ševčenko proposes, rightly, a correction in the reading of the manuscript which obtains 989 years instead of 909. This correction should agree with the system which was used in Byzantium at this time and thus, by the old Slavonic writers.

Chapter VI. *Byzantium and Great Moravia*

Page 212 ff. Archaeological finds in Moravia and Slovakia made since 1933 confirm what is said in Chapter VI on commercial and other relations between Rome, Byzantium, and the transdanubian region. The new findings are discussed in the following works: V. Ondrouch, *Bohaté hroby z doby rímskej na Slovenskú* [Rich Tombs From the Roman Period Found in Slovakia] (Bratislava, 1957); *Idem, Limes Romanus na Slovensku* [Limes Romanus in Slovakia] (Bratislava, 1938); *Limes Romanus Konferenz Nitra* [Symposium on Traces of Roman Civilization North of the Middle Danube by Czechoslovak Specialists] (Bratislava, 1959); B. Svoboda, *Čechy a římské imperium* [Bohemia and the Roman Empire], *Acta musei nationalis Pragae* (Prague, 1948); K. Majewski, *Importy rzymskie na zemiach slowianskich* [Roman Imports in Slavic Lands] (Wroclaw, 1949); O. Pelikán, *Slovensko a rímské imperium* [Slovakia and the Roman Empire] (Bratislava, 1960); J. Dobiáš, *Dějiny Československého území před vystoupením Slovanu* [The History of the Czechoslovak Territory Before the Arrival of the Slavs] (Prague,

1964); R. Hošek, "Antique Traditions in Great Moravia," *Magna Moravia* (Prague, 1965), 71-84; J. Dekan, "Die Bezichungen unserer Länder mit dem spätantiken und byzantinischen Gebiet in der Zeit vor Cyrill und Method," *Das Grossmährische Reich* (Prague, 1966), 45-52.

The most important find was the discovery of the treasure of a Byzantine metal-smith in Slovakia. It was published in Czech by B. Svoboda in *Památky archeologické* (44 (1953), 33-108), with a résumé in Russian and in German. The silver objects with eighteen Byzantine coins should be dated from the seventh century and belonged to a Byzantine artisan who intended to settle in the seat of an Avar chieftain and produce jewelry in the Byzantine fashion. Tombs of other Byzantine artisans from the Avar period found in Hungary show that Byzantine technique was not unknown in Pannonia during the Avar period and the Slavs under Avar domination and their tribesmen north of the Danube were influenced by this. Moreover, old Roman artistic traditions had survived in some centers among the Romanized inhabitants and could be transmitted easily to Slavic artisans. Artisans working for the Avars looked for new opportunities among the Slavic chiefs when the Avar power in Pannonia had started to disintegrate. For more details see the second short excursus entitled "The Survival of Roman Provincial Culture in Pannonia and Noricum Reaching Moravia," in my forthcoming book, *Byzantine Slavic Missions*.

The surprisingly numerous and unexpected discoveries made in Moravia since 1948, although confirming in many details the reports of the Legend, also force us to make a new appraisal of the cultural and religious situation in Moravia before the arrival of the Byzantine mission. They fully support the affirmation of the Moravian embassy (*Vita Methodii,* Chapter VI, 385) that the country was already Christianized when their ruler Rastislav had sent them to the Emperor Michael III. The foundations of seventeen stone churches have been found so far, ten of them in a large fortified settlement at Mikulčice in South Moravia, six in and near another large settlement at Staré Město, one at Pohansko. The churches were constructed in different styles. Four of them have a rectangular presbytery; in four sanctuaries the presbyteries are rounded with an apse; four are rotundas (three of them in Mikulčice and one at Staré Město). The architectural complex excavated at Sady near Staré Město consists of a cruciform sanctuary to which a kind of apse was added on its western side and a semi-circular apse on the north side. The largest of these buildings is a kind of basilica with three naves, a narthex and atrium excavated in Mikulčice. At least five of these churches must have been constructed during the first half of the ninth century, thus before the arrival of the Byzantine mission. This dating is based on the particular character of the objects found in the tombs near the buildings.

A lively discussion continues among archaeologists concerning the origin of those churches and the nationality of the missionaries or architects who had built them. The leading specialist in church archaeology in Prague, J. Cibulka, compared the first church with a rectangular presbytery rediscovered in 1953 in Modra near Staré Město to the churches built by the Iro-Scottish monks in the lands of their mission. He dated its construction from about 808, and concluded that the first missionaries in Moravia were Iro-Scottish monks who established themselves in some Bavarian monasteries. This dating of the church and the Iro-Scottish origin of Moravian Christianity was rejected by almost all specialists. On Charlemagne's orders the Iro-Scottish monasteries in Bavaria had to accept the Benedictine rule and after the death of the last Irish bishop of Salzburg, St. Virgil (784), the missions among the Slavs in former Noricum, Pannonia and beyond the Danube were in the hands of Frankish priests. One cannot even support Cibulka's further theory that Moravian churches were built by Franks who had imitated the Iro-Scottish style, popular in Bavaria at that time. No churches of this kind are known to have existed in this land and the Moravian churches have some features which do not resemble the Iro-Scottish style. Churches with rectangular presbyteries are also found in lands where no Iro-Scottish monks were known, especially in southern Dalmatia. Such a simple style fitted architects well in missionary lands where more sumptuous constructions could not yet be built.

We have thus to admit that the first Christian missionaries in Moravia were Frankish priests from Bavaria. The Bishop of Passau, Reginhard, seems to have been instrumental in the conversion of the first known Moravian prince, Mojmir, about 822. Reginhard also introduced into Moravia a primitive ecclesiastical organization headed by archpriests who were to survey the spread of Christianity. This is indicated by the author of the Life of Constantine who (Chapter XI, 374) mentions among the adversaries of the Slavic liturgy in Moravia, Latin priests and archpriests, using the word *archierjei,* which has been, so far, wrongly translated as "bishop," although there could not have been any bishops in that land.

But one should not overlook the affirmation of Methodius' *Vita* that missionaries were working in Moravia not only from Germany but also from Italy and Greece. When he speaks of Greece, he probably means Byzantine Dalmatia with the cities of Zara, Spalato (Split), Ragusa and Cattaro (Kotor), from where Christianity was spreading among the Croats and the Serbians in the eighth and ninth centuries. By Italy he thinks mainly of Istria where Latin priests were converting the Slavs who had settled there. This interpretation seems corroborated by the fact that all styles of Moravian church architecture for which prototypes were searched in vain in Germany, are represented in Istria and especially in Byzantine Dalmatia. Foundations of cruciform churches were excavated in Monte Negro, formerly

Praevalis; and in Byzantine Dalmatia, a church with an apse from the ninth century was discovered in Ulcijn, rotundas in Ošlje, Spalato and Zara. Priests from Italy and Dalmatia were welcomed by Mojmir's successor Rastislav who, having lost confidence in Bavarian priests, had ordered them out of his land in 855.

The opinion that churches with an apse were not built in Byzantium in the ninth century, that such a style could not have been introduced into Moravia by the Byzantine missions, and that therefore all churches, so far discovered, have to be dated from the prebyzantine period, is not warranted. Church with apse was not only known in Byzantine Dalmatia in the ninth century, but similar constructions started to appear in Byzantine territory when the conversion of Slavic tribes which had settled there began to be intensified. One can discover several missionary churches built from the ruins of ancient Christian basilicas, by means of the addition of a nave to the apses which had been preserved. This kind of missionary church was also built in the ninth century for the Alans in Kuban in the Caucasus region. This Christianization was started under the Patriarch Photius in the ninth century and ended in the tenth by his disciple the Patriarch Nicolas Mysticus. This enables us to state that churches with an apse could have been constructed in Moravia by Byzantine architects after 863. All problems of Moravian Christianity and its church architecture have to be restudied from the angle of these new discoveries.

The problems concerning these discoveries, with full bibliography, will be found in Chapter Three of my book, *Byzantine Slavic Missions.* I am giving here only some works in non-Slavic languages which can be usefully consulted. J. Cibulka, "Zur Frühgeschichte der Architektur in Mahren (800-900)," *Festschrift für Karl M. Swoboda* (Vienna, 1959), 55-74; *Idem,* "Grossmährische Kirchenbauten," Symposium *Sancti Cyrillus und Methodius, Leben und Wirken* (Prague, 1963), 49-118; *Idem,* "L'architecture de la Grande Moravie au IXe siècle à la lumière des récentes découvertes," *L'information de l'histoire de l'art,* 2 (Paris, 1966), 1-34; J. Bohm, "Deux églises datant de l'Empire de Grande Moravie découvertes en Tchécoslovaquie," *Byzantinoslavica,* II (1950), 207-222; F. Dvornik, *The Slavs, Their Early History and Civilization* (Boston, 1956), 148-153; J. Poulík, "The Latest Archaeological Discoveries From the Period of the Great Moravian Empire," *Historica,* 1 (Prague, 1959), 7-70; V. Vavřínek, "Die Christianisierung und Kirchenorganisation Grossmährens," *Historica,* 7 (1963), 5-56; *Idem,* "Study of the Church Architecture From the Period of the Great Moravian Empire," *Byzantinoslavica,* 25 (1964), 288-301; V. Richter, "Die Anfänge der grossmährischen Architektur," Symposium *Magna Moravia* (Prague, 1965), 121-360; Z. R. Dittrich, *Christianity in Great Moravia* (Groningen, 1962); F. Zagiba, "Zur

Geschichte Kyrills und Methods und der bayerischen Ostmission," *Jahrbücher für Geschichte Osteuropas,* 9 (1961), 1-56; *Idem,* "Bayerische Slawenmission und ihre Fortsetzung durch Kyrill und Method," *ibid.,* 9 (1961), 247-276. New archaeological discoveries in Monte Negro were published in *Istorija Crne Gore* [History of Monte Negro] (Titograd, 1967), especially in the study by J. Kovaševíc.

The Moravian sanctuaries were built by the princes and their nobles and should be characterized as proprietary churches. This is also suggested by the Life of Methodius. Its author (Chapter X, 389) says that after Methodius had been released from captivity by the Frankish bishops and had reached Moravia, the Prince Svatopluk "welcomed him with all Moravians entrusting to him all churches and clerics in all towns." This system was introduced into Moravia by the Frankish missionaries. It was unknown in Byzantium and the estrangement which seems to have developed later between Svatopluk and his archbishop may have been motivated by Methodius' opposition to this system which gave the nobles too much right of interference into church affairs.

The existence of about eleven strongholds can be traced so far in Moravia. That of Staré Město was already a large Slavic settlement in the seventh and eighth centuries. In the ninth century it was fortified by palisades surrounded with a deep moat. The remains of numerous workshops, foundries, and kilns show that it had grown into a great center of manufacture and commerce, and thus had a character of an urban community. No trace of the residence of a prince has yet been found.

The settlement at Mikulčice was centered on the prince's residence. There were stone walls and a stone palace with adjacent buildings. Around it were grouped other compounds and mansions of various nobles. They, too, were heavily fortified. The whole settlement had the character of an urban community more advanced than that of Staré Mesto. In one place the traces of more than fifty dwellings were found, separated by narrow streets.

In modern Slovakia two places were objects of archaeological research — Děvín and Nitra. It was established that Děvín was a frontier fortress called Dovina by the Franks. It could not have been Rastislav's "indescribable fortress" of Frankish Annals. Such a description is more fitting to Mikulčice. The fortified residence of the prince in Nitra has not yet been found. The residence and the church built by Pribina were probably situated on the side of the modern city of Nitra where excavations cannot be made. In addition, two important forts have been detected near Nitra. The settlement surrounding one fort seems to have been a center of trade, the other being more a Slavic pottery and glass-making center. This indicates that Nitra was not only a political but also an important economic center. See B.

Chronovský, "The Situation of Nitra in the Light of Archaeological Finds," *Historica*, 8 (Prague, 1964), 5-33.

More light has been shed by these discoveries on the political and social character of Moravia. The existence of chieftains and an upper class is confirmed not only by the forts and their residences, but also by numerous tombs, which have been opened — some of them in masonry-built crypts in churches — and in which swords, gilded spurs, gold and silver jewels were found. In graves with fewer and simpler objects were buried common folk, the subjects of the upper class. The existence of a class of freemen who were still influential in political life seems to be indicated by the way in which the biographer of Constantine describes the sending of the embassy to Constantinople (Chapter XIV, 372): "Rastislav, the Prince of Moravia, prompted by God, held counsel with his princes and with the Moravians, and sent (envoys) to Emperor Michael." The princes are the lords of the upper class and the Moravians can be only the freemen who also had to be consulted when an important political decision had to be made. Because the Life of Methodius (Chapter V, 385) attributes this decision to Rastislav and Svatopluk, we are entitled to regard the territory which was conquered by Mojmir, as a kind of appendage of Moravia proper. It had kept its particular character which it had before the conquests and was governed by Svatopluk. From all this we can conclude that, before the arrival of the Byzantine mission, the Moravians formed a semi-feudal society, the feudal character of which was more and more pronounced in the second half of the ninth century.

The lively discussion on the social differentiation of the Moravians by Czech and Slovak historians is summarized by F. Graus, "L'origine de l'état et de la noblesse en Moravie et en Bohême," *Revue des études slaves,* 39 (1961) 43-58; *Idem,* "L'empire de la Grande Moravie, sa situation dans l'Europe de l'époque et sa structure intérieur," *Das Grossmährische Reich* (Prague, Academy, 1966), 133-219.

Archaeological discoveries reveal that, although the main occupation of the population was agriculture and cattle raising, certain kinds of crafts were well advanced. The remains of many primitive iron foundries show that already in the eighth century metal work was well developed in Moravia. Agricultural implements of all kinds have been found. Blacksmiths equipped the warriors with axes of a peculiar shape which were their chief weapons. They also fabricated swords, but most of these arms were acquired from the Carolingian Empire, although export of arms from there was prohibited. Moravian artisans produced remarkable specimens of spurs, some of them bronze-gilt adorned with figures. Fabrication of buckles was an inheritance from the Avars, but the native artisans had developed still further the practice of decoration of the clips and tabs of belts, sometimes also

XXVII

with human figures.

Moravian potters produced not only a great variety of pots, dishes, vases with motifs, characteristic of Slavic ceramic art, but also pieces which resemble antique Roman amphoras and flasks. Glass blowers, especially around Nitra, were producing glass buttons, glass pearls, and glass vases. Import of glassware from the Rhineland factories to Moravia can also be traced.

The most remarkable achievements were realized by Moravian gold and silver smiths. The most typical ornaments were copper-gilt, silver and gold buttons used instead of the clasps and fibulas characteristic of Roman and Byzantine fashion. In the graves around Staré Město, 178 specimens of such buttons were found. The surface of metal buttons is punched and incised, displaying mostly plant motifs, geometric patterns and also fantastic birds. Some are granulated, in an oval shape, sometimes with colored glass decoration.

Glass necklaces found in abundance in the graves of Moravian ladies, were imported from the East or from Byzantine glass factories, but many were produced by native artisans in imitation of these imports. Rings found in the cemeteries are less numerous. The oldest type, a simple circle, often of bronze, can be linked to Roman provincial models. Rings with the bezel which are decorated with granular or incised geometrical and plant motifs, represent a more artistic and very popular genre.

Earrings were a particularly popular ornament. Thousands of pieces were discovered. Around Staré Město 687 specimens were found, hundreds in other places. Earrings of simple design came from Danubian workshops which supplied the nomadic invaders with this kind of jewelry. More attractive examples were modelled on Oriental or Byzantine patterns. The oldest types with one or several beads suspended from a ring date from the first quarter of the ninth century; others, more developed, were found in graves from the second half of the ninth century. Some had small granulated pendants of globular or barrel shape, others had more complicated designs or lunar motifs.

When discoveries of this kind of jewelry were first made (described in my *Légendes,* 224, 225), it was believed that they were Byzantine imports. A more precise examination of the massive discoveries made from 1949 on, has shown however, that only a few of those objects can be regarded as imported directly from Byzantium. Some of the necklaces and earrings may have come from the Byzantine cities on the Adriatic coasts; others often recall Byzantine patterns, but their workmanship is not Byzantine. Most of these objects of minor arts must have been fabricated in Moravia. Numerous finds of remnants of kilns, of artisans' shops with unfinished artifacts, pieces of silver, gold, and other material show that most of the production of this kind of jewelry was made in that country by native artisans or by foreign craftsmen who had established their workshops in more developed and prosperous Moravian settlements.

Moravian craftsmen did not limit themselves to imitating artifacts imported from the East, Byzantium, or from Carolingian lands, but developed the patterns which appealed to their taste. They produced new varieties of handiwork which surprise the archaeologists in the originality of production and design. When evaluating the cultural level of the Moravians of the ninth century we have to keep in mind that it is based on the remnants of the provincial Roman culture which had flourished especially in Pannonia and was enriched by eastern elements brought by the nomadic invaders, especially the Avars, refined by inspirations which came from Byzantium and adapted to the taste of the Slavic mind.

Some religious objects were imported directly from Byzantium, namely crosses and reliquary cases, but most of the objects found so far are products of native craftsmen who tried to reproduce the Byzantine models, with their own less developed technique. Motifs of a priest in prayer (orans) which ornament some buckles are also inspired by Byzantine custom. Crosses found in graves in southern Moravia around the river Thaya present features which reveal Latin influence coming from former Noricum where Latin priests were converting the Slovenes.

Although direct Byzantine imports are rather scarce in the first half of the ninth century, there was enough indirect contact with Byzantine civilization, probably mostly through Byzantine Dalmatia, to explain Rastislav's initiative in asking for Slavic priests in Byzantium. The discoveries in Moravian cemeteries are discussed especially in the following works: J. Poulik, *Jižní Morava, země dávných Slovanu* [Southern Moravia, the Land of Ancient Slavs] (Brno, 1948-50); *Idem, Dve velkomoravské rotundy v Mikulčích* [Two Rotundas of the Great Moravian Period in Mikulčice] (Prague, 1963); V. Hrubý, *Staré Město. Velkomoravské pohřebiště "na Valách"* [Old City. The Great Moravian Cemetery "On the Ramparts"] (Prague, 1955); *Idem, Staré Město — Velkomoravský Velehrad* (Prague, 1965); B. Dostál, *Slovanská pohřebiště ze střední doby hradištní na Moravě* [Slavic Cemeteries in Moravia From the Middleburg Period] (Prague, 1965). A fuller bibliography with maps and some reproductions of Moravian jewelry will be found in Chapter Three of my book *Byzantine Slavic Missions. Moravia, Bulgaria and Byzantium.*

Page 223 ff. Contrary to what had often been thought, there never was any alliance between the Bulgars and Moravians against the Franks. The report of the *Annales Bertiniani* that in 853 the Bulgars had attacked the Franks with the help of Slavs (*sociati sibi Sclavis*) cannot be interpreted in the sense that the "Sclavi" were Moravians. It could only have been a Slavic local tribe discontented with Frankish supremacy. Prudentius, the author of the second part of the Annals, knew well the Moravians and would not have called them simply "Sclavi." This has been already stressed by S. Runciman, *A History of the First Bulgarian Empire* (London, 1930), 92. It has been shown that the defeat of the Bulgarians should be dated after the Byzantine victory over the Arabs on September 3, 863 (A. Vaillant and M. Lascaris, "La date de la conversion des Bulgars," *Revue des études slaves,* 13 (1933), 5-15). It seems that Boris, profiting from the Arabo-Byzantine conflict, had invaded Byzantine territory before this date. The Byzantines retaliated most probably in the spring of 864, forcing Boris to capitulate. Compare F. Dvornik, "The Significance of the Missions of Cyril and Methodius," *Slavic Review,* 23 (1964), 197. There cannot be any doubt that Rastislav's embassy had a political goal: the conclusion of a kind of Moravo-Byzantine alliance against Bulgaria. A linking of the Bulgars with the Franks, either in political or cultural fields presented a threat to Rastislav and the Byzantines. The fact that the Legends do not mention the political part of the negotiations corresponds to the mentality of Byzantine hagiographers who generally avoided any illusion to politics, confining themselves to describing the pious activities of their heros. Anyhow, the reference to the many presents sent by the Emperor to the Moravian prince (*Vita Constantini,* Chapter XIV, 373) suggests that the embassy which left Constantinople in the spring of 863, was large. The brothers were accompanied by clerics of Slavic origin. We are entitled to suppose that these clerics, who were expelled from Moravia after Methodius' death, were Byzantine subjects, especially Clement, Laurentius, Naum, and Angelarius. According to Byzantine custom, high functionaries, leading the embassy, were responsible for the safety of its members and were charged to discuss with Rastislav matters concerning the conclusion of some kind of alliance.

Contrary to the general opinion, J. Cibulka in his paper "Der Zeitpunkt der Ankunft der Brüder Konstantin-Cyrillus und Methodius in Mähren" (*Byzantinoslavica,* 26 (1965), 318-364) tried to demonstrate that the brothers had reached Moravia only in 864, and that they travelled through Bulgaria, using the old Roman roads. In the third excursus of my book *Byzantine Slavic Missions,* I show that the date 863 as the year of their arrival should be maintained and that the embassy could hardly travel through unfriendly Bulgaria. They went on the Via Egnatia to Dyrrhachium, from where they travelled by boat through Byzantine waters to Venice. From there they reached Moravia through the old Amber Road.

The letters invented by Constantine are called the glagolitic alphabet. The priority of this script has been questioned recently by some scholars. Their arguments were refuted by the Czech philologist, H. Horálek in *Slavia,* 24 (1955), 169-178, and in *Welt des Slaven,* 3 (1958), 232-235. See also W. Lettenbauer, "Bemerkungen zur Entstehung der Glagolica," *Cyrillo-Methodiana. Slavische Forschungen,* R. Olesch, ed., (Cologne, Graz), vol. 6, 401-410.

XXX

The words which the Moravian ambassadors are said to have addressed to the Emperor attracted the attention of some Slavic scholars. The biographer lets them finish their message with the following words: "since good laws always issue from you to all lands." It has been thought that Rastislav asked Emperor Michael III to send him a Code of Laws for his country, and that he was given a copy of the Ecloga, a juridical handbook which was, at that time, used by the Byzantine courts. The use of the word "pravda" in the Old Slavonic text was explained in this way. In reality, there exists a Slavonic law collection called *Zakon sudnyj ljudem* (Judicial Code for Laymen), and J. Vašica has discovered that a number of paragraphs of this Slavic document are excerpted and translated from the Ecloga. He has shown that from the philological point of view, the document is of Moravian origin and has ascribed its composition to Constantine. J. Vašica, "Origine Cyrillo Méthodienne du plus ancien code slave *Zakon sudnyj*," *Byzantinoslavica*, 12 (1951), 154-174; *Idem*, "Jazyková povaha Zakona sudného" [Linguistic Character of Zakon Sudnyj], *Slavia*, 27 (1958), 521-537; *Idem*, "Právní odkaz cyrilometodějský" [Cyrillo-Methodian Juridical Legacy], *Slavia*, 32 (1963), 327-339. The origin of this oldest Slavic law book was debated by both Bulgarian and Russian specialists, each pretending to have discovered in it Bulgarian or Russian elements. Now it seems that the problem is satisfactorily solved thanks to the critical study by Vl. Procházka, "Le *Zakon sudnyj ljudem* et la Grande Moravie," *Byzantinoslavica*, 28 (1967), 376-430; 29 (1968), 112-150.

The Moravian origin of this document, proved already by J. Vašica, is confirmed by Prochazka and cannot be doubted. But a thorough linguistic examination of the text and comparison with Constantine's writings excludes the possibility that it was translated by Constantine. It should be regarded as the work of the circle of clerics grouped around Methodius. It served as directions for the clergy, instructing them how to proceed in certain cases. It was also meant as an appeal to official judicial institutions, recommending to them to proceed in the spirit of Christian moderation when judging certain transgressions of the law. In reality, some cruel penalties ordered in the Ecloga for certain transgressions are mitigated in the Slavic document or replaced by Christian penance. Although the authors of this document did not intend to introduce it as an official handbook for judicial courts in Moravia, it is still interesting to note that the Byzantines had provided their embassy to Moravia with a copy of the Ecloga, and that Byzantine legislation had influenced the origins of Slavic jurisprudence. On the Russian collection of Canon Law, called *Kormchaia Kniga* (Pilot's Book), which also contains the Zakon, see F. Dvornik, "Byzantine Political Ideas in Kievan Russia," *Dumbarton Oaks Papers*, 9-10 (1956), 76-94. Compare also I. Žužek, "Kormčaja Kniga," *Orientalia Christiana Analecta*, 168 (Rome, 1964), 14 ff.

Why Did the Patriarch Photius Not Send a Bishop to Moravia? The Life of Methodius (Chapter V, 386) indicates quite clearly what the main object was of the Byzantine missionaries in Moravia. The biographer says: "After three years had passed they returned from Moravia after having trained disciples." This explains also why the Emperor and the Patriarch Photius did not send bishops to Moravia, although Rastislav had asked for one (*Vita Constantini*, Chapter XIV, 372). Such seems to have been Photius' missionary policy, a policy which he also applied to Bulgaria after 864. He wanted, first, a sufficient number of native young men to be instructed in the new faith, before a hierarchical order could be established. For Moravia this was even more imperative, as native candidates to priesthood had to be familiarized with the new writing and liturgical books in their language. The brothers thought that in three years they had fulfilled their task. They then returned via the Amber Road to Venice from where they intended to sail to Dyrrhachium accompanied by a few Moravian natives selected for the establishment of a new Moravian hierarchy. Unexpected events — papal invitation to visit Rome, Constantine's premature death, political and ecclesiastical changes in Byzantium — prevented them from realizing their plan.

Pages 234, 379. I discussed in more detail the events in which the brothers were involved in Rome in my paper, "St. Cyril and Methodius in Rome," *St. Vladimir's Seminary Quarterly,* 7 (New York, 1963), 20-30. Constantine's biographer, when speaking of many sufferings which had beset his hero in Rome (*Vita Constantini,* Chapter XVIII, 379), had in mind the loss of two influential protectors of the brothers' work, Bishop Arsenius and Anastasius, the Bibliotecarius. Arsenius' son, Eleutherius, abducted and killed the Pope's wife and daughter — the Bishop and Hadrian II were both married before their ordination. Arsenius had to leave Rome and died. His other son, Anastasius, although not involved in the crime, lost his position and was excommunicated. The other affliction was the news brought to Rome at the beginning of the summer of 868 announcing the political and ecclesiastical upheaval in Constantinople — the murder of Michael III by the new Emperor Basil I, the replacement of the Patriarch Photius by Ignatius. These happenings, and Cyril's illness, also explain why the brothers stayed so long in Rome, and why they hesitated to continue their voyage to Constantinople.

As concerns Constantine-Cyril's death in Rome, we have to accept the correction of the Old Slavonic text proposed by J. Vašica in his *Na úsvitě Křestănství* (Prague, 1942) 248. The biographer's description of how Constantine had become monk before his death should be translated as follows: "He put on the venerable garments, and he passed that whole day, rejoicing and saying, 'From now on, I am the servant neither of the Emperor nor of anyone else on earth, but only of

God Almighty. I was not and I came to be, and I am for ever. Amen.' And the next day he put on the holy monastic habit and, having added one covenant to another, he adopted the name of Cyril." J. Vašica proposed instead of the reading "svět' k'světlu" — light to light — the reading "s'vět' " which means *concilium,* contract, covenant, in other words, monastic bond, thus indicating that Constantine accepted both monastic degrees, the minor and the solemn, at the same time in Rome. This also shows that he did not become monk during his stay at Mount Olympus. It should also be pointed out that Constantine regarded himself, until this moment, to be in imperial service. The accepting of the monastic garb relieved him of any obligation to the Emperor. All three missions in which he had participated were organized by the Emperor and Constantine was well aware of it as a Byzantine patriot. In this respect, see M. V. Anastos, "Political Theory in the Lives of the Slavic Saints Constantine and Methodius," *Harvard Slavic Studies,* 2 (1954), 11-38. Constantine died probably in the Greek monastery of St. Praxedis on February 14, 869. His relics, which had disappeared from the basilica of St. Clement during the Napoleonic invasion of Rome, were partly recovered in 1963 by L. Boyle. Compare his report *Cirillo e Metodio i santi apostoli degli Slavi* (Rome, Pontificale Istituto Orientale, 1963).

Pages 235-247. Byzantine Information on Moravia. Constantine Porphyro-genetus, *De administrando imperio,* was recently republished by G. Moravcsik and R. J. H. Jenkins with a parallel English translation (Budapest, 1949; new edition, Dumbarton Oaks, Washington, D.C., 1967). On page 153 of Volume II of this work (London, 1962), which contains the commentary to the text, Moravcsik, when commenting on Chapter 50, gives no other information on Constantine's report than contained in the *Légendes.*

Page 244. The Hungarian King. V. Vavřínek, in his paper "Ug'r'skyj Korol' dans la vie vieux-slave de Méthode" (*Byzantinoslavica,* 25 (1964), 261-269), has shown that the title "Korol" corresponding to the Latin *rex* was already used in Moravia before the Byzantine mission arrived, and was given to the Frankish ruler. Thus, the king in question could only have been Charles III, and the encounter of Methodius with the western Emperor should be dated in 884. The word "ug'r'skyj" was added to the text by the Russian copyist of the Legend because in his time Pannonia and Moravia were under a Hungarian ruler. This was already suggested by H. Brückner, *Die Wahrheit über die Slavenapostel* (Tübingen, 1913), 94 ff. R. Ratkos, in his paper "Über die Interpretation der Vita Methodius" (*Byzantinoslavica,* 28 (1967), 118-123), argues that Hungarian kings were also given the title *Krales* in Byzantium, overlooking that this was the case only in the tenth and eleventh centuries.

Chapter VII. *The Diocesis of Methodius and the Struggle for the Jurisdiction of Illyricum.*

New research on the early history of Dalmatia has shown that this province was never a part of Illyricum. From the time of Diocletian's reforms, Dalmatia formed a part of the prefecture of Italy. From the time that the exarchate of Ravenna was established — its existence is attested for the year 584 — to the end of the exarchate in 751, when the Lombards took Ravenna, Dalmatia was one of its provinces, governed by a proconsul subject to the exarch. If this was so, then the request of Heraclius to the Pope to Christianize the new inhabitants of Dalmatia, subjects and allies of the Empire, becomes more logical. Two archaeological discoveries confirm the report of Constantine Porphyrogenetus that the Emperor Heraclius established a hierarchy in Dalmatia. A sarcophagus discovered in the cathedral of Spalato bears an inscription which testifies that it contained the body of Archbishop John. Its plastic decorations, and its epigraphy point to the seventh century. This seems to confirm the testimony of Thomas of Spalato that John of Ravenna became the first archbishop of Spalato. In 1958, the sarcophagus of St. Domnius (Dujan) was found in the same church and its inscription testifies that it contained the body of Domnius, archbishop of Salona, which was transferred from Salona to Spalato by John, the archipresul of the same see. We can conclude from this that Heraclius had transferred the metropolitan see from the destroyed city of Salona to Spalato where the remnants of the population had found refuge. The first archbishop was John, sent to Spalato probably by the Pope John IV in 640. The choice of a cleric, native to Ravenna, was indicated by the relations of Dalmatia with the exarchate of Ravenna to which it was still attached in the seventh and eighth centuries.

Consequently, when Emperor Leo III in 732 wanted to punish Pope Gregory III for his opposition to the Emperor's iconoclastic decree, he detached all the bishoprics of Illyricum, Sicily and Calabria from the Roman patriarchate, thus subordinating them to the patriarchs of Constantinople. This decree did not affect the Dalmatian bishoprics because Dalmatia was a part of the exarchate of Ravenna and the Emperor's decree did not include Italy (correction of the *Légendes,* 262.)

New works on this topic include: D. Mandíc, *Rasprave i prilozi iz stare hrvatske povjesti* [Essays and Annexes Concerning Ancient Croat History] (Rome, 1963), 32-76; *Idem,* "Dalmatia in the Exarchate of Ravenna From the Middle of the VI Until the Middle of the VII Century," *Byzantion,* 34 (1964), 347-374. Compare also my remarks in the paper "Byzantium, Rome, the Franks, and the Christianization of the Southern Slavs" (*Cyrillo-Methodiana* (Cologne, Graz, 1964), 85-125), and especially the first chapter of my book, *Byzantine Slavic Missions,* which includes full bibliography and new material on the Christianization of the Southern

Slavs and the role of the coastal cities of Byzantine Dalmatia in its realization.

Page 265. The bishopric of Nin was founded not by Aquileia but by Nicolas I, probably in 860, the year the Pope had begun to claim the return of Illyricum to the Roman jurisdiction. The letter addressed that year to Michael III of Byzantium (quoted on page 266 of *Légendes*) shows, at the same time, that Dalmatia was under Roman ecclesiastical jurisdiction because the return of this territory to Rome is not mentioned in the letter. Illyricum is mentioned, but Dalmatia had never been a part of that province. The foundation of the bishopric of Nin and its subordination directly to Rome, marked the first success of the papacy over the expansion of the jurisdiction of Frankish hierarchy in territories which had been directly subject to Rome. Its subjection directly to Rome and not to Spalato was a precautionary warning to the bishoprics of the coastal cities. Although under Roman jurisdiction, they were subject to Byzantine supremacy. At that time ecclesiastical relations between Rome and Byzantium were deteriorating because of the Photian affair. Spalato and other coastal bishoprics in Byzantine Dalmatia seem to have turned to the patriarch of Constantinople about 878 when the Byzantines were supporting Zdeslav on the throne of Croatian Dalmatia. This "schism" was of short duration because Zdeslav was killed (879). In 879 John VIII exhorted the clergy and people of Spalato to elect an archbishop who would ask Rome for the pallium "according to the custom of his predecessors."

Moravia was added to the resuscitated metropolis of Sirmium. Methodius was, at the same time, papal legate to the Slavs of Pannonia and Moravia. He could establish his residence in a place from which he could best accomplish his mission. Sirmium was a part of Bulgaria and, after 870, most probably the see of one of the bishops sent to Bulgaria by the Patriarch Ignatius. Methodius intended, probably, to establish his residence at Mosaburk. As, after the brutal intervention of the Bavarian clergy, this became impossible, he went to Svatopluk in Moravia and established his see in one of the great political centers of that land — Mikulčice or Staré Město.

The rumors that the Byzantine Emperor was hostile to Methodius could have spread in the territory of Mutimir, who was invited by John VIII to join the metropolitan of Pannonia. Mutimir was, at least, nominally under Byzantine sovereignty. It seems, however, more logical to see in these words only a means by which the legendist sought to introduce another incident to enhance the honor of his hero. It has to be stressed that the initiative for Methodius' visit to Constantinople came from the Emperor and the Patriarch. It happened most probably in 880 before Methodius' trip to Rome. The Pope was informed about it and in his letter of 881 promised to investigate the intrigues of Wiching against his metropolitan after the return of Methodius from Constantinople — "when you

XXXV

have returned, with God's help." The Pope could agree with Methodius' visit as the Council of 879-880 had sealed the reconciliation of Photius with Rome.

Chapter VIII. *Constantine's and Methodius' Orthodoxy.*

Part I. On Greek monasteries in Rome compare also A. Michel, "Die griechischen Klostersiedlungen zu Rom bis zur Mitte des 11. Jahrhunderts," *Ostkirchliche Studien,* 1 (1952), 32-45.

On the attitude of the Byzantines toward the primacy of the Roman patriarch in the Church, see my study, *Byzance et la Primauté Romaine* (Paris, 1964. English edition: *Byzantium and the Roman Primacy,* New York, 1966. German edition: *Byzanz und der römische Primat,* Stuttgart, 1965).

Part II. Page 301 ff. The *scholia* were translated from the Greek. They originated probably in one of the Greek monasteries in Rome, but they could only have been translated into Slavonic after the death of Methodius. M. Weingart, when reviewing my book, *Les Légendes,* in *Byzantinoslavica* (5 (1933-34), 448 ff.), showed convincingly that the Slavonic text of the *scholia* is a rather awkward translation from the Greek. Its style and vocabulary differ from the writings of Methodius. See also V. Beneševič, "Zur slavischen Scholia angeblich aus der Zeit der Slavenapostel," *Byzantinische Zeitschrift,* 36 (1936), 101-105. The author gives a Greek translation of the document, showing that there is only one *scholia,* which has been wrongly divided into two.

Page 305 ff. The introduction to the Life of Methodius (*Vita Methodii,* Chapter I, 381 ff.) was not written by another anonymous author and then included in the *Vita,* as was suggested by M. Weingart in his above-mentioned review of this book in *Byzantinoslavica* (page 448). Rather, it is based on Byzantine treatises on councils which are very numerous. See my commentary on 54 Greek manuscripts examined in Appendix III to my book *The Photian Schism* (452-454). It seems to be rather a profession of faith written by Methodius himself before his ordination in Rome, as was suggested by V. Vavřínek in his book *Staroslověnské životy Konstantina a Metoděje* [The Old Slavonic Lives of Constantine and Methodius] (Prague, 1963), 88-92. According to the *Liber Diurnus,* containing official formulae of the pontifical chancery, every pope had to present a written confession of faith before his ordination. Similar confessions were also asked from bishops. In these formulae the number of councils recognized by the Church was to be mentioned. See for documentation *The Photian Schism* (318 ff., 435-446). It is thus possible that Methodius had composed such a confession in Greek in Rome before his ordination and may have translated it later into Slavonic for the instruction and use of his disciples. The author of his Life used this confession in order to show to the enemies of the Slavic letters that Methodius' orthodoxy was confirmed by two popes — Hadrian II and John VIII. Only six councils were even mentioned in the West in many, even papal documents (see *ibid.,* 309 ff.) The seventh council was officially counted among the ecumenical sequels from 880 on.

Page 319. On the attitude of Stephen V to Photius, see *The Photian Schism* (251 ff.) and also consult this work on the false information of the anti-Photian collection (216 ff.).

Pages 321-327. In my book, *The Photian Schism* (398-401), I have shown that Grumel's interpretation of the work by Michael of Anchialos was wrong. Michael knew the same acts of the Photian council as we do. There was no falsification of the acts in the fourteenth century. Photius did not ask pardon of the council. The changes in papal letters were made with the consent of the legates. In *The Photian Schism* (456 ff.) see a Libellus ascribed to the Patriarch Euthemios (907-912), quoting from the Acts as we know them. See especially my report to the XIth International Byzantine Congress, *The Patriarch Photius in the Light of Recent Research* (Munich, 1958, 39-56), on controversial literature concerning the attitude of Pope Marinus, Stephen V, and Formosus, to Photius, and a quotation from an unpublished Synodicon (*Sinaiticus Graecus.* 482/1117), giving the information that Photius had reconciled himself with Ignatius and, after the latter's death, had publicly proclaimed his canonization.

Pages 391-392. (*Vita Methodii,* Chapter XV) Methodius' literary achievements in Moravia are discussed in detail in the sixth chapter of my book *Byzantine Slavic Missions.*

Choice of Gorazd as Methodius' Successor (*Vita Methodii,* Chapter XVII, 393). Gorazd was only designated as future archbishop of Moravia and this choice had to be confirmed by the Pope. Methodius intended to visit Rome after his return from Constantinople, as is indicated in John VIII's letter of 881. He probably wanted to take Gorazd with him and have him consecrated as bishop in Rome. John's death and other events in Rome prevented the realization of the plan. Z. Dittrich, *Christianity in Great Moravia* (Groningen, 1962, 271 ff.), supposes that after the death of Methodius, Gorazd was ordained archbishop by Bulgarian bishops in Belgrade or Preslav. There is absolutely no evidence for this. He bases his supposition on the words contained in the *commonitorium* (directions), given by Stephen V to his legates, sent to Moravia after Methodius' death in 886: [Gorazd] *ne ministret, nostra apostolica auctoritate interdicite.* These words, however, do not necessarily mean that Gorazd was exercising episcopal functions. They should be interpreted as meaning that he was forbidden to direct the archdiocese as an appointed archbishop. He was summoned to appear in Rome where the problem of Methodius' successor was to be definitely solved. Gorazd was most probably ordained archbishop by the papal legates sent to Moravia in about 900

XXXVII

on the request of Svatopluk's successor Mojmir II. The legates re-established the Moravian hierarchy, consecrating an archbishop and three bishops. After the destruction of Great Moravia, about 906, Gorazd seems to have found refuge in the land of the Vistulanians which was not occupied by the Magyar invaders. At least, a remnant of a Polish calendar from the fourteenth century, found in 1949 in Vislica, lists Gorazd among the Saints. His feast was celebrated in southern Poland on the seventeenth of July. See for details, *Byzantine Slavic Missions,* Chapter Seven, Part One.

Page 342 ff. More Recent Editions and Translations of the Legends. A Latin translation is F. Grivec, "Vitae Constantini et Methodii," *Acta Academiae Velehradensis,* 17 (1941), 1-127. There is a Slovene translation by J. Grivec (Celj, 1936), 2nd edition, Ljubljana, 1942. F. Grivec, F. Tomšič, *Constantinus et Methodius Thessalonicenses, Fontes* (Zagreb, Staroslavenski Institut, 1960). A Polish translation is Lehr-Spławinski, *Żiwoty Konstantyna i Metodego* (Poznan, 1959). In German there is the translation by J. Bujnoch, *Zwischen Rom und Byzanz* (Graz, Vienna, Cologne, 1958). A Slovak translation is J. Stanislav, *Životy . . . Cyrila a Metoda* (Bratislava, 1934). A Czech translation by J. Vašica is found in *Na úsvitu Křestănství* (V. Chaloupecký, ed., Prague, 1942). Also J. Vašica, *Literární památky epocky velkomoravské* (Prague, 1966). Volume II of *Fontes historiae Magnae Moraviae* contains a reprint of the Old Slavonic text of the Lives, with Czech translations by J. Ludvikovský and commentary by L. E. Havlík (Brno, 1968).

FRANCIS DVORNIK, *Professor Emeritus*

Dumbarton Oaks, Washington, D.C.
December 1968

CHAPITRE Ier.

LA JEUNESSE DE CONSTANTIN ET DE MÉTHODE.

(V. C., chap. II, III; V. M., chap. II.)

I. La réorganisation des provinces européennes de l'Empire du VIIe au IXe siècle. — Les Slaves et l'Empire. — Le thème de Thessalonique.— Une ἀϱχοντία slave? — La charge de drongaire.

II. Les concours de beauté à Byzance et le choix de la «Sagesse» par Constantin. — La vénerie byzantine. — St Plakidas. — Motifs hagiographiques.

III. Ἡ ἐγγκύκλικος παιδεία. — L'enseignement secondaire et l'enseignement supérieur à Byzance au IXe siècle. — L'opposition des moines à la renaissance des études classiques. — La vénération de St Grégoire de Naziance à Byzance au IXe siècle. — Le logothète Théoctiste.

I.

La Vie slavonne de Constantin et celle de Méthode figurent sans doute parmi les plus curieux documents de l'époque à laquelle elles ont été rédigées. Écrites en slavon, elles racontent l'histoire de deux Grecs dont l'un surtout semble avoir été mêlé aux graves évènements politiques et religieux qui bouleversaient Byzance vers le milieu du IXe siècle. Destinées aux Slaves que ces deux Byzantins ont convertis au christianisme, elles constituent en même temps deux importants documents d'histoire byzantine. Joyaux de la littérature slavonne que venaient juste de fonder ceux-là mêmes dont elles font l'éloge, elles portent aussi l'empreinte de l'esprit grec et sont par là comparables aux oeuvres littéraires byzantines de l'époque. Leurs auteurs, enfin, semblent imbus d'une sorte d'esprit « national » slave, mais animés, d'autre part, d'un ardent patriotisme byzantin, ce qui ne les empêche pas, du reste, de parler de la « Vieille Rome » et de son « apostolicus » avec une déférence

1

que doivent trouver surprenante tous ceux qui connaissent les luttes dont seront remplis les siècles suivants.

Nous transportant des confins du monde arabe et des steppes qui bordent le Pont-Euxin et la Mer Caspienne jusqu'aux frontières de l'empire franc, nous faisant parcourir tout l'empire byzantin et les pays slaves qui sont en train de sortir du chaos, ces deux textes apparaissent comme une véritable illustration du IXe siècle et portent jusqu'à nous le reflet de tous les évènements qui inquiétaient alors les esprits.

C'est, du reste, la variété même des renseignements apportés qui rend ces textes intéressants et suspects à la fois, et l'on ne peut vraiment pas reprocher leur défiance à ceux qui ne veulent pas les utiliser comme sources d'information tant qu'on ne les aura pas confrontés avec d'autres documents contemporains, absolument sûrs. Nous nous proposons donc d'examiner ici, d'une façon toute particulière, les données historiques de ces deux légendes, sans d'ailleurs négliger tout à fait, lorsqu'ils se présenteront à nous, les questions d'ordre littéraire qu'elles peuvent poser.

*

Les chapitres II et III de la Vie de Constantin, comme le chapitre II de la Vie de Méthode, sont relatifs à la jeunesse des deux futurs missionnaires dont le père, Léon, « noble et riche, était revêtu de la dignité de drongaire sous les ordres du stratège ».[1]

Cette simple indication biographique pose un véritable problème qu'il faut éclaircir. On en déduit, en effet, que la ville de Thessalonique formait dès la première moitié du IXe siècle un thème ayant à sa tête un stratège assisté de fonctionnaires au nombre desquels se trouvait le père de nos héros, et les passages du chapitre III relatifs à ce même stratège ne peuvent que nous confirmer dans cette conviction. Or, s'il est incontestable que Thessalonique a constitué un thème indépendant — Constantin Porphyrogénète le confirme pour le Xe siècle[2] — il n'est pas très sûr qu'il en ait été ainsi dès la première moitié du IXe siècle. *Il s'agit donc de savoir à quelle époque fut érigé le thème de Thessalonique pour voir si, sur ce point, la Légende mérite ou non créance.*

En examinant ce problème nous serons naturellement amenés à étudier en

---

[1] *V. C.*, chap. II, édition de F. PASTRNEK, *Dějiny slovanských apoštolů Cyrilla a Methoda*, Praha, 1902, p. 155.

[2] *De thematibus*, II, Bonn, p. 50.

bloc l'évolution des thèmes européens de l'Empire byzantin; et cette étude, aussi détaillée que possible, nous sera d'autant plus utile qu'elle pourra nous donner quelques renseignements sur la province « slave » dans laquelle Méthode, frère de Constantin, paraît avoir occupé un poste important. Nous aurons ainsi l'occasion de connaître la situation de l'empire byzantin pendant la première moitié du IXᵉ siècle et de voir jusqu'à quel point le « problème slave » occupait les esprits à Byzance.

On sait que la création des thèmes n'est que le couronnement de la grande réforme administrative et militaire qui s'est effectuée à Constantinople depuis le règne de Justinien jusqu'à la dynastie isaurienne et qui a été précisée jusque dans le détail par les empereurs de la maison de Macédoine. La coordination réalisée par Dioclétien entre les fonctionnaires civils et militaires avait été quelque peu modifiée par Justinien. Ce dernier s'était, en effet, vu forcé, dans quelques provinces particulièrement menacées, de subordonner le pouvoir civil au pouvoir militaire[1] et l'évolution s'était continuée après lui dans le sens de la subordination totale des fonctionnaires civils dans l'ensemble des provinces. Les invasions perses et arabes ne firent naturellement que précipiter cette évolution dont le terme est atteint, pour l'Asie Mineure surtout, sous Léon III et son fils. Par ce régime des thèmes, les grands gouvernements se trouvaient partagés en circonscriptions moins étendues, ce qui représentait de nombreux avantages pour l'administration et la défense de l'Empire. Chaque thème avait à sa tête un stratège, chef omnipotent, réunissant entre ses mains les pouvoirs militaires et les pouvoirs civils et ne relevant que de l'empereur.

L'organisation commence à se préciser dès le VIIᵉ siècle. On institua d'abord les cinq thèmes d'Asie Mineure, l'anatolien, l'arménien, le thrakésien, l'opsicien et le bucellarien. Le premier thème créé dans les provinces européennes paraît avoir été celui de Thrace qui groupait tous les restes des

---

[1] On trouvera un court aperçu de cette évolution dans la *Cambridge Medieval History*, vol. II, pp. 38—39, 226 et suiv., 395—396, vol. IV, pp. 3, 39 (réorganisation due à Théophile), 732 et suiv. (les thèmes au Xᵉ siècle). Sur les thèmes voir les travaux de GELZER, *Die Genesis der byzantinischen Themenverfassung*, Abh. d. k. sächs. Ges. d. Wissensch., vol. 41, 1899, Phil. Hist. Kl., DIEHL, *L'Origine du régime des thèmes* (dans « Études byzantines », pp. 276—292), Paris, 1905. Pour le IXᵉ siècle, voir aussi ce qu'en disent E. W. BROOKS, *Arabic Lists of the byzantine themes*, The Journal of Helenic Studies, vol. XXI, 1901, pp. 67—77 et I. B. BURY, *A history of the Later Roman Empire*, London, 1912, pp. 221 et suiv. Cf. J. A. KULAKOVSKIJ, Къ вопросу о ѳемахъ Визант. имперіи, Изборникъ въ честь Т. Д. Флоринскаго, Kiev, 1904, et surtout E. STEIN, *Studien zur Gesch. d. byz. Reiches*, Stuttgart, 1919, pp. 116—140.

anciennes possessions impériales d'Europe, exception faite de l'ancien Illyricum.[1] Le territoire compris entre la muraille d'Anastase et la Ville formait d'ailleurs une unité à part, commandée par le « Comte des murailles ».

Les régions de l'ancien Illyricum oriental demeurées byzantines, la Macédoine, la Thessalie, l'Hellade et le Péloponnèse, étaient gouvernées comme autrefois par le « Praefectus praetorio Illyrici » dont le siège se trouvait à Thessalonique, mais nous ne savons pas comment fonctionnait cette organisation dont l'existence même était sans cesse menacée par les incursions slaves. Les derniers renseignements que nous possédions sur le gouvernement de ce préfet du prétoire datent du VIIe siècle et sont donnés par les Miracles de Saint Démétrios.[2] Le préfet exerçait bien alors ses fonctions, car il est question d'un voyage officiel en Hellade δημοσίων ἕνεκα χρειῶν.[3]

Il semble que cet état de choses ait déjà été modifié durant le VIIe siècle. Pour mieux les défendre contre les attaques slaves, on détacha de l'Illyricum le centre et le sud de la Grèce et on les subordonna à un stratège. Un stratège d'Hellade est en effet mentionné par Théophane[4] et Nicéphore,[5] à la fin de ce siècle: Leontios qui avait antérieurement rempli les fonctions de stratège d'Anatolie. Il résulte de ce fait que, dès 695 au moins, sinon plus tôt, l'Hellade formait une unité à part, détachée de la Préfecture du prétoire, et nous avons là une preuve des efforts déployés par les Byzantins pour sauver au moins cette région, berceau du génie grec.

Mais constituant dès lors, avec les îles de la mer Ionienne sans doute,) et au moins au point de vue militaire, une unité indépendante, l'Hellade était-elle un thème dans le vrai sens du mot? Le stratège en question avait-il, dans ces régions, évincé le préfet du prétoire, même au point de vue administratif? C'est ce qu'il est bien difficile de dire. On sait que l'organisation des thèmes

---

[1] On connaît même les noms de nombreux stratèges de Thrace. Le premier stratège dont nous connaissons ainsi l'identité est Nicéphore, sous l'empereur Léon III (THÉOPH., 6233, Bonn, p. 639, de Boor, p. 415, NICÉPHORE, Brev. Hist., Bonn, p. 68, éd. Teubner, p. 60). Par la suite la charge fut occupée par Théophylacte sous Constantin Copronyme (THÉOPH., 6257, Bonn, p. 676, de Boor, p. 438), Philète, sous Irène (THÉOPH., 6281, Bonn, p. 718, de Boor, p. 463), Sisinnios, en 791 (THÉOPH., 6291, Bonn, p. 735, de Boor, p. 474), Léon en 802 (THÉOPH., 6294, Bonn, p. 737, de Boor, p. 475) et par un anonyme sous Nicéphore en 811 (THÉOPH., 6303, Bonn, p. 764, de Boor, p. 491).

[2] P. G., vol. 116, surtout col. 1204, 1265, 1272.

[3] L. c., col. 1292, 1293.

[4] THÉOPH., 6187, Bonn, p. 564, de Boor, p. 368.

[5] NICÉPH., Brev. Hist., Bonn, p. 42, éd. Teubner, p. 38.

4

ne s'est précisée que lentement; on conçoit pourtant sans peine qu'il n'ait plus fallu bien longtemps pour aboutir à l'établissement d'un thème helladique. Il est vrai que nous n'avons pas d'autres documents qui nous permettent d'étayer cette hypothèse; ni Théophane ni Nicéphore ne parlent plus, en effet, du thème helladique, mais il est tout de même à remarquer que depuis lors l'Hellade apparaît souvent chez eux comme une unité assez importante pour l'Empire. Quoique, par exemple, cette province ait été très éprouvée par la peste,[1] en 746—747, Constantin Copronyme[2] transporta à Constantinople un certain nombre de ses habitants pour repeupler la ville également décimée par l'épidémie. De même, plus tard,[3] il en fit venir les ouvriers dont il avait besoin pour la construction d'un aqueduc. On peut conclure de tout cela que la province faisait encore assez bonne figure malgré les invasions slaves qui rendaient certainement problématique le fonctionnement normal de son administration. C'était malgré tout, en dehors des îles et de la Thrace, la seule province des anciennes possessions européennes sur laquelle on pût encore compter.

Elle apparaît même comme l'« enfant terrible » de l'Empire sous Léon l'Isaurien et sous Irène. Ses habitants paraissent avoir été alors de bien mauvais sujets qui se révoltèrent d'abord contre Léon pour la défense du culte des images,[4] puis contre Irène, en 799, pour des raisons politiques; ils eurent alors pour allié Akameros, archonte des Vélégézites, l'une des tribus slaves, et ils s'insurgèrent pour défendre la cause des fils du malheureux Constantin.[5]

Le rapport de Théophane sur la révolte de l'Hellade contre Léon l'Isaurien est particulièrement important. Du fait que les habitants des Cyclades firent cause commune avec les « Helladiques » faut-il conclure qu'au VIIIᵉ siècle, au moins, les Cyclades formaient avec l'Hellade une unité administrative? Le thème maritime de la Mer Égée ne fut bien constitué que beaucoup plus tard, mais nous trouvons en 780 chez Théophane[6] la mention d'un certain Théophylacte, drongaire τοῦ Δωδεκανήσου, preuve que les forces navales de ces îles avaient un commandant indépendant. On trouve, en outre, dans l'écrit de Théophane déjà cité les noms de plusieurs fonctionnaires du thème helladique et des Cyclades, Cosmas, Etienne et notamment celui du tourmar-

[1] THÉOPH., 6238, Bonn, p. 651, de Boor, p. 422.
[2] THÉOPH., 6247, Bonn, p. 662, de Boor, p. 429.
[3] THÉOPH., 6258, Bonn, p. 680, de Boor, p. 440.
[4] THÉOPH., 6218, Bonn, p. 623, de Boor, p. 405.
[5] THÉOPH., 6291, Bonn, p. 734, de Boor, p. 473.
[6] THÉOPH., 6273, Bonn, p. 703, de Boor, p. 454.

que des « Helladiques »,[1] Agellianos, qui conduisait l'armée des révoltés.[2] Le reste des possessions européennes continuait à dépendre du préfet du prétoire d'Illyrie et Léon l'Isaurien lui-même, dans sa réorganisation de l'Empire, ne semble pas avoir touché à cette vieille et vénérable institution qui remontait à Constantin le Grand. D'ailleurs, les territoires byzantins de l'Illyrie sont alors quelque chose dont la possession réelle devient très problématique, les Slaves s'y étant installés en général à demeure, et c'est sans doute pour cela que Léon n'a pas cru nécessaire de réorganiser la préfecture du prétoire, le plus souvent « in partibus ». Ces Slaves rendaient souvent l'air irrespirable pour les Grecs même en Hellade et dans le Péloponnèse.

Pourtant, dans la seconde moitié du VIIIᵉ siècle, la situation commença à changer. L'impératrice Irène chargea le logothète Staurakios de restaurer dans ces régions l'ancien état de choses et grâce à l'énergique intervention de Staurakios dont l'armée pénétra jusque dans le Peloponnèse les Slaves de Macédoine et de Grèce furent subjugués. Le récit que Théophane nous a laissé de cette campagne montre que la situation avait été assez grave dans ces provinces avant l'intervention du vaillant général: « Cette année là (783), Irène

---

[1] A. VASIL'EV, Славяне въ Греціи, Виз. Врем., vol. V, 1898, p. 415 pense que le nom d'« Helladiques » fut donné aux habitants de l'Hellade pour montrer qu'une slavisation partielle leur avait fait perdre le caractère « hellène ». Il faut pourtant préférer à cette opinion l'explication qu'en donne J. B. BURY dans son article, *The Helladikoi,* The English Historical Review, vol. VII, 1892, pp. 80—81, car on désignait par là tout simplement les habitants du thème d'Hellade. On appelait pareillement les habitants d'autres thèmes (Armeniakoi, Anatolikoi, Thrakesioi, Thrakesianoi, Bucellarioi).

[2] La sigillographie byzantine nous offre aussi quelques indications d'après lesquelles on peut affirmer que l'Hellade existait dès le début du VIIIᵉ siècle en tant qu'unité indépendante. On connaît le sceau des « Commerciaires impériaux de la stratégie d'Hellade », portant l'effigie des empereurs Justinien II et Tibère IV. SCHLUMBERGER le date de l'année 708 (*Mélanges d'archéologie byzantine,* Paris, 1895, p. 221). Voir pourtant ce qu'en dit PANČENKO dans les *Mémoires de l'Institut archéologique russe de Constantinople,* VIII, 1902, Памятникъ Славянъ въ Виѳуніи, p. 20. On connaît en outre le sceau de « l'administration impériale des impôts et des douanes de la province d'Hellade » de la même époque (SCHLUMBERGER, *ibid.,* p. 200, idem, *Sigillographie,* p. 165), un sceau de Théognios, « tourmarque de l'Hellade », de VIIIᵉ—IXᵉ siècles (SCHLUMB., *Mélanges,* p. 200) et un sceau de « Dargecavos, archôn d'Hellade », VIIIᵉ—IXᵉ siècles (*Ibid.,* p. 201). N. A. BEES (*Zur Sigilographie der byz. Themen Pelop. und Hellas,* Виз. Врем., vol. XXI, p. 198) attribue à Constantin Serantapechus (THÉOPH., 6291, Bonn, p. 734, de Boor, p. 474), parent de l'impératrice Irène, un sceau du « patrice et stratège d'Hellas » Constantin que PANČENKO (Mémoires de l'Institut archéologique russe de Constantinople, VIII, 1902, p. 219, n° 41) date du VIIIᵉ ou du IXᵉ siècle. On sait que ce Constantin réduisit la révolte des Helladiques et d'Acamère. Il paraît avoir été alors stratège d'Hellade. BEES (*l. c.,* pp. 198, 199) place la capitale du thème helladique à Thèbes et non à Athènes.

envoya le patrice et logothète τοῦ ὀξέος δρόμου Staurakios, avec de grandes forces, contre les peuplades slaves. Après être descendu vers Thessalonique et avoir pénétré en Hellade, il les soumit toutes et les rendit tributaires de l'Empire. Il pénétra jusque dans le Péloponnèse et il ramena pour l'Empire un grand nombre de captifs ainsi qu'un énorme butin. »[1]

On décerna à Staurakios victorieux les honneurs du triomphe et ce n'est qu'après ces évènements que l'impératrice osa faire un voyage d'inspection en Thrace. Le thème helladique pouvait enfin fonctionner normalement et on pouvait aussi penser — mais seulement alors — à la fondation d'un nouveau thème, celui de Macédoine. Il semble du reste qu'on n'y ait pas procédé immédiatement. Car, nous voyons, en 789, le stratège de Thrace, Philète, faire un voyage dans la région du Strymon, qui devait pourtant faire partie du thème macédonien. Mal lui en prit d'ailleurs, car il fut surpris par les Bulgares qui le massacrèrent avec son escorte.[2] Il se peut que ce soit surtout cette circonstance qui ait poussé à la fondation du thème de Macédoine pour améliorer l'organisation défensive de cette région de l'Empire sans cesse menacée par les Bulgares. Schlumberger[3] mentionne en effet le sceau d'un stratège de Macédoine, Serge, qu'il date de la fin du VIIIe siècle. Au début du IXe siècle nous trouvons le nom d'un autre stratège de Macédoine, Léon, frère d'Aétios, le tout puissant ministre d'Irène. Aétios donna à son frère les deux thèmes occidentaux, ceux de Thrace et de Macédoine.[4] En Thrace, Léon succédait vraisemblablement à Sisinnios qui est mentionné par Théophane comme occupant ce poste quelque temps avant.[5] Malheureusement, nous ne trouvons pas d'autres renseignements sur la Macédoine, ce qui nous empêche de préciser davantage quant à la création de ce thème et quant aux noms des prédécesseurs de Léon. Nous connaissons pourtant encore un autre stratège à la même époque: Jean Aplakès qui commandait une aile de l'armée byzan-

---

[1] THÉOPH., 6275, Bonn, p. 707, de Boor, p. 456.

[2] THÉOPH., 6281, Bonn, p. 718, de Boor, p. 463.

[3] *Sigillographie*, p. 111. Ce sceau a été publié par M. MORDTMANN dans le *Supplément* (Παράρτημα) du tome XII de l'«Ἑλλήν. φιλολ. Σύλλογος» (1881), p. 86.

[4] THÉOPH., 6294, Bonn, p. 737, de Boor, p. 475: Τούτῳ ἔτει 'Αέτιος ὁ πατρίκιος ἀπαλλαγεὶς Σταυρακίου καὶ ἀπομεριμνήσας τὸ κράτος εἰς τὸν ἴδιον ἀδελφὸν μετενέγκαι ἔσπευδεν, ὃν καὶ προεβάλετο μονοστράτηγον εἰς τὴν Θράκην καὶ Μακεδονίαν, αὐτὸς τὰ περάτικα θέματα κατέχων, ἀνατολικοὺς καὶ τὸ 'Οψίκιν.

[5] THÉOPH., 6291, Bonn, p. 735, de Boor, p. 474. Un stratège de Thrace périt avec l'empereur Nicéphore dans la malheureuse bataille de 811 (THÉOPH. 6303, Bonn, p. 764, de Boor, p. 491). Voir plus haut p. 4.

tine pendant la bataille de Versinikia contre Krum, en 813, et qui périt avec ses soldats, son attaque n'ayant pas été appuyée par le reste de l'armée byzantine.[1]

Il y avait donc, dans les provinces européennes de l'Empire, à la fin du VIIIe siècle, trois thèmes établis, ceux de Thrace, d'Hellade et de Macédoine.[2] La Sicile formait, en outre, dès le VIIe siècle, une unité à part qui devint un thème; le stratège de Sicile gouvernait tous les vestiges des possessions byzantines d'Italie.

Mais l'évolution n'était pas encore achevée; elle continua au début du IXe siècle. En 807, sous Nicéphore, les habitants de Patras furent attaqués par les Slaves et par leurs alliés les Sarrasins. A bout de forces, les habitants attendaient anxieusement l'arrivée des troupes du stratège du thème, qui se trouvait à Corinthe.[3] Le stratège n'arriva qu'après la délivrance de la ville, mais il consacra par son intervention la défaite des Slaves péloponnésiens.

Après cette défaite slave l'empereur Nicéphore partagea probablement le thème helladique en deux, Hellade et Péloponnèse. En effet, le *Scriptor incertus de Leone Barda* connaît déjà en 812 un stratège du Péloponnèse.[4]

---

[1] THÉOPH., 6305, Bonn, p. 781, de Boor, p. 501; *Scriptor incertus de Leone Barda*, Bonn, pp. 337 et suiv. -

[2] C'est ainsi qu'il faut, à notre sens, expliquer l'évolution des thèmes européens jusqu'au IXe siècle. L'excellent traité de H. GELZER sur l'évolution des thèmes doit donc être complété. Gelzer n'a pas assez respecté le rôle de la préfecture du prétoire qu'il a fait disparaître sans laisser de traces dès la fin du VIIe siècle. Il a nié également l'existence d'un thème helladique. Déjà CH. DIEHL (*Études byzantines, l. c.*, p. 284), BROOCKS (*l. c.*, p. 69) et BURY (*A History*, p. 224) ont remarqué que l'étude de Gelzer avait besoin d'une correction sur ces points. Remarquons surtout la lente disparition de la préfecture du prétoire d'Illyrie.

[3] CONST. PORPHYR., *De administrando imperio*, chap. 49, Bonn, pp. 217 et suiv.: ὁ τηνικαῦτα στρατηγὸς ὑπῆρχεν πρὸς τὴν ἀκρὰν τοῦ θέματος ἐν Κορίνθῳ. Nous pouvons supposer à juste titre qu'il s'agit ici d'un thème helladique. C'est d'ailleurs la première mention d'un stratège de l'Hellade depuis le VIIe siècle. SCHLUMBERGER, *Sigillographie*, pp. 166, 167, a publié, en outre, le sceau de Photinos, protospathaire et stratège de l'Hellade, qu'il date de l'époque des empereurs iconoclastes.

[4] Bonn (après Léon le Gram.), p. 336. L'empereur Michel révoqua tous ceux qui avaient été éloignés du palais par Nicéphore et parmi eux aussi Λέοντα τὸν ἐπιλεγόμενον τοῦ Σκληροῦ, καὶ ἐποίησεν αὐτὸν στρατηγὸν εἰς Πελοπόννησον. Sur ce Léon Skleros voir N. A. BEES, Τὸ «Περὶ τῆς κτίσεως τῆς Μονεμβασίας» χρονικόν. Αἱ πηγαὶ καὶ ἡ ἱστορικὴ συμαντικότης αὐτοῦ, Βυζαντίς, vol. I, 1909, pp. 66, 68, 69, 78, 79. Il existe un sceau d'un certain Léon que Schlumberger date des Xe—XIe siècles. N. A. BEES, *Zur Sigillographie der byz. Themen Pelop. u. Hel.* l. c., p. 92, l'attribue pourtant a Léon Skleros. SCHLUMBERGER, *l. c.*, p. 179 mentionne le sceau d'Isaias, protospathaire et stratège du Péloponnèse. Il le date de la fin du VIIIe siècle. Pourtant, cette date devra être corrigée, car, suivant le texte de Constantin Porphyrogénète, il

Mais ce qu'il importe de bien souligner, c'est que jusqu'à cette date nous n'entendons nullement parler d'un thème thessalonicien. Celui-ci n'existait pas encore. A Thessalonique on avait conservé la charge de « Praefectus praetorio Illyrici » comme un souvenir vénérable de l'époque révolue où ce fonctionnaire gouvernait tout l'Illyricum. Nous en avons une preuve certaine pour la fin du VIIIᵉ siècle dans les lettres de Sᵗ Théodore le Studite. Décrivant, en 796, à son maître Platon sa déportation à Thessalonique, Théodore dit notamment qu'aux portes de la ville l'attendait une garde militaire envoyée à sa rencontre par l' ὕπαρχος.[1] C'est d'ailleurs la dernière fois que nous rencontrons un ὕπαρχος dans les documents dont nous disposons.

Il est malheureusement impossible de préciser l'époque à laquelle disparut la charge d' ὕπαρχος et où la ville de Thessalonique devint un thème ayant à sa tête un stratège. Nous avons vu que la réorganisation des provinces européennes de l'Empire s'est faite lentement; les luttes contre les Slaves l'accélérèrent pourtant. On sait que la guerre avec les Bulgares fut particulièrement acharnée sous Nicéphore. Il n'est donc pas impossible que ce soit lui qui ait créé le thème de Thessalonique comme il avait créé, très probablement, celui du Péloponnèse. La situation du côté bulgare n'avait pas été si critique sous Irène. Nous ne trouvons malheureusement rien dans les documents contemporains qui rende vraisemblable l'hypothèse suivant laquelle Nicéphore serait le fondateur du thème thessalonicien. Faudrait-il donc penser à Léon IV ou — ce qui nous semble moins probable — à Michel II? Ou encore descendre jusqu'à Théophile? Nous n'en savons rien, mais nous disposons de deux documents qui prouvent l'existence du thème de Thessalonique dans la première moitié du IXᵉ siècle et, par là, confirment le témoignage de la Vita Constantini. Il s'agit de la *Vie de Sᵗ Grégoire le Décapolite* et du *Tacticon*, publié par Uspenskij.

Le témoignage du biographe de Sᵗ Grégoire le Décapolite est particulière-

---

semble établi que le thème du Péloponnèse n'existait pas encore à la fin du VIIIᵉ siècle. La situation politique en Péloponnèse ne semble pas, en effet, avoir été telle qu'elle ait amené l'établissement d'un thème indépendant. Le Péloponnèse paraît avoir formé, au VIIIᵉ siècle, une tourmarquie, c'est-à-dire, peut-être, quelque chose comme une sous-préfecture. Le sceau de Théophylacte, « protospathaire impérial et tourmarque de Péloponnèse », est, en effet, mentionné par PANČENKO, (Каталогъ моливдовуловъ, Mém. de l'Inst. archéol. russe de Const., XIII, Sofia, 1901, pp. 101, 140) qui le date du VIIIᵉ siècle. Pourtant N. A. BEES, *Zur Sigillographie der byz. Themen Pelop. u. Hel.* l. c., pp. 92–94 l'attribue au Xᵉ s.

[1] THEODORI STUD., *Epist.*, lib. I, 3; *P. G.*, vol. 99, col. 917: προπεμφθεὶς τοίνυν παρὰ τοῦ ὑπάρχου τῶν ἐξόχων, εἷς μετὰ στρατιωτῶν, προσέμενεν ἐν τῇ ἀνατολικῇ πόρτῃ ...

ment explicite. Il ne connaît plus de ὕπαρχος; il parle d'un stratège de Thessalonique. Il nous fait même connaître un personnage de l'entourage officiel du stratège, le protocancellaire Georges, qui se rendait à Constantinople pour des affaires dont le biographe n'indique pas le caractère et y obtint la dignité de κανδίδατος.[1] Nous trouvons, en effet, dans les services d'un stratège, un « chef de bureau ».[2] Les évènements que la Vie nous raconte paraissent se rapporter aux environs de l'année 836. Ce serait donc là le « terminus ad quem » de la fondation du thème thessalonicien. Il est regrettable que le biographe ne nous donne pas le nom du stratège, car c'est très vraisemblablement le même personnage que celui dont parle la Vie de Constantin. On trouve, d'autre part, mention d'un commandant de Thessalonique dans la Vie de Saint Hilarion, écrite aux temps de l'empereur Basile I[er.] (867—886). Le Saint, venu à Thessalonique après 853, y guérit le petit Procope, fils du stratège; sur l'invitation de ce dernier, il se fixa dans la ville où il mourut trois ans plus tard. Peut-être s'agit-il ici encore du même personnage que dans la Vie de Constantin. En 882 enfin, le stratège de Thessalonique qui se trouvait à Constantinople reçut de Basile Ier l'ordre de transporter les reliques du Saint à Byzance et se conforma strictement à cet ordre.[3] On voit ainsi que le stratège mentionné par la Vie de Constantin est un personnage historique et nous connaissons même deux fonctionnaires de son bureau, le drongaire Léon et le protocancellaire Georges. La Vie de Saint Grégoire le Décapolite est donc le plus important document qui prouve que *le thème de Thessalonique existait antérieurement à 836.*

Ce témoignage est confirmé — nous l'avons déjà dit — par un autre document de la moitié du IXe siècle, le « *Tacticon d'Uspenskij* »,[4] d'autant plus intéressant qu'il complète nos connaissances sur la formation des thèmes byzantins et qu'il nous donne une idée exacte de la situation administrative de

---

[1] F. DVORNÍK, *La Vie de Saint Grégoire le Décapolite et les Slaves macédoniens au IXe siècle,* Paris, 1926, pp. 36, 62, 63.

[2] Sur le bureau du stratège voir BURY, *The Imper. Admin. System in the IXth Century,* London, 1911, p. 41. Il comprenait: 1. les tourmarques, 2. un mérarque, 3. les comites, 4. un chartulaire, 5. un « domesticus », 6. les drongaires des banda, 7. les comites des banda, 8. un centarque des spathaires, 9. un comes τῆς ἱταιρίας, 10. un protocancellaire, 11. un protomandataire.

[3] LOPAREV, Житія святыхъ, Визант. Врем., vol. XVII, pp. 60—62. P. PEETERS, *S. Hilarion d'Ibérie,* Anal. Bol., vol. XXXII, 1913, pp. 257, 262. Dans la traduction le stratège est appelé « praefectus urbis ».

[4] Византійская табель о рангахъ, Mémoires de l'Institut archéologique russe de Constantinople, vol. III, Sofia, 1898, pp. 109—130.

l'Empire au IXe siècle. On peut, d'après son titre, le dater de 842—856 (Τάκτικον ἐν ἐπιτόμῳ γενόμενον ἐπὶ Μιχαὴλ τοῦ φιλοχρίστου δεσπότου καὶ Θεοδώρας τῆς ὀρθοδοξάτης καὶ ἁγίας αὐτοῦ μητρός).

Ce « Tacticon », liste de fonctionnaires impériaux, dressée d'après l'ordre hiérarchique pour faciliter aux maîtres de cérémonies le placement des fonctionnaires lors des grandes fêtes et pour les invitations à la table impériale, nous donne une idée très exacte de la division administrative de l'Empire.[1] Qu'on nous permette donc de donner ici, classés hiérarchiquement, les noms de tous les thèmes existant au IXe siècle:[2]

1º le thème des Anatoliques	10º le thème des Cibyréotes
2º le thème des Arméniaques	11º le thème d'Hellade
3º le thème des Thrakésiens	12º le thème de Sicile
4º le thème d'Opsikion	13º le thème de Céphallénie
5º le thème bucellarien	14º *le thème de Thessalonique*
6º le thème de Paphlagonie	15º le thème de Dyrrhachion
7º le thème de Thrace	16º le thème de Crète
8º le thème de Chaldia	17º le thème des « Klimatas », c'est
9º le thème du Péloponnèse	à dire de Cherson.

En dehors des thèmes il existait encore trois régions limitrophes du territoire arabe, celles de *Cappadoce,* de *Charsianos* et de *Sozopolis,* ayant à leur tête des *kleisourarques* indépendants des stratèges et chargés de défendre les passages importants.[3]

Il faut faire remarquer que la *Dalmatie* n'est pas un thème, mais qu'elle est gouvernée, comme l'île de *Chypre,* par un *archonte.* La *Calabre* a son duc vraisemblablement subordonné au stratège de Sicile.[4] *Les îles de la Mer Égée* qui devaient former plus tard le second thème naval à côté de celui des Cibyréotes, n'ont dans le « Tacticon » qu'un *drongaire.*[5]

---

[1] Voir ce qu'en dit BURY, *The Imp. Admin. System,* pp. 12 et suiv.

[2] USPENSKIJ, *l. c.,* pp. 111, 113, 115: ὁ πατρίκιος καὶ στρατηγὸς τῶν ἀνατολικῶν, ὁ πατρίκιος καὶ στρατηγὸς ἀρμενιακῶν, ὁ πατρίκιος καὶ στρατηγὸς θρακησίων, ὁ πατρίκιος κόμης τοῦ ὀψικίου, ὁ πατρ. κ. στρ. τῶν βουκελλαρίων, ὁ πατρ. κ. στρ. παμφλαγονίας, ὁ πατρ. κ. στρ. θράκης, ὁ πατρ. κ. στρ. χαλδίας, ὁ πατρ. κ. στρ. πελοποννήσου, ὁ πατρ. κ. στρ. κοιβαιρεωτῶν, ὁ πατρ. κ. στρ. ἑλλάδος, ὁ πατρ. κ. στρ. σικελλίας, ὁ πατρ. κ. στρ. κεφαλονίας, ὁ πατρ. κ. στρ. θεσσαλονίκης, ὁ πατρ. κ. στρ. τοῦ δυρραχίου, ὁ πατρ. κ. στρ. κρήτης, ὁ πατρ. κ. στρ. τῶν κλιμάτων.

[3] USPENSKIJ, *l. c.,* p. 123. C'est ainsi qu'il faut expliquer ce passage avec *BURY,* l. c., p. 13. La Cappadoce devint plus tard un thème.

[4] USPENSKIJ, *l. c.,* p. 124.

[5] *Ibidem,* pp. 120, 124.

11

Céphallénie devint probablement thème au cours du VIIIᵉ siècle. On mentionne en 809 un stratège de Céphallénie, le patrice Paul qui commandait la flotte grecque opérant cette année là contre Pépin à Venise.[1] On peut soupçonner que la fondation de ce nouveau thème, très vraisemblablement détaché de l'Hellade, est en rapport avec la reprise des hostilités entre les deux empires d'Orient et d'Occident.

L'île de Chypre n'est qu'une ἀρχοντία. On sait que le sort de cette île a été particulièrement mouvementé depuis le VIIᵉ siècle, les Arabes en disputant sans cesse la possession aux Byzantins.[2]

Le « Tacticon » nous montre quelques innovations dans la réorganisation de l'Empire, innovations que nous devons sans doute attribuer à l'énergique Théophile et qui consistent surtout dans la création des thèmes de Dyrrhachion et de Cherson et dans la réorganisation administrative de la Dalmatie.[3] La Crète devint thème après la mort de Théophile, peut-être en 843, à l'occasion de l'expédition de Théoctiste[4] mais c'était là une mesure prématurée puisque la reconquête de l'île ne s'est pas réalisée.

Dans le « Tacticon », en tout cas, le stratège de Thessalonique occupe, parmi ses dix-sept collègues, la quatorzième place.

---

[1] *Einh. Anal.*, M. G. H., Ss. I, pp. 196, 197. PANČENKO (Каталогъ моловдовуловъ « Mémoires de l'Inst. archéol. russe de Const. », XIII, Sofia, 1908, p. 117) a publié le sceau d'un « cubiculaire et stratège de Céphallénie », qu'il date des VIIᵉ—VIIIᵉ siècles.

[2] L'île tomba aux mains des Arabes en 667 (CONST. PORPH., *De admin. imp.*, chap. XX, Bonn, p. 95) et fut ravagée par plusieurs invasions successives. Au traité de 686 elle fut considérée comme une possession moitié arabe et moitié byzantine, les habitants devant payer le tribut aux deux empires. Justinien II en transporta la population sur les côtes de l'Asie Mineure, surtout dans l'Hellespont, mais les habitants regagnèrent bientôt leur île. On connaît encore deux invasions arabes dans l'île: l'une sous Const. Copronyme en 744, invasion que les Arabes payèrent de la perte de leur flotte, en 747, près de cette île; la seconde en 802 sous Nicéphore. Chypre resta néanmoins byzantine, car Théophane raconte qu'en 816, sous Michel Rhangabé, les Chrétiens, fuyant devant les Arabes, s'y réfugièrent (THÉOPH., 6305, Bonn, p. 779, de Boor, p. 499). Puisque CONST. PORPH. (*l. c.*) dit que l'île fut reconquise par Basile Iᵉʳ, il doit en résulter qu'elle fut perdue pour les Byzantins avant l'avènement de Basile. Mais à quelle date? Le *Kleitorologion* de Philothète dont nous parlerons plus loin ne connaît plus, à la fin du IXᵉ siècle, d'archonte de Chypre. Peut-on en conclure que l'île fut incorporée temporairement au thème de la Mer Égée? Sur l'histoire de Chypre, voir A. SAKELLIANOS, Τὰ Κυπριακά, I, Athènes, pp. 395—400.

[3] BURY, *A History*, p. 224. Voir plus loin, p.   , ce que nous disons de la fondation du thème de Cherson et de la réorganisation de la côte asiatique de la Mer Noire, à propos de la mission de Constantin auprès des Khazars. Voir également p. 88 notre développement sur la réorganisation de ces provinces et le danger arabe.

[4] Cf. BURY, *The Imp. Admin. Syst.*, p. 14.

Qu'on nous excuse d'avoir insisté sur ces transformations des provinces européennes de l'empire byzantin. Ce tableau de la réorganisation de l'administration civile des provinces dévastées par les Slaves complète celui du redressement qui s'est réalisé dans l'organisation ecclésiastique des mêmes provinces et que nous avons déjà retracé dans notre ouvrage, « Les Slaves, Byzance et Rome au IXe siècle ».[1] Tous deux montrent bien le changement profond dont les Slaves ont été la cause dans les provinces byzantines d'Europe. Ils témoignent aussi de la grande vitalité de l'Empire à cette époque car il est vraiment admirable de voir ce grand corps saignant par tant de blessures se redresser, dans une telle détresse, et, avec lenteur bien entendu, se réorganiser.

*

Nous avons vu à quel point les Slaves occupaient la politique byzantine au cours du VIIIe s. et au début du IXe.[2] C'est surtout sous leur pression que l'Empire s'est vu obligé de procéder à un regroupement administratif de ses provinces européennes. Or, même pendant la première moitié du IXe siècle, la situation du côté slave a continué à n'être pas brillante. La Vie de Saint Grégoire le Décapolite nous le montre un peu. D'après ce texte, en effet, les Slaves strymoniens, se souciant peu de la police impériale, pillaient les bateaux grecs qui faisaient le commerce sur le Strymon. Vers 836, les Bulgares, profitant peut-être de troubles qui agitaient les Slaves des environs de Thessalonique, opérèrent à proximité de cette ville avec leur vaillant khagan Isboulos.[3] L'armée byzantine sous les ordres du César Alexis Mosélé se tenait près d'Anchialos (Kavala) pour les empêcher au moins de s'installer solidement sur les bords de la Mer Égée. Le territoire des Smoljens devint bulgare et ce fut probablement là le résultat de ces troubles. Le père de Constantin prit très vraisemblablement part à cette campagne, car Thessalonique était presque directement menacée par la marche bulgare.

L'écho des troubles qui agitaient les provinces du Nord pénétra probablement jusque chez les Slaves de l'Hellade et surtout chez ceux du Péloponnèse. Entre 836 et 842 les tribus slaves de cette dernière région semblent au moins

---

[1] pp. 74—99, 233—248.

[2] Sur les Slaves, en Grèce, voir surtout l'étude de A. VASIL'EV, Славяне въ Греціи, Виз. Врем., vol. V, 1898, pp. 404–438, 627–670.

[3] Voir notre édition de la *Vie de St Grégoire le Décapolite*, pp. 32 et suiv., 35 et suiv., 54, 62 et suiv.; voir aussi notre publication intitulée *Deux inscriptions gréco-bulgares de Philippes* dans le « Bulletin de correspondance hellénique », 1928, pp. 138 et suiv.

avoir repris leur liberté d'autrefois et les guerres contre les Arabes empêchèrent Théophile de les ramener de nouveau à la raison. Ce fut Théodora qui, peu après la mort de son mari, se décida à porter le grand coup aux Slaves.[1] Le protospathaire Théoctistos Briennios reçut mission de pacifier le Sud de la péninsule par une expédition à laquelle prirent part des détachements de tous les thèmes occidentaux: « Sous le règne de Michel, fils de Théophile, le protospathaire Théoctiste, appelé le Bryennien, stratège du thème péloponnésien, fut envoyé (en expédition) avec une forte et nombreuse armée, composée des Thraces, des Macédoniens et des forces d'autres thèmes occidentaux. » « Les autres thèmes occidentaux » ne peuvent être que ceux d'Hellade et de Thessalonique. L'affaire ne fut pas assez importante pour nécessiter l'entrée en action des armées des thèmes orientaux.

Les Slaves du Péloponnèse furent soumis et même certains tels que les Milinges et les Ezerites durent à partir de cette époque payer tribut à l'empire, ceux-ci 300 nomismata par an, ceux-là une somme cinq fois moindre. Il faut, à notre avis, placer cette expédition dans les toutes premières années du règne de Théodora, peut-être en 842.[2]

Une question se pose: le père de Constantin et de Méthode a-t-il participé à cette expédition? C'est, en effet, vers cette époque qu'il est mort. S'il était tombé au champ d'honneur, on s'expliquerait que le logothète Théoctiste, chef du gouvernement au nom de Théodora et organisateur de l'expédition, se soit tellement intéressé à Constantin, le plus jeune des enfants du drongaire. Le fait que la « Vita Constantini » ne parle pas d'une mort de ce genre ne saurait rien prouver. On comprendrait en effet fort bien que le biographe, écrivant pour les Slaves, n'ait pas voulu faire ressortir le fait que le père de son héros était mort en les combattant. Pourtant, cette hypothèse semble avoir peu de chance d'être confirmée. D'après la Légende (chap. II.) le jeune Constantin avait quatorze ans à la mort de son père. Comme il était né entre 826 et 827, son père serait mort vers 840—841. Il est vrai que nous ne savons pas si la Légende est tout à fait sûre sur ce point. Dümmler a déjà fait remarquer que le nombre 7, regardé comme sacré, y revenait assez souvent.[3] Le biographe

---

[1] De administr. imp., chap. 50, Bonn, pp. 220, 221.

[2] BURY, A History, pp. 372 et suiv., la date entre 847—850. Il nous semble pourtant que la publication de la Vie de St Grégoire le Décapolite et de l'inscription de Philippes ait rendu cette date impossible à conserver. Voir plus loin, p. 88, ce que nous disons des motifs de cette expédition.

[3] Die Legende vom Hl. Cyrillus, Denkschr. der Kais. Akad. Wien, 1870, p. 207; voir aussi PASTRNEK, l. c., p. 38.

se serait-il donc permis ici, en parlant — comme il était fréquent dans les récits hagiographiques — de la continence pratiquée par les parents de Constantin après la naissance de ce dernier, une petite opération arithmétique permettant d'obtenir un multiple de 7, nombre plus parfait $(2 \times 7 = 14)$? Mais si l'indication de la légende est exacte, l'hypothèse tombe par ce fait même.

*

Tout cela étant dit, on comprend plus facilement pourquoi Méthode fit une si belle carrière dans l'administration: les fonctionnaires grecs connaissant le slave avançaient assez rapidement à une époque où la question slave était si débattue dans l'Empire. On voit aussi plus clairement quelle a été la province slave où Méthode fit ses débuts. D'après ce que nous avons vu, il y avait au moins quatre thèmes byzantins pénétrés par l'élément slave, ceux de Macédoine, de Thessalonique, d'Hellade et du Péloponnèse, peut-être aussi, au moins en partie, la Thrace et Dyrrachion. Méthode entrant dans la carrière politique ou militaire avait à choisir entre ces divers districts.

Quelle charge lui confia-t-on? Il est difficile, au premier abord, de dire à ce sujet quelque chose de précis. Il ne semble pas, en tout cas, qu'il ait atteint le poste suprême de stratège.[1] Pourtant, la Vie de Méthode est assez claire et parle (chap. II) d'un кънаженьк словѣньско,[2] d'une principauté slave confiée à Méthode et occupée par lui pendant un certain temps avant son entrée au couvent. Que faut-il penser de ce passage?

L'expression slave citée ci-dessus paraît correspondre au mot grec ἀρχοντία. Méthode aurait donc été ἄρχων d'une province slave. C'est dans ce sens, d'ailleurs, que Jagić a interprété ce passage.[3] Mais cette interprétation si naturelle peut-elle être regardée comme exacte? Comment la faire cadrer avec le système administratif byzantin de l'époque? Il y a là un problème qui doit être résolu.

Le système administratif byzantin connaissait, en effet, des ἄρχοντες. Le « Tacticon » d'Uspenskij en cite toute une série[4] et emploi le mot dans deux

---

[1] En effet, la *Vie de Constantin* (chap. IV, PASTRNEK, *l. c.*, p. 161), distingue très nettement le кънажьк du poste de stratège.

[2] PASTRNEK. *l. c.*, p. 223.

[3] *Cambridge Medieval History*, vol. IV, p. 217.

[4] P. 123: οἱ ἄρχοντες Χαλδίας καὶ Κρήτης, p. 124: οἱ ἄρχοντες τοῦ Δυρραχίου, ὁ ἄρχων Δαλματίας, οἱ ἄρχοντες Χερσῶνος, ὁ ἄρχων Κύπρου, ὁ ἄρχων ἁρμαμέντου (c'est à dire de l'arsenal impérial). Voir aussi sur les différentes significations de ce titre à Byzance: SCHLUMBERGER, *La Sigillographie*, p. 442.

15

sens. Il désigne tantôt les autorités locales des thèmes de Cherson, de Dyrrachion et de Chaldia, qui avaient conservé une certaine autonomie locale — le stratège exerçant seulement la surveillance et l'autorité militaire — dans ces postes avancés de l'Empire, dirigés le premier contre les Arabes qui menaçaient la Grèce du côté de la mer Adriatique, le second contre les Petchenègues et les Rôs, le troisième contre les Musulmans implantés en Arménie. Mais il s'applique également à des gouverneurs de localités et de provinces non encore érigées en thème. Il est curieux de remarquer que, par la suite, quelques-unes de ces provinces devinrent des thèmes, la Crète, par exemple, qui d'ailleurs est inscrite dans le même « Tacticon » parmi les thèmes. Il est évident que cette province avait été auparavant gouvernée par un ἄρχων; l'auteur a tout simplement oublié d'en rayer le nom dans la série des ἀρχοντίαι parmi lesquelles elle avait figuré avant d'être transformée en thème et de voir un stratège remplacer son ἄρχων. La Dalmatie, qui n'est qu'une ἀρχοντία dans le « Tacticon » d'Uspenskij, devint thème, elle aussi, au cours du IXᵉ siècle. On peut donc conclure qu'à côté des thèmes, et au moins au IXᵉ siècle, l'organisation administrative byzantine comportait des ἀρχοντίαι, provinces d'une certaine importance qui méritaient, pour différentes raisons, un régime spécial. Elles avaient été détachées des thèmes auxquels elles appartenaient et devenaient par la suite thèmes à leur tour.[1]

Il n'est donc pas impossible que Méthode ait été chargé de l'administration d'une ἀρχοντία de ce genre et il faudrait dans ce cas prendre à la lettre le texte de la légende.

Quelle a pu être cette ἀρχοντία? D'après le « Tacticon » d'Uspenskij on ne pourrait penser qu'à la Dalmatie; et pourtant cela ne paraît pas tellement vraisemblable, car dans les villes littorales dalmates — qui jouissaient d'une certaine autonomie — l'élément latin et grec semble avoir été alors beaucoup plus important que l'élément slave. Mais ne peut-il pas y avoir eu dans l'empire byzantin vers cette époque d'autres ἀρχοντίαι créées après la composition du « Tacticon »? Si nous comparons la liste des thèmes byzantins telle que le « Tacticon » la présente et celle que fournit un autre document important du

---

[1] On peut citer d'autres cas analogues. La Paphlagonie paraît avoir eu d'abord à sa tête un katepano (CONST. PORPH., *De Thematibus,* Bonn, p. 178). La Chaldia était probablement duché et avait un δούξ comme gouverneur. C'est du moins ce qu'il est permis de supposer, l'auteur du « Tacticon » d'Uspenskij semblant avoir oublié de supprimer le δοὺξ Χαλδίας d'une vieille liste qui lui avait servi de modèle. A l'époque de la nouvelle édition, la Chaldia était déjà érigée en thème. En ce qui concerne Koloneia, voir p. 17.

même genre, le « Kletorologion de Philothète », nous constatons qu'à la fin du IXᵉ siècle, en 899 — date de composition du document en question[1] — le nombre des thèmes occidentaux s'était accru de deux unités: Nicopolis (c'est à dire la région de l'Épire) et Strymon. La Dalmatie y figure d'ailleurs aussi comme thème. Il est donc très possible, suivant la tradition établie dans le système administratif au IXᵉ siècle, qu'une de ces provinces avant d'être promue au rang de thème indépendant fût devenue ἀρχοντία. *C'est particulièrement plausible pour la région du Strymon* qui, en très grande partie slave, avait besoin d'un régime spécial. Nous avons vu ce que les Slaves strymoniens se permettaient vers 836 et quel danger menaçait du côté bulgare. Le cas des Smoljens était instructif.

Mais à quelle époque cette région serait-elle devenue ἀρχοντία? Le « Tacticon » d'Uspenskij qui date de 842—856 n'en parle pas. Nous avons vu que, d'après la Légende, Méthode occupa ce poste pendant quelque temps avant de devenir moine. Il faut donc admettre que ce fut entre 843 et 856. Or, il est bien possible que la région du Strymon fût devenue ἀρχοντία vers cette époque, car la chancellerie impériale a dû vouloir imposer aux Slaves byzantins un régime plus sûr après 842, date de l'expédition victorieuse contre les Slaves péloponnésiens, et l'on peut attribuer cette innovation à Théoctiste, le protecteur de la famille du défunt drongaire Léon. Il semble d'ailleurs vraisemblable que le « Tacticon » d'Uspenskij date du début du règne de Théodora et soit par conséquent antérieur à l'érection d'une ἀρχοντία strymonienne.[2] Méthode n'était-il pas tout désigné pour cette charge? Il connaissait le slave et peut-être le pays, la région de Strymon n'étant pas loin de Thessalonique; il

---

[1] BURY, *The Imp. Admin. Syst.*, p. 11. Le document est daté de septembre 899. Il a été réédité par BURY, *l. c.*, pp. 131—179. C'est un mémoire du protospathaire impérial et atriclinès qui doit lui faciliter une tâche à laquelle on attribuait une grande importance à Byzance et qui consistait à assigner aux différents dignitaires dans l'ordre de préséance leur place à la table impériale.

[2] En effet Bury date aussi la composition du « Tacticon » de l'année 842—843 (*l. c.*, p. 14), avant l'expédition de Théoctiste pour la conquête de la Crète. Remarquons d'ailleurs que même une partie du thème de Chaldia, Koloneia, semble encore avoir formé un duché sous Théophile; c'est, du moins, ce qui résulte d'un passage des *Actes des 42 Martyrs Amoriens* (A. A. VASIL'EV, Греческій текстъ житія сорока двухъ аморійскихъ мученниковъ, Mémoires de l'Académie imper. des Sciences de Sᵗ Pétersbourg, Cl. hist.-phil., VIIIᵉ série, vol. 3, 1898, pp. 27, 29). Les Actes ont été écrits entre 845—847, mais le détail en question se rapporte à la fin du règne de Théophile. Pourtant, le duc de Koloneia ne figure pas dans le « Tacticon » d'Uspenskij. Koloneia devint de son côté un thème comme le montre le Kletorologion de Philothète. Cf. BURY, *A History*, p. 223.

était en outre fils de fonctionnaire et, possédant si bien le dialecte slave de Macédoine, il avait dû vivre un certain temps parmi ces Slaves.

Le récit de la Vie de Constantin peut donc parfaitement correspondre à la réalité.[1] Il est d'ailleurs à remarquer que le système administratif byzantin a surtout connu des ἀρχοντίαι au IXᵉ siècle et, d'une façon toute particulière, dans la première moitié de ce siècle et au début de la seconde. Vers la fin du siècle, au contraire, les ἀρχοντίαι disparaissent comme le montre le Kleitorologion de Philothète. On voit nettement, à partir du règne de Léon le Sage surtout, prévaloir la tendance à l'uniformité administrative: des thèmes sont institués partout. *Ceci semble montrer que l'auteur de la Vie de Méthode était très au courant de l'organisation administrative byzantine du IXᵉ siècle, époque à laquelle il vivait.*

*

En ce qui concerne l'office de drongaire qu'occupait le père de Constantin et de Méthode, ce n'était pas la plus importante charge militaire qui existât à l'intérieur du thème mais c'était néanmoins une des plus en vue. Elle équivaut à celle de chef de bataillon. Le drongaire commandait, au début de l'évolution des thèmes, cinq βάνδα (compagnies) qui comprenaient chacun de 200 à 400 hommes, selon l'importance du thème, et à la tête desquels se trouvaient les κόμητες. Les bataillons formaient des brigades (τούρμα), commandées par les tourmarques. Le nombre des drongaires dans les brigades variait également, et semble avoir été réduit à trois au IXᵉ siècle. La solde de drongaire était à peu près de trois livres d'or, c'est à dire un peu plus de 129 livres sterlings.[2] Les drongaires des thèmes étaient dans la hiérarchie des fonctionnaires impériaux des officiers de rang secondaire, au quatrième rang de la noblesse. Dans le « Tacticon » d'Uspenskij les drongaires des thèmes sont placés dans la dernière classe et occupent la treizième place avant la fin. Il y eut également, à Byzance, d'autres drongaires d'importance beaucoup plus consi-

---

[1] Déjà DÜMMLER (*Die pannonische Legende vom hl. Methode,* Archiv für Kunde österr. Geschichtsquellen, Band XIII, Wien, 1854, p. 21) avait émis l'opinion que Méthode était gouverneur de Strymon. Cette opinion a été souvent répétée par les slavisants qui s'occupèrent de la Légende. Pourtant, les suppositions sur lesquelles ils se basaient tous étaient erronnées, car les rapports de Const. Porphyrogénète et de Caméniate sur le thème de Strymon ne sont que du Xᵉ siècle. Dans la première moitié du IXᵉ siècle la région du Strymon ne constituait pas un thème. Le stratège ou ἄρχων en question n'était pas le chef d'une tribu slave, mais simplement un fonctionnaire byzantin. Même observation quant à l'opinion de Pastrnek, *l. c.,* pp. 50, 51.

[2] Ces chiffres (valeur or) ne sont naturellement qu'approximatifs.

dérable, grand drongaire, drongaire de la flotte, drongaire de la veille, etc.[1]
Ce que nous retiendrons, c'est que les précisions apportées par la Légende
sur le rang occuppé par le père de Constantin — « la dignité de drongaire sous
l'ordre du stratège » (санъ дрЖгарькъын подъ стратигомь) — sont parfaitement à leur place.

II.

Le biographe de Constantin nous conte, au chapitre III, une petite anecdote
se rapportant à l'enfance de son héros et sur laquelle nous croyons devoir
insister quelque peu. C'est l'histoire du songe qu'a eu l'enfant à l'âge de sept
ans et dont il fit le récit à ses parents. « A l'âge de sept ans » — dit le biographe — « l'enfant eut un songe qu'il raconta ainsi à son père et à sa mère:
Le stratège ayant rassemblé toutes les jeunes filles de notre ville me dit:
Choisis librement parmi elles, l'épouse digne de toi qui pourra te servir de
soutien. Les ayant toutes regardées et attentivement considérées, j'en distinguai
une — la plus belle — dont le visage resplendissait, qui était magnifique sous
sa riche parure d'or et de pierres précieuses et qui s'appelait Sophia. C'est elle
que j'ai choisie. »

On comprend pourquoi l'hagiographe introduit ici cette jolie scène. Il a,
de cette façon, parfaitement montré les sentiments éprouvés dès l'enfance par
son héros qui n'avait de goût que pour les choses de l'esprit. On peut douter
de la réalité du fait — l'anecdote est probablement le fruit de l'imagination du biographe — mais nous pouvons néanmoins rechercher dans quelle
mesure la vie courante a pu lui fournir des éléments si heureusement et si
agréablement utilisés. L'anecdote est, au fond, tout à fait byzantine. *Le biographe, en l'écrivant, a dû penser aux fameux « concours de beauté » qui
avaient lieu à Byzance lorsqu'il s'agissait de doter d'une femme l'héritier de
l'Empire.* On sait que cette coutume était d'origine orientale: introduite à Byzance au cours du VIIIᵉ siècle, elle fut générale pendant tout le IXᵉ. Le choix
d'une future impératrice était bien un véritable « concours de beauté ». Or,
grâce aux renseignements que nous trouvons dans la chronique de Théophane
et dans quelques Vies de Saints nous pouvons nous en faire une idée assez

---

[1] Voir l'étude de J. A. KULAKOVSKIJ, Друнгъ и друнгарий, Виз. Врем., IX (1902),
pp. 1—30; GELZER, *Die Genesis*, pp. 117 et suiv.; BURY, *The Imp. Adm. Syst.*, p. 42; *Idem,
A History*, pp. 226, 227. Cf. aussi HANTON, *Titres byzantins dans le R. I. C. A. M.*, Byzantion, vol. IV, pp. 79, 80.

exacte. On commençait par expédier des messagers spéciaux dans toutes les provinces de l'Empire pour y rechercher les plus belles filles. Les candidates devaient répondre à des conditions rigoureusement fixées par le protocole. Les envoyés devaient vérifier la taille, la pointure des pieds, le volume de la tête et prendre toutes les mesures prescrites en utilisant le « mètre impérial ». Celles qui répondaient aux conditions exigées étaient amenées au palais impérial de Constantinople où avait lieu le concours proprement dit. Il est probable que la fameuse impératrice Irène a dû sa couronne au fait d'avoir obtenu « le premier prix » au concours de beauté organisé de cette façon pour trouver une épouse à Léon IV.[1] En 788, Marie, petite-fille de St Philarète le Miséricordieux — noble d'une obscure bourgade d'Anatolie, ruinée par une invasion arabe — devint, de la même façon et à la suite d'aventures presque romanesques, la femme de Constantin VI.[2] C'est, d'ailleurs, la Vie de Saint Philarète qui nous donne le plus de renseignements sur ces singuliers concours.

Le chroniqueur Théophane nous a conservé, indiscrétement, quelques détails piquants sur les circonstances dans lesquelles se passa le concours de 807.[3] A l'en croire, l'empereur Nicéphore avait choisi parmi les concurrents l'Athénienne Théophano, parente de l'impératrice Irène. C'était là, paraît-il, un choix injuste et scandaleux car Théophano n'était ni la plus belle ni la plus pure des candidates. Elle était fiancée à quelqu'un d'autre et l'on répétait, sous le manteau, que son fiancé avait déjà, plusieurs fois, pris un acompte sur ses droits maritaux. Le pauvre Staurakios dut pourtant s'en contenter et, au grand scandale du pieux moine, l'empereur garda pour lui deux autres des concurrentes, beaucoup plus belles que Théophano. On en rit, paraît-il, beaucoup à la cour.

C'est également par un concours du même genre que l'empereur Théophile trouva sa belle Théodora.[4] Cette dernière employa ensuite le même moyen pour trouver une femme à son fils Michel et son choix tomba sur Eudocia dont Michel dut se contenter, malgré tout son attachement pour Eudocia Ingerina.[5] De même, Léon VI dut, en dépit de son attachement pour Zoé, accep-

---

[1] BURY, *A History*, p. 81.

[2] *Vie de St Philarète*, publiée par VASIL'EV dans les « Mémoires de l'Institut russe de Constantinople », vol. V, 1900, pp. 74 et suiv.

[3] THÉOPHANE, 6300, Bonn, p. 750, de Boor, p. 483.

[4] *Siméon Logothète* (Georges le Moine), Bonn, p. 790; *Vita Theodorae Aug.*, éd. REGEL, *Analecta Byzantino-russica*, St Pétersbourg, 1891, p. 4.

[5] *Vita S. Irenae*, A. S. Julius (d. 28), vol. VI, pp. 603 et suiv.

ter Théophano qui avait plu à l'empereur Basile et à sa femme Eudoxie.

On peut citer comme exemple caractéristique le concours qui fut organisé pour trouver une épouse à Théophile et qui paraît avoir été parmi les plus fameux. Bury, contrairement à la date de 830 généralement admise, a prouvé que le mariage de Théophile eut lieu en 821[1] et que le concours qui le précéda fut vraisemblablement présidé par Thécla, mère du prince, non par Euphrosyné, seconde femme de Michel II. Le peuple s'intéressa particulièrement au sort de Cassia,[2] l'une des concurrentes, à qui une réponse trop prompte et trop spirituelle à un propos ironique du prince sur les femmes fit perdre la couronne. Elle s'en consola, du reste, en entrant au couvent et en écrivant des vers, et elle ne fit qu'imiter ainsi Irène, l'une de ses devancières, qui, surpassée au concours par Eudocia, future femme de Michel III, entra également au couvent.[3]

Tout ceci montre bien que ces choix étaient, vers cette époque, courants à Byzance. On comprend quelle impression devaient faire sur le peuple ces compétitions d'un genre spécial. Quelle mine féconde pour tous les contes de bonnes femmes et les histoires que les vieilles grand'mères racontaient à leurs petits-enfants. Pour nous, alors même que nous ne croirions pas devoir accepter comme authentique le songe singulier de Constantin, nous voyons tout au moins quelle est l'origine de l'anecdote forgée par le biographe et nous constatons que le monde ecclésiastique lui-même était frappé de ces concours de beauté, puisque les renseignements les plus curieux nous ont été transmis par les chronographies des moines et par les Vies de Saints.

C'est bien dans ces récits qu'il faut chercher l'origine de l'anecdote relative au choix de la Sagesse et non pas dans la Vie de St Grégoire de Naziance comme l'ont pensé certains. St Grégoire, l'auteur préféré de Constantin, paraît avoir eu aussi, dans sa jeunesse, un songe analogue; il le dit lui-même dans

---

[1] *A History*, p. 80.

[2] Voir K. KRUMBACHER, *Kasia*, Sitzungsber. d. k. b. Akademie, Phil. Hist., Kl., I, München, 1896, pp. 305—370. Déjà J. MALYŠEVSKIJ, Свв. Кириллъ и Меѳодій, Труды Кіевск. духов. Акад., 1885, Mai, pp. 89, 90 a attiré l'attention sur ce concours.

[3] D'autres candidates malheureuses étaient d'humeur moins mélancolique et il semble qu'elles aient, en général, fait de bons mariages car les hauts fonctionnaires de la cour devaient profiter de l'occasion offerte pour choisir leurs épouses parmi ces « reines de beauté ». Quant aux soeurs de l'heureuse élue elles trouvaient toujours d'excellents partis. Une soeur de Marie, femme de Constantin VI, épousa, par exemple, un des principaux patrices de la Ville; une autre fut fiancée à Arichis, prétendant à la couronne de Lombardie. Bardas, frère de l'impératrice Théodora, épousa de son côté la soeur d'Irène qui avait probablement participé aussi au concours.

un de ses poèmes[1] et y revient plusieurs fois,[2] mais il y a entre les deux histoires une très grande différence. Ce n'est pas de la Sagesse qu'il s'agit dans la vie de St Grégoire, mais de la Chasteté et de la Continence; de plus, il n'y a pas eu choix: les deux vertus lui sont apparues dans un songe et l'ont invité à leur rester fidèle pendant toute sa vie. L'histoire de la Légende de Constantin est beaucoup plus pittoresque et plus vivante.[3] En tout cas, ce qui n'est pas niable, c'est le bonheur avec lequel le biographe a su illustrer grâce à elle le penchant pour les choses spirituelles qui devait se manifester chez Constantin dès sa plus tendre jeunesse.

*

Pour montrer que ce jeune aspirant à la sainteté se détachait du siècle dès son enfance, son biographe a introduit une autre anecdote qui a peut-être, celle-là, plus de vraisemblance. L'enfant avait un faucon qu'il aimait bien et avec lequel il chassait les oiseaux. Un jour, un vent très fort l'enleva et l'emporta si loin qu'il ne revint plus. Le pauvre petit fut si désolé de cette perte, que, pendant deux jours, il ne prit aucune nourriture. Mais l'épreuve lui fut salutaire: il apprit ainsi, tout jeune encore, la vanité des choses humaines.

Le biographe touche, par cet épisode, à l'intéressant chapitre de la vénerie byzantine. Nous ne pouvons pas entrer ici dans tous les détails, mais nous devons pourtant montrer que la chasse aux faucons était, vers cette époque, très pratiquée par la riche société byzantine. Nous trouvons une intéressante description de cette chasse dans le roman de Digénis Akritas. Le jeune Basile Akritas, son père et son oncle, partant pour la chasse, « portaient des faucons blancs, ayant passé par la mue ». De même, parmi les riches cadeaux que le stratège envoya à son gendre Akritas se trouvaient « douze faucons abasgiens ayant passé par la mue[4] ».

C'est probablement sous l'influence arabe que la chasse au faucon s'était

---

[1] CANT. XLV *P. G.,* vol. 37, col. 1369 et suiv.

[2] CANT. XII, *Ibid.,* col. 1225; CANT. XCII, col. 1447; CANT. XCVIII, col. 1449.

[3] Il est d'ailleurs à remarquer que la coutume byzantine à laquelle la Légende fait certainement allusion semble même avoir pénétré, au IXe siècle, à la cour franque car c'est ainsi que Louis le Pieux paraît avoir choisi sa femme Judith (Annales reg. Franc., *M. G. H. Ss.,* I, p. 150 ad a. 819). Une coutume analogue a dû subsister, d'autre part, en Russie jusqu'au XVIe siècle (Cf. E. GIBBON, *The History of the Decline and Fall of the Roman Empire,* éd. J. B. Bury, London, 1905, vol. V, p. 198).

[4] *Les exploits de Digénis Akritas,* éd. de SATHAS et E. LEGRAND, Paris, 1875, pp. 74, 116.

répandue à Byzance. Nous pouvons voir, en effet, par la description que Maçoudi donne des faucons dans ses « Prairies d'or », la passion avec laquelle les Arabes pratiquaient alors ce genre de sport. L'écrivain vante surtout les faucons blancs abasgiens: « Les véritables amateurs d'oiseaux de proie dressés pour la chasse, parmi les Persans, les Turcs, *les Roumis,* les Indiens, et les Arabes, s'accordent généralement à dire que le faucon dont la couleur tire sur le blanc surpasse tous les autres par sa rapidité et sa beauté. »[1] Il prétend que le premier dresseur de faucons pour la chasse fut le roi Ptolémée, successeur d'Alexandre le Grand. Selon d'autres ce fut, paraît-il, « El-Haret, fils de Moawiâh, fils de Tawr el-Kendi, appelé aussi Abou-Kendah ».[2] Maçoudi ajoute encore d'autres récits légendaires sur l'origine de cet usage, notamment chez les Arabes d'Espagne.[3] Il mentionne en particulier la légende suivant laquelle Constantin, ayant observé le vol d'un faucon dans la plaine située entre la Corne d'Or et la Mer de Marmara, eut la double idée d'utiliser les faucons pour la chasse et de fonder dans cette jolie plaine, découverte par hasard, la ville qui devait porter son nom.

La chasse aux faucons a, du reste, été l'exercice préféré des gens riches de l'Empire, non seulement au Xe siècle — époque à laquelle se rapportent les documents cités — mais dès le IXe comme on peut le supposer avec juste raison d'après ces mêmes témoignages.

La chasse était surtout en honneur dans les familles militaires, comme le montrent la Vie de Constantin et celle de Plakidas, converti grâce à une apparition survenue, d'après la légende, au cours d'une chasse au cerf. Ce Plakidas n'est autre, faisons le remarquer, que le Saint Eustathios martyrisé sous Trajan.[4] En dehors d'une courte biographie d'Eustathios dans le Synaxaire, nous possédons deux « passions » et un éloge qu'a fait de lui Nicétas Paphlago,[5] car le sort de ce brave soldat qui, ayant perdu toute sa famille et

---

[1] Éd. *Barb. de Meynard et de Courteille,* Paris, 1914, chap. XVII, vol. II, pp. 27—37.

[2] *Ibid.;* cf chap. XXVII, vol. II, pp. 279—281.

[3] *Ibid.,* pp. 37 et suiv. Voir aussi ce que Mlle ANDREJEVA dit sur ce sport à Byzance au XIIIe siècle dans son ouvrage Очерки по кульгурѣ виз. двора въ XIII вѣкѣ, Rozpravy král. č. spol. nauk, tř. fil. hist., N. Ř., VIII, č. 3, Praha, 1927, pp. 176 et suiv. On trouvera une intéressante description de la chasse chez les Arabes et les Croisés au XIIe siècle dans les mémoires d'un aventurier syrien UŠAMAH IBN-MUNDAQIDH (Kitāb Al-Ie Tibār), publiés par PH. K. HITTI *(An Arab-Syrian gentleman and Warrior, in the period of the Crusades,* New York, 1929), surtout pp. 222 et suiv.

[4] E. DÜMMLER, *Die Legende vom hl. Cyrillus* l. c., p. 247 croyait qu'il s'agissait d'une Sainte qu'il ne pouvait pas identifier.

[5] *A. S.,* Sept., VI, col. 123—135; *P. G.,* vol. 105, col. 376—418; *Anal. Boll.,* III, pp.

toute sa fortune, ne les retrouva, après beaucoup de chagrin, que pour subir avec eux la mort des martyrs, intéressa particulièrement le peuple et l'on comprend que la famille d'un soldat comme le drongaire Léon ait eu une vénération toute particulière pour ce héros du Christ. L'éloge qu'a fait, des vertus d'Eustathios, Nicétas le Paphlagonien prouve que le Saint fut vénéré dans l'Empire, d'une façon toute spéciale, durant le IXe siècle.

La Vie de St Joannikios nous offre une autre preuve de la vénération de ce Saint à Byzance dans le courant du même siècle. C'est par lui que Joannikios fut sauvé quand un magicien tenta de l'empoisonner. Joannikios qui devait avoir une grande vénération pour St Eustathios construsit au Mont Olympe[1] une église en son honneur. Les deux frères l'ont certainement visitée pendant leur séjour à l'Olympe.

Avec ces deux épisodes sur lesquels nous nous sommes quelque peu étendu, le biographe adopte le schéma si commun aux récits hagiographiques de tous les âges.[2] Il n'était pas possible que, dès son enfance, le Saint ne se fût pas distingué de toutes les personnes de son entourage par une plus grande piété et par un plus grand détachement des choses humaines. Et pourtant, malgré cette tendance si générale, l'auteur reste original. Nous remarquons, d'autre part, dans cette même partie de la biographie, deux autres traits qui trahissent également le désir normal de rehausser la sainteté du héros en montrant que celle-ci s'annonçait dès sa venue au monde: la continence pratiquée, depuis

---

66—112; A. MANCINI, *Acta graeca S. Eustathii Mart.*, Studi storici, vol. VI, Livorno, 1897, pp. 339—341; *Synaxarium Eccl. Constant.*, éd. DÉLÉHAYE, Bruxelles, 1902, pp. 60—63 (Syn. selecta).

[1] *A. S.*, Nov. III, pp. 351, 396. Cf. sur les légendes de St Eustache = Plakidas, les deux importantes études de H. DÉLÉHAYE. Dans la première (*Les Légendes de St Eustache et de St Christophore*, Le Muséon, N. S., vol. XIII, 1912, pp. 91—100), l'auteur répond à MM. J. S. Speijer et R. Garbe qui ont cru trouver dans ces légendes des éléments du bouddhisme. La deuxième, *La Légende de St Eustache*, a été publiée dans le Bulletin de l'Académie Royale de Belgique, Classe des Lettres, Bruxelles, 1919.

[2] On trouve une analogie, par exemple, dans les biographies de St Théodore Graptos (*P. G.*, vol. 116, col. 656, 657) et de St Joseph l'Hymnographe (*P. G.*, vol. 105, col. 947). Les biographes insistent également sur le fait que les deux Saints fuyaient les jeux de leurs camarades et ne montraient d'intérêt que pour les choses d'en haut. C'est d'ailleurs un trait commun aux hagiographies de l'Orient comme de l'Occident. Voir L. ZOEPF, *Das Heiligen-Leben im 10 Jh.*, Leipzig, 1908, pp. 55 et suiv. Voir plus loin, p. 28, une pareille analogie dans la Vie de St Théodore le Studite. Voir aussi ce que LOPAREV, *l. c.*, vol. 17, p. 25, dit de ce schéma dans les légendes byzantines.

la naissance du septième enfant, par les parents de Constantin et le refus du nourrisson de boire à un autre sein que celui de sa mère. Mais, à tout considérer, c'est au fond très peu de chose et nous avons là un récit bien différent de la plupart des écrits hagiographiques dans lesquels la vie du Saint est entourée, dès le début, d'une succession de miracles, de songes et de prophéties.

III.

C'est par deux anecdotes que le biographe ouvre assez habilement un nouveau chapitre de son récit, celui qui a trait à l'éducation de Constantin, et, là encore, ses données présentent un réel intérêt.

Le petit Constantin fréquentait d'abord à Thessalonique une sorte d'école élémentaire mais il ne négligeait pas non plus la théologie; son auteur préféré était St Grégoire de Naziance dont il apprenait les écrits par cœur. Désirant ardemment continuer ses études, il chercha en vain à Thessalonique un maître capable de l'initier à une science plus élevée, mais ses vœux ne furent exaucés que lorsque le logothète se fut intéressé à lui et l'eut invité à Constantinople: «Après y avoir appris la grammaire en trois mois, il s'attaqua aux autres sciences. Il étudia Homère et la géométrie ainsi que — auprès de Léon et de Photios — la dialectique et toutes les autres disciplines philosophiques. Il apprit même, outre cela, la rhétorique et l'arithmétique, l'astronomie, la musique et les autres arts helléniques.»

Telles sont, énumérées par l'hagiographe, les études faites par Constantin. Il s'agit maintenant de comparer ces indications avec d'autres documents contemporains relatifs à l'enseignement byzantin pour voir si, sur ce point encore, la Légende est digne de créance. Nous toucherons ainsi à plusieurs problèmes demeurés jusqu'à présent plus ou moins obscurs et auxquels il est souvent difficile, comme on va le voir de trouver une solution satisfaisante.

L'enseignement que Constantin reçut à Thessalonique était probablement l'enseignement élémentaire, souvent appelé ἡ ἐγγύκλιος παιδεία,[1] le sens de ce mot ayant du reste changé à différentes époques. Il comprenait la grammaire mais considérée seulement d'un point de vue élémentaire (γραμματικὴ ἀτελεστέρα = ἐμπειρία). La Légende, elle, mentionne la grammaire proprement dite (γραμματικὴ τελεωτέρα = τέχνη) parmi les disciplines de l'enseignement supé-

---

[1] Voir à ce propos F. FUCHS, *Die höheren Schulen von Konstantinopel im Mittelalter*, Byzant. Archiv, VIII, Leipzig, 1926, pp. 41 et suiv.

rieur. Les enfants étaient admis dans les écoles élémentaires à l'âge de six ou sept ans.[1]

Il ne sera pas sans intérêt de comparer les récits d'autres écrits hagiographiques de l'époque sur l'éducation des héros dont ils font l'éloge.

St Étienne le Jeune († 764), par exemple, dont la Vie a été composée en 807 par Étienne, diacre de la Grande église, avait été dès l'âge de six ans confié aux instituteurs. Le maître qui donnait l'enseignement élémentaire est appelé κοινὸς διδάσκαλος dans cette «Vie» qui nous apprend en outre les noms de ces διδάσκαλοι ou παιδευταί auprès de l'église de Sainte-Sophie, Timothée et le sophiste Sophronios.[2] L'enfant s'intéressait, bien entendu, surtout aux écrits des Pères de l'Église et son auteur préféré était St Jean Chrysostome.

Voici d'autre part comment l'hagiographe décrit les études faites par Saint Michel le Syncelle qui vivait vers 846: «Il le confièrent à l'instituteur pour que ce dernier lui donnât l'instruction littéraire préliminaire; et l'enfant croissait en âge et en science devant Dieu et devant les hommes. Dès qu'il fut instruit dans toutes les disciplines de l'enseignement élémentaire, le patriarche qui lui tondit les cheveux donna l'ordre de l'envoyer suivre l'enseignement de la grammaire, de la rhétorique et de la philosophie. Et, pareil à une terre riche et opulente, il se pénétra, plus que tout autre de ses contemporains, de toutes les connaissance en grammaire, en rhétorique et en philosophie. Ne s'arrêtant pas là, il étudia à fond également la poésie et l'astronomie...»[3]

Le biographe de Saint Étienne de Sugdaea distingue, lui aussi, deux degrés dans l'enseignement suivi au VIIIe siècle par son héros: «L'enfant fut amené par ses parents pour apprendre les Saintes Écritures. Et il surpassa et ses camarades et ses maîtres. A l'âge de dix-huit ans il avait atteint le maximum des connaissances possibles dans les sciences sacrées et profanes. Ayant bien appris la grammaire et la poétique, l'astronomie, la géométrie et l'ensemble des sciences qui constituent une éducation complète (τὴν ἐγκύκλιον παίδευσιν), il fut aimé de tous.»[4]

Le patriarche Antoine Cauleas († 901) a suivi aussi τὴν ἐγκύκλιον παίδευσιν, expression que son biographe, le philosophe et rhéteur Nicéphore, emploie

---

[1] St Grégoire le Décapolite n'y entra, pourtant, qu'à l'âge de 8 ans. Voir notre édition de la Vie, l. c., p. 47.

[2] P. G, vol. 100, col. 1081: ἑξαετῆ... παραδιδόασιν αὐτὸν εἰς τὴν τῶν ἱερῶν γραμμάτων μάθησιν προπαιδείας.

[3] Vita S. Michaelis Sync., éd. GEDEON, Βυζάντινον ἑορτολόγιον Constantinople, 1899, p. 232.

[4] Vie de St Étienne, publiée par VASIL'EVSKIJ [Труды Василевскаго] III, 1915, p. 73.

pour désigner le degré inférieur des études. Mais, devenu jeune homme, il reçut une éducation d'un ordre supérieur, portant surtout sur les lettres classiques.[1]

Le biographe de Sᵗ Georges d'Amastris est moins explicite: «Quand il fut capable de s'instruire, on le confia aux instituteurs. Il apprit ainsi l'ensemble des sciences qui constituent l'éducation complète, les sciences sacrées comme les profanes, étudiant les premières dans leur ensemble, choisissant dans les secondes ce qui peut servir. Acquérant ainsi toutes les connaissances des sciences sacrées pour l'obédience au Christ et écartant, grâce à sa pureté, ce qu'il y a de mauvais dans les autres, il récolta vraiment ce qui est utile.»[2] Nous voyons, par ce texte, apparaître déjà une certaine opposition entre les deux sciences, la science sacrée et la science profane (ἡ εἴσω et ἡ ἔξω σοφία), opposition sur laquelle nous aurons à revenir plus loin.

Cette opposition devient de plus en plus marquée dans d'autres écrits hagiographiques. L'éducation de Sᵗ Théodore le Studite, par exemple, a également commencé quand l'enfant eut atteint l'âge de sept ans.[3] Ce fut d'abord l'enseignement élémentaire où il obtint un réel succès. Puis, «avançant en âge, il étudia aussi la grammaire, la dialectique — dont le biographe fait remarquer que c'est le nom donné à la philosophie par ceux qui s'y connaissent — et la rhétorique».[4] Mais avant tout, le biographe vante le zèle du jeune Théodore dans l'étude des Livres Saints qu'il met bien au-dessus de toutes les disciplines profanes.[5]

---

[1] PAPADOPOULOS-KERAMEUS, *Monum. graeca et latina ad hist. Photii pertinentia*, St. Pétersbourg, 1899, I, pp. 6, 7.

[2] Ed. VASIL'EVSKIJ *l. c.*, p. 14.

[3] *Vita Theodori a Michaele monacho*, P. G., vol. 99, col. 237.

[4] *Ibid.*: Τὴν μὲν οὖν πρώτην τῆς ἡλικίας ἑπτατηρίδα ἁρμοζόντως τῆς φύσεως διηνυκώς, ταῖς εἰσαγωγικαῖς καὶ στοιχειώδεσι τῶν μαθημάτων ἐνασχολεῖσθαι προάγεται τέχναις· αἱ γὰρ ἐκ παίδων μαθήσεις συναύξουσαι τῇ ψυχῇ, ἑνοῦνται αὐτῇ καὶ παράμονοι τῷ κεκτημένῳ γίνονται. Ἐπεὶ δὲ προβὰς καθ' ἡλικίαν καὶ γραμματικῆς ἔμπειρος ἐγεγόνει τέχνης, εἶτα καὶ διαλεκτικῆς, ἣν δὴ φιλοσοφίαν καλεῖν οἱ τοιαῦτα δεινοὶ γινώσκουσιν· πρὸς δὲ τοῖς εἰρημένοις καὶ τῆς ἐν ῥήτορσι φράσεως τὸ κάλλος, ὡς οἷός τε ἦν, ἀπηνθίσατο...

[5] Il est à souligner que Théodore, fils d'un fonctionnaire d'Etat a suivi, comme Constantin, l'enseignement profane. A. P. DOBROKLONSKIJ, Преп. Θεодоръ, Записки Имп. новорос. Универс., Odessa, 1914, pp. 300–303 prouve par les nombreuses citations tirées des œuvres de Théodore que le Saint avait, en effet, suivi l'enseignement du «trivium» et du «quadrivium» chez les maîtres laïques. Cf. aussi ce que le biographe, Ignace le diacre, dit de l'éducation du patriarche Taraise (J. A. HEIKEL, *Ignatii Diaconi Vita Tarasii*, Acta Societ. scient. fennicae, Helsingfors, 1891, tom. XVII, pp. 396–397). Ignace, il est vrai, parle de l'éducation de son héros d'une façon très sommaire (καὶ τῆς θύραθεν παιδείας τὰ κράττιστα συλλεξάμενος...), il résulte pourtant de son

La première vie de St Théodore est beaucoup plus explicite que celle de Michel. D'après lui l'enfant fut d'abord confié «à un instituteur pour apprendre l'instruction préliminaire».[1] Il s'abstenait, bien entendu, des jeux et des plaisirs de ses camarades, trait assez commun dans l'hagiographie byzantine et qui nous rappelle l'anecdote du faucon citée dans la Vie de Constantin. Puis «quand il eut avancé en âge et en capacité intellectuelle... il s'adonna aussi à la science profane. Il étudia bien la grammaire, apprit à parler correctement le grec et s'appropria même vite l'art de la poésie». Il n'y cherchait naturellement aussi que l'utile et non «les choses fabuleuses» (τὸ μυθῶδες); c'est ce qu'il fit également lorsque, un peu plus tard, il aborda la rhétorique et la philosophie.

Il y a là un passage particulièrement curieux. Le biographe paraît presque vouloir excuser son héros d'avoir été initié aux disciplines profanes; on a l'impression qu'il se sent embarrassé et il souligne sans cesse le fait que le Saint a su choisir dans cet enseignement profane ce qu'il y a de bon et uniquement cela. On voit par là quelle méfiance éprouvaient les moines du IXe siècle pour tout ce qui n'était pas sciences sacrées.

Le diacre Ignace, biographe du patriarche Nicéphore,[2] nous a donné un des meilleurs tableaux de ce qu'étaient les études profanes à Byzance, au IXe siècle. Dans sa description de l'enseignement suivi par Nicéphore, il mentionne d'abord τὴν ἐγκύκλιον παιδείαν, puis toutes les autres disciplines de la science profane. Lui aussi cite avant tout la grammaire, la dialectique, la rhétorique,[3] et ensuite le «quadrivium», τὴν τῆς μαθηματικῆς τετρακτύος ἀνάλεψιν, c'est à dire l'astronomie, la géométrie, la musique, l'arithmétique. Après avoir étudié ces disciplines, «ces quatre servantes de la science», Nicéphore s'attaqua à la philosophie et, pour montrer à la fois son savoir propre et la solide instruction de son héros, Ignace énumère complaisamment toutes les disciplines philosophiques. C'est

récit que même Taraise a dû suivre un enseignement profane très complet. Ignace dit aussi (*l. c.,* p. 423) qu'il avait appris l'art de la poésie chez Taraise. Ces exemples prouvent que même avant la réforme de Théophile, il existait, à Byzance, un enseignement profane supérieur, complet et bien organisé et il ne faudra donc pas prendre à la lettre les plaintes des moines sur l'hostilité des empereurs iconoclastes à l'enseignement supérieur.

[1] *P. G.*, vol. 99, col. 117, 118.

[2] Éd. C. DE BOOR, *Nicephori archiep. Constant. opuscula hist.*, Leipzig (Teubner), 1880, pp. 144, 149 et suiv.

[3] *Ibidem*, p. 149: ὅσος γὰρ περί τε γραμματικὴν ἦν καὶ τὰ μέρη ταύτης καὶ ὄργανα, ὑφ' ὧν τὸ τῆς γραφῆς ὀρθόν, καὶ μή, διακρίνεται καὶ ἡ Ἑλληνὶς γλῶσσα εὐθύνεται καὶ ἡ τῶν μέτρων βάσις ῥυθμίζεται, καὶ αὐτοῖς γοῦν τοῖς καὶ μετρίως τῆς τέχνης ἐπηθεμένοις καθέστηκε γνώριμον. ὅσος τε περὶ τὴν τῶν ῥητόρων ἐφάνη πολύφθογγον φόρμιγγα...

ce texte qui est particulièrement important si l'on veut se faire une idée de ce qu'était l'enseignement à Byzance au IXe siècle.[1] Il nous montre, en outre, de façon frappante, l'opposition entre les partisans d'une renaissance des études profanes — τῆς θύραθεν παιδείας — et les moines intransigeants opposés à tout ce qui pouvait avoir une odeur de paganisme. Ignace, moine lui aussi, s'efforce de convaincre ses confrères d'esprit moins large, de la nécessité où se trouvent les théologiens de ne pas négliger les sciences profanes, ces études étant nécessaires si l'on veut mieux comprendre les choses sacrées.[2]

Un autre texte nous montre quel était l'enseignement donné à Byzance à la même époque et souligne l'opposition très vive que nous signalons: c'est la Vie de St Jean le Psichaïte, publiée par P. van den Ven.[3] Jean a souffert pour le culte des images sous l'empereur Léon l'Arménien (815–820) et il est mort probablement sous le règne de Michel le Bègue (820–829). Il a été économe du couvent de la Source, puis hégoumène du monastère de la Mère de Dieu τῶν Ψιχᾶ, d'où l'adjectif de «Psichaïte» accolé à son nom. Sa biographie a été écrite, selon toute vraisemblance, après 842 par un moine. C'est donc un document remontant à une date très voisine des faits que raconte la Vita Constantini. Or, le chapitre IV de l'édition de van den Ven[4] nous fournit de très intéressants détails sur l'enseignement qui se donnait alors à Byzance. Il ne faut, du reste, pas croire que Jean le Psichaïte ait appris toutes les disciplines profanes énumérées par son biographe. Ce dernier les cite uniquement pour pouvoir déclarer ensuite que son héros n'avait nullement besoin de toutes ces choses inutiles et dangereuses qui font perdre aux hommes un temps précieux et beaucoup mieux utilisable.

---

[1] Il faut regretter que ce texte ait complétement échappé à M. F. FUCHS qui dans son travail *Die höheren Schulen von Konstantinopel im Mittelalter*, Byz. Archiv, No. 8, Leipzig, 1926, n'en fait même pas mention. Ce texte est d'autant plus important que l'auteur de la Vie, Ignace, devra probablement — comme M. Fuchs le dit lui-même (*l. c.* p. 17) — être identifié avec un autre Ignace appelé οἰκουμινικὸς διδάσκαλος par le continuateur de Théophane (Bonn, p. 143). Ignace devait donc être parfaitement au courant du système d'enseignement à Byzance à cette époque.

[2] Voici le passage principal, *Ibidem*, p. 149: Πρὸς γὰρ τῇ τῶν θείων λογίων μελέτῃ καὶ τὴν τῆς θύραθεν (παιδείας) εἰσεποιήσατο μέθεξιν· τῇ μὲν τὸ ἐν διδαχαῖς καταπλουτίσαι θέλων πειθήνιον, τῇ δὲ τὸ τῆς πλάνης διελέγχειν ἀπίθανον. Ὡς γὰρ ἀρετὴ νόμου δικαίου τε καὶ ἀδίκου κατάληψιν ἐπαγγέλλεται, ἵνα τὴν ἀξίαν ἀντίδοσιν τοῖς ἐπαίουσιν ὁπότερον ταλαντεύσειεν, οὕτω καὶ τὸ τῆς παιδεύσεως ἐντελὲς ἑκατέρας πρὸς διδασκαλίαν προσήκει φέρειν τὴν εἴδησιν· οὐχ ὅτι παράλληλα τίθεμεν ἄμφω, μὴ γένοιτο· οὐ γὰρ ἀφάμιλλος δεσποίνῃ θεράπαινα, οὐ δὲ μὴ κληρονομήσῃ ὁ υἱὸς τῆς παιδίσκης μετὰ τοῦ υἱοῦ τῆς ἐλευθέρας, ἵνα καὶ τῶν πρὸς Ἀβραὰμ λεχθέντων μνησθῶ.

[3] *La Vie grecque de St. Jean le Psichaïte*, Le Muséon, N. S., vol. III, pp. 97–125.

[4] *L. c.*, p. 109.

Rassurons-nous: le héros dont il nous vante les mérites n'a rien de commun avec cet enseignement qui sentait le paganisme...

Le passage est tellement curieux que nous nous en voudrions de ne pas le citer en entier: «En veillant jour et nuit sur les sciences divines il ne perdait aucune occasion d'étudier la loi du Seigneur et en tirant des Écritures [Saintes] l'inestimable perle il se procurait des richesses qui ne peuvent pas être dérobées. Il n'avait nullement besoin de [connaître] la coordination des mots et des phrases, les particularités du langage» — c'est ainsi que l'hagiographe caractérise l'enseignement de la grammaire — «ni de se perdre dans les minuties grammaticales ni de connaître le bavardage (sic) d'Homère, sa chaîne d'or — Homère, Iliade VIII, 19 — ou [l'art d']atteler et dételer les chars.»

Et le biographe se demande quel profit on pourrait tirer de toutes ces choses inutiles: «En effet, quel profit peuvent tirer de la connaissance de ces mythes, fictions et inventions diaboliques ceux qui s'en enorgueillissent?»

Moins estimable encore apparaît à ses yeux le troisième degré de l'enseignement profane, à savoir la rhétorique, la dialectique et la syllogistique: «Il n'avait pas non plus besoin des mensonges des rhéteurs» — joli compliment, en effet — «ni de savoir combiner des hypothèses sur des questions qui ne peuvent même pas être soutenues, ni d'orner le style par des formes habiles, persuadé que la beauté naturelle de la parole, la véritable issue des choses ou le ton persuasif du langage suffiraient seuls à convaincre les hommes.»

Voici maintenant ses idées sur la philosophie dont l'enseignement succédait aux études déjà énumérées: «En s'exerçant dans la philosophie d'en haut, il s'assimilait à Dieu, autant qu'il le pouvait, se contentant d'un seul raisonnement, à savoir que Dieu est le créateur de tout et — le créateur étant aussi le juge — qu'il est juge de toutes choses. Tous les raisonnements, les syllogismes et les sophismes qui ne sont que des toiles d'araignées, il les comparait aux choses jetées au fumier.»

L'astronomie, la géométrie et l'arithmétique ne sont pas plus utiles: «Il traitait l'astronomie, la géométrie et l'arithmétique comme des choses qui n'ont pas d'existence réelle. Et, en effet, comment pourrait-on supposer l'existence de si petites choses, des nombres pairs ou impairs, qui par elles mêmes n'ont aucune réalité?»

Et pour terminer, le malheureux Platon se fait traiter comme il le mérite aux yeux du pieux moine: «Et comment Platon qui a l'expérience de tout cela peut-il être élevé ainsi aux choses intellectuelles, lui qui, pareil aux serpents rampe dans la boue des passions, le ventre plein et faisant figure de parasite?»

Nous pardonnons bien volontiers au biographe de Sᵗ Jean le Psichaïte ses invectives contre l'enseignement profane; il nous a, en effet, rendu par là même un grand service, puisqu'il nous a donné une idée exacte des différents degrés de cet enseignement au IXᵉ siècle.[1]

Si nous comparons maintenant les données de cette Vie et celles de la Vita Constantini, nous constatons que les deux textes nous renseignent de la même façon sur l'enseignement supérieur byzantin de l'époque. L'ordre même dans lequel se succédaient les différentes disciplines est à peu près identique.

Nous avons insisté un peu longuement sur ce chapitre. Nous aurons plus loin[2] l'occasion de montrer pourquoi il nous a semblé si important de mettre surtout en lumière cette opposition entre les deux courants d'opinion au sujet des sciences profanes.

Ces exemples suffisent, en tout cas, largement pour prouver que le biographe de Constantin connaissait à merveille le système d'enseignement pratiqué à Byzance au IXᵉ siècle. *Tout ce qu'il nous dit de l'éducation de Constantin est donc parfaitement véridique.*

Moins clair nous semble être ce qu'il dit de l'impossibilité dans laquelle se serait trouvé Constantin de continuer ses études à Thessalonique. N'est-il pas quelque peu étrange que, dans la plus importante ville de l'Empire après Constantinople, on ne pût atteindre un plus haut degré de culture? D'autant plus que nous pouvons citer quelques cas qui prouvent que, même en dehors de Byzance, vers cette même époque, on pouvait s'élever à une instruction supérieure. Nous avons vu, par exemple, que Sᵗ Georges d'Amastris, en Paphlagonie, avait suivi dans cette ville un enseignement assez complet de même que Sᵗ Etienne de Sugdaea à Moribason, en Cappadoce. On sait également qu'au

---

[1] On peut se référer aussi, à titre de comparaison, aux renseignements que certains hagiographes nous donnent sur l'enseignement en dehors de l'empire byzantin, par exemple: *Vita S. Joannis Damasceni* P. G. vol. 94, col. 441–444, 445, 448 et *Vita S. Theodori Grapti*, P. G., vol. 116, col. 657 sur Damas et Jérusalem, et *Vita S. Theodori Edess.* (éd. J. POMJALOVSKIJ, Житіе иже во святыхъ отца наш. Θεοδора, St. Pétersbourg, 1892, p. 6) pour l'Edesse. Le développement et l'organisation de l'enseignement byzantin à l'époque qui nous occupe sont moins connus. Nous sommes mieux renseignés sur le XIᵉ siècle, grâce surtout à Michel Psellos, et nous avons sur cette époque plusieurs études qu'on peut consulter avec utilité à titre de comparaison: N. SKABALLANOVIČ, Византійская наука и школы въ XI вѣкѣ, Христіянское Чтеніе, 1884, I, pp. 344-369, 730–770, L. BRÉHIER, *L'enseignement supérieur à Constantinople dans la dernière moitié du XIᵉ siècle*, Revue internationale de l'enseignement, Paris, 1899, vol. 48, pp. 97–112, PÄCHTER, *Beziehungen zur Antike in Theodoros Prodromos Rede auf Isaak Komnenos*, Byz. Zeitschr., vol. XVI, 1907, pp. 112–117, FUCHS, *l. c.*, surtout pp. 30 et suiv.

[2] Voir pp. 67 et suiv., 138.

VIIIᵉ siècle – si on peut en croire le récit de Cédrène[1] – un certain Psellos professait à Andros. Nicolas le Studite (793–868) a été élevé en Crète[2] et l'instruction qu'il y a reçue était assez respectable. La Sicile, elle aussi, offrait assez de ressources dans le domaine intellectuel, ainsi que nous permettent de le constater la carrière de Grégoire Asbestas et celle de Méthode son compatriote,[3] fameux par sa science même aux yeux des iconoclastes. Athènes[4] pouvait peut-être également rivaliser avec ces différents centres.

Il est vrai d'ailleurs que ces cas formaient plutôt l'exception et qu'en général l'instruction qu'on pouvait recevoir en province était assez limitée.[5] Constantinople restait évidemment le plus grand centre «universitaire». Ceci explique que Nicétas David le Paphlagonien, après avoir reçu dans son pays natal l'enseignement élémentaire et secondaire, se soit, après 842, à la même époque que Constantin, rendu à Constantinople pour faire des études plus poussées.[6]

Somme toute, ce que dit le biographe de Constantin ne doit pas, selon nous, être pris à la lettre mais il est tout de même possible que, de temps en temps, les professeurs d'enseignement supérieur, ou plutôt d'enseignement secondaire, aient fait défaut même dans les grandes villes, cet enseignement ne paraissant pas avoir été organisé de façon systématique. C'est peut-être bien ce qui s'est produit à l'époque qui nous intéresse, la sollicitude témoignée par Théophile et le régent Théoctiste à l'organisation de l'enseignement ayant pu attirer les professeurs et les pédagogues vers la Capitale dans l'espoir d'y faire une plus belle carrière.

Il est important néanmoins de constater tout de suite que l'enseignement reçu par Constantin dès son enfance était l'enseignement profane, ce mot étant naturellement pris dans le sens qu'on lui donnait à l'époque. Il n'excluait pas les études théologiques, bien au contraire, et on s'explique ainsi que le jeune

---

[1] CÉDR., II, p. 170 (Bonn).

[2] *P. G.*, vol. 105, col. 868, 869.

[3] Voir plus loin, p. 41. *Vita Methodii*, P. G., vol. 100, col. 1245: ἐν αἷς (Συρακούσαις) πᾶσαν γραμματικῆς τέχνην καὶ ἱστορίας, ὀρθογραφίαν τε καὶ ὀξυγραφίαν κατορθωκεὺς ἐκ παιδός...

[4] Basile, biographe d'Euthyme le Jeune, créé archevêque de Thessalonique après 904, et dont l'instruction était assez remarquable, provenait de cette ville, si l'on peut vraiment l'identifier avec le Saint du même nom qui figure dans le Synaxaire à la date du 1ᵉʳ février. Cf. la *Vie de St. Etienne de Sugdaea* (VASIL'EVSKIJ, Труды, vol. III., p. 73). Le jeune Étienne va à Athènes pour y apprendre la philosophie et puis se rend à Constantinople pour achever ses études.

[5] Voir à ce sujet la remarque de BRÉHIER, *Les populations rurales au IXᵉ siècle, d'après l'hagiographie byzantine*, Byzantion, vol. I, p. 189.

[6] LOPAREV, *L. c.*, Виз. Врем., vol. XIX, p. 146. Il y fréquentait, pourtant, l'école théologique de Sᵗᵉ Sophie.

Constantin ait éprouvé une certaine prédilection pour les ouvrages de Saint Grégoire de Naziance. Cette préférence était-elle due aux goûts personnels du jeune homme ou faut-il l'attribuer au hasard?

*

Il nous semble que là encore Constantin a dû subir l'influence de son temps. Si le grand théologien a eu, à toutes les époques, d'enthousiastes admirateurs à Byzance, il semble bien qu'il ait été particulièrement aimé au VIIIᵉ et au IXᵉ siècles. C'est, en effet, son nom qui est le plus souvent cité dans les écrits, hagiographiques et autres, de cette période. Peut-être les querelles iconoclastes ont-elles contribué à cette popularité de Sᵗ Grégoire, puisque les iconoclastes se servaient de certains propos du fameux théologien pour étayer leurs thèses. Sᵗ Théodore le Studite cite au moins deux de ces «arguments». Ce sont les propos du Saint dans le Carmen LXVII: «Quod colendum, minime circumscriptum» et «Si quis creaturam adorat, etiamsi faciat in Christi nomine, idololatriam committit». Sᵗ Théodore s'efforce de prouver aux iconoclastes qu'ils ont tort d'interpréter ces paroles de Sᵗ Grégoire comme leur étant favorables et il extrait au contraire des écrits de Grégoire un grand nombre de citations qu'il utilise contre ses adversaires. De toute façon, le nom de Sᵗ Grégoire revient sans cesse dans ses écrits.[1]

Le patriarche Nicéphore oppose souvent aussi aux iconoclastes l'enseignement de Grégoire.[2] Rien d'étonnant à ce que le célèbre Père de l'Église ait été au IXᵉ siècle tenu en si grande estime par l'Église byzantine. Le biographe de Sᵗ Étienne le Jeune l'appelle tout simplement « l'esprit le plus clair et le plus versé dans la théologie ».[3]

Le biographe de Sᵗ Eustratios[4] a surtout trouvé des paroles chaleureuses et enthousiastes à son adresse. Nicétas le Paphlagonien, contemporain de Cons-

---

[1] P. G., vol. 99, Adversus iconomachos capita VII, col. 496, 497; Antirrheticus, II, col. 353, 376, 380, 381, 385, Epist., lib. II, lettre à Naucratios (lettre 36), col. 1221, un poème en son honneur, col. 1797. La petite Catéchèse (Édition d'AUVRAY, Paris, 1899), cat. 54, p. 195, cat. 66, p. 230.

[2] P. G., vol. 100, col. 184, Antirrhetici, II, col. 361, 372, 401, III, col. 444, 456, Apologeticus, col. 572, 581.

[3] P. G., vol. 100, col. 1084: ὁ διαπρύσιος καὶ θεολογικώτατος νοῦς.

[4] Vita Eustratii, PAPADOPOULOS-KERAMEUS Ἀνάλεκτα ἱεροσολ. σταχυλογίας, St. Pétersbourg, 1897, IV, p. 374: ἐν τοιαύτῃ τοίνυν πνευματικῇ πολιτείᾳ ἀναστρεφομένων αὐτῶν ἐξαίφνης ἐφίσταται πλῆθος χαλάζης, κατὰ τὸν μέγαν θεόλογον Γρηγόριον, τετριγὸς ὀλέθριον, οὐ σώματα ἀλλὰ ψυχὰς ἀφανίζον καὶ τῇ σκότει παραπέμπον τὰς μάλιστα ἀσμανισαμένας αὐτῷ καὶ πεισθείσας.

tantin, a écrit, en outre, un «encomion» en l'honneur de St Grégoire.[1] La renaissance des études classiques à cette époque a aussi contribué à la vénération de ce Père fameux qui avait en si grande estime les lettres classiques.[2] Ainsi le jeune Constantin a tout simplement suivi un courant d'idées alors très puissant à Byzance.

En ce qui concerne le petit encomion rédigé par lui en l'honneur de son Saint préféré, nous ne pouvons l'identifier avec aucun des nombreux encomia, tropaires et autres, écrits à la gloire de St Grégoire par ses fidèles byzantins. Il paraît donc original. Il faut remarquer que Photios lui-même semble avoir écrit un tropaire en l'honneur de Grégoire. M. J. Sajdak dans son étude sur les scholiastes de St Grégoire en a en effet publié un qu'il lui attribue.[3]

*

En ce qui concerne la date de l'arrivée de Constantin à Byzance, la Légende ne nous donne pas de précision. Il semble pourtant difficile de la placer avant 842, année de la mort de Théophile; on pourrait plutôt la fixer en 843 et même la rejeter un peu après cette année-là. Nous aurons plus loin l'occasion de parler des évènements qui se sont déroulés à Byzance entre 842 et 843 et nous verrons que Léon le Grammairien, que la Légende cite parmi les professeurs de Constantin à Constantinople, se trouva à Byzance en 843 seulement. D'après le récit de la Légende, Théoctiste paraît avoir déjà exercé le pouvoir suprême lorsque Constantin arriva dans la capitale. Constantin avait donc probablement dix-sept ans quand il commença ses études supérieures. C'était l'âge généralement requis pour cette sorte d'études.

Reste un petit détail qui appelle un éclaircissement. L'hagiographe affirme que Constantin fut élevé avec l'empereur. Il y a là une exagération que l'auteur s'est permise pour ajouter à la gloire de son héros. L'empereur Michel III dont il est ici question étant né en 839, il y avait une grande différence d'âge entre Constantin et lui. L'auteur de la Vie se contredit d'ailleurs lui-même lorsqu'il dit plus loin (chap. IV) que le logothète, absolument émerveillé des progrès

---

[1] *P. G.* vol. 105, col. 439–488, ib. l'exégèse des Chants de Grégoire, col. 577–582, vol. 38, col. 685–841.

[2] Cf. ce que SUIDAS, dans son *Dictionnaire* (Ed. G. Bernhardy, Halle, 1853, vol. I, 1142–1146), dit de St. Grégoire.

[3] *Historia critica scholiastarum et commentatorum Gregorii Naz.*, Meletemata Patristica, I, Cracoviae, 1914, p. 257. L'encomion de Constantin aurait pu trouver également place dans cette excellente étude de M. Sajdak, car bien que conservé seulement en slave il a été écrit en grec, et il prouve combien le Saint était vénéré à Byzance au IXe siècle.

34

réalisés par le jeune Constantin, donna à ce dernier la permission d'accéder librement au palais impérial. Comment expliquer une telle autorisation si Constantin avait été élevé à la cour avec l'enfant impérial ? Le biographe veut probablement dire que les professeurs de Constantin étaient également chargés de l'éducation du jeune empereur.

Il a évidemment aussi voulu souligner par là la position élevée du protecteur de Constantin et on reconnaît ainsi qu'il n'y avait pas de plus grand honneur pour un Byzantin que d'être admis à entrer en rapports directs avec le Basileus.

L'auteur de la Vie est du reste bien renseigné. Le logothète en question – il s'agit sans aucun doute de Théoctiste – était en relations très étroites avec l'empereur dont il était le tuteur, de par la volonté même de Théophile, le souverain défunt.[1] Et ce que le biographe dit de la permission accordée à Constantin par Théoctiste – le libre accès au palais impérial – n'est même pas dénué de tout fondement. Georges le Moine nous apprend que Théoctiste, pour être à proximité des bureaux impériaux, s'était fait construire une maison agrémentée de bains et d'un jardin dans l'Apside, à l'intérieur du grand espace que renfermait le palais.[2] L'Apside était probablement un large espace libre sur lequel s'élevait un bâtiment ayant la forme d'une apside, d'où le nom donné à l'ensemble. Ce bâtiment formait probablement une sorte de passage ou de porte qui menait du vieux palais aux nouvelles constructions édifiées par Théophile.[3] Constantin, s'il voulait se rendre chez son protecteur, devait donc bien obtenir le libre accès au palais.

*

Théoctiste est, remarquons-le, un personnage très intéressant. C'était un fidèle serviteur de la dynastie amorréenne. C'est lui qui apporta à Michel II un secours effectif dans sa conspiration contre Léon V.[4] C'est lui, en effet, qui, sous prétexte de chercher un prêtre pour Michel, accusé de haute trahison et devant être exécuté le lendemain, sortit du palais afin de convoquer les conjurés conformément aux instructions de Michel.

---

[1] GÉNÉSIOS (Bonn), p. 77; THÉOPH. CONT. (Bonn), p. 148.

[2] GEORG. MON. (Contin.), Bonn, p. 816: Ὁ δὲ αὐτὸς Θεόκτιστος παραδυναστεύων ὢν τῇ Αὐγούστῃ οἰκήματα καὶ λουτρὰ καὶ παράδεισον ἐν τῇ νῦν καλουμένῃ Ἄψιδι πεποίηκεν πρὸς τὸ πλησίον αὐτὸν εἶναι τοῦ παλατίου.

[3] Voir I. B. BURY, *The Great Palace*, Byz. Zeitschr., vol. XXI, 1912, p. 218. Bury corrige l'opinion de I. EBERSOLT, *Le Grand Palais de Constantinople*, Paris, 1910, pp. 119 et suiv. qui attribue le nom d'Apside uniquement à la porte voutée conduisant au nouveau palais.

[4] Voir le récit mouvementé de GÉNÉSIOS, Bonn, p. 23.

Puisque ce dernier était alors le commandant des gardes du corps (δομέσ-τικος) et puisque Théoctiste était, au dire du chroniqueur, « un de ses plus fidèles serviteurs », nous pouvons supposer que Théoctiste avait débuté comme ἐξκουβίτωρ (garde du corps). L'aide qu'il prêta à Michel dans la nuit de Noël 820 fut généreusement récompensée. Il fut nommé patrice et chef du secrétariat de l'empereur.[1] Il assista aussi fidèlement par la suite Théophile qui l'avait nommé logothète τοῦ δρόμου.[2] Théoctiste semble avoir conservé, même après son élévation à la dignité de logothète, sa charge de chef de la chancellerie.[3]

De même qu'il avait été fidèle à Théophile, il le resta à sa veuve, l'impératrice Théodora, sur laquelle il exerçait d'ailleurs une grande influence, et nous verrons tout à l'heure quel rôle il devait jouer dans le rétablissement de l'orthodoxie.

Nous ne savons malheureusement rien de ses origines, de sorte qu'il nous est impossible d'établir s'il avait quelque relation de parenté avec la famille de Constantin. Avait-il des enfants? La Vie de Constantin semble insinuer qu'il n'en avait pas et l'on s'expliquerait ainsi pourquoi il s'attacha tant au jeune Constantin à qui il offrit pour épouse sa fille spirituelle. Ce témoignage de la Légende est confirmé par le Continuateur de Théophane; celui-ci déclare de façon très explicite que Théoctiste ne pouvait pas avoir d'enfants puisqu'il était eunuque:[4] « Théoctiste, l'eunuque qui dirigeait alors le bureau impérial et détenait la charge de logothète du drome. »

L'écrivain arabe Tabarī[5] vient même à l'appui de cet auteur, puisqu'il parle d'un κανίκλειος qui était eunuque. Comme il s'agit de l'année 855—856, le fonctionnaire en question ne pouvait être autre que Théoctiste. Pourtant Géné-

---

[1] GÉNÉSIOS, Bonn, p. 23: ὃς μετὰ ταῦτα τῷ τοῦ πατρικίου περιβλέπτῳ τετίμητο ἀξιώματι καὶ τὴν ἐπὶ τοῦ βασιλικοῦ καλάμου ἐγκεχείριστο πρόνοιαν, δι' οὗ κανίκλειος ἐδοξάζετο ... Sur la charge de κανίκλειος, ὁ ἐπὶ κανικλείου voir Du CANGE, *Glossarium mediae et infimae graecitatis* sous ce mot; SCHLUMBERGER, *Sigillographie*, p. 459. Voir FR. DÖLGER, *Der Kodicellos des Christodulos in Palermo*, Archiv für Urkundenforschung, vol. XI, 1929, pp. 44—53.

[2] Voir à propos de cette charge BURY, *Imp. Admin. Syst.*, pp. 91 et suiv. Le logothète τοῦ δρόμου était, en une certaine manière, le ministre des affaires étrangères de l'Empire. Cf. FR. DÖLGER, *l. c.*, p. 53.

[3] GÉNÉSIOS lui attribue les deux titres, Bonn, p. 83: ὁ πατρίκιος καὶ ἐπὶ τοῦ κανικλίου καὶ λογοθέτης τοῦ δρόμου Θεόκτιστος.

[4] THEOPH. CONT,. Bonn, p. 148. Cf. l'étude de J. MALYŠEVSKIJ sur le logothète Théoctiste (Логоѳетъ Θеоктистъ, Труды кіевск. дух. Академіи, 1887, no. 2, pp. 265–297). Quoique l'auteur n'ait pas osé tirer certaines conclusions auxquelles il aurait pu arriver, l'étude est très bonne, surtout si nous tenons compte de l'époque à laquelle elle a été écrite.

[5] VASIL'EV, Византія и Арабы, S^t. Pétersbourg, 1900, p. 53 (Приложенія).

sios[1] donne un renseignement un peu différent. D'après lui, Bardas, pour convaincre le jeune empereur Michel que Théoctiste était un homme dangereux pour lui, allégua que Théodora avait l'intention de se marier avec Théoctiste ou, au moins, de lui donner une de ses filles pour femme et qu'il leur serait alors très facile de se débarrasser de Michel. En tout cas, ce renseignement même semble au moins confirmer le fait que Théoctiste n'était pas marié vers 856, année où il fut assassiné.

Il n'est d'ailleurs pas nécessaire de conclure, du fait que Théoctiste vouait un soin particulier au jeune orphelin, à des liens de parenté avec la famille de Léon. Il semble plutôt que la cour impériale manifestait en général une telle sollicitude pour les orphelins des fonctionnaires d'État de rang supérieur et l'on s'expliquerait ainsi les paroles que le biographe met dans la bouche de Léon mourant au sujet de l'avenir du jeune Constantin. On trouve au moins un exemple analogue dans la vie de St. Théophane le Chroniqueur. D'après la vie anonyme de ce Saint, publiée par Krumbacher,[2] le père de Théophane, Isaac, était amiral de la flotte de la Mer Egée. Il mourut vers 763, alors que son enfant n'avait encore que trois ans. Aussitôt Léon, fils de l'Empereur Constantin V, s'intéressa à lui personnellement et s'occupa même de son nom.[3] Quand le jeune homme eut perdu sa mère, vers 778, Léon, devenu empereur, l'éleva au rang de strator, dignité qui devait être une consolation pour le jeune orphelin et lui assurer en même temps une honorable situation à la cour.[4] Par la suite, enfin, Théophane fut préposé aux constructions d'utilité publique à Cyzique[5]. Remarquons enfin que les Empereurs portaient un intérêt tout particulier à l'orphelinat fondé à Constantinople par Justin II: on trouve dans la liste des fonctionnaires et dignitaires de la cour un ὀρφανοτρόφος qui devait être nommé par l'Empereur et qui avait à s'occuper de l'orphelinat «impérial».[6]

En résumé nous devons constater, à la fin de cet exposé, que les renseignements apportés par les biographes de Constantin et de Méthode dans cette

---

[1] GÉNÉSIOS, Bonn, p. 87.

[2] *Eine neue Vita des Theoph. Conf.*, Sitzungsberichte d. k. bayr. Akad. d. Wiss., Phil. hist. Kl., 1897, pp. 371–399.

[3] *Ibid.*, p. 390.

[4] La charge de strator imposait à l'origine le devoir d'aider l'empereur quand il montait à cheval, mais BURY (*The Imperial admin. Syst.*, pp. 117 et suiv.) donne des indications sur la situation exacte de son titulaire.

[5] *Ibid.* p. 391; SIMÉON MÉTAPHRASTE, P. G., vol. 115, col. 17.

[6] Voir sur cette charge et son évolution BURY, *l. c.*, p. 103 et 104.

partie de leurs œuvres (V. C., chap. II, III; V. M., chap. II) cadrent en général très bien avec les témoignages des sources histoiriques dont l'autorité est absolument sûre, quant à l'évolution de Byzance au IXe siècle. Les affirmations des Légendes sur la jeunesse des deux frères doivent être regardées comme véridiques.

CHAPITRE II.

LA CARRIÈRE DE CONSTANTIN
À BYZANCE.

(V. C. chap. IV.)

I. Le rôle de Théoctiste dans la réforme de l'enseignement byzantin. — Léon le Mathématicien et Photios dans l'enseignement supérieur.

II. Les ordinations sacerdotales dans l'Église byzantine. — La charge de bibliothécaire. — Le patriarche Ignace et la renaissance littéraire.

III. Les couvents du Bosphore. — Kleidion. — La dispute avec l'ex-patriarche Jean. — La personne de Jean dans l'hagiographie de l'époque. — Les polémiques iconoclastes. — Constantin, successeur de Photios à l'Université. — Le titre de « philosophe ».

I.

Le biographe de Constantin, décrivant les études faites par son héros à Constantinople, touche à *quelques problèmes concernant la réforme de l'enseignement à Byzance au IXe siècle.* On sait que l'enseignement supérieur byzantin a été réorganisé à cette époque et l'on a pris l'habitude d'en attribuer tout le mérite au seul Bardas, frère de l'impératrice Théodora, qui, entre 856 et 866, dirigeait les affaires de l'état au nom de son neveu, Michel III. Mais en se bornant à cette constatation on a négligé la période précédente, c'est-à-dire celle qui va de la mort de Théophile (842) à l'avènement de Bardas. Or, c'est justement sur cette période que le biographe de Constantin nous offre quelques renseignements dont la valeur doit être examinée et nous allons nous demander, en particulier, si le logothète Théoctiste n'a pas joué un certain rôle dans la réforme. Les détails fournis par la Légende sur la place occupée dans l'enseignement par Léon le Mathématicien et Photios mériteront, d'autre part, un examen spécial.[1]

*

---

[1] Voir notre article sur *La carrière universitaire de Constantin le Philosophe,* Byzantinoslavica, vol. III, 1931 pp. 59-67.

Ce qui est surprenant, c'est surtout ce que la Légende rapporte au sujet de Léon le Mathématicien. D'après le biographe de Constantin, l'ancien archevêque iconoclaste de Thessalonique, Léon, avait enseigné à Byzance peu de temps après sa déchéance et bien avant la fondation de l'Université par Bardas. Il s'agit donc de savoir si c'était là un poste officiel ou si Léon enseignait à titre privé, pour gagner son pain, après la perte de sa charge épiscopale. Après avoir été si estimé par l'empereur iconoclaste Théophile, il semble, en effet, disparaître comme par enchantement dès le rétablissement de l'orthodoxie et n'est retrouvé que par le César Bardas qui lui confie la direction de l'Université fondée par lui. Seule la Vie de Constantin nous le montre, durant cet intervalle, s'adonnant à l'enseignement à Constantinople même. Que faut-il penser d'une découverte aussi inattendue?

On avait jadis coutume de considérer comme très brusque le revirement survenu dans la politique religieuse après la mort de Théophile et de croire que tous les évêques iconoclastes avaient été simplement punis et remplacés par des évêques orthodoxes. On abandonnait donc Léon à son sort en s'imaginant qu'il avait été amené à faire quelque part pénitence pour son impiété. Mais déjà Bury[1] démontra que les choses avaient évolué un peu plus lentement qu'on ne se l'imaginait. De longs pourparlers précédèrent le rétablissement de l'orthodoxie et on montra souvent, dans la punition des anciens iconoclastes, une indulgence presque surprenante.

Plus d'un an s'écoula, en effet, avant que fût convoqué le concile appelé à rétablir le culte des images. La pieuse Théodora elle-même paraît avoir hésité à modifier ouvertement la politique religieuse de son défunt mari. C'est la peur pour l'avenir de la dynastie en même temps que la crainte de compromettre le souvenir de son mari, qu'elle avait aimé si tendrement, qui l'a fait hésiter. On sait quelles précautions elle avait prises pour que la mémoire de Théophile ne fût pas anathématisée avec l'hérésie qu'il avait patronnée; et, quand elle se fut décidée en faveur du rétablissement, elle procéda avec une extrême prudence, s'abstenant surtout d'actes de violence à l'égard des anciens iconoclastes bien que ménageant en même temps les sentiments des défenseurs intrépides des images. Théodora fut particulièrement aidée dans cette voie par

---

[1] *A History*, pp. 143 et suiv. Dès 1892, TH. USPENSKIJ dans ses Очерки по исторіи виз. образованности, St. Pétersbourg, 1892, pp. 3—89 s'était prononcé dans ce sens, mais ses paroles ne semblent pas avoir trouvé alors l'écho qu'elles méritaient.

le logothète Théoctiste, le fidèle et dévoué serviteur de la dynastie amoréenne. Ce sont certainement, comme nous l'avons dit, des raisons d'ordre politique — en particulier la crainte de compromettre l'avenir de la maison régnante — qui avaient fait hésiter l'impératrice; ce sont ces mêmes raisons qui paraissent avoir amené Théoctiste à abandonner ses opinions iconoclastes et à persuader Théodora que les intérêts de la dynastie commandaient un changement de politique religieuse. On ne peut douter que Théoctiste, serviteur si fidèle des deux empereurs iconoclastes, Michel II – à qui il sauva presque la vie – et Théophile, n'ait pas eu les mêmes convictions religieuses que ses deux maîtres; et le fait d'avoir finalement compris la nécessité d'un changement de politique et de s'être efforcé de le réaliser, prouve précisément que le vaillant logothète avait un certain sens politique et des talents d'homme d'état. Dans la façon même dont fut liquidé le passé iconoclaste, on voit la main habile de Théoctiste, ancien ennemi des images, devenu champion de l'orthodoxie pour des raisons d'état. Nous aurons l'occasion de montrer plus loin d'une façon plus détaillée comment les choses se sont passées avant et après le rétablissement de l'orthodoxie et quel écho ces évènements ont trouvé surtout parmi les moines. Nous verrons surtout comment Théoctiste s'était efforcé d'écarter de la direction des affaires ecclésiastiques les éléments intransigeants afin de ne pas surexciter les passions de ceux qu'on obligeait à changer d'opinions religieuses. Pour comprendre l'attitude du logothète à l'égard de Léon le Mathématicien, nous sommes obligés d'anticiper sur cet exposé et de montrer dès maintenant les grandes lignes de la politique de Théoctiste.

La préoccupation qu'avait Théoctiste, d'empêcher les intransigeants de prendre une trop grande part à la gestion de l'Église, explique qu'il ait choisi comme successeur du patriarche iconoclaste Jean le Grammairien un prélat orthodoxe, Méthode, dont la fidélité au culte des images ne pouvait pas être mise en doute mais en qui on pouvait avoir confiance pour assurer à la politique de conciliation préconisée l'appui du trône patriarcal. Méthode vivait depuis un certain temps à la cour impériale, dans l'entourage de l'empereur Théophile qui l'avait persécuté autrefois mais qui l'estimait beaucoup pour sa science. Il profitait, on le sait, de sa présence au palais impérial pour encourager l'impératrice et ses parents à pratiquer toujours le culte des images. Pourtant, son séjour prolongé au palais, au milieu des iconoclastes, le portait naturellement à la tolérance et à la modération dans le but d'arriver à liquider la querelle. Les intérêts de la maison régnante semblaient en plus trouver un appui dans sa personne. Voilà pourquoi les candidats du parti studite – qui avait contribué le plus à la victoire de l'orthodoxie – bien que paraissant avoir, avant tous autres, droit aux honneurs du triomphe, furent écartés.[1] La protection que le pieux Manuel, autre tuteur du jeune empereur Michel en même temps que régent, leur accordait ne leur profita nullement. Théoctiste poursuivit sa politique avec une telle décision et une telle vigueur qu'il trouva le moyen d'écarter Manuel des affaires de l'État. Celui-ci, heureusement moins énergique que son collègue dans la tutelle impériale, comprit, en effet, et se retira, sauvant ainsi probablement sa vie que Théoctiste n'aurait sûrement pas épargnée s'il avait jugé un tel acte nécessaire au succès de sa cause.

Le traitement qu'on infligea au patriarche déchu, le fameux Jean, illustre très bien cette politique de conciliation. Cet homme qui avait été si dangereux pour l'orthodoxie et que sa science rendait si redoutable fut évidemment déposé, mais on se contenta de le mettre dans un couvent. On avait jadis sévi bien autrement contre les défenseurs des images... Il est également plus que probable que les membres du clergé qui abjurèrent l'hérésie conservèrent leurs postes et il est curieux de noter qu'on évita surtout, comme nous le verrons encore plus loin, de nommer aux postes vacants les intransigeants, Studites et leurs partisans. Il y a là tout un système destiné à donner à la nouvelle ligne de conduite politique, à la conciliation dans l'Église, une certaine durée et une certaine stabilité. Théoctiste appuya Méthode de toute son influence et la cour elle-même se proclama solidaire du patriarche quand les Studites se livrèrent à une opposition ouverte et exaspérée. Fort de cet appui,[2] Méthode lança donc contre les irréconciliables l'excommunication dans sa forme la plus rigoureuse.

Telle était, dans les grandes lignes, la situation après 842. Quel fut le sort de Léon le Mathématicien dans ces évènements? Il a bien été destitué de son siège de Thessalonique, mais dans quelles circonstances? Il nous semble que ce soit lui surtout qui ait profité de la politique de conciliation inaugurée par Théoctiste. Un fait particulier nous confirme dans cette conviction. Léon, selon toute vraisemblance, vivait en très bons rapports avec le logothète Théoctiste. A en croire le Continuateur de Théophane, c'est à lui que Léon s'était adressé, porteur de la fameuse lettre, envoyée, dit-on, par le calife et l'invitant à venir occuper un poste élevé dans l'enseignement.[3] On ne sait pas exactement ce qu'il

---

[1] Voir ce que nous disons de ce conflit dans notre ouvrage, *Les Slaves, Byzance et Rome*, pp. 123 et suiv. Pour les détails voir plus loin, pp. 123 et suiv.

[2] *Vita Methodii*, P. G., vol. 100, col. 1257.

[3] THÉOPH. CONTIN., Bonn, p. 189: (Λέων) πλὴν οὐκ ἀκίνδυνον εἶναι λογισάμενος τὴν ἐκ τῶν ἐχθρῶν γραφήν, εἴ γέ ποτε κατάφωρος γένοιτο, τῷ λογοθέτῃ πρόσεισι (Θεόκτιστος οὗτος

faut penser de cette lettre, car le récit semble bien légendaire, mais il est caractéristique que le chroniqueur fasse intervenir le logothète Théoctiste et lui attribue le mérite d'avoir attiré l'attention de l'empereur sur le savant. C'est donc grâce à cette intervention que Léon devint recteur de l'enseignement officiel réorganisé par Théophile. Ce témoignage peut bien, pour le moins, nous autoriser à penser que Théoctiste était en bons rapports avec Léon qu'il estimait pour sa science. Pourquoi donc l'aurait-il sacrifié après le rétablissement de l'orthodoxie, lui, ancien iconoclaste, grand admirateur de l'œuvre de Théophile? Pourquoi aurait-il ainsi désavoué son ancien maître qui tenait en si haute estime la science de Léon? Dans ce cas particulier surtout, Théoctiste devait agir selon l'esprit de conciliation et de compromis et la destitution était une punition suffisamment forte pour Léon. Par elle on calmait les susceptibilités des orthodoxes, mais il n'y avait pas à aller plus loin. Du reste Léon était, comme Théoctiste, un homme qui ne semble pas avoir pris la cause iconoclaste autant à cœur que ne le faisait son parent Jean le Grammairien.[1] Il faut remarquer que les chroniqueurs — pour la plupart moines très susceptibles en ce qui concerne le culte des images — sont en général assez favorables à Léon.[2] Il est donc très possible, sinon certain, que le gouvernement de Théodora et de Théoctiste, après avoir déposé Léon de son siège épiscopal, lui ait offert, par souci de conciliation, le poste officiel qu'il avait déjà occupé autrefois dans l'enseignement. Et ainsi *le récit de la Vie de Constantin semble correspondre parfaitement à la réalité: Constantin suivait bien à Byzance l'enseignement officiel dirigé par le fameux Léon.*

Mais que penser, d'autre part, du célèbre Photios? La Vie le nomme également parmi les maîtres de Constantin, au même titre que Léon, ce qui paraît indiquer qu'il occupait, lui aussi, un poste officiel dans l'enseignement. Ce n'est pourtant pas une preuve et nous avons malheureusement sur la carrière universitaire de Photios des renseignements si vagues qu'il est extrêmement difficile de s'en faire une idée exacte. La description qu'a faite Photios lui-même, dans sa lettre au pape Nicolas,[3] de l'enseignement qu'il donnait dans

---

ἦν ὁ παρανάλωμα τῷ Βάρδᾳ γενόμενος) . . . καὶ δίδωσιν τὴν τοῦ ἀμεραμνουνῆ γραφήν . . . τὸ δὲ γράμμα ἐμφανίζει τῷ Θεοφίλῳ ὁ λογοθέτης . . .

[1] HERGENRÖTHER, *Photius, Patriarch von Konstantinople,* Regensburg, 1867, I, p. 323, le pense aussi.

[2] THÉOPH. CONT., Bonn, p. 185, GÉNÉSIOS, p. 98, SYMÉON MAG., p. 640, KEDRENOS II, p. 166, ZONARAS, III, p. 400 (Bonn).

[3] *P. G.* vol. 102, col. 597.

sa maison, semble indiquer plutôt qu'il y avait là comme une sorte de cercle où l'on se réunissait pour discuter littérature et pour lire des ouvrages classiques et scientifiques. Mais, d'un autre côté, le pédantisme avec lequel Photios corrige les fautes d'orthographe de ses correspondants trahit plutôt un professeur ayant l'habitude d'enseigner publiquement. Qu'en penser? Il faut, à notre sens, distinguer deux périodes dans la carrière de Photios dans l'enseignement avant son arrivée au patriarcat. Tout paraît indiquer qu'il débuta, comme son collègue Léon, vers 843, dans l'enseignement officiel et qu'il devait également son poste à la générosité de Théoctiste. C'est à cette époque qu'en qualité de professeur de l'enseignement public il eut comme élève le futur apôtre des Slaves. Nous ne savons pas combien de temps il occupa ce poste mais, ses qualités le recommandant pour une charge plus importante encore, il fut nommé protoasecrète,[1] c'est-à-dire premier secrétaire, ce qui équivaut à peu près sans doute à l'importante charge de directeur de la chancellerie impériale. Les titulaires de ce poste avaient rang de protospathaire.[2] Nous ne savons pas à quelle époque placer cet avancement; il se peut bien que ce soit encore sous Théoctiste. Il avait alors probablement cessé d'enseigner publiquement mais il réunissait ses anciens élèves, admirateurs et amis dans sa maison comme il le faisait peut-être déjà tout en étant professeur, fondant ainsi à Byzance une sorte de salon littéraire important et l'on peut penser que Constantin le Philosophe était un des habitués de la maison de l'illustre savant.

Le fameux logothète Théoctiste nous apparaît bien maintenant dans une lumière toute nouvelle. Nous devons saluer en lui le digne devancier de Bardas dans la réforme de l'enseignement byzantin. C'est lui qui joua un rôle im-

---

[1] Voir à propos de la charge de protoasecrète BURY, *The Imp. Adm. Syst.*, pp. 97, 98. Il est à remarquer que même les patriarches Tarasios et Nicéphore avaient appartenu au service impérial des ἀσηκρῆται (THÉOPH., 6277, 6298; Bonn pp. 709, 747, de Boor, pp. 458, 481). Tous les deux ont été élevés, comme Photios, bien que laïques, à la dignité patriarcale. Cette coincidence est curieuse à constater. Un de leurs prédécesseurs, Paul III (688—694), était aussi asecrète et laïque avant de monter au trône patriarcal (NICÉPH., *Chron. Synt.*, Bonn, p. 777, de Boor, p. 119).

[2] Sur les protospathaires voir SCHLUMBERGER, *Sigillographie*, p. 589, BURY, *l. c.*, p. 72, *Tacticon d'Uspenski*, l. c., p. 124: σπαθάριος ἀσεκρήτης, p. 127: ὁ ἀσηκρήτης. Le *Kleitorologion de Philothète*, l. c., p. 159: οἱ πρωτοσπαθάριοι καὶ ἀσηκρῆται, p. 152: οἱ σπαθάριοι καὶ ἀσηκρῆται. Cf. l'importante contribution de FR. DÖLGER (*l. c.*, pp. 54—56) à l'histoire de l'évolution de la charge de protoasecrète. Comme il s'agissait d'un emploi qui exigeait de ses titulaires une certaine pratique de la stylistique et de la grammaire on comprend qu'on nommât souvent des professeurs d'Université à cette charge.

portant dans celle que tenta Théophile et qui continua dans la même voie durant la régence lorsque son maître fut mort. Il plaça à la tête de l'enseignement officiel les deux grands savants byzantins de cette époque, Léon le Mathématicien et Photios, et nous verrons par la suite qu'il continua à apporter un soin tout particulier à ce haut enseignement. Ce fut donc bien un homme de valeur, favorable aux courants « modernes » qui annonçaient la renaissance des études classiques et littéraires à Byzance, et *ce que la Vie de Constantin nous dit des goûts intellectuels de Théoctiste, qui aimait à discuter philosophie avec le jeune savant, n'est pas une simple phrase d'hagiographe; c'est un texte qui mérite crédit.*[1] Le régime de Théoctiste représente la continuation du mouvement littéraire et scientifique qui, à Byzance, va du savant patriarche Jean le Grammairien, de Léon le Mathématicien et de Théophile à Bardas, à Photios et à leur école.

II.

Ses études terminées, Constantin avait à choisir sa carrière. Le logothète lui offrait une belle place dans l'administration comme il en avait déjà donné une à son frère Méthode. Mais, d'après la Légende, Constantin, n'ayant aucun goût pour un emploi laïque, fut ordonné prêtre et se vit confier un poste de bibliothécaire auprès du patriarche. Or, cette place même ne lui convint pas; il la quitta et se cacha six mois dans un couvent du Bosphore.

Ce passage de la Vie est très énigmatique. Si nous acceptons la chronologie des évènements telle que l'ouvrage paraît nous la présenter nous devons supposer que Constantin fut ordonné prêtre à l'âge de 23 ou 24 ans au maximum. Or, il est généralement admis que l'âge exigé pour la prêtrise à Byzance était 30 ans.[2] Faut-il donc rejeter la chronologie de la Légende pour ne pas entrer en conflit avec le droit canon de l'Église orientale?

Quel est, d'autre part, cet office de bibliothécaire? Pourquoi Constantin l'abandonna-t-il? Quels furent ses rapports avec le patriarche Ignace auprès

---

[1] La définition que donne Constantin de la philosophie est intéressante: « La philosophie est la connaissance des choses divines et humaines qui nous enseigne jusqu'à quel degré on peut s'approcher de Dieu et nous apprend que les choses sont créées à l'image de Dieu.» On ne trouvera pas, il est vrai, une telle définition dans les ouvrages contemporains. Pourtant, Constantin exprima très bien par là les opinions de ses contemporains. La philosophie n'était pour eux qu'une introduction à la théologie. Cf. par ex. la définition de la philosophie donnée par SUIDAS dans son *Dictionnaire* (Éd. Berhardy, II, col. 1489, 1490).

[2] N. MILAŠ, *Das Kirchenrecht der morgenländischen Kirche*, Mostar, 1905, p. 261.

duquel – selon toute vraisemblance – il exerça cette charge? Que penser enfin de son séjour sur le Bosphore?

Tels sont les problèmes qu'il convient d'examiner, étant donné – en dépit des apparences – leur importance pour la vie de Constantin.

*

Que penser de l'âge de l'ordination sacerdotale? L'âge légal était bien de trente ans à Byzance. Le synode de Néocésarée et le concile Quinisexte sont très précis sur ce point: 20 ans pour le sous-diaconat, 25 pour le diaconat, 30 pour la prêtrise.[1] La chose est claire et, à moins qu'on puisse prouver que la règle ne fut pas toujours observée, il faut supposer que ce canon fut respecté même dans le cas particulier de Constantin. Mais puisque Constantin avait vingt-quatre ans lorsqu'il fut envoyé auprès des Arabes – en 851 d'après la Légende – il n'aurait pas dû pouvoir être ordonné prêtre avant 857. Comment donc concilier des données aussi contradictoires? En général ceux qui se sont occupés de la Vie de Constantin n'ont pas vu la difficulté et se sont contentés du récit légendaire. Bury[2] fut l'un des premiers à attirer l'attention sur ce détail et comme il s'en trouvait fort embarrassé, il proposa de corriger sur ce point la Légende; mais sa manière de résoudre la difficulté ne satisfera pas ceux qui, par tous les moyens, s'efforcent d'éloigner Constantin de Photios pour ne pas compromettre l'orthodoxie de l'apôtre slave. Bury[3] est, en effet, enclin à croire que Constantin fut bibliothécaire sous Photios, ce qui est évidemment grave et qui le devient encore davantage si l'on suppose finalement qu'il fut ordonné prêtre par ce patriarche. Peut-on trouver une solution satisfaisante? C'est ce que nous allons tenter de faire.

Le droit canon byzantin est catégorique sur l'âge des candidats aux ordres sacrés. Mais de là à affirmer que ses prescriptions furent toujours rigoureusement observées, il y a loin. Nous connaissons, en effet, l'attitude souvent adoptée alors en présence d'autres règles ecclésiastiques aussi précises, celles notamment qui concernaient l'élévation des laïques à l'épiscopat et les intervalles à ménager entre les différents degrés de l'ordination. Qu'on se rappelle seulement le cas des patriarches Taraise, Nicéphore et Photios, et ne sera-t-on pas, dans une certaine mesure, autorisé à supposer que le canon relatif à l'âge

---

[1] MANSI, XI, 949, can. XIV. Voir RHÀLLIS et POTLIS, Σύνταγμα τῶν ἱερῶν κανόνων, Athènes, 1852–1854, I, p. 66, II, p. 337, III, pp. 88, 342, VI, p. 302.

[2] *A History,* p. 396.

[3] *Ibidem,* p. 488.

des ordinants n'était pas, lui non plus, observé à la lettre, la volonté de la cour ayant dû être souvent d'un grand poids? Disons bien d'ailleurs qu'il n'y a là qu'une hypothèse qui aurait besoin d'être étayée par quelques faits historiques.

Il est bien difficile, il faut l'avouer, de contrôler jusqu'à quel point le canon en question fut observé par les autorités ecclésiastiques de Byzance. C'est l'hagiographie byzantine qui devrait surtout nous permettre de prouver ou d'infirmer l'hypothèse émise, mais on connaît l'imprécision des hagiographes quant aux dates et il est ainsi souvent impossible de préciser les différentes phases de la vie de leurs héros. La plupart des documents hagiographiques révèlent néanmoins que les conditions exigées par le droit canon dans la question qui nous intéresse furent observées: nous n'avons trouvé à l'époque byzantine que trois cas en contradiction avec cette affirmation.

Le premier est celui de St Théodore, archimandrite de Sykéon, qui vivait à l'époque de Justinien. Son biographe et disciple Georges, hégoumène du même monastère, nous dit que son maître avait été ordonné prêtre à l'âge de dix-huit ans à peine.[1] L'évêque d'Anastasioupolis, Théodore, qui avait procédé à la cérémonie savait bien que cet acte était anticanonique et la chose était d'autant plus grave qu'il s'agissait d'un enfant illégitime. La grand'mère de Théodore, Elpidia, sa mère, Marie, et sa tante, Despoina, tenaient à Sykéon une auberge et exerçaient en outre − on ne peut que s'étonner de la franchise naïve avec laquelle le biographe nous l'apprend − τὴν πρᾶξιν τῶν ἑταιρίδων, c'est-à-dire, se livraient à la prostitution.[2] L'évêque sut pourtant se défendre contre les nombreuses critiques émises à la suite de son initiative; il disait en prendre volontiers la responsabilité, Dieu lui-même lui ayant révélé que le jeune homme était digne de la prêtrise, et il invoquait l'exemple de Saint Paul qui avait consacré Timothée à l'âge juvénile contrairement aux conditions exigées des autres candidats. Remarquons pourtant qu'à la même époque à peu près (au VIᵉ s.) St Syméon Stylite le Jeune fut ordonné diacre avant vingt ans mais prêtre dans sa trente troisième année seulement.[3]

L'autre cas est à la fois moins grave et plus proche de l'époque dont nous nous occupons. Il s'agit de Saint Syméon de Lesbos, ordonné prêtre à l'âge

---

[1] THEOPHILOU JOANNOU, Μνημεῖα ἁγιολογικά, Venise, 1886, p. 380.

[2] En général, la Vie est très intéressante pour la connaissance des moeurs et de la mentalité byzantines de l'époque.

[3] H. DÉLÉHAYE, *Les saints Stylites*, Bruxelles, 1923, pp. LXV, LXVII, 245, 262, 263.

de vingt-huit ans.[1] Ce témoignage est particulièrement important, le Saint ayant vécu aux VIIIe et IXe siècles[2] et sa Vie ayant été composée au IXe. Le récit du biographe est très précis et ne laisse paraître aucun étonnement.[3] On n'y voit même pas invoquer la sainteté de Syméon pour excuser la violation de la prescription canonique. Ceci peut nous amener à penser qu'il y avait d'autres cas analogues; mais on ne trouve malheureusement rien dans les actes des conciles de l'époque qui puisse nous servir de point d'appui. Le dernier qui ait insisté sur l'âge des ordinants est le VIe concile oecuménique. Le VIIIe qui devait régler l'affaire de Photios s'occupa naturellement des conditions canoniques exigées pour la consécration épiscopale, ces conditions n'ayant pas été observées dans le cas de Photios, et les Pères se montrèrent particulièrement sévères en insistant sur l'observation des intervalles qui devaient séparer les différents degrés de la prêtrise et qui ont été fixés déjà par les conciles précédents.[4] On est donc d'autant plus étonné de ne rien trouver de précis quant à l'âge des ordinants. Faut-il y voir une preuve de la stricte observance de ces canons à l'époque ou en déduire au contraire qu'on n'attachait pas une très grande importance à ce point particulier? Les deux théories peuvent se soutenir et on ne peut rien conclure de certain.

Le troisième cas est celui de St Luc le Stylite (le Jeune) qui fut ordonné prêtre vers 9o3 à l'âge de vingt-quatre ans.[5] Il s'agit donc d'une époque postérieure, mais très voisine de celle qui nous préoccupe.

---

[1] VAN DEN GHEYN, *Acta graeca Ss. Davidis, Symeonis et Georgii Mytilenae in insula Lesbo*, Anal. Bollandiana, vol. XVIII, 1899, p. 219: ὡς ἤδη τὸν εἰκοστὸν ὄγδοον ἐπλήρου χρόνον τῆς ἡλικίας κρίσει θείᾳ τοῦ τε οἰκείου καθηγητοῦ ὑπὸ τοῦ προμνημονευθέντος ὁσιωτάτου ἐπισκόπου — c'était l'évêque de Gargaron en Mysie— τῷ παναγίῳ Πνεύματι συνεργούμενος τὸ τῆς ἱερωσύνης ἀναδέχεται χρῖσμα καὶ ἀξίωμα.

[2] St Syméon est né en 764–765. Il devint moine à l'âge de 22 ans, en 786–787, et prêtre six ans plus tard, en 792–793. Il est mort en 843.

[3] On peut encore citer quelques exemples empruntés à l'ancienne histoire de l'Église et susceptibles d'être invoqués comme excuses par ceux qui ont transgressé les prescriptions canoniques: St Timothée ordonné par St Paul à l'âge juvénile (23 ans?), Demas, l'évêque des Magnésiens dont St Ignace Martyre dans sa lettre aux Magnésiens excuse l'âge juvénile, Eleutherios Romanus ordonné diacre par le pape Anicète à l'âge de 15 ans, prêtre à 18, évêque à 20 ans (NICÉPHORUS CALLISTA, *Historia ecclesiastica*, lib. III, cap. 29, P. G., vol. 145, col. 956), St Clément d'Ancyre (IVe siècle) qui fut fait évêque à 22 ans (P. G., vol. 114, col. 824). Il s'agit là, bien entendu, de cas tout à fait exceptionnels. Cf. LEO ALLATIUS, *De aetate et interstitiis in colatione ordinum etiam apud Graecos serv.*, Roma, 1638.

[4] MANSI. XVI, col. 160 et suiv.

[5] H. DÉLÉHAYE, *l. c.* p. 201. VAN DEN VORST, *Note sur St Josehp l'Hymnographe*, Anal. Bol., vol. 38, 1920, p. 151, se basant sur la seconde Vie du Saint, publiée par PAPADOPOULOS-

Mentionnons encore un fait qui n'est pas sans importance pour la question envisagée et qui présente en outre une certaine analogie avec le cas de Constantin bien qu'il s'agisse de l'époque de l'empereur Andronic II (1282—1324). Nicétas Grégoras nous raconte que l'empereur voulut lui conférer la dignité de chartophylaque pour lui montrer sa bienveillance particulière, mais qu'il refusa cet honneur et s'excusa auprès du souverain dans un long discours,[1] où il insistait entre autres sur le fait qu'il était encore trop jeune pour une pareille charge. Nicétas avait à cette époque vingt-sept ans.[2] On sait qu'il avait bien d'autres raisons, plus importantes pour lui, de refuser et que ce qu'il disait de son âge n'était qu'un prétexte. Il est pourtant intéressant de voir l'attitude de l'empereur dans cette question. Le souverain se préoccupait fort peu de l'âge de son protégé et sans même demander le consentement du patriarche, il avait fait préparer pour Nicétas les vêtements nécessaires que portaient les chartophylaques. Voilà qui met bien en relief la toute-puissance de l'empereur disposant même des dignités ecclésiastiques et se souciant aussi peu des canons que de l'avis du patriarche. Il est, d'autre part, curieux de le voir désireux de conférer à son protégé la même dignité ecclésiastique que celle que Théoctiste — comme nous allons le voir — voulait réserver à Constantin.

A quelle conclusion aboutir? Les exceptions que nous avons constatées sont-elles suffisantes pour nous autoriser à croire que les prescriptions canoniques concernant l'âge des ordinants furent souvent violées? Nous n'osons pas l'affirmer. Il est possible qu'on ait accordé à Constantin une dispense d'un an ou deux, comme ce fut le cas pour Syméon de Lesbos; mais l'âge de vingt-trois ans nous apparaît réellement trop bas et on admettra difficilement que le patriarche Ignace ait pu donner son consentement à une violation si flagrante des prescriptions canoniques. Il convient pourtant, avant de trancher définitivement la question, d'examiner un peu ce qu'était la dignité ecclésiastique offerte à Constantin.

*

Quelle charge Théoctiste réservait-il à Constantin? Le nom que lui donne la Légende est déconcertant. On ne trouve, en effet, parmi les fonctionnaires

---

KERÀMEUS, *Monumenta graeca et latina ad historiam Photii patr. pertinentia*, St Petersbourg, 1901, vol. II, affirme que même St Joseph fut ordonné prêtre avant l'âge canonique. Pourtant, on y cherche en vain une indication précise qui autoriserait cette supposition.

[1] NIC. GRÉG., *Hist. Byzant.*, livre VIII, chap. 9, Bonn, I, pp. 339 et suiv.
[2] Cf. R. GUILLAND, *Essai sur Nicéphore Grégoras*, Paris, 1926, p. 9.

de la maison du patriarche, le πατριαρχεῖον, aucun personnage titulaire de cet office, mais on note une charge analogue, celle de βιβλιοφύλαξ. Est-ce à elle que pensait le biographe de Constantin? Telle est la forme de la question que nous allons examiner.

Nous ne savons, malheureusement, que très peu de chose sur l'emploi de bibliophylaque. Seuls les Actes du VIIᵉ concile œcuménique (787) nous donnent à ce sujet quelques renseignements. Un titulaire de ce poste s'y trouve même, Etienne,[1] dont la mission est de lire devant le concile les pièces documentaires et les écrits des Pères. Ce βιβλιοφύλαξ paraît être sur le même pied que ses collègues, les notaires Etienne, Pierre, Constantin, Grégoire, Théodore, Nicétas, les coubicleisioi Cosme et Epiphane, les lecteurs Pierre et Constantin, le secrétaire Léontios, le sacellaire Jean et le référendaire Etienne, qui exerçaient au concile la même fonction. Il est préposé à la bibliothèque patriarcale et, au cours de la cinquième session,[2] il produit devant le concile, avec bien du zèle d'ailleurs, les livres endommagés ou falsifiés par les iconoclastes et qu'il avait trouvés dans la bibliothèque patriarcale.

Les Actes du VIIᵉ concile œcuménique sont, autant que nous sachions, le seul document qui fasse allusion à un bibliophylaque du patriarcat byzantin. Pargoire[3] mentionne le bibliophylaque parmi les charges ecclésiastiques existant déjà sous Justinien et appuie son affirmation sur un passage d'Anastase le Sinaïtique.[4] Ce dernier mentionne, en effet, un bibliophylaque, un certain Isidore, qui exerçait cette fonction auprès du patriarche d'Alexandrie, ce qui ne prouve pas qu'une pareille charge existât également à Byzance à la même époque. Il se peut bien que cet office ait été d'abord établi à Alexandrie et qu'il n'ait été institué que plus tard dans la capitale impériale.[5] C'est en vain que nous cherchons une autre mention d'un bibliophylaque à cette époque et ce qui nous semble surtout déconcertant, c'est le fait qu'on ne trouve pas de

---

[1] MANSI, XII, ὁ εὐλαβέστατος μοναχὸς καὶ βιβλιοφύλαξ, col. 1023, 1026, 1035, 1042, XIII, 53, 57, 60, 89, 165, 176, 177, 189, 192, 196.

[2] MANSI, XIII, 189, 192, 196.

[3] *L'Église byzantine de 527 à 847*, Paris, 1905, p. 65.

[4] ANASTASII SINAÏTAE *Viae dux*, P. G., vol. 89, col. 185: ὁ κύριος Ἰσίδωρος ὁ βιβλιοφύλαξ τοῦ πατριαρχείου.

[5] C'est le cas au moins pour l'économe. Cette charge a existé à Alexandrie bien avant le concile de Chalcédoine (451). C'est ce concile qui, dans son XXVIᵉ canon (MANSI, VII, 368) a ordonné d'en établir une dans chaque évêché. Voir sur les charges ecclésiastiques à Alexandrie la *Vie de St Jean le Miséricordieux* écrite par LEONTIOS DE NEAPOLIS, et publiée par H. GELZER dans la Sammlung ausgewählter kirchen. u. dogmengeschichtl. Quellenschriften, Freiburg, 1893, Heft 5, pp. 120—123. La charge de bibliophylaque n'y est pas mentionnée.

collègue du moine Etienne aux Ve, VIe et VIIIe conciles œcuméniques. On s'attendrait pourtant à en voir un figurer devant les Pères, puisqu'il y avait également des pièces documentaires qu'on était allé chercher au πατριαρχεῖον. Ces documents furent lus au Ve concile par les notaires Etienne, Callonymos, Théodoule, Théodore, Photine, Andrée, Macaire, par les défenseurs de l'Église Amonios, Pierre et Théodoros, et même par les primiciaires Diodore et Euphémios,[1] mais on n'y vit pas de bibliophylaque. On n'en trouve pas davantage – et c'est ce qui est le plus étonnant – parmi les fonctionnaires mis à la disposition du VIe concile œcuménique, alors qu'à cette occasion[2] la bibliothèque patriarcale est fréquemment mentionnée. Les Pères eurent, en effet, très souvent recours à cette bibliothèque et au chartrier pour obtenir communication de documents, actes conciliaires, lettres patriarcales et écrits des Pères de l'Église et les confronter avec les textes des hérésiarques qu'ils avaient à condamner. Il est tout à fait curieux – nous le répétons – de constater que ce n'est pas à un bibliophylaque que revient le soin de fouiller la bibliothèque, mais bien au chartophylaque Georges.[3] Il nous paraît en réalité résulter de ces constatations qu'à cette époque au moins la bibliothèque patriarcale de Constantinople dépendait du chartophylaque et que le πατριαρχεῖον ne connaissait pas de bibliophylaque. On s'étonne enfin, au même titre, de ne pas trouver de bibliophylaque parmi les fonctionnaires du VIIIe concile œcuménique.[4]

---

[1] MANSI, IX, Actio I, 178, 186, A. II, 194, 196, 199, 200, A. III, 201, A. IV, 202, 203, 215, A. V, 230, 255, 256, 259, 274, 290, A. VI, 297, 298, 301, 321, 338. 341, A. VII, 346, 350, 366, A. VIII, 368.

[2] MANSI, XI, A. X, 400–449, A. XIV, 589: βιβλιοθήκη τοῦ εὐαγοῦς πατριαρχείου τῆς θεοφυλάκτου ταύτης καὶ βασιλίδος πόλεως.

[3] Les textes indiquent notamment par deux fois d'une façon très précise que Georges fouillait lui-même la bibliothèque patriarcale pour y trouver les documents réclamés. Cf. MANSI, XI, Actio I, 215. L'empereur Constantin ordonne au chartophylaque Georges d'apporter les Actes des synodes: καὶ πρὸς βραχὺ ὑπερεξελθὼν Γεώργιος ὁ θεοσεβέστατος διάκονος καὶ χαρτοφύλαξ, καὶ παραγενόμενος ἐν τῇ βιβλιοθήκῃ τοῦ εὐαγοῦς πατριαρχείου προεκόμισε τὰ βίβλια τῶν οἰκουμενικῶν συνόδων. Pendant la XIVe session Georges déclare (ibid., 589): ἀκριβέστερον δὲ ἀναζητήσας ἐν τῇ βιβλιοθήκῃ τοῦ εὐαγοῦς πατριαρχείου ηὗρον καὶ ἕτερον χαρτῶον βίβλον τῆς αὐτῆς ἁγίας πέμπτης συνόδου. Les lectures sont faites par les notaires Antioche, Pierre, Salomon, Agathon, les primiciers Théodore et Constantin, le chartophylaque Georges, les cancellaires Etienne et Dionyse. Ces Actes sont très intéressants pour la connaissance de l'organisation du chartrier et de la bibliothèque patriarcale. BEURLIER (Le Chartophylax de la Grande Église de Constantinople, Compte-rendu du IIIe congrès international scient. des catholiques, Bruxelles, 1895, V^e sect., p. 256) a reconstitué d'après ces Actes une partie du catalogue de la bibliothèque patriarcale.

[4] Voici, à titre documentaire, la liste des fonctionnaires du patriarcat mis à la disposition du Concile: les notaires Etienne et Thomas, les secrétaires Théodore et Georges, les scriniaires Pierre et Benoît, l'orphanotrophe Georges, l'ostiaire Papias, Etienne διάκονος καὶ ἐπισκεπτίτης (inspecteur) et le protonotaire Pierre.

Il faut en outre remarquer que la charge de bibliophylaque ne figure pas parmi les charges ecclésiastiques énumérées par le Pseudo-Kodinos. On sait que ce document ne date que du XIVᵉ siècle, mais décrit un état de choses bien antérieur à cette période.[1]

Quoiqu'il en soit, la charge de bibliophylaque semble avoir été de minime importance et l'on se demande si elle méritait d'être offerte au jeune Constantin alors qu'il avait refusé de hauts postes dans l'administration civile. Du reste, s'il s'agissait vraiment de ce modeste emploi, on ne s'explique guère pourquoi Constantin l'aurait ensuite abandonné puisqu'il n'en aurait été nullement empêché de continuer ses études.

Il nous semble donc qu'il faille songer à une autre dignité du palais patriarcal, celle de χαρτοφύλαξ, et nous relevons un sérieux indice en faveur de cette opinion dans la traduction latine que donne du mot grec le bibliothécaire Anastase. Dans ses commentaires des Actes du VIIIᵉ concile œcuménique, Anastase traduit en effet χαρτοφύλαξ par *bibliothecarius*[2] et son interprétation est particulièrement importante. Le biographe de Constantin a certainement accepté l'équivalence établie par Anastase, en se conformant aux usages de l'Église romaine sur le territoire de laquelle il vivait. La charge romaine de bibliothécaire était certainement connue de lui, car s'il n'a pas été personnellement en rapport avec le bibliothécaire Anastase, il le connaissait indirectement par ce que lui en disaient ses collègues qui avaient accompagné à Rome Constantin et Méthode.

Anastase donne du reste une idée très exacte de la place tenue par le chartophylaque dans l'administration du patriarcat au IXᵉ siècle et c'est pourquoi nous tenons à reproduire textuellement l'ensemble du passage dans lequel il parle de ce fonctionnaire byzantin: «Chartophylax interpretatur chartarum custos. *Fungitur autem officio chartophylax apud ecclesiam Constantinopolitanam quo bibliothecarius apud Romanos*, indutus videlicet infulis ecclesiasticorum ministrorum et agens ecclesiastica cuncta prorsus obsequia, *exceptis illis solis quae ad sacerdotale specialiter ac proprie pertinere probantur officium*. Sine illo praeterea

---

[1] CODINUS CUROPALATES, Bonn, pp. 3–6. Les couvents avaient aussi leur bibliophylaque; c'est qui résulte des constitutions de Sᵗ. THÉODORE STUDITE, *P. G.*, vol. 99, col. 1713. 1740.

[2] MANSI, XVI, 38 (Act. II). Dans les Actes du concile de Photios (871) la charge de bibliothécaire de l'Eglise romaine est traduite en grec par βιβλιοθηκάριος (MANSI, XVII, col. 425, deuxième session, col. 473, quatrième session: Ζαχαρίας ἐπίσκοπος τῆς ἐκκλησίας ᾿Αναγνήνων καὶ βιβλιοθηκάριος τοῦ ἀποστολικοῦ θρόνου . . .). C'est d'ailleurs le seul cas, autant que nous sachions, où l'on trouve ce titre dans les documents grecs et ici encore, on ne désigne pas par là — nous le voyons — une dignité de la maison du patriarche, mais une de la maison du pape.

nullus praesulum aut clericorum a foris veniens in conspectum patriarchae intromittitur; nullus ecclesiastico conventui praesentatur; nullius epistola patriarchae missa recipitur, nisi forte a caeteris patriarchis mittatur; nullus ad praesulatum vel alterius ordinis clericorum sive ad praeposituram monasteriorum provehitur, nisi iste hanc approbet et commendet atque de illo ipsi patriarchae suggerat et ipse praesentet. »

Ce texte montre bien que la charge de chartophylaque était autrement importante que celle du bibliophylaque. Anastase présente son titulaire comme le premier secrétaire du patriarche et comme le personnage auquel incombent principalement toutes les décisions concernant l'ordination.

Il faut pourtant dire que le chartophylaque n'occupait pas toujours une place aussi importante parmi les fonctionnaires de la maison du patriarche.[1] Cette fonction a dû être remplie, au début, par un des notaires – relativement nombreux –, du πατριαρχεῖον. On trouve, en effet, pour la première fois, à notre connaissance, la charge de chartophylaque mentionnée au VIe siècle, au synode du patriarche Menas, tenu en 530. A la Ve session apparaît le diacre et notaire Cosme[2] qui remplit en même temps l'office de chartophylaque. Un autre titulaire de cette charge vivait sous le patriarche Serge (610—638). La troisième session du concile de Latran, tenu en 649, comporta la lecture des Actes d'un synode du patriarche Serge dans lesquels est mentionné un certain Etienne, prêtre, syncelle et chartophylaque.[3] La charge de chartophylaque paraît être alors de faible importance puisqu'elle est cumulée avec celle de syn-

---

[1] L'étude sur l'évolution historique des charges ecclésiastiques byzantines n'est pas encore faite. Les deux historiens qui s'en sont occupés, J. ZHISHMAN (*Die Synoden und die Episkopalämter in der morgenländischen Kirche*, Wien, 1867, surtout pp. 109–126 sur la charge de chartophylaque), et L. CLUGNET (*Les offices et les dignités ecclésiastiques dans l'Église grecque*, Revue de l'Orient Chrétien, III, 1898, pp. 142–150, 260–264, 452–457, IV, 1899, pp. 116–128), se sont contentés d'interpréter les traités de BALSAMON, SIMÉON DE THESSALONIQUE et CHRYSANTHE DE JÉRUSALEM sur les charges ecclésiastiques. Ces traités nous donnent une idée très exacte de l'état des charges ecclésiastiques grecques aux XIIe et XIIIe siècles, mais ils nous laissent tout à fait dans l'incertitude en ce qui concerne leur évolution historique qui a été d'ailleurs très compliquée. Même J. PARGOIRE, *L'Église byzantine*, pp. 61–66, 209, 304, parle des offices ecclésiastiques grecs d'une façon très sommaire et ne dit presque rien de leur évolution. On trouvera sur l'office de chartophylaque quelques renseignements – utiles, quoique incomplets – dans l'article du *Dictionnaire d'archéologie chrétienne* (III, col. 1014–1019) écrit par A. FORTESCUE. Le petit essai que nous nous voyons obligés d'insérer ici pour éclaircir le cas de Constantin est donc un des premiers de ce genre et nous espérons qu'on nous excusera si nous y insistons un peu.

[2] MANSI, VIII, 1035.

[3] MANSI, X, 1000: Στέφανος θεοφιλέστατος πρεσβύτερος καὶ σύγγελλος καὶ χαρτοφύλαξ.

celle. Aussi les mêmes Actes nous montrent-ils le patriarche ne donnant à Etienne que le titre de syncelle.

Il est difficile de préciser les fonctions que le chartophylaque remplissait alors dans le bureau patriarcal. Il semble avoir été, au début, chargé des archives et, probablement aussi, comme le montrent les Actes du VIe concile œcuménique, de la bibliothèque patriarcale, mais l'histoire de l'Église byzantine nous montre les usurpations progressives de ce fonctionnaire qui arriva, avec le temps, à supplanter l'archidiacre et le primiciaire dans leurs offices respectifs. Au Ve concile (550), par exemple, c'est encore l'archidiacre et primiciaire Diodore qui introduit les personnes appelées à comparaître devant le concile et qui ouvre les séances.[1] Au VIe concile (680) ce rôle est rempli par l'archidiacre Constantin et à partir de la XVe session par Théodore.[2] Le chartophylaque Georges qui y figure également joue déjà dans les différentes sessions un rôle très remarquable et il semble être préposé au chartrier et à la bibliothèque patriarcale.[3] C'est à partir de cette époque surtout que la charge de chartophylaque commence à prendre de l'importance. Le successeur du chartophylaque Georges semble être Agathon qui, à l'époque du VIe concile, était déjà membre du bureau patriarcal. Nous trouvons, en effet, dans la XIe session du concile un certain Agathon, lecteur et notaire, qui durant la XIIe session accompagna les évêques envoyés auprès de Macaire[4] et qui doit être sans doute identifié avec le futur chartophylaque du même nom.

Agathon, devenu chartophylaque, remplissait aussi les fonctions d'archidiacre et dirigeait la chancellerie patriarcale. C'est d'ailleurs un personnage historique. On sait qu'il reçut de l'empereur Anastase II (713–716) l'ordre de restaurer, d'après les documents conservés au πατριαρχεῖον les Actes du VIe concile œcuménique dont l'empereur Philippikos Bardanès avait fait détruire l'exemplaire déposé dans le bureau impérial. Son travail terminé il prêta un exemplaire de son ouvrage à l'archevêque André de Crète qui, après l'avoir copié pour son propre usage, le lui rendit en l'accompagnant d'un poëme iambique à lui dédié.[5]

---

[1] MANSI, IX, 178, 194, 201, 274, 297, 346, 368, Pendant le synode de 536 tenu à Constantinople, le même rôle est joué par le primiciaire Euphémios (MANSI, VIII, 879, 938, 951, 978).

[2] MANSI, XI, 381, 460, 521, 553, 585, 605, 629.

[3] Voir les références plus haut, p. 51.

[4] MANSI, XI, 462, 545.

[5] A. HEISENBERG, *Ein jambisches Gedicht des Anareas von Kreta*, Byz. Zeitschr., vol. X, 1901, pp. 503–514. Agathon est aussi mentionné par le *Liber Pontificalis* (éd. L. DUCHESNE, vol. II, p. 352). Voir ce que L. Duchesne (pp. 356, 357) dit de son attitude à l'égard du monothélisme.

C'est qu'Agathon fut nommé archidiacre et chartophylaque probablement en reconnaissance de ce travail car, dans sa préface à sa transcription des Actes, il déclare être simplement diacre, protonotaire et premier sacellaire.[1] Le cas d'Agathon est, on le voit, très caractéristique pour l'évolution de la charge de chartophylaque.

A partir de cette époque l'office d'archidiacre et primiciaire des notaires semble disparaître. Au cours du VIIe concile c'est au chartophylaque et au sceuophylaque de se disputer l'exercice de ses fonctions.[2] C'est le premier qui l'emporta: nous en trouvons la preuve dans les Actes du VIIIe concile.[3] C'est d'ailleurs à l'époque du VIIe concile, parce que la charge de chartophylaque commençait à devenir des plus importantes, qu'un nouvel office apparut, celui de bibliophylaque, dont le titulaire devait décharger le premier de ses fonctions les moins importantes. Et nous avons vu qu'au IXe siècle Anastase le Bibliothécaire lui-même fut frappé de voir quelle place importante occupait ce fonctionnaire dans le bureau patriarcal.

D'autres textes révèlent encore l'importance de cette charge. Au XIe siècle, par exemple, les prérogatives du chartophylaque suscitèrent la jalousie des évêques eux-mêmes et l'empereur Alexis Comnène Ier se vit obligé de prendre en personne la défense de ce fonctionnaire. Il le fit par deux τάγματα, dont l'un date du mois d'août 1094[4] et l'autre semble de très peu antérieur,[5] l'un attirant probablement l'attention du patriarche sur cette question et l'autre – celui d'août 1094 – confirmant les décisions d'un synode patriarcal convoqué à cet effet. On peut juger par ces ordonnances impériales de l'importance prise par le chartophylaque. Ce dernier est alors auprès du patriarche ce qu'était Aaron auprès de Moïse, il est « la bouche, les lèvres et le bras du patriarche ». Il a légalement le pas sur les évêques en tant que représentant du patriarche.

Au XIIe siècle, il rencontre un autre adversaire, le πρωτέκδικος (primus defensor) qui essaye de lui disputer une partie de son pouvoir. C'est alors le juriste Théodore Balsamon qui élève la voix pour défendre les prérogatives de ce dignitaire.

---

[1] *Agathonis diaconi peroratio in Acta V. syn.*, F. COMBEFIS, *Graeco-lat. patrum Bibliothecae novum Auctarium*, Paris, 1648, II, p. 200.

[2] MANSI, XII, Actio, II, 1051, le chartophylaque Nicéphore, Actio III, le sceuophylaque Demetrios, MANSI, XIII, Actio IV, 8, 72, 164, 184.

[3] MANSI, XVI, Actio II, 37 (le chartoph. Paul), Actio V, 75.

[4] J. NICOLE, *Une ordonnance inédite de l'empereur Alexis Comnène sur les privilèges du* χαρτοφύλαξ, Byzant. Zeitschr., vol. III, 1894, pp. 17–20.

[5] J. LEUNCLAVIUS, *Juris graeco-romani tam canonici tam civilis tomi duo*, Frankfurt, 1546, p. 143; ZACHARIAE VON LINGENTHAL, *Jus graeco-rom.*, Lipciae, 1856–1884, III, pp. 124 et suiv.

Théodore Balsamon, en commentant l'ordonnance d'Alexis Ier, traite en détail de l'office de chartophylaque qu'il avait rempli lui-même autrefois.[1] D'après lui le chartophylaque tranche toutes les questions concernant le droit matrimonial il est juge des différends qui peuvent s'élever entre les clercs; il dirige le bureau des notaires. Il porta même jusqu'au temps de Balsamon comme insigne de sa haute dignité une tiare dorée et une sorte de bâton ou de crosse.[2] Dans les processions, il était revêtu d'une robe blanche; il montait une mule et était accompagné d'une troupe d'excubitores. Balsamon décrit enfin l'ordination (χειροτονία) d'un chartophylaque: elle consistait surtout dans l'imposition des mains par le patriarche, dans la suspension du βουλωτήριον patriarcal autour du cou de l'ordonné et dans la tradition des clefs.[3] Au treizième siècle l'empereur Andronique Paléologue (1282–1328) exprima le désir que celui qui avait obtenu la dignité de chartophylaque ne cherchât plus à avancer, cette dignité étant supérieure à bien d'autres. Il donna aussi au chartophylaque l'épithète de « Grand » (μέγας).[4] Cette dignité resta en grand honneur dans l'Église byzantine jusqu'à la fin de l'Empire, ainsi que le montre le traité du Pseudo-Kodinos sur les offices ecclésiastiques.[5]

C'est évidemment cette charge qui fut offerte au jeune Constantin[6] et l'on

[1] LEUNCLAVIUS, *l. c.*, pp. 457–461.

[2] *L. c.; Photii Nomocanonum comment. Theod. Balsamonis*, P. G., vol. 104, col. 1083.

[3] Voir pour le détail le petit traité de Beurlier. Beurlier se base surtout sur les écrits de Balsamon et de Syméon le Thessalonique. Il ne dit rien de l'évolution de cette dignité ecclésiastique

[4] JOH. CANTACUZÈNE, *Hist. byz.*, II, 1, Bonn., p. 313.

[5] PSEUDO-KODINOS, *l, c.*, p. 4. Le chartophylaque y figure au quatrième rang des dignités ecclésiastiques de la première pentade, après le grand économe, le grand sacellaire et le grand sceuophylaque. Il jouait pourtant un rôle beaucoup plus considérable que ses collègues placés protocolairement avant lui.

[6] Cette mise au point était nécessaire car tout ce qu'on avait dit jusqu'à ce jour sur la charge que la Vie fait occuper par Constantin pendant un court laps de temps manquait beaucoup de netteté et de clarté. A. VORONOV, Главнѣйшіе источники для исторіи свв. Кирилла и Мефодія Kiev, 1877, p. 54 (Труды Дух. Кіевск. Акад. 1877, Oct., p. 171) qui a attiré pour la première fois l'attention sur la charge de chartophylaque la confond avec celle de bibliophylaque, se basant sur l'indication que donne DU CANGE (*Glossarium mediae et infimae latinitatis*, II, p. 317). Cette indication donnée à propos du VIe concile est inexacte. Voronov s'en serait d'ailleurs aperçu s'il s'était donné la peine de compulser les Actes du concile et il aurait, d'autre part, trouvé plus de renseignements dans le Du Cange grec. On s'était malheureusement contenté depuis de reproduire l'opinion de Voronov. Ce que PASTRNEK, *l. c.*, p. 43, dit du titre latin de bibliothecarius, ne repose sur rien. Le titulaire de la charge de βιβλιοφύλαξ n'a jamais porté le nom de βιβλιοθηκάριος. Ce n'est d'ailleurs pas – nous l'avons vu – une charge très ancienne; elle apparut pour la première fois à Alexandrie et à Byzance seulement au VIIe siècle, à l'époque où les vieilles charges portant encore un nom latin – celle de primicerius, par exemple – commençaient à disparaître ou plutôt à perdre de l'importance.

voit que Théoctiste voulait assurer à son protégé une belle carrière ecclésiastique. Constantin devait donc faire partie du clergé de la maison du patriarche, clergé de carrière, très instruit en général, et, nous le verrons, véritable pépinière pour les hauts postes ecclésiastiques.

Ceci établi, il nous reste à examiner si la charge de chartophylaque ne pouvait être conférée qu'aux prêtres, car ce détail est très important pour le cas qui nous occupe. Au premier abord, il semblerait, qu'on doive répondre par la négative et qu'en général les différentes charges du πατριαρχεῖον n'aient été occupées que par des diacres. C'est à cette conclusion que le grand Euchologium grec nous amène, car il déclare d'une façon très nette que les offices du bureau du patriarche doivent être occupés uniquement par des diacres[1]: « Un prêtre ne doit pas être clerc, car le canon prescrit au prêtre d'offrir le Saint Sacrifice et non pas d'être serviteur de l'évêque. » L'économat, par exemple, doit être confié exclusivement à un diacre. Le chartophylaque, d'après le même document, remplit l'office d'un archidiacre.[2] C'est pour cette raison que ceux qui occupent les offices de la maison du patriarche sont souvent nommés diacres tout court, par exemple par Jean Citrensis,[3] Syméon de Thessalonique[4] et Théodore Balsamon.[5] Tel était l'état des choses au XIIIe siècle. Mais en a-t-il toujours été ainsi? Cette règle était-elle déjà en vigueur au IXe siècle, à l'époque qui nous intéresse tout particulièrement? Il semble bien que même ici il y ait eu une évolution d'ailleurs difficile à suivre. Le Pseudo-Kodinos[6] indique qu'au début les hautes charges étaient tenues par des prêtres qui devaient en même temps assurer le service dans les églises auxquelles ils étaient attachés. Il arrivait ainsi qu'à l'occasion des grandes fêtes, au moment où le patriarche avait besoin d'un certain nombre d'assistants pour le service solennel, on en manquait. C'est pour cela, dit notre auteur, qu'un patriarche, dont il n'indique malheureusement pas le nom, ordonna que les offices ne fussent conférés qu'aux diacres. Comme souvenir des temps passés, ces fonctionnaires conservèrent le privilège de porter la chasuble sacerdotale (ἡ φελώνη) mais non pas l'étole (τὸ ἐπιτραχήλιον).

---

[1] J. GOAR, Εὐχολόγιον *sive rituale Graecorum*, 2e éd., Venice, 1730, p. 228: οὐκ ὀφείλει γὰρ εἶναι τὸν ἱερέα κληρικόν· διότι τοῖς ἱερεῦσιν ἔταξεν ὁ κανὼν ἱερουργεῖν τὴν ἀναίμακτον θυσίαν, καὶ οὐ οἰκέτας τοῦ ἀρχιερέου εἶναι.

[2] *L. c.*, p. 223.

[3] *P. G.*, vol. 119, col. 964.

[4] *De sacris ordinationibus*, P. G., vol. 155, col. 369.

[5] RHALLIS et POTLIS, *l. c.*, III, p. 384 (Commentaire du 31e can. du synode de Carthage).

[6] *De officiis*, chap. IX, Bonn, p. 66.

Il est difficile de contrôler dans quelle mesure le rapport de Pseudo-Kodinus mérite confiance et il est encore moins aisé de préciser la date à laquelle ce changement fut effectué. Ses affirmations semblent pourtant reposer sur une base réelle. On constate, en effet, qu'au début de l'évolution des charges ecclésiastiques les hauts offices étaient confiés de préférence aux prêtres. On peut trouver plusieurs cas de ce genre aux Vᵉ et VIᵉ siècles au moins.

Dans les Actes du concile d'Éphèse (431) nous rencontrons, par exemple, Pierre, le premier notaire du patriarche d'Alexandrie, qui est prêtre.[1] On y mentionne également Charisios, économe de Philadelphie, qui est également prêtre.[2] Un autre économe d'Alexandrie, le prêtre Proterios, est mentionné dans les Actes du concile de Chalcédoine (451).[3] Il devint patriarche. Nous connaissons, en outre, deux autres prêtres-économes d'Alexandrie qui devinrent patriarches de la dite ville: Jean Tabennisiotès et Jean ὁ Μονάζων.[4]

La charge de défenseur (ἔκδικος) semble avoir été, elle aussi, à cette époque, confiée de préférence à des prêtres. Nous trouvons dans les Actes du concile d'Éphèse (431) la mention d'Asphalios, prêtre et défenseur de l'église d'Antioche.[5] Dans le synode de Constantinople de 448 dont on lut les Actes au concile de Chalcédoine, figuraient le défenseur Jean, le notaire Asterios, le sceuophylaque Memnon qui sont tous prêtres.[6] Au concile de Chalcédoine on trouve en outre le primiciaire des notaires Jean également prêtre.[7]

La charge de sceuophylaque était généralement occupée par un prêtre, au Vᵉ siècle au moins. Comme preuve nous pouvons citer un sceuophylaque nommé Flavien[8] dans la première moitié du Vᵉ siècle (447–449) et aussi Macédonius[9] qui, avant de monter au trône patriarcal (496–511), était prêtre et sceuophylaque.

Même la charge d'orphanotrophos était conférée aux prêtres car un orphanotrophos et prêtre, Acace, devint également patriarche de Constantinople (471 à

---

[1] MANSI, IV, 1128, 1133, 1136, 1137, 1184, 1196, 1208, 1284, 1293, 1342, 1343.

[2] MANSI IV, 1346.

[3] MANSI, VI, 1017.

[4] THÉOPH., 5973, 5989, Bonn, pp. 199, 217, de Boor, pp. 128, 140.

[5] MANSI, IV, 1321 (Vᵉ session).

[6] MANSI, VI, 652, 696, 697, 700, 701, 708, 716, 717, 729, 732, 733, 740, 772, 776, 777, 780, 785, 789, 792, 825, 869.

[7] Ibid., 612, 613, 617, 621, 629, 649, 685, 688, 697, 700, 701. Les canons 2, 23 et 26 du dit concile (MANSI, VII, 357, 368) parlent des offices d'économe, défenseur et prosmonaire sans indiquer s'ils doivent être occupés par des prêtres ou par des diacres.

[8] THÉOPH., 5939, Bonn, p. 150, de Boor, p. 97.

[9] THÉOPH., 5988, Bonn, p. 216, de Boor, p. 140.

489).[1] Son successeur, Euphème de Neapolis (490–496)[2], occupait une charge semblable à la première, celle de ptochotrophos, et était également prêtre. Au VIe siècle les choses semblent être au même point. Voici quelques exemples: le patriarche Timothée Ier était d'abord prêtre et sceuophylaque (511–518);[3] son successeur Jean II Cappadox était prêtre et syncelle de la même église (518–520)[4] et il fut remplacé sur le trône patriarcal par Epiphane[5] qui était investi de la même dignité que lui (520–536); le patriarche Menas (536–542) qui succéda à Epiphane était prêtre et xenodoche (ξενοδόχος) τῶν Σαμφών sur le Bosphore;[6] à la même époque, un fonctionnaire du πατριαρχεῖον le prêtre et économe Kyriakos (595–606), monte sur le trône patriarcal.[7]

Dans la «Collatio catholicorum cum Severianis»,[8] document qui date de 532, on trouve la mention de plusieurs fonctionnaires ecclésiastiques qui sont tous prêtres: Eusèbe, prêtre et ciméliarque — théoriquement gardien du trésor, mais on appelait souvent ainsi également les sceuophylaques — Héraclien et Laurence, prêtres et syncelles de l'archevêque Epiphane, Hermisigénès, Magnus et Aquilinus, prêtres, économes et apocrisiaires d'Antioche.

Les Actes des conciles confirment cette constatation. Dans les Actes du synode de 536, sous le patriarcat de Menas, figurent par exemple les prêtres et défenseurs Jean, Théoctiste, Romanos et Ammonios,[9] le prêtre et économe Eustathios,[10] le prêtre et logothète Cyriaque,[11] le prêtre et paramonaire Romanos[12] et jusqu'à un certain Serge, prêtre occupant la charge de περιοδευτής (circumstrator), de minime importance pourtant.[13] Seul l'office de notaire est confié, à cette époque, autant qu'on puisse en juger d'après ces Actes, à des diacres,

---

[1] NICÉPH., *Chron. Synt.*, Bonn, p. 775; de Boor, p. 116.

[2] THÉOPH., 5981, Bonn, p. 206, de Boor, p. 133; NICÉPH., *Chron. Synt.*, Bonn, p. 775, de Boor, p. 117.

[3] THÉOPH., 6004, Bonn, p. 240, de Boor, p. 155; NICÉPH., *l. c.*, Bonn, p. 775, de Boor, p. 117.

[4] THÉOPH., 6010, Bonn, p. 253, de Boor, p. 164; NICÉPH., *l. c.*, Bonn, p. 775, de Boor, p. 117.

[5] THÉOPH., 6012, Bonn, p. 256, de Boor, p. 166; NICÉPH., *l. c.*, Bonn, p. 775, de Boor, p. 117.

[6] THÉOPH., 6029, Bonn, p. 337, de Boor, p. 217; NICÉPH., *l. c.*

[7] NICÉPH., *l. c.*, Bonn, p. 776, de Boor, p. 118.

[8] MANSI, VIII, 817, 818.

[9] MANSI, VIII, 934, 935, 942, 946, 947, 955, 958.

[10] MANSI, VIII, 1122.

[11] MANSI, VIII, 1126.

[12] MANSI, VIII, 1110.

[13] MANSI, VIII, 939.

ainsi que celui d'archihebdomadaire,[1] tandis que le simple hebdomadaire, Ani-cète, n'est que sous-diacre.[2]

Au Ve concile œcuménique on trouve également quelques défenseurs qui sont prêtres: Ammonios, Théodore et Pierre.[3] La charge de primiciaire des notaires est remplie à Constantinople, à cette époque déjà, par un archidiacre.[4]

Au début du VIIe siècle, en 612, l'empereur Héraclios mit de l'ordre dans l'organisation des offices ecclésiastiques en fixant le nombre des fonctionnaires du πατριαρχεῖον et même de l'église des Blachernes.[5] Or, d'après son ordonnance, le clergé de la Grande Église ne devait pas dépasser le nombre de 80 prêtres, 150 diacres, 40 diaconesses, 70 sous-diacres, 150 lecteurs et 75 ostiares-gardiens des portes.[6] Le bureau du patriarche devait comprendre 2 syncelles, 12 cancellaires (χαγχελλάριοι), 10 défenseurs, 12 référendaires, 40 notaires et 12 sceuophylaques, dont 4 prêtres, 6 diacres et 2 lecteurs. Ces fonctionnaires devaient constituer probablement le bureau proprement dit, ce qui n'excluait pas a coëxistence d'autres charges, comme par exemple celle d'économe ou de sacellaire. L'office de sacellaire a dû exister à la même époque, car le patriarche Thomas Ier (607—610) était diacre et sacellaire avant son élection.[7]

On constate, en outre, à la même époque, que le trône patriarcal est souvent réservé aux fonctionnaires du bureau patriarcal qui ont fait leurs preuves dans l'administration. Par exemple, Paul II, prêtre et économe — patriarche entre 641 et 654 ; Jean V, prêtre et sceuophylaque — patriarche entre 669 et 675 ; Constantin Ier, prêtre et sceuophylaque qui succéda à Jean et régna jusqu'à 677 ; Théodore Ier, prêtre, syncelle et sceuophylaque — patriarche entre 677 et 679 d'une part et 686 et 687 d'autre part; Georges Ier, prêtre, syncelle et sceuophylaque — patriarche entre 679 et 686; Kallinikos Ier, prêtre et sceuophylaque des Blachernes — patriarche entre 694 et 705.[8]

---

[1] Il s'appelle Thomas, MANSI, VIII, 1115.

[2] MANSI, VIII, 1120.

[3] MANSI, IX, 199, 200.

[4] Euphémios au concile de Menas (536) MANSI, VIII, 879, 927, 938, 951, 978 et Diodore au Ve concile œcuménique (550) MANSI, IX, 178, 194, 201, 230, 259, 274, 297, 346, 368.

[5] ZACHARIAE VON LINGENTHAL, *Jus graeco-romanum*, III, p. 35, 36.

[6] Déjà Justinien, on le sait, s'était vu obligé de limiter le nombre du clergé de la Grande Église à 60 prêtres, 100 diacres, 40 diaconesses, 90 sous-diacres, 110 lecteurs, 25 chanteurs et 100 ostiaires (Novelle III).

[7] THÉOPH., 6098, Bonn, p. 454, de Boor, p. 293 ; NICÉPH., *Hist. Synt.*, Bonn, p. 776, de Boor, p. 118.

[8] NICÉPH., *l. c.*, Bonn, pp. 776, 777, de Boor, pp. 118, 119.

La fin du VIIe siècle marque pourtant un changement. Tandis que jusqu'à cette époque on voyait les prêtres prévaloir dans les offices ecclésiastiques de tous les patriarcats et surtout à Constantinople, on a maintenant l'impression que ces offices sont dès lors réservés, en général, aux diacres. Nous constatons déjà ce changement à l'occasion du VIe concile œcuménique (680). En dehors des notaires qui sont tous diacres ou seulement lecteurs, on y voit figurer devant les Pères: Georges, diacre et chartophylaque;[1] Constantin, archidiacre et primiciaire des notaires;[2] Anastase, diacre, notaire et défenseur;[3] Etienne et Dionyse, diacres et cancellaires;[4] Théodore, diacre et primiciaire.[5] Les canons du concile Quinisexte[6] (691) confirment qu'il y eut bien à la fin du VIIe siècle un changement dans la pratique de la collation des offices ecclésiastiques. Le VIIe canon l'indique d'une façon assez claire: «Ayant appris que dans certaines églises les offices ecclésiastiques sont occupés par des diacres dont quelques-uns, prétextant leur charge, prétendent, dans leur arrogance, avoir la préséance sur les prêtres, nous statuons qu'un diacre, même investi d'une dignité ecclésiastique, n'a pas la préséance. Ce n'est que quand il traite une affaire, dans une autre ville, comme représentant de son propre patriarche ou métropolitain, qu'il a droit aux honneurs convenant à celui qu'il représente.…» Dans le XVIe canon[7] les Pères insistent sur l'ordonnance du synode de Néocésarée d'après laquelle le nombre des diacres ne devait pas dépasser sept. Cette insistance et la teneur du VIIe canon prouvent que, dans l'organisation des affaires intérieures de l'Église, un grand changement s'était opéré en faveur des diacres et que les anciennes prescriptions concernant ces derniers étaient tombées depuis longtemps en désuétude. Il faut, d'ailleurs, dire que même la sollicitude des Pères du Quinisexte n'a pas pu arrêter l'évolution. On en trouve la preuve, par exemple, dans les Actes du VIIe concile œcuménique. A côté des nombreux notaires, tous diacres ou seulement lecteurs, on y relève les noms d'Etienne[8] le bibliophylaque, moine qui n'était certainement pas prêtre et probablement pas diacre, car on tenait à reproduire dans le protocole rigoureusement tous les titres des personnes qui figuraient devant les Pères; de Nicé-

---

[1] MANSI, XI, 216, 312, 512, 544, 556, 557, 560, 573, 576, 581, 588, 589.
[2] MANSI, XI, 381, 389, 460, 521, 553, 585.
[3] MANSI, XI, 312.
[4] MANSI, XI, 381.
[5] MANSI, XI, 605, 629.
[6] MANSI, XI, 944, 945.
[7] MANSI, XI, 949.
[8] Voir plus haut, p. 50.

phore,[1] diacre et chartophylaque, de Cosme,[2] diacre, notaire et coubiculaire, de Démétère,[3] diacre et sceuophylaque; d'Etienne,[4] diacre et référendaire; de Théodose,[5] moine, diacre et sceuophylaque; de Jean,[6] diacre et sacellaire. Cette constatation est également confirmée par les Actes du VIIIe concile œcuménique (869)[7] et par ceux de Photios.[8]

Le rapport du Pseudo-Kodinos est donc, dans une certaine mesure, conforme à la vérité; c'est à partir de la fin du VIIe et du début du VIIIe siècle qu'à Byzance au moins on a de préférence conféré les offices ecclésiastiques aux diacres. Cela ne veut d'ailleurs pas dire qu'il n'y ait pas eu d'exceptions[9] – on a pu voir même avant cette époque figurer des diacres parmi les détenteurs d'offices ecclésiastiques – mais telle a dû être la règle à partir de cette époque.

Appliquons maintenant le résultat de nos recherches à la charge de charto-phylaque. Cette charge apparaît à Byzance à une époque où l'évolution dont nous venons de parler n'est pas encore achevée, mais s'est déjà manifestée. Aussi le premier chartophylaque dont le nom nous soit connu, Cosme, est-il diacre en même temps que notaire. Le deuxième dont nous connaissions le nom, Etienne, est syncelle et prêtre. Nous avons dit que la charge de syncelle était

---

[1] MANSI, XII, 1051.

[2] MANSI, XII, 1036, 1041, 1078, XIII, 13, 33, 40, 73, 92, 160, 188.

[3] MANSI, XII, 1114, XIII, 8, 72, 164, 180, 184, 185.

[4] MANSI, XIII, 12, 89, 184.

[5] MANSI, XIII, 68, 105.

[6] MANSI, XIII, 204.

[7] Étienne, diacre et notaire qui apparaît à toutes les séances pour lire les documents réclamés par les Pères et pour entonner les acclamations; l'ostiaire Papias (MANSI, XVI, 77); le notaire et archidiacre Nicétas (*Ibid.* 131); probablement aussi l'orphanotrophe Georges (*Ibid.* 136); le diacre et référendaire Théophylacte (*Ibid.*, 135); le diacre et notaire Thomas (*Ibid.* 148, 154, 159).

[8] MANSI, XVII. Pierre, diacre et protonotaire, 377, 412, 434, 449, 460, 476, 477, 480, 488, 497, 504, 516, 522; Photeinos, diacre et chartophylaque, 428, 437, 441, 444, 445; Théophane, diacre et inspecteur, 517. Dans la correspondance de Photios on peut également relever quelques exemples de ce genre. On y trouve des lettres à Georges, diacre et xenodoche (*P. G.*, vol. 102, Ep. lib. II, lettres 53, 54, 57, 58, col. 870, 871), à Théophane, diacre et protonotaire (lettre 55, col. 870), à Georges, diacre et chartulaire d'Amasis (lettres 59, 60, 61, col. 871, 874), à Georges, diacre et cubicleisios (lettre 62, col. 875), à Grégoire, diacre et chartulaire (lettre 64, col. 875), à Georges, diacre et or-phanotrophe (lettre 65. col. 878).

[9] Dans la deuxième session du VIIIe concile, par exemple (MANSI, XVI, 37, 38), paraissent devant les Pères deux prêtres et défenseurs, Cosme et Joachim. Ces exceptions étaient assez fréquentes pour certaines charges, celles de sceuophylaque et de syncelle notamment (St Joseph l'Hymnographe, prêtre et sceuoph., Michel le Syncelle, prêtre etc.). Ces charges furent dès le début souvent conférées aux prêtres. Le cas du chartophylaque est tout différent. Il est sorti du rang des notaires-diacres et a pris la place du primiciaire et de l'archidiacre.

alors beaucoup plus importante et que les syncelles étaient souvent prêtres. C'est d'ailleurs le seul cas où l'on voie le chartophylaque prêtre et encore faut-il dire qu'il l'était non pas en tant que chartophylaque mais en tant que syncelle. Aussi Thomas II, le premier chartophylaque devenu patriarche (667–669) était-il simple diacre et le patriarche Jean VI (712–715) également.[1] C'était à une époque où la charge commençait à prendre de l'importance et où s'achevait l'évolution dont nous avons parlé. Aussi tous les autres chartophylaques que nous puissions identifier jusqu'au IXe siècle étaient-ils tout simplement diacres et non pas prêtres: Georges au concile de 680; Agathon, après 713; Nicéphore au concile de 787; Photeinos au concile de 869.[2]

Il y a pourtant une difficulté et cela à l'époque même qui nous occupe. Photios, dans une de ses lettres à Bardas[3] proteste très énergiquement contre la violence dont les envoyés impériaux se sont rendus coupables à l'égard du chartophylaque d'Ignace, Blaise – successeur de Constantin dans cette charge – resté fidèle à Ignace même après l'échéance de ce dernier et à qui on avait coupé la langue. Photios désigne la dignité ecclésiastique de ce Blaise par l'expression ἱερωσύνην φερών. Voulait-il dire par là que Blaise était prêtre? Ce qui complique la question, c'est que dans le titre de la lettre on a omis de signaler la dignité sacerdotale de Blaise et on l'a tout simplement appelé « clerc »; mais ce qui est encore plus déconcertant c'est que le biographe d'Ignace, le fameux Nicétas, qui parle aussi de cet incident, ne mentionne pas non plus la dignité sacerdotale du chartophylaque Blaise bien que ne manquant jamais une occasion de montrer Photios sous un jour aussi défavorable que possible. Si Blaise avait été réellement prêtre, la mutilation, dont Photios était dans une certaine mesure responsable puisque Blaise était son adversaire, aurait été un péché certainement plus grave que si la victime avait été simplement diacre et on ne comprend pas pourquoi Nicétas n'aurait pas mentionné une circonstance aussi aggravante. C'est pour ces raisons que nous serions plutôt enclin à supposer que l'expression employée par Photios ne signifie pas nécessairement qu'il s'agisse de la dignité sacerdotale. Pour faire plus forte impression sur le titulaire de la lettre, Bardas, dont les envoyés ont commis

---

[1] NICÉPH., *Chron. Synt.*, Bonn., p. 776, de Boor., p. 118.

[2] Il est à regretter que Théophane ne nous donne pas plus de précision sur le chartophylaque Antiochos qu'il mentionne (6204, Bonn, p. 586, de Boor, p. 382). On trouve dans sa chronique deux autres mentions de chartophylaque, malheureusement imprécises (6290, 6300, Bonn, p. 733, 751, de Boor, p. 473, 484).

[3] *P. G.*, vol. 102, Ep. lib. I, lettre VI, col. 624, 625.

le crime, Photios, exagérant un peu, aurait employé une expression par laquelle on désignait généralement la prêtrise dans le sens le plus strict, mais qui pou vait également désigner le degré le plus près de la prêtrise, le diaconat. Il semble, en effet, que l'expression «ἱερωσύνη» avait à cette époque une signification plus large et qu'on désignait par là souvent aussi «les ordres sacrés» du sous-dia conat à l'épiscopat[1].

En tout cas, même si le chartophylaque Blaise était prêtre, ce qui nous semble très peu vraisemblable, c'était là une exception. Le chartophylaque, à cette époque, ne devait être que diacre. Un témoin dont l'autorité est in contestable le confirme: Anastase le Bibliothécaire qui, dans le passage déjà cité,[2] dit notamment que les chartophylaques exerçaient toutes les fonctions ecclésiastiques excepté celles dont l'exercice appartenait à l'office sacerdotal proprement dit: «*agens ecclesiastica concta prorsus obsequia, exceptis illis solis quae ad sacerdotale specialiter ac proprie pertinere probantur officium*». On voit qu'Anas tase avait été frappé du fait que le fonctionnaire le plus important du bu-

---

[1] Nous pouvons citer quelques exemples qui prouvent au moins que le mot ἱερωσύνη, ne si gnifiait pas seulement la prêtrise. THÉOPHANE emploie ce mot à deux reprises pour désigner la dignité épiscopale (6235, Bonn, p. 648, de Boor, p. 421: ['Αναστάσιον πατριάρχην] ἐν τῷ θρόνῳ τῆς ἱερωσύνης ἐκάθισεν, 6276, Bonn, p. 708, de Boor, p. 457: le patriarche Paul déclare «εἴθε μηδὲ πρότερον ἐκάθισα ἐν τῷ τῆς ἱερωσύνης θρόνῳ τῆς ἐκκλησίας τοῦ θεοῦ τυραννουμένης».) Le continuateur de Théophane parlant d'un moine qui s'était opposé à Théophile dit (Bonn. p. 102) ... μοναχός, ἄρτι δὲ πρὸς ἀρχὴν τῆς ἱερωσύνης ἀναδραμών... Ἰγνάτιόν τινα θεοφόρον ἄνδρα καταλαβὼν χειροτονίας τε ἠξίωσεν. Il semble donc distinguer les différents degrès de l'ἱερωσύνη. On trouvera un cas analogue chez CÉDRÈNE (Bonn, p. 128). Parlant de l'élévation de Jannès au patriarcat, l'auteur ajoute: ... ἆθλον τὴν ἱερωσσύνην λαβὼν ἀπιστίας καὶ ἀσεβείας. Cf. aussi CAN TACUZÈNE, Bonn, III, chap. 92, p. 264: ... λόγου περὶ πατριάρχου τοῦ Ἰωάννου γεγενημένου, εἰ χρὴ αὐτῷ κατὰ τὴν ἱερωσύνην εἶναι κοινωνούς... Un autre passage du même auteur (Bonn, III chap. 84, p. 517) est plus précis: ... πᾶσι δὲ θείοις οἴκοις καὶ φροντιστηρίοις ἱεροῖς καὶ παντὶ γένει καὶ ἀξιώματι ἱερέων παρήγγελλε λιτάς ... Les ἱερεῖς c'est évidemment «le clergé», sous-diacres et dia cres compris. BALSAMON, parlant de l'importance de l'office du chartophylaque, dit à la fin que ce dernier était préposé à la surveillance du clergé séculier et régulier – κατὰ δὲ ἱερωμένων καὶ μοναχῶν (LEUNCLAVIUS, *Juris Graeco-romani t.* I, fol. 458). Les ἱερώμενοι sont ici tous ceux qui ont reçu les ordres sacrés. N'oublions, d'ailleurs, pas que le diaconat par exemple devait avoir une plus grande importance aux yeux des Byzantins qu'aux nôtres car souvent on se contentait de ce de gré. On voit donc que notre interprétation, quoique sentant un peu la «scolastique», est assez vrai semblable (cf. aussi la remarque de VORONOV, *l. c.*, p. 55). Peut-être aussi le passage de la Vie de Sᵗ Constantin le Juif permettait-il d'étayer dans une certaine mesure notre hypothèse (*A. S.,* Nov. IV, p. 641: ἔδει δὲ ἄρα τὸν λύχνον τῆς τοσαύτης ἀρετῆς μηδὲ γυμνὸν τοῦ τῆς ἱερωσύνης μένειν λαμπαδίου ἀλλ' ἐπὶ τὴν ἱερὰν τε λυχνίαν τεθῆναι... plus loin... Δέχεται γοῦν τὸν ἱερατικὸν βαθ μὸν μέχρι τοῦ πρεσβυτέρου...

[2] Voir plus haut, p. 52.

reau patriarcal, n'était que diacre contrairement aux usages romains.[1] Les ordonnances d'Alexis le confirment une fois de plus. Si sa première permettait encore quelques doutes en ce qui concerne ce détail,[2] la seconde est tout à fait claire car l'empereur y déclare d'une façon absolument catégorique:[3] « En ce qui concerne le fait que le chartophylaque s'était permis de réclamer la préséance sur les évêques, dans les tribunaux et dans les assemblées générales en dehors du siège patriarcal ainsi que dans les cérémonies religieuses publiques, dans les fêtes et partout, cela aussi a été réglé par notre Majesté impériale dans une loi, et non pas de manière injuste quoiqu'on puisse trouver dans les canons une prescription d'après laquelle le diacre ne doit pas avoir la préséance sur un prêtre. Mais c'est que le chartophylaque doit être regardé pour ainsi dire comme la bouche, les lèvres et le bras du patriarche, que cet honneur lui convient comme à quelqu'un qui doit veiller sur toutes les prérogatives patriarcales *et lui convient à lui seul, à l'exclusion de tout autre diacre.* En effet, de même qu'il est écrit que l'honneur rendu à l'image retombe sur le prototype, de même tous les honneurs que quelqu'un rend au chartophy-

---

[1] On ne peut pas invoquer comme argument contre cette pratique le cas du chartophylaque Paul qui, ayant été ordonné par Photios archevêque de Césarée, l'avait quitté après sa déchéance et s'était joint à Ignace. Celui-ci demanda lui-même pardon pour Paul à Rome (MANSI, XVI, 49). L'ayant obtenu, il lui confia la charge de chartophylaque. Il est à remarquer que dans les Actes du concile on ne lui donne jamais le titre de prêtre ou d'évêque: il est appelé tout simplement chartophylaque. L'ordination par Photios est regardée comme nulle. Voir à ce propos les remarques de H. LECLERCQ dans sa traduction de HEFELE, *Konziliengeschichte*, IV, I, pp. 421, 507, 548. Le cas de Paul ne me paraît pourtant pas, comme le veut Leclercq, la meilleure preuve – il y en a d'autres et de supérieures – que le concile ait regardé les ordinations de Photios comme valides. Nous possédons aussi une lettre de Photios à Paul (*P. G.*, vol. 102, Ep. lib. II, lettre 26, col. 839).

[2] ZHISMANN, *l. c.* pp. 125, 126, en interprétant la première ordonnance de l'empereur dit que la préséance ne pouvait être accordée au chartophylaque que dans le cas où il était prêtre. Pourtant, cette interprétation est erronée comme il résulte de la seconde ordonnance que Zhismann ne connaissait pas.

[3] La chose ayant une certaine importance pour notre argumentation nous nous permettons de citer ci-après le texte original. NICOLE, *l. c.*, p. 19: ἐπεὶ δὲ καὶ περὶ τοῦ προκαϑῆσϑαι τῶν ἀρχιερέων ὁ χαρτοφύλαξ ἐν ταῖς ψήφοις καὶ ταῖς κοιναῖς συνελεύσεσιν ἐκτὸς τοῦ πατριαρχικοῦ βήματος καὶ ἐν ταῖς πανδήμοις τελευταῖς καὶ ἑορτασίμοις καὶ ἐν παντὶ τόπῳ ἀνηνέχϑη, καὶ περὶ τούτου τῇ βασιλείᾳ μου οὐδ' αὐτὸ τοῦτο ἔξω δικαίου νενομοϑέτηται, κἂν ἐν τοῖς κανόσιν εὑρίσκεται μὴ προκαϑῆσϑαι διάκονον πρεσβύτερον· ἀλλὰ διὰ τό, ὡς εἴρηται, στόμα καὶ χεὶρ πατριαρχικὸν τοῦτον λογίζεσϑαι, τούτου χάριν αὐτῷ καὶ μόνῳ πεφιλοτίμηται καὶ οὐκ ἄλλῳ τινὶ διακόνῳ ὡς ἀντιπροσωπεύσαντι ἐπὶ πᾶσι τοῖς πατριαρχικοῖς δικαίοις· ἡ γὰρ τιμὴ τῆς εἰκόνος, ὡς γέγραπται, ἐπὶ τὸ πρωτότυπον διαβαίνει, καὶ πᾶσαν ἣν ἄν τις εἰς αὐτὸν τὸν χαρτοφύλακα τιμὴν ἀπονέμηται, εἰς τὸν πνευματικὸν νυμφίον, τὸν περιφανῶς νυμφοστολούμενον πατριάρχην Κωνσταντινουπόλεως καὶ οἰκουμενοκόν, ταύτην ἐνδείκνυται.

laque, il les rend à son fiancé spirituel, qui est apparemment uni avec lui, le patriarche œcuménique de Constantinople. . . .»

Qu'en déduirons-nous en ce qui concerne Constantin? Son ordination sacerdotale en 850, alors qu'il n'était pas encore chartophylaque, devient très invraisemblable sinon tout à fait impossible. Si nous voulions persister à croire que Constantin devint réellement prêtre à ce moment, nous devrions accepter, pour ce cas particulier, la violation de deux prescriptions canoniques très importantes de l'Église byzantine, assez rigoureusement observées, nous l'avons vu, l'une concernant l'âge requis pour l'ordination sacerdotale, l'autre (établie par l'habitude et également grave même si elle n'a pas été fixée par les conciles) à savoir que le chartophylaque ne devait être que diacre. Or, nous n'avons pas de raisons suffisantes pour prétendre que le cas de Constantin ait justifié une telle violation des usages et des prescriptions cannoniques.

Constantin donc, avant d'être investi de sa charge, avait été ordonné sous-diacre et diacre, mais non prêtre. C'est cette constatation même qui nous donne la solution du problème de l'ordination de Constantin: nous devons supposer que le biographe a voulu dire tout simplement que son héros, avant de devenir chartophylaque, avait été reçu dans les rangs du clergé et nous excluons absolument l'idée qu'il ait pu être ordonné prêtre à l'âge de vingt-trois ans.

Quand le devint-il? Le biographe ne le dit pas. Il se contente de noter — et son rapport est très succinct quant à ce détail — que son héros avait reçu les ordres. C'est, en effet, ainsi qu'il faut, à notre avis, interpréter le mot поповьство employé par le biographe[1]. Nous restons dans l'incertitude quant à la date. Ce ne fut certainement pas, en tout cas, avant 857. Fut-il ordonné prêtre par Ignace? C'est possible, mais n'oublions pas qu'en 857 il se trouvait très probablement au Mont Olympe. Il n'est donc pas impossible qu'il ait été ordonné par un autre évêque, quoique cette hypothèse nous mette en conflit avec le droit canon qui prescrit à tout clerc d'être ordonné prêtre par son propre évêque. Pourquoi n'aurait-il pas été ordonné par Photios? Pourquoi s'effrayer à cette idée? Nous avons déjà vu et nous verrons encore quelles ont été les relations entre les deux hommes. On serait volontiers porté à supposer que Constantin devint prêtre avant la mission khazare de 860, si toutefois il ne l'avait pas été précédemment. La seule chose qui semble rendre

---

[1] Voir plus haut p. 64. ce que nous disons du sens du mot ἱερωσύνη dont le mot slave doit être l'équivalent.

invraisemblable l'ordination par Photios, c'est le fait qu'aucune critique, aucun reproche n'ont été, à notre connaissance, formulés à Rome contre Constantin alors que la Papauté prenait à l'égard de ceux qui avaient été ordonnés par l'intrus une attitude hostile. Mais qui sait? Rome avait — on le verra — de sérieuses raisons de se montrer indulgente dans le cas particulier de Constantin.

Somme toute — et ce sera notre modeste conclusion à ce paragraphe — nous ne pouvons rien dire de précis sur la date à laquelle Constantin devint prêtre.

*

Pourquoi Constantin devenu chartophylaque donna-t-il sa demission? Ses raisons devaient être assez sérieuses pour l'amener à agir d'une façon aussi peu habituelle, c'est-à-dire à s'enfuir de Constantinople et aller se cacher dans un couvent du Bosphore.

Si l'on songe sérieusement aux obligations du chartophylaque, on comprend que le poste n'ait pas souri au jeune savant. Il s'agit, en effet, d'une charge très absorbante qui ne laissait guère à son titulaire de loisirs et ne lui permettait pas de poursuivre des recherches scientifiques. Nicétas Grégoras avait, lui aussi, refusé cette dignité en arguant de son désir de continuer ses études et de ne pas s'ensevelir dans les bureaux d'une administration, pour des travaux aussi honorifiques qu'ils fussent.

Constantin avait, sans doute, d'autres raisons de refuser la dignité qu'on lui avait conférée. On peut les trouver dans ses relations avec le patriarche Ignace.

Ces relations ne pouvaient, certes, pas être très cordiales. Constantin avait été imposé au patriarche par la cour et un homme tel qu'Ignace ne pouvait pas aisément supporter pareille liberté à son égard surtout si celui qu'on lui avait imposé n'était pas de son goût. Théoctiste voulait évidemment avoir au palais patriarcal un homme de confiance sur lequel il pût compter. Peutêtre aussi espérait-il, par ce choix, changer la mentalité qui s'était peu à peu développée à la cour patriarcale sous l'influence d'Ignace. Ce dernier, prêtre d'une grande piété, avait une certaine antipathie pour les gens qui pratiquaient trop les sciences profanes. Cette attitude ne pouvait qu'exciter l'animosité contre le chef de l'Église byzantine à une époque où les lettres profanes commençaient à attirer de nouveau à Byzance les esprits les plus ouverts. C'est le bibliothécaire Anastase qui nous donne sur l'esprit d'Ignace des renseignements authentiques[1] et nous indique jusqu'où est allé Photios pour se moquer

---

[1] *Praefatio ad VIII. synodum*, MANSI, XVI, 6.: qui scilicet viros exterioris sapientiae repulisset.

de ce patriarche qui méprisait la philosophie. Le passage prouve en même temps que Constantin était tout à fait du côté de Photios et des protecteurs des lettres profanes bien qu'il manifestât, à l'égard d'Ignace, plus de discrétion puisqu'il reprocha vivement à Photios d'avoir soutenu publiquement la thèse suivant laquelle l'homme aurait deux âmes. La réponse de Photios aux vives remontrances de son ami[1] indique bien qu'il existait une tension entre le parti du patriarche et les milieux intellectuels de Byzance.

C'est peut-être cette opposition que Théoctiste voulait atténuer en élevant Constantin au poste de chartophylaque; en tout cas il a échoué. Ni Constantin ni Ignace n'ont été satisfaits de son choix. Constantin ne se sentait pas à son aise dans ce milieu et donna sa démission de la façon la plus nette. Quant à Ignace, il se choisit un chartophylaque suivant son cœur, Blaise, qui resta fidèle à son maître même après que celui-ci eût été déchu du siège patriarcal et que Photios qualifia de fou ou d'exalté[2] qui méritait plutôt la pitié.

III.

Peut-on emettre quelques affirmations precises au sujet du sejour de Constantin sur les rives du Bosphore? La légende nous laisse tout à fait dans l'incertitude sur cet épisode de la vie de Constantin. «La Mer étroite» – жзъкон мори – dont elle parle est bien τὸ Στένον, τὰ Στένα[3] pour prendre l'expression byzantine courante qui servait à désigner le Bosphore. Les couvents ne manquaient pas sur ses deux rives, certains très renommés soit par la notoriété même de leurs fondateurs, soit pour avoir abrité, durant leur exil, les iconodoules les plus militants. L'un de ces couvents est devenu par la suite particulièrement fameux dans l'histoire des relations byzantino-russes, celui de Saint-Mamas aux environs duquel se trouvait, au Xe siècle, le siège de la colonie russe. Ohïenko,[4]

---

[1] *Ibidem*: «Non studio quemquam laedendi, talia dicta proposui, sed probandi, quid patriarcha Ignatius ageret, si suo tempore quaelibet heresis per syllogismos philosophorum exorta patesceret, qui scilicet viros exterioris sapientiae repulisset.» Voir PSEUDO-SYMÉON, Bonn, 673, MANSI, XVI, 404 la condamnation de cette doctrine. La controverse entre Constantin et Photios a dû avoir lieu entre 851 et 856.

[2] *P. G.* vol. 102, Ep. lib. I, lettre VI, col. 624: ἄνθρωπος ἄπορος, ἀπροστάτευτος, οὐδὲ τὸν νοῦν ἔχων ἀπαθῆ – οἷς ἔλεος μᾶλλον, οὐκ ἀγανάκτησις ἕπεται...

[3] VORONOV, *l. c.*, pp. 57 et suiv., Труды, 1877, Oct., pp. 164–187 s'appuie sur cette traduction slave du mot grec pour affirmer que la Vie fut traduite du grec en slavon. Tous ces exemples ne prouvent pourtant rien. Il est bien naturel que les Slaves byzantins, très nombreux et à moitié assimilés, aient employé de nombreux hellénismes.

[4] *L. c.*, I, pp. 43 et suiv.

bien entendu, s'efforce de prouver que ce monastère aurait été choisi par Constantin de préférence à tout autre pour se trouver plus près des Slaves qui lui tenaient tant à cœur. Malheureusement pour la thèse d'Ohïenko, St Mamas était tout le contraire de la retraite sûre que pouvait désirer Constantin, obligé de se dérober aux agents impériaux. On devait avoir de là une agréable vue sur la résidence impériale, la Ville étant à faible distance; mais à proximité s'élevait un « proasteion », jolie villa impériale à laquelle s'ajoutait un hippodrome, qu'aimait surtout l'empereur Michel III[1] et où, en 837, l'empereur Théophile résida, avec sa cour, pendant les trois jours qui précédèrent son entrée triomphale dans la capitale. Quant au port, également voisin du couvent, il était très important pour Constantinople, la plus grande partie des denrées utilisées dans l'approvisionnement de la Capitale y étant débarquée. C'est là – comme on peut le supposer avec juste raison d'après l'exemple des commerçants russes du Xe siècle – que venaient les négociants arrivant des pays lointains situés au delà de la Crimée. On comprend donc que la police impériale y fût particulièrement nombreuse et active, et l'on se demande si Constantin aurait pu réellement échapper à ses recherches, la Légende laissant entendre que Théoctiste avait utilisé tous ses moyens d'information pour obtenir des renseignements sur son jeune protégé.

Un peu plus haut se trouvait le couvent de Kleidion puis, plus loin, l'église et probablement aussi le couvent de St Michel Archange, à l'Anaple;[2] au bord de la baie de Sosthènes, là ou s'étend aujourd'hui la place Stenia, couvent que plus tard Basile Ier rebâtit en expiation de son crime. La rive européenne portait, toutefois, d'autres monastères: celui que le patriarche Taraise avait, par exemple, fait construire et où l'on avait déposé son corps; celui de St Jean Baptiste – au Phoberon[3] – situé à l'extrémité septentrionale du détroit et où l'empereur Théophile avait autrefois relégué un grand nombre de moines; celui de Phoneos, sur le moyen Bosphore, où St Hilarion fut très probablement emprisonné par Léon l'Arménien[4] et celui de St Phocas.[5] A noter enfin

[1] Sur le site du couvent voir J. PARGOIRE, *Les Saints Mamas de Constantinople*, Bulletin de l'Institut archéologique russe de Constantinople, t. IX, 1904, pp. 261–316; IDEM, *St. Mamas, le quartier russe de Constantinople*, Échos d'Orient, vol. XI, 1908, pp. 203–210.

[2] *Vita Tarasii*, P. G., vol. 98, col. 1920.

[3] THÉOPH. CONT., Bonn, p. 101. Cf. PARGOIRE, *Les débuts du monach. à Const.*, Revue des questions historiques, vol. 65, 1899, pp. 93 et suiv.

[4] V. PARGOIRE, *St. Théophane le Chronographe et le Saint Théodore Studite*, Виз. Врем., vol. IX, p. 86.

[5] THÉOPH. CONT., Bonn, p. 156.

que Photios, à son tour, devait plus tard vivre exilé dans un monastère, appelé Skepi,[1] à l'extrémité du Bosphore.

Sur la rive asiatique se trouvaient le couvent de l'Irénéon ou des Acémètes, fondé par l'élève du fameux ascète Alexandre, le moine Jean[2], et situé vis-à-vis de Sosthènes; celui de Chrysopolis construit par Philippicus;[3] enfin le monastère τῶν Ἀγαθῶν, fondé par le patriarche Nicéphore et peu éloigné du précédent[4] et celui de St Théodore dans lequel était mort, pendant son exil, le patriarche Nicéphore.

St Macaire de Pélécète paraît avoir, lui aussi, fondé sur le Bosphore un couvent où il vécut après la mort de Léon l'Arménien. Sabas, son biographe, en était l'hégoumène.[5] Nous savons, par ailleurs, que le corps de St Ignace fut transporté au monastère de St Michel, sur l'autre rive, monastère restauré par Ignace.[6] Un couvent de St Philippe est mentionné dans la Vie de St Cyrille Philéote; il devait être situé près de Neapolis.[7]

Peut-on, parmi ces grands couvents du Bosphore, en désigner un comme ayant vraisemblablement été l'asile de Constantin durant les six mois qui suivirent l'abandon de son poste de chartophylaque? C'est bien difficile. Nous n'avons aucun point d'appui; nous ne savons même pas si le futur apôtre des Slaves avait l'intention de devenir moine et si Théoctiste, l'ayant enfin découvert, l'en empêcha en lui offrant un poste répondant à ses goûts. Il est, du reste, bien possible que, pour dépister les limiers chargés de le trouver, Constantin soit allé de couvent en couvent. Il n'y a qu'une chose qu'on puisse dire, à notre sens; c'est que *Constantin a dû séjourner un certain temps au couvent de Kleidion.* Dans son chapitre V, en effet, le biographe du Philosophe rapporte une discussion survenue entre son héros et l'ex-patriarche Jean le Grammairien. Ce passage de la Vie, il faut le dire, a toujours paru particulièrement suspect à ceux qui se sont occupés de l'histoire de Constantin; il a été généralement rejeté dans le domaine de la fantaisie pure et, plus que tout autre peut-être, a contribué

---

[1] *Vita Ignatii,* P. G., vol. 105, col. 540: ἐν μοναστηρίῳ τινὶ καλουμένῳ Σκέπῃ. Sur son séjour à Skepi voir STYLIANOS, *Epist. ad Steph. papam,* MANSI, XVI, 431.

[2] Voir sur la fondation de ce couvent PARGOIRE, *Les débuts du monachisme,* l. c., pp. 137 et suiv.

[3] THÉOPH., 6086, Bonn, p. 420, de Boor, p. 272.

[4] V. BURY, *A History,* p. 68. *Vita S. Nicephori,* P. G., vol. 100, col. 53, 129, 133, éd. de Boor, p. 201.

[5] VAN DEN VORST, *La Vie de St Macaire,* Anal. Bol., vol. XVI, p. 156; IDEM, *Note sur St Macaire de Pélécète,* Anal. Bol., vol. XXXII, 1913, p. 271.

[6] PARGOIRE, *Les monastères de St Ignace,* Bulletin de l'Institut archéol. russe de Const., vol. VII, 1901, p. 69.

[7] LOPAREV, Описаніе нѣкоторыхъ греч. житій святыхъ, Виз. Врем., vol. IV, p. 381.

à discréditer aux yeux des historiens le document qui nous intéresse. On ne comprenait surtout pas que le jeune savant ait pu entrer en contact avec le fameux Jean. Or, puisque ce dernier s'était vu imposer le couvent de Kleidion comme résidence durant son exil, *nous ne craignons pas de dire que le passage si critique de la Légende n'a pas été inventé de toutes pièces par l'auteur et que c'est précisément là que Constantin a pu, vers 850, se trouver en relations avec Jean le Grammairien.*

*

Récapitulons maintenant les évènements de 842–843 pour voir ce qu'est devenu le chef des iconoclastes. On sait quels sentiments agitaient les iconodoules à l'égard de Jean. Les chroniqueurs et les hagiographes ne dissimulent nullement la haine et le mépris qu'ils éprouvaient pour lui. Ils avaient d'ailleurs de bonnes raisons puisque c'est lui qui, dans la dernière phase des luttes iconoclastes, en avait été le «spiritus movens». Il avait mis ses vastes connaissances au service des idées iconoclastes et apparaissait aux membres du parti adverse comme la personnification même de tous les vices et de toutes les hérésies. Pour eux, la science, qu'on ne pouvait pas lui dénier, ne lui venait pas de Dieu car il était allié du diable et magicien dangereux; on racontait des histoires fantastiques relatives à ses origines et à ses recherches scientifiques plus ou moins suspectes. Il pratiquait, disait-on, l'art divinatoire au moyen d'un plat et on l'appelait, à cause de cela, Lekonomantis. En le comparant, d'autre part, à Jean le Magicien (2 Tim. III, 8), on l'appelait tout court Ἰαννῆς. Un homme aussi dangereux pour le culte des images devait naturellement être le premier sacrifié lorsque fut rétablie l'orthodoxie. On le déposa donc mais, s'il paraît avoir subi quelques violences de la part des soldats envoyés pour l'expulser,[1] il fut, en dehors de cela, traité avec certains ménagements et, grâce à la politique de conciliation préconisée par Théoctiste, il se tira d'affaire au mieux. Ses ennemis, un peu désappointés, durent se contenter de le voir expulser du πατριαρχεῖον et confiner à Kleidion sur le Bosphore.

Les chroniqueurs pourtant ne semblent pas d'accord sur le lieu d'exil. Siméon Magister[2] dit expressément que Jean fut relégué dans un couvent à Kleidion et le Continuateur de Georges le Moine le confirme.[3] Mais le Continuateur de

---

[1] C'est ainsi qu'avec BURY, *A History*, pp. 147 et suiv., il faut expliquer les différents passages des chroniqueurs.

[2] Bonn, p. 649: κατά τινα μονὴν ἐν τῷ Κλειδίῳ περιορίζεται.

[3] Bonn, p. 811: περιορίσασα – l'impératrice Théodora – τοῦτον ἐν τῷ Στενῷ εἰς τὸ Κλειδίον οὕτως καλούμενον.

Théophane prétend que le patriarche déchu fut enfermé dans sa villa qui s'appelait Psicha.[1] Cet auteur semble, du reste, se contredire par la suite puisque, contant une anecdote dont nous parlerons plus loin, il déclare que Jean vivait «dans un couvent»[2] ce que confirme également Génésios sans toutefois indiquer de nom.[3]

Peut-on concilier ces diverses affirmations? Certainement puisque tout paraît indiquer que la villa Psicha se trouvait à Kleidion sur le Bosphore. On sait qu'Arsaber, frère de Jean, possédait également une demeure sur le détroit, près du couvent de St Phocas.[4] Il se peut aussi que l'ex-patriarche ait d'abord habité sa villa, sous la surveillance de la police, et ait été invité, par la suite, à se fixer dans le couvent, la garde des moines étant certainement plus sûre encore que celle des agents impériaux. Les intrigues des iconoclastes contre le patriarche Méthode, intrigues auxquelles font allusion le Continuateur de Théophane et Génésios, auraient certainement pu autoriser une mesure plus sévère contre le chef des iconoclastes qui demeurait redoutable.[5] En tout cas, ce qui paraît sûr, c'est que Jean fut interné à Kleidion sur le Bosphore.

Nous ne savons pas combien de temps il vécut en exil. Les moines victorieux paraissent s'être intéressés à leur adversaire déchu. Deux historiens, Génésios[6] et le Continuateur de Théophane,[7] nous ont conservé une histoire qu'on racontait alors à Byzance. Jean aurait ordonné à son serviteur de crever les yeux d'une icône qui se trouvait dans le couvent. Théodora, à qui les moines avaient rapporté la chose, voulut d'abord priver de la vue l'ex-patriarche. Elle lui fit grâce pourtant et le vieil endurci reçut seulement deux cents coups de bâton destinés à lui apprendre le respect dû aux icônes.

---

[1] Bonn, p. 151: κατὰ τὸ προάστειον αὐτοῦ τὸ οὕτω λεγόμενον περιορισθεὶς τὸ Ψιχά.

[2] L. c., p. 157, μετὰ γοῦν τὴν καθαίρεσιν ὑπερορίας ἔν τινι μονῇ γεγονώς.

[3] Bonn, p. 82: ὁ δὲ Ἰαννῆς τινι μοναστηρίῳ ἐγκαθειρθείς.

[4] THÉOPH. CONT., Bonn, p. 156. Voir également BURY, A History, pp. 151–152. On ne peut pas penser à un autre endroit qui s'appelait aussi τὰ Ψιχά et dont parle le Cont. de Théoph. (Bonn, p. 420) à l'occasion du grand incendie de la Ville sous Romain Lécapène. Le Psicha de Jean se trouvait en dehors de Constantinople: c'était un proasteion, une villa.

[5] GÉNÉSIOS, Bonn, pp. 83–85; THÉOPH. CONT., Bonn, 158–160. D'après eux les iconoclastes auraient accusé le nouveau patriarche Méthode d'avoir séduit une femme. Méthode se serait défendu en se découvrant pour montrer qu'il était impotent. L'histoire présente des caractéristiques légendaires. Elle semble pourtant indiquer qu'il y ait eu de la part des amis de Jean quelques intrigues contre le nouveau patriarche. Voir BURY, l. c., p. 151.

[6] Bonn, p. 82.

[7] Bonn, pp. 157 et suiv.

Il est difficile de démêler dans cette histoire le vrai du faux: ce n'est peut-être qu'une anecdote dont Byzance s'amusait aux dépens de Jean. Mais elle prouve en tout cas deux choses, à savoir que l'ex-patriarche vécut encore un certain temps au couvent de Kleidion et qu'il continuait à détester les images.

Il est fort possible, il est même vraisemblable, que Constantin, alors même qu'il n'aurait pas résidé à Kleidion, ait profité de son séjour sur le Bosphore pour voir le fameux Grammairien dont il connaissait la réputation de grand savant. Les deux hommes ont bien pu avoir une petite entrevue et ainsi le récit du biographe reposerait sur une réalité.

*

Cela ne signifie, du reste, pas qu'il faille prendre à la lettre tout ce qu'en dit le biographe. Pour pouvoir apprécier le récit à sa juste valeur nous devons parcourir la littérature hagiographique du IXᵉ siècle afin de bien voir la place qu'occupait la personne de Jean dans les Vies des saints défenseurs des images et essayer d'y trouver un récit analogue. Or, les récits hagiographiques parlent bien de discussions du même genre entre les héros auxquels elles sont consacrées et le fameux Jean. Leur valeur varie mais elles datent, en général, du début du IXᵉ siècle, c'est-à-dire de l'époque de Léon V qui inaugure une nouvelle phase de la querelle des images.

On connaît le rôle de premier plan tenu par Jean au cours de cette nouvelle lutte iconoclaste. C'est à lui que l'empereur avait confié la direction de la campagne littéraire et théologique et, dans ce poste, il rendit au souverain les plus signalés services. Il présida notamment la commission chargée de trouver les arguments scripturaires et patristiques à opposer aux tenants du culte des images, commission qui prépara la documentation nécessaire au concile iconoclaste de 815. C'est lui encore qui, en 816, reçut de l'empereur mission de gagner à la cause iconoclaste les partisans des images, les moines en premier lieu, en essayant de les persuader et, si la parole ne suffisait pas, en employant tout autre moyen convenable. Jean s'en acquitta assez bien et remporta quelques succès.[1] C'est précisément vers cette époque qu'il faut placer les controverses qu'il eut avec certains moines et dont nous allons parler.

L'une de ces controverses est relatée par le biographe de Sᵗ Théophane le Confesseur. L'empereur Léon l'Arménien s'étant vainement efforcé de gagner

---

[1] Voir BURY, *A History*, pp. 61 et suiv.; OSTROGORSKY, *Studien zur Geschichte des byz. Bilderstreites*, Breslau, 1929, pp. 53 et suiv.

lui-même le Saint à ses idées passa la main à Jean:[1] «Quand l'impie eut entendu ces paroles, il entra en fureur et mit le Juste en présence d'un certain Jean qu'on disait être devin renommé et avec lequel il devait discuter. Ce Jean le conduisit au couvent des martyrs du Christ Serge et Bacchus, mais tous les problèmes posés par lui d'une façon impie trouvèrent leur solution dans les réponses et les paroles divines de Théophane. Les mauvais traitements, les punitions qui furent ensuite infligés à ce dernier furent considérés par lui comme un titre de gloire et une richesse. Le devin retourna alors chez l'impie et lui dit: Il est plus facile d'amolir le fer que de gagner cet homme-là.» L'empereur eut donc en fin de compte recours à la force.

Méthode dans sa biographie de St Théophane n'omet pas non plus cette controverse avec Jean, μέγα ἐπὶ λόγοις αὐχοῦντι, τέχνῃ τε μαγικῇ προσκειμένῳ.[2]

Sabas, abbé de Pelécètes, insiste, de son côté, sur une discussion analogue qui eut lieu entre Saint Macaire, son prédécesseur, et le patriarche, et dans laquelle ce dernier alla jusqu'à user d'une supercherie, en prétendant qu'il n'était pas au fond hostile aux images. Le Saint trouva d'ailleurs réponse à tout et resta victorieux.[3]

Saint Théodore le Studite mentionne dans ses lettres trois discussions du même genre. Il félicite le moine Syméon d'avoir vaincu «τὸν ἀσεβάρχην» Jean grâce aux paroles que le Saint Esprit lui avait suggérées et il ne cache pas la grande joie qu'il éprouva en apprenant que Naucratios avait également su résister aux discours de Jean; il félicite enfin, dans une autre lettre, le logothète Démocharès qui a eu, lui aussi, le courage de résister à son dangereux adversaire, et a su lui montrer la supériorité des arguments favorables au culte des images.[4]

Il y avait bien lieu de féliciter ces contradicteurs du patriarche car la controverse a souvent mal tourné pour les adversaires de Jean. Des Saints même tels que Pierre de Nicée et Nicétas, hégoumène de Medikios, eurent la faiblesse de se laisser convaincre et d'entrer en communion avec les iconoclastes.[5] On

---

[1] K. KRUMBACHER, *Eine neue Vita des Theophanes Confessor*, Sitzungsberichte d. b. Akad. d. Wissensch., Phil. hist. Klasse, 1897, vol. I, p. 397.

[2] *La Vie de St. Théophane de Sigriana*, écrite par Méthode, publiée par GEDEON, Βυζάντινον ἑορτολόγιον, p. 293.

[3] VAN GHYEN, *Acta S. Macarii hegem. monast. Pelecetes*, Anal. Bol., XVI, 1897, pp. 154 et suiv.

[4] S. *Theod. Ep.*, P. G., vol. 99, lib. II, ep. XXX, col. 1201, ep. XXXVI, col. 1212, ep. LXXXII, col. 1324.

[5] *Vita S. Nicetae*, A. S., 3. Apr. I, nos. 40, 41, p. XXVI; cf. les lettres dans lesquelles St Théodore mentionne les «lapsi», P. G., vol. 99, lib. II, ep. IX, col. 1140, ep. XXXI, col. 1204, MAI, *Nova Patr. bibliotheca*, tom. VIII, lettre 145, col. 116.

comprend dès lors que les iconodoules aient regardé Jean comme l'homme le plus dangereux et qu'ils se soient méfiés de son vaste savoir et de son talent de séduction.[1] Vaincre cet homme pouvait bien être considéré comme un titre de gloire insigne. Citons enfin le dernier exemple, particulièrement intéressant parce qu'il montre quelles préoccupations Jean donnait aux défenseurs des images: la prétendue controverse du patriarche et de Saint Syméon de Lesbos.

La Vie de Saint Syméon[2] est d'ailleurs très intéressante à un autre point de vue: elle nous montre parfaitement la mentalité de la société byzantine vers la fin des querelles iconoclastes. Elle confirme ce que nous avons dit plus haut, à savoir que la situation n'a pas changé du jour au lendemain à la mort de Théophile et qu'il n'y a pas eu un brusque revirement en faveur des images. Elle nous montre aussi les efforts faits par le patriarche Jean pour maintenir sa position et défendre le culte puisque le biographe va jusqu'à l'accuser d'avoir distribué de l'argent parmi le clergé pour s'assurer son appui. Nous y trouvons enfin quelques détails relatifs aux négociations menées entre l'impératrice et les moines pour obtenir d'eux qu'ils ne condamnent pas la mémoire de Théophile. Profitant de ces dissentiments, dit le biographe, Jean[3] proposa à l'impératrice d'instituer une controverse publique sur le culte des images. L'impératrice y consentit et la discussion eut lieu au Kanikleion dans le palais impérial. Les orthodoxes en sortirent victorieux grâce à la sagacité de Méthode, le futur patriarche. Alors Jean intervint encore auprès de l'impératrice, demandant qu'ait lieu en sa présence une discussion privée avec le moine Syméon. Il espérait, dit le biographe, vaincre facilement le Saint qu'il savait être sans instruction (τῆς ἐγκυκλίου παιδεύσεως ἄμοιρον). Voilà du reste comment l'auteur présente la nouvelle controverse engagée en présence de l'impératrice:

«Le patriarche laissait voir à tous les assistants la méchanceté et la perversité dont son cœur était rempli; le Saint, au contraire, ne montrait que la vertu et la droiture de ses mœurs simples et, pendant ce temps-là, le jeune Michel qui était le véritable empereur, mais en tutelle parce qu'encore enfant, assis près de sa mère et jouant avec elle, montra du doigt le patriarche; dans son langage enfantin, il l'appela «mauvais papa». Et voilà ce qui arriva: Michel repoussa [le patriarche] qui était le plus remarquable de tous et qui voulait se rapprocher de lui; il se rapprocha au contraire avec une joie visible de Syméon

---

[1] Voir, par exemple, comment parle de Jean le biographe de St Théodore, *P. G.*, vol. 99, col. 172.
[2] VAN GHYEN, *Acta graeca Ss. Davidis, Symeonis et Georgii*, Anal. Bol., vol. XVIII, 1899, pp. 218 et suiv.
[3] *L. c.*, pp. 245 et suiv.

qu'il disait beau. Il entoura de ses deux petites mains les genoux de Syméon, le fixant des yeux avec une bienveillante amabilité et montrant ainsi à sa mère la gracieuse disposition de son âme à l'égard du Saint. Le fait parut extraordinaire à tous les spectateurs. Ce n'est certainement pas sans une inspiration divine qu'un bébé encore balbutiant et porté dans les bras maternels regardait en face un homme inconnu, un étranger qui, aux petits enfants, devait paraître plutôt hideux à cause de sa vie austère et de son costume, lui adressait la parole dans son babil et se réjouissait de sa présence. L'impératrice-mère et tous les assistants virent là un signe divin et miraculeux, tandis que le visage du méchant patriarche se couvrait de honte.

Syméon s'écria en attaquant le patriarche: « Dis donc, rhéteur, si tu as quelque chose à déclarer sous l'impulsion divine. Nous sommes inhabiles lorsqu'il s'agit de parler mais non pas quand il faut juger. Nous ne connaissons ni la science ni l'art de la discussion; notre appui, notre force résident dans le nom du Seigneur qui a fait le ciel et la terre. »

Et celui qui, un instant auparavant, se pavanait, faisant dans ses discours étalage de vanité, resta loin en arrière dans cette joute oratoire, pareil à un homme sans culture. Ce spectacle inattendu étonna au plus haut point l'impératrice et ceux qui l'entouraient et tous rendaient grâces à Dieu d'avoir ainsi glorifié son serviteur ... »

Ce récit est peu vraisemblable. Une discussion privée entre Jean et Syméon était d'ailleurs tout à fait superflue, le patriarche ayant déjà été vaincu par St Méthode. L'anecdote est pourtant très intéressante car nous y voyons le biographe s'efforcer de mettre son héros en contact avec le fameux Jean et de prouver qu'il a été supérieur à l'iconoclaste dont la renommée était si grande et la science si dangereuse. Jean devient ainsi comme une sorte de personnage légendaire[1] et remporter sur lui une victoire apparaît comme le plus grand titre de gloire dont puisse se parer un iconodoule. Telle était la mentalité byzantine vers la fin du IXe siècle, époque à laquelle la Vie a, très probablement, été composée. Remarquons aussi le rôle que le biographe fait jouer à l'empereur à peine âgé de trois ans. La scène est tout à fait byzantine; elle constitue un curieux parallèle à celle que la Vie de Constantin attribue dans une occasion analogue à l'enfant impérial, le jeune Michel, âgé en 850 d'environ onze ans.

---

[1] On n'a qu'à parcourir les passages cités pour s'en convaincre. Attirons encore l'attention sur un passage de la *Vie de St Nicéphore* (DE BOOR, Leipzig, 1880, p. 166) dans lequel le biographe compare Jean à un autre Caïphe qui se dresse contre le nouveau Moïse; il l'appelle l'allié de l'Antéchrist.

Qu'il nous soit permis d'ajouter ici une petite remarque. Il est assez curieux de voir l'hagiographe insister par trois fois, dans sa biographie de Constantin, sur la délibération de l'empereur avec les patrices (chapitre V) après la convocation de son concile (chap. VI, XIV, съворъ). Il pense évidemment au Sénat qui a toujours subsisté à Byzance et qui devait même être consulté par l'empereur dans certaines circonstances. Son rôle a été minimalisé par Bury[1] mais, contrairement aux déductions de ce dernier, Ch. Diehl[2] a, récemment et avec juste raison, attiré l'attention sur ce rôle aux VIIe et VIIIe siècles. Les allusions de la Légende sont une curieuse confirmation de la thèse de Ch. Diehl et nous montrent la mentalité byzantine quant au rôle du conseil impérial au IXe siècle.

Somme toute, l'auteur trahit dans ce chapitre les sentiments qu'éprouvaient tous les orthodoxes au lendemain de leur victoire si longtemps désirée. Il est impossible de ne pas voir comment il s'efforce d'inculquer la vérité sur les images aux nouveaux convertis pour lesquels il écrit la vie de leur apôtre. Mais il oubliait qu'ils ne savaient pas grand'chose de cette controverse ni du patriarche Jean parce qu'ils se trouvaient dans un milieu tout différent de celui dans lequel lui même avait vécu avant son arrivée en Moravie. *On a nettement l'impression, en lisant cette anecdote, qu'elle a été écrite par un Byzantin dont la vie s'est écoulée à Byzance durant la dernière phase des querelles iconoclastes et au lendemain de la victoire de l'orthodoxie.*

*

Les objections du patriarche contre le culte des images et les réponses de Constantin ne sont que l'écho d'objections et d'apologies courantes parmi les iconoclastes et leurs adversaires. La vénération de la croix joue, en effet, un grand rôle dans ces discussions. Les iconoclastes l'admettaient mais ils s'insurgeaient contre la vénération des images du Christ et des Saints. Les iconodoules partaient souvent de cette constatation pour affirmer que l'image du Christ s'approchait davantage du prototype que la croix et qu'elle méritait par conséquent une plus grande vénération. C'est dans ce sens que Michel, auteur de la Vie de St Théodore le Studite, fait parler son maître lorsque ce dernier s'adresse à l'empereur Léon:[3] «Je ne peux pas comprendre, Empereur, comment vous pouvez rejeter la vénération de l'image, puisque vous acceptez celle de la croix. Elles sont inséparables l'une de l'autre car l'arrivée du Seigneur a

---

[1] *The Constitution of the Later Roman Empire*, London, 1919, dans les Selected Essays publiés par Temperly, pp. 7, 31, 115, 125.

[2] *Le Sénat et le Peuple Byzantin aux VIIe et VIIIe siècles*, Byzantion, vol. I, 1924, pp. 201–213.

[3] *P. G.*, vol. 99, col. 180.

rendu vénérable et l'image et la croix. Vous distinguez entre les deux, vous attribuez à l'une un meilleur rang, vous rejetez et vous méprisez l'autre..... Vous devriez plutôt, puisque vous êtez entré dans la voie de l'impiété, rejeter la vénération de la croix comme celle de l'image....»

Théodore le Studite revient souvent sur la vénération de la croix et de l'image dans ses écrits, surtout dans son Antirheticus.[1] Parmi les nombreuses objections des iconoclastes qu'il réfute, on en trouve une relative à l'inscription qu'on place sous l'image pour la distinguer des autres.[2] Ailleurs enfin il parle des différentes formes de la croix qui méritent la même vénération.[3]

La dernière objection tirée de l'Écriture Sainte (Ex. 20, 4) que l'ex-patriarche Jean veut mettre en valeur contre l'argumentation de Constantin était une des plus répandues parmi les iconoclastes. Tous les défenseurs des images ont eu à s'en occuper. Nicéphore y répond *per longum et latum* dans son Antirheticus,[4] Théodore le Studite également,[5] mais c'est St Jean de Damas qui y répond clairement et logiquement dans son écrit contre Constantin.[6] Toute cette argumentation revient à peu près au même que la courte réfutation de Constantin: Dieu a défendu aux Israélites de représenter les choses créées d'une façon indigne de lui lorsqu'il s'agissait de les faire servir à des fins idolâtriques, mais il n'a nullement défendu les représentations dignes de lui.[7]

On voit bien par là que ce passage de la Vie de Constantin est un écho fidèle des querelles iconoclastes. Le biographe y réfute d'une façon très claire et populaire les principales objections des iconoclastes et on ne peut pas lui refuser une certaine originalité dans ce court résumé parfaitement à la portée des nouveaux convertis auxquels il était destiné.[8]

---

[1] *P. G.*, vol. 99, col. 345, 361, 368, Refutatio poëm. icon., col. 462 et suiv. Voir aussi l'*Antirheticus* du patriarche NICÉPHORE, *P. G.*, vol. 100, col. 385, 425 et suiv.

[2] *Ibidem*, col. 345.

[3] *Ibid.*, col. 420.

[4] *P. G.*, vol. 100, col. 445 et suiv.

[5] *P. G.*, vol. 99, col. 333.

[6] *P. G.*, vol. 95, col. 324.

[7] Voir à ce propos l'intéressante remarque de V. POGORÉLOV, dans son article На какомъ языкѣ были написаны, такъ называемыя, Паннонскія житія?, Byzantinoslavica, vol. IV, 1932, pp. 13—21, à propos de ce passage de l'écriture cité par la Vie. L'auteur y dit que le biographe a eu sous les yeux une traduction slave de l'Ecriture, traduction qui, à cet endroit, était erronée. Toute cette partie de la discussion est donc basée sur une fausse interprétation slave du texte grec: οὐ ποιήσεις σεαυτῷ εἴδωλον, οὐδὲ παντὸς ὁμοίωμα, ὅσα κτλ . . .

[8] Il paraît singulier que le biographe laisse de côté les objections théologiques et philosophiques, auxquelles se plaisaient les iconoclastes et à la réfutation desquelles les iconodoules consacraient de

Somme toute, même ce chapitre qui paraissait si compromettant pour la confiance accordée au biographe n'est pas susceptible de le discréditer à nos yeux. Ce qu'il y conte s'explique très bien si on connaît la mentalité de la société byzantine vers la moitié du IXe siècle et c'est justement ce passage qui semble porter l'empreinte toute fraîche des évènements vécus par l'auteur lui-même à Byzance vers cette époque.

*

Après ces épisodes mouvementés, Constantin trouva enfin l'emploi qui lui convenait. «Comme on ne pouvait l'obliger à conserver cette charge» dit le biographe, «on le pria d'accepter une chaire de docteur et d'enseigner la philosophie aux indigènes et aux étrangers en toute autorité et avec l'appui [officiel]. Et il accepta.»

C'est par cette phrase que la légende nous raconte *la nomination de Constantin à l'Université de Constantinople*, nomination qu'on peut, très probablement, placer à la fin de 850 ou au début de 851. Le jeune savant rejoignant ses deux maîtres, Léon et Photios, devenait leur collègue. Il ne serait même pas exagéré de supposer que Constantin succéda à Photios dans l'enseignement officiel. La chose n'est en effet pas aussi impossible qu'elle ne le semble au premier abord. Nous avons vu que, sur l'initiative de Théoctiste, Photios avait quitté l'Université pour entrer dans la carrière politique. On peut supposer avec assez de raison que la nomination de Photios au poste de premier secrétaire eut également lieu vers 851 et ainsi notre suggestion a quelques chances de se trouver justifiée. On expliquerait par là même la grande amitié qui liait Photios à Constantin, son ancien élève et son successeur dans l'enseignement, amitié dont témoigne surtout le fameux bibliothécaire Anastase.

En tout cas, Constantin devint membre du corps professoral de l'enseignement officiel qu'avait reconstitué Théoctiste en attendant la grande réforme dont l'initiateur devait être Bardas. L'expression du biographe «съ въсѣакоѭ слоужьбоѭ и помоштьѭ» indique bien qu'il s'agissait d'un poste officiel et c'est également à la lettre qu'il faut prendre le texte déjà cité lorsqu'il affirme que Constantin devait enseigner «les indigènes et les étrangers» (тоземьца и страньн'ыѩ). La traduction que Miklosich a déjà donnée de ce passage est exacte. Il y a évidemment une étrange ressemblance avec l'expression grecque ἡ ἔσω

---

nombreux chapitres dans leurs écrits (circonscription de la nature divine par l'image etc.). C'est à cela qu'on s'attendrait surtout dans une controverse entre philosophes. On voit bien que le biographe a inséré cette discussion pour donner un spécimen d'apologie populaire.

(θύραθεν) καὶ ἡ ἔξω (κοσμική) σοφία et ceux qui ne sont pas au courant du système d'enseignement byzantin pourraient penser, se laissant séduire par cette ressemblance apparente, que Constantin enseignait «les sciences sacrées et profanes».[1] Pourtant, il n'en est rien. Nous avons déjà vu, dans le premier chapitre, dans quel sens était employée cette phrase à l'époque dont nous parlons. Nous avons vu également l'opposition toujours croissante d'un grand nombre de spécialistes des sciences sacrées à l'égard des promoteurs des sciences profanes. D'après ce que nous savons aujourd'hui de l'évolution de l'enseignement byzantin, il semble établi qu'il y a toujours eu l'enseignement de l'État pour la formation des fonctionnaires civils et celui de l'Église, donné dans les couvents et près de Ste Sophie, pour la formation du clergé.[2] Or, Constantin était dans l'enseignement profane, dans l'enseignement d'État – τῆς ἔξω σοφίας – qui depuis sa reconstitution devait attirer non seulement la jeunesse de Constantinople mais celle de tout l'Empire et même de l'étranger.

Reste encore à examiner un détail touchant aussi au problème de l'enseignement byzantin au IXe siècle, la question des locaux dans lesquels pouvait être donné l'enseignement officiel réorganisé par Théoctiste. Il y a là quelque chose d'également très compliqué. Il est sûr que l'enseignement dont Léon a été recteur avant de devenir archevêque de Thessalonique s'est donné, pendant un certain temps, dans l'église des Quarante Martyrs. C'est, du moins, ce que nous indique le Continuateur de Théophane.[3] Georges le Moine, au contraire, parle de la Magnaure dans le palais impérial.[4] La Vie de Constantin ne nous dit rien de précis sur le lieu où enseignait le successeur de Photios. Dans le chapitre XIII, pourtant, le biographe dit qu'après son retour de la mission khazarienne Constantin continua à vivre tranquillement, en priant Dieu,

---

[1] C'est ce qu'ont fait VORONOV, *l. c.*, p. 53, Труды, 1877, Oct., p. 170 et MALYŠEVSKIJ, *l. c.*, Труды, 1885, Mai, p. 101.

[2] Voir surtout l'excellente étude de M. BRÉHIER, *Notes sur l'enseignement supérieur de Constantinople*, Byzantion, vol. III, pp. 73–93, vol. IV, pp. 14–28. Voir également A. ANDRÉADES, *Le recrutement des fonctionnaires et les Universités dans l'Empire byzantin*, Mélanges de droit dédiés à M. Georges Cornil, Paris, 1926, pp. 17–40. Cf. aussi la critique du livre de FUCHS, *Die höheren Schulen*, faite par M. GRÉGOIRE dans le *Byzantion* IV, pp. 771 et suiv. FUCHS, *l. c.*, surtout p. 47. Dans notre livre «*Les Slaves, Byzance et Rome au IXe siècle*», pp. 116 et suiv., nous avons émis l'opinion qu'à Byzance l'enseignement se trouvait principalement entre les mains des moines. Or, une étude plus approfondie de ce problème particulier nous a amené à la conviction que cette opinion est erronée. Il a toujours existé à Byzance, à côté de l'enseignement donné dans les couvents et à la cathédrale, un enseignement d'État, l'enseignement profane.

[3] Bonn, p. 189.

[4] Bonn, p. 806.

«assis dans l'église des Saints Apôtres».[1] On pourrait en conclure que c'est là que Constantin enseignait «les indigènes et les étrangers».

On voit que les sources sont contradictoires. Faut-il supposer que l'enseignement de Léon se donna d'abord provisoirement dans la seule église des Quarante Martyrs et qu'il fut transféré par la suite à la Magnaure comme Georges le Moine semble l'indiquer? C'est bien possible et on s'expliquerait ainsi pourquoi Bardas choisit cet emplacement pour son Université. Mais il est aussi possible que Georges confonde les locaux de l'enseignement de Léon avec ceux dans lesquels fut installée plus tard l'Université de Bardas. Nous avons d'ailleurs très peu de renseignements sur les cours donnés dans l'église des Quarante Martyrs,[2] de sorte qu'il est difficile de trancher la question.

Nous sommes également très mal renseignés sur l'enseignement donné aux Douze Apôtres à cette époque. Nous savons seulement que cette école fut très célèbre par la suite et Nicolas Mezaritès[3] nous en a conservé une très intéressante description dont les indications se rapportent, bien entendu, au XIIe siècle. A cette époque l'Université qui y est installée se trouve sous la surveillance directe de Patriarche. La mention, très vague il est vrai, de la Vie de Constantin serait ainsi le premier document sur l'enseignement donné près de cette église. Il se peut aussi qu'avant la réforme de Bardas les différents locaux où se donnait l'enseignement supérieur aient correspondu aux différentes disciplines qui y étaient enseignées. Léon qui dirigeait l'enseignement des sept arts libéraux aurait donc enseigné aux Quarante Martyrs ou à la Magnaure tandis que les cours de philosophie se seraient faits aux Douze Apôtres. Tout cela est très possible, mais rien n'est certain.

Ne devrait-on pas plutôt penser encore à l'église des Saints Apôtres aux Scholes, dans l'enceinte du Palais? On s'expliquerait mieux ainsi la centralisation de l'enseignement réalisée ultérieurement par Bardas. La Vie de Constantin parle tout simplement de l'église des Saints Apôtres, sans préciser malheureusement davantage. Mais il est également possible et même probable qu'on ait désigné sous ce nom la fameuse église située en dehors du palais impérial La conclusion est donc qu'il est bien difficile de préciser davantage.[4]

---

[1] PASTRNEK, *l. c.*, p. 198.

[2] Sous Michel Dukas par ex. Jean Italos enseignait à l'église des Quarante Martyrs; ANNA COMNENA, Bonn, I, p. 260.

[3] Voir sa description de l'église des Douze Apôtres, publiée par HEISENBERG, *Grabeskirche u. Apostelkirche*, Leipzig, 1908, pp. 17 et suiv., et surtout pp. 90 et suiv.

[4] Voir sur l'église des Saints Apôtres DU CANGE, *Constantinopolis christiana*, Paris, 1687, pp.

Mais ces considérations vont nous permettre de caractériser davantage la nature de la réforme tentée par Bardas et de la dater d'une façon plus précise. D'après ce que nous avons vu, l'initiative de Bardas n'est pas quelque chose de tout à fait nouveau. L'enseignement supérieur officiel a toujours subsisté à Byzance avec seulement plus ou moins d'éclat. La création de Bardas n'a été que le couronnement d'une œuvre heureusement inaugurée par l'empereur Théophile et continuée, comme nous venons de le voir, par Théoctiste. Son initiative a eu pourtant quelque chose de grandiose, car elle a laissé un souvenir très profond chez les historiens. Bardas a probablement réuni dans un même établissement[1] et sous un seul recteur, Léon le Mathématicien, tous les professeurs qui avaient enseigné jusqu'à ce moment dans les endroits différents et il a précisé davantage les matières à étudier. On vante surtout l'appui matériel et moral qu'il a donné à l'Université réorganisée par lui. On peut donc parler depuis cette date d'une véritable Université, se présentant comme une unité avec différentes chaires confiées à des spécialistes.

Quant à la date de cette réforme, il faut la placer de préférence vers 863. Il faut même ici distinguer deux étapes. Devenu maître de la situation à Byzance, Bardas a d'abord laissé subsister l'organisation de Théoctiste. S'il avait réorganisé l'Université dès son arrivée au pouvoir, on devrait trouver parmi les professeurs le nom de Constantin le Philosophe puisque nous savons par ailleurs que c'était surtout Bardas qui s'intéressait à lui et qui lui avait confié deux importantes missions, l'une auprès des Khazars, l'autre en Moravie. Constantin avait, il est vrai, donné sa démission vers 856, après l'assassinat de Théoctiste,[2] mais il est également certain — nous verrons bientôt dans quelles conditions — qu'il s'était réconcilié avec le nouveau régime; il accepta en effet la mission diplomatique auprès des Khazars, à lui confiée par le gouvernement en 860. Il serait donc inexplicable que Bardas eût omis de lui donner une chaire, surtout si Constantin, comme l'indique son biographe (chap. XIII), avait occupé un poste dans l'enseignement sous le régime de Bardas. Il faut ainsi plutôt songer à l'époque où Bardas arriva à l'apogée de sa puissance,

---

105–111, sur celle des Quarante Martyrs, *ibid.*, p. 135; J. EBERSOLT, *Sanctuaires de Byzance*, Paris, 1921, pp. 30 et suiv., 92 et suiv. Une église des Quarante Martyrs a peut-être existé aussi au Palais. Voir EBERSOLT, *Le Grand Palais de Constantinople et le Livre des cérémonies*, Paris, 1810, p. 123.

[1] C'est ainsi qu'il faut expliquer les paroles de Génésios par lesquelles il décrit l'initiative de Bardas (Bonn, p. 98). KEDRENOS au contraire (Bonn, II, p. 165) semble attribuer aux différentes disciplines des locaux différents.

[2] Voir ci-dessous pp. 112 et suiv.

c'est-à-dire où, après les heureuses expéditions contre les Arabes, il fut nommé César, vers 863 par conséquent.

Voici comment, à notre avis, il convient d'expliquer les différentes phases de la réorganisation de l'enseignement à Byzance au IXe siècle. Les renseignements que, sur ce point, la Vie de Constantin nous apporte correspondent parfaitement à la réalité et complètent très heureusement nos maigres sources sur cet intéressant chapitre de l'histoire byzantine.

*

Ajoutons quelques mots à propos du titre φιλόσοφος donné à Constantin. Il est difficile de préciser la signification.[1] Etait-ce un titre accordé à ceux qui terminaient avec succès toutes les études à l'« Université » ? Ou le donnait-on aux professeurs de l'enseignement supérieur dans la capitale? Les deux théories peuvent se soutenir mais nous penchons plutôt vers la première et nous voyons dans cette expression le titre consacrant la capacité acquise dans les matières philosophiques.

Autant que nous sachions, c'est au Ve siècle qu'il apparaît, pour la première fois, dans ce sens, appliqué à David l'Arménien qui avait fait ses études à Athènes d'abord, à Constantinople ensuite.[2] À l'époque dont nous nous occupons, on connait plusieurs détenteurs de ce titre: Léon le Philosophe également appelé le Mathématicien, et ses élèves, Constantin, l'apôtre des Slaves, et un autre Constantin de Sicile.[3] Un autre professeur de l'Université de Bardas, Arethas, a eu pour élève Nicétas le Philosophe.[4] On connait en outre encore un autre philosophe, Nicéphore, souvent mentionné dans la correspondance de Photios.[5] Il est curieux de voir que le titre de philosophe n'est pas donné

---

[1] Il est à regretter que M. FUCHS n'ait pas traité à fond ce petit problème dans son livre sur l'enseignement byzantin. Personne n'était plus qualifié. Voir ce qu'il dit de ce titre, *l. c.*, pp. 18, 20, 22, 29 et suiv. 64. Il semble, du reste, que lui-même penserait à *un titre*, s'il est permis d'interpréter dans ce sens sa remarque, *l. c.*, p. 64.

[2] C. F. NEUMANN, *Mémoire sur la vie et les ouvrages de David*, Paris, 1829, pp. 21, 22.

[3] R. MATRANGA, *Anecdota graeca*, Roma, 1850, II, p. 555. Cf. BURY, *A History*, pp. 440 et suiv.

[4] C. DE BOOR, *Vita Euthymii*, Berlin, 1888, p. 194. HERGENRÖTHER, *Monumenta graeca*, p. 84. Malheureusement les différents Nicétas que nous connaissons vers cette époque, ne sont pas encore tous bien identifiés. Cf. en ce qui concerne Nicétas, l'auteur de la Vie de S^t. Ignace, PAPADOPOULOS-KERAMEUS, Ψευδονικέτας ὁ Παφλαγών καὶ ὁ νόθος βίος τοῦ πατριάρχου Ἰγνατίου, Виз. Врем., vol. VI, 1899, pp. 13—38; V. VASIL'EVSKIJ, Въ защиту подлинности житія патріарха Игнатія и принадлежности его современному автору, Никитѣ Пафлагону, Ibidem, pp. 39—56; LOPAREV, *l. c.*, vol. 19, pp. 143 et suiv.

[5] Voir plus loin, p. 142.

à Arethas — professeur à l'Université de Bardas. La Vie de St Euthyme [1] l'appelle tout simplement μαϑητής.

Au Xe siècle nous connaissons Nicéphore le Philosophe,[2] l'auteur de la Vie du patriarche Cauleas (†901). Jean Ier Tzimiscès (969—976) appelle l'Arménien Pantaléon, qu'il invite à venir à Constantinople pour une conférence avec les savants et les philosophes de la Ville, « chef des docteurs » et φιλόσοφος.[3]

Dès le début du Xe siècle nous connaissons un ὕπατος τῶν φιλοσόφων, le moine Paul.[4] Ce titre a été donné très probablement au recteur de la « Faculté de Philosophie » de l'Université et il resta en usage à Byzance jusqu'au XIVe siècle pour désigner une importante charge de l'état.[5]

Peut-être pourrait-on comparer le titre de φιλόσοφος, tel qu'il était donné à l'époque de Constantin, à celui de docteur employé dans les Universités d'Occident.

---

[1] DE BOOR, *Vita Euthymii*, chap. XVI, p. 58.

[2] PAPADOPOULOS-KERAMEUS, *Monumenta graeca*, 1, c., vol. I, p. 1.

[3] MATHIEU D'EDESSE, *Chronique*, éd. DULAURIER, Bibliothèque historique arménienne, Paris, 1858, p. 380.

[4] ZACHARIAE VON LINGENTHAL, *Jus graeco-rom.*, vol. III, p. XXIX.

[5] Voir pour les détails FUCHS, *l. c.*, pp. 29 et suiv.

CHAPITRE III.

LA MISSION ARABE.

(V. C., chap. VI.)

I. Byzance et les Arabes vers le milieu du IXe siècle. — La politique religieuse de Mutawakkil. — Une ambassade byzantine auprès du calife en 850—851 ? — L'asecrète et Georges Polaša. — Sâmarrâ, résidence du calife.

II. L'envoi des lettres arabes contre la Ste Trinité. — Date de cet événement. — L'auteur de la Vie en a-t-il eu connaissance ?

III. La littérature polémique contre l'Islam. — La discussion de Constantin. — La Vie des 42 Martyrs d'Amorion.

I.

C'est dans un tout autre monde que nous transporte le chapitre VI de la Vie de Constantin; ce sont des sujets tout différents mais préoccupant au même degré les esprits byzantins du IXe siècle qu'il nous faut aborder en relatant l'ambassade chez les Arabes et la discussion du jeune philosophe avec les théologiens musulmans. Les Arabes étaient pour les Byzantins de redoutables rivaux dans le domaine politique et littéraire et il est curieux de constater qu'au dire de son biographe le futur apôtre des Slaves lui-même devait entrer en contact avec le monde musulman.

On a souvent discuté la valeur historique de ce passage de la Légende. Nous ne pouvons pas enregistrer ici les opinions de tous les historiens et slavisants qui ont étudié la question. Bornons-nous à exposer ce qui est aujourd'hui généralement accepté.

Tout le monde — ou presque — concède que le récit légendaire repose sur certains faits historiques. Pour ce qui est de la date, il est vrai que les sources byzantines et arabes connues jusqu'à ce jour ne parlent nullement d'une ambassade byzantine envoyée chez les Arabes vers 851, année indiquée au moins indirectement par le biographe, mais on est tombé d'accord sur une date voisine, celle de 855, année qui vit l'échange des prisonniers de guerre entre les deux gouvernements. C'est ainsi notamment que, dans la Cambridge Medieval History, Jagić résume le récit de la Légende.[1] On sait que parmi les érudits qui ont cru trouver dans l'ambassade byzantine de 855 le fondement historique figure en particulier N. Lamanskij.[2] Un fait semble bien étayer cette hypothèse: c'est la mention d'un certain Georges qui, en 855-856, négocia l'échange des prisonniers et qui pourrait être identifié avec le patrice Georges signalé par la Vie comme ayant accompagné Constantin auprès des Arabes.

Examinons pourtant à nouveau ces faits; peut-être réussirons-nous à jeter un peu plus de lumière sur le récit légendaire. Et, pour y parvenir, précisons d'abord les relations politiques telles qu'elles existaient entre Byzance et les Arabes vers le milieu du IXe siècle.

*

Pendant la première moitié du siècle l'empire byzantin et l'empire abbasside avaient été presque constamment ennemis. La guerre n'était pourtant — malgré le redoublement d'ardeur constaté sous le règne de Théophile et les califes Mamûn et Mutasîm — qu'une longue série de raids en territoire ennemi, les troubles intérieurs, politiques et religieux, d'autres préoccupations encore, empêchant les empereurs et les califes d'entreprendre des expéditions de grande envergure susceptibles d'amener la décision dans cette guerre autrement sans issue.

Le danger arabe non seulement restait toujours menaçant mais grandissait même peu à peu, les Musulmans s'étant ménagé en deux endroits une sorte de «pied à terre» sur le territoire de l'Empire, en Crète et en Sicile.[3] Les pirates arabes, chassés d'Alexandrie d'Égypte où ils s'étaient réfugiés après avoir quitté l'Espagne, avaient choisi la Crète comme abri et s'y étaient installés en 825 sous la conduite d'Abu Hafs. Ayant vaincu, l'année suivante, le nouveau stratège de Crète, Photeinos, puis le chef de la seconde expédition byzantine,

[1] LONDON, 1927, IV. pp. 218, 219 (Conversion of Slavs). BURY, A History, pp. 394, 438, 488 ne semble pas croire à ce récit de la Légende.

[2] Славянское житіе Св. Кирилла какъ religion. произведеніе и какъ историческій источникъ Ж. М. Н. П., 1903, Avril, pp. 345–386, Mai, pp. 136–162, Juin, pp. 350–389. Pour la partie qui nous occupe voir le no d'avril, pp. 348 et suiv. Voir son résumé dans Archiv für Slav. Phil., 1905, vol. XXV, pp. 549 et suiv.

[3] Voir pour les détails VASIL'EV, Византія и Арабы I, pp. 43 et suiv. et BURY, A History, pp. 222–316.

Krateros, et n'ayant même pas pu être délogés par le vaillant amiral Oryphas, ils firent rapidement de l'île une base solide pour leurs entreprises dans la Mer Égée.

Presque en même temps, à l'appel du rebelle Euphemios, les Arabes d'Afrique avaient débarqué en Sicile. Ayant vaincu l'armée grecque que dirigeait, d'après les sources arabes, un certain Palata, ils avaient réussi, malgré leur échec devant Syracuse où leur chef Asad avait trouvé la mort, à prendre solidement pied dans l'île et ils étaient devenus un grand danger pour tout l'Adriatique.

Quand Théophile devint empereur, en 829, le péril arabe apparaissait dans toute son ampleur.[1] Pour le conjurer, il dut envoyer ses armées et ses escadres sur trois fronts, en Crète, en Sicile et en Asie Mineure, contre le calife Mamûn. Ses opérations commencèrent mal. Les pirates de Crète furent bien surpris et battus par le stratège Constantin Kontomytès alors qu'ils pillaient les rivages de Carie et d'Ionie, mais vers la même époque une flotte byzantine était défaite par la flotte arabe près de Thassos et les pirates purent dès lors continuer impunément leurs razzias dans ces parages.

Théophile fut plus heureux en Asie Mineure. Appuyé par les Hurramites, insurgés arabes qu'il plaça sous le commandement de Théophobos, il réussit à détruire Zapetra et à remporter en 831 une victoire en Cilicie. La joie de ce triomphe fut malheureusement gâtée par la nouvelle de la chute de l'importante forteresse de Loulou. Battu par le calife à la fin de 831 et effrayé par les nouvelles qui arrivaient de Sicile, Théophile demanda vainement la paix. Mamûn caressait alors le projet de frapper un grand coup et d'anéantir l'Empire, mais la mort l'en empêcha (833).

La campagne dirigée contre Mamûn avait empêché l'empereur d'entreprendre une action sérieuse en Sicile où les Arabes gagnaient du terrain. Renforcés par l'arrivée de renforts d'Afrique et même d'Espagne, ils avaient, en effet, réussi à battre le général byzantin Théodote et pris Panormos (831). L'armée impériale fut encore vaincue dans plusieurs engagements de moindre importance mais le vaillant César Alexis Moselé dépêché par Théophile réussit à enrayer les progrès arabes.

En 836 et 837, Théophile entreprit une de ses plus grandes expéditions contre le nouveau calife Mûtasîm. Secondé par un autre détachement de rebel les arabes que conduisait le Kurde Naṣr, il envahit l'Arménie en 837. L'année

---

[1] Voir pour les détails VASIL'EV, Византія и Арабы, I, pp. 76 et suiv.; BURY, *A History*, pp. 222–316.

suivante il détruisit la ville de Sozopetra, pénétra jusque devant Mélitène anéantit Arsamosata et rentra en triomphe à Constantinople. Mais ces succès furent sans lendemain. Mutasîm, enfin débarrassé du dangereux rebelle Bābek, put, en 838, concentrer toutes ses forces contre l'empereur. Le résultat fut désastreux pour les Romains. Théophile fut battu près d'Anzène, dans la plaine de Dazimonitis et risqua même sa vie. Ancyre fut démolie, Amorion prise et détruite en représailles de la destruction de Sozopetra. En Sicile la situation n'était pas meilleure: la place forte de Corleone tomba aux mains des Arabes, puis Platani et, en 840, Caltabellotta. Théophile désespéré par ces désastres chercha des alliés et s'adressa aux Vénitiens, à Louis le Pieux et même au calife d'Espagne. Il y avait bien, en effet, de quoi s'alarmer: les Arabes de Sicile que leurs succès dans l'île ne suffisaient plus à contenter, montraient des vel- léités de s'installer en Italie. En 839 Tarente était occupée par eux et la flotte vénitienne, envoyée à la hâte pour empêcher leur progrès en Italie, se faisait battre, laissant aux escadres arabes la voie libre dans l'Adriatique. Les Vénitiens essayèrent en vain de réparer leur grave échec: la seconde expédition fut détruite par les Arabes en 841 près de Sansengo et la même année Bari devenait arabe. Quelques succès byzantins en Asie Mineure – une heureuse expédition navale contre Séleucie en Syrie (839), la défaite de l'émir de Syrie et de Mésopotamie en 841 et l'occupation d'une partie du territoire de Melitène – étaient une bien faible consolation à ces malheurs et ne pouvaient faire oublier le danger qui menaçait désormais l'Empire du côté de l'Adriatique.

Aussi Théophile fit-il tout ce qui était en son pouvoir pour protéger ses états de ce côté et il porta notamment un très grand intérêt à la réorganisation administrative des provinces qui pouvaient être directement attaquées par les Arabes. Il érigea Dyrrhachion en thème et réorganisa même probablement la Dalmatie et le thème de Céphallénie.

Sa mort survenant le 20 janvier 842 l'empêcha de prendre toutes les mesures qu'imposait la mise en état de défense de ces provinces et du Péloponnèse, mais il est curieux de voir comment le fidèle Théoctiste s'efforça d'achever l'œuvre de son maître. L'expédition contre les Slaves du Péloponnèse, qu'il faut placer, comme nous l'avons déjà dit, en 842, avait été très probablement préparée par Théophile. Il était, en effet, très important de subjuguer ces tribus turbulentes et de les empêcher de faire cause commune avec les Arabes, dans le cas où ces derniers tenteraient de se fixer dans le Sud de la péninsule bal- kanique; car il ne faut pas oublier en effet que les Slaves du Nord du Pélo- ponnèse, lorsqu'ils s'étaient révoltés en 807, avaient opéré en liaison avec les

Sarrasins. Les Mardaïtes de Syrie, connus comme soldats d'élite et dont on constate la présence dans le Péloponnèse à partir du IXe siècle, ont peut-être été transplantés dans les thèmes péloponnésien et céphallénien ainsi que dans le territoire de Nicopolis à la suite de l'expédition de Théoctiste, pour y former un rempart contre le danger arabe de l'Adriatique et contre les Slaves dont la fidélité à l'Empire n'était pas très sûre.[1] Il est probable enfin qu'il faille placer sous le règne de Théodora et de Michel III l'érection de l'Épire en thème de Nicopolis; par cette dernière mesure on complétait la réorganisation projetée et commencée par Théophile.

La deuxième grande préoccupation de Théoctiste fut de réduire les pirates arabes de Crète. Il aurait presque réussi en 843 s'il ne s'était laissé prendre à un stratagème des Arabes; ceux-ci répandirent, en effet, de fausses nouvelles faisant courir le bruit que Théodora voulait se débarrasser de Théoctiste et ce dernier s'empressa de rentrer à Constantinople.

En Asie Mineure la guerre se borna de nouveau à quelques incursions en territoire ennemi: Théoctiste n'osait plus rien entreprendre de grand après l'échec retentissant qu'il avait personnellement éprouvé près de Mauropotamon en 844. On ne saurait lui attribuer le mérite de la destruction de la flotte arabe survenue au début du règne de Théodora (842), l'escadre ayant été anéantie par un orage dans les parages dangereux des îles chélidoniennes. On entend encore parler d'un échange de prisonniers en 845 et d'une expédition arabe dans l'hiver de la même année, puis plus rien. Nous manquons complètement de renseignements sur ce qui a pu se passer à la frontière byzantine d'Asie Mineure jusqu'en 851. La guerre ne semble pourtant pas terminée car nous ne savons rien non plus sur la conclusion d'une paix quelconque ou d'une trêve entre les deux Empires. Mais du côté de la Sicile et de l'Italie, le danger ne cessait pas de grandir. Vers 843 Messine était prise; en 845 la forteresse de Modica tomba aux mains des Arabes, l'armée byzantine, probablement formée des soldats du thème de Charsia, était battue et, peu de temps après, Leontini tombait au pouvoir des Arabes. Ceux-ci étendirent d'ailleurs leurs incursions jusqu'à Rome, mirent le siège devant Gaëte, battirent Louis II, empêchèrent les Byzantins de débarquer une armée dans la baie de Mondello, prirent en 848 la forteresse de Raguse et osèrent, en 849–850, attaquer Castrogiovanni.

Nous arrivons ainsi à l'année 850–851 et c'est le moment de voir s'il est

---

[1] Voir BURY, *The Naval Policy of the Roman Empire*, Centenario della Nascita di M. Amari, Palermo, 1910, II, p. 29.

vraiment impossible d'accepter le témoignage de la Légende au sujet d'une ambassade byzantine envoyée chez les Arabes cette année-là.

*

Pour en exclure la possibilité nous n'avons qu'un «argumentum ex silentio»: les sources dont nous disposons n'en parlent pas. Mais nous ne croyons pas pouvoir nous en contenter car nous sommes très mal renseignés sur les relations byzantines avec l'empire abbasside entre 846 et 851. Tabarī, qui nous donne des détails si exacts et si complets sur l'échange de prisonniers effectué en 845 sur les bords du Lamus ou sur le raid d'Achmed-ibn-Saïd survenu peu de temps après, nous abandonne complètement à nous-mêmes jusqu'en 851.[1] Or, il ne semble pas vraisemblable – nous l'avons dit plus haut – que toutes relations aient cessé entre les deux puissances. La Vie de Constantin apporte-t-elle un peu de lumière sur ce point? La chose est possible.

Il se peut, en effet, que Théoctiste ait essayé d'arriver à la conclusion d'un traité de paix où d'une trève avec l'empire abbasside pour avoir les mains libres du côté des Arabes de Crète et de Sicile et ce serait en 850–851 qu'il aurait entamé des négociations à ce sujet. Nous verrons tout à l'heure qu'il avait l'intention de se débarrasser avant tout des Arabes de Crète avec lesquels l'empire abbasside était en relations.

Il y a, dans le récit de la Légende, un passage qui semble venir à l'appui de cette supposition. Les Arabes demandent à Constantin pourquoi les Romains ne veulent pas payer tribut au puissant peuple des Ismaélites, alors que le Seigneur lui-même l'a payé: «Le Christ a payé le tribut pour lui et les autres. Pourquoi ne voulez vous pas faire ce qu'il a fait? Et même si vous vous défendez de le faire, pourquoi ne pas payer le tribut au moins pour vos frères et vos alliés, au peuple ismaélite si grand et si puissant? Nous demandons peu de choses, une seule pièce d'or, et tant que la terre subsistera nous serons en paix avec vous comme personne autre.»

Ces mots sont émigmatiques et personne à notre connaissance n'a essayé jusqu'à présent de les interpréter. A notre avis, on y trouve l'écho des transactions entamées vers 850 entre l'Empire et les califes; les Arabes auraient exposé à l'ambassade byzantine les conditions auxquelles ils acceptaient de conclure la paix. Ils demandaient que l'Empire payât un tribut.

Une autre considération semble nous autoriser à admettre la possibilité de

<hr />

[1] VASIL'EV, l. c., p. 51.

'envoi d'une ambassade byzantine à la cour arabe vers 850–851. On sait que le calife Mutawakkil, arrivé au pouvoir en 847, inaugura une nouvelle politique religieuse. Son règne marque le retour aux anciennes traditions sunnites. La conséquence de cette transformation fut la persécution des Mutazalites[1] qui proclamaient le principe du libre arbitre et acceptaient l'interprétation allégorique du Coran, chose créée, n'existant pas de toute éternité. Ces doctrines étaient déjà patronnées par les premiers califes abbassides et Mamûn en 827 en avait fait la doctrine officielle. Ses successeurs, Mutasîm et Wathik, continuèrent à les professer mais Mutawakkil rétablit le vieil enseignement orthodoxe et retourna en outre à la pratique des anciennes traditions à l'égard des peuples non musulmans qui jouissaient sous l'ancien régime «libéral» d'une certaine bienveillance. En 849–50 il publia une série d'édits qui devaient frapper brutalement tous les peuples non musulmans et surtout les chrétiens. Pour se distinguer des musulmans ils furent obligés de porter des vêtements jaunes et, au lieu de ceinture, un épais cordon; leurs étriers ne pouvaient être faits que de bois et ils devaient ajouter des boulets à l'arrière de leurs selles. Leurs esclaves devaient porter au pantalon deux larges bandes de couleurs différentes et les voiles des femmes chrétiennes devaient être de couleur jaune. Les églises et les synagogues construites depuis l'occupation musulmane devaient être détruites ou transformées en mosquées. Les portes des maisons chrétiennes devaient être «ornées» d'un diable de bois; il était défendu de porter publiquement des croix ou d'en ériger hors des propriétés privées et les tombes des chrétiens devaient être nivelées. Il était interdit aux musulmans de donner l'enseignement aux allogènes et les services publics leur étaient de nouveau rigoureusement fermés. Les impôts dont on les frappait étaient naturellement aggravés et on exigeait d'eux le paiement d'une dîme sur la valeur de leurs maisons.[2]

Le gouvernement de Mutawakkil marque donc une sérieuse aggravation du sort des chrétiens dans l'empire abbasside; et quand on compare ces dates et ces faits, ne peut-on pas penser que le gouvernement byzantin soit intervenu pour adoucir les sentiments du calife à l'égard de ses sujets chrétiens? L'am-

---

[1] Sur cette école rationaliste voir VON KREMER, *Culturgeschichte des Orients unter den Chalifen*, Wien, 1877, II, pp. 45, 413, 462. IDEM, *Culturgeschichtliche Streifzüge auf dem Gebiete des Islam*, Leipzig, 1873, p. 8 (influences chrétiennes sur la doctrine de la secte).

[2] Voir sur ces mesures du calife WEIL, *Geschichte der Chalifen*, Mannheim, 1846, II, pp. 353, 354; MARGOLIOUTH, *Umayyads and Abbasids (Jurj'î Zaydán's History of Islamic civilisation, IV)*, Leyde, London, 1907, pp. 168 et suiv.

bassade dont parle la Vie de Constantin n'avait-elle pas pour but de soulage
les chrétiens vivant en pays musulmans? Le caractère surtout religieux que l
biographe lui attribue semble cadrer avec cette hypothèse.

En tout cas, nous trouvons ici, semble-t-il, l'écho de négociations menée
entre les deux Empires, négociations sur lesquelles nous n'avons pas d'autre
renseignements et qui sont restées d'ailleurs infructueuses. La Légende not
que les Arabes ont voulu mettre Constantin à mort, ce qui semble bien te
moigner d'une issue malheureuse.

Au lieu de la paix espérée, c'est donc la guerre qui redouble. En 851, a
dire de Tabarī, le chef des troupes arabes de la frontière, Jachya-al-Armen
attaque le territoire byzantin et continue en 852 et 853. Les prescriptions visar
les non-musulmans sont en même temps aggravées; en 853—54, on en vier
à leur interdire de monter à cheval.

Les Grecs ont certainement riposté mais nous ne savons rien des opération
d'Asie Mineure; les chroniqueurs grecs ne parlent même pas de la grande ex
pédition entreprise en 853 par Théoctiste qui devait s'y préparer depuis long
temps.[1] Nous ne connaissons cette opération que grâce aux renseignement
de Tabarī. Trois escadres furent équipées. L'une, composée de 85 navires e
de 5000 hommes, apparut en mai devant Damiette qui fut pillée et dévasté
Le fait que les Grecs prirent dans la ville une grande quantité d'armes, destinée
aux Arabes de Crète passés alors sous la suzeraineté nominale du calife, prouv
que les Byzantins voulaient surtout empêcher le calife de porter secours au
pirates crétois. Les deux autres escadres opérèrent très probablement dans l
Mer Egée contre les Crétois.[2]

En Asie Mineure, d'autre part, une opération d'une certaine importance fu
organisée en 855 contre Anazarbas et au début de l'année suivante les bellige
rants échangeaient leurs prisonniers sur le Lamus.[3]

*

---

[1] TABAR Ī, l. c., pp. 51, 52.

[2] D'après BROOKS, *The relations between the Empire and Egypt from a new Arabic source*, Byzan
Zeitschr., vol. XXII, 1913, p. 383, les deux autres escadres auraient opéré sur les côtes de Sicil
Pourtant, une opération dans la Mer Egée et contre la Crète semble mieux cadrer avec le but d
l 'expédition.

[3] *L. c.*, p. 54. Il ne paraît pas, au premier abord, impossible de chercher dans cet échange d
prisonniers, pendant lequel le premier rôle est tenu par le patrice Georges, l'origine du passag
de la Légende que nous étudions. C'est pourtant très peu probable. Tabarī ne dit rien du séjour d
ambassadeurs dans la capitale. Il faudrait en outre admettre que le copiste s'est trompé en tran
crivant l'âge de Constantin. Au lieu de 28 il aurait mis 24. C'est aussi possible, bien que la traditio

Nous acceptons la date qu'indique la Légende pour cette ambassade, mais oin de nous la pensée qu'il faille prendre à la lettre tout ce qu'elle en dit. Il erait surtout exagéré de prétendre que Constantin fut le premier personnage le cette ambassade. Le biographe s'est incontestablement permis quelque ex-gération pour ajouter à la gloire de son héros.

Les personnages les plus importants étaient en réalité les compagnons de Constantin, l'asecrète et Georges. Peut-on les identifier? La chose est assez ifficile, étant donné surtout que la tradition manuscrite de la Légende n'est as très sûre sur ce point.

Nous avons, en effet, deux variantes. Pastrnek[1] s'est prononcé pour l'inter-rétation suivante, indiquée déjà par Miklosich[2] et Perwolf:[3]

приставльше (Miklosich приставнше) же къ (Miklosich кь) нiємоγ асикрита Георгiа и послаше iа ...

«Ils lui ont adjoint l'asecrète Georges et l'ont envoyé ...» Le manuscrit de Moscou est plus vague:

приставльшоγ же ємоγ асγкрита Георгiа послаша ...

«Ils lui ont adjoint l'asecrète Georges et envoyèrent(?) ...» Quant à celui e Rylle et de Lwów, dont la leçon a été suivie par Šafařík,[4] il nous présente es choses d'une manière différente encore:

рипослаше же сь нимь асïгкрита (Lwów приставнше же кь нємоγ ассикрита) и Георгiа полашоγ

«Et ils ont envoyé avec lui l'asecrète et Georges Polaša.»

Voilà bien de quoi rendre perplexe. La dernière version nous présente asecrète comme un personnage différent de Georges denommé ici Polaša. 'est surtout ce nom de Polaša qui est déconcertant et on comprend qu'il ait mbarrassé les copistes.

---

es manuscrits de la Légende ne nous confirme nullement dans cette hypothèse et qu'on ait plutôt impression que le biographe insiste intentionnellement sur la jeunesse de son héros pour montrer, cette occasion, ses capacités exceptionnelles.

[1] *Dějiny, l. c.,* p. 166.
[2] E. DÜMMLER und FR. MIKLOSICH, *Die Legende vom hl. Cyrillus,* Denkschriften d. k. Akd. Wiss., Phil. hist. Kl., vol. 19 Wien, 1870, p. 217, cf. la note, p. 247.
[3] *Fontes rerum bohemicarum,* Praha, 1873, I, p. 7.
[4] *Památky dřevního písemnictví Jihoslovanů,* I, 2e éd., Praha, 1873, pp. 5, 31 (les variantes).

Mais ne pourrait-on trouver une autre explication valable pour ce nom q‹ Lamanskij[1] considère comme slave?

Nous en trouvons à la même époque un autre presque pareil dans l'h‹ toire des relations byzantino-arabes. Il s'agit d'un personnage au service ‹ l'insurgé Euphemios en Sicile et que les sources arabes[2] appellent *Balata*. La l‹ tre grecque Π étant généralement transcrite en arabe par B il faut lire *Palat* Les historiens ont admis à peu près unanimement que, contrairement à ce q‹ fait l'écrivain arabe, il n'y faut pas voir un nom de personne mais celui d'u‹ dignité qu'il est malheureusement difficile de préciser. F. Gabotto[3] pense q‹ cette dignité est celle de curopalate.[4] Vasil'ev[5] n'ose même pas se prononc et Bury[6] l'imite, se bornant à dire qu'il s'agit d'une dignité palatine, diffici à mieux définir.

Ne pourrait-on pas faire un rapprochement entre ce Palata et le Polaša de Légende de Constantin et ne pourrait-on pas voir dans le Georges de la L gende un personnage titulaire de la charge de παλατῖνος. En vieux slave le m‹ παλάτιον n'est-il pas traduit par полата, полача,[7] ce qui se rapproche étrangeme‹ du полаша du manuscrit de Rylle, dont la leçon a été rejetée par la plupa des éditeurs de la Légende? Et Šafařík n'a-t-il pas vue juste en suivant dans s‹ édition ce manuscrit qui, à son avis, conserva la vieille tradition? La déform tion du mot serait assez facile à expliquer: les copistes qui ne le compr naient plus ont éprouvé un réel embarras en le transcrivant et ont ainsi justif eux-mêmes, pour ainsi dire, l'interprétation des éditeurs qui y ont vu le verl послаше.

La vérification de cette interprétation exigerait qu'on fût renseigné sur charge de παλατῖνος. Le mot signifiait évidemment en grec la même cho que «palatinus» en latin. Il est attesté, pour le Vᵉ siècle, par Sᵗ Athanase q nomme à plusieurs occasions des palatins impériaux.[8] C'étaient les «Palati‹

---

[1] Ж. М. Н. П., 1903, April, pp. 352 et suiv.

[2] Ibn-Al-Asir, VASIL'EV, *l. c.*, pp. 94, 95.

[3] *Eufemio et il movimento separatista nella Italia Bizantina*, Torino, 1890, p. 29.

[4] La dignité de curopalate était généralement donnée aux parents de l'empereur. Voir BUR‹ *The Imp. Adm. Syst.*, pp. 33–35. Bardas fut nommé curopalate avant de devenir César (THÉOP‹ CONT., Bonn, p. 176).

[5] *L. c.*, pp. 60–61.

[6] *L. c.*, pp. 297, 480.

[7] FR. MIKLOSICH, *Lexicon palaeoslovenico-graeco-latinum*, Vindobonnae, 1862–1865, p. 613.

[8] S. ATHANASII *Apologia ad Constantinum* P. G., vol. 25, col. 620: Μοντάνος ὁ Παλατιν‹ ἦλθε κομίζων ἐπιστολάν; IDEM, *Apologia contra Arianos*, ibid., col. 385 (Παλλαδίῳ δουκιναρ‹

sacrarum largitionum, comitatenses et mittendarii», dont il est plusieurs fois question dans le droit gréco-romain.[1]

Jusqu'à la réorganisation de l'Empire et la fondation des thèmes les « palatini » étaient envoyés dans les provinces avec des instructions concernant surtout le rendement des impôts. Il jouaient ainsi un grand rôle dans les finances de l'État. On appela peut-être ainsi par la suite également les soldats de la garde impériale qui stationnaint dans le palais même. Procope[2] ne connait pas seulement les στρατιῶται ou φύλακες τοῦ παλατίου mais aussi leur commandant qu'il appelle τῶν ἐν παλατίῳ φυλακῶν ἄρχων.

A une époque plus récente le titre de παλατῖνος est moins usité. On désignait par là, probablement, un homme de l'entourage de l'empereur qui habitait le palais impérial où il exerçait une fonction, un courtisan. Même plus tard le mot n'est pas oublié, comme le montre l'exemple du Palata que nous avons mentionné tout à l'heure. Nous en trouvons une autre preuve à la même époque. Le Continuateur de Théophane[3] mentionne en 859, en décrivant le désastre de l'armée de Michel III sous les murs de Samosata, parmi les grandes notabilités militaires (τῶν μεγάλων δὴ στρατηγῶν...), le palatin Séon, fait prisonnier par le fameux Carbéas. Cet exemple est particulièrement important pour notre thèse. Le titre de «palatinos» est encore très connu au XIe siècle et Michel Attaliata,[4] dans sa Synopsis mentionne tout spécialement les palatins impériaux. Nous le retrouvons au XIIe siècle dans un poème de Théodore Prodromos, dans lequel ce malheureux poète se plaint à l'empereur des misères que son hégoumène lui fait endurer dans le couvent où il est entré pour faire pénitence à la fin de sa vie et être débarrassé des soucis matériels qui l'ont tellement préoccupé pendant toute son existence. Mais mal lui en prit; le pauvre homme tomba d'un mal dans un pire: il donne, dans son poème,

---

Παλατίνῳ), *Historia Arianorum aa monachos*, ibid., col. 729. Cf. aussi St GRÉGOIRE LE GRAND, *Epistolae*, lib. I, ep. 13, V, ep. 6, IX, ep. 72, 113, *M. G. H. Ep.*, Greg. Reg., vol. I, pp. 13, 287 II, pp. 91, 118. Gf. A. BETHMANN-HOLLWEG, *Gerichtsverfassung u. Prozess des sinkenden röm. Reiches*, Bonn, 1834, p. 71; L. M. HARTMANN, *Untersuchungen zur Geschichte der byzant. Verwaltung*, Leipzig, 1889, pp. 40, 78, 95, 97, 98, 104; GERM. ROUILLARD, *L'administration civile de l'Égypte byzantine*, 2e éd., Paris, 1928, pp. 94, 110.

[1] Par ex.: Cod. Theod. de Palat., TH. MOMMSEN, P. M. MEYER, *Theodos. libri*, Berlin, 1905 II, pp. 85 et suiv. Cf. E. STEIN, *Geschichte des spätröm. Reiches*, I, Wien 1921, p. 174. JUSTIN. *Nov.* 30, chap. 6, *Nov.* 117, chap. 13, *Nov.* 163, chap. 2; *édit.* 13, chap. 11, chap. 20.

[2] *De bellis*, I, p. 126, 134, 216, II, pp. 602 (éd. Bonn).

[3] Bonn, p. 177: Σεὼν τὸν παλατῖνον.

[4] LEUNCLAVIUS, *l. c.*, II, p. 71, titulus 79.

une place assez remarquable au palatin.[1] Nicétas Chomiate enfin appelle ainsi le dignitaire de la cour patriarcale chargé par le patriarche de présenter à l'empereur les désidératas de son maître (Hist., Bonn, p. 312).

Telle est à peu près l'évolution de ce titre. On peut donc déduire de tout cela que le titre de παλατῖνος était donné aux fonctionnaires de la cour impériale et qu'on ne désignait pas ainsi seulement les personnages subalternes mais des fonctionnaires supérieurs.

Somme toute, en tenant compte de toutes ces observations, il ne serait pas étonnant si le gouvernement avait fait accompagner l'ambassade par un fonctionnaire de la cour ou un haut officier de la garde impériale chargé probablement de l'organisation matérielle et responsable de la sécurité.[2]

Mais soyons prudents. Cette hypothèse d'apparence si séduisante et susceptible de satisfaire un byzantiniste ne pourra probablement pas être acceptée par un philologue slave. C'est qu'en effet nous chercherions vainement dans les documents vieux-slaves connus l'équivalent slavon de παλατῖνος. Le mot полача n'est même pas vieux-slave et n'apparaît pour la première fois que dans les textes croates glagolitiques; полаша ne se trouve dans aucun document vieux-slave. On peut bien imaginer qu'il y ait eu déformation du fait de la transcription de l'écriture glagolitique en écriture cyrilique, mais comment le prouver?

Nous restons nous-mêmes extrêmement indécis; l'hypothèse indiquée n'a d'ailleurs trait qu'à un détail de nos Légendes et, quoiqu'il en soit, une chose nous paraît sûre c'est qu'il faut distinguer l'asecrète de la personne de Georges. Qui est donc ce fonctionnaire? Nous ne craignons pas, quant à nous, d'affirmer qu'il s'agit de Photios. Ce dernier fut probablement − avons-nous déjà dit − nommé protoasecrète vers 850. Nous savons par ailleurs qu'on lui confia une mission auprès des Arabes. Il le dit lui-même en appelant, du reste, les Arabes Assyriens[3] ce qui semblerait indiquer qu'il s'est rendu auprès du calife, maître

---

[1] E. LEGRAND, *Bibliothèque grecque vulgaire*, Paris, 1880, I, p. 78:

ἐκεῖνος ἔν' δομέστιχος, καὶ σὺ εἶσαι κανονάρχος
ἐκεῖνος ἔν' λογαριστής, καὶ σὺ εἶσαι θερμοδόνης
ἐκεῖνος ἔν' παλατιανός, καὶ σὺ εἶσαι λεβατάρης.

[2] On pourrait identifier ce Georges avec le personnage qui, suivant les renseignements de Tabarī, traita l'échange des prisonniers en 855−56. Rien ne s'oppose à l'hypothèse suivant laquelle on aurait employé le même personnage pour les deux ambassades, bien qu'on puisse difficilement arriver à une certitude sur ce point.

[3] *Miriobiblion*, Introduction, P. G., vol. 103. Il est à remarquer que l'empire abbasside a été généralement désigné par les Byzantins non pas par le mot d'Assyrie, comme le fait Photios ici, mais par

de l'ancienne Assyrie. Il n'indique malheureusement pas la date de son ambassade,
mais il devait s'agir, à notre avis, de celle de 851 qui nous occupe. On comprend
les raisons qui ont pu faire choisir ce savant à qui fut adjoint son brillant élève
et collègue, Constantin. C'était le seul moyen d'en imposer à la cour de Mutawakkil où la science était toujours aussi en honneur qu'à l'époque de ses prédécesseurs[1] et on prévoyait, d'autre part, que le revirement dans la politique
religieuse pourrait entraîner des discussions théologiques, ces questions étant
d'actualité dans l'empire abbasside. Rien d'étonnant à ce que le biographe de
Constantin ne mentionne pas le nom de Photios et se contente de le nommer
par son titre d'asecrète: le personnage avait, à l'époque où il écrivait, mauvaise
réputation en Occident. Il n'est pas davantage extraordinaire que les écrivains
grecs et Photios lui-même ne disent rien de cette ambassade; les Grecs ne nous
ont donné que très peu de renseignements sur les relations de l'Empire avec les
Arabes et le résultat négatif des négociations qui nous intéressent n'était pas
fait pour qu'on les transmît d'une façon spéciale à la postérité. Voici donc, à
notre sens, le maître et son fidèle élève associés de nouveau dans une importante entreprise.

Il n'est pas nécessaire de chercher avec Lamanskij[2] des raisons plus ou moins
plausibles pour expliquer le choix de Constantin. Il n'est guère vraisemblable
de croire à une mission secrète, comme celle qui aurait consisté à entrer en
pourparlers avec les Slaves au service des Arabes et de gagner en particulier
la garnison de Loulou. On pouvait employer d'autres hommes pour cela, car
on ne manquait pas d'officiers sachant le slave et même d'origine slave.[3] Mais

---

celui de Babylonie. Voir H. GRÉGOIRE, *Saint Démetrianos, évêque de Chytri*, Byzant. Zeitschr., vol. XVI,
1907, p. 232. Contrairement à cette interprétation de Grégoire, H. DÉLÉHAYE (*Vita S. Demetriani*
A. S., Nov. III, p. 307), prétend que les Babyloniens seraient les Arabes d'Egypte mais cette interprétation
est erronée. Dans la Vie de Sᵗ Théodore d'Edesse (ed. POMJALOVSKIJ, *l. c.*, p. 72) on lit p. ex.:
εἰς Βαβυλῶνα τῇ παρὰ Πέρσαις νῦν καλουμένη Βαγδάδ; *Vita S. Constantini Mart.*, A. S., Nov. IV,
p. 558: in terram Babylonis miserunt, ad urbem quae dicitur Samaria. Pourtant, la désignation de
l'empire arabe par « Assyrie » a dû avoir été aussi en usage. Nous en trouvons un autre exemple
dans la Vie des Sᵗˢ David, Syméon et Georges, *Anal. Bol.*, vol. XVIII, 1899, p. 252: κατὰ τοῦ Ἀσ-
συρίου Ἄμερ χρόνοις ... Remarquons bien qu'il s'agit ici de l'empire abbasside et non pas des Crétois ou de quelques émirs. Cf. aussi *Théoph. Cont.*, p. 415 (Bonn).
[1] Voir là-dessus WEIL, *Geschichte der Chalifen*, l. c., II, pp. 370–372.
[2] *L. c.*, Avril, pp. 355 et suiv.
[3] Il n'est d'ailleurs pas vrai que la forteresse de Loulou soit tombée de nouveau aux mains des
Grecs en 857, comme le dit Lamanskij qui y voit une preuve de la réussite de la mission de Constantin. Lamanskij se base sur l'opinion de VASIL'EV (*l. c.*, p. 186). Pourtant, BURY (*A History*,
p. 280) a remarqué avec juste raison que cette hypothèse était sans fondement.

il n'est pas impossible pourtant que la connaissance du slave ait contribué à faire désigner Constantin, car on sait la place qu'occupaient les eunuques slaves à la cour arabe.[1] Les relations entre Théoctiste et Constantin suffisent d'ailleurs aussi à elles seules à expliquer la présence de notre héros: Théoctiste a évidemment profité de toutes les occasions pour pousser son jeune protégé.[2]

*

Disons maintenant quelques mots de la résidence du calife à la beauté de laquelle le biographe a consacré la fin du chapitre VI. Ce n'est pas à Bagdad que se trouvait vers 851 cette résidence, mais à Sâmarrâ. Bagdad avait cessé en 836 d'être le siège des califes et resta dans cette situation jusqu'en 892; le calife Mutaṣîm avait en effet choisi le petit village de Sâmarrâ pour y résider et l'avait transformé au point de le rendre vraiment digne de son nom: Surraman-raa, «Qui la voit se réjouit». La ville s'étendait surtout sur la rive orientale du Tigre et le premier palais du calife s'élevait sur l'emplacement de l'ancien couvent chrétien acheté par Mutaṣîm pour 4000 dinars (Ł 2000). Le calife n'épargna rien pour embellir la nouvelle résidence. La rue principale fut bientôt couverte de bâtiments splendides, ornés de marbre importé d'Antioche et de Laodicée et de bois de teck. Le même prince fit encore élever un autre palais sur l'autre rive à laquelle on pouvait accéder grâce à un pont de bateaux, ainsi qu'une mosquée renfermant une immense fontaine qui, connue sous le nom de «coupe de Farao», excitait l'admiration des visiteurs.

Le successeur de Mutaṣîm, Hârûn-al-Wâthik, fit également bâtir sur les bords du Tigre un palais appelé Ḳaṣr-al-Hârûnî. C'est ce palais qui fut la résidence de Mutawakkil jusqu'en 859, année qui vit l'achèvement de son nouveau palais, le Ġa'fary, qui lui coûta dix millions de dirhams. Les constructions de Mutawakkil à Sâmarrâ furent particulièrement nombreuses: le château de el-Arûs coûta trente millions, le palais el-Muchtâr cinq, celui de Waḥîd deux, le palais el-Garîb dix millions, el-Schîdân et el-Baraḥ vingt millions, el-Cubḥ et el-Malîḥ chacun cinq millions, la villa du parc el-Itâchia dix millions; une colline arti-

---

[1] Voir le témoignage de IBN KORDÂDBEH, *Liber Viarum et regionum*, éd. de Goeje, Lugd. Batav., 1889, pp. 115, 116 sur le rôle à Bagdad des eunuques slaves qui servaient d'interprètes aux marchands russes.

[2] OHÏENKO (*l. c.*, I, p. 61) dit que la mission peut dater de la période postérieure à 856, car «Constantin était libre jusqu'en 860». C'est, en effet, une raison. Mais pourquoi ne pas l'envoyer aussi en Bulgarie, en attendant, puisqu'il était libre. Il s'y serait trouvé plus près des Slaves qu'il chérissait et on ferait sûrement ainsi grand plaisir à certains . . . .

ficielle qu'il fit ériger dans ce même parc coûta cinq millions, le pavillon de l'hippodrome un demi-million, une petite retraite dans une île un million, le nouveau quartier de Mutawakkilia cinquante millions y compris le château qu'il renfermait, el-Buhûr vingt cinq millions et el-Lulua cinq millions. Le total des sommes employées aux constructions de ce genre s'élève à 294 millions de dirhams.[1] La ville s'accrut rapidement, de sorte qu'elle put en splendeur égaler Bagdad. Un poète arabe contemporain compare Bagdad à une vieille dame dont la beauté disparaît et qui doit céder la place à sa jeune et belle rivale.[2]

Tous les califes qui résidèrent à Sâmarrâ portèrent un soin particulier à la création de nouveaux parcs et jardins. Mutaṣîm faisait venir de Baṣrah des palmiers, de Syrie et de Khurâsân les plantes les plus jolies et les plus odoriférantes. De nouveaux canaux furent creusés pour arroser ces plantations. Deux d'entre eux allaient jusqu'à la grande mosquée et de là menaient l'eau dans les rues de la ville, l'un fonctionnant en été, l'autre en hiver. Les plus beaux jardins se trouvaient sur le bord ouest du Tigre et, au Xe siècle encore, à en croire Ibn Haukal,[3] les fruits qui y mûrissaient étaient meilleurs que ceux de Bagdad. On vantait surtout les dattes de Sâmarrâ renommées pour leur goût délicat, leur peau fine et leur noyau exceptionnellement petit. Maçoudī les appelle el-Wazîrî[4].

On peut se faire par tout cela quelque idée de la splendeur de Sâmarrâ dont le rapide développement paraissait merveilleux même aux yeux des Arabes.[5]

On comprend que les Arabes aient présenté aux Grecs le rapide développement de Sâmarrâ avec ses jardins et ses palais magnifiques comme un miracle

[1] Voir le *Dictionnaire géographique de Iâcût*. Extrait en allemand dans l'article de F. WÜSTENFELD, *Jâkût's Reisen, aus seinem geograph. Wörterbuch beschrieben*, Zeitschrift der Deutschen Morgenl. Gesellschaft, vol. XVIII, 1864, pp. 426–429. Jâqût attribue à Mutawakkil la construction de cinq autres châteaux.

[2] Abu Tammân, cité d'après VON KREMER, *Culturgeschichte . . .* , p. 90.

[3] W. OUSELEY, *The Oriental Geographie of Ibn Haukal an arabian Traveller of the Tenth Century*, (Eng. Translation), London, 1800, pp. 68, 69.

[4] M. STECK, *Die alte Landschaft Babylonien nach den arabischen Geographen*, Leiden, 1901, p. 88.

[5] Voir sur Sâmarrâ, WEIL, *Culturgeschichte . . .* , pp. 58, 59, 90; G. LE STRANGER, *The Lands of the Eastern Caliphate*, Cambridge, 1930 (réimpression), pp. 53–56. C'est là aussi qu'on trouvera l'indication des écrivains arabes qui ont décrit les beautés de la ville. La description la plus détaillée se trouve chez Y'AKÛBI (Ahmad ibn Abí I'akúb ibn Wadhih, pp. 255–268 en arabe). Voir la traduction allemande dans l'ouvrage de M. STECK, *Die alte Landschaft Babylonien nach den arabischen Geographen*, Leiden, 1901, pp. 182–220. Voir aussi l'article d'information de M. VIOLLET sur Sâmarrâ dans *l'Encyclopédie de l'Islâm*. Voir aussi AL-BALÂDHURI (PH. K. HITTI, *The origins of the islamic states*, traduction anglaise de Kitâb Futûḥ al-Buldâne de al-Balâdhari, New York, 1916, pp. 460, 461).

qui les aurait presque fait sortir de terre. C'est dans ce sens qu'on doit interpréter les mots énigmatiques de la Légende.

Ce sont donc ces merveilles, ces palais et ces jardins magnifiques qu'on montrait à l'ambassade byzantine pour l'éblouir. Le cérémonial arabe prévoyait d'ailleurs un tel étalage de la richesse et de la puissance du calife aux yeux des ambassadeurs grecs; nous avons en effet une description détaillée de la réception d'une ambassade envoyée en 917 à Bagdad par Constantin Porphyrogénète. Al-Khâtîb[1] à qui nous la devons a, il est vrai, écrit en 1066, mais en se bornant, d'après ses propres déclarations, à reproduire le récit d'un certain Hilâl, basé sur le rapport des personnalités qui avaient pris part à la cérémonie. On peut supposer avec juste raison qu'au IXe siècle on suivait un cérémonial analogue.

Or, d'après le récit, 160.000 soldats (!) participèrent à la grande revue militaire organisée avec l'intention évidente de montrer aux Grecs la puissance militaire du calife. On promena ensuite les ambassadeurs dans les appartements princiers où étaient entassées toutes sortes de richesses et — le récit d'Al-Khatîb y insiste — dans les magnifiques jardins où les étangs et les arbres rares mettaient une note pittoresque.

Nous voyons par là que la Vie de Constantin est encore sur ce point intéressante à étudier et qu'elle nous transmet l'extraordinaire impression laissée sur l'esprit des contemporains par le faste des califes.

II.

D'après le biographe, les Arabes auraient provoqué eux-mêmes par un acte d'hostilité à l'égard du dogme chrétien de la Sainte-Trinité l'envoi de l'ambassade byzantine à laquelle participa Constantin. On peut évidemment se demander si cette affirmation répond à la réalité ou si ce n'est que le fruit de l'imagination de l'auteur? Nous y voyons quant à nous, disons-le, au moins un germe de vérité et nous voudrions nous expliquer à ce sujet.

Tout paraît indiquer que le biographe a groupé deux faits historiques distincts: l'ambassade auprès des Arabes, à laquelle fut mêlé le jeune Constantin, et l'envoi, par les Arabes à l'empereur, de lettres dans lesquelles le dogme

---

[1] G. LE STRANGER, *A Greek Embassy to Bagdād in 917 A. D.*, *translated from the Arabian MS. of Al-Khâtîb, in the Br. Mus. Library,* The Journal of the Royal Asiatic Society of Great Britain and Ireland, 1897, pp. 35–45.

chrétien sur la Trinité se trouvait attaqué. L'existence de missives de ce genre ne semble en effet pas niable puisque nous savons même que, sur l'ordre de l'empereur, Nicétas de Byzance se chargea de les réfuter.[1] La réponse de ce dernier ne nous apprend malheureusement rien de précis sur la date d'expédition des lettres. Le titre nous indique vaguement qu'elles avaient été envoyées à l'empereur Michel, fils de Théophile, et puisqu'on ne trouve aucune mention ni de Théodora, ni de Thécla, la sœur de Michel, généralement mentionnées pendant toute la minorité du souverain, peut-être est-on autorisé à en déduire que la chose arriva après la déchéance de Théodora, c'est-à-dire entre 856 et 866.

Il semble bien qu'on trouve dans l'évolution des relations existant entre les Arabes et les Byzantins de cette époque quelques indications qui autorisent cette hypothèse. Avec le revirement politique survenu à Byzance à la suite de l'assassinat de Théoctiste par Bardas en 856, on entre, en effet, dans une nouvelle phase de ces relations. Théoctiste, nous l'avons vu, avait été homme d'état habile mais mauvais général. Les échecs qu'il avait essuyés et dont il était, en partie au moins, personnellement responsable pour n'avoir pas voulu confier le commandement des troupes à un meilleur chef d'armée, l'avaient probablement amené à tenter de conclure un traité de paix avec les Arabes et peut-être était-ce le but de l'ambassade qui retient notre attention. Mais, Théoctiste disparu, Bardas reprend la lutte avec la ténacité qui le caractérise. Ce n'est plus la paix qu'il prépare, mais la guerre. Connaissant les talents militaires de son frère Petronas, alors stratège du thème thrakésien, il lui confie le commandement suprême. Petronas entame une vigoureuse offensive dans la région de Samosata-Amida ainsi que contre Taphriké où se trouve le quartier général des Pauliciens et le siège de leur chef Carbéas. Ces hostilités n'ont fait que se développer dans les années qui suivirent et le jeune empereur Michel prit une part très active aux expéditions. Une inscription gravée sur les murs d'Ancyre nous apprend, par exemple, que le jeune Basileus, en 858,[2] reconstrui-

---

[1] *P. G.*, vol. 105, col. 808–842.

[2] Voir les détails dans l'importante étude de H. GRÉGOIRE, *Inscriptions historiques byzantines*, Byzantion, IV, pp. 437–449. M. Grégoire n'est d'ailleurs pas le premier – il le reconnaît lui-même – à attribuer cette inscription à Michel III. BURY (*A History*, p. 266, rem. 3) la connaissait déjà et, corrigeant l'opinion de VASIL'EV (*l. c.*, p. 124) qui l'attribuait à Michel II, déclara qu'elle ne peut dater que de l'époque de Michel III. Il l'a même faite postérieure à 856 et a apporté quelques corrections à la lecture de Boeckh, corrections que confirme en partie la nouvelle édition. Une inscription conservée sur une tour de Nicée montre que Michel donna de nouvelles fortifications même à cette ville. (GRÉGOIRE, *ibid.*, p. 446).

sit et fortifia la ville, détruite par les Arabes vingt ans auparavant; une autre
inscription conservée sur les murs de la forteresse semble indiquer que ce fut
Basile, le futur empereur, alors spatharo-candidat qui fut chargé par Michel
de ces travaux. Ces documents jettent une lumière nouvelle sur la personne
de Michel qu'on a longtemps cru tout à fait incapable de gouverner et qui
fait, au contraire, très belle figure dans cette lutte. Le désastre que les Arabes
infligèrent à son armée en 859 alors qu'il assiégeait Samosata ne le découragea
même pas, pas plus du reste que son oncle. A peine les négociations avec
l'envoyé arabe Naṣr au sujet de l'échange des prisonniers furent-elles terminées
que la campagne fut reprise et interrompue seulement temporairement quand
Constantinople fut menacée par l'invasion russe; ce danger conjuré, elle reprit
de nouveau. D'après les sources grecques[1] Michel essuya à ce moment un échec
près d'Anzène, au même endroit que son père en 838, et échappa avec peine
aux Arabes qui l'avaient encerclé. Pourtant ce détail est très sujet à caution. Il
semble former le double du récit de l'échec que Théophile essuya au même
endroit et dans les mêmes circonstances dramatiques en 838. Nous n'en trouvons d'ailleurs aucune mention chez les historiens arabes qui n'auraient certainement pas manqué de relever ce fait. La personne de Michel III semble avoir laissé,
au contraire, auprès des Arabes l'impression d'une certaine grandeur militaire.[2]
Ces faits nous autorisent à supposer que la débâcle mentionnée n'est qu'une invention des moines qui n'aimaient pas Michel à cause de sa vie privée et parce que
sous son gouvernement le patriarche Ignace avait été remplacé par Photios.
Les campagnes de Michel étaient, au contraire, victorieuses. Elles furent couronnées par la victoire retentissante remportée par Petronas en 863 sur les
troupes de l'émir de Mélitène, aux environs de Poson, et suivie de l'invasion de
la Mésopotamie au cours de laquelle un autre général arabe, Ali ibn Yahia,
perdit la vie, à la bataille de Martyropolis.[3]

On voit ainsi que les relations entre Byzance et le califat deviennent de
plus en plus hostiles sous le gouvernement de Michel et de Bardas. Il n'est

---

[1] THÉOPH. CONT., p. 178, cf. p. 127.

[2] Voir surtout les deux articles de M. H. GRÉGOIRE dans le *Byzantion*, articles dans lesquels l'auteur a essayé très heureusement de réhabiliter dans une certaine mesure Michel qu'on appelle aujourd'-
hui l'Ivrogne mais à qui les contemporains n'ont pas osé contester les titres de πιστός et μέγας βασιλεύς qu'il se donnait lui-même (*Inscriptions historiques byzantines*, Byzantion IV, pp. 437–449; *Michel III
et Basile le Macédonien dans les inscriptions d'Ancyre*, Byzantion, V, 327–346). Voir aussi la remarque
de M. DÖLGER à propos de ces articles, dans la *Byz. Zeitschr.*, 1931, p. 170.

[3] Pour les détails voir VASIL'EV, *l. c.*, pp. 178–204, les passages de Tabarī, ibidem, pp. 51–58;
BURY, *A History*, pp. 278–284.

pas impossible que les hostilités aient été également engagées sur le terrain intellectuel par une offensive arabe contre la doctrine chrétienne de la Trinité et que cette offensive ait été inaugurée par les deux lettres envoyées à l'empereur Michel.

Nous avons vu d'ailleurs quelle politique avait inaugurée Mutawakkil dans les questions religieuses. Ses sentiments à l'égard des chrétiens ne pouvaient que devenir de plus en plus hostiles, car les attaques et les victoires des Byzantins ainsi que les insurrections des Chrétiens de Syrie et d'Arménie[1] l'exaspéraient. Le retour aux traditions musulmanes orthodoxes, de plus en plus marqué sous le règne de Mutawakkil, excluait toute bienveillance à l'égard de la doctrine chrétienne et préconisait plutôt l'intolérance.[2] L'attaque de la doctrine de la Sainte Trinité par deux lettres officielles en est une curieuse preuve.[3]

Nous pouvons donc dater ce fait de la période comprise entre 856, année de la reprise d'une vigoureuse offensive grecque, et 861, année de la mort de Mutawakkil. Après la mort de ce dernier le moment paraît moins propice à une telle entreprise car le califat est bouleversé par de nombreux troubles intérieurs qui facilitèrent d'ailleurs les succès militaires des Grecs.

Nous pouvons donc supposer avec juste raison que le biographe de Constantin a eu connaissance de ce fait puisqu'il paraît sûr — nous le verrons encore — qu'il se trouvait à Byzance jusqu'en 862, année où il partit avec Constantin pour la Moravie. Ainsi donc, le début du chapitre VI est l'écho de cet événement. Ce qu'on peut dire en ce qui concerne la véracité de ce passage de la Légende est très simple: *le biographe s'est seulement permis de faire partir son héros en campagne contre le blasphème des Arabes et il a transformé l'ambassade de 850—851, à laquelle avait participé Constantin, en une controverse théologique.*

---

[1] Voir WEIL, *Geschichte der Chalifen*, II, pp. 356 et suiv.

[2] Mentionnons encore quelques témoignages qui parlent de la persécution des Chrétiens par Mutawakkil: BAR-HEBRAEI *Chronicon syriac.*, éd. P. Bruns et G. Kirsch, Leipzig, 1789, p. 165; D. S. MARGOLIOUTH, *Umayyads and Abbásids* (Jurj'í Zaydán's History of Islamic civilisation, IV), Leyden, 1907, pp. 168 et suiv. Sur l'hostilité de Mutawakkil à l'égard des moines chrétiens voir l'ouvrage de SOKOLOV, Состояніе монашества въ виз. церкви съ полов. IX до начала XIII в., Kazań, 1894, p. 274.

[3] Les lettres ne se sont pas conservées. C'est dommage, car elles constitueraient un document du plus haut intérêt. On peut se rendre compte, d'après quelques citations qu'en a données Nicétas, de leur teneur générale. *P. G.*, vol. 105, col. 808–842.

Voyons maintenant comment le biographe nous présente la controverse théologique et tâchons de dire si elle est unique en son genre ou s'il est possible d'en trouver d'autres analogues en parcourant la littérature byzantine du IXe siècle. Les relations politiques étroites qui existaient entre Byzantins et Arabes ne pouvaient manquer d'avoir une certaine répercussion dans le domaine intellectuel. On peut le constater surtout après la victoire de l'orthodoxie mais elle se manifeste déjà sous les empereurs iconoclastes. On sait, du reste, que la renaissance littéraire qu'on note à Byzance à cette époque est en grande partie due à la concurrence arabe, si l'on peut employer cette expression,[1] et, vers la moitié du IXe siècle, on remarque une certaine rivalité entre Arabes et Byzantins dans le domaine intellectuel. Le contact intime entre Byzance et les Arabes nous est, en tout cas, prouvé par l'ambassade de Jean le Grammairien,[2] à qui l'empereur Michel II avait formellement recommandé de frapper l'imagination des Arabes par sa prodigalité et par son luxe autant que par sa science; il l'est également par les légendes qui s'étaient greffées sur l'histoire de Théophile construisant à Bryas un palais d'après les plans de celui des califes de Bagdad, par les histoires presque fantastiques des analistes byzantins sur Léon le Philosophe et par les relations amicales de Photios et d'un émir arabe. De ce contact intime, tantôt amical et tantôt hostile, devait nécessairement sortir la rivalité religieuse. Nous constatons vers cette époque un fait singulier et qui est caractéristique; on ne se contente plus de faire du prosélytisme par force et parmi les peuples peu instruits, on s'efforce d'en faire en utilisant les arguments théologiques et scientifiques et cet effort donne naissance à un nouveau genre littéraire dans le domaine théologique: les écrits contre l'Islam.

Bien entendu, le besoin de propagande religieuse et de telles œuvres se faisait particulièrement sentir parmi les Chrétiens qui vivaient sous la domination arabe et ceci explique que nous connaissions un assez grand nombre d'ouvrages contre l'Islam, rédigés en arabe.[3] C'est dès le VIIIe siècle que ce besoin

---

[1] Voir dans notre livre, *Les Slaves Byz. et Rome*, le chapitre sur la Renaissance lit. à Byz., pp. 133 et suiv.

[2] Voir surtout BURY, *The Embassy of John the Grammarien*, Engl. Hist. Review, vol. XXIV, 1909, pp. 296—299; IDEM, *A History*, pp. 256—259.

[3] Voir pour la liste de ces œuvres STEINSCHNEIDER, *Polemische u. apolog. Literatur*, Deutsche Morgenländische Gesellschaft, Bd. 6, Leipzig, 1859, avec l'indication détaillée des manuscrits dans lesquels ils on été conservés. La plupart de ces ouvrages, restés en général inédits, se rapportent à

est devenu particulièrement urgent; c'est alors que les Arabes commencèrent à s'intéresser davantage aux peuples non musulmans et à leur religion tandis qu'ils n'y prêtaient guère attention dans les années qui suivirent immédiatement la conquête.

On en arriva même rapidement à des discussions théologiques. Trois d'entre elles qui datent des années immédiatement postérieures à la conquête sont devenues historiques. Le 9 mai 639, en présence d'un grand nombre de musulmans et de chrétiens, Jean Ier, patriarche monophysite d'Antioche, engagea une controverse avec l'émir Amrou. On sait quel était le but de l'émir et pourquoi il adopta une attitude particulièrement onctueuse au cours de cette discussion dont le texte a été publié par M. Nau.[1] En 643 eut lieu entre Amrou et le patriarche jacobite égyptien Benjamin un autre colloque.[2] Une autre discussion fameuse mit aux prises, en juin 659, à Damas et devant Moaviah, les évêques jacobites Théodore et Sebokt et les moines chalcédoniens de Mar Narou. Moaviâh, qui voulait servir de médiateur entre les chrétiens, en profita pour imposer une amende aux Jacobites.[3] Mais entre 692 et 705 doit prendre place une autre controverse opposant l'Umayad d'Abdul-Malik ben Marvān, Ibrahim ben Rāhib au moine Tabarāni,[4] et Timothée, patriarche de l'Église syriaque, prit part, vers 783, à une discussion menée en présence du calife Mahdi.[5] Ces controverses étaient donc de plus en plus fréquentes. Devenant parfois trop bruyantes, elles provoquèrent naturellement des mesures spéciales de la part des autorités: vers le milieu du VIIIe siècle, par exemple, Salem, émir de Syrie, se vit obligé d'interdire toute discussion de ce genre entre chrétiens et musulmans.[6] Ce fait semble indiquer qu'Antioche, capitale de la Syrie, restait

l'époque postérieure. On en trouve pourtant quelques-uns qui ont été composés aux VIIIe et IXe siècles Par exemple: p. 68, 20 Traité de David b. Merwan (IXe, Xe s.?), pp. 73–75 une réplique de Kosta (870–910?), pp. 80, 81 discussion d'Abucara en présence de l'Emir al-Mumeniu ou du calife Mamûn, p. 82 discussion d'un moine nestorien (VIIIe s.?), p. 120 discussion d'Eutychios (Sa'îd Ibn Batrîk), p. 122 une riposte de Gâhiz 'Amr ben Bahr aux Chrétiens, p. 130 les écrits d'el Kindi, Abu Jusuf Ja'kub ben Ishak contre les Chrétiens, p. 142 les écrits d'Abu'l-'Abbâs Ahmed ben Muhammed ben Merwan es-Serchasi.

[1] F. NAU, *Un colloque du patriarche Jean*, Journal Asiatique, 1915, pp. 225–279.

[2] GRAFFIN, *Patrologia Orientalis*, vol. I, pp. 494–498 (*History of the Patriarchs of the Coptic Church of Alexandria*, ed. by B. EVETTS). NAU, *Un colloque*, l. c., p. 263.

[3] F. NAU, *Opuscules maronites*, I et II, Paris, 1899, 1900; E. W. BROOKS, *Chronica Minora*, II, Paris, 1904, p. 55.

[4] STEINSCHNEIDER, *l. c.*, no. 65, p. 82.

[5] A. MINGANA, *The Book of Religion and Empire*, Manchester, 1922, p. VII.

[6] THÉOPH., 6248, Bonn, p. 663, de Boor, p. 430.

toujours un centre important pour la théologie chrétienne à côté d'autres villes comme Mossoul et Damas. C'est à Mossoul que fut composé, vers la fin du VIIIᵉ siècle, par Abu Nāh d'Anbar, secrétaire du gouverneur musulman, une réfutation du Coran.[1] C'est à Damas que vécut Sᵗ Jean, le dernier grand théologien de l'Église orientale, qui se laissa, lui aussi, entraîner par le courant et publia quelques traités dirigés contre l'Islam;[2] quant à son élève, Théodore Abû Quarra (Abucara), contemporain de calife Mamûn (813–833), ce fut un apologiste particulièrement brillant de la doctrine chrétienne. On lui attribue une controverse menée en présence du calife et dont le texte fut par la suite maintes fois reproduit comme le prouvent les nombreux manuscrits qui nous l'ont conservé et qui ont été très minutieusement analysés par G. Graf.[3] Les écrits arabes d'Abû Quarra contre l'Islam montrent une grande profondeur d'esprit et de rares connaissances philosophiques, son Apologie de la foi catholique en particulier.[4] Quelques-uns ont également trouvé un écho parmi les Grecs.[5]

La controverse gagna Byzance. Un très intéressant document de littérature byzantine dans ce genre spécial est la Vie des 42 Martyrs d'Amorion,[6] écrite par Euodios. C'est également vers cette époque que, d'après toute vraisemblance, Bartholomée, moine d'Edesse, écrivit son traité contre l'Islam[7] et qu'un auteur

---

[1] ASSEMANI, *Biblioth. Orient.*, III, I, p. 212.

[2] Voir surtout *P. G.*, vol. 94, *De heresibus*, col. 763–773 et 1585 et suiv.

[3] *Die christlich-arabische Litteratur bis zur fränkischen Zeit*, Strassburger Theol. Studien, VII, 1, 1905, pp. 31–37. Voir sur ces prétendues controverses G. GRAF, *Die arabischen Schriften des Theodor Abû Quarra*, Forschungen zur christl. Liter. u. Dogmengesch., X, Paderborn, 1910, pp. 77–85: Die unechten Disputationen vor dem Kalifen al-Ma'mûn und vor seinem Wesir.

[4] Voir GRAF, *l. c.*, pp. 37 et suiv. P. L. MALOUF, S. J., *Maŝriq*, vol. VI, 1903, pp. 1014–1023; IDEM, *Const. Bacha, Majâmr, Theodoros Abû Quarra*, Beirut, 1904, traduction allemande de G. GRAF, *Des Theodor Abû Kurra Traktat über den Schöpfer u. die wahre Religion*, Beiträge zur Geschichte der Philosophie des Mittelalters, Texte u. Untersuchungen, Band XIV, Heft 1, München i. W., 1903, G. GRAF, *Die arabischen Schriften des Theodor Abû Quarra Bischofs von Harrân*, l. c. Sur la place d'Abû Quarra parmi les écrivains chrétiens syriaques et arabes voir PEETERS, *Traductions et traducteurs dans l'hagiographie orientale*, Anal. Bol., vol. 40, 1922, p. 263.

[5] Les écrits en grec dans *P. G.*, vol. 97, surtout (col. 1529 et suiv.) interrogatio ad Arabem contra Christianum, (col. 1544 et suiv.) Mahometem non esse ex Deo, etc., sur le Christ, sur la monogamie etc.). Cf. son petit traité sur les images, édité par J. ARENDZEN, *Theodori Abu Kurra de cultu imaginum libellus*, Bonnae, 1895. Le traité est important car il montre la grande influence des idées arabes sur l'éclosion de l'iconoclasme. Abû Quarra réfute les objections des chrétiens qui, par peur d'irriter les musulmans, refusent de vénérer les images des Saints.

[6] NIKITIN, Сказанія о 42 Амор. мученикахъ, Mémoires de l'Acad. des sciences de Sᵗ Pétersbourg, Cl. hist. phil.. VIIIᵉ serie, 1905, vol. VII.

[7] *P. G.*, vol. 104, col. 1383 et suiv.

anonyme composa un petit traité κατὰ Μωαμέθ.[1] Un curieux document de ces relations arabo-byzantines est constitué par la petite légende attribuée évidemment à tort à Sᵗ Grégoire le Décapolite et relative à la conversion d'un émir arabe à la suite d'un miracle dont il aurait été témoin pendant une messe catholique.[2] Cette histoire qui paraît exprimer un « pium desiderium » frappa beaucoup l'imagination populaire et trouva même un écho dans la littérature vieille-slave.[3]

Le récit n'est, d'ailleurs, pas isolé. On trouve dans la Vie de Sᵗ Théodore d'Edesse[4] l'histoire de la conversion au christianisme – conversion légendaire, bien entendu – du calife Moaviâh. La légende se rapporte à notre époque car l'hagiographe semble confondre son héros avec le fils de Mutawakkil, Moavide. Elle a eu une grande influence sur le fameux roman grec de Digénis Akritas où le père du héros est précisément un émir converti.[5]

Les controverses entre Arabes et Chrétiens reviennent assez souvent – il est bon de le noter – dans l'hagiographie de l'époque. On en trouve une dans la Vie de Sᵗ Théodore d'Edesse[6] et celle qui est insérée dans la Vie de Sᵗ Élie le Jeune de Damas[7] ne manque pas non plus d'intérêt. Sᵗ Élie le Jeune de Calabre[8] fait un pèlerinage de Sicile à Jérusalem où il discute avec les Arabes de questions religieuses. Des exemples analogues peuvent être relevés dans l'hagiographie

---

[1] *Ibidem,* col. 1448–57.

[2] Λόγος ἱστορικός, *P. G.,* vol. 100, col. 1201–1212.

[3] Voir KAŁUŽNIACKI, *Die Legende von der Vision Amphilog's und der Λόγος ἱστορικός des Greg. Dekapolites,* Archiv f. Slav. Philol., vol. XXV, 1903, pp. 161–108. Voir aussi notre édition de la Vie de Sᵗ Grégoire le Décapolite, p. 28.

[4] LOPAREV, *l. c.,* XIX, pp. 52–64. La Vie a été publiée par I. POMJALOVSKIJ, Житіе иже во святыхъ отца наш. Θεοδορα, Sᵗ Pétersbourg, 1892.

[5] Voir surtout les récentes études de M. Grégoire sur ce roman: *Michel III et Basile le Macédonien,* Byzantion, V, pp. 328–340, *Le tombeau et la date de Digénis Akritas,* Byzantion, VI, pp. 481–508, *Autour de Digénis Akritas, les cantilènes et la date de la recension d'Andros–Trébizonde,* Byzantion, VII, pp. 287–320, sa communication dans le *Bulletin de l'Académie Royale de Belgique,* classe des Lettres, 5ᵉ série, vol. XVII (1931), pp. 463–493 (*L'épopée byzantine et ses rapports avec l'épopée turque et l'épopée romane),* *Les sources historiques et littéraires de Digénis Akritas,* Actes du IIIᵉ Congrès d'Études byzantines, Athènes, 1932, pp. 281–294. Cf. BURY, *Romances of Chivalry on Greek soil,* Oxford, 1911, pp. 17 et suiv.; N. ADONTZ, *Les fonds historiques de l'épopée byzantine Digénis Akritas,* Byz. Zeitschr., vol 29, 1929–1930, pp. 198–227.

[6] POMJALOVSKIJ, l. c., pp. 21 et suiv. Cf. aussi la Vie de Sᵗ Démétrianos de Chytri. Le Saint se rend auprès du calife et il obtient de sa part la délivrance de ses fidèles emmenés en captivité par les Arabes (GRÉGOIRE, *Sᵗ Démétrios, évêque de Chytri,* Byz. Zeitschr., 1907, vol. XVI, p. 233, *A. S.* Nov. III, p. 307).

[7] LOPAREV, *l, c.;* COMBEFIS, *l. c.,* pp. 155–206.

[8] Vie de Sᵗ Elie le Jeune de Calabre, LOPAREV, *l. c.,* p. 131, *A. S.,* Aug. (d. 17), III, col. 489–507.

géorgienne. St Romain,[1] par exemple, discute avec les envoyés arabes qui veulent l'amener à l'apostasie. Une autre controverse, particulièrement intéressante, illustre aussi la Vie de St Constantin l'Hibérien.[2] Cette Vie nous montre notamment le souvenir que les chrétiens avaient conservé du règne de Mutawakkil, renommé comme persécuteur. Constantin ayant été mis à mort par les Arabes en Albanie en 853 n'a pas pu être conduit à Sâmarrâ devant Mutawakkil, comme le prétend le pieux hagiographe.[3]

Tous ces exemples sont très instructifs pour nous: ils prouvent en effet que *la controverse insérée dans la Vie de Constantin ne représente pas un élément unique ou nouveau dans l'hagiographie byzantine*, mais qu'il s'agit, au contraire, d'un sujet pour lequel les hagiographes des IXe et Xe siècles avaient, en général, un grand intérêt.

Le représentant le plus remarquable de cette littérature à Byzance est Nicétas qui, à la demande des empereurs Michel III et Basile Ier, composa trois traités contre les Sarrasins. Deux de ces traités sont une réponse à deux lettres envoyées à Michel III par les Arabes et qui traitent de la doctrine orthodoxe sur la Trinité.[4]

*

---

[1] P. PEETERS, *St Romain le Néomartyr d'après un document géorgien*, Anal. Bol., vol. 30, 1911, p. 422.

[2] Éditée par P. PEETERS. *A. S.* Nov. IV, pp. 541–563.

[3] *Ibid.*, p. 552.

[4] On trouverait du côté arabe une très intéressante et très importante réplique aux arguments des orthodoxes dans le livre intitulé par l'historien qui l'a publié *The Book of Religion and Empire*, et attribué à AL-TABARÎ sur l'initiative de Mutawakkil (A. MINGANA, *The Book of Religion and Empire, a semiofficial defense and exposition of Islâm written by order at the court and with the assistance of the Caliph Mutawakkil. A. D. 844–861 by Al-Tabari*, Manchester, Univ. Press, 1922). Pourtant, cette apologie de l'Islam qui cite la Bible par versets(!) est très sujette à caution. Le P. PEETERS (*Anal. Bol.*, vol. 42, 1924, pp. 200–202, *Byzantion*, vol. V, pp. 350 et suiv.), qui a apporté des preuves très sérieuses de l'impossibilité de sa rédaction au IXe siècle, la place à une époque très postérieure. Le P. M. BOUYGES (*Le «Kitab Ad-Din Wa-Dawlat» récemment établi et traduit par Mr. A. Mingana est-il authentique?* Lettre à M. le Directeur de la John Rylands Library, Manchester, Beyrouth, 1924) qualifie ce document de «supercherie moderne» et est plutôt enclin à le dater du XXe siècle ... La controverse a provoqué toute une série de répliques parfois très violentes: A. MINGANA, *Remarks on Tabari's semiofficial Defense of Islam*, The Bulletin of the John Rylands Library, vol. IX, 1925, *Ibidem*, vol. XIV, 1930, MINGANA et A. GUPPY, *The Genuineness of 'Al-Tabari's Arabic «Appology» and the Syriac Document on the Spread of Christianity in Central Asia in the John Rylands Library;* D. S. MARGOLIOUTH, *On «The Book of Religion und Emp.» by 'Ali ben al-Tabari*, Proceedings of the Brit. Ac., vol. XIV, 1930. M. MEYERHOF dans son étude sur *Ali-ibn Rabban al-Ṭabarî, ein persischer Arzt d. 9. Jhs. v. Chr.*, Zeitschrift d. Deutsch. Morgenländ. Gesellsch., N. Folge, Bd. 10 (B. 85), Leipzig, 1931, pp. 38–68 reconnaît l'authenticité de l'ouvrage. Nous n'entrerons pas nous-même

Si nous comparons maintenant la controverse qu'expose la Vita Constantini aux écrits de Nicétas de Byzance, contemporain de Constantin, nous constatons une très sensible différence. Avec Nicétas nous avons affaire à un vrai philosophe qui parle en philosophe; malgré les défauts, relatifs au style surtout, que nous y pouvons relever, son apologie est digne du IXᵉ siècle et les arguments arabes eux-mêmes, autant que nous pouvons en juger d'après les citations de Nicétas, ont une certaine valeur philosophique. Telle devrait nous apparaître aussi la controverse entre Constantin le Philosophe et les «Agarènes, hommes sages et très lettrés, versés dans la géométrie et l'astronomie et les autres disciplines». Or le biographe nous présente plutôt un spécimen de controverse populaire, ce qui, du reste, ne signifie pas qu'elle soit dépourvue de toute originalité.

La Vie des 42 Martyrs d'Amorion qui, d'apres toute vraisemblance, date de la moitié du neuvième siècle nous fournit un exemple de discussion populaire comparable. Toutes deux ont quelques éléments communs. Euodios[1] nous montre les Sarrasins invoquant surtout, pour convertir les prisonniers grecs en leur prouvant la vérité de la religion de Mahomet, la puissance arabe et l'expansion rapide de la domination musulmane; les adversaires de Constantin insistent, de leur côté, sur la puissance du calife et la grandeur de leur nation.

Les Saints d'Amorion se moquent du paradis de Mahomet et de la morale très relâchée dont le Prophète s'est contenté de doter ses disciples et ils y opposent l'étroit chemin (στενὴ ὁδός) de la morale chrétienne. Enfin, dans les deux controverses, il est question de l'amour pour l'ennemi. Les Saints d'Amorion, pourtant, posent la question de façon différente: ils affirment prier pour le calife, c'est-à-dire pour sa conversion, comme le leur impose leur religion mais le haïr quand même car on doit haïr les ennemis de Dieu. Ils l'aimeront et l'estimeront lorsqu'il se sera converti.

Ces objections paraissent, d'ailleurs, avoir été générales. On en trouve des traces chez d'autre controversistes chrétiens.[2] Ce que Constantin dit du dogme chrétien de la Trinité se rapproche beaucoup de ce que Sᵗ Jean de Damas en

---

en lice à propos d'un débat dont le ton prouve combien les orientalistes sont parfois «difficiles à traiter». Qu'il nous soit pourtant permis de dire que le document en question ne semble pas du tout correspondre à la mentalité tant chrétienne qu'arabe du IXᵉ siècle. *Il sort tellement du cadre dans lequel on prétend le placer qu'il semble incontestablement provenir d'une époque tout à fait postérieure sinon moderne.*

[1] *L. c.*, pp. 66–74.
[2] Surtout NICÉTAS, *l. c.*, col. 721.

dit également dans la controverse qu'on lui prête avec un Arabe.[1] La Soura 19, 17 de l'Alcoran est d'ailleurs souvent le point de départ de la controverse arabo-chrétienne.[2]

Pourtant, ce ne sont ici que des ressemblances secondaires. Chez le moine Euodios on voit l'influence très marquée des écrits de Nicétas, en même temps qu'une certaine ressemblance avec les écrits de Théodore Abucara et de Bartholomée d'Edesse, ressemblance qu'a très justement signalée Nikitin dans son commentaire de la Vie des 42 Martyrs.[3]

La controverse qui nous a été conservée par le biographe de Constantin paraît plus originale; on n'y trouve pas, en effet, de ressemblance marquée avec les écrits byzantins dirigés contre les Arabes et le premier point de la controverse est surtout très digne de remarque.

L'objection des musulmans à la vérité de la doctrine catholique est tirée de la variété des sectes chrétiennes mais la réponse de Constantin est extrêmement spirituelle. C'était là une objection que les Musulmans devaient faire souvent valoir, car le spectacle des chrétiens se condamnant les uns les autres était certainement très réconfortant pour les musulmans qui devaient être d'autant plus convaincus de la vérité de la doctrine de Mahomet. Mahomet, qui aimait à se poser en arbitre entre les différentes sectes chrétiennes pour les gagner à sa religion, en avait, du reste, déjà fait usage. L'étude qu'a faite récemment M. Grégoire[4] sur ce sujet est très intéressante et peut-être pourrait-on trouver encore dans le Coran d'autres exemples analogues.

Ce qui, enfin, saute surtout aux yeux dans le passage de la Vie que nous considérons c'est le ton patriotique de Constantin. Il est conscient de la grandeur du génie grec. Quand il proclame orgueilleusement: «Toute la science est sortie de chez nous», il se révèle interprète parfait de la mentalité byzantine du IX⁰ siècle. La renaissance littéraire a redonné aux Byzantins conscience de leur grandeur nationale et de la continuité de leur civilisation par rapport à celles des Grecs antiques. On voit plus tard le même esprit se manifester dans la lettre de Michel III à Nicolas I⁰ⁱ durant l'affaire de Photios;[5] dans cette lettre l'empereur traite, en effet, le latin de langue barbare (avant 865). Même

---

[1] *P. G.*, vol. 94, col. 1585 et suiv.

[2] Cf. JEAN DE DAMAS, *l. c.*, BARTHOLOMÉE D'EDESSE, *P. G.*, vol. 104, col. 1397, 1417.

[3] *L. c.*, pp. 239—257.

[4] *Mahomet et le Monophysisme*, Mélanges Ch. Diehl, Paris, 1930, pp. 107—119.

[5] La reconstitution des principaux passages de cette lettre peut se faire d'après la réponse de Nicolas I⁰ⁱ, *M. G. H., Ep.*, IV, pp. 454 et suiv.

esprit encore dans celle de Basile Ier à l'empereur Louis II (871) par laquelle
Basile reproche à son rival d'avoir usurpé le titre impérial qui n'appartient
qu'aux basileis byzantins.[1]

Somme toute, *le chapitre VI de la Vie correspond bien à la mentalité du IXe siècle
et il n'est pas nécessaire de supposer – comme certains l'ont fait[2] – qu'il ait été
ajouté postérieurement en Bulgarie. Sa teneur et son ton indiquent au contraire
que son auteur vivait à Byzance vers le milieu du IXe siècle et qu'il était très au courant des événements qui s'y déroulaient, des idées qui s'y échangeaient.*

---

[1] Voir la réponse de Louis dans le *Chron. Saler.*, M. G. H., Ss., III, pp. 521 et suiv.
[2] LAMANSKIJ, *l. c.*, Avril, pp. 358, 359.

CHAPITRE IV.

AU MONT OLYMPE.

(V. C., chap. VII, V. M., chap. III.)

I. Le coup d'état de 856. — Les couvents du Mont Olympe. — La réforme de Théodore le Studite et l'ascétisme de l'Olympe. — Les moines de l'Olympe pendant les querelles iconoclastes.

II. Les moines du Mont Olympe, les Studites et le patriarche Méthode. — Les contemporains de Constantin et de Méthode au Mont Olympe. — Le problème des liturgies nationales au Mont Olympe.

III. L'écho de l'avènement de Photios dans les couvents de l'Olympe. — Critique du témoignage d'Anastase le Bibliothécaire au sujet de l'opposition faite par le Mont Olympe à Photios. — Les moines photianistes. — Réconciliation de Constantin avec le nouveau régime politique; l'intervention de Photios.

I.

En dépit de son laconisme, le chapitre VII de la Vie de Constantin touche à une série de problèmes dont la solution peut, à première vue, paraître simple mais se révèle à l'examen suffisamment complexe. Il s'agit, avant tout, de savoir *pourquoi Constantin quitta brusquement son poste de Constantinople pour se réfugier finalement au Mont Olympe auprès de Méthode. Le séjour des deux frères dans ce célèbre centre monastique a, d'autre part, une importance indéniable car le milieu dans lequel ils vécurent ne pouvait pas rester sans influence sur leur formation ultérieure, étant donné surtout le rôle de premier plan joué — comme nous le verrons plus loin — par les moines du Mont Olympe dans la politique religieuse de l'époque.*

Pour ce qui est de l'abandon par Constantin du poste qu'il occupait dans la Capitale, la chose ne s'est pas passée aussi simplement que le laisserait croire la seule lecture de la « Vie ». Le biographe se borne, en effet, à noter que « peu de temps après » — ce qui, dans le langage des hagiographes, peut signifier quelques mois aussi bien que quelques années — «il renonça à toute cette vie et se fixa dans un lieu tranquille...». Or, le goût du jeune savant pour la solitude ne peut, de toute évidence, suffire à expliquer l'acte qui retient notre attention. Si tel avait été le motif principal de sa nouvelle «escapade», n'aurait-il pas profité de son séjour prolongé au Mont Olympe pour suivre l'exemple de son frère et se faire moine? Constantin n'en a rien fait et n'a pris l'habit monacal que beaucoup plus tard, à Rome, quelques jours seulement avant sa mort.

Cherchant donc ailleurs les raisons de sa conduite, on les trouve dans les événements politiques qui se sont déroulés à Byzance au début de 856. Cette année-là, entre janvier et mars, Théoctiste, le protecteur de Constantin, périt victime d'un complot monté par Bardas qui avait gagné le jeune Michel lui-même à ses machinations.[1] Si nous considérons l'attachement de Théoctiste pour Constantin et si nous n'oublions pas que celui-ci lui devait tout, nous comprendrons facilement que *le futur apôtre des Slaves n'ait pas voulu servir un régime qui ne s'était implanté qu'au prix du sang de son bienfaiteur.* Ce n'est, du reste, pas seulement la douleur d'avoir perdu un ami paternel et un puissant protecteur qui poussa Constantin à s'enfuir de la Ville: *il était à craindre que le nouveau régime, suivant en cela bien des précédents, ne prît des mesures sévères contre les amis et les protégés de Théoctiste.*

Il n'est pas impossible que Méthode, de son côté, et pour les mêmes raisons, ait quitté à la même époque le poste officiel qu'il occupait dans l'administration. N'ayant pas assez de précisions, nous ne pouvons pourtant pas l'affirmer avec autant d'assurance que pour Constantin, surtout si l'on songe au caractère propre de Méthode très porté vers la vie solitaire.

Abandonnant son poste, Constantin semble, en tout cas, avoir par là même perdu ses moyens matériels d'existence, et c'est dans ce sens qu'on doit interpréter le passage, de style hagiographique bien caractérisé, dans lequel il est question d'un inconnu apparaissant au moment suprême et apportant à Constantin et à son serviteur de quoi ne pas mourir de faim. Il n'est pas possible de déterminer le lieu où se cacha Constantin avant de se retirer au Mont Olympe mais c'était peut-être un couvent car on n'ignore pas que les monastères restaient toujours dans l'Empire les asiles les plus sûrs pour ceux qui avaient à redouter quelque chose de la part du gouvernement.

*

---

[1] Sur les motifs de ce coup d'état et les circonstances du meurtre, voir BURY, *A History*, pp. 157 et suiv.

Le Mont Olympe où Constantin se fixa était, à cette époque, le plus célèbre centre monastique de l'Empire. Sa renommée n'avait commencé qu'au VIIIᵉ siècle quoique nous possédions quelques indications qui prouvent que dès le début du monachisme ces régions avaient servi de refuge à ceux qui voulaient se vouer à la vie solitaire.[1]

Le premier des ermites de l'Olympe fut sans doute Sᵗ Néophyte qui subit le martyre sous Dioclétien.[2] Les Actes des Saintes Menodora, Metrodora et Nymphodora, qui périrent sous Galerius Maximianus, montrent que ces vierges s'y étaient également réfugiées[3] et l'on connaît le nom d'un autre moine célèbre, Eutycien, qui y vivait, entouré d'une grande réputation, à l'époque de Constantin le Grand.[4] À partir de cette époque le nombre des ermites du Mont Olympe paraît aller en croissant. Les Actes de Sᵗ Hypatios (446) mentionnent que le saint hégoumène visita les moines de l'Olympe[5] et des textes du VIᵉ siècle nous apportent, pour la première fois, la certitude de l'existence de monastères en ces lieux: les Actes du concile de Constantinople de 536 portent, en effet, les signatures de deux supérieurs des couvents de l'Olympe, Etienne et Hypatios.[6] Il est curieux d'ailleurs que nous n'ayons aucun renseignement sur la vie monastique au Mont Olympe au VIIᵉ siècle; les ermites n'y manquaient pourtant pas car il serait, sans cela, impossible d'expliquer le grand nombre de couvents dont nous constatons en toute certitude l'existence au début même du VIIIᵉ siècle. Jusqu'à cette époque le Mont Olympe ne pouvait évidemment pas rivaliser avec les célèbres centres de l'ascétisme chrétien de Palestine et de Cappadoce mais, à partir du VIIIᵉ siècle, il grandit rapidement pour atteindre son apogée au cours du IXᵉ.

Les couvents qui y florissaient à cette époque étaient particulièrement nombreux et plusieurs Vies de Saints nous en ont conservé les noms.[7] La courte

---

[1] Voir sur les débuts du monachisme au Mont Olympe MALYŠEVSKIJ, Свв.Кириллъ и Меѳ., Олимпъ на которомъ жили свв. Конст. и Меѳ., Труды, 1886, vol. III, pp. 554 et suiv., SOKOLOV, Состояніе монаш. въ виз. церкви съ полов. IX — поч. XIII в., pp. 52–53, VAN DEN GHYEN, A. S., Nov. (dies 4.), II, col. 323.

[2] Voir sa Vie dans THEOPHILOU JOANNOU, Μνημεῖα ἁγιολογ., pp. 239–251.

[3] Voir leur Vie dans P. G., vol. 115, col. 653 et suiv.

[4] SOCRATES, Hist. eccles., lib. I, cap. 13, P. G., vol. 68, col. 105–110.

[5] A. S., Jun. (d. 17), III, col. 343.

[6] MANSI, VIII, 906, 939, 951, 1007, 1054.

[7] VAN DEN GHYEN, A. S., Nov., II, col. 323 et suiv., et LOPAREV, l. c., Виз. Врем., vol. XVII, pp. 68, 69 donnent la liste de ces couvents. Cette liste peut être encore, comme on le voit ici, complétée et corrigée.

notice du Synaxaire[1] sur la vie de Sainte Anne nous apprend, par exemple, que, sous le règne de Léon III, un moine de l'Olympe lui révéla la mort de son mari et de ses enfants; la Sainte embrassant alors la vie monastique vécut, déguisée en homme — on la prenait pour un eunuque — dans un couvent du Mont Olympe. C'est elle aussi qui, plus tard, reconstruisit le fameux couvent τῶν Ἀβραμιτῶν. On sait d'autre part que St Platon fut initié à la vie monastique par Théoctiste, hégoumène du couvent τοῦ Συμβόλους,[2] dont il devint ensuite le successeur. De même le couvent de *Saccoudion* qu'il fonda par la suite et où débuta St Théodore le Studite doit être placé dans la région de l'Olympe. Pargoire[3] le place « en deçà de la montagne et plutôt sur un des contreforts qui descendent vers Apollonias ».

Les Actes du concile de 787 renferment la signature de Nicéphore,[4] hégoumène d'un autre couvent olympien, celui de *Medikion*, devenu célèbre dans la suite sous la direction de St Nicétas,[5] mort en 824 et remplacé par le moine Théoctiste.

On peut encore compter parmi les monastères de l'Olympe deux couvents célèbres cités dans la Vie de Saint Théophane le Chronographe, celui de *Polychnion* et celui des *Champs*[6] dédié probablement à St Christophore, dans la région qui s'appelait Sigriane et que le fleuve de Rhyndakos séparait de l'Olympe mais c'est la Vie de Saint Joannikios, le héros le plus remarquable du Mont Olympe, qui nous révèle l'existence du plus grand nombre de ces monastères.[7] Après avoir renoncé au monde, Joannikios se présenta à l'hégoumène τῶν Ἀγαύρων, le moine Grégoire.[8] Le successeur de ce dernier, Eustratios,[9] joua d'ailleurs un grand rôle dans la Vie du Saint. Joannikios se rendit ensuite au couvent de *Telai (Hytotelai)*[10] pour y apprendre les lettres. Mais, comme cette maison lui semblait être trop près du monde, il la quitta et termina son novi-

---

[1] H. DÉLÉHAYE, *Synaxarium eccl. Const.*, Bruxelles, 1902, col. 173-176.

[2] Voir la Vie de St Plato écrite par St THÉODORE LE STUDITE, *P. G.*, vol. 99, col. 809. Voir *A. S.*, Nov., IV, p. 219 la notice sur St Théostéricte, moine du même couvent.

[3] *St Théophane le Chronographe et ses rapports avec St Théodore Stud.*, Виз. Врем., vol. IX, p. 50.

[4] Mansi, XIII, 153. Et aussi, bien entendu, celle de Plato de Sacoudion et de Grégoire d'Agauron (*ibid.*, 152).

[5] *A. S.*, April, I (d. 3), pp. XXII–XXXII.

[6] PARGOIRE, *l. c.*, pp. 42 et suiv.

[7] Voir ses deux Vies écrites par les moines Sabas et Pierre, publiées par VAN DEN GHYEN dans les *A. S.*, Nov., II, pp. 311 et suiv.

[8] *L. c.*, p. 339. Grégoire a signé aussi les Actes du VIIe concile œcum. (MANSI, XIII, 152).

[9] *L. c.*, pp. 352, 355, 361, 367, 371.

[10] *L. c.*, pp. 340.

ciat au couvent *d'Antidion*[1] qui devint ensuite très célèbre et où il vin mourir.

Le grand couvent *d'Agauron*, près duquel se trouvait l'église des Saints Cosm et Damien, avait comme dépendances ceux de *St Agapios*[2] et de *St Helias*[3] e nous connaissons encore l'existence des monastères suivants: *Eristes*,[4] τῶν Κελλίων dédié à St Georges,[5] τῶν Ἐλαιοβώμων,[6] de St Nicolas,[7] τῶν Λευκάδων, τοῦ Βαλεοῦ,[9] Κούνις.[10] St Joannikios fonda lui-même trois couvents nouveaux consacrés à la *Sainte Vierge*, aux *Saints Pierre et Paul* et à *St Eustathios*.[11] C dernier, au dire de son biographe, le moine Pierre, devint particulièremen prospère et compta jusqu'à 70 moines. On peut du reste à tous ces couvents ajouter celui qui s'élevait près du mont Τριχάλιξ[12] et celui de Ἡράκλης[13] ainsi que *l'église St Jean Baptiste* près du couvent d'Antidion. Quant à celui de *St Athenogenos* que visita Constantin Porphyrogénète lors de son voyage au Mont Olympe,[14] il existait certainement aussi au IXe siècle et nous pourrions en dire autant du couvent de *St Élie* où St Paul le Jeune, au commencement du Xe s., fit ses débuts monastiques[15] et qui paraît identique à celui de St Helias.

La Vie de Saint Constantin le Juif cite par ailleurs les noms de quatre autres monastères, ceux τῶν Φλουβουτινῶν, de *St André* près d'Athroa, de *St Hyacinthe* et de *Bolion*,[16] le dernier ne faisant probablement qu'un avec celui de Baleon mentionné plus haut; l'on peut y ajouter encore les couvents *des Eunuques* avec l'église St Georges et ὁ Κρίλης, près de Pandimos, avec l'église de

---

[1] *L. c.*, pp. 340, 364, 366, 382, 388, 413, 433.

[2] *L. c.*, pp. 356, 402.

[3] *L. c.*, pp. 357, 404.

[4] *L. c.*, p. 344.

[5] *L. c.*, pp. 356, 423.

[6] *L. c.*, pp, 360, 406.

[7] *L. c.*, p. 370. Le couvent se trouvait sous le patronage de l'empereur (βασιλικὸν μοναστήριον).

[8] *L. c.*, pp. 368, 416.

[9] *L. c.*, p. 379.

[10] *L. c.*, p. 409.

[11] *L. c.*, pp. 351, 378, 394, 396, 397, 407.

[12] *L. c.*, p. 361. Il faudra pourtant l'identifier probablement avec un des trois couvents fondés par Joannikios.

[13] *L. c.*, p. 368. Mentionné aussi par THÉOPH., 6295, Bonn, p. 744, de Boor, p. 479.

[14] THÉOPH. CONT., Bonn, p. 464.

[15] H. DÉLÉHAYE, *Vita S. Pauli Jun.*, Anal. Bol., vol. XI, 1892, p. 22.

[16] *A. S.*, Nov., IV, pp. 634, 637, 641, 642, 646, 647, 654. On y trouve aussi la mention d'une localité dite Μεσών et située près d'Athroa (pp. 641, 644).

^{t} Pantelémon, mentionnés tous deux dans la Vie de Saint Antoine le Jeune[1], ainsi que le Πισσαδινόν que cite la Vie de St Euthyme le Jeune, écrite par Basile.[2] Le couvent de St *Zacharie* où St Luc le Stylite[3] s'était réfugié au début du Xe s. a certainement aussi existé dès le IXe siècle.

Tels sont les noms des couvents les plus importants que nous puissions identifier. Leur nombre est déjà grand; peut-être s'accroîtra-t-il encore lorsque tous les documents hagiographiques seront devenus accessibles.

*

Il serait important de savoir comment vivaient les moines du Mont Olympe et quel genre d'ascétisme ils préféraient. Il faut dire qu'on y trouve encore très répandues les anciennes pratiques du monachisme et que les ermites, vivant dans l'isolement absolu en dehors des couvents, y sont particulièrement nombreux. Ces ascètes fuient le monde dans toute la mesure du possible; éloignés du siècle, ils ne s'adonnent qu'à la prière et à la méditation. Il y a, dans leurs mortifications, dans leurs exercices de piété et dans leur ascétisme souvent excessif, des traits bien orientaux. Leurs biographies abondent en récits miraculeux. La prophétie, la prescience de ce qui adviendra, la symbiose, les apparitions y sont particulièrement en honneur. Pour eux tel était l'idéal de la perfection chrétienne. Ils préféraient vivre à leur guise, dans l'isolement, loin de leurs frères, à l'écart de la vie active; ce n'était, du reste, souvent là qu'une fuite devant la vie en commun où, entre autres vertus, il fallait surtout pratiquer l'obéissance. Le héros le plus fameux de ce genre d'ascétisme, c'est le fameux Joannikios qui joua un si grand rôle dans la famille monacale du Mont Olympe durant la première moitié du IXe siècle. Il faut d'ailleurs avouer que ce genre d'ascétisme avait alors un grand ascendant sur l'imagination populaire: les ermites du Mont Olympe étaient très estimés par la population.

Mais à cet idéal St Théodore le Studite oppose sa conception de la perfection monacale. Pour lui, le premier devoir du moine est la soumission absolue à l'hégoumène, la vie en commun sous une règle précise et le travail dans l'intérêt de l'Église. Cet idéal, il l'avait introduit dans son couvent et il

---

[1] La Vie de Saint Antoine le Jeune a été publiée par PAPADOPOULOS KERAMEUS, dans la Συλλογὴ Παλαιστίνης καὶ Συριακῆς ἁγιολογίας, St. Petersbourg, 1907, Православный Палест. Сборникъ, vol. 57 (pp. 186–216). Pour les couvents en question, pp. 207, 214, 215.

[2] PETIT, *Vie et office de St Euthyme le Jeune*, Revue de l'Orient Chrétien, 1903, p. 175.

[3] H. DÉLÉHAYE, *Les Saints Stylites*, l. c., p. 203.

prédominait à Constantinople. Il y a là évidemment une différence très nette avec la vie pratiquée au Mont Olympe. St Théodore le Studite ne méconnaissait pourtant pas cette dernière et, si curieux que cela puisse paraître, il subissait lui-même dans une certaine mesure l'attrait qu'elle exerçait en général. C'est ce que révèle, en effet, la lettre 116 adressée par lui à Jean l'Ermite, personnage qui paraît bien devoir être identifié avec le fameux Joannikios. C'est après sa visite de 825 au Mont Olympe et sa rencontre avec Joannikios qu'il écrivit, très probablement, cette lettre où nous trouvons, dès le début, un éloge de la vie des ermites:[1] «Lorsqu'on a vu un doux spectacle, on le conserve présent à l'esprit, même quand on s'en est éloigné. C'est ce qui nous est arrivé, tout humble que nous soyons: après t'avoir vu et honoré, homme aimé de Dieu, nous ne t'avons plus oublié. Tu es toujours présent aux yeux de notre esprit; nous désirons constamment revoir l'homme de Dieu qui, par son visage et ses paroles, respire la grâce et qui nous excite à chanter les louanges du Seigneur. C'est par ton existence solitaire, par ta vie d'ermite et par tes prières fréquentes que tu as obtenu ces grâces; c'est pour cela que ton visage, pareil à celui de Moïse, reflète une lumière ineffable. C'est pour cela aussi que nous désirons te revoir et participer à la grâce qui est en toi, que nous souhaitons puiser en toi la sainteté, bien que la nôtre doive toujours être moindre que celle que Dieu t'a donnée.»

Théodore, il est vrai, se ravise bientôt, et, par des paroles très énergiques, avertit ses moines de ne pas se laisser séduire par le nimbe dont s'entoure aux yeux du monde la vie de l'ermite. Dans ses petites Catéchèses il revient à plusieurs reprises sur les dangers de la vie solitaire et recommande une ferme discipline. La catéchèse n° XXXVIII[2] nous le montre particulièrement catégorique. Il y oppose la vie ascétique mais oisive des solitaires à la vie active de quelques moines pieux et ajoute: «Imitez ceux-là et non pas les solitaires. Que le père Joannikios et ses disciples restent à leur solitude et dans leurs montagnes; mais toi, aies en honneur l'obéissance et l'hospitalité. Il ne s'est imposé, lui, aucune contrainte tandis que tu es, toi, persécuté pour la justice. Il ne connaît pas la prison; toi, tu es emprisonné pour le Seigneur. Il n'a pas livré combat tandis que toi, tu as combattu pour le Christ. Comme la seconde façon d'agir est donc supérieure à l'autre!»

Jamais ne fut mieux exprimée l'opposition entre les deux genres d'ascé-

---

[1] *P. G.*, vol. 99, col. 1385.
[2] J. AUVRAY, *S. Patris nostri Theodori Studitis praepositi Parva catechesis*, Paris, 1891, pp. 139–142.

tisme, entre la vie active des Studites et l'existence passive des ermites et des hésychastes. S.t Théodore conformait sa conduite à ses principes; témoin l'anecdote concernant sa rencontre avec l'ermite Pierre Abukis,[1] original qui affectait de ne manger presque rien et marchait toujours pieds nus même l'hiver. Théodore, à qui Pierre se plaignait d'être l'objet de moqueries de la part de beaucoup de gens à cause de ses pratiques, invita bien les mauvaises langues à se taire mais donna en même temps à l'ascète une petite leçon en l'invitant à modifier un peu ses habitudes.

Somme toute, la réforme de Théodore le Studite a introduit dans le monachisme oriental des éléments que nous sommes presque surpris d'y voir car on s'est habitué à considérer l'esprit pratique et sobre, le sens de l'organisation, l'amour de l'action comme les signes caractéristiques du génie latin. Théodore était d'ailleurs le fils d'un haut fonctionnaire de l'Empire, issu d'une famille qui avait dû hériter de certaines traditions romaines. On peut donc y voir aussi jusqu'à un certain point, comme dans cette opposition si acharnée à l'iconoclasme, une réaction du génie grec contre l'emprise des idées orientales dans l'Empire et dans l'Église.

*

Ce sont, du reste, les luttes iconoclastes qui ont fait apparaître dans toute son ampleur l'opposition entre les deux conceptions du rôle des moines, celle des Studites tout prêts à sortir des couvents pour combattre si l'intérêt de la religion l'exigeait et celle des moines de l'Olympe préférant à tout cela la prière et la méditation.

On connaît le zèle de Théodore et de ses moines pour la défense des images. C'est surtout parmi eux que se recrutèrent les martyrs de cette cause et c'est S.t Théodore qui pendant toute la première phase de la querelle iconoclaste fut le véritable chef des orthodoxes.

Or, il est curieux de constater que les ermites du Mont Olympe pour la plupart ne firent pas preuve du même zèle que les disciples du grand Studite. Lutter contre le gouvernement cadrait mal avec leur programme ascétique. Tout en restant, pour la plupart au moins, orthodoxes, ils préféraient se tenir à l'écart et combattre par la prière et les exercices de piété, ce qui était évidemment méritoire mais moins dangereux . . .

Joannikios, le plus fameux ascète de l'Olympe, avait figuré, lors de son

---

[1] *P. G.*, vol. 99, col. 220, 316.

service militaire, dans le camp iconoclaste. Il était par la suite devenu orthodoxe, mais quand la lutte redevint violente, il se réfugia dans la solitude pour y poursuivre, sans être troublé, ses exercices de piété.[1] Il y fut rejoint par l'hégoumène d'Agauron, Eustratios, qui quitta également son couvent sous Léon l'Arménien, ses moines ayant adhéré à l'iconoclasme. Après son départ, ceux-ci élurent même un adversaire des images, le moine Antoine, dont le second biographe de Joannikios, le moine Sabas, dit qu'il se convertit au seuil de la mort sur l'exhortation de Joannikios.[2]

On peut donc être très surpris de trouver, au Mont Olympe même, un « nid » iconoclaste mais il semble bien que ce cas n'ait pas été isolé. Quand, en 820, Léon fut remplacé sur le trône impérial par Michel II, celui-ci libéra entre autres captifs Saint Michel le Syncelle et son compagnon Job, jusqu'alors enfermés à la prison Phiala, mais il leur imposa comme lieu de séjour un couvent olympien voisin de Brousse.[3] Tout paraît indiquer que ce couvent était occupé par des religieux qui, à l'égard des images, professaient les mêmes sentiments que l'empereur puisque les deux moines relaxés semblent avoir été placés sous leur surveillance. Comme sujets étrangers ils devaient être pour le moins suspects même au gouvernement de Michel II, pourtant plus libéral dans la question des images, et on ne pouvait les confier qu'à des moines dont on était tout à fait sûr.

St Théodore le Studite parle aussi, dans sa lettre à Joannikios, d'un moine hérétique Théoctiste – il s'agit très probablement d'un iconoclaste, car c'était pour Théodore l'hérésie par excellence – qu'il recommande particulièrement à ses soins.[4] St Nicétas, hégoumène de Medikion, eut de son côté, la faiblesse de se laisser circonvenir par le fameux Jean le Grammairien et d'entrer en communion avec les iconoclastes.[5] Il s'en repentit, il est vrai, mais cette faiblesse même passagère contraste étrangement avec l'intrépidité témoignée par Théophile et ses amis.

St Théodore était, il est vrai, très estimé par les ermites du Mont Olympe qui reconnaissaient en lui l'intrépide champion de l'orthodoxie et la cheville ouvrière de l'opposition aux décrets impériaux. Quand, par exemple, exilé par

---

[1] A. S., Nov., II, pp. 354, 394.

[2] L. c., p. 365; Vita Eustratii, PAPADOPOULOS-KERAMEUS, 'Ανάλεκτα ιεροσολυμ. σταχυολογίας, IV, p. 374.

[3] LOPAREV, l. c., XVII, p. 217; SCHMIDT, Кахріе-джами, l. c., p. 237.

[4] P. G., vol. 99, col. 1385.

[5] Voir plus haut p. 74.

l'empereur Léon V, il se rendit à Brousse, les moines qui peuplaient l'Olympe se portèrent avec joie à sa rencontre.[1] Il entretenait d'autre part des relations d'amitié avec le moine Pierre qu'il faut probablement identifier avec le fameux ascète du Mont Olympe, Pierre d'Athroa. Les deux biographes de Joannikios, Sabas et Pierre, nous racontent, en outre, qu'en 825, Théodore et Joannikios se rencontrèrent au Mont Olympe, dans le couvent d'Agauron, avec d'autres ascètes fameux.[2] L'estime des moines de l'Olympe pour Théodore n'allait, du reste, pas plus loin; ils ne suivaient pas son exemple et se bornant à leurs exercices de piété, ils refusaient de se mêler d'une façon plus prononcée à la lutte engagée contre les pouvoirs publics.

Il nous semble que cette attitude soit, en partie au moins, explicable par l'origine asiatique de la plupart des moines de l'Olympe. L'opposition à l'iconoclasme venait, en effet, tout spécialement, des provinces européennes de l'Empire tandis que cette doctrine trouvait surtout des partisans dans les provinces d'Asie Mineure. Les couvents iconoclastes semblent avoir été assez nombreux en Asie Mineure. La Vie de Saint Grégoire le Décapolite,[3] par exemple, nous indique l'existence dans la Décapole d'un couvent de ce genre. Le couvent d'Hyacinthe à Nicée semble même avoir été fondé, bien que cela puisse au premier abord paraître paradoxal, à l'époque de l'iconoclasme et par un iconoclaste.[4] Il se peut bien, comme M. Ostrogorski l'a fait entrevoir récemment, que l'initiative de la lutte iconoclaste soit née parmi le haut clergé de l'Asie Mineure.[5]

Quoi qu'il en soit, on comprend facilement que, vu cette mentalité, on ait été plutôt enclin, au mont Olympe, à un compromis et qu'on s'y soit montré partisan de la fameuse pratique de l'οἰχονομία plutôt que de l'attitude trop

---

[1] *Vita S. Theod.*, P. G., vol. 99, col. 220.

[2] *A. S.*, Nov. II, pp. 357, 404, 405.

[3] Voir notre édition, *l. c.*, p. 48.

[4] Voir surtout la discussion dans le *Byzantion* au sujet de la date de la fondation du monastère en question: vol. V, pp. 287–293 H. GRÉGOIRE, *Encore le monastère d'Hyacinthe à Nicée*, vol. VI (1931), pp. 441–420 E. WEIGAND, *Zur Monogramminschrift der Theotokos-(Koimesis-) Kirche von Nicaea*, où l'on trouvera aussi la bibliographie concernant le couvent. Tout en laissant la décision définitive aux spécialistes, nous serions enclin, dans l'état actuel des choses, à admettre l'argumentation de M. E. Weigand et à dater le couvent de l'époque iconoclaste.

[5] *Les débuts de la querelle des images*, Mélanges Ch. Diehl, Paris, 1930, pp. 236-255. Tout semble donc indiquer qu'il y avait, en Asie Mineure, des communautés chrétiennes qui gardaient la méfiance primitive des chrétiens d'Orient à l'égard du culte des images. Cette méfiance a dû s'accroître avec le temps surtout sous l'influence arabe. Cf. ce que nous en avons dit plus haut, p. 106, rem. 5.

rigide préconisée par les Studites. C'est ce que prouve, en tout cas, la position prise par le Mont Olympe dans les événements qui se sont déroulés à Byzance lors du rétablissement de l'orthodoxie.

II.

Les moines de l'Olympe ont bien prouvé – dans les événements qui accompagnèrent et qui suivirent le rétablissement de l'orthodoxie – leurs sentiments mitigés et leur penchant vers un compromis avec les dirigeants. En indiquant les grandes lignes de la politique de Théodora et de Théoctiste dans cette affaire,[1] nous avons surtout insisté sur le fait que ce dernier était partisan d'une politique de conciliation et qu'il la pratiqua vigoureusement. Or, c'est précisément chez les moines de l'Olympe qu'il trouva, en cette occasion, l'appui le plus efficace.

Bien que le changement de politique religieuse qui suivit la mort de Théophile ne soit pas encore connu dans tous ses détails, il paraît établi que deux partis se formèrent alors parmi les iconodoules de Constantinople. Les uns, conduits par les Studites, envisageaient des mesures immédiates et énergiques contre les iconoclastes, les autres, à la tête desquels se trouvait le futur patriarche Méthode, préconisaient la politique de l'οἰκονομία. C'est Méthode qui doit être regardé comme le principal agent du revirement constaté; c'est sa politique qui fut adoptée par Théodora et il fut soutenu par les moines du Mont Olympe dont le chef, le grand héros St Joannikios, intervenant personnellement, se prononça pour lui de la façon la plus catégorique.

Nous avons des preuves suffisantes pour affirmer que, cette fois, les moines de l'Olympe sortirent de leur réserve et défendirent la politique de conciliation. La Vie de l'impératrice Théodora[2] attribue même l'initiative de la restauration du culte des images à Joannikios et à ses partisans Arsakios et Isaie de Nicomédie qui auraient insisté auprès de Méthode pour l'amener à convaincre l'impératrice de la nécessité d'une nouvelle politique religieuse. D'après la Vie de St Michel le Syncelle,[3] l'impératrice et le sénat ayant envoyé à Joannikios un message lui demandant de désigner le successeur de Jean, le patriarche icono-

---

[1] Voir ci-dessus, chap. II, pp. 40 et suiv.
[2] REGEL, *Analecta Byzantino-russica*, St. Pétersbourg, 1891, p. 12.
[3] GEDEON, Βυζάντ. ἑορτολόγιον, Constantinople, 1899, p. 238; SCHMIDT, Кахріе-Джами, p. 240.

claste, c'est lui qui aurait désigné Méthode. Il est vrai que les biographes de Joannikios ne vont pas si loin; ils s'accordent pourtant pour attribuer à leur héros une prophétie annonçant l'élection de Méthode au patriarcat.[1] Le témoignage de Pierre, premier biographe du Saint, est particulièrement explicite. Pierre nous fait entrevoir qu'il y avait, parmi les iconodoules, deux partis et plusieurs candidats au siège patriarcal. D'après lui St Eustratios, s'adressant à Joannikios, lui aurait dit: « Révérend Père, tâchez, par la grâce que vous accorde le Saint Esprit, d'attirer vers nous celui qui serait vraiment capable de tenir le gouvernail de l'Église et de la diriger suivant la vraie foi. Actuellement l'autorité est très divisée parmi les hommes; une partie propose de suivre et d'élever celui-ci, une autre celui-là. Les uns recommandent avec force le parti d'Athanase, de Naucrace et de Jean dit Cacasambas; les autres Méthode, très éloquent et très sage; d'autres encore soutiennent des candidats différents. » Joannikios répondit: « Ceux qui espèrent que les Studites et Jean, leur partisan, auront le dessus, travaillent en vain. Mais ceux qui se déclarent pour Méthode, pauvre d'esprit et plein de mansuétude comme le divin David, sont inspirés par le Saint Esprit lui-même. »[2]

Ce passage en dit long. Il nous permet de connaître les candidats du parti intransigeant au siège patriarcal et nous montre que les Studites menaient ce parti. Ils échouèrent parce que la cour ne pouvait admettre que le candidat du parti modéré, mais on n'en resta pas là. Méthode et les siens, forts de l'appui du gouvernement, renforcèrent évidemment leurs positions, occupant, à mesure qu'ils devenaient vacants par la déposition des iconoclastes notoires, un certain nombre de sièges épiscopaux et de hautes charges ecclésiastiques. Méthode, selon toute vraisemblance, s'efforça donc, durant son patriarcat, d'évincer de façon systématique les intransigeants, les Studites notamment. Les documents nous manquent pour suivre cette politique dans tous ses détails, mais une chose est claire: il n'y a pas, dans les nouvelles promotions, un seul nom de partisan des Studites tandis qu'on y trouve ceux de plusieurs ermites, plus enclins à la politique de l'οἰκονομία.[3] L'ermite Pierre devint, par exemple, métropolite de

---

[1] *L. c.*, pp. 371, et suiv., 431 et suiv.

[2] D'après la biographie de St Michel le Syncelle, Méthode vivait alors dans le couvent olympien τῶν Ἐλεοβωμητῶν – il s'agit évidemment du couvent τῶν Ἐλαιοβώμων — (SCHMIDT, Кахріе-Джами, l. c., pp. 249, 250).

[3] Le premier qui ait attiré l'attention sur ce fait fut VON DOBSCHÜTZ dans son étude *Methodius und die Studiten*, Byzant. Zeitschr., vol. 18, 1909, pp. 49 et suiv. Cf. ce que nous en avons dit dans notre ouvrage *Les Slaves, Byz. et Rome*, pp. 127 et suiv.

Sylaion[1] et Georges reçut le siège de Mytilène.[2] Quant au frère de ce dernier Syméon de Lesbos, il devint syncelle du patriarche et hégoumène du couvent des Saints Serge et Bacchus[3] qu'avait dirigé autrefois le fameux Grammairien. Cette promotion devait calmer ses susceptibilités. Son biographe[4] raconte, en effet, que Théodora, pour amener Syméon et son frère Georges à ne pas réclamer la condamnation de la mémoire de l'empereur défunt, leur avait dit comme si le propos n'avait guère d'importance, que le basileus leur avait légué quelque argent à condition qu'ils l'acceptassent parmi les orthodoxes. Syméon s'écria bien: « Qu'il soit damné avec son argent! », mais il céda finalement à une argumentation aussi sonore et acquiesca à la demande de l'impératrice. C'est un stratagème analogue qui fit également cesser l'opposition d'un autre iconodoule fidèle, Théophane le Graptos, auteur du pénible incident survenu au banquet offert par l'impératrice, le jour de la fête de l'orthodoxie, aux partisans des images; il avait, en effet, prononcé, en présence de Théodora, des paroles outrageantes pour la mémoire de son mari.[5] Il fut promu au siège de Nicée ce qui causa, à en croire le Pseudo-Syméon,[6] les vives protestations de tous ceux qui se sentaient lésés dans leurs droits ou dans leurs espérances. Théophane, de plus, n'était pas Grec; c'était un Syrien et l'on soupçonnait jusqu'à son orthodoxie.

Ces quelques exemples montrent comment Méthode[7] s'efforçait de réduire l'opposition qui s'était manifestée parmi les ermites et les hésychastes et d'isoler les Studites. Ces procédés suscitèrent d'ailleurs les protestations de ces derniers. Il se peut bien en effet que Méthode soit allé parfois un peu loin dans son désir de conciliation et ses adversaires, les intransigeants, exploitèrent à fond les occasions qu'il leur offrait dans ces cas particuliers. On ne peut pas malheureusement se faire une idée très nette de ce qu'ils lui reprochaient[8] mais ils eurent, au début, quelques chances de succès et ils auraient pu discréditer la

---

[1] *Vita Joannicii*, l. c., pp. 369, 429.

[2] *Vita Sym. Lesb.*, l. c., p. 252. A en croire son biographe on lui offrait même le siège d'Ephèse.

[3] *L. c.*, pp. 250.

[4] *L. c.*, pp. 244-245.

[5] THÉOPH. CONT., IV, chap. 11, Bonn, pp. 160 et suiv.

[6] Bonn, p. 643. Michel, son compatriote et confrère devint syncelle et hégoumène de Chora (SCHMIDT, *l. c.*, p. 250).

[7] D'après la biographie de David, Syméon et Georges, l'impératrice était tout à fait d'accord avec le patriarche dans cette politique et prenait une part active à ces promotions (*l. c.*, pp. 251–252).

[8] Le second biographe de St Joannikios, le moine Sabas, nous montre son héros insistant — dans une lettre qu'il le fait adresser à Méthode — sur la non-admission du clergé iconoclaste au service divin (*l. c.*, p. 373). Cela semble indiquer que les principales critiques dirigées contre la politique du patriarche visaient sa manière d'agir à l'égard des anciens iconoclastes.

ersonne de Méthode aux yeux des fidèles. Ils avaient en effet un appui sé-
eux à la cour en la personne du régent Manuel dont l'influence était suscep-
ble de contrecarrer celle de Théoctiste.[1] Méthode eut donc quelques difficultés
ι début de son patriarcat, comme l'histoire racontée par Génésios[2] et par le
ontinuateur de Théophane[3] suivant lesquels il aurait séduit une femme nous
ermet par exemple d'en juger. Si l'on ne peut évidemment pas dire que ces
lversaires étaient des Studites et s'il s'agit en effet d'iconoclastes, il est tout
e même à remarquer que le tribunal chargé de juger Méthode était présidé
ar Manuel qui appartenait plutôt au parti radical. Mais Théoctiste sut très
abilement évincer son rival et les espoirs des Studites furent déçus.

Méthode avait vu le danger. Pour calmer les esprits, il eut un beau geste
l'égard des Studites: il ordonna le transfert des reliques de St Théodore au
ɔuvent de Studion[4] et présida lui-même la solennité. Il n'obtint, du reste, pas
u tout le résultat qu'il escomptait de son attitude car il fit d'autre part
ransporter en grande pompe les restes du patriarche St Nicéphore à l'église
es Apôtres. On sait que la conduite de Nicéphore dans la liquidation de
affaire du mariage adultère de Constantin VI était considérée par les Studites
omme indigne et son élévation au patriarcat comme anticanonique. Une rup-
ıre devenait inévitable: Méthode fort de l'appui du gouvernement et de la
najorité des moines, lança contre les irréconciliables l'anathème dans sa forme
ɩ plus stricte.

Le conflit devait forcément avoir un grand retentissement au sein de
'Église byzantine. Les moines du Mont Olympe s'empressèrent de nouveau
.e soutenir le patriarche Méthode et sa politique. Nous trouvons à ce sujet
ɩn curieux document dans les biographies de Saint Joannikios. Les Actes du
noine Pierre sont pour cette question plus intéressants que ceux de Sabas parce
ɩu'ils ont gardé dans toute sa fraîcheur l'impression que ces événements produi-
irent au Mont Olympe. Cette biographie, en certains endroits, devient presque
ɩn pamphlet contre les Studites. Voilà comment elle décrit les évènements:[5]

---

[1] Ses rapports avec les Studites sont attestés surtout par la Vie de Saint Nicolas, *P. G.*, vol. 105,
ol. 916.

[2] Bonn, pp. 83–85.

[3] Bonn, pp. 158–160.

[4] La translation eut lieu le 26 janvier 844. Cf. VAN DE VORST, *La translation de Saint Théo-
lore le Studite et de St Joseph de Thessalonique*, Anal. Bol., vol. XXXII, 1913, pp. 26–62.

[5] *L. c.*, p. 431. Pour mieux souligner les faits essentiels, nous nous permettons de reprendre ici
- avec l'espoir qu'on voudra bien nous en excuser – ce que nous avons déjà indiqué dans *Les Slaves,
3yz. et Rome*, p. 129.

« Par les soins du nouveau patriarche et grâce aux prières de Saint Joann:
kios, l'Église jouissait enfin de la paix et de la tranquillité. Mais le diable, qu:
haït tout bien et qui est plein de mauvaise volonté, ne pouvait pas supporte:
que la paix lui fût rendue. Aussi pénétra-t-il dans quelques hommes prétentieux
qui semblaient des vieillards mais n'étaient que des bavards, eux et leur alli:
Cacasambas, j'ai dit les Studites. Tous, vous les connaissez pour des vaisseau:
d'iniquité. Après s'en être saisi, après avoir disposé à bavarder leurs langue:
malignes et pernicieuses, il gagna grâce à eux une grande partie de la sociét:
et causa ainsi beaucoup de trouble dans l'Église. Tous vous connaissez le visag:
effronté de ces gens qui se sont élevés contre la grande lumière, le marty:
Méthode, comme les schismatiques et les Ariens firent jadis pour le grand e:
admirable Athanase. »

Pour montrer alors publiquement à Méthode ses sympathies, Joannikio:
fait composer par Eustratios une longue lettre qu'il envoie au patriarche e:
lui demandant, par la même occasion, de venir lui rendre visite au Mon:
Olympe. Et, à en croire l'hagiographe, « le pieux Méthode, très réjoui d:
cette invitation, montra immédiatement la lettre aux empereurs. Quant à ce:
vieillards éhontés, pareils à ceux qui accusèrent Suzanne » — la comparaiso:
est tout de même un peu forte pour les pieux Studites — « il les convainqui:
de leur erreur, il les soumit à l'anathème et à l'exil, juridique et canonique:
puis il se rendit en hâte auprès du bienheureux ».

La façon dont le biographe présente ici les choses est intéressante. Mais i:
faut également citer les paroles mises par Pierre dans la bouche de Joannikio:
lors de la visite de Méthode et de sa suite au Mont Olympe: « Écoutez tous:
vous qui vivez dans ce désert, et répétez dans les villes et les villages ce qu:
vous allez entendre. Autrefois le grand Antoine recommandait à ses disciple:
de ne rien avoir de commun avec les Ariens, ni avec les Mélétiens schisma:
tiques, ni avec leur œuvre dirigée contre le Christ. De même moi, indigne,
simple, illettré, mais poussé par Dieu, je vous dis: Séparez-vous des hérétique:
impies, de cette race des Studites, de Cacasambas qui est avec eux, de ce lui qu:
fut chassé de l'évêché de Nicomédie, l'ennemi des moines et du Christ, et d:
cet eunuque indigne de Cyzique. Ils ont proféré, sans craindre le jugemen:
de Dieu, toutes sortes de calomnies contre Dieu et contre le patriarche qu:
nous gouverne. Sachez que je vous ai convoqués pour vous transmettre ce:
paroles. Voilà qu'ils essayent de séduire quelques-uns d'entre nous par de:
pamphlets mensongers et des paroles pour employer le mot de l'Apôtre. J:
vous dis donc de ma propre bouche: Séparez-vous de ces gens qui ont tant

osé contre l'Église, qui ne craignent pas de déchirer la tunique du Verbe divin et qui la mettent en lambeaux. Ceux qui ne craignent pas de méditer de telles choses contre les Pères qui nous dirigent et contre les Saints patriarches» — le biographe pense sans doute au patriarche Nicéphore dont les Studites détestaient la mémoire et à Méthode — «deviennent par eux-mêmes un grand scandale pour l'Église. Ce sont des fils du diable, ils sont semblables à l'ivraie. Qui donc ne veut pas accepter le grand Méthode pour patriarche, comme le grand Basile ou Grégoire le Théologien ou le divin Chrysostome, soit anathème! Que celui qui se sépare de sa communion soit séparé de la gloire de Dieu au jour du jugement! Que celui qui déchire l'Église catholique et apostolique en soit séparé suivant le jugement de l'Évangile et qu'il ait sa part avec les infidèles!»

Ces paroles du moine Pierre méritent de la part des historiens une plus grande attention que celle qu'elles avaient suscitée jusqu'à une époque récente; elles sont, en effet, bien instructives. Il faut remarquer que l'autre biographe de Joannikios, le moine Sabas, est moins violent à l'égard des Studites que son confrère Pierre. Son œuvre est meilleure du point de vue littéraire; il s'efforce aussi d'atténuer les éclats de son confrère, moins versé dans les lettres et moins habile, quoique plus sincère dans l'expression de ses sentiments.[1] Et pourtant même ces paroles, plus prudentes et plus affinées, plus diplomatiques en un mot, confirment l'essentiel du conflit et le fait que les moines du Mont Olympe se déclarèrent pour la politique de Méthode.

On comprend d'ailleurs la nervosité des Studites, ces vaillants défenseurs des images et de la liberté de l'Église. Ils ne pouvaient admettre qu'après tant de souffrances pour une juste cause ils dussent se retirer dans leurs couvents et laisser les autres jouir du fruit de leur labeur.

Le schisme dura jusqu'aux environs de 847, date de la mort de Saint Méthode. Il semble probable que l'incident ait été clos avant la mort du patriarche; et c'est ce que paraît confirmer la biographie anonyme de Méthode. Méthode annula les mesures canoniques prises contre les Studites et une réconciliation eut lieu, bien que les esprits soient restés assez échauffés, comme il est facile de l'imaginer, étant donné surtout qu'il s'agissait de moines.

---

[1] Cette circonstance semble prouver que la Vie de Pierre a été écrite immédiatement après le conflit de Méthode avec les Studites. D'ailleurs, même l'éditeur des Vies, le Bollandiste Van de Gheyen, reconnaît aux Actes de Pierre la priorité quant à la date de leur composition. On comprend

Tout cela montre quelles furent les relations entre les Studites et les moines du Mont Olympe dans la première moitié du IXe siècle. Malgré ce qui pouvait les rapprocher, surtout durant la vie de Saint Théodore le Studite, *les rapports entre les deux centres ascétiques de l'Église byzantine à cette époque sont loin d'avoir été cordiaux.* Il ne faut donc pas, comme l'on a parfois fait, confondre ces deux groupements monastiques importants et − si l'on veut bien nous permettre cette expression − mettre les Studites «dans le même sac» que les ermites et les hésychastes de l'Olympe.

L'atmosphère qui régnait dans les couvents et les ermitages du Mont Olympe est facile à reconstituer. On était plutôt porté vers la politique de conciliation et de modération. Les incidents que nous avons rapportés montrent enfin que les Studites ont perdu − à cette époque au moins − beaucoup de leur prestige alors que le Mont Olympe restait toujours autant en honneur.

C'est là un fait important à constater car *c'est dans cette atmosphère que vécurent les deux frères de Salonique pendant un certain temps et ce milieu a certainement eu une influence sur leur formation.*

*

Nous avons déjà dit que certains traits caractéristiques du monachisme de l'Olympe peuvent s'expliquer par l'origine asiatique de la plupart de ces moines. Revenons maintenant sur ce point pour essayer d'apprécier dans quelle mesure les moines des patriarcats orientaux se trouvaient représentés au Mont Olympe et *voir si l'on peut vraiment qualifier ce dernier de «centre monastique international».*

Disons tout de suite que les résultats d'un tel examen ne pourront pas être tout à fait définitifs puisque, bien entendu, nous ne possédons pas les listes des moines qui peuplaient les nombreux couvents qui nous intéressent et ne disposons que de quelques biographies de Saints mentionnant seulement les moines d'une certaine notoriété. Ce sont de maigres documents qu'il ne faut pourtant pas dédaigner car nous pouvons y trouver de précieux indices et arriver grâce à eux à des conclusions au moins approximatives.

Il ressort de leur lecture que la plupart des moines auxquels ils font allusion provenaient en réalité des thèmes asiatiques. St Eustratios et son frère Antoine

---

aussi pourquoi, après la liquidation du conflit, une nouvelle édition de la Vie de St Joannikios a été nécessaire et pourquoi le second biographe du Saint avait atténué toutes les invectives qui pouvaient paraître injustes envers les Studites à l'époque où ils s'étaient réconciliés avec le patriarche.

sont nés à Βιτζινιανᾶς de Tarse dans le thème des Optimates; leurs cinq oncles, Grégoire, Basile, Pierre, Agathon et Antoine, étaient évidemment aussi des Asiatiques; St Nicétas († 824) était né à Césarée de Bithynie; St Joannikios dans la même province au village dit τοῦ Μαρυκάτου; Basile, frère de St Paul le Jeune,[1] était d'Éléa près de Pergamon en Asie; St Euthyme le Jeune était originaire de Galatie; St Grégoire le Décapolite – son nom l'indique – était également un Asiate; St Constantin, Juif converti, était originaire de Synada en Phrygie; St Luc le Stylite qui, au début du Xe siècle, a passé quelques années au Mont Olympe dans le couvent de St Zacharie, était originaire d'Anatolie; enfin le Synaxaire[2] nous montre que St Pierre, qui vivait sous Théophile et Basile Ier, venait de Galatie. C'est à peu près là tout ce que nous savons de précis sur les héros du Mont Olympe. C'est évidemment peu. N'oublions pourtant pas que tous ces moines asiatiques sont les principaux Saints, ceux qui ont joué le premier rôle, à cette époque, dans cette grande république monastique.

Y avait-il beaucoup de moines originaires d'autres patriarcats orientaux? Tout paraît indiquer que non. Théophane dit bien dans sa chronique[3] qu'en 811–812 un grand nombre de chrétiens, moines et laïques, de Syrie et de Palestine, fuyant la persécution arabe, se réfugièrent sur le territoire de l'Empire. Mais il ne mentionne – comme lieu de refuge de ces expatriés – que l'île de Chypre et Constantinople; il ne dit pas un mot du Mont Olympe. Ils furent d'ailleurs bien accueillis par l'empereur Michel Ier et le patriarche Nicéphore: «A ceux qui vinrent jusqu'à Constantinople fut offert un vaste monastère. Quant à ceux qui restèrent à Chypre, moines et laïques, ils reçurent un talent d'argent et des soins de toute nature.» C'est sans doute à cet exode en masse qu'il faut rattacher la fuite de Jean – connu par la suite comme moine sous le nom d'Antoine le Jeune – qui s'était réfugié avec la famille de son frère et un grand nombre de ses compatriotes à Attalie dans le thème des Cibyréotes dont il devint plus tard stratège. Après avoir quitté ce poste, vers 825, il se fixa au Mont Olympe et fut admis au couvent des Eunuques, celui des Agaures où il voulait entrer étant aux mains des iconoclastes. Il vécut par la suite, entre 843 et 866, à Pandimos et ἐν τῷ Κρίλῃ.[4] C'est donc encore

---

[1] H. DELÉHAYE, *Vita S. Pauli Junioris*, l. c., p. 20.

[2] *L. c.*, col. 126.

[3] 6305, Bonn, pp. 778–779, de Boor, p. 499.

[4] PAPADOPOULOS-KERAMEUS, Συλλογὴ παλαιστ. . . . , 1907, vol. 57, p. 214.

un Syrien; il était né à Fossaton près de Jérusalem. La Vie de Saint Eustratios[1] parle aussi d'un moine, nommé Théodore, ἐκ τῶν τῆς Ἑώας μερῶν, qui entre au couvent d'Eustratios pour y faire pénitence, chose dont il avait bien besoin. On peut affirmer que ces deux cas ne sont pas isolés bien qu'il soit difficile de trouver d'autres exemples. Mgr Grivec,[2] pour prouver que le Mont Olympe hébergeait, à cette époque, un grand nombre de moines des patriarcats orientaux, indique les noms des quelques moines cités dans les deux Vies de St Joannikios, surtout Sabas, Helias, Antonios, Isaac, et voit dans ces noms la preuve de l'origine orientale des dits personnages. Argument sans valeur puisque tous ceux qui s'occupent d'histoire byzantine savent parfaitement que ces noms étaient assez fréquents même à Byzance et surtout en Asie Mineure; les exemples n'en manquent pas.[3] Les persécutions iconoclastes étaient, d'ailleurs, bien peu favorables au séjour des moines orientaux sur le territoire byzantin. St Etienne le Jeune, on le sait, indique[4] à ses disciples, entre autres lieux de refuge, la Syrie, Antioche et Alexandrie. Nous avons, d'autre part, déjà dit que le régime arabe — jusqu'à l'avènement de Mutawakkil — était plutôt libéral à l'égard des moines chrétiens. Il ne semble donc pas dans l'ensemble qu'il y ait eu, à l'époque dont nous nous occupons, afflux de moines orientaux à Byzance. L'arrivée de trois moines Sabaïtes de Jérusalem à Byzance — Michel, Théodore et Théophane — et d'un moine de Σπουδεῖον Job, en 814, apparaît plutôt comme un fait isolé qui a attiré l'attention des contemporains.

---

[1] Ἀνάλεκτα ἱεροσολ. σταχυολ., l. c., IV, p. 385.

[2] Viri Ciril-Metodove teologije, Slavia, vol. II, p. 57.

[3] St Antoine d'Ephèse (Synaxaire, l. c., p. 155), St Antoine d'Ancyre (Ibid., p. 201), St Antoine de Sicile (ibid., p. 72), un patrice Antoine de Const. (IXe s., p. 936), les patriarches Antoine I, II, III, de Constantinople, Antoine, oncle de St Eustratios (voir plus haut, p. 129), Antoine, patrice et domestique des scholes (THÉOPH., 6259, 6274, Bonn, pp. 684, 706, de Boor, pp. 442, 456). Isaac, père de St Théophane de Sigriane (voir plus haut, p. 37), Isaac, évêque de Chypre (Synaxaire, p. 67), St Isaac le Goth sous Valens (ibid., p. 717), Isaac, fils de l'empereur Alexis Comnène, Isaac II Angelos, St Sabas le Goth sous Aurélien (ibid., p. 628), St Sabas de Cappadoce sous Théodore le Jeune (ibid., p. 281), St Sabas le Goth sous Valentinien (ibid., p. 608), Sabas, évêque de Dafnousia (ibid., p. 650), St Sabas le Jeune de Sicile et Calabre (dont la Vie a été publiée par J. COZZA-LUZI, dans les Studi e documenti di storio e diritto, vol. 12, 1891). Elias le Jeune de Sicile († 903) — remarquons pourtant qu'il reçut le nom d'Elie à Jérusalem en entrant au couvent — son élève Elias Spelacotes († vers 960, A. S. Aug. 3, Sept. 3), le scholiaste Elias, métropolite de Crète, Elias, patrice et comes largitionum (THÉOPH., 6025, Bonn, p. 286, de Boor, p. 186), Elias, archonte de Cherson (THÉOPH., 6203, Bonn, p. 578, de Boor, p. 377), Isaias, protospathaire et stratège du Péloponnèse (voir plus haut, p. 8). Il y avait également au Mont Olympe, nous l'avons dit, un couvent de St Elie et rien ne prouve qu'il ait été occupé par des moines des patriarcats orientaux.

[4] P. G., vol. 100, col. 1117.

On sait que ces moines avaient l'intention de se rendre à Rome avec une mission spéciale et qu'ils s'arrêtèrent à Constantinople pour intéresser l'empereur Michel Ier au sort de leurs compatriotes; mais ils subirent la persécution sous les empereurs Léon l'Arménien, Michel II et Théophile, ce dernier les traitant d'une façon particulièrement dure[1] car les empereurs ne pouvaient pas voir d'un bon œil l'intervention des sujets d'un autre état et d'un autre patriarcat dans les affaires religieuses byzantines. Il existait à Constantinople un « pied-à-terre » pour les moines syriens; c'était le couvent de Chora[2] dont Michel le Syncelle devint hégoumène après le rétablissement de l'orthodoxie. Le biographe de Michel prétend même que le couvent avait déjà été confié aux moines syriaques par ses fondateurs, St Théodore et l'empereur Justinien. Il avait pourtant été transformé en lieu d'asile par Constantin Copronyme. D'ailleurs, les raisons mises en avant par le clergé byzantin contre l'élévation de Théodore au siège de Nicée, raisons dont nous avons déjà parlé, prouvent que les Byzantins n'aimaient pas beaucoup les moines étrangers.

Tout semble donc indiquer que *le nombre des moines des patriarcats orientaux n'était pas très important dans l'Empire, et au Mont Olympe tout particulièrement.* Ce serait aller trop loin que de prétendre avec Mgr. Grivec[3] que, grâce à leur influence, les moines byzantins avaient conservé les traditions de l'Église orientale primitive, différentes en bien des points de celles de l'Église officielle byzantine; et pourtant M. Snoj,[4] se basant sur des affirmations de ce genre, est allé plus loin encore: il a déclaré que les moines de l'Olympe, toujours sous l'influence de l'Orient, avaient conservé une recension de l'Écriture Sainte différente de celle du patriarcat byzantin, la recension d'Alexandrie, et que Constantin et Méthode, ayant subi les mêmes influences, ont suivi cette version alexandrine dans leur traduction en slavon. Cette théorie, apparemment si bien construite, a, du reste, complètement manqué son but. Mgr. J.Vajs,[5] l'érudit le plus remarquable en ce qui concerne la traduction de l'Écriture

---

[1] Voir VAILHÉ, *St. Michel le Syncelle et les deux frères Grapti*, Revue de l'Orient chrétien, 1901, surtout pp. 610 et suiv.

[2] Voir ce qu'en dit M. SCHMIDT, Кахріе-джами, l. c., pp. 3 et suiv.

[3] *Viri Cyril-Met. theologije.*, l. c., pp. 53–55. IDEM, *Doctrina byzantina de primatu*, Opera Academiae Velehrad., vol. X, Kroměříž, 1922, pp. 43–47, 55–58, 87–89, 113–118.

[4] *Staroslavenski Matejev evangelij*, Bogoslovna Akademija, Ljubljana, Razprave, II, 1922, pp. 17 et suiv.

[5] *Byzantská recense a evangelijní kodexy staroslověnské*, Byzantinoslavica, vol. I, 1929, pp. 1–9, vol. IV, 1932, pp. 1–12. Cf. aussi son travail, *Evangelium sv. Marka a jeho poměr k řecké předloze*, Praha, 1912, et son étude, *Jaký vliv měla latinská vulgata na staroslov. překlad evang.*, Slavia, vol. V, pp. 158–162.

Sainte en slavon, vient de démontrer — et d'une façon définitive, il faut bien le dire — que les deux frères se sont servi de la même recension que l'Église de Constantinople. Ce texte avait de nombreuses variantes non byzantines, certaines d'entre elles étaient même «occidentales». Et ainsi, à supposer même ce qui reste à prouver — que la recension alexandrine ait été courante au Mont Olympe, les deux frères ont au moins gardé leur indépendance sur ce point particulier.

D'ailleurs, d'après les considérations d'ordre général que nous venons d'exposer, toutes les théories sur le rôle qu'ont pu jouer dans le monachisme byzantin les traditions orientales opposées à celle de l'Église officielle de Byzance — théories pour lesquelles, d'ailleurs, l'auteur n'a apporté aucun argument réel — ont très peu de chances de pouvoir être maintenues.

*

Peut-être Constantin et Méthode ont-ils rencontré au Mont Olympe quelques-uns de ces ascètes que nous connaissons de nom? Peut-être aussi les moines Pierre et Sabas du couvent d'Agauron, hagiographes de Saint Joannikios, et le moine Plato, ami de Pierre? Les Vies de Joannikios (846) ayant été écrites peu de temps après sa mort, il est fort possible que vers 856, époque de l'arrivée de nos héros au Mont Olympe, les deux hagiographes vécussent encore. Constantin et Méthode ont, en tous cas, rencontré le fameux compagnon de Joannikios, St Eustratios, abbé d'Agauron, ainsi que son frère Antoine. On trouve d'ailleurs dans la Vie de St Eustratios quelques détails relatifs au règne de Théodora et de Michel, en particulier l'intéressante mention d'un édit contre les Manichéens[1] et une allusion à Bardas. St Eustratios n'est allé très probablement à Constantinople qu'après 866 et il y est mort vers 868. Le récit du biographe sur les nombreux miracles opérés par le Saint nous donne une idée de la vie quotidienne des couvents de l'Olympe. On y trouve également cités les noms de quelques moines sans notoriété, d'Agauron ou d'autres couvents voisins, tels que Konon, Jean, Timothée, Serge et le moine oriental Théodore. St Antoine a lui-même séjourné au Mont Olympe au moment de l'arrivée des frères de Thessalonique. Après y avoir pris l'habit monacal en 826, il se fixa à Constantinople mais y retourna en 843 pour y mourir en 866 ἐν τῷ Κρίλη[2]. Il y vécut en compagnie de son disciple Sabas. Sa Vie a

---

[1] *Vie de St. Eustr.* l. c., pp. 282, 283 (§ 22).
[2] Voir LOPAREV, *l. c.*, Виз. Врем., vol. 18, p. 190. Voir de Vie, *l. c.*, § 39.

été écrite par un moine anonyme, peut-être contemporain, sur l'ordre de l'archimandrite Clément du couvent ὁ Κρίλης.

Il se peut aussi qu'il faille placer le second séjour de Constantin le Juif au Mont Olympe vers 856 et l'on aurait affaire avec lui à un autre contemporain de Constantin et de Méthode. Ces derniers ont enfin pu rencontrer sur l'Olympe les hégoumènes des couvents de St Eustathios et de la Sainte Vierge fondés par Joannikios et connus tous les deux sous le même nom, Μάκαρ.[1]

*

Y avait-il, au Mont Olympe, vers cette époque, des moines d'autres nationalités? La question présente une certaine importance, le contact de Constantin et de Méthode avec les moines des diverses nationalités et de liturgies différentes pouvant expliquer leur position à l'égard de la liturgie nationale slave.

Mais ici encore nous sommes assez mal renseignés. Un manuscrit du Xe siècle fait mention du moine Jean Cachaï, du couvent de Cosme et Damien et de nationalité arménienne.[2] Un autre Arménien, Joseph, est mentionné dans la Vie de St Euthyme le Jeune;[3] mais c'est au Mont Athos qu'il s'exerce à l'ascétisme et il ne semble pas qu'il ait d'abord vécu au Mont Olympe avec St Euthyme le Jeune. Ces cas ne doivent pas être isolés. L'élément arménien était, à cette époque, assez important à Byzance et l'on peut supposer avec juste raison que l'Olympe a dû compter également des moines de nationalité arménienne plus ou moins hellénisés.

Les moines géorgiens s'expatriaient encore plus souvent que les moines arméniens. Pour eux, celui qui veut atteindre le sommet de la perfection chrétienne doit tout quitter, même son pays natal, et vivre en étranger, loin de sa patrie. C'est pour cela que nous rencontrons les moines géorgiens en si grand nombre surtout en Orient, et plus particulièrement en Palestine, bien avant l'époque qui nous occupe.[4] On les voit constamment en voyage et cette humeur vagabonde qui caractérise le monachisme géorgien ne peut être expliquée autrement que par leur conception toute particulière de la perfection chrétienne. On s'attendrait donc à voir les Géorgiens figurer de bonne heure dans un centre ascétique aussi important que le Mont Olympe. Il semble pour-

---

[1] *Vita Joan.*, l. c., p. 378.

[2] *A. S.*, Nov. IV, p. 552.

[3] *Vita S. Euthymii Jun.* éditée par Mgr. PETIT, Revue de l'Orient Chrétien, 1903, p. 181.

[4] P. PEETERS, *Traductions et traducteurs dans l'hagiographie orientale*, Anal. Bol., vol. 40, 1922, pp. 285 et suiv. voir la liste des couvents en Orient où s'étaient installés les moines géorgiens.

tant qu'ils n'y soient pas arrivés avant la moitié du IXᵉ siècle. Sᵗ Hilarion paraît avoir été le premier Ibère qui, avec quelques-uns de ses compagnons, ait habité l'Olympe vers le milieu du IXᵉ siècle. Sa Vie[1] est très curieuse à étudier. Si l'on peut se fier aux renseignements qu'elle donne, elle est même très importante pour connaître la mentalité des moines grecs de l'Olympe à l'égard des liturgies nationales.

Hilarion, arrivé avec ses moines, se fixa dans une petite église. L'archimandrite du couvent auquel appartenait cette église entra en fureur quand il apprit que des étrangers s'y étaient installés et voulaient y célébrer le culte. « Qui sait si ces gens-là ont de bonnes intentions et s'ils professent la vraie foi? » Il ordonna donc de les expulser et Hilarion promit de s'en aller le lendemain. Mais pendant la nuit l'hégoumène eut une terrible vision: la Sainte Vierge lui apparut et lui reprocha sévèrement sa dureté à l'égard des étrangers. « Ne sais-tu pas », lui dit-elle en terminant, « que beaucoup de gens parlant la même langue vont habiter cette montagne et y recevront de Dieu le salut? » L'archimandrite répara sa faute sur le champ. Il se rendit au petit jour à l'église où il trouva les moines étrangers; les yeux pleins de larmes il leur demanda pardon et leur accorda tout ce qu'ils lui demandèrent. Saint Hilarion resta ainsi cinq ans au Mont Olympe avec les siens et lorsqu'il quitta la montagne pour se rendre à Constantinople, il y laissa quatre de ses disciples. A partir de cette époque les moines géorgiens deviennent de plus en plus nombreux sur l'Olympe. Vers la fin du IXᵉ siècle on n'y trouve pas moins de trois monastères et ermitages géorgiens, celui de Crania, la « Caverne » et celui des Saints Côme et Damien.[2] Ils avaient aussi à Byzance un centre important dans le couvent de Romana fondé, d'après le biographe de Sᵗ Hilarion, par l'empereur Basile Iᵉʳ.[3]

D'après le traducteur de la Vie de Sᵗ Hilarion, le Père Peeters, Hilarion, qui était né en 822, arriva au Mont Olympe en 858 ou au plus tard en 859. Il se peut donc que son séjour dans ce centre monastique ait coïncidé en partie avec celui de Constantin et de Méthode. Sa Vie a peut-être été écrite avant la fin du Xᵉ siècle par un moine géorgien nommé Basile et employé à la chancellerie impériale comme interprète ou par un autre religieux géorgien du couvent de Romana à Constantinople.[4]

---

[1] P. PEETERS, *Sᵗ Hilarion d'Ibérie*, Anal. Bol., vol. XXXII, 1913, pp. 253 et suiv.
[2] P. PEETERS, *Traductions et traducteurs*, l. c., p. 283.
[3] P. PEETERS, *Sᵗ Hilarion d'Ibérie*, l. c., p. 264.
[4] *L. c.*, pp. 238, 239.

En dépit de la méfiance qu'on peut éprouver à l'égard de ce biographe, on peut admettre que cet intéressant récit s'appuie sur certaines réalités. On y retrouve bien quelques traits légendaires et un esprit parfois trop national mais on pourra difficilement lui refuser toute vraisemblance. L'épisode que nous avons cité met assez fortement en relief la mentalité d'une partie des moines grecs et leur attitude à l'égard de leurs frères de langues différentes; il nous étonne en nous montrant l'esprit national grec pénétrant assez profondément pour atteindre les cellules des ascètes du Mont Olympe.[1]

Tout cela montre qu'au IXe siècle le Mont Olympe hébergeait quelques moines non grecs dont le nombre ne semble pas, du reste, très important. Il ne faudrait surtout pas parler, vers le milieu de ce siècle, de couvents nationaux comme on en a connu au Mont Athos surtout, ainsi qu'au Mont Olympe beaucoup plus tard. Les moines étrangers paraissent, à notre époque, avoir vécu dans les différents couvents au milieu de leurs frères grecs.

Sans exagérer l'importance de cet élément étranger dans les couvents de l'Olympe, on saisit tout de même facilement la portée d'un tel fait pour la formation de Constantin et de Méthode.

III.

Il reste à étudier – dans l'histoire des moines de l'Olympe au IXe siècle – un problème bien plus important que ceux dont nous nous sommes occupé jusqu'à présent. *Quelle position ces moines ont-ils pris dans les luttes entre les deux patriarches Ignace et Photios?* On conçoit sans difficulté que la solution de ce problème présente un grand intérêt pour l'histoire de Constantin et de Méthode, le changement de patriarche, si plein de conséquences pour l'Eglise byzantine, s'étant effectué en 858, c'est-à-dire durant leur séjour au Mont Olympe.

Il ne s'agit pas ici de rechercher les causes et d'exposer en détail les circonstances de ce changement. Nous nous bornerons à en montrer la répercussion dans le monde monacal en général et parmi les religieux de l'Olympe en particulier. Le problème est assez compliqué. On croit généralement que Photios rencontra parmi les moines une opposition acharnée et presque unanime et que

---

[1] Le passage, disons-le, nous paraît assez suspect. Il se peut bien que le biographe rapporte à une époque plus ancienne les sentiments des Grecs du Xe siècle. On peut pourtant y voir avec une certaine vraisemblance l'écho des difficultés qui accompagnèrent le premier établissement des Géorgiens au Mont Olympe.

son avènement fut désastreux pour ceux du Mont Olympe surtout, Photios les ayant dispersés pour avoir osé prendre parti pour Ignace. Ceux qui s'étaient montrés particulièrement acharnés auraient vu prendre contre eux des sanctions extrêmement sévères, l'incendie de leurs cellules par exemple.

Un document d'apparence irréfutable paraît confirmer cette thèse devenue générale. C'est le témoignage d'Anastase le Bibliothécaire figurant dans son introduction aux Actes du VIIIᵉ concile.[1] Après avoir énuméré tout ce que Photios, soutenu par Bardas, avait fait contre ceux qui l'avaient combattu, Anastase continue ainsi: «Atque ut breviter omnia comprehendantur, nulla professio, sexus vel aetas ab eo impunita deseritur, nisi consors suæ communionis inventa: adeo ut communionem eius declinantium nonnullos, quibusdam exceptis, qui contemplationis operam dantes, clausi habebantur, abstraxerit; alios vero in Monte Olympo eremiticam vitam ducentes fugaverit, eorumque tuguria seu speluncas igni perdiderit...»

Deux autres témoignages grecs semblent également venir à l'appui de cette affirmation. Le biographe de Sᵗ Ignace, le fameux Nicétas le Paphlagonien, prétend que son héros avait été indiqué par le plus grand Saint du Mont Olympe, Joannikios, comme devant être revêtu de la dignité patriarcale.[2] L'impératrice Théodora s'était, dit Nicétas, adressée à ce personnage éminent: «Avant même d'entendre l'avis des évêques et du peuple, l'impératrice avait dépêché un messager à Joannikios pour lui demander d'indiquer celui qu'il croyait mériter la dignité patriarcale. Prophétiquement, Joannikios avait indiqué Ignace.» Ce témoignage paraît au premier abord très instructif.

L'autre document auquel nous avons également fait allusion met Joannikios directement aux prises avec Photios. C'est la fameuse histoire contée par Syméon Magister[3] et suivant laquelle Serge, père de Photios, aurait fait un pélerinage au Mont Olympe pour demander à Joannikios de bénir son jeune fils. Le Saint, regardant l'enfant, se serait écrié: «Seigneur, celui-là ne veut pas connaître vos chemins dans son cœur.» A la demande du père stupéfait, le Saint aurait répondu: «Je t'annonce ce qu'il fera un jour» et Serge, s'étant couvert la tête de cendre et tout rempli de tristesse, prit congé du Saint.

Que penser de ces trois témoignages, qui semblent tous, d'une façon plus ou moins claire, indiquer que les moines de l'Olympe se rangèrent tous du côté d'Ignace contre Photios?

---

[1] MANSI, XVI, 5.

[2] *P. G.*, vol. 105, col. 501.

[3] Bonn, pp. 669, 670.

Ils ont chacun une valeur différente. En ce qui concerne celui de Syméon Magister, il ne faut pas le prendre au sérieux. Cette histoire fait partie de toute une série de calomnies inventées par les ennemis de Photios pour le discréditer aux yeux du peuple.[1] Syméon a mobilisé non seulement St Joannikios mais Saint Michel de Synnada, l'abbé de Dalmatos Hilarion et Jacob, l'hégoumène du couvent de Maximine, pour les faire prophétiser les malheurs que l'enfant ferait plus tard fondre sur l'Église quand il serait patriarche.

Le témoignage de Nicétas le Paphlagonien est encore plus suspect. Il est établi que Joannikios était mort le 8 novembre 846, par conséquent avant Méthode, décédé en 847; les deux biographes du Saint, les moines Pierre et Sabas, sont très précis sur ce point. Comment Joannikios aurait-il donc pu jouer, dans l'élévation d'Ignace au patriarcat, le rôle que Nicétas lui attribue? L'illustre biographe d'Ignace s'est permis ici une «licence» qu'un historien ne peut pas lui pardonner. Ce seul fait devrait nous rendre plus circonspect dans l'utilisation des renseignements que Nicétas nous offre sur Photios et Ignace. Or, ce sont surtout ces renseignements qui ont contribué à discréditer Photios aux yeux de la postérité.

Ces témoignages grecs n'apportent donc pas de clarté dans cette affaire. Il faut remarquer le zèle avec lequel les principaux sectateurs de Saint Ignace s'efforcent de détacher de Photios la mémoire de Saint Joannikios, le grand héros de l'Olympe, et de faire passer ce dernier dans leur camp avec tout le prestige dont il jouissait dans le monde byzantin du IXe siècle. Cela ne prouve pas nécessairement que les disciples de Joannikios au Mont Olympe aient pris le parti d'Ignace; on peut y voir en effet une manœuvre des Ignatiens pour gagner ces moines en affirmant que le plus grand Saint de l'Olympe s'était déclaré lui-même pour Ignace. Il nous semble qu'une déduction au moins est pourtant possible: les rapports établis entre Joannikios et Ignace paraissent indiquer que ce dernier ne s'était nullement compromis dans les machinations ourdies par les Studites contre Méthode. Ce fait lui a d'ailleurs certainement profité et a grandement contribué à sa désignation comme successeur de ce patriarche. Il avait toujours manifesté de la sympathie pour Méthode sans être, du reste, un militant de son parti et, comme il n'était pas davantage sectateur zélé des Studites, on l'espérait capable de réconcilier définitivement les deux partis qui venaient tout juste de conclure une trève.

*

---

[1] Voir ce qu'en dit HERGENRÖTHER, *Photius*, l. c., I, pp. 317 et suiv.

137

Avant d'aborder de front le problème qui nous intéresse et d'examiner complètement le témoignage d'Anastase, il convient que nous retracions dans leurs grandes lignes les circonstances qui ont amené le conflit.

Ignace semble avoir trouvé, au début de son patriarcat, un appui à peu près général. L'incident dû à l'opposition manifestée par les Studites à l'égard de Méthode aurait été vraisemblablement clos — et de façon définitive — si Ignace avait su manœuvrer avec un peu plus de prudence. Malheureusement, son caractère et son éducation faisaient de lui un Studite plutôt qu'un partisan de Méthode et il ne voulait pas comprendre l'opportunité d'un compromis élaboré dans l'esprit de l'οἰκονομία traditionnelle. Il s'était brouillé dès le début de son patriarcat avec les extrémistes du parti de Méthode qui avaient à leur tête le fameux Grégoire Asbestas, évêque de Syracuse, et cette brouille avait été le commencement de ses malheurs.

La cour s'était d'ailleurs trompée en plaçant ses espoirs dans le gouvernement d'Ignace. Ce dernier abandonna, en effet, la ligne de conduite de Méthode. Son biographe lui-même, tout en énumérant ses vertus héroïques, concède que les adversaires d'Ignace lui reprochaient souvent une excessive raideur dans la défense de la justice.[1] C'en était donc fait de l'οἰκονομία à laquelle Byzance était tellement habituée. Ce changement de tactique provoqua naturellement du mécontentement. Anastase le Bibliothécaire déclare lui-même, dans son introduction au VIIIe concile œcuménique,[2] qu'on accusait Ignace de manquer de respect à la mémoire du défunt patriarche Méthode. On l'appelait « le parricide » parce qu'il n'était pas resté fidèle à Méthode son père et son prédécesseur, grave accusation aux yeux des Byzantins du IXe siècle.

Ignace, par sa méfiance non dissimulée à l'égard des sciences profanes, avait en outre perdu les sympathies et l'estime des milieux intellectuels de Byzance, dont Photios était l'éminent représentant.

---

[1] *P. G.*, vol. 105, col. 501, 504: Περὶ δικαιοσύνης δὲ τί χρὴ καὶ λέγειν; ἣν οὕτου στεῤῥῶς καὶ μεγαλοπρεπῶς ὁ μακάριος ἐνεδέδυτο, ὥστε καὶ μέμψιν δι' αὐτὴν ὑπέχειν πολλάκις παρὰ τοῖς ἀδίκοις τοῦ δικαίου διαιτηταῖς, καὶ σκληρότατα καταγινώσκεσθαι τὸν ὡς ἀλεθῶς πρᾶον ποιμένα, καὶ Θεοῦ μιμούμενον δικαιοσύνην...

[2] MANSI, XVI, 3: «cum igitur Photius sociatus schismaticis, quorum auctor praefatus erat Syracusanus Gregorius, persuaderet cunctis qui quasi pio circa Methodium (habentes quidem zelum justitiae, sed non secundum scientiam) affectu flagrabant, quod patriarcha Ignatius derogator esset eiusdem sanctae memoriae Methodii, et idcirco quasi parricida foret habendus, *fama crebrescit:* Bardam scholarem domesticum, et Theodorae imperatricis germanum, incestu nurum propriam usu foedare, quem patriarcha criminis redarguit, interminatus excommunicandum, nisi a tanto flagitio cessavisset...»

Ainsi s'était formé à Byzance un parti de mécontents qui se composait en majorité des anciens partisans de Méthode, des intellectuels et de tous ceux qui regrettaient la conciliation inaugurée par le prédécesseur d'Ignace et maintenant abandonnée. Le conflit éclata en 858, le jour de l'Épiphanie, quand Ignace refusa la communion à Bardas sous prétexte qu'il entretenait des relations coupables avec la femme de son fils. C'était un beau geste de la part d'Ignace;[1] il lui valut l'admiration de ses partisans et le respect des historiens.[2]

Ignace a eu un autre beau geste; il a refusé de bénir le voile que Michel, sur le conseil de Bardas, voulait imposer à sa mère et à ses sœurs. Mais cette

---

[1] BURY, *A History*, p. 188, contrairement à l'opinion courante semble diminuer la valeur de ce geste en expliquant l'intervention d'Ignace *par quelques bruits malveillants qui couraient en ville sur Bardas*: «Acting on this *gossip*, the Patriarch admonished Bardas, who declined to take any notice of his rebukes and exhortations. We may suspect that he refused to admit that the accusation was true – it would perhaps have been difficult to prove – and recommended Ignatius to mind his own business.» On ne saura probablement jamais la vérité, mais il faut toutefois remarquer que nos principales sources – NICÉTAS et l'Continuateur de GEORGIUS MONACHUS – *ne parlent que de bruits de ce genre*. NICÉTAS, *P. G.*, vol. 105, col. 504: τοῦτον τῇ ἰδίᾳ φασὶν οὕτως ἐπιμανῆναι νύμφῃ, ὡς ἀνὰ πᾶσαν τοῦτο τὴν πόλιν περιβομβηθῆναι· καὶ οὐκ ἄχρι τῶν πολλῶν μόνον, ἀλλὰ καὶ μέχρις αὐτοῦ τοῦ ἀρχιερέως τὴν πονηρὰν φήμην ἐλθεῖν... Le Contin. de Georges le Moine Bonn, p. 826: ... Φήμης δὲ διαθεούσης, περὶ Βάρδα Καίσαρος ὅτι τῇ νύμφῃ αὐτοῦ συμφθείρεται, τοῦτο ἀκούσας Ἰγνάτιος ὁ πατριάρχης πολλάκις παρῄνειεν αὐτόν...

[2] Une fois de plus BURY (*l. c.*) marchande la gloire à Ignace. Avec un respect qui ne dissimule pourtant pas complètement l'ironie, l'illustre historien reproche à Saint Ignace d'avoir laissé échapper une autre occasion de défendre les commandements de Dieu honteusement et beaucoup plus manifestement violés par un autre empereur, Basile: «The same prelate, who adopted such a strong measure to punish the vices of Bardas, had no scruples, afterward, in communicating with the Emperor Basil, who had ascented to power by two successive murders...» Oui, mais.... Évidemment, le célèbre historien s'acharne ici encore à vouloir jouer le rôle d'un «diabolus rotae». On peut pourtant constater, en effet, dans la conduite d'Ignace quelques inconséquences et l'on s'étonne de l'indulgence avec laquelle certains historiens les ont considérées, tout en jugeant très sévèrement la façon d'agir de son adversaire. Soulignons surtout l'attitude d'Ignace à l'égard du Saint-Siège. Il avait été très sévère pour Grégoire Asbestas de Syracuse et il s'était même permis d'empiéter sur les droits des Papes, puisque la Sicile appartenait avec tout l'Illyricum au patriarcat occidental ce qu'il ne pouvait l'ignorer s'il était – comme on le pense généralement – le défenseur acharné des droits des Souverains Pontifes. Or, quelque temps après, il sollicita et obtint l'intervention des papes en sa faveur; mais alors que le Siège de Rome lui permettait de se réhabiliter, au VIIIe Concile oecuménique, il ne refusa pas de jouer un rôle dans la petite comédie dirigée par Basile à l'issue de cette assemblée pour donner au rattachement de la Bulgarie au patriarcat byzantin le caractère d'une décision conciliaire irrévocable. *Il envoya par la suite sur ces territoires qui relevaient du patriarcat romain un archevêque et sept évêques destinés à remplacer les missionnaires pontificaux.* Heureusement pour lui, Ignace mourut avant que les légats du pape chargés de lui porter la menace d'excommunication fussent arrivés à Constantinople. Heureusement pour lui et heureusement pour nous, Ignace, dans la situation où il se serait trouvé, ne pouvant que très difficilement obéir aux exhortations du pape qui se serait vu obligé de mettre ses menaces à exécution...

attitude valut au vaillant patriarche une persécution ouverte. Sous prétexte qu'il avait trempé dans la petite conspiration de l'imposteur Gébéon, il fut arrêté et interné, en novembre 868, dans l'île de Terebinthos. On s'efforça de le persuader que la paix de l'Église demandait son abdication; mais il refusa net, décidé à défendre son droit coûte que coûte. On passa outre et on lui choisit comme successeur le chef des intellectuels de Byzance, Photios, protoasecrète et ancien professeur à l'Université de Constantinople. Les liens de parenté qui unissaient Photios à la maison régnante – sa tante Irène était la sœur de l'impératrice Théodora et de Bardas[1] – le recommandaient hautement et son passé garantissait le retour à la politique de l'οἰκονομία.

Son élection et sa consécration n'étaient évidemment pas canoniques. Peut-être Ignace aurait-il, d'ailleurs, consenti à signer un acte d'abdication si on lui avait choisi pour successeur un homme autre que Photios.[2] Rappelons-nous que c'est ce dernier qui, pour se moquer du patriarche et pour lui causer des difficultés, avait lancé la doctrine des deux âmes. On trouvera difficilement des excuses pour cette manière d'agir qui a largement contribué à compromettre Photios aux yeux de ses contemporains et de la postérité. Photios devait avoir un mépris profond pour Ignace et celui-ci ne pouvait voir dans son élection au siège patriarcal qu'une humiliation du plus haut degré. Un homme qui jouait si légèrement avec l'hérésie et qui n'avait de prédilection que pour les auteurs païens, devait lui paraître dangereux pour l'orthodoxie. Si l'on se place à ce point de vue, on comprend mieux l'acharnement avec lequel Ignace refusa de se retirer et de céder sa place à Photios. On ne voit souvent dans cette manière d'agir qu'un manque de souplesse et l'acharnement d'un moine qui, ne connaissant que les canons de l'Église, ne comprenait pas la mentalité du monde. Ce jugement – soulignons-le bien – est certainement exagéré. Ignace sans aucun doute avait la conviction qu'en agissant ainsi il travaillait dans l'intérêt de l'Église qu'il gouvernait.

La lutte était engagée. Photios, sacré évêque le jour de Noël 858, prenait la place d'Ignace. Quelle fut donc l'attitude du monde monastique en présence de ces évènements?

---

[1] BURY, *The relationship of Photius to the Empress Theodora*, The English Histor. Review, 1890, pp. 255–258.

[2] Il semble, en effet, qu'Ignace hésitait, car son partisan Métrophane déclare dans sa lettre au logothète Manuel (MANSI, XVI, 416) qu'Ignace avait invité ceux qui pensaient généralement com-

On pouvait s'attendre à ce que la plupart des moines sympathisassent avec l'ancien hégoumène car l'on voyait avec raison dans son abaissement une diminution de l'influence monastique dans la gestion des affaires ecclésiastiques. Ces sympathies ne pouvaient qu'augmenter quand on apprit que Bardas avait même employé la violence pour briser la résistance d'Ignace et de ses amis. Remarquons pourtant que Photios se rendait parfaitement compte que de pareils procédés compromettaient plutôt sa situation: il protesta vigoureusement contre ces excès dans une de ses lettres à Bardas[1] et par là sauva certainement sa réputation, au moins aux yeux de ses amis.

Quoi qu'il en soit, on admet généralement comme nous l'avons dit que les moines se rangèrent en masse aux côtés d'Ignace et cette hypothèse paraît bien fondée. Mais dès qu'on veut énumérer les moines et les couvents qui prirent ouvertement parti pour Ignace, on se trouve dans l'embarras. On n'en connaît, en effet, que très peu. Nicétas le Paphlagonien, si éloquent quand il s'agit d'insister sur les souffrances de son héros et l'indignation du peuple à la suite des injustices commises, nous abandonne presque complètement à nous-mêmes lorsque nous voudrions connaître les centres monastiques qui s'élevèrent contre l'intrus pour défendre la justice. Nous ne pouvons donc établir qu'une liste de quelques noms.

Les Studites furent, bien entendu, les premiers à se ranger du côté d'Ignace et à refuser de communiquer avec Photios. L'Abbé de Studion, Nicolas de Crète, quitta même Constantinople et vécut exilé en Bithynie et à Cherson jusqu'en 865—866 pour être par la suite incarcéré dans son propre monastère.[2]

Les couvents fondés par Ignace lui-même dans les Iles des Princes lui restèrent naturellement fidèles. Mais il comptait également d'ardents partisans parmi les moines de Constantinople. Le plus acharné était Théognostos, hégoumène du monastère de Πήγη, sceuophylaque de Sainte-Sophie et exarque

---

me lui «à élire un patriarche de notre Église dans le Christ» (ἢν γὰρ θεσπίσας, ἐκ τῆς ἐν Χριστῷ καθ᾽ἡμᾶς ἐκκλησίας ψηφίσασθαι πατριάρχην).

[1] Lettre VI, *P. G.,* vol. 102, col. 624, 625 (lib. I). La teneur de cette lettre est particulièrement vigoureuse. Photios y déclare regretter d'avoir accepté la charge du patriarche. Il proteste de la façon la plus formelle contre l'emploi de la violence à l'égard des partisans d'Ignace et en particulier contre les brutalités commises envers Blaise, dont nous avons déjà parlé (voir plus haut, p. 63). Nous n'avons aucune raison de douter de la sincérité de ce geste de Photios ni des reproches amers adressés à Bardas dans deux autres lettres (ep. V, VII, *ibid.*). Nous ne comprenons pas pourquoi on y chercherait avec HERGENRÖTHER (*l. c.*, I, p. 392) «die ihm (Photios) geläufige Hypokrisie»; un pareil jugement nous paraît injuste.

[2] *Vita S. Nicolai Stud.*, P. G., vol. 105, col. 909 et suiv.

des couvents de Constantinople, qui, déguisé en laïc, quitta la Ville après le concile de 861 pour renseigner le pape sur l'injustice commise à l'égard d'Ignace. On peut encore citer l'hégoumène Joseph, Euthyme, Nicétas de Chrysopolis, Dorothé d'Osion et le moine Lazare.[1] Les couvents de Néocésarée paraissent également être restés fidèles à Ignace.[2]

D'autres ressentirent probablement une sympathie secrète pour Ignace mais ne s'exposèrent pas franchement pour la défense de sa cause.

Photios a certainement remarqué la froideur avec laquelle son avénement fut accueilli dans les milieux monastiques et il s'est efforcé de s'y gagner des amis. On ne peut pas dire qu'il ait échoué. Nous connaissons des hégoumènes et de simples moines qui se sont alors ralliés à lui. Par hasard la liste que nous pouvons ainsi établir est plus longue que celle des Ignatiens notoires.

C'est un document tout à fait authentique, le recueil des lettres de Photios, qui nous fournit ces noms. Nous connaissons ainsi l'hégoumène Théoctiste,[3] l'hégoumène Théodore,[4] Nicolas, hégoumène du monastère de Nicéphore sur le Bosphore,[5] Dorothé, hégoumène τῶν Κεδρῶν,[6] l'anachorète Athanase dont l'appui fut particulièrement important pour Photios,[7] l'anachorète Zosime,[8] les moines Barnabas, Sophronios, Théodose, Isaac, Métrophane, hésychaste de Sicile, l'anachorète Arsène, le moine Nicéphore le Philosophe, le moine Théodore Santabarène, Théophane, Acace[9] et d'autres encore. On peut y ajouter aussi les moines qui aidèrent à briser la résistance des Studites et à qui il confia la direction du couvent après le départ de Nicolas, à savoir Achille, Théodose, Eugenios, Théodore, Sabas.

Il semble aussi que les moines de Sicile, qui s'étaient toujours montrés hostiles aux Studites[10], se rangèrent du côté de Photios. On possède une lettre remontant à la première période de la vie de Photios et adressée πρὸς Θεο-

---

[1] Voir HERGENRÖTHER, *l. c.*, I, p. 396.

[2] SOKOLOV, *l. c.*, p. 60.

[3] *L. c.*, lib. II, ep. 47, col. 864.

[4] *L. c.*, lib. II, ep. 48, 49, col. 865.

[5] *L. c.*, lib. II, ep. 50, col. 868.

[6] *L. c.*, lib. II, ep. 51, 52, col. 868, 869.

[7] *L. c.*, lib. II, ep. 70, 72, 73, 81, col. 881, 884, 889.

[8] *L. c.*, lib. II, ep. 71, col. 881.

[9] *L. c.*, lib. II, ep. 70, 71, 73, 74, 75, 81, 83, 84, 87, 88, 89, 90, 91, 93, 94, 95, 96–100, col. 881, 882, 885, 889, 894, 897, 898, 901, 902, 905–916.

[10] La Vie de St Théodore, écrite par le moine Michel, renferme un passage où le biographe raconte que les moines de Sicile se moquaient de la poésie de St Théodore. *P. G.*, vol. 99, col. 312.

φάνην μονάζοντα.[1] Ce Théophane ne paraît être autre que le poète sicilien qui, sous le second patriarcat de Photios, succéda comme hégoumène à Sᵗ Joseph l'Hymnographe. C'est du moins ce qu'avec raison, semble-t-il, pense Papadopoulos Kerameus.[2]

Nous trouvons un autre argument pour cette thèse dans les Actes du VIIIᵉ concile œcuménique. Les Pères déclarent solennellement dans le quatrième canon que «tous ceux qui ont été appointés par lui (Photios) comme hégoumènes sont dépossédés par nous de cette dignité.»[3] Cette mesure prouve évidemment que Photios avait trouvé, parmi les moines, assez d'adhérents pour pouvoir donner à ses fidèles les charges importantes des couvents.

La liste que nous venons de donner est assez longue pour nous autoriser à supposer que Photios vit ses efforts couronnés de succès et s'acquit des sympathies dans le monde monastique. On ne peut donc plus dire que les moines se soient tous rangés du côté d'Ignace.

Mais quel fut dans cette controverse le rôle des moines du Mont Olympe? Parmi les noms déjà cités trouverait-on ceux de moines qui appartenaient à ce grand centre ascétique? C'est ce que nous ne pouvons pas affirmer de façon certaine. Mais il n'est pas possible que les événements que nous avons rappelés n'aient pas trouvé d'écho au Mont Olympe. Un document presque contemporain – la Vie de Saint Euthyme, due au moine Basile, grand admirateur de Photios et peut-être futur archevêque de Thessalonique – nous confirme d'ailleurs dans cette idée. Euthyme, venu au Mont Olympe, s'était fixé au couvent τῶν Πισσαδινῶν dont l'hégoumène était alors le moine Nicolas.[4] Or, c'est justement dans ce couvent que le changement de patriarche provoqua de grands troubles. Laissons du reste le biographe d'Euthyme nous montrer la nature de ces troubles:[5] «Pendant dix années entières, il [Ignace] gouverna l'Église. Puisqu'il était sans cesse fortement éprouvé par ceux qui avaient entre leurs mains le gouvernement de l'Empire et manifestement et systématiquement persécuté, il renonça enfin à combattre sans succès ceux qui étaient atteints d'une maladie incurable et qui ne méditaient que des choses malveil-

---

[1] VALLETTA, Φωτίου ἐπιστολαί, London, 1864, pp. 429–431.

[2] Θεοφάνης Σικελός, Byz. Zeitschr., vol. IX, 1909, p. 371.

[3] MANSI, XVI, 160. Cf. HEFELE-LECLERQ, Hist. des conciles, vol. IV, 1, p. 522.

[4] Parmi les lettres de Photios on en trouve une adressée à Sabas, hégoumène τῶν Πισσάδων (L. c., lib. II, ep. 46, col. 864). Ce Sabas semble avoir été un sectateur peu sûr de Photios. Serait-ce le successeur de Nicolas? Ce n'est pas impossible, mais il est difficile de le dire car nous ne savons pas s'il s'agit d'un seul couvent ou de deux.

[5] L. PETIT, Vie et office de St. Euthyme le Jeune, Revue de l'Orient Chrétien, 1903, pp. 178, 179.

lantes. Il quitta donc le trône et la direction de l'Église par une décision où se mêlaient sa propre volonté et la pression extérieure. Après avoir transmis à l'Église son acte de démission il se fixa dans son couvent, pensant qu'il serait mieux de s'adonner à la méditation et de s'entretenir en toute tranquillité avec Dieu que de faire retomber le malheur sur lui-même et ses ouailles, étant donné les mauvais sentiments des gouvernants. Lorsque le bruit se répandit que l'archevêque avait été chassé de son siège ecclésiastique contre sa volonté et qu'à cause de cela beaucoup de gens refusaient d'entrer en communion avec le nouveau patriarche, le Saint-Père Nicolas lui-même, pour rester en communion, quitta son couvent. Cela se passa sous le nouveau patriarche, orthodoxe et brillant par toutes les vertus. C'était le bienheureux Photios qui, comme son nom l'indique, illumina le monde entier de la plénitude de sa sagesse, lui qui, dès son enfance, avait été voué au Christ, qui pour la vénération de son image avait subi la confiscation et l'exil et dès le début s'était, par ses combats et ses exercices, associé à son père. Aussi sa vie fut-elle merveilleuse, sa mort agréable à Dieu et confirmée par des miracles.» Dans la suite de son exposé, le pieux hagiographe rend le diable responsable de la plupart de ces scandales de l'Église.

Il y a là un passage très instructif car il nous permet d'entrevoir comment les contemporains ont jugé les événements et quelles excuses ils ont trouvées pour expliquer la conduite d'Ignace et de Photios. La façon dont on y parle de Photios mérite surtout d'être soulignée. Mais d'un autre côté nous trouvons là la preuve que le Mont Olympe s'était divisé, à cette occasion, en deux camps, l'un pour Ignace, l'autre pour son adversaire.

Une autre allusion à ces luttes, beaucoup moins explicite il est vrai, nous a été conservée dans la Vie de St Eustratios. Vers la fin de sa vie, le Saint s'était rendu à Constantinople et il s'était présenté au patriarche. A cet endroit précis le manuscrit présente malheureusement une lacune et il est impossible de savoir le nom de ce patriarche. Une telle lacune ne semble pas un hasard; le passage en question a dû être détruit par un partisan trop fanatique du patriarche dont la personne paraissait compromise par ce passage. Il se peut bien que cette petite opération soit due à un ignatien[1] qui ne pouvait souffrir qu'un Saint si célèbre ait été en contact avec l'exécrable Photios. Qu'on se

---

[1] LOPAREV, *l. c.*, vol. 18, p. 105 réserve cet honneur aux «Latins». Pourquoi? La Vie a été composée peu de temps après la mort d'Eustratios, probablement sur l'ordre de son frère Nicolas qui lui succéda comme hégoumène.

rappelle que la Vie de Saint Méthode, œuvre du fameux photianiste Grégoire Asbestas, qui devait contenir des détails très désagréables pour les Studites et les sectateurs d'Ignace en général, disparut tout simplement. Elle fut évidemment « confisquée » par les ignatiens. Si le patriarche avec qui Eustratios était en rapports était Photios, on aurait une nouvelle preuve que les moines de l'Olympe se partageaient entre deux camps. Nous ne pouvons malheureusement rien dire de certain quant à ce détail. Le contraire est aussi bien possible car les deux partis, dans l'ardeur de la lutte, n'hésitaient pas devant de tels procédés qui devaient assurer la gloire de leurs chefs. Rappelons-nous les histoires destinées à discréditer la mémoire de Photios et racontées par Nicétas le Paphlagonien et Syméon Magister !

Que conclure? *Les troubles provoqués par le changement de patriarche pénétrèrent jusque dans les couvents du Mont Olympe et une partie des moines refusèrent d'entrer en communion avec Photios.* Une partie, disons-nous, le cas de l'hégoumène Nicolas prouvant qu'ils n'étaient pas tous d'accord sur ce point. Une minorité penchait vers la politique traditionnelle de l'οἰκονομία. Le témoignage d'Anastase le Bibliothécaire se trouve donc confirmé, en partie au moins.

Comment expliquer qu'une grande partie des moines aient abandonné la tradition et soient sortis de la réserve que ceux de l'Olympe s'étaient imposée dans des cas analogues où il s'était agi de jouer un rôle dans la direction des affaires?

L'affaire d'Ignace était différente des autres car ici il s'agissait pour une large part du prestige du monachisme. Il est aussi possible qu'Ignace ait eu, au Mont Olympe, des amis personnels. S'il était possible de procéder à des identifications plus précises, on verrait mieux à l'arrière-plan de ce drame la personne de l'hégoumène Ignace, mentionné dans un fragment de la Vie de Saint Antoine le Jeune.[1] Cet hégoumène était à la tête du couvent de Kios en Bithynie, non loin de l'Olympe. Le fragment en question parle de la sévérité extrême qui régnait dans ce couvent, trait qui répondrait bien au caractère d'Ignace, le futur patriarche. Il semble aussi que l'évêque de Kios, Paul, puisse être identifié avec l'évêque de Prussiada qui, à l'époque de la vie de Saint Joannikios, avait de nombreuses relations avec les moines de l'Olympe. Si l'on peut identifier cet Ignace avec le futur patriarche, ce qui est assez vraisemblable, on

---

[1] Ἐνναγωγὴ τῶν θεοφθόγγων ῥημάτων, I, Constantinople, 1861, pp. 116–118. Voir LOPAREV, *l. c.*, vol. 18, p. 121. D'après la *Bibliotheca hagiographica graeca* (Bruxelles, 1909, p. 21) cet Antoine est mort vers 840. Loparev pense autrement.

s'expliquerait facilement pourquoi Ignace trouva un appui assez solide dans un centre monastique avec lequel il devait avoir des relations avant d'arriver au patriarcat.

Les troubles dont parle la Vie de Saint Euthyme éclatèrent au Mont Olympe dans le couvent τῶν Πισσιδινῶν à la fin de 858 ou plutôt au début de 859 puisque Photios ne fut ordonné que tout à fait à la fin de 858, le jour de la Noël. Tout semble indiquer que le gouvernement de Bardas s'était intéressé à l'affaire et qu'il avait essayé, en présentant aux moines récalcitrants quelques «argumenta ad hominem», de les persuader qu'il était beaucoup plus avantageux pour leur tranquillité de changer de tactique. On pourrait expliquer ainsi les paroles d'Anastase, affirmant que les cellules des ermites furent brûlées. Il se peut aussi que quelques partisans de Photios, trop zélés, se soient chargés eux-mêmes de la besogne. Ses adversaires attribuèrent, bien entendu, à Photios cette intervention brutale quoique efficace; nous avons pourtant déjà dit que le nouveau patriarche protesta toujours contre les actes de violence car il était assez intelligent pour comprendre que des pareils procédés compromettaient trop sa cause. Ainsi, de ce point de vue, Anastase a raison. Mais il ne faut pas exagérer. De tels châtiments n'ont du être ni très nombreux ni excessifs car le Mont Olympe n'en a pas trop souffert. Il continua pendant le reste du IXe siècle comme durant le Xe siècle à être le refuge des ascètes. Les troubles provoqués par l'avènement de Photios ne portèrent aucunement préjudice à sa célébrité.

A quelles déductions sommes-nous maintenant amenés en ce qui concerne Constantin et Méthode? De quel côté se sont-ils rangés? *On les a souvent considérés comme des ignatiens. Or, en examinant bien les choses, on s'aperçoit du contraire.* C'est en 859 que Photios s'est consacré à la propagande parmi les moines; il n'a certainement pas négligé le Mont Olympe et deux de ses habitants les plus éminents; il a dû essayer de gagner à sa cause Constantin, son successeur à l'Université et son ami intime. Nous avons vu quelles raisons amenèrent Constantin à abandonner son poste pour se réfugier dans la solitude. Or, Photios qui s'était juré de réconcilier les deux frères, Constantin surtout, avec le nouveau régime politique institué par Bardas réussit pleinement dans son entreprise. Comment s'expliquer en effet autrement que les deux frères aient pu se trouver à la tête de l'ambassade auprès des Khazars en 860? Cette collaboration intime avec Bardas suppose un accord entre les deux frères et le nouveau régime, accord que personne autre que Photios n'aurait pu réaliser.

Qu'on n'ait pas peur de compromettre, en se rangeant à cet avis, «l'ortho-doxie» et la réputation des futurs Saints. C'est à dessein que nous avons cité le passage de la Vie de St Euthyme qui nous montre de façon particulièrement éloquente comment les contemporains qui n'étaient pas à priori hostiles à la personne de Photios jugeaient les évenements et comment ils purent expliquer leur adhésion au nouveau patriarche. En relisant les documents de l'époque on a l'impression qu'un assez grand nombre de gens à Byzance étaient pro-fondément convaincus de l'incapacité d'Ignace pour gouverner l'Église à une époque aussi difficile; ils estimaient que, ne comprenant pas les tendances mo-dernes, il devait céder la place à un autre, plus habile et plus souple. *Nous ne prétendons certes pas — répétons-le encore une fois pour ne pas provoquer de ma-lentendus — qu'on avait, ce faisant, toujours raison* mais on le répétait et beaucoup de ceux qui le disaient ou l'entendaient en étaient convaincus. Rappelons-nous encore avec quel acharnement les partisans de Photios s'étaient voués à sa cause et quelle fidélité lui avaient montrée après sa déchéance tous les évêques sacrés par lui, ceci malgré les menaces à eux adressées par le concile de 869 et par l'empereur Basile.[1] Le fait est impressionnant et significatif. Pourquoi devrait-on faire une exception pour Constantin, ami et élève du patriarche, savant émérite qui supportait assez mal le dédain d'Ignace à l'égard des sciences et qui — nous en avons des preuves dans les Légendes mêmes — avait collaboré ouvertement avec le nouveau gouvernement et avec Photios?

Dans ces conditions, *il semble assez vraisemblable que la réconciliation entre Cons-tantin et le nouveau régime se soit effectuée au cours de l'année 859.* Nous oserions même dire que Constantin quitta ensuite son asile et, reprenant son poste à l'Université, se fixa de nouveau à Constantinople. Les Légendes n'en parlent pas, il est vrai, mais cette hypothèse est assez vraisemblable. Quand il s'agit, en 860, de trouver des ambassadeurs au pays des Khazars, on n'eut pas besoin en effet d'aller chercher Constantin au Mont Olympe: il se trouvait à Constan-tinople, prêt à rendre service au gouvernement avec lequel son ancien maître, le patriarche Photios, l'avait réconcilié.

---

[1] Voir à ce propos surtout HEFELE-LECLERQ, *Histoire des Conciles*, vol. IV, 1, pp. 546 et suiv.

CHAPITRE V.

BYZANCE ET LES KHAZARS VERS 861.

(V. C., chap. VIII—XIII, XVI, V. M., chap. IV.)

I. Byzance et les Khazars jusqu'au IXe siècle. — Les Missions byzantines chez les Khazars. —
La métropole gothique. — Le judaïsme chez les Khazars.

II. La politique de Théophile sur les bords de la mer Noire et à l'égard des Khazars. — Le danger
russe, les Khazars et les Byzantins. — L'ambassade byzantine de 860—861 et son caractère
politique. — L'itinéraire de l'ambassade. — Les Magyars en Crimée. — L'alphabet «russe». —
Les fausses reliques de Saint Clément.

III. Discussion de Constantin et des Juifs. — Les Juifs dans l'empire byzantin au IXe siècle. —
La polémique judéo-chrétienne. — Retour de l'ambassade. — L'incident de Phoullae. —
La liturgie nationale chez les Khazars et chez les peuples de Crimée. —
Le couvent de Polychron.

I.

Constantin trouva bientôt l'occasion de prouver son attachement au nouveau régime ou, plutôt, le gouvernement de Bardas ne tarda pas à montrer à Constantin qu'il lui accordait toute sa confiance. En juin 860, comme l'empereur et Bardas dirigeaient une expédition militaire contre les Arabes en Asie Mineure, les Russes tentèrent le coup de main le plus audacieux qu'on pût imaginer, l'attaque de Constantinople par mer. Nous n'avons pas à faire ici l'historique de cette aventure; aventure malheureuse, du reste, pour les Russes, réduits à battre en retraite dès qu'ils apprirent l'approche de l'armée impériale qui avait interrompu les opérations à peine entamées et marché en hâte vers les rives du Bosphore.[1] Ce coup de main révélant à Byzance les dangers qui

---

[1] Voir sourtout BURY, *A History*, pp. 419 et suiv.

commençaient à menacer l'Empire dans la direction de l'extrême Nord-Est, le gouvernement s'occupa aussitôt de rechercher les moyens efficaces de le conjurer. Un de ces moyens, dont les effets ne pouvaient être que des plus heureux pour la sécurité de Byzance, était de renforcer les liens d'amitié qui unissaient l'Empire aux Khazars, les puissants voisins des Russes. Nous avons eu déjà l'occasion de montrer rapidement[1] que tel fut bien le but de l'ambassade envoyée en hâte à la cour du khagan, ambassade à la tête de laquelle se trouvaient, d'après la Légende, Constantin et Méthode; examinons maintenant en détail cet épisode qui – nous le verrons – le mérite vraiment. Nous touchons ici, en effet, à de très intéressants problèmes relatifs aux relations de l'Empire et des pays au delà de la Crimée; leur examen nous permettra de mieux voir l'influence byzantine s'exercer jusqu'à ces contrées lointaines qui s'étendent des rives de la mer Noire à celles de la Volga et de la Caspienne.

Il importe avant tout d'éclaircir les relations de l'Empire et des Khazars depuis les origines jusqu'au IXᵉ siècle. La Légende de Constantin qui parle ailleurs (chap. XVI) d'une liturgie nationale khazare et des peuples habitant les rives de la Mer Noire nous amènera à étudier l'activité de l'Eglise byzantine parmi les peuplades qui bordaient la Mer Noire et surtout parmi les Khazars. Ce n'est qu'ainsi que nous pourrons apprécier à sa juste valeur la mission que le biographe dit avoir été confiée à Constantin et les renseignements nouveaux qu'il semble nous apporter.

*

Les Khazars étaient un peuple nomade d'origine turque. Leur histoire primitive est très obscure.[2] A vrai dire, les renseignements ne manquent pas mais ils sont peu sûrs, la distinction étant très difficile entre histoire véritable et légende. A en croire Nicéphore et Théophane[3] le berceau des Khazars

---

[1] *Les Slaves, Byzance et Rome*, pp. 137 et suiv.

[2] On trouvera un aperçu de l'histoire khazare dans *The Jewish Encyclopedia*, New York–London, 1904, vol. IV, pp. 1–7, et surtout dans l'excellente étude de BRUCKUS, *Encyclopaedia judaica*, Berlin, 1930, V, col. 337 et suiv. Voir aussi l'ouvrage de H. v. KUTSCHERA, *Die Chasaren*, Wien, 1910. L'étude de J. NAPTALI SIMCHOWITCH, *Studien zu den Berichten arabischer Historiker über die Chazaren*, Berl. Dissert., 1920 (voir le compte-rendu de U. PALLÒ dans *l'Ung. Jahrbücher*, vol. II, 1922, pp. 157–160) apporte des renseignements surtout sur les relations des Khazars avec les Perses et les Arabes jusqu'au IXᵉ siècle. On y trouvera aussi une bibliographie hongroise sur le sujet. Nous citerons, du reste, dans le courant de la présente étude les autres travaux principaux sur les Khazars.

[3] NICÉPH., *Brev. Hist.*, Bonn, p. 39, de Boor, p. 34, THÉOPH., 6171, Bonn, p. 547, de Boor, p. 358.

se trouvait dans l'intérieur de la Sarmatie asiatique, en Berylie ou Bersilie, territoire qu'il faut probablement chercher au Sud de l'Oural. De là les Khazars se fixèrent – à une époque que nous ne pouvons pas préciser – au Nord-Ouest de la mer Caspienne. Les Arméniens parlent souvent de ce peuple aux IIe et IIIe siècles et nous apprennent, par exemple, que les riches régions du Sud tentaient les nomades dont les hordes franchissaient souvent la montagne et venaient dévaster le pays des Arméniens et des Géorgiens. Moïse de Khorène nous a laissé, dans son Histoire d'Arménie,[1] un récit dramatique des campagnes victorieuses menées à cette époque par le roi Vagarš et son fils Chosrow contre les Khazars. Le fait d'être devenus au moins pour un certain temps sujets des Arméniens n'empêchait pas les Khazars de faire de temps en temps des descentes en Arménie et – d'après la même source – de faire cause commune avec les Perses contre les Arméniens, notamment sous Tiridate.[2] Malheureusement ces premiers renseignements arméniens ne concernent pas en réalité les Khazars et ne sont peut-être qu'une réminiscence des incursions des Huns et de diverses autres peuplades.[3]

Au IVe siècle les Khazars devinrent sujets des Huns et, à en croire Priscus,[4] les Byzantins firent une tentative maladroite et malheureuse pour conclure avec eux et avec d'autres tribus turques une alliance contre les Huns. Comme sujets d'Attila les Khazars semblent avoir participé aux expéditions contre les provinces byzantines d'Europe mais aussitôt après la dislocation de l'Empire hunnique, ils furent assaillis et, en 458, subjugés par les Saragures[5] sous les ordres desquels ils attaquèrent les Perses en 468.[6] Les Saragures, d'origine turque comme les Khazars, furent, du reste, petit à petit assimilés par ces derniers.

L'entrée en scène des Avars n'est qu'un épisode dans l'histoire khazare. Leur domination sur les peuples établis entre la Caspienne et le Dniepr fut de courte durée et sans conséquence. Les Khazars non seulement réussirent

---

[1] V. V. LANGLOIS, *Collection des Historiens anciens et modernes de l'Arménie*, Paris, 1869, II, pp. 113, 114.

[2] *Ibid.*, p. 125. Parmi «les révoltés du Nord» se trouvaient certainement aussi les «Khazars» mentionnés plus haut.

[3] Cf. la remarque de I. MARQUART, *Ērānšahr nach der Geogr. des Ps. Moses Chor.*, Abh. d. kön. Ges. d. Wissensch. zu Göttingen, Phil. Hist. Kl., Neue Folge, B. III, nro. 2, Berlin, 1901, p. 107.

[4] *Fragmenta Histor. Graecor.*, ed. C. MÜLLER, Paris, 1875, IV, pp. 82 et suiv. Les Byzantins appelaient alors les Khazars Ἀκάτιροι Οὖννοι.

[5] *Ibid.*, p. 105.

[6] *Ibid.*, p. 107.

à regagner leur liberté mais commencèrent, dès cette époque, à s'étendre vers le nord et l'ouest en repoussant leurs voisins, les Petchenègues, les Ghuses et les Cumans; ils entrèrent aussi en contact avec les tribus slaves qui furent également repoussées. Dans la seconde moitié du VIe siècle, ils dominaient le territoire compris entre la Mer d'Azov et la Caspienne, la Volga, le Don et le Caucase. C'étaient les fondements d'un empire qui allait exister pendant des siècles et devenir l'état le mieux organisé de tous ceux qu'ont fondés les peuples de race turque. Ils devinrent, à partir de cette époque et progressivement, une nation demi-sédentaire.

*

Mais c'est alors que commence leur grande lutte contre les Perses. Les Sassanides voyaient d'un mauvais œil les Khazars déborder les montagnes et, prenant pied en Transcaucasie, menacer jusqu'à l'indépendance de l'Empire perse. Le roi Kowad (489—531) réussit à les chasser et à les repousser vers le nord. Son successeur Chosroes Ier Anošarwan (531—578) continuant dans la même voie pénétra encore plus loin au delà du Caucase pour se libérer tout à fait de ce danger.

Pour protéger ses territoires contre des invasions continues, Chosroes Ier construisit la forteresse de Derbend et ferma les passages en érigeant un mur qui allait de la Mer Caspienne aux montagnes. C'est le mur que mentionnent si fréquemment les historiens et les géographes orientaux et qu'ils appellent Bab-el-Abwab. Les Byzantins suivaient avec inquiétude les raids des Khazars en Transcaucasie où leurs intérêts se trouvaient en jeu et l'on comprend qu'ils aient sympathisé avec les Perses et aient soutenu leurs campagnes en leur envoyant de l'argent.[1]

Malgré les échecs éprouvés au delà du Caucase, l'empire khazar était, vers la fin du VIe siècle, solidement assis surtout après la victoire remportée sur les Sabires, peuple d'origine turque également qui avait envahi leur pays. Les Byzantins allaient donc avoir bientôt affaire au nouvel empire barbare; dans leur marche vers le Sud et le Sud-Ouest les Khazars s'approchaient de plus en plus de la sphère d'influence byzantine et c'est en Crimée que se heurtèrent les intérêts des deux puissances.

Les colonies grecques de Crimée qui, sur les bords de la Mer Noire, cons-

---

[1] Sous Marcien et Justinien Ier les Byzantins payaient annuellement aux Perses la somme de 50 livres d'or, destinée à entretenir les garnisons des forteresses frontières perses, surtout de Derbend. THÉOPHYL. SIMOC., II, 9, Bonn, p. 133. Cf. MARQUART, Ērānšahr, l. c., p. 105.

tituaient un poste avancé de la civilisation grecque en face de la barbarie — surtout le soi-disant royaume du Bosphore des premiers siècles de l'ère chrétienne — devaient en effet changer à nouveau de maîtres. Elles avaient eu à supporter tous les bouleversements de l'époque des grandes invasions. Les Goths y avaient même laissé un souvenir tangible de leur séjour sous la forme d'une tribu qui s'était fixée en Crimée. Les Huns étaient venus ensuite et avaient occupé toute la Crimée jusqu'à Cherson; Justin Ier avait dû, après leur départ, rebâtir la ville de Bosphore et avait fortifié Cherson. Mais ils revinrent encore une fois pour être ensuite remplacés par les Avars, les Turcs et, enfin, les Khazars.

Vers la fin du VIe siècle, les Khazars devinrent sujets de l'immense empire turc fondé par T῾u-mên dans la première moitié du siècle et dirigé alors par le deuxième successeur du fondateur, le khagan Dizaboul, connu des Byzantins sous le nom de Σιλζίβουλος. Les Turcs entretenaient avec les Byzantins des relations d'amitié et déjà sous Justin II, en 563 et en 568, les deux puissances échangèrent des ambassades dont le but était de conclure une alliance contre les Perses. Les Fragments de Menander Protector[1] nous donnent un récit détaillé de l'ambassade de Valentin, envoyée par Tibère II auprès du khagan suprême des Turcs; ils nous renseignent également sur le sort de la Crimée à l'époque. C'est par eux que nous apprenons l'attaque menée contre les possessions grecques de Crimée – précisément pendant le séjour de Valentin à la cour du khagan suprême – par le khagan Touricanth qui gouvernait les Khazars sous la suzeraineté turque; allié à un autre vassal des Turcs, Anagay, prince des Utigures, il voulait se venger de la tentative faite par les Grecs pour se rapprocher des Avars. La ville de Bosphore fut prise en 576 et ils progressèrent jusqu'à Cherson devant laquelle ils mirent le siège en 581.[2] Mais ce siège dut être levé car à l'intérieur de l'empire turc éclatèrent des difficultés qui absorbèrent bientôt toute l'attention du khagan khazar.

Les mêmes difficultés expliquent que la menace turco-khazare pour les possessions grecques de Crimée ait été de courte durée. En 590, en effet, nous constatons, d'après une inscription grecque découverte en 1803, à Bosphore et à Cherson un δούξ impérial Eupatère.[3]

---

[1] *Fragmenta Histor. Graec.* (ed. C. MÜLLER) IV, chap. 43, pp. 244 et suiv. Voir KULAKOVSKIJ, Прошлое Тавриды, Kiev, 1914, pp.64 et suiv., A. A. VASIL'EV, Готы в Крыму, Извѣстія гос. Акад. истории матер. культуры, Leningrad, vol. V, 1921, pp. 183 et suiv.

[2] MENANDER, *l. c.*, chap. 64, p. 266.

[3] Voir l'inscription dans V. V. LATYŠEV, Сборникъ греч. надписей христ. врем. изъ

Les luttes intérieures avaient affaibli le pouvoir central du khagan suprême de l'empire turc. Malgré la victoire remportée par lui en 597,[1] les luttes reprirent vite et amenèrent la dislocation de l'immense empire. Au début du VIIe siècle les Khazars saisirent l'occasion pour se libérer et devinrent indépendants.

Le règne d'Héraclius marque le début d'une nouvelle étape dans les relations byzantino-khazares.[2] L'empereur, préparant une grande entreprise contre les Perses, conclut une alliance avec les Khazars dont une forte armée commandée par Ziebel pénétra en Aserbeidjan. Une entrevue eut lieu près de Tiflis entre Ziebel et Héraclius qui se montra très prévenant à l'égard du puissant chef barbare, allant jusqu'à lui proposer la main de sa fille pour obtenir son aide contre les Perses. Ziebel laissa à la disposition de l'empereur 40.000 cavaliers qui lui furent d'un grand secours et facilitèrent largement la victoire en 627.

Nous ne savons pas combien de temps dura cette amitié. Il y eut pourtant certainement, au début de la seconde moitié du VIIe siècle, quelques tentatives des Khazars pour reprendre pied en Crimée. La péninsule de Taman était déjà entre leurs mains et constituait avec Tamatarcha, l'ancienne Phanagoria, une base d'opérations. Les lettres du pape Martin II,[3] exilé à Cherson en 654, nous font entrevoir que la péninsule était très bouleversée par les événements et que la ville éprouvait bien des difficultés pour son ravitaillement. Vers la fin du VIIe siècle les Khazars étaient certainement déjà en possession de Bosphore et de la Péninsule de Kerč mais il est presque impossible, faute de documents plus précis, de dire jusqu'où continua leur expansion et surtout si le territoire goth leur fut également soumis. Il semble que M. Vasil'ev[4] ait raison d'affirmer que non. Ce pays semble avoir formé une espèce de tampon entre les territoires khazar et byzantin et il paraît que les Goths entretenaient de bonnes relations avec les Khazars tout en reconnaissant une sorte de protectorat byzantin. En tenant compte du grand danger qui, à partir de la seconde moitié du VIIe siècle,

---

Южной России, St. Pétersbourg, 1896, inscr. no. 99, pp. 105–109, KULAKOVSKIJ, *l. c.*, p. 64, VASIL'EV, *l. c.*, pp. 185 et suiv.

[1] Le khagan en informa l'empereur Maurice par une ambassade spéciale arrivée à Constantinople en 598. THÉOPH. SIM., VII, 7, Bonn, p. 282. Cf. sur les relations entre Turcs et Byzantins, E. STEIN, *Studien zur Geschichte des byzantinischen Reiches vorn. unter d. K. Justinians II. u. Tiberius Const.*, Stuttgart, 1915, pp. 17 et suiv., 59 et suiv. Cf. aussi MARQUART, *Streifzüge,* p. 504.

[2] Cf. pour les détails, E. GERLAND, *Die persischen Feldzüge d. K. Heraklius*, Byz. Zeitschr., III, pp. 330–373. A. PERNICE, *L'imperatore Eraclio,* Firenze, 1905, pp. 152–153.

[3] *P. L.*, vol. 87, lettres XVI, XVII, col. 201–204.

[4] *L. c.*, pp. 186 et suiv.

commence à menacer les Khazars d'un autre côté on comprend que ces derniers aient limité leurs exploits en Crimée.

Vers la moitié du VIIᵉ siècle les Arabes envahissaient, en effet, la Transcaucasie et progressaient à travers l'empire sassanide, conquérant en 651 l'Arménie et l'Arranie puis pénétrant en 661, sous le commandement de Salman Rabiah-al-Bahīlī, jusqu'au Nord du Caucase. Sous cette pression inattendue les Khazars durent évacuer Derbend et battre en retraite. Ce fut le commencement d'une lutte acharnée entre les deux peuples rivaux, lutte qui abonde en épisodes dramatiques.[1] Les Khazars, ayant d'abord repris le dessus, obligèrent les Arabes à reculer jusqu'à Berdaa, sur le fleuve Kura, et dévastèrent tout le pays conquis. Mais le calife Jasid-Abd-el-Malik ayant, vers 722, envoyé contre les Khazars son vaillant général Djerrah, les Arabes reprirent l'Arranie et la ville de Derbend de sorte que les Khazars se virent contraints à demander la paix. Elle fut de courte durée et le nouveau calife, Maslama, pénétra en 730 plus loin encore vers le Nord, installa à Derbend des émigrés syriens et arabes et conquit même Belendjer (Semender), capitale des Khazars. Ces derniers durent se donner une nouvelle capitale; leur choix se porta sur Itil à l'embouchure de la Volga.

En 731 les Khazars ayant ramassé toutes leurs forces reprirent l'offensive et menèrent une campagne qui reste la plus glorieuse de toute leur histoire. Ils franchirent le Caucase par la passe de Dariel, dévastèrent l'Aserbeidjan et la Médie, prirent Ardebil et pénétrèrent jusqu'en Mésopotamie. L'armée de Djerrah fut surprise et dans une bataille extrêmement sanglante 20.000 Arabes furent massacrés. Cette victoire arrêta, pour toujours, la poussée arabe vers les pays situés au delà du Caucase; les succès ultérieurs de Merwan,[2] frère du calife, obligèrent pourtant les Khazars à se retirer au Nord du Caucase, et le danger arabe redevint de nouveau menaçant; mais la paix qui suivit fixa la frontière au nord de Derbend et les stipulations en furent de nouveau confirmées en 754.

On comprend que la lutte menée par les Khazars et les Byzantins contre leur redoutable ennemi les ait rapprochés les uns des autres. Sous le règne de Justinien II, les Khazars apparaissent comme un facteur important de l'histoire intérieure byzantine. On connait l'histoire de l'exil de Justinien à Cherson, et

---

[1] Voir le récit de TABARĪ, trad. par H. ZOTENBERG, Nogent-le-Rotrou, 1874, IV, pp. 269 et suiv.

[2] Voir sur cette compagne MARQUARDT, *Streifzüge*, p. 199. Nous apprenons, à cette occasion, d'après les sources arabes, que dans l'armée khazare se trouvaient de nombreux Slaves. Cf. J. LAURENT, *L'Arménie entre Byzance et l'Islam*, Paris, 1919, p. 172.

son infructueux essai d'intéresser les habitants à son sort et à la conspiration dirigée contre l'usurpateur Apsimaras.[1] Réfugié ensuite chez les Goths à Doros il y entama des négociations directes avec le khagan qui accepta ses propositions et lui donna en mariage sa soeur Busir-Gulavar («la cueilleuse de roses») qui prit le nom de Théodora. Tamatarcha fut choisie par le khagan pour être le lieu de séjour de Justinien II. On sait aussi que, par la suite, Justinien apprit par sa femme que le khagan, ayant été gagné par son rival de Byzance, voulait sa mort. Il s'enfuit donc et réussit à atteindre, avec quelques aventuriers de Cherson, le territoire bulgare d'où il put être réinstallé sur le trône byzantin avec l'aide de Terbel, khagan des Bulgares (705). Pour se venger des Chersonites qui lui avaient refusé leur concours pendant son exil, Justinien envoya contre la ville une flotte placée sous le commandement d'Etienne. Il semble que cette menace ait décidé les Chersonites à demander le protectorat du khagan. L'expédition de Justinien trouva, en effet, à Cherson un toudoun khazar dont on ne peut pas s'expliquer autrement la présence dans cette ville. Cherson fut sévèrement châtiée, le gouverneur khazar et le maire de la ville Zoilos ainsi que les conseillers furent amenés à Constantinople et la ville fut confiée à un fonctionnaire impérial, Elie. Non content de cette sanction, Justinien envoya une nouvelle flotte. Malheureusement pour lui, les Chersonites demandèrent du secours au khagan et gagnèrent même à leur cause le fonctionnaire impérial Elie et le patrice Vardanès qui se trouvait dans leur ville. Vardanès fut proclamé empereur, prit le nom de Philippicus, obtint même le concours de la flotte impériale envoyée contre la ville et, sous la protection du khagan, retourna à Constantinople où il détrôna de nouveau Justinien II (711). Les possessions byzantines de Crimée n'en souffrirent, d'ailleurs, probablement pas. Cherson resta dans la même situation qu'auparavant. Le danger arabe avait, une fois encore, rapproché les deux Empires.

Les relations amicales entre Khazars et Byzantins devaient même être renforcées par le mariage du fils de Léon l'Isaurien avec la princesse khazare qui, baptisée, reçut le nom d'Irène,[2] pour marquer sans doute le désir de paix entre les deux puissances. La ville de Cherson resta byzantine. Les Khazars préféraient l'abandonner et gagner l'alliance byzantine.

L'influence khazare dut être dès lors assez profonde à la cour byzantine.

---

[1] Voir le récit de cette aventure chez NICÉPH., *Brev. Hist.*, Bonn, pp. 50–54, de Boor, pp. 44–48, THÉOPH., 6187–6204, Bonn, pp. 563–585, de Boor, pp. 368–381.

[2] THÉOPH., 6224, Bonn, p. 631, de Boor, p. 409.

Léon IV, petit-fils du khagan et de l'empereur, reçut le nom de Khazar. La princesse introduisit aussi à la cour le vêtement national khazar τζιτζάκιον[1] que portèrent désormais les empereurs dans les occasions particulièrement solennelles.

En 787, il est vrai, on constate une nouvelle rupture. Au cours de la révolte des Goths contre les Khazars, les Byzantins soutiennent les révoltés et les Khazars se vengent en sympathisant avec les Abasgues qui, vers la même époque, se révoltent contre les Byzantins. On ne sait pas quel fut le profit de cette nouvelle poussée khazare en Crimée ni à quelle date le territoire goth fut occupé. C'est Jean, leur évêque, qui fut l'âme de la révolte;[2] la garnison khazare fut chassée de Doros mais bientôt l'armée du khagan eut raison des révoltés: leur chef et l'évêque Jean furent pris; Jean, emprisonné dans la forteresse de Phoullæ, réussit du reste à s'enfuir, à traverser la mer et à se fixer à Amastris en Paphlagonie où il mourut.

Les Byzantins ayant manifesté leurs sympathies pour les révoltés, les Khazars ripostèrent en soutenant les Abasgues dans leur rébellion contre Byzance. Pourtant même ces événements n'amenèrent pas entre les empereurs et les khagans la rupture radicale qu'on aurait pu craindre.

Au cours du VIIIe siècle, les Khazars affirmaient leur domination sur les vastes plaines qui s'étendent entre l'Oural, la mer Caspienne et la mer Noire, des pentes nord du Caucase à l'Oka. De nombreuses nations reconnaissaient alors leur suprématie: les colons grecs de Crimée, les Goths, les Alains établis entre Caucase et Kuban, les Magyars depuis le nord du Don jusqu'au Dniepr, et, plus loin encore vers le nord, des tribus finnoises, les Bulgares Blancs, du Dniepr vers les rives septentrionales de la Mer d'Azov, les Bourdās sur le cours central de la Volga, qui formaient en même temps une barrière contre les Petchenègues. De nombreux Slaves se trouvaient sous leur suzeraineté, les Severjanes, les Radimiči et les Poljanes, notamment, avec Kijev pour centre.

*

[1] Ce vêtement est souvent mentionné par CONST. PORPH., De ceremoniis (V. surtout I, p. 22 II, pp. 126, 127, éd. de Bonn). N. P. KONDAKOV, Les costumes orientaux à la cour byzantine, Byzantion, I, p. 13; IDEM, Очерки и замѣтки по исторіи среднов. искусства, Praha, 1929, pp. 225 226; surtout G. MORAVCZIK, Происхожденіе слова «τζιτζάκιον», Seminarium Kondakovianum IV, 1931, Praha, pp. 69–76. M. Moravczik voit dans cette dénomination le nom de la princesse «čičäk» – fleur.

[2] Vita S. Joan. ep. Gothiae, A. S., Jun. (dies 26), VII, col. 162–172; V. VASIL'EVSKIJ, Житіе

Il serait tout naturel de se demander quelle action ont pu exercer sur l'évolution religieuse des Khazars ces relations fréquentes avec les Musulmans et les Chrétiens, dans la sphère d'influence desquels ils se sont trouvés depuis le VIIe siècle. Or nous devons constater, chose vraiment étonnante, que ce peuple ne s'est laissé pénétrer ni par l'Islam ni par le christianisme et qu'il s'est finalement tourné vers le judaïsme. Quelles sont donc les raisons d'une décision aussi paradoxale? C'est ce que nous allons nous efforcer de découvrir.

Le christianisme pouvait pénétrer chez les Khazars de divers côtés. Il pouvait d'abord venir d'Arménie, pays avec lequel ils étaient en contact depuis très longtemps, et des villes qu'ils occupaient au nord du Caucase et où se trouvaient de nombreuses chrétientés nestoriennes.[1] C'étaient là des centres petits certes, mais non pas dénués de toute importance. Bien plus remarquables étaient pourtant les centres de christianisme byzantin rencontrés par les Khazars dans les villes grecques de Crimée. Les Byzantins, d'ailleurs, ne pouvaient pas ne pas essayer de gagner au christianisme un peuple aussi puissant qu'ils devaient craindre de voir passer à l'islamisme. Les centres chrétiens de Crimée étaient de plus très anciens, jouaient un grand rôle dans le monde d'alors et avaient déjà, à plusieurs reprises, au cours de leur histoire, prouvé leur force d'expansion. Leur vie religieuse – le christianisme y a pénétré probablement au IIIe siècle – est suffisamment connue[2] pour que nous puissions nous borner à rappeler seulement les principaux faits nécessaires à la compréhension de leur rôle dans la conversion des Khazars.

Dès 325, nous trouvons au Concile de Nicée un évêque de Bosphore, Cadmé,[3] et les actes du deuxième concile œcuménique de 381 contiennent la signature d'Ethérios,[4] évêque de Chersonèse. Ces importants centres chrétiens ont certainement accéléré la christianisation des Goths fixés au Sud des montagnes entre

---

Iоанна Готск., Рус.-Виз. отрывки, VII, Ж. М. Н. П., 1878, Janvier, pp. 86–154 (Труды Вас., vol. II, pp. 351–427).

[1] Cf. ce que MARQUART, *Streifzüge*, p. 304, dit des missions nestoriennes parmi les Turcs, missions, dont le point de départ fut Samarkand.

[2] Sur les débuts du christianisme dans la péninsule voir A. HARNACK, *Die Mission und Ausbreitung des Christentums in den drei ersten Jahrhunderten*, Leipzig, 1915, II, p. 247. Sur l'évolution du christianisme dans ces contrées du IIIe au VIe siècles, voir l'étude de M. J. ZEILLER, *Les origines chrétiennes dans les provinces danubiennes de l'empire romain*, Paris, 1918, pp. 407–417. Il faudra se référer avant tout à l'excellent traité de A. A. VASIL'EV, Готы в Крыму, l. c., vol. I, 1921, pp. 247 et suiv. où l'on trouvera aussi une nombreuse bibliographie, surtout russe.

[3] H. GELZER, *Nomina patrum Nicaenorum*, (éd. Teubner), 1898, pp. 56–57.

[4] MANSI, III, 572.

les deux villes précitées. On trouve bien au concile de Nicée[1] un évêque goth Théophile, mais Vasil'ev paraît avoir raison lorsqu'il voit dans ce dignitaire l'évêque des Goths du Danube.[2] Du reste, les Goths de Crimée ont certainement eu une hiérarchie ecclésiastique dès la fin du IVe siècle et St Jean Chrysostome qui a sacré l'évêque Unilas mort vers 409 portait un soin tout particulier à cette chrétienté.[3]

Les troubles résultant des grandes invasions du Ve siècle n'empêchèrent même pas le christianisme d'y continuer ses progrès. Longine, évêque de Cherson, a signé les actes des conciles de 438 et 451 et l'évêque de Bosphore participa aux conciles d'Ephèse (478) et de Constantinople (479).[4] La vie religieuse de ces contrées est, d'ailleurs, encore illustrée à nos yeux par de nombreux monuments qui ont été mis à jour.[5] L'influence civilisatrice des centres en question se révéla de nouveau sous Justinien. Bien qu'ayant beaucoup souffert du passage des Huns, ils gardèrent leur ancienne civilisation grecque et chrétienne et réussirent même à gagner au christianisme certains des envahisseurs; en 525, par exemple, Grod, chef d'une horde hunnique qui avait dressé ses tentes dans les environs de Bosphore, voulut devenir chrétien.[6] Justinien réorganisa la hiérarchie ecclésiastique chez les Goths et chez les Abasgues.[7] La «Notitia episcopatuum» attribuée à St Epiphane et datant du VIIe siècle, cite, dans ces régions, quatre sièges archiépiscopaux autocéphales:

'Επαρχία Ζηχίας:

ὁ Χερσῶνος,

ὁ Βοσπόρου,

ὁ Νικόψεως

'Επαρχία 'Αβασγίας:

ὁ Σεβαστοπόλεως[8].

---

[1] GELZER, l. c.

[2] VASIL'EV, l. c., vol. I, pp. 266–286.

[3] Voir ses lettres à la diaconesse Olympias, P. G., vol. 52, col. 618 (lettre 14) au diacre Théodoule, col. 726 (lettre 206), aux moines goths, col. 726–727 (lettre 207), son homélie VIII, P. G., vol. 63, col. 499 et suiv.

[4] Voir les documents dans le livre de J. ZEILLER cité plus haut.

[5] Voir sur ce sujet J. KULAKOVSKIJ, Прошлое Тавриды, pp. 50 et suiv., où l'on trouvera aussi les indications bibliographiques relatives à ces découvertes.

[6] THÉOPH., 6020, Bonn, p. 271, de Boor, p. 175; MALAL., XVIII (Bonn, pp. 431–432).

[7] PROC., B. G., IV, ch. 3 (Bonn, II, pp. 471–473, Teubner, II, p. 500). Cf. notre livre Les Slaves, Byz. et Rome, pp. 64, 65.

[8] H. GELZER, Ungedruckte u. ungen. veröffentl. Texte der Notitiae episcop., Abh. d. k. bayr. Akad. I Cl., XXI Bd., III Abt., München, 1901, pp. 535, 536.

C'est cette organisation et cette situation que les Khazars rencontrèrent dans ces contrées lorsqu'ils en devinrent les maîtres. Il est donc tout à fait naturel qu'ils aient subi eux aussi l'influence civilisatrice et l'influence religieuse de ces vieilles colonies grecques et chrétiennes auxquelles ils avaient laissé une grande liberté.

Il convient de souligner que les chrétientés grecques et gothiques de Crimée ont conservé l'orthodoxie au cours des luttes religieuses répétées qu'a connues l'Église d'Orient depuis le concile de Nicée et qu'elles ont toujours pris une part active à l'évolution religieuse de l'Église entière. Elles sont restées fidèles à cette tradition même sous le régime khazar et il est étonnant que les querelles iconoclastes elles-mêmes n'aient presque pas dressé de fidèles les uns contre les autres dans ces contrées lointaines. Nous pouvons déduire de la Vie de l'évêque Jean, le Saint et le héros national des Goths, l'attachement profond de ces derniers au culte des images, par exemple.[1] Jean dut aller chercher la consécration épiscopale à Mcétka en Géorgie auprès du catholicos Jean, le siège patriarcal ayant été occupé par un iconoclaste. Un autre prélat Etienne, évêque de Sougdaea, ville proche du territoire gothique, était lui aussi orthodoxe[2] et fut consacré par le patriarche orthodoxe Germain. Le gouvernement byzantin ne paraît pas avoir voulu contraindre les habitants de ces contrées à adhérer à la religion officielle et a suivi à leur égard une politique analogue à celle qu'il avait adoptée pour ses rapports avec les possessions grecques d'Italie. Il laissait les moines et les champions de l'orthodoxie s'expatrier et se fixer dans la péninsule, augmentant ainsi en Crimée l'élément grec. Ceci explique qu'Etienne le Jeune ait pu recommander à ses disciples les chrétientés pontiques comme un refuge très sûr.[3] Le gouvernement y reléguait même les défenseurs des images qui, à cause de leur intrépidité, gênaient sa politique à Constantinople.[4] C'était, du reste, une politique très sage; le gouvernement appréciait parfaitement les services que ces iconodoules, hérétiques à ses yeux, pouvaient lui rendre en affermissant le christianisme parmi les peuples voisins de la Crimée.

---

[1] VASIL'EVSKIJ, Житіе Іоанна Готскаго, Труды Вас., II, p. 406. La chose est d'autant plus remarquable que l'évêque de Cherson, comme il résulte de la lettre de St Théodore le Studite (MAI, *Nova Patrum bibl.*, vol. VIII, éd. Cozza-Luzzi, p. 34), ne semble pas avoir montré la même fidélité au culte des images.

[2] VASIL'EVSKIJ, Житіе Стефана Сурожскаго, Труды Вас., III, pp. 72 et suiv.

[3] *Vita S. Steph. Jun.*, P. G., vol. 100, col. 1117.

[4] C'est ainsi que Georges, évêque de Mytilène, fut exilé à Cherson (*Acta Davidis*, l. c., p. 229), ainsi que Jean le Psichaïte, *Le Muséon*, l. c., pp. 118, 120. Déjà après 809, dans l'affaire «mœchienne», une partie des moines studites furent exilés à Cherson (Lettre 48 de Théod. le Stud. à Athanase, P. G., vol. 99, col. 1072.)

Constater ces faits est important puisqu'ils nous expliquent comment les chrétientés grecques de Crimée, sans cesse en contact avec le siège central et renforcées par des réfugiés ou des exilés orthodoxes, ont pu s'adonner avec succès à la christianisation des Khazars.

*

Ce succès serait, du reste, encore plus surprenant si nous pouvions accepter toutes les données du catalogue des évêchés byzantins publié par de Boor[1] et qui semble dater de l'époque iconoclaste, du VIIIe siècle. D'après ce document, la métropole gothique aurait occupé la 38e place parmi les métropoles byzantines et aurait compris les évêchés suivants:[2]

λη′ ἐπαρχία Γοτθίας:

α′ Δόρος μητρόπολις
β′ ὁ Χοτζήρων
γ′ ὁ Ἀστήλ
δ′ ὁ Χουάλης
ε′ ὁ Ὀνογούρων
ς′ ὁ Ῥετέγ
ζ′ ὁ Οὔννων
η′ ὁ Τυμάταρχα.

A la fin de la liste on trouve l'explication complémentaire suivante:[3]

λζ′ ἐπαρχία Γοτθίας

α′ ὁ Χοτζίρων σύνεγγυς Φούλων καὶ τοῦ Χαρασίου ἐν ᾧ λέγεται τὸ μάβρον ναυρῶν
β′ ὁ Ἀστὴλ ἐν ᾧ λέγεται ὁ Ἀστὴλ ὁ ποταμὸς τῆς Χαζαρίας, ἔστιν δὲ κάστρον.

Les renseignements que nous trouvons là sont vraiment surprenants et il suffit de les comparer au catalogue d'Épiphane pour comprendre la méfiance avec laquelle le texte dont nous nous occupons a été regardé par les spécialistes.[4] Un tel épanouissement du christianisme dans ces contrées, en un laps de

---

[1] *Nachträge zu den Notitiae,* Zeitschrift für Kirchengeschichte, vol. XII, 1891, pp. 303–322, vol. XIV, 1894, pp. 519–539.

[2] *L. c.,* XII, p. 531, nos. 645–654.

[3] *L. c.,* pp. 533, 534.

[4] Les données de ce catalogue sur la métropole gothique ont été étudiées particulièrement par DE BOOR dans le travail précité et par M. KULAKOVSKIJ dans les Ж. М. Н. П., février 1898, (Къ исторіи готской епархіи въ Крыму въ VIII вѣкѣ); plus récemment par BERTHIEUX DE-LAGARDE dans les Изв. Таврич. Уч. Арх. Ком., 1920, et par VASIL'EV, Готы въ Крыму, Изв.

temps aussi court, semble en effet incompréhensible. Il devrait d'ailleurs avoir été éphémère, aucune trace ne pouvant en être relevée dans les listes d'évêchés de l'époque postérieure. Il va donc nous falloir examiner ces documents avec toute la minutie possible.

Voyons d'abord le catalogue de Boor en général. Les opinions des spécialistes qui s'en sont occupés diffèrent.[1] On y trouve des inexactitudes incontestables. Les noms des villes épiscopales sont souvent très mal traduits et le copiste semble, pour certaines provinces au moins, avoir confondu la liste des évêchés avec une liste de villes importantes. Tel est — nous croyons l'avoir prouvé ailleurs — le cas pour le Péloponnèse. En comparant, pourtant, avec d'autres textes les données de ce catalogue sur quelques provinces ecclésiastiques de Thrace, d'Hémimont, d'Europe et de Rhodope en particulier, nous avons pu constater nous-même[2] qu'il donne d'excellents renseignements sur l'organisation ecclésiastique de certaines provinces et nous avons été amené à conclure qu'il ne faut pas rejeter purement et simplement les données de ce document mais, ce qui est différent, les soumettre à une critique sévère avant de les accepter.

Appliquons donc cette méthode aux renseignements fournis par le catalogue de Boor sur la province gothique. Ce qu'il faut avant tout, c'est essayer d'identifier les noms géographiques et ethnographiques qu'il renferme et rechercher ensuite d'autres textes susceptibles d'étayer celui que nous examinons.

Tout le monde est à peu près d'accord aujourd'hui sur le premier point. La place de Dory (Doros), où se trouvait le siège du métropolite, est mentionnée par Procope.[3] Justinien en avait fermé l'accès par un mur destiné à protéger ses alliés contre les envahisseurs. La ville qui s'y était plus tard développée est en particulier souvent mentionnée par le biographe de Sᵗ Jean

---

Акад. Матер. Культуры, V, pp. 211 et suiv., ainsi que par V. A. MOŠIN dans son étude, Ἐπαρχία Γοτθίας въ Хазаріи въ VIII вѣкѣ (Труды IV съѣзда русск. археол. организацій за границей, Belgrade, 1929, pp. 149–156) où l'on trouvera une bonne mise au point de la question.

[1] L. DUCHESNE dans son étude *Les anciens évêchés de la Grèce*, Mélanges d'archéologie et d'histoire, vol. XV, 1905, pp. 375 et suiv., critique très sévèrement les données de la liste. H. GELZER, *Die kirchliche Geographie Griechenlands vor den Slaveneinbrüchen*, Zeitschrift für wissenschaftliche Theologie, vol. 32, 1872, est plus confiant; BEES, *Beiträge zur kirchlichen Topographie Griechenlands*, Oriens Christianus, Nouv. Série, 1915, accepte toutes les donnés du catalogue. Voir les critiques détaillées que nous avons présentées à propos de cette liste dans notre ouvrage *Les Slaves, Byzance et Rome*, pp. 83–97, 143, 144, 234–248.

[2] *L. c.*, pp. 86–97.

[3] *De aedificiis*, III. 7, Bonn, p. 262, de Boor, p. 101.

le Goth. L'évêché ὁ Χοτζήρων doit être cherché, suivant la note explicative de l'auteur du catalogue, près de Phoullae et ce serait donc l'évêché des Khazars de Crimée. L'existence de la ville de Phoullæ est suffisamment connue: elle se trouvait près du territoire gothique non loin de la Livadia de l'époque moderne et les Khazars y tenaient garnison.

Ὁ Ἀστήλ ne peut être que la capitale des Khazars Itil, à l'embouchure de la Volga. Quant à l'emplacement de ὁ Χουάλης et de ὁ Ῥετέγ il doit être cherché également sur les rives de la Caspienne; sur la rive nord-ouest de la mer était fixée, en effet, la tribu khazare des Chvalizes.[1] Au lieu de ὁ Ῥετέγ il faut lire, avec Kulakovskij et Vasil'ev, Τέρεγ. Nous avons, d'ailleurs, déjà dit que les noms géographiques du catalogue sont souvent corrompus. Ce serait donc la ville de Tarkhou sur la rive ouest de la mer près de l'ancienne capitale de la Khazarie, Semender. Les Onogures peuplaient le bord de la Mer d'Azov et les Huns, on le sait, vivaient au VIᵉ siècle dans les environs du Bosphore. Si l'on préfère l'opinion de Vasiljev[2] on peut y voir aussi le territoire des Bulgares Noirs qui s'étendaient alors au nord de la Mer d'Azov.

En ce qui concerne Tamatarcha, la chose est claire. On peut donc identifier toutes les villes indiquées par le catalogue et sises en Crimée ou en pays khazar. Mais peut-on trouver quelques indications rendant vraisemblable l'existence d'une organisation ecclésiastique dans ces localités comme le prétend l'auteur du catalogue?

En ce qui concerne le siège du métropolite, on pourrait, à la rigueur, accepter Dory bien que cette ville ne figure nulle part ailleurs en tant que siège épiscopal.[3] Les documents dont nous disposons parlent tout simplement d'une

---

[1] Mentionnée par la Chronique dite de Nestor (F. MIKLOSICH, *Chronica Nestoris*, Vindobona, 1860, pp. 3, 145. Trad. franc. de L. LÉGER, *Chronique dite de Nestor*, Paris, 1884, pp. 5, 195). Voir ce que KULAKOVSKIJ, *l. c.*, pp. 185 et suiv., dit des Chvalizes. Cf. les curieux renseignements de KINAMOS sur les Χαλισίοι (*Hist.*, III, 8, V, 16, Bonn, pp. 101, 247).

[2] *L. c.*, p. 215. Pourtant l'opinion de KULAKOVSKIJ, qui, *l. c.*, p. 180, cherche les Huns dans les environs du Bosphore, nous paraît beaucoup plus vraisemblable.

[3] Pourtant les actes du Quinisexte ont été signés aussi par Γεώργιος ἀνάξιος ἐπίσκοπος Χερσῶνος τῆς Δόραντος (MANSI, XI, 992). Il faut probablement insérer comme le proposa déjà TOMASCHEK, *l. c.*, p. 20, après Χερσῶνος le mot καί. En 692 Georges serait donc, d'après cela, titulaire de deux évêchés, celui de Cherson et celui des Goths. On pourrait ainsi s'expliquer pourquoi la notice d'Epiphane, du VIIᵉ siècle, ne mentionne pas d'évêché de Dory ni d'évêque des Goths (cf. VASIL'EV, *l. c.*, V, pp. 189 et suiv.). Il n'en résulte pourtant pas que le siège épiscopal de Dory ait été de date récente et que Jean en ait été le premier titulaire (comme VASIL'EV, *l. c.*, semble le supposer). Il avait un prédécesseur qui, devenu adversaire des images, signa les actes du concile iconoclaste de 753–54. De plus les Goths avaient leur évêque dès le règne de Justinien. Il est

métropole gothique et d'un évêque τῆς Γοτθίας. Mais puisque la Vie de Sᵗ Jean le Goth nous apprend que la capitale des Goths était Dory (Doros) on peut accepter l'hypothèse suivant laquelle le métropolitain des Goths aurait été appelé aussi évêque de Dory.

En ce qui concerne l'évêché τῶν Χοτζήρων, son existence est plus problématique. D'après la note explicative du catalogue, on devrait le chercher près de Phoullae et de Charasion qu'on appelle « l'eau noire ». Charasion n'est autre chose que la rivière de Charazon près de laquelle se trouvait la ville de Khazarazoubazar. On ne trouve nulle part mention d'un évêché dans cet endroit sauf dans la liste d'évêchés de Léon le Sage qui indique un évêché autocéphale à Phoullae. Ce catalogue dépeignant la situation de l'Eglise byzantine après la stabilisation réalisée durant le IXᵉ siècle, on pourrait sans trop d'audace en conclure que le siège de Phoullae remplaça, au cours du VIIIᵉ siècle peut-être — lorsqu'il commença à prendre une importance plus grande — celui qui à l'époque antérieure était connu sous le nom de τῶν Χοτζήρων. Il se peut bien, en effet, que les Khazars aient été plus nombreux dans les environs de cette ville qui d'ailleurs avoisine le territoire gothique. C'est à Phoullae que l'évêque Jean fut emprisonné par le khagan khazar quand la révolte des Goths eut été maîtrisée. C'est donc que la ville paraissait aux Khazars plus sûre que Dory.

Il semble, d'ailleurs, que le christianisme ait été très répandu parmi les Khazars de Crimée. Il faut remarquer, par exemple, que Sᵗ Théodore le Studite fait l'éloge du toparque de Bosphore, parce qu'il se posait en défenseur de l'orthodoxie.[1] Or ce toparque était sans doute d'origine khazare, la ville étant sous la domination du khagan. On a découvert aussi à Kaffa une inscription grecque du δοῦλος τοῦ θεοῦ Τάγμαν datée de 819.[2] Il s'agit là aussi sans doute d'un haut fonctionnaire khazar. Un autre haut fonctionnaire khazar, chrétien, le toudoun Georges est mentionné dans la Vie de Sᵗ Etienne de Sugdaea. Le biographe vante son zèle religieux et son attachement au Saint. Enfin, l'évêché autocéphale de Sugdaea comprenait alors aussi des Khazars chrétiens. Tout cela montre que le christianisme était assez bien implanté parmi les Khazars de Crimée, de

---

vrai qu'à cette époque Dory n'était qu'une localité quelconque mais avec le temps la ville s'était sans doute développée et l'évêque goth a dû avoir son siège là où résidait le chef politique de la nation.

[1] A. MAI, *Nova patrum. bibl.*, VI, pp. 307 et suiv.

[2] *Corpus inscr. Graec.*, no. 9286; P. v. KÖPPEN, Крымскій Сборникъ, St. Pétersbourg, 1837, p. 70.

sorte que l'érection d'un évêché spécial pour eux ne semble pas tout à fait impossible.[1]

Mais le christianisme pénétra-t-il à l'intérieur du pays khazar jusqu'à l'embouchure de la Volga et jusque sur les bords de la Mer Caspienne? C'est surtout ici qu'on rencontre des difficultés et que les données du catalogue semblent le plus suspectes; et pourtant quelques témoignages viennent encore à l'appui de notre texte. Le premier est la vie de St Abo. Saint Abo était d'origine arabe. Le prince géorgien de Kharthli, Nerse, le prit dans ses services alors qu'il se trouvait à Bagdad, à la cour du calife. Abo accompagna son maître en Géorgie, y devint chrétien et lorsque Nerse dut prendre la fuite devant la disgrâce du calife, Abo l'accompagna chez les Khazars dont le khagan les accueillit tous deux. Le biographe dépeint alors les Khazars comme un peuple qui reconnaît un Dieu-créateur mais qui n'a pas de religion. «Quand Abo n'eut désormais plus à craindre les atrocités des Arabes, il se rapprocha en hâte du Christ et se fit baptiser par les mains de prêtres vénérables au nom du Père et du Fils et du Saint-Esprit. Et il y a, dans le pays du Nord, par la grâce du Saint-Esprit, de nombreuses villes et de nombreux villages qui vivent tranquillement dans la foi du Christ.»[2] L'épisode se rapporte à la seconde moitié du VIIIe siècle, à une date postérieure à 775.[3] Quoique ce témoignage soit très laconique, il est pourtant bien précieux pour nous car il confirme l'existence au VIIIe siècle de nombreux chrétiens à l'intérieur même du pays khazar. Il cadre donc avec les renseignements fournis par les écrivains arabes un peu moins anciens, Ibn Haukal et Maçoudi notamment.[4] On ne parle nulle part d'un évêché chrétien, il est vrai, mais on doit au moins, suivant ces renseignements, accepter l'existence des chrétientés khazares dans les villes situées entre la Mer Caspienne et le Caucase, même à Itil. En ce qui concerne Tarkhou surtout, la chose paraît d'autant plus possible que le christianisme pouvait y pénétrer en venant d'Ar-

---

[1] On connaît, en outre l'existence d'un moine khazar, Lazare, mentionné par le *Liber Pontificalis* (éd. L. DUCHESNE, II, pp. 147, 150) comme porteur des dons que l'empereur Michel III avait envoyé «ob amorem apostolorum ad beatum Petrum apostolum». Cf. *A. S.*, Febr. (dies 23), III, col. 392 et suiv. (Ière éd.).

[2] BROSSET, *Additions et éclaircissements à l'histoire de la Géorgie*, St Petersbourg, 1851, p. 132–36. K. SCHULTZE, *Das Martyrium des hl. Abo von Tiflis*, Texte und Untersuchungen zur Gesch. d. altchristl. Liter., N. F., XIII, 1905, p. Cf. 24. MARQUART, *Streifzüge*, p. 419.

[3] Théophylacte parle dans son histoire de quelques «Turcs» faits prisonniers et envoyés par Chosroès à l'empereur Maurikios. Ces «Turcs» semblent avoir été chrétiens et c'étaient peut-être des Khazars. THÉOPH. SIM., V, 10, Bonn, p. 225. Voir KULAKOVSKIJ, *l. c.*, pp. 182–183.

[4] C. M. FRAEHN, *De Chazaris excerpta ex scriptoribus arabicis*, St Pétersbourg, 1822, pp. 38, 39, MAÇOUDI, *Les Prairies d'or*, trad. Barbier de Maynard, II, pp. 7 et suiv.

ménie et de Géorgie comme le démontre l'exemple du prince géorgien Nerse réfugié chez les Khazars.

Le catalogue de Boor mentionne aussi un évêché pour les Onogures et pour les Huns. En ce qui concerne les Onogures, nous savons qu'un de leurs chefs, Kuvrat, se fit chrétien.[1] Jean de Nikiou[2] en parle dans sa chronique et vante la fidélité de ce barbare envers la mémoire de l'empereur Heraclios à qui il devait la grâce du baptême. On sait que, depuis la seconde moitié du Ve siècle jusqu'à la fin du VIIe, cette peuplade resta établie au nord du Caucase, sur les bords est de la Mer Noire, autour du fleuve Kuban. Elle réussit, vers 558, à défendre son indépendance contre les Avares, mais dut, dans la seconde moitié du VIe siècle (vers 576), reconnaître la suprématie turque dont elle réussit, il est vrai, grâce à son chef Kuvrat, à se défaire au début du VIIe siècle.[3] Ce Kuvrat serait, en effet, le fondateur de la Grande Bulgarie dont le territoire s'étendait sur ces régions et dans laquelle les Onogures représentaient l'élite détenant le gouvernement. La dislocation de cet empire amena plus tard, après la mort de Kuvrat, la fondation d'un empire bulgare dans les Balkans.

Si l'on tient compte de la conversion de Kuvrat, dans la première moitié du VIIe siècle, l'érection d'un évêché onogure ne semble plus impossible. Le catalogue de Boor nous fournirait ainsi quelques indications sur le sort du christianisme chez les Onogures et la conversion de Kuvrat ne serait pas un fait isolé; l'Eglise byzantine aurait continué son travail malgré les difficultés nouvelles dues à la dislocation de la Grande Bulgarie après la mort de Kuvrat.[4]

En ce qui concerne l'évêché des Huns on pourrait penser aux Huns convertis par Justinien,[5] vivant autour de la ville de Bosphore et dont le sort ultérieur reste assez obscur. On peut également penser avec Vasiljev[6] aux Bulgares noirs, appelés aussi Magyars et tenant le pays au nord de la mer d'Azov. Il ne sera probablement pas possible de trancher cette question d'une façon satis-

---

[1] M. H. ZOTTENBERG, *La Chronique de Jean évêque de Nikiou*, Notices et extraits, Paris, 1879, p. 257; *The Chronicle of John Bishop of Nikia translated* from *Zottenberg's Ethiopic text* by R. CH. CHARLES, London, 1916, hap. 120, p. 197. Cf. aussi ce que NICÉPHORE (*Brev. Hist.*, Bonn, p. 27 de Boor, p. 24) dit de Kuvrat.

[2] Cf. MARQUART, *Streifzüge*, p. 301.

[3] Voir l'étude de J. MORAVCZIK, *Zur Geschichte der Onoguren*, Ung. Jahrb., vol. X, 1930, pp. 53-90.

[4] Ce travail n'a pourtant pas été rendu impossible par cette catastrophe politique. Une partie des Onogures est en effet restée sur place et a reconnu la suzeraineté des nouveaux maîtres, les Khazars.

[5] Voir plus haut, p. 162.

[6] *L. c.*, V, p. 215.

faisante. Nous inclinerions plutôt à penser aux Huns de la péninsule criméenne de Kerč. La fondation d'un évêché ne serait donc que la continuation de la christianisation entamée par Justinien. Nous n'avons malheureusement pas la preuve qu'il restât encore de ces Huns en Crimée à la fin du VIIe siècle et au cours du VIIIe.

En ce qui concerne Tamatarcha, il n'y a pas de difficulté. On sait qu'elle remplaçait l'ancienne Φαναγορία, appelée plus tard par les Russes Tmutarakan. Tamatarcha apparaît d'ailleurs par la suite dans le catalogue de Tzimiscès[1] comme évêché.

Somme toute, on voit que le catalogue dit de Boor est assez digne de créance. Ses données ont beau être surprenantes; elles ne sont pas contredites de façon formelle par d'autres documents. Elles cadrent, au contraire, très bien avec les événements des VIIe et VIIIe siècles. Pourquoi nier avec Berthieu-Delagarde et Vasil'ev les possibilités d'existence d'une éparchie aussi étendue entre les VIe et XIe siècles? Il nous semble, au contraire, que la fin du VIIe et la première moitié du VIIIe furent très favorables à un tel épanouissement du christianisme dans ces contrées. Ne nous étonnons pas que le catalogue subordonne un si grand nombre d'évêchés à une éparchie gothique et non pas à une éparchie grecque, Cherson par exemple. Tous ces évêchés se trouvaient en territoire khazar tandis que Cherson était byzantine. Il y avait de suffisantes raisons politiques pour confier au métropolitain gothique la réorganisation ecclésiastique de la Crimée et du territoire situé entre la Mer Caspienne, le Caucase et la Mer Noire. On sait que les Khazars tenaient avant toute autre chose à leur indépendance et l'on verra que c'était justement la crainte d'être inféodés aux empereurs ou aux califes qui les a poussés a rejeter les offres des chrétiens et des musulmans et à embrasser le judaïsme.

Il était, on le voit, très prudent et très politique de la part de l'Eglise byzantine de confier à un peuple non grec – les Goths – la christianisation des Khazars, des Onogures et des Huns pour diminuer la méfiance des ces derniers à l'égard de l'influence byzantine. Les Goths, ayant toujours fait preuve d'un grand zèle évangélique et étant suffisamment imprégnés de culture byzantine, se recommandaient particulièrement pour cette mission. C'est sans doute pour ces raisons que Doros, capitale de la Gothie, élimina les trois évêchés autocéphales de l'éparchie de Zecchie également cités par le catalogue

---

[1] GELZER, l. c., p. 572 (ὁ Ματράχων ἤτοι Ζιχχίας).

de Boor,[1] Cherson byzantine, Bosphore et Sugdaea khazares, et qu'elle devint le siège d'une nouvelle éparchie aussi vaste et aussi importante. On peut même aller plus loin et préciser l'époque à laquelle cette organisation ecclésiastique a pu être mise sur pied. Tout semble indiquer que ce fut dans la première moitié du VIIIe siècle. A la fin du VIIe siècle, le siège de Doros semble être vacant et est administré par l'évêque de Cherson (692). Vers 755 Jean est nommé évêque de Doros et il n'est nullement question, dans sa vie, d'autre évêché. Cela ne prouve pourtant pas que Doros (Dory) ne fût déjà plus métropole. Tout semble indiquer que c'est justement au début de la seconde moitié du VIIIe siècle, à l'époque où les Khazars embrassèrent définitivement le judaïsme et où sombrèrent les derniers espoirs de l'Eglise byzantine à leur égard,[2] que disparut ce siège métropolitain. Nous verrons encore que vers la même date les Khazars semblent changer de tactique à l'égard du christianisme et de l'Islam. Il se peut bien que ce soit également vers cette époque qu'ils aient recommencé leur poussée en Crimée et occup le territoire des Goths. Le changement de politique religieuse des Khazars disloqua cette organisation éphémère et l'on peut trouver dans ce fait les raisons de la révolte des Goths contre les Khazars qui leur avaient enlevé non seulement toute prétention à jouer un grand rôle dans la christianisation d'un aussi puissant peuple mais aussi l'indépendance politique. Il n'est pas étonnant que la Vie de St Jean, écrite entre 815 et 843 sur les bords asiatiques de la Mer Noire, n'en parle pas. L'organisation fut de très courte durée et n'était plus guère connue un demi-siècle après sa dislocation.[3] De plus sa disparition représentait un grave échec pour l'Église byzantine et il était plus convenable de garder le silence à ce propos.[4]

L'éparchie gothique a donc pu exister quoique sa vie ait été de courte durée. Le catalogue de Boor nous fournit néanmoins un argument en faveur des efforts réalisés dans ces contrées lointaines par l'Église byzantine, les Goths lui servant d'intermédiaire, pour amener au christianisme ces nombreuses peu-

---

[1] *L. c.*, XII, p. 522.

[2] Soit, au plus tard, vers 780, avant la révolte des Goths (787).

[3] On ne trouve, dans les autres listes d'évêchés, qu'une petite trace de la Khazarie dans la No-titia V, éd. PARTHEY (*Hieroclis Synecdemos et Notitiae graecae episcop.*, Berlin, 1866, p. 140). Cette liste énumère les territoires appartenant aux différents patriarcats. Parmi les régions du patriarcat byzantin elle cite le pays des Khazars. La notice semble ancienne car elle fait encore dépendre l'Illyricum du patriarcat romain.

[4] Nous verrons encore que les Byzantins supportaient assez difficilement cet échec. Ils ont également passé absolument sous silence le grand événement qu'était la judaïsation d'une nation amie. On n'en trouve pas trace chez les historiens byzantins.

plades barbares. Ayant échoué, elle a dû se contenter d'une organisation moins vaste et moins prétentieuse, celle que nous révèle, pour la Crimée, le catalogue de Léon le Sage:[1] Χερσών, Βόσπορος, Γοτθία, Σουγδία, Φοῦλλαι, Σεβαστόπολις et plus tard Μάτραχα (Tamatarcha).

*

Nous trouvons d'ailleurs l'écho des efforts du christianisme byzantin chez les Khazars dans les textes que nous possédons aujourd'hui concernant leur passage au judaïsme. Ces textes sont assez nombreux mais manquent souvent de précision et permettent de distinguer une *tradition arabe et une tradition hébraïque*. Parmi les écrivains *arabes*, c'est *Maçoudi* surtout qui dans ses « Prairies d'or » parle de la judaïsation des Khazars.[2] Il date l'événement de l'époque de Harûn-al-Rašîd (786–809) et en attribue le mérite principal aux juifs qui, fuyant la persécution active à Byzance et dans le califat, trouvèrent un asile en Khazarie. C'est à ces mêmes Israélites que *Ibn-al-Atir*[3] attribue la judaïsation des Khazars.

Pour *al Bekri*[4] le khagan khazar s'était tout d'abord converti au christianisme mais, ayant confié ses derniers scrupules à l'un de ses conseillers, il avait été invité à provoquer une controverse religieuse entre les représentants des diverses religions admettant les Ecritures Saintes, chrétiens, juifs et arabes. Le khagan, ayant fait venir un évêque et un rabbin, fut frappé de ce que l'evêque lui-même avait dû reconnaître les textes sacrés israélites. Le théologien arabe qui devait discuter ensuite avec le rabbin fut empoisonné par son concurrent: le khagan n'eut donc pas l'occasion d'apprécier les vérités de l'islamisme et resta juif.

La tradition israélite est représentée surtout par la correspondance échangée vers le milieu du Xe siècle entre Hazdaj ibn Šaprūt, ministre du calife de Cordoue, et le khagan khazar.[5] Hazdaj, qui était juif lui aussi, ayant appris que toute la nation khazare était passée au judaïsme, avait envoyé une lettre dans la-

---

[1] GELZER, *l. c.*, pp. 551 (Notitia de Léon le Sage), 572 (Notitia de 969–976 de l'époque de Jean Tzimiscès).

[2] *L. c.*, pp. 8–9.

[3] C. M. FRAEHN, *De Chazaris*, Acta Academiae scient. Petrop., vol. VIII, St Pétersbourg, 1822, pp. 21, 22. Il date également l'événement de l'époque d'Harûn-al-Rašîd. Son témoignage a été conservé par Dimašqī.

[4] Voir la reproduction de son témoignage dans MARQUARDT, *Streifzüge*, pp. 7, 8.

[5] La meilleure édition est d' A. I. HARKAVY, Зказаніе евр. писат. о Хазарахъ, St Petersb. 1874, pp. 78–153.

quelle il demandait au khagan de lui fournir des renseignements aussi précis que possible sur son peuple et sur la conversion à la foi d'Israël. Le khagan Joseph lui répondit par une épitre dont nous avons trois rédactions, une courte et deux longues.[1]

D'après ces documents la conversion des Khazars au judaïsme aurait eu lieu sous le khagan Boulan pour répondre à l'exhortation d'un ange à la suite de la prise d'Ardebil, succès remporté, d'après les sources orientales, en 730–731.[2] Une grande discussion théologique eut alors lieu à la cour du khagan, chrétiens et musulmans voulant vaincre les savants juifs et prouver au souverain la supériorité de leurs religions. Le résultat fut contraire à ce qu'ils espéraient; Boulan se trouva confirmé dans sa foi nouvelle par le fait que chrétiens et musulmans tombèrent d'accord sur quelques vérités de la religion juive. Le judaïsme fut ensuite développé chez les Khazars par un successeur de Boulan, Ovadia.

Une autre source hébraïque sur la conversion des Khazars est *le traité Al-Chazari de Halevy*, poète et philosophe juif du XIIe siècle,[3] rapportant quelques traits légendaires sur la conversion qu'il fixe, en se basant sur quelques documents historiques, aux environs de 740.

Tous ces documents ont été très heureusement complétés et confirmés par *le fragment de lettre hébraïque trouvé en 1912 à Cambridge* dans les manuscrits ayant appartènu à la synagogue du Caire et publié par Schechter.[4] Cette lettre

---

[1] Les deux versions longues ont été publiées notamment das le travail de P. CASSEL, *Der chazarische Königsbrief aus dem 10. Jahrh.*, Berlin, 1877. Cf. aussi A. HARKAVY, Хазарскія Письма, Еврейская библіотека, St Petersbourg, 1879, vol. VII, ibidem,1880, vol. VIII; du même auteur, Нѣкоторыя данныя, dans les Труды 1. арх. съѣзда въ Казани, 1884. On trouvera encore une interprétation allemande de cette correspondance dans la *Russische Revue*, VI, 1875, pp. 69–97 (HARKAVY, *Ein Briefwechsel zwischen Cordova u. Astrachan zur Zeit Swjatoslaw's um 968 — als Beitrag zur alten Geschichte Süd-Russlands*). Voir aussi KLAPROTH, *Mémoire sur les Khazars*, Journal Asiatique, I[e] série, vol. III. MARQUART, *Streifzüge*, l. c., p. 8 et suiv., rejette à tort la véracité de la deuxième version.

[2] Cf. plus haut, p. 154. Voir MARQUART, *l. c.*, p. 11.

[3] H. HIRSCHFELD, *Das Buch Al-Chazari*, Breslau, 1885. BACHER a trouvé aussi un écho de la conversion des Khazars dans la littérature midraschique (*La conversion des Khazars d'après un ouvrage midraschique*, Revue des Études Juives, vol. XX, pp. 144–146).

[4] *Jewish Quarterly Review*, New Series, vol. III, 1912-13, pp. 181-219, avec traduction anglaise. Une nouvelle édition de cette lettre a été préparée par J. D. BRUCKUS, Письмо хазарскаго еврея от X вѣка, Berlin, 1924, avec une traduction russe. KOKOVCEV, Новый документъ о хазаро-визант.-русскихъ отношенняхъ, Ж. М. Н. П., 1913, novembre (n° XI) en a donné un commentaire et la traduction russe. On trouvera une traduction française de ce document dans le BYZANTION, vol. VI, 1931, pp. 310–314 (MOŠIN, *Les Khazars et les Byzantins d'après l'Anonyme de*

est un document d'une très grande portée. On est d'accord aujourd'hui sur l'époque de sa composition; elle a été envoyée vers 950 par un juif khazar à Hazdai ibn Šaprūt pour compléter la lettre du khagan au même personnage, dignitaire juif résidant à la cour de Cordoue.

Elle aussi distingue deux étapes dans la conversion des Khazars: la désignation comme khagan des Khazars d'un Juif qui s'était distingué par sa vaillance dans les combats; puis le changement d'attitude de cet Israélite qui au début n'était pas pratiquant mais qui fut amené à la pratique de la foi juive par sa femme et par son beau-père. Vient ensuite le récit des controverses entre juifs, chrétiens et musulmans à l'époque de l'empereur Léon III, controverses qui finirent par confirmer le khagan et les Khazars dans leur décision. Les Juifs affluèrent alors des pays voisins et la religion d'Israël fut solidement établie sous le règne du khagan Savriel.

Si nous comparons tous ces documents, nous voyons que, loin de se contredire, ils se complètent sur bien des points. Les deux derniers, datant de la même époque, sont en particulier d'accord sur les principaux faits.

On peut donc, en s'appuyant sur ces textes, résumer l'histoire de la conversion des Khazars au judaïsme. La conversion de Boulan doit être placée avant 731. Ce fait amena un redoublement d'efforts des Byzantins et des musulmans auprès des Khazars pour contrecarrer l'influence israélite et les amener au christianisme ou à l'Islam. Le dernier document parle d'une ambassade du khagan auprès de l'empereur — ce ne pouvait être que Léon III (717–740) — en vue d'envoyer des hommes capables de discuter avec les juifs et les musulmans. Le détail est important à souligner car nous en trouverons un écho dans la Légende de Constantin. Il est à remarquer aussi que c'est en 731 que les Byzantins se rapprochent de nouveau des Khazars. Les documents dont nous nous occupons expliquent ce changement de politique: il s'agit d'être mieux à même de contre-balancer l'influence juive et musulmane; les Khazars en effet, après la glorieuse campagne de 731 et les violentes contre-offensives arabes, sont alors en paix relative avec les Arabes, ce qui facilite la propagande musulmane auprès d'eux. Les sources arabes confirment que cette propagande remporta quelques succès car elles vont jusqu'à affirmer que les Khazars n'obtinrent la paix qu'à condition d'embrasser l'islamisme. Cette période est donc

Cambridge). Nous tenons à attirer ici l'attention sur une étude de ce jeune savant russe dans le Сборник Русск. арх. Общ. въ С. Х. С., Belgrade, I, pp. 41–60. On trouvera aussi du même auteur une belle récapitulation de ces problèmes, vue d'ensemble destinée au grand public, dans la revue croate *Riječ*, 1931 (MOŠIN, *Kad su Hazari prešli na židovsku vjeru*).

décisive pour l'expansion chrétienne ou musulmane. Mais en 762–763 la guerre recommence entre Arabes et Khazars; c'est, en effet, cette année-là que les Khazars envahissent l'Arménie, alors arabe. L'armée commandée par Ras-Tarchân pénètre jusqu'en Géorgie; d'autres attaques suivent sous Harûn-al-Rašîd et vers 787 nous remarquons un certain refroidissement dans les relations khazaro-byzantines. Comment expliquer ce changement?

Il est probable que les Khazars avaient déçu les espoirs des Arabes et des Byzantins en persistant dans le judaïsme sous un gouvernement qui commençait à favoriser ouvertement cette religion. C'était là très probablement l'œuvre du nouveau khagan que la lettre de Joseph appelle Ovadia et la lettre du Juif khazar Savriel. Bruckus a démontré que ces deux noms ne sont que des traductions hébraïques synonymes du nom khazar du khagan: Savriel et Ovadia ne désignent donc qu'une seule et même personne. Le règne de ce khagan confirma le triomphe du judaïsme en révélant clairement l'échec des musulmans et des chrétiens et le fait a eu, comme nous l'avons déjà indiqué, des conséquences sur la politique extérieure. Savriel-Ovadia régna jusqu'à la fin du VIIIe siècle; on a pu le prendre pour un contemporain d'Harûn-al-Rašîd et, de ce fait, les renseignements extraits des sources musulmanes et datant de cette époque la conversion définitive des Khazars au judaïsme se trouvent confirmés.

Tout cadre donc merveilleusement: les textes concernant les relations politiques entre les trois puissances, Khazars, Arabes et Byzantins; les documents sur les tentatives de conversion des Khazars au christianisme et à l'Islam; les témoignages relatifs à leur passage au judaïsme. Nous avons maintenant une base solide pour examiner le récit de la Légende de Constantin. Une chose paraît sûre: *à l'époque où Constantin fut envoyé chez les Khazars, ceux-ci étaient déjà juifs et on ne peut plus aujourd'hui, comme le faisait Marquart,[1] placer la conversion des Khazars après l'ambassade de Constantin.[2]*

---

[1] *L. c.,* pp. 21 et suiv.

[2] Nous ne voulons pas insister sur les circonstances qui ont amené les Khazars à une si grande connaissance du judaïsme. On sait que les colonies juives ont été particulièrement nombreuses en Crimée et dans la péninsule de Taman. Tamatarcha était particulièrement connue comme ville juive (THÉOPH. 6171, Bonn, p. 545, de Boor, p. 357). Sur les colonies juives dans le royaume de Bosphore voir surtout E. SCHÜRER, *Die Juden im bospor. Reiche u. die Genossenschaften der* σεβόμενοι ϑεὸν ὕψιστον, Sitz. ber. der Ak., Berlin, 1897, pp. 200–225. MARQUART (*Streifzüge,* pp. 284 et suiv.) a résumé le rôle des colonies juives en Perse et en Médie dans la christianisation des Arméniens tout en soulignant leur propagande judaïsante dans les pays voisins. C'est de ces centres surtout que la connaissance du judaïsme a pénétré parmi les Khazars. De nombreux Juifs s'étaient refugiés en Khazarie

II.

Le caractère de l'ambassade de Constantin ressortira mieux encore quand nous aurons étudié la politique de l'empereur Théophile à l'égard des Khazars et des peuples du Caucase, politique que Théoctiste s'est efforcé de continuer.

Les guerres acharnées que, durant tout son règne (829—842), Théophile mena contre l'empire abbasside, le poussaient naturellement à une politique amicale à l'égard du peuple qui nous occupe; il la maintint constamment. Les Khazars de leur côté préféraient également l'entente avec l'Empire, le danger commun n'ayant pas disparu. La guerre avec les Arabes, nous l'avons dit, avait repris en 763 et ils devaient en outre combattre les Petchenégues et les tribus nomades qui faisaient souvent des incursions dans leur pays. Ceci explique que l'épisode de 787, occupation et pacification de la Gothie, n'ait pas eu de suites et que les deux puissances aient opté pour la paix en dépit des incidents de détail qui ont pu surgir de temps en temps. L'immixtion des Khazars dans les affaires des Abasgues, sujets de l'Empire — véritable encouragement apporté aux sentiments d'indépendance de ces derniers — n'amena même pas la rupture entre les deux puissances et les Byzantins admirent même finalement que leurs voisins eussent après hésitation donné la préférence au judaïsme. La tolérance religieuse pratiquée dans l'empire khazar[1] laissait suffisamment de liberté aux chrétiens restés sur ce territoire et diminuait largement les chances de friction entre les deux états.

Un nouveau danger accentua sous le règne de Théophile le rapprochement entre Byzantins et Khazars; ce fut la pousée des «Rhôs» scandinaves vers le Dnjepr et le Don, en direction de la Mer Noire. Nous possédons deux documents précieux sur cette dangereuse avance des Russes au début du IXe siècle — la Vie de Saint Etienne de Sougdaea et celle de Saint Georges d'Amastris — et grâce à eux nous voyons qu'il y eut péril pour les Khazars et pour les Byzantins. Il y est question, en effet, d'une attaque russe contre Sougdaea et

surtout dans leur fuite devant la persécution de Léon l'Isaurien en 723. Cf. aussi sur les Juifs en Crimée MALYŠEVSKIJ, Евреи въ южной Русии и Кіевѣ въ X—XII вѣкахъ, Труды кіевск. дух. Акад. 1878, juin, pp. 566 et suiv. Cf. A. HARKAVY, *Altjüdische Petchmäler aus der Krim*, Mémoires de l'Acad. des sciences de St Pétersbourg, 1876, VIIe série, tome XXIV, n°. 1; D. CHWOLSON, *Achtzehn hebr Grabschriften aus der Krim*, ibidem, tome IX, no 7; IDEM, *Corpus inscriptionum hebraicarum*, St Pétersbourg, 1882.

[1] Sur cette tolérance nous sommes surtout renseignés par MAÇOUDI (*l. c.*, pp. 10, 11) d'après qui, il y aurait eu dans la capitale khazare, sept juges: deux pour les Khazars juifs, deux pour les musulmans, deux pour les chrétiens, un pour les païens.

contre Amastris, villes dont la première fut même prise et mise à sac.[1] L'hagiographe de la rédaction russe, la seule conservée, attribue cette attaque à une armée conduite par Bravlin, prince de Novgorod, qui, d'après le même document, aurait menacé toute la Crimée, depuis Cherson jusqu'au Bosphore. Après avoir forcé Sougdaea, le prince pénétra dans l'Eglise de Ste Sophie et y pilla le tombeau du Saint mais un miracle entraîna sa conversion; il reçut le baptême avec ses boïars et rendit toutes les dépouilles apportées de Crimée.

La Vie de St Georges d'Amastris[2] traite d'un autre raid russe. A l'en croire, l'armée aurait commencé par piller la Propontide — c'est-à-dire les rives du canal qui sépare les péninsules de Kerč et celle de Taman — et, continuant ses exploits sur les bords de la Mer Noire, serait arrivé jusqu'à Amastris.

Ces deux documents ont donné lieu, depuis leur publication, à de grandes discussions; les spécialistes n'ont pu se mettre d'accord ni sur le peuple responsable de ces invasions — on a surtout pensé aux Magyars, aux Petchenègues et même aux Alains — ni sur la date des deux opérations.[3] Aujourd'hui, la chose paraît plus claire. Il s'agit bien des Russes et il faut placer le raid de Crimée dans le premier quart du IXe siècle, vers 825. Comme la Vie de St Georges d'Amastris a dû être composée avant 843, on peut dater la seconde expédition des environs de 825—830 également. C'est donc bien ce danger nouveau qui rapprocha davantage Byzantins et Khazars et c'est le khagan qui prit l'initiative du rapprochement en envoyant en 833 auprès de Théophile une ambassade destinée à lui montrer l'intérêt d'une action commune contre les Russes. Pour lui, le meilleur moyen de tenir l'ennemi en respect, c'était de construire une forteresse à l'embouchure du Don; il se peut même, comme le dit Bury,[4] qu'il se soit agi de toute une série de fortifications allant de cet endroit jusqu'à la Volga. Les sources byzantines nous fournissent, d'ailleurs, des renseignements détaillés sur la construction de la forteresse que les Khazars appelaient Sarkel.[5]

---

[1] VASIL'EVSKIJ, Русско-виз. изслед., Труды Вас., III, pp. 95–96.

[2] L. c., p. 64.

[3] Voir VASIL'EVSKIJ, Труды, l. c., pp. CIX et suiv., CXXVII-CXXXII, CCLXXVI et suiv.; on y trouvera la critique des différentes opinions. Cf. BURY, A History, p. 417, et surtout VASIL'EV, Готы въ Крыму, V, pp. 224 et suiv., avec une excellente mise au point du problème. Cf. aussi les remarques de V. JAGIĆ, Archiv für slav., Phil. vol. XVI, 1894, pp. 216–224, à propos de l'ouvrage de Vasil'evskij. Cf. aussi F. WESTBERG, О житіи св. Стефана Сурожскаго, Виз. Врем., vol. 14, 1907, pp. 227–236.

[4] L. c., p. 416; cf. MARQUART, Streifzüge, p. 28.

[5] THÉOPH. CONT., pp. 122 et suiv. (Bonn), CONST. PORPH., De adminin. imp., pp. 177 et suiv. (Bonn).

Détail important: au spatharocandidat Petronas Kamateros, désigné comme chef de l'expédition, avait été adjoint le gouverneur de Paphlagonie, province dans laquelle se trouvait Amastris. Ceci semble indiquer que l'empereur voyait bien dans cette entreprise un moyen de protéger contre les raids russes non seulement Cherson mais la côte asiatique de la Mer Noire. Ce qui suivit paraît venir à l'appui de cette hypothèse. Sur l'avis de Petronas qui, arguant du danger russe, conseillait de renforcer le pouvoir impérial à Cherson, l'empereur décida d'ériger en thème la ville de Cherson et les autres possessions byzantines de Crimée — possessions dont l'étendue exacte est malheureusement difficile à préciser — tout en laissant, naturellement, subsister le pouvoir local sous le commandement suprême du stratège τῶν Κλιμάτων[1]. Le premier stratège fut Petronas lui-même. Bury[2] a certainement raison d'établir un lien entre cette réorganisation et celle de la Paphlagonie qui, de «catepanate», devint thème à la même époque. Théophile n'a pas seulement voulu rendre cette province plus capable de résister à une attaque du côté russe; il a tenu également à faire de ses provinces d'Asie Mineure une base d'opérations contre les Arabes.

Ces mesures n'ont, sans doute, pas manqué de faire effet sur les Russes puisque nous entendons parler, sans pouvoir en préciser le but, d'une ambassade russe reçue à la cour byzantine en 838—839 et rentrée chez elle par la Germanie.[3] Les Byzantins ont connu la tranquillité du côté russe pendant tout le reste du règne de Théophile.

---

[1] Nous ne pensons pas que la fondation du thème de Cherson soit liée comme le pensent ŠESTAKOV, Очерки по исторіи Херсона въ VI—X в. (Памятники христ. Херсон.), 1908, p. 44 et BURY, l. c., p. 417, à l'animosité manifestée par les Chersonites contre le régime iconoclaste de Théophile. Ce dernier était trop intelligent pour exaspérer les sentiments des habitants de ces postes avancés de l'Empire en leur faisant trop sentir les tendances de sa politique religieuse. Aussi VASIL'EV, l. c., V, p. 222, a-t-il parfaitement raison de ne pas admettre cette opinion comme susceptible d'expliquer la fondation du thème.

[2] L. c., p. 223.

[3] AN. BERT. ad a. 839, M. G. H. Ss., I, p. 434: «Misit (Theophilus imperator) etiam cum eis quosdam, qui se, id est gentem suam, Rhos vocari dicebant, quos rex illorum, Chacanus vocabulo, ad se amicitiae, sicut asserebant, causa direxerat, petens per memoratam epistolam, quatenus benignitate imperatoris redeundi facultatem atque auxilium per imperium suum totum habere possent, quoniam itinera per quae ad illum Constantinopolim venerant, inter barbaras et nimiae feritatis gentes immanissimas habuerant, quibus eos, ne forte periculum inciderent, redire noluit . . .» Il est curieux de voir ici le chef des Rhôs appelé «khagan». Ce titre n'a pu lui être donné que par les Khazars. Il se peut aussi que les Byzantins, suivant l'exemple de ces derniers, aient adopté ce titre particulier. C'est ainsi que l'empereur Théophile, dans sa lettre à Louis, désigna probablement le chef des Rhôs (Cf. BURY, A History, p. 413). On peut y voir, en tout cas, avec juste raison, la preuve que les Rhôs étaient déjà en rapports fréquents avec les Khazars bien avant cette époque.

Théophile portait d'ailleurs un grand intérêt aux régions asiatiques en bordure de la Mer Noire. Il s'est surtout efforcé de subjuguer de nouveau les Abasgues révoltés. Sa première tentative date de 830 mais, si l'on s'en rapporte au continuateur de Théophane,[1] les opérations militaires confiées à Théophobos et à Bardas restèrent infructueuses et l'armée byzantine éprouva même des pertes très sérieuses.

On comprend donc que — dans ces conditions — Théophile se soit empressé d'accepter les offres du khagan, les Abasgues étant capables de devenir, en cas d'inimitié entre les deux empires, les alliés des Khazars et des adversaires redoutables pour Byzance. D'après la chronique géorgienne[2] les Abasgues devaient en effet occuper dans la politique étrangère des Khazars une place importante car ils avaient là un moyen de pression sur les Byzantins. Des liens de parenté devaient, du reste, consolider la position des Khazars en Abasguie. Léon II, par exemple, le prince abasgue qui s'était déclaré indépendant de Byzance, était le fils d'une princesse khazare. Par suite de l'alliance khazaro-byzantine confirmée en 833, les Khazars se désintéressèrent probablement de l'évolution de l'Abasguie qu'ils abandonnèrent de nouveau à l'influence byzantine. Théophile voulut en profiter et en 837 il essaya une nouvelle fois de la soumettre. L'expédition, pourtant marquée par de grands succès militaires en Arménie,[3] n'amena pas la soumission des Abasgues. Ces derniers, obligés de se défendre contre les Byzantins et ne pouvant plus compter sur les Khazars, reconnurent — peut-être aussi un peu par force — la suzeraineté d'Ishak, le puissant émir de Tiflis, qui arrêta la poussée byzantine aux environs de Kars.

Les succès remportés en Arménie donnèrent à Théophile l'idée de réorganiser les provinces byzantines limitrophes de l'Arménie, alors arabe. Il érigea donc en thème indépendant — celui de Chaldia — la partie limitrophe du thème des Arméniaques; ce nouveau thème devait, lui aussi, permettre non seulement de veiller sur les Arméniens mais de constituer une base pour les opérations futures contre les Abasgues.

Ces opérations furent reprises en 842, probablement encore sous le règne de Théophile ou peu après sa mort. On organisa, cette fois, une expédition navale conduite par Théoctiste mais qui n'eut pas de succès: la flotte fut dis-

---

[1] THÉOPH. CONT., p. 137 (Bonn).

[2] BROSSET, *Histoire de la Géorgie*, St Pétersbourg, 1849, I, p. 259; MARQUART, *Streifzüge*, p. 422.

[3] Voir BURY, *A History*, p. 261, J. LAURENT, *L'Arménie entre Byzance et l'Islam*, pp. 19–20, 320–321.

persée par un orage.[1] Quant à la campagne menée à terre et également commandée par Théoctiste, peu après son arrivée au pouvoir, pour se défendre contre une attaque arabe, elle finit aussi par un échec. Ces insuccès contre les Abasgues et les Arabes amenèrent de plus en plus le gouvernement de Théodora et de Théoctiste à pratiquer une politique amicale à l'égard des Khazars. C'est cette même ligne de conduite que suivirent Bardas et Michel.

*

On comprend que, dans ces conditions, les Byzantins, dès la réapparition du danger russe en juin 860, aient de nouveau songé aux Khazars comme pouvant être leurs meilleurs alliés et qu'on doive voir dans l'ambassade byzantine de 860 quelque chose d'analogue à l'ambassade khazare de 833. En 833 les Khazars avaient été les plus directement menacés et c'étaient eux qui avaient pris l'initiative d'attirer l'attention du gouvernement byzantin sur un danger susceptible de nuire également à l'Empire. Les Byzantins avaient d'autant plus vite compris qu'ils avaient, eux aussi, vu le danger russe de près – en Asie Mineure – et qu'ils avaient des intérêts importants à protéger en Crimée. Ils avaient aidé les Khazars – les fortifications construites à l'embouchure du Don et se prolongeant peut-être jusqu'à la Volga devaient surtout protéger les parties vitales de l'empire khazar – dans l'espoir qu'ils pourraient toujours compter sur le même service en cas de réapparition du danger. C'est précisément ce qui s'est produit en 860 et les Byzantins, directement menacés et réellement épouvantés par l'audace des corsaires, envoyèrent une ambassade aux Khazars pour leur rappeler les stipulations de 833 et pour s'entendre avec eux sur une action commune contre les Russes.

Les Byzantins pouvaient espérer se faire d'autant plus facilement entendre que les Khazars devaient être très inquiets. L'audace des Rhôs ne peut être expliquée que par la situation difficile dans laquelle se trouvait l'empire khazar vers cette époque, les Petchenègues devenant de plus en plus menaçants et ayant déjà forcé les Magyars et les Cabares – alliés des Khazars – à évacuer le territoire du Don. Il était important pour les Khazars de faire sentir aux audacieux corsaires que, malgré la pression des Petchenègues, la puissance de leur empire n'était pas affaiblie.

Le but de l'ambassade de 860 était donc plutôt politique, contrairement à ce qu'en dit la Vie de Constantin. Qu'on ne s'étonne pas que le gouverne-

---

[1] THÉOPH. CONT., p. 203 (Bonn).

nent de Constantinople ait confié pareille mission à un philosophe et à un moine. Le ministère des affaires étrangères byzantin était toujours très au courant de la situation des peuples avec lesquels il entretenait des relations. Son service des renseignements fonctionnait en général très bien. Il ne pouvait donc pas ignorer que sous les ordres des Russes et des Khazars se trouvaient de nombreux Slaves et qu'il serait utile d'adjoindre à cette mission quelques hommes connaissant et la langue et les mœurs de ces Slaves. Il savait aussi quelles influences se manifestaient à la cour du khagan et s'attendait à ce que, durant le séjour des ambassadeurs, pussent être agitées des questions religieuses; il serait donc excellent pour le prestige du christianisme d'avoir un ambassadeur capable de s'imposer par sa science aux Khazars et à leurs théologiens juifs. Photios connaissait parfaitement le talent de son élève bien-aimé et il était naturel que, comme patriarche, il proposât au gouvernement le savant qui était en état de défendre avec succès le prestige du génie grec et de l'orthodoxie.

Il est, d'ailleurs, vraisemblable que les Byzantins n'avaient pas perdu tout espoir d'implanter le christianisme à la cour du khagan et de consolider ainsi leur alliance avec les Khazars. L'adhésion à la foi orthodoxe apparaissait toujours comme la meilleure garantie de la fidélité d'un peuple avec lequel Byzance se trouvait en relations amicales. Aussi tous les pourparlers diplomatiques et politiques dissimulaient-ils presque toujours une arrière-pensée religieuse. En ce qui concerne les Khazars, l'occasion pouvait sembler propice à cette époque car les Byzantins et eux étaient désormais menacés non pas d'un mais de deux dangers communs — le danger arabe et le danger russe. Rien d'étonnant à ce que notre source donne à l'ambassade un caractère exclusivement religieux; c'était d'ailleurs la façon byzantine de présenter les choses et n'oublions pas non plus que nous sommes en pleine hagiographie.

Il est, du reste, plus que probable que l'ambassade ne comprenait pas seulement les deux frères mais encore d'autres spécialistes chargés de s'entendre avec le khagan sur telles ou telles mesures politiques et militaires. Et, en effet, le biographe laisse lui-même entendre qu'il y avait des personnalités plus qualifiées que Constantin pour représenter le Basileus. Au chapitre IX[1] il nous montre les maîtres de cérémonie de la cour khazare demandant à Constantin de quelle dignité il est revêtu, pour pouvoir le placer à table suivant les usages protocolaires. Si Constantin avait été l'ambassadeur principal, une telle question aurait été tout à fait superflue et, quelle que fût sa dignité

---

[1] PASTRNEK, l. c., pp. 176, 177.

personnelle, représentant l'empereur il aurait été naturellement placé à côté du khagan.

Nous ignorons, malheureusement, les résultats des pourparlers khazaro-byzantins. La Vie de Constantin n'en parle pas et les autres sources byzantines sont également muettes. On a pourtant dû se mettre d'accord sur une action commune au moins politique et peut-être militaire. Les événements qui précédèrent et qui suivirent semblent le confirmer. Il parait sûr, en effet, que la ville de Kijev, chez les Poljanes, alors soumis aux Khazars, tomba aux mains des Russes entre 850 et 860, ce qui indiquerait quelques complications militaires survenues entre Khazars et Russes. Il était donc même de l'intérêt des Khazars d'agir de concert avec les Byzantins. Il faut noter, d'autre part, que les Russes après leur expédition malheureuse contre Byzance, envoyèrent des ambassadeurs à Constantinople «pour demander le baptême». Il ne s'agissait certainement pas seulement de baptême. On a dû profiter de l'occasion pour régler d'autres questions pendantes entre les deux peuples.[1] Nous ne pouvons préciser ni la date ni l'objet de cette ambassade et nous sommes donc également incapables d'affirmer de façon certaine qu'elle ait été la conséquence immédiate de la débâcle russe de 860 ou celle d'une pression diplomatique et peut-être d'une menace militaire due à la nouvelle entente byzantino-khazare. Il semble qu'il faille en reculer la date jusque vers 866, car c'est à propos de cette dernière année que Photios[2] en parle dans son encyclique aux patriarches orientaux. D'après le contexte l'événement qu'il mentionne paraît tout récent. S'il en était ainsi, on pourrait voir dans la demande des Russes le résultat de la pression que cette nouvelle entente byzantino-khazare avait exercée sur eux.

*

Encore un mot à propos de cette attaque russe et du succès religieux de Photios auprès d'eux. Nous attribuons — on l'a vu — l'expédition de 860 contre Constantinople aux colonies varégo-russes du Dnieper qui avaient Kijev pour centre. Nous croyons, en effet, qu'on doit accorder quelque crédit au récit de la chronique dite de Nestor, chronique d'après laquelle précisément l'attaque venait des Rhôs qui — sous la conduite d'Ascold et de Dir — s'étaient établis à Kijev.[3] On sait que la chronologie de cette chronique est très incertaine —

---

[1] BURY, *A History*, p. 422, pense qu'une de ces conséquences fut l'admission des Russes dans le service naval impérial, ce qui n'est pas impossible.

[2] *P. G.*, vol. 102, col. 736 (lib. I, ep. XIII); THÉOPH. CONT., p. 196.

[3] FR. MIKLOSICH, *Chronica Nestoris*, Vindobona, 1860, pp. 9, 10. Trad. française de L. LÉGER

elle date l'établissement des Russes à Kijev de 862 et l'attaque contre Byzance
de 866 – mais en ce qui concerne le récit lui-même, on ne peut pas lui nier
tout caractère historique. Nous avons d'ailleurs vu que le danger russe contre
lequel les Khazars et les Byzantins eurent à se défendre depuis la première
moitié du IXᵉ siècle venait du nord-ouest. Il s'accentuait au fur et à mesure
que les colonies varègues devenaient plus nombreuses et plus fortement im-
plantées parmi la population slave. Aussi doit-on, croyons-nous, rejeter l'opinion d'après laquelle ce seraient les Rhôs établis à Tamatarcha qui auraient
attaqué Constantinople. Nous acceptons volontiers l'existence en ce point d'une
colonie varègue, dès la première moitié du IXᵉ siècle; Tamatarcha, l'ancienne
Phanagoria, constituait en effet à l'époque un important centre commercial;
les Russes y débarquaient une partie des marchandises sur lesquelles portait
leur trafic pour les expédier ensuite en Arménie, en Arabie et à l'intérieur de la
Khazarie, et les Juifs, particulièrement nombreux à Tamatarcha, étaient de bons
intermédiaires pour ces échanges. Mais cette colonie ne pouvait pas être encore
très développée dans la première moitié du IXᵉ siècle et elle ne pouvait avoir,
à cette époque au moins, que des buts pacifiques. Il nous paraît impossible qu'elle
ait pu organiser contre Constantinople l'expédition en question et nous devons
avouer que les arguments par lesquels M. V. Mošin[1] a voulu récemment donner
à cette hypothèse une base plus solide ne nous ont nullement convaincu. Comment peut-on, en effet, imaginer que les Rhôs qui s'étaient installés à Tmutarakan – l'auteur le dit lui-même – avec la permission du khagan aient osé
entreprendre une expédition qui allait tout à fait à l'encontre de la politique
traditionnelle des Khazars et attaquer les Byzantins? Il faudrait supposer que la
puissance militaire des Khazars était déjà très affaiblie, ce qui n'est pas le cas
dans la première moitié du IXᵉ siècle. Ni les Khazars, ni les Byzantins n'ont
pu permettre l'établissement d'ennemis aussi puissants à un endroit si important pour les relations entre les deux Empires d'une part, les Alains et les

Chronique dite de Nestor, Paris, 1884) p. 15, 16. Cf. l'étude de TH. J. USPENSKIJ, Первыя страницы Русской лѣтописи и византійскія перехожія сказанія, Записки имп. Одес. Общ. Ист.
и Древн., Odessa, 1915, pp. 199–228. Cf. N. MARKS, Договоры Русскихъ съ Греками и пред-
шествовавше заключенію ихъ походы Русскихъ на Византію, Moscou, 1912, II, pp. 61 et suiv.
    [1] Питање о првом покрштењу Руса, Богословље, Beograd, vol. II, pp. 51–72, 122–143. Voici,
titre documentaire, les travaux dans lesquels M. V. Mošin traite, sous différents aspects, la question
de cette colonie russe: Tmutarakanj, Krh i Smkr., Сборникъ въ честь на В. Н. Златарски, Sofia,
1925, pp. 157–162; «Treče» rusko pleme, Slavia, vol. V, 1926–27, pp. 763–781; Начало Руси, Byzantino-slavica, Praha, vol. III, 1931, pp. 38–58, 285–306; Главныя направленія въ изученіи варяжскаго вопроса, Sborník prací I. sjezdu slov. filologů v Praze 1929, Praha, 1932, pp. 610–625.

autres peuples du Caucase d'autre part. Il aurait été assez facile à la flotte by
zantine en liaison avec les Khazars de déloger les corsaires de Tamatarchi
si l'attaque était venue de ce côté-là.

Ceci établi, nous pouvous aborder le problème de la première christianisa
tion des Russes. On a déjà beaucoup parlé[1] de ce succès remporté par l'Eglis
byzantine sous Photios, succès problématique d'ailleurs puisqu'il fallut, au X
siècle, une nouvelle conversion des Russes. On peut se demander quel éta
l'évêché nouvellement créé et aux besoins de quelle colonie russe il répondai

C'est sans doute en s'en tenant à l'ordre chronologique et historique de
événements que nous venons d'exposer qu'on trouvera la solution la plus s
tisfaisante. Si l'attaque contre Constantinople était une entreprise des Russe
du Dniepr et de Kijev, c'est à ces Russes qu'il faut songer pour expliquer l
passage de Photios. L'évêché en question aurait été fondé pour les Russes d
Kijev et la nouvelle chrétienté n'aurait pas eu bien longue vie car peu après
dans les annés qui ont suivi 880 – Kijev fut prise par Oleg venant de Novgo
rod. Comme les Russes de Novgorod étaient païens, on comprend que ce fû
aussi la fin du christianisme à Kijev où il était à peine implanté. L'évêch
ayant alors disparu, on s'expliquerait que les Notices des évêchés – celle d
Léon le Sage, en particulier, la plus proche de cette époque – n'en parlent plus

On ne peut pas penser à l'évêché de Tmutarakan - Tamatarcha - Matrach
comme l'ont voulu certains.[2] Cet évêché a existé, avons-nous dit plus hau
au VIIIe siècle et a dépendu, pendant un certain temps, de la métropole go
thique. Il semble avoir continué à exister après la dislocation de cette organi
sation éphémère. Nous trouvons, en effet, dans les Actes du concile de 87
la mention de Baanès τῶν Μαστράβων,[3] nome qu'on pourrait, à la rigueur, iden

---

[1] Qu'on veuille bien nous excuser si nous ne donnons pas ici la bibliographie relative à ce pro
blème. Elle a pris d'énormes proportions et est d'ailleurs résumée par N. D. POLONSKAJA dan
le Ж. М. Н. П., 1917, vol. IX, pp. 33–80. (Къ вопросу о христіанствѣ на Руси до Владимира
V. aussi l'ouvrage de V. PARCHOMENKO, Начало христианства Руси, Poltava, 1913, pp. 1
et suiv. Cf. aussi S. TOMASZEWSKI, Nowa teorja o początkach Rusi, Kwartalnik Historyczny, vo
43, 1929, pp. 281–324.

[2] Surtout GOLUBINSKIJ, Исторія русской церкви, Moscou, 1901, I, 1, pp. 47–48 et V
MOŠIN, Питање, l. c., pp. 131 et suiv., qui s'efforce d'apporter quelques nouveaux arguments
l'appui de la thèse de Golubinskij.

[3] MANSI, XVII, 377. Baanès est sans doute un nom arménien, ce qui indique clairement l
nationalité de son titulaire. Nous ne voyons pas pourquoi Photios aurait envoyé aux Russes u
évêque de nationalité arménienne qui ne parlait certainement pas leur langue. Mais le choix d'u
arménien pour Tamatarcha, ville continuellement en relations avec l'Arménie et la Géorgie, peu

fier avec Matracha-Tamatarcha. Plus tard l'évêché de Matracha fut uni à celui
e Zéchie. Il n'avait pas été fondé spécialement pour les Russes.

*

Ayant essayé d'exposer brièvement l'état des relations russo-byzantines entre
60 et 866, il nous faut revenir à l'ambassade de 860 et chercher s'il est pos-
ible de concilier le récit de la Légende avec les faits historiquement connus.
,a Légende attribue en effet à l'ambassade un but exclusivement religieux,
llant jusqu'à affirmer que le khagan aurait exigé l'envoi d'un homme capable
e discuter sur la religion chrétienne.

L'hagiographe procède ici de la même façon que dans son récit relatif à
ambassade de Constantin auprès des Arabes. Là encore il confond deux cho-
es: l'ambassade de 860 dont le but visé et effectivement atteint était politique
t une discussion menée à la cour du khagan entre les représentants des trois
eligions chrétienne, israélite et musulmane, discussion dont on avait eu cer-
ainement connaissance à Constantinople. Que des discussions de ce genre
ient en effet eu lieu à une époque où les trois religions s'efforçaient de ga-
;ner à elles les Khazars, c'est ce que confirment les traditions juives et arabes.
Nous avons même vu que l'Anonyme de Cambridge attribue au khagan kha-
:ar l'initiative d'une ambassade auprès de l'empereur pour demander l'envoi d'un
héologien capable de discuter avec les juifs et les musulmans. Mais, contraire-
nent à ce que dit la Légende de Constantin, ce n'est pas l'empereur Michel,
:'est Léon III qui la reçut dans une audience qu'il lui accorda vers 740 et na-
urellement pas en 860. Sur ce point, la Légende de Constantin est donc in-
:xacte — cela ne veut pourtant pas dire que la discussion de Constantin soit
nventée de toutes pièces — et le biographe se permet ici une petite opération
lestinée à accroître aux yeux du lecteur le prestige de son héros. Ne faut-il pas
blutôt reconnaître le fait que d'essayer d'imaginer de nouvelles hypothèses
bour faire triompher a toute force le texte légendaire en disant, par exemple,
que cette ambassade fut envoyée à la cour de Constantinople par le gouverneur
d'une province khazare,[1] supposition qui demanderait d'abord à être elle même
brouvée...

ètre regardée comme très heureux de la part de Photios, si toutefois l'identification de cette ville
est juste.

    [1] MOŠIN, *Hipoteza Lamanskoga o hazarskoj misiji sv. Ćirila,* Južnoslov. filolog, VI (1926–1927),
p. 143. IDEM, *Les Khazares et les Byzantins,* l. c., p. 316. Nous verrons tout à l'heure que la Légende
n'est pas du tout favorable à une telle hypothèse car elle présente comme juif le khagan devant
lequel la discussion a lieu.

181

Malgré cette inexactitude, le passage de la Légende relatif à l'envoi des ambassadeurs et à la discussion elle-même présente un grand intérêt. Nous y trouvons en effet un curieux parallèle aux traditions juive et musulmane et il comble une lacune qui paraissait singulière dans l'historiographie byzantine, car on chercherait en vain dans les documents byzantins quelques détails sur le passage des Khazars au judaïsme. La littérature byzantine de l'époque ou des périodes postérieures ne nous renseigne pas davantage. On comprend évidemment que les Byzantins n'aient guère aimé parler d'un échec aussi grave,[1] mais les Arabes pourtant, qui, du point de vue religieux, en essuyèrent un semblable en Khazarie, nous ont conservé de nombreux détails sur le judaïsme dans ce pays. *Le récit de la Vie de Constantin est le seul témoignage qui du côté byzantin se soit conservé de cet événement. L'auteur de la Légende connaissait bien le fait en lui-même ainsi que les circonstances de la judaïsation des Khazars et il présente d'ailleurs indirectement, les Khazars comme étant déjà juifs à l'époque de l'ambassade de Constantin.* Il fait venir à la rencontre des ambassadeurs un haut fonctionnaire khazar appartenant à la confession israélite. Les Juifs occupaient alors les hauts postes et leur influence dans le royaume était déjà prépondérante, ce qui n'aurait pas été possible si les Khazars n'avaient pas encore embrassé le judaïsme. Le khagan est d'ailleurs aussi représenté comme Juif car il déclare que les Khazars ne reconnaissent qu'un seul Dieu et il base sa foi sur la tradition des Livres Saints que les Khazars ont acceptée.[2] C'est évidemment l'Ancien Testament. Le biographe a donc utilisé ses connaissances sur la conversion des Khazars au judaïsme pour embellir son récit de l'ambassade de Constantin. Il s'affirme par là vrai Byzantin, très au courant de tout ce qu'on disait et savait à Byzance dans la première moitié du IXe siècle. *Son récit, écrit en slave, doit être placé à côté des récits arabes et hébraïques sur la judaïsation des Khazars.*

*

Il y a pourtant encore une difficulté et on la rencontre lorsqu'on veut préciser l'endroit où les pourparlers byzantino-khazars ont eu lieu. Non seulement la Légende ne mentionne pas Itil, capitale des Khazars, qui logiquement aurait dû être le but de l'ambassade, mais elle semble l'exclure. A l'en croire, la délégation dont faisait partie Constantin, après avoir passé le canal

---

[1] Cf. ce que plus tard Ibn Šaprut dit, dans sa lettre au khagan Joseph, de son infructueux essai d'avoir des nouvelles du judaïsme khazar par l'intermédiaire de Byzance. Les Byzantins refusèrent un laisser-passer à ses ambassadeurs en prétendant que les routes n'étaient pas sûres.

[2] Chap. IX, PASTRNEK, *l. c.*, p. 177.

ui sépare la péninsule de Bosphore (Kerč) de celle de Tamatarcha (Taman), se serait engagée dans la mer d'Azov et aurait débarqué très probablement à l'embouchure du Don. De là elle se serait dirigée vers « les portes Caspiennes du Caucase » où elle aurait été reçue par le khagan.

Ces « portes Caspiennes du Caucase[1] » ne peuvent être que le fameux passage situé près de Derbend, entre le Caucase et la Caspienne, et désigné par les écrivains arabes sous le nom de Bab-el-Abwab. C'est là, en effet, que se trouvait la résidence d'été du khagan. Les écrivains arabes Ibn Rusta et Gurdēzi[2] nous apprennent que la cour du prince ne résidait à Itil qu'en hiver et qu'au printemps les Khazars quittaient leurs quartiers d'hiver « pour gagner la plaine ». Dans sa lettre à Ibn Šaprūt le khagan Joseph[3] confirme ce renseignement. Il ajoute même qu'il avait l'habitude de pousser cette migration jusqu'à « la fin du pays », expression qui pourrait justement se rapporter à Bab-el-Abwab, où se trouvait la frontière de la Khazarie. N'oublions pas que c'était dans ces régions que se trouvait autrefois la capitale de l'empire, Semender. Le centre politique ayant été transféré à Itil, Semender conserva quand même une certaine importance comme résidence temporaire pour les khagans qui y passaient une partie de l'été.

Si nous tenons compte de ces faits, le texte de la Légende paraît tout à fait juste. Cette mention nous permet de plus de préciser l'époque de l'ambassade. Constantin avait passé l'hiver de 860 à Cherson; au printemps de 861, il rejoignit le khagan à Semender où eurent lieu les pourparlers. On s'explique ainsi également que le khagan ait chargé un haut fonctionnaire d'aller à la rencontre de l'ambassade. Connaissant le but de cette ambassade impériale qui venait de séjourner en Crimée et qui allait débarquer à Sarkel, à l'embouchure du Don, il tenait à la prévenir du changement de résidence de la cour et à la faire escorter jusqu'à Semender, ville vers laquelle il était lui-même en train de se diriger.

Ceci nous montre en outre que les ambassadeurs eurent l'occasion de faire un séjour prolongé à Cherson et dans les possessions byzantines de Crimée. Il y a probablement là quelque chose de voulu car si l'on considère bien le

[1] Les Byzantins les appelaient Κάσπιαι πύλαι (THÉOPH., 6008, 6117, 6223, 6235, 6255, 6256, Bonn, pp. 249, 486, 630, 644, 669, 672, de Boor, pp. 161, 316, 409, 418, 433, 435).
[2] CHWOLSON, Ibn Dasta, l. c., pp. 17 et suiv. Pour le rapport de Gurdēzi, consulter V. BARTHOLD, Отчетъ о поѣздкѣ въ среднюю Азію съ научною целью 1893–99, Mém. de l'Ac. imp. des sciences de St Pétersbourg, VIIIᵉ série, Cl. Hist. phil., vol. 1, 1897, p. 120; cf. MARQUART, l. c., pp. 18, 19.
[3] CASSEL, l. c., p. 80.

but de l'ambassade — conjurer le danger russe — il est évident que les envoyés devaient grandement s'intéresser aux pays les plus exposés sur la situation desquels ils auraient à présenter un rapport à leur gouvernement.

On voit ainsi que, malgré quelques passages énigmatiques au premier abord, le texte de la Vie relatif à l'ambassade khazare est assez clair et cadre bien avec les autres renseignements que nous possédons sur le pays des Khazars et sur les relations de ces derniers avec les Byzantins au IXe siècle. On ne peut donc pas ne pas l'accepter comme un document digne de créance. Toutes les hypothèses imaginées pour mettre Constantin en contact avec les Russes au lieu de reconnaître qu'il s'agissait bien d'une ambassade auprès des Khazars doivent être définitivement reléguées dans le domaine de la fantaisie.[1]

*

C'est le séjour prolongé de Constantin à Cherson qui doit maintenant retenir notre attention puisque le biographe note à cette occasion plusieurs événements qui méritent un examen particulier.

L'auteur nous présente d'abord Constantin comme un véritable phénomène en fait de connaissances linguistiques. Constantin, dit-il, a appris l'hébreu et même l'idiome samaritain. Il a découvert ensuite un psautier écrit en lettres «russes» et, ayant trouvé un homme qui parlait cette langue, il a, avec son aide, déchiffré l'écriture «russe» et appris la langue.

En ce qui concerne l'hébreu, la chose est compréhensible. Il est tout naturel que Constantin ait voulu apprendre la langue officielle de la cour khazare. Il n'avait pas besoin d'apprendre le khazar puisque l'hébreu était parlé par tous les membres de la haute société auxquels il devait avoir affaire. Les savants juifs étaient nombreux à la cour, surtout depuis l'époque du khagan Ovadija;[2] les Khazars entretenaient des relations avec les académies juives de Mésopotamie et de Palestine. La lettre du khagan Joseph nous apprend même qu'ils avaient des archives confiées aux savants juifs.[3]

---

[1] Voir MOŠIN, *Hipoteza Lamanskoga o hazarskoj misiji sv. Ćirila, l. c.,* pp. 133–152. *Ibidem,* pp. 151, 152, résumé d'opinions parallèles à celle de Lamanskij.

[2] La Légende même le laisse entendre à propos de la discussion menée par Constantin.

[3] M. ELLIS H. MINS dans son article, *Saint Cyril really knew Hebrew,* Mélanges de R. P. Boyer (Travaux de l'Inst. Slave, II), Paris, 1925, pp. 94–97 apporte quelques faits prouvant que Constantin savait en réalité l'hébreu. Il est, en effet, intéressant que la forme «Pul» dans le passage d'Isaïe (66, 18–20) cité plus loin par le biographe (chap XII, PASTRNEK, *l. c.,* p. 197) et qui donne à l'auteur l'occasion de faire un jeu de mots avec Phoullae, localité de Crimée (voir plus loin, p. 205) ne se

Quant à la présence de Samaritains en Crimée au IXe siècle, c'est un fait nouveau rapporté par la Vie, mais qui n'est pas surprenant et que nous pouvons admettre sans hésitation. Les Byzantins distinguaient d'ailleurs soigneusement les Samaritains des Juifs. Le caractère violent des Samaritains donnait souvent au gouvernement byzantin l'occasion de montrer une plus grande sévérité à leur égard qu'à l'égard des Juifs; il existe dans la législation byzantine toute une série de lois les concernant.[1] Il semble qu'ils se soient établis en Crimée avec les Juifs pendant la persécution de 723 sinon plus tôt.

Ce que la Légende dit de ce psautier « russe » trouvé et déchiffré par Constantin est plus énigmatique. Le problème d'un alphabet « russe » découvert par Constantin en Crimée au IXe siècle, avant l'invention « officielle » de l'écriture slave, a déjà tourmenté un grand nombre d'érudits. Jusqu'à une époque toute récente il en est qui ont vu dans ce passage de la Vie la preuve que les Russes étaient dès ce moment en possession d'une écriture spéciale et que c'est à eux qu'il faut attribuer l'invention de l'écriture slave adaptée par Constantin aux besoins particuliers des Slaves de l'Europe Centrale.[2] D'autres, plus sceptiques, voient simplement dans cet alphabet « russe » l'écriture gothique inventée par Ulphila. Nous nous sommes déjà rangé en une autre occasion[3] du côté de ces derniers. Il faut pourtant reconnaître que cette hypothèse, en apparence la plus proche de la vérité, a aussi ses points faibles. S'il s'agit, en effet, d'un alphabet gothique, pourquoi le biographe l'appelle-t-il « russe »? Il connaissait bien les Goths puisque au chapitre XXI il les nomme d'une façon qui ne laisse place à aucune équivoque. Comment, d'autre part, la connaissance de cette écriture pouvait-elle être si rare parmi les Goths, comme semble l'insinuer l'auteur de la Vie? Il faut mettre la question au point avant de poursuivre.

Il ne nous semble pas nécessaire pour résoudre ces difficultés, de recourir aux intéressantes mais trop ingénieuses hypothèses d'Ilinskij qui voit dans le

---

trouve que dans le texte hébraïque. Le texte grec qui aurait dû être plus familier à l'auteur corrige sur ce point le texte hébraïque en acceptant la forme Φούδ qui est plus exacte.

[1] Cf. S. KRAUSS, *Studien zur byzantinisch-jüdischen Geschichte*, Leipzig, 1914, pp. 18 et suiv.

[2] Voir l'historique de cette question chez G. IL'INSKIJ, Одинъ эпизодъ изъ корсунскаго періода жизни Конст. Фил., Slavia, vol. III, 1924, pp. 45 et suiv., et chez OHÏENKO, *l. c.*, I, pp. 77–150. Ohienko est lui-même un ardent défenseur de cette idée et A. A. VASIL'EV, *La Russie primitive et Byzance*, L'art byzantin chez les Slaves, Les Balkans, Ier recueil, Paris, 1930, pp. 9–19, plaide encore pour elle.

[3] *Les Slaves, Byzance et Rome*, p. 139. Nous avons à cette occasion attiré l'attention sur l'ingénieuse solution proposée par ILINSKIJ, *l. c.*

mot ⱃoⰡⱄⰠⱄⰍⰟⰏⰊ la corruption de ⰘⱃⰅⰆⰆⰋⰐⰊⰍⰟⰏⰊ, ⱂⱃoⰡⰟⰟⱄⰍⰟⰏⰊ, et prétend que le biographe, pour faire ressortir le caractère germanique des Goths, a intentionnellement employé la dénomination de Francs, plus compréhensible aux Moraves pour lesquels il écrivait. Cette opinion nous paraît plus ingénieuse que convaincante. Il y a bien, à notre sens, une confusion, mais entre les Goths et les Russes scandinaves, tous deux de race germanique, et non entre les Goths et les Francs.

Nous avons dit que l'ambassade de Constantin avait entre autres buts celui d'étudier aussi minutieusement que possible la situation des possessions byzantines de Crimée en général, de Cherson en particulier. Rien d'étonnant à ce que Constantin s'intéressât aussi aux Goths dont le territoire se trouvait non loin de Cherson – il commençait près de la localité de Σύμβολον – et qui étaient, comme on devait le savoir à Cherson, de même race que les fameux Russes scandinaves.[1] Cette affinité de langue et de race pourrait suffire pour excuser le biographe d'avoir confondu avec les Russes les Goths connus par son héros en Crimée. Les Goths se rendaient, d'ailleurs, parfaitement compte des liens qui les unissaient aux Rhôs. Nous en trouvons une curieuse preuve dans le récit d'un « toparque » goth sur les événements qui se sont déroulés en Gothie vers 965, un siècle environ après que Constantin eut fait personnellement connaissance avec ce peuple. Ce toparque était en possession d'un manuscrit contenant différentes lettres de Sᵗ Basile, Phalaridis et Sᵗ Grégoire de Naziance, manuscrit qui se trouve aujourd'hui à la Bibliothèque Nationale de Paris. Il le conservait par devers lui-même dans ses déplacements. Sur les feuilles blanches il notait ses impressions et ses remarques. Trois de ces notes importantes pour l'histoire de la Gothie, ont été publiées par Has,[2] l'éditeur de Léon le Diacre. Il y est question d'une attaque des « barbares » contre le pays confié au toparque. Ces barbares avaient détruit ou pillé tout le territoire

---

[1] Le caractère germanique des Russes était beaucoup plus apparent à cette époque qu'il ne l'a été par la suite. Les ambassadeurs russes arrivés en 839 en Allemagne étaient regardés comme scandinaves et non comme slaves. *An. Bert.*, M. G. H., Ss., I. p. 434: Quorum adventus causam imperator diligentius investigans, *comperit eos gentis esse Sueonum*... Cf. Ph. BRAUN, *Die Goten am Pontus*, übers. v. F. Remy, Odessa, 1879, p. 53. Voir VASILJEV, *l. c.*, V, pp. 240 et suiv.

[2] *Leonis Diaconi Historiae*, Bonn, 1828, pp. 496 et suiv. Cf. aussi E. KUNIK, О записке готск. топарха, Mémoires de l'Acad. des sciences, Cl. phil. hist., St. Pétersbourg, vol. XXIV, 1874, pp. 61 – 160; Fr. WESTBERG, *Die Fragmente des Toparcha Goticus*, Записки Имп. Ак. Н., vol. V, no. 2. 1901 et la critique de cet ouvrage par Th. J. USPENSKIJ, *ibidem*, vol. VI, no. 7, 1904, pp. 243 à 262; V. G. VASILJEVSKIJ, Записка греческаго топарха, Ж. М. Н. П., 1876, Juin, Труды, vol. II, pp. 136–212, surtout pp. 178-186.

y compris la ville où il résidait et qui était très probablement Dory. Le toparque réussit à reconstruire la ville et à repousser une nouvelle attaque. Mais
la population cherchant un puissant protecteur, capable par ses forces militaires de la préserver à l'avenir, il fut décidé de s'adresser, non pas à Byzance,
mais au chef des Rhôs et on chargea le toparque de porter à Sviatoslav de
Kijev l'hommage des Goths. Nous possédons notamment le récit du voyage
et de la traversée du Dniepr en hiver. Or, il est curieux de connaître le motif
qui décida les Goths à se soumettre aux Russes. Voilà ce qu'en dit précisément
le fonctionnaire en question: «Mais eux – le conseil des anciens convoqué par
le toparque pour délibérer sur la situation – soit qu'ils n'eussent jamais tiré de
profit de la bienveillance impériale, soit qu'ils ne se souciassent pas de vivre
à la grecque, s'efforçant surtout d'agir de leur seule volonté, décidèrent d'entrer
en pourparlers avec le roi des pays du nord du Danube, leur voisin, chef
d'une puissante armée et fier de son pouvoir militaire, et de se soumettre à ce
peuple *dont ils ne différaient pas par la manière de vivre.* D'un commun accord,
ils me chargèrent de la négociation. »

Le caractère germanique de ce peuple a été d'ailleurs encore remarqué à une
époque très postérieure, au XIIIe siècle par exemple, par le missionnaire fran-
ciscain W. Ruysbroek.[1] Au IXe siècle, à l'époque de Constantin, il devait être
beaucoup plus marqué malgré l'hellénisation partielle.

Il faut pourtant reconnaître que cette considération ne suffit pas à lever
toutes les difficultés. Pourquoi donc le biographe au chapitre XVI nomme-t-il
les Goths si clairement sans les confondre avec les Russes?

N'oublions pas que l'écriture gothique dans laquelle nous voulons voir l'alphabet «russe» découvert par Constantin, fut inventée par Ulphila non pas
parmi les Goths de Crimée mais chez les Goths danubiens, à une époque où
les Goths tauriques étaient séparés de leurs compatriotes qu'avait évangélisés
le savant évêque. Les contacts entre Goths tauriques et Goths établis entre
Dniepr et Danube étaient même très rares, ce qui explique que ceux de Crimée
aient gardé l'orthodoxie tandis que les autres embrassaient l'arianisme.[2] On
peut donc en conclure que la connaissance de l'écriture d'Ulphila ne pénétra
en Crimée que plus tard, n'y fut même pas très connue mais que les Goths tauriques avaient gardé le souvenir de son origine. Cette origine, Constantin la connut et on *pourrait ainsi s'expliquer pourquoi lui ou son biographe qualifient de «russe»*

---

[1] TOMASCHEK, *Die Gothen in Taur.*, pp. 43 et suiv.
[2] Cf. J. ZEILLER, *l. c.*, p. 415.

cette ecriture apportee en Crimee des pays entre Danube et Dniester, où commençait à appa
raître une nouvelle nation, également germanique, celle des Russes scandinaves. Le sou
venir des Goths qui avaient abandonné ce pays au Ve siècle n'était certainemen
plus vivace quatre siècles plus tard — surtout que l'Empire n'avait plus rie
à faire avec eux — et la connaissance de l'écriture qui nous occupe n'était plu
aussi répandue qu'autrefois parmi les Goths tauriques, si toutefois il faut croi
à l'acceptation de cette écriture «hérétique» par les Goths orthodoxes. Séparé
de leurs anciens frères de race par la distance et par les divergences religieuse
ils s'attachaient de plus en plus à l'Église et à la culture grecque. Nous avon
vu quelle grande influence exerça sur eux l'Église de Constantinople dont il
devinrent les missionnaires parmi les Khazars. Il était inévitable que, dans ce
conditions, ils se tournassent de plus en plus vers l'hellénisme.[1]

*

Nous serions enclin à rapporter au territoire goth l'épisode enregistré pa
le biographe et concernant une ville chrétienne qui, menacée par un toudou
khazar, fut sauvée grâce à l'intervention de l'ambassade de Constantin. Il es
malheureusement difficile de préciser la situation politique de la Gothie ver
cette époque. Nous avons vu que les Goths furent plus ou moins indépen
dants des Khazars jusque vers 787, année qui vit se produire une révolte sus
citée par l'évêque Jean. Nous ne savons pas si cette occupation khazare de l
Gothie taurique fut partielle ou totale, définitive ou simplement temporaire
L'emprise khazare ne fut d'ailleurs pas très lourde si l'on en juge par la mo
dération avec laquelle fut liquidée la révolte de 787. Il est possible que l
rapprochement entre Khazars et Byzantins, accentué plus tard et consacré pa
l'alliance de 833 contre les Russes, ait eu des conséquences en ce qui concern
les Goths et que ceux-ci se soient replacés sous le protectorat byzantin tou
en gardant une certaine autonomie.[2] Si telle a été l'évolution des choses, l
récit de la Vie serait tout à fait clair et compréhensible. On pourrait y voir l

[1] On sait qu'au Ve siècle c'est St Jean Chrysostome qui favorisa à Constantinople la liturgie e
la littérature gothiques. Il était en relations avec les Goths de Crimée. Le couvent goth de Constan
tinople devint, sous son patronage, un centre intellectuel important. St Jean Chrysostome voula
surtout par ces faveurs briser l'influence des Goths ariens à Constantinople et travailler à faire re
venir au catholicisme les Goths «danubiens». Après le départ de ceux-ci, les Goths perdirent tout
importance pour l'Eglise byzantine et ceux qui restaient dans l'Empire ne furent plus ménagé
comme autrefois. On ne peut pas parler d'hellénisation forcée car ce n'était pas dans les habitude
de l'Eglise byzantine, mais le temps et la vie continuaient lentement leur œuvre.

[2] Telle est aussi l'impression de VASIL'EV, *l. c.,* V, pp. 222 et suiv.

reuve que les Khazars n'ont admis que difficilement la nouvelle situation et u'ils ont toujours cherché à étendre leur pouvoir effectif sur le territoire goth. 'n comprendrait aussi que les Goths, attaqués par les Khazars, se soient im- iédiatement adressés à leurs protecteurs, les Byzantins, et que l'ambassade npériale, se trouvant par hasard à Cherson à ce moment, soit officiellement itervenue et ait obtenu gain de cause.

Il sera probablement impossible de trancher définitivement cette question e détail tant que nous ne serons pas mieux renseignés sur la situation poli- que des Goths à cette époque. Il nous paraît impossible en tout cas que attaque en question ait pu être dirigée contre le territoire proprement byzantin e Crimée. Les relations entre Byzantins et Khazars étant alors pacifiques, s Khazars n'avaient aucune raison de provoquer leurs alliés. L'idée suivant quelle il ne s'agirait que d'une entreprise locale due à l'initiative d'un tou- oun ne peut suffire à nous le faire admettre.

*

Nous serions même assez porté à établir un lien entre cet épisode et un itre fait que rapporte la Légende. Constantin, au témoignage du biographe, t assailli, avec les siens, par une horde de Magyars « qui hurlaient comme es loups ». Mais l'attitude du Saint qui, en dépit d'eux, continuait tranquil- ?ment à prier, les désarma et ils ne lui firent point de mal. Cet épisode a été woqué par plusieurs savants,[1] pour prouver que la Vie de Constantin conte- ait une série de renseignements dignes de créance et que son auteur était en renseigné sur un certain nombre de choses. Les Magyars occupaient, en ffet, jusqu'à cette époque seulement, les steppes entre Dnieper et Don.[2] Peu e temps après, ils durent évacuer le pays sous la pression des Petchenègues t pousser au delà du Dniepr, en direction de l'ouest. Ils occupaient ce terri-)ire sous la suzeraineté des Khazars.[3] Ne pourrait-on pas leur attribuer l'atta- ue contre le territoire goth dont nous venons de parler? Par là-même seraient ?vées d'un seul coup toutes les difficultés que nous avons rencontrées en

---

[1] Cf. MARQUART, l. c., p. 14, BURY, A History, pp. 423 et suiv., 490.

[2] BURY, l. c., p. 424.

[3] Cf. ce que dit des relations magyaro-khazares à cette époque VASILJEV, l. c., V, pp. 223 et liv., GROT, Моравія и Мадьяры, Записки истор.-фил. факулт. имп. С.-Петербургск. Уни- epc., IX, St. Pétersbourg, 1881, pp. 217–219, 247, 280; MARQUART, l. c., pp. 33–35, BURY, l. c., p. 423, 490.

examinant les possibilités d'une attaque khazare contre ce territoire. Ce n[e] serait qu'un raid des Magyars en Crimée et puisque ils dépendaient des Kh[a]zars on pourrait, à la rigueur, admettre que le « général khazar » qui comma[n]dait l'expédition, était un chef magyar. On comprendrait aussi facilement qu[e] les Magyars aient reculé sur les instances d'une ambassade envoyée auprès d[e] leur maître, le khagan khazar, par le puissant empereur de Byzance de mêm[e] qu'il n'y aurait plus de raison de s'étonner que leur chef fût païen. Dison[s] du reste, qu'il est impossible de se prononcer catégoriquement et que, d[e] toute façon, il est assez étonnant de rencontrer en Crimée une bande d[e] Magyars au moment même où s'y trouve une forte armée khazare. Il résult[e] en tout cas du récit de la Légende que ces deux petits épisodes ont eu pou[r] théâtre la Crimée et que même au point de vue chronologique ils ne sor[t] pas très distants l'un de l'autre.

*

Il nous reste à parler d'un autre évènement qui se passa à Cherson mêm[e] pendant le séjour qu'y fit Constantin et qui a dû avoir, par la suite, une trè[s] grande importance pour les deux frères: l'invention des reliques de Sain[t] Clément. On ne peut guère douter de la découverte en elle-même. Le fa[it] est rapporté non seulement par le biographe de Constantin mais par la légend[e] italienne et par le bibliothécaire Anastase qui a recueilli le témoignage ora[l] de Constantin lui-même et qui a pu aussi en vérifier l'authenticité lors de so[n] séjour à Constantinople, en 867. Mais ce qui importe, c'est de savoir si ce[s] reliques étaient vraiment celles du pape St Clément comme le prétendait leu[r] inventeur et comme on le croyait à Rome. Or, sur ce point, la question s[e] complique. On sait que les Actes de Clément[1] parlent, en effet, de l'exil de c[e] pape en Crimée où il fut condamné « ad marmora ». Il trouva là plus de 200[0] de ses coreligionnaires, condamnés comme lui aux travaux forcés dans les ca[r]rières d'Inkermann. Il les consolait par ses paroles, et comme ils manquaien[t] d'eau, il découvrit miraculeusement une source. Son activité apostolique amen[a] toute la région au christianisme. Clément fut mis en accusation, condamné [à] mort et jeté à la mer avec une ancre au cou. Mais, la mer s'étant ensuite retiré[e]

---

[1] COTELIER, S. Barnabae et aliorum Patrum apost. scripta, Paris, 1672, II, pp. 828–836; FUNK[,] Opera Patrum apostol., Tübingen, 1881, vol. II. La «Vie» de St Clément publiée par A. MINGAN[A] (A New Life of Clement of Rome, Some Early Judaeo-Christian Documents in the John Rylands Librar[y] Syriac text ed. with transl., Manchester, 1917, pp. 10–20) n'est qu'une narration fantaisiste dont o[n] trouve l'analogue dans l'histoire de St Eustathius et qui est sans intérêt pour notre sujet.

les disciples purent rendre aux reliques de leur maître les honneurs qui leur étaient dues. Celui-ci leur apparut alors et les pria de laisser son corps selon la volonté de Dieu dans son tombeau de marbre au fond de la mer. Il affirma qu'ils pourraient lui rendre visite à chaque anniversaire de sa mort car tous les ans, à cette date, la mer se retirerait miraculeusement.

Ces textes ont éveillé des suspicions fondées. Sans parler des détails miraculeux qui s'y trouvent mentionnés, il paraît, en effet, très peu probable que Saint Clément, troisième successeur de Saint Pierre, ait pu être exilé en Chersonèse, pays qui, à cette époque, – sous Trajan – ne formait pas une province romaine proprement dite mais n'était qu'un territoire protégé par l'Empire.[1] Néron avait, du reste, garanti à la ville de la Chersonèse Taurique – c'est ainsi qu'on appelait alors Cherson – une certaine liberté dans le cadre de l'autonomie.[2] Les Romains tenaient à défendre contre les attaques des Scythes ces régions qui étaient d'une grande importance pour l'Empire; ils avaient donc fortifié les principaux passages et entretenaient des garnisons à Chersonèse et sur quelques autres points[3] tout en maintenant leur hégémonie sur le royaume de Bosphore, pays effectivement vassal de l'Empire. Sous Trajan la Chersonèse fut, avec le consentement de Rome, unie au royaume du Bosphore qui se chargea de protéger toute la région contre les attaques barbares. Cet état de choses fut confirmé par l'empereur Hadrien. Ce n'est qu'après la mort de Kotis II, roi du Bosphore, en 132–33, que Chersonèse reprit son ancienne situation et redevint ville libre sous le protectorat romain.[4] Or, si nous accordons créance au récit des Actes de Clément, il nous faut supposer que les condamnés rencontrés par Clément en Chersonèse étaient les victimes de la persécution de Domitien, ce qui paraît bien impossible, les Romains n'ayant pas coutume d'envoyer les condamnés aux travaux forcés dans un pays où leur autorité n'était pas bien assise et qui était exposé à tout moment aux attaques des barbares. Une telle politique aurait été en effet extrêmement dangereuse; elle est encore rendue moins vraisemblable par l'époque où il faudrait placer l'exil de Clément

---

[1] Cette objection a déjà été soulevée par TILLEMONT, *Mémoires pour servir à l'histoire ecclésiastique*, Paris, 1693–1712, II, note XII sur Saint Clément. L. ALLARD, *Histoire des persécutions*, Paris, 1885, I., p. 171 a essayé de la repousser mais n'a pas réussi.

[2] PLINE, *Hist. Nat.*, IV, 85.

[3] JOSÈPHE, *De bello Jud.*, II, 16.

[4] Voir sur l'histoire de la Crimée de l'époque romaine, KULAKOVSKIJ, *l. c.*, pp. 41 et suiv. et surtout M. J. ROSTOVCEV, Еллинство и иранство на югъ Россіи, St. Petersbourg, 1918, pp. 140 et 164. Cf. IDEM, *Skythien n. der Bosporus*, Berlin, 1931, pp. 195 et suiv.; E. IVANOV, Херсонесъ Таврыдскій, Simferopol, 1912, pp. 27 et suiv.

— le règne de Trajan — la Chersonèse faisant alors partie du royaume vassal du Bosphore.[1]

Une autre difficulté se présente. Si nous admettions la véracité du récit des Actes concernant les deux mille chrétiens trouvés par Clément en Chersonèse, nous serions obligés de nous contenter de l'explication donnée par L. Allard dans son *Histoire des persécutions*[2] et de supposer avec lui que l'amnistie accordée par Nerva aux exilés du règne de Domitien ne s'appliqua pas aux condamnés aux travaux forcés, supposition qui est loin de pouvoir être admise sans discussion. Il semble d'ailleurs aussi que la date donnée par les Actes pour l'introduction du christianisme à Chersonèse et en Crimée en général soit trop avancée. On ne trouve de traces sûres du christianisme que dans le royaume de Bosphore, et seulement depuis 270; c'est vers cette date, en effet, que nous voyons l'image traditionnelle d'Astarté remplacée sur les monnaies de ce petit royaume par le trident symbolisant la croix. Entre 296 et 303, sous le règne de Tortorsis, la croix y apparaît même ouvertement.[3] A Chersonèse nous ne constatons qu'en 381 la présence d'un évêque, Aetherius qui assista au concile de Constantinople.[4] Depuis le règne de Trajan jusqu'à cette date, ce qui représente un laps de temps assez long, nous n'avons aucun renseignement précis sur le sort du christianisme dans ces contrées. Il y a eu certainement quelques traces de christianisme avant 381, comme l'indiquent les Synaxaires dont nous parlerons plus loin mais auxquels il serait bien téméraire d'accorder entière confiance et qui ne reportent même les débuts du christianisme qu'à l'époque de Dioclétien.

Comme le remarque Duchesne[5], les Actes ne peuvent pas avoir été rédigés avant le IVᵉ siècle puisqu'ils mentionnent un «comes sacrorum officiorum», charge qui n'a été établie que par Constantin le Grand[6]. Pourtant ce détail ne fait que préciser le *terminus a quo* de leur composition et ne prouve nullement qu'ils aient été réellement rédigés au IVᵉ siècle.

---

[1] Comparons ce que raconte CONSTANTIN PORPHYROGÉNÈTE des rapports des Chersonites avec les Romains, sous l'empereur Dioclétien (*De admin. imp.*, chap. 53, Bonn, pp. 244 et suiv.).

[2] Vol. I, p. 172.

[3] DE ROSSI, *Le pitture scoperte in S. Clemente*, Bolletino di archeologia cristiana, II, 1864, p. 5; J. ZEILLER, *l. c.*, pp. 409, 410. Voir aussi l'épitaphe chrétien de Bosphore daté de 304 et publié dans les Записки Од. Обш., XXII, 1900, Протоколы, p. 59.

[4] MANSI, III, 572.

[5] *Liber pontificalis*, I, p. XCI.

[6] Sur la réorganisation de l'administration de l'Empire sous Constantin, voir E. STEIN, *Geschichte des spätrömischen Reiches*, Wien, 1928, I, pp. 171 et suiv.

Ce qui rend ces Actes particulièrement suspects à nos yeux, c'est le fait qu'en Occident nous ne trouvons trace de cette tradition qu'au VIᵉ siècle. C'est St Grégoire de Tours[1] qui en parle le premier et après lui le «Missale Gothicum» daté du VIIᵉ siècle la mentionne également.[2] Jusqu'au IXᵉ siècle nous ne trouvons rien qui s'y rapporte dans les sacramentaires romains. L'auteur même du Liber Pontificalis se montre très prudent lorsqu'il parle de la mort de St Clément et semble ignorer les détails fournis par les Actes.[3] Rien d'étonnant donc à ce que ces Actes aient été rejetés par un certain nombre de savants.[4]

Le culte d'un certain martyr Clément a pourtant dû exister à Cherson. C'est ce que prouve en effet Théodose dans son Itinéraire composé au VIᵉ siècle. Il y dit, parlant de cette ville:[5] «Civitas Chersona quae est ad mare Pontum, ibi domnus Clemens martyrizatus est. In mari memoriam ejus cum corpus missus est. Cui domno Clementi anchora ad collum ligata est et modo in natale ejus omnes in barcas ascendunt populus et sacerdotes, et dum ibi venerint, maris desiccat milia sex, et ubi ipsa arca est, tenduntur super se papiliones et ponitur altaris et per octo dies ibi missas celebrantur et multa mirabilia ibi Domnus facit.»

Ce témoignage correspond par quelques détails au récit des Actes. Mais il ne nous éclaire pas sur le point essentiel, à savoir si Clément le Martyr était ou non le pape du même nom. Tout semble nous faire pencher vers la négative car comment l'auteur aurait-il pu omettre le titre de pape? Il appelle simplement Domnus le personnage en question.[6] Il semble donc bien qu'il s'agisse plutôt ici du culte d'un martyr local, nommé Clément que, pour cette raison, les Actes ont confondu avec le pontife romain. On a d'ailleurs dû construire à Cherson en l'honneur de ce martyr une église qui date du IVᵉ siècle[7] et dont on a trouvé les ruines en 1853.

---

[1] *P. L.*, vol. 71, col. 174, 737, *M. G. H., Ss. rer. Mer.*, vol. I, pp. 46, 510.

[2] DUCHESNE, *l. c.*; FUNK, *Opera patrum apostolorum*, l. c., II, pp. IX, 39.

[3] *L. c.*, I, p. 123. L'auteur se contente de dire tout simplement «Qui etiam sepultus est in Graecias VIII kal. decemb.»

[4] Cf. DUCHESNE, *l. c.*, p. XCI, TILLEMONT, *Mémoires*, II, p. 533, note XII, LIGHTFOOT, *Apostolic Fathers*, *St. Clement of Rome*, vol. I, pp. 86 et suiv., ZEILLER, *l. c.*, p. 410. DE ROSSI, *l. c.*, II, 1864, pp. 5–6 et P. ALLARD, *l. c.*, pp. 179 et suiv. s'efforcèrent de sauver au moins leur historicité partielle.

[5] *Theodosius de situ terrae sanctae*, dans GEYER, *Itinera Hierosolymitana* s. III–VIII, Corpus script. eccl. Latin., vol. 39, p. 143 (Vienne, 1898).

[6] Théodose appele domnus: le Seigneur, Cornelius (p. 139), le diacre Philippe (p. 139), Jean Baptiste, le prophète Jérémie (140), l'Apôtre André (144), il qualifie, en outre, de domna l'impératrice Eudocie.

[7] H. LECLERQ, *Dictionnaire d'archéologie et de liturgie*, vol. II (Caucase), col. 2641 et suiv.

Il faut du reste remarquer – et c'est un détail qui n'a pas encore été suffi
samment examiné – que d'après les Synaxaires le christianisme naissant à Cher
son est orienté non pas vers Rome ni même vers les chrétientés d'Asie Mi
neure, mais vers le patriarcat de Jérusalem. D'après cette tradition, le premie.
évêque y fut envoyé par Hermon de Jérusalem. C'était Basile qui accompa
gnait Ephraem destiné par le même patriarche au siège de Tomi. Leur missior
se place sous le règne de Dioclétien.

D'après la même tradition, Basile eut pour successeurs Eugenius, Agatho
dorus, Capito et Elpidius. Tous ces noms ne peuvent pas être vérifiés puisque
nous ne possédons pas d'autres documents plus sûrs. Ce n'est qu'avec Aethe
rius, mentionné également par les Synaxaires, que nous entrons vraiment
dans le domaine de l'histoire. Aetherius, nous l'avons déjà dit, a signé les
Actes du concile de 381. Il est curieux que les Synaxaires le fassent venir aussi
de Jérusalem. Il semble bien que la tradition qui rattache au patriarcat de Jé
rusalem les débuts du christianisme en Crimée soit fondée en raison puisque
nous constatons que la chrétienté gothique, par exemple, a été, au VIIIᵉ siècle
encore, en contact intime avec Jérusalem. Sᵗ Jean, évêque goth, y fait un pé
lerinage avant de prendre possession de son siège et correspond avec le patri
arche de Jérusalem au sujet du culte des images.[1] Il paraît singulier que cette
vieille tradition de Crimée ne rattache pas à Rome les débuts du christianisme,
ce qui serait pourtant plus compréhensible puisque ce serait, au dire des Actes,
Clément qui aurait implanté en Chersonèse la religion nouvelle.

Il paraît impossible de préciser à quelle époque et à quel endroit furent
composés les Actes de Sᵗ Clément. Si l'on pouvait prouver qu'ils l'ont été à
Cherson, on serait tenté, au premier abord, de les dater de la même époque
que ceux, également légendaires, des différents évêques de Crimée,[2] tous ces
documents ayant pour but essentiel de prouver l'ancienneté de l'Eglise de
Cherson. D'après Latyšev, ce pourrait donc être des VIᵉ–VIIᵉ siècles.[3] L'auteur
des Actes cherchant à atteindre le même but que les hagiographes en question
transporta le pape Clément en Crimée en l'identifiant avec un saint local.[4]

[1] *Vita S. Joan Goth.* l. c., col. 190, 191. VASIL'EVSKIJ, Труды, II, pp. 408 et suiv.

[2] LATYŠEV, Житіе св. еп. Херсонскихъ, Sᵗ Pétersb., 1906, pp. 58 et suiv.

[3] *L. c.*, p. 16. Il juge ainsi d'après le nom Τουρκία qui se trouve dans les Actes (*ib.*, p. 58). C'est
ainsi qu'on désignait au VIIᵉ siècle la Khazarie. Cf. pour les détails l'étude de J. KULAKOVSKIJ,
Къ исторіи Боспора Киммерійскаго въ концѣ VI вѣка, Виз. Врем., vol. III, 1896, pp. 1–17.

[4] Nous ne pensons pas, comme certains érudits – Franko notamment – que le culte de Sᵗ Clé
ment d'Ancyre soit pour quelque chose dans cette «opération». Il faut plutôt le rattacher au culte
d'un martyr local des IIIᵉ et IVᵉ s. (Cf. J. FRANKO, Святий Климент у Корсуні, Lvov, 1906,

Cette hypothèse paraît pourtant peu vraisemblable. Comment supposer que la charge ephémère de comes sacrorum officiorum, instituée par Constantin, ait été encore connue deux ou trois siècles plus tard? C'est pour cela qu'il faut dater les Actes du IVe ou du début du Ve siècle. D'autre part, rien dans les Actes ne vient à l'appui de leur origine chersonite. La tradition locale, nous l'avons vu, rattache plutôt l'origine du christianisme en Crimée à l'initiative du patriarcat de Jérusalem. Il se peut donc qu'on doive chercher l'origine des Actes en dehors de la Crimée.

N'oublions pas, d'ailleurs, que les reliques du Saint ne se trouvaient pas à Rome, dans la basilique édifiée en l'honneur du pape Clément.[1] Ce n'est pas là une raison suffisante d'aller les chercher en Crimée à Cherson mais c'est un fait qui a certainement facilité la diffusion des Actes de Clément en semblant confirmer ce qui était dit de son martyr. Peut-être même a-t-il tout simplement donné naissance aux Actes.[2]

Pour ce qui est de l'identification de l'endroit où Constantin, d'après la Légende, trouva les reliques qu'il prit pour celles du pape Clément, tout semble indiquer que c'était une petite île de la baie de Kamyš à Cherson. A. L. Berthieu-Delagarde[3] a longuement décrit cette petite île qui, autrefois, était englobée dans les fortifications de l'ancienne Chersonèse et était reliée à la terre ferme par un mur visible seulement à marée basse.[4] A l'époque chrétienne on avait construit dans cette petite île une église dont les ruines ont été découvertes en 1845.[5] Toutes les indications de la Légende, ainsi que celles du récit

---

pp. 130 et suiv. Le traité de J. Franko a été publié aussi dans les Записок Научного Товар. імена Шевченка, vol. 46, 48, 56, 59, 60, 66, 68, 1902–1905).

[1] L. DUCHESNE, *Étude sur le Liber pontificalis*, Paris, 1877, p. 149: «La basilique St Clément, où l'on a retrouvé des incriptions remontant aux papes Sirice († 398) et Damase († 384), et des peintures facilement attribuables au temps de Constantin, remonte par ses origines premières à une époque beaucoup plus reculée. Or il est certain qu'elle ne conservait pas le corps de son titulaire: les martyrologes, sacramentaires et autres documents du VIe et du Ve siècle n'y font pas la moindre allusion; les topographes du VIIe siècle, où l'on trouve l'indication de tous les corps saints qui reposaient par exception dans l'intérieur de Rome, ne parlent pas de saint Clément.» Cf. DE ROSSI, *Bolletino*, 1870, pp. 149 et suiv.

[2] Il est probable que St Clément de Rome fut martyrisé, comme semble l'indiquer une vieille tradition. Le lieu de son martyr reste inconnu. Tout ce qu'on peut en dire, c'est que ce ne fut pas à Rome.

[3] Раскопки Херсонеса, Матеріалы по археологіи Россіи, no. 12, Древности южной Россіи, St Pétersbourg, 1893, pp. 58–63.

[4] Ne pourrait-on voir, dans ce détail, l'origine de la légende du recul de la mer permettant aux fidèles de vénérer le corps de Saint Clément?

[5] MURZAKEVIČ, Херсонесская церковь св. Василія, Записки Одеск. Общ. Ист. и Древн.,

slave Слово на перенесенїе мощеи[1] et de la lettre du bibliothécaire Anastase à l'évêque Gauderich de Velletri[2] concernant la découverte de Constantin peuvent être vérifiées si on identifie le lieu de la trouvaille avec cette île. Elle était à faible distance de la ville, de sorte que Constantin a pu facilement l'atteindre, faire sa découverte et retourner dans la même journée comme l'affirment les documents en question. L'accès par mer était certainement le plus indiqué, étant donné que la communication par terre n'était pas toujours praticable. Il est tout à fait vraisemblable que la petite église qui y avait été construite et qui abritait les reliques du Saint local soit depuis longtemps tombée en ruines. On serait volontiers porté à dater sa destruction du VIIe siècle, époque à laquelle la ville a eu le plus à souffrir des invasions barbares. La lettre d'Anastase y pousse surtout.

Il semble que la trouvaille de Constantin ait redonné de la célébrité à cette île et que l'église y ait été reconstruite. On peut en juger d'après les monnaies du Xe siècle trouvées dans les ruines. Elle paraît exister encore au XIIIe siècle, à en croire le missionnaire Guillaume de Rubruquis (Ruysbroeck) qui affirme l'avoir vue de son bateau à son passage en mai 1253.[3]

Les deux documents – la Légende italique et le Слово на перенесенїе – ne sont pas d'accord sur un point: la date de l'invention. La Légende dite italique la date « in III. Calendarum Januariarum », c'est à dire du 30 décembre, le document slave du 30 janvier. Il doit donc y avoir une erreur dans un de ces documents et il est difficile de décider dans lequel. Tout semble pourtant indiquer que le slave mérite plus de créance quant à ce détail.

Tout peut donc être vérifié, sauf l'authenticité des reliques de Saint Clément. Ici, Constantin et ses contemporains ont été victimes d'une mystification et les reliques retrouvées près de Cherson n'étaient pas celles du pape Clé-

---

vol. V, 1863, p. 497. Cf. M. G. CANALE, *Della Crimea, del suo commercio et dei suoi dominatori*, Genova, 1855, I, pp. 280, 281.

[1] M. POGODIN, Кирилло-Меѳодіевскій Сборникъ, Moscou, 1865, pp. 319 et suiv. F. FRANKO, *l. c.*, pp. 244 et suiv.

[2] J. FRIEDRICH, *Ein Brief des Anastasius bibliothecarius an den Bischof Gaudericus von Valletri, über die Abfassung der «Vita cum translatione S. Clementis Papae»*, München, 1892. Cf. PASTRNEK, *l. c.*, pp. 246–248.

[3] GUIL. DE RUBRUQUIS, *Voyage en Tartarie*, p. 3, Recueil des voyages de Bergeron, Paris, 1634: «Nous vînmes donc au pais de Gazaria qui est en forme de triangle, ayant à l'occident une ville, appelée Kerzona, où Saint Clement Evesque d'Ancyre (!) fut martyrisé, et passant à la veiie d'icelle, nous apperceusmes une isle, où est une Eglise, qu'ils disent avoir esté bastie de la main des Anges.»

ment. Toute l'artillerie lourde mobilisée par l'intrépide et acharné défenseur de « l'orthodoxie » de Constantin et de Méthode, Mgr. Snopek,[1] pour anéantir les quelques propos trop spirituels peut-être et un peu malicieux de M. Brückner[2] a complètement manqué son but. Il n'est pourtant pas possible de qualifier de fraude l'invention 'des prétendues reliques de Saint Clément. Constantin était bien convaincu, comme tous ceux de ses contemporains qui connaissaient les Actes de Clément, que Cherson avait été réellement le lieu de sépulture du fameux auteur de la Lettre aux Corinthiens. Moins fondée encore la tentative de M. Franko pour contester à Constantin le mérite de l'invention en elle-même en la datant du règne de Nicéphore (802–812) et en l'attribuant à un prêtre nommé Philippe.[3] On sait que Franko se basant sur un Prologue vieux slave du XVIe siècle a confondu le stratège Nicéphore, qui d'après le « Слово на пренесенїе »[4] à cette époque gouvernait le thème de Cherson, avec l'empereur du même nom. Au lieu du « Philippus sacerdos » qu'il a cru avoir découvert dans le document conservé par Jacob de Voragine et attribué dans sa rédaction primitive à Léon d'Ostie, il aurait dû lire tout simplement « Philosophus sacerdos ». Il a mal interprété l'abréviation.[5]

Il est regrettable que les écrits grecs dans lesquels Constantin avait traité l'histoire de sa découverte à Cherson soient perdus. Il nous auraient certainement instruits sur bien des points encore. Nous avons toutefois un texte vieux-slave relatif à l'invention de reliques de St Clément, texte qui est peut-être la traduction d'un de ces écrits et qui confirme à la fois le récit de la Vie et les renseignements transmis par Anastase le Bibliothécaire.[6]

---

[1] *Die Slavenapostel*, Kremsier, 1918, pp. 283–354.

[2] *Die Wahrheit über die Slavenapostel*, Tübingen, 1913, pp. 28, 29.

[3] J. FRANKO, *l. c.*, pp. 178 et suiv. *Cyrillo-Methodiana*, Arch. f. sl. Phil., vol. 28, 1906, pp. 23 et suiv.

[4] Pogodin, l. c., p. 320, FRANKO, l. c., p. 245.

[5] Nous nous étonnons de ce que G. LAEHR, *Briefe und Prologe des Bibliothekars Anastasius*, Neues Archiv der Gesellschaft für ältere deutsche Geschichtskunde, vol. 47, 1927, pp. 454, 455, ait pu encore adhérer, sur ce point particulier, à l'opinion de Franko. Il a consulté seulement le résumé de M. Franko dans Archiv f. slav. Phil. L'étude de son ouvrage ukrainien l'aurait certainement rendu plus circonspect à l'égard des thèses de M. Franko. Cf. ce que G. LAEHR, *l. c.*, pp. 455, 456 dit des relations existant entre la Légende dite italique, la lettre d'Anastase à l'évêque Gauderich et la Vie de Saint Clément écrite par Gauderich et dont nous ne possédons que des fragments. Le troisième livre de cette Vie, où Gauderich a traité l'affaire de l'invention des reliques, étant perdu, il est impossible de décider si la Légende dite italique est un extrait de ce troisième livre ou si l'auteur de la Légende s'en est seulement servi.

[6] Sur le culte de St Clément en Moravie et en Russie voir FRANKO, *l. c.*, pp. 253 et suiv.

III.

La discussion qui, à la cour du khagan, opposa Constantin aux Juifs et que nous rapporte le biographe aux chapitres IX, X et XI, est une importante contribution à la littérature polémique antijudaïque. Il est à regretter que le livre de Constantin contre les Juifs – dans lequel il avait décrit ses discussions et que Méthode, au dire du biographe, avait traduit en slavon, en le divisant en huit homélies – soit perdu. D'après les extraits que nous en trouvons dans la Vie de Constantin, cet écrit était très intéressant et aurait certainement mérité d'occuper dans ce genre de la littérature chrétienne une place de marque. Les idées que le biographe fait développer à Constantin méritent de retenir pour un instant notre attention.

Sur quels points porte la controverse entre Constantin et les savants juifs? Elle s'ouvre par une discussion sur la Trinité. Constantin défend le dogme chrétien comme plus conforme à la parole des Ecritures de l'Ancien Testament, qui parlent aussi du Verbe et de l'Esprit. Il appuie sa thèse par la citation d'Isaïe (48, 12, 16: le Seigneur m'a envoyé et son esprit). Les Juifs attaquent ensuite le dogme de l'Incarnation en prétendant que Dieu ne peut pas être porté par les entrailles d'une femme. La réplique de Constantin est assez spirituelle: « Est-ce que le khagan peut être reçu et hospitalisé par son premier conseiller? » Si l'on se rend compte de la place quasi-divine que le chef khazar occupait, on doit reconnaître que cette réplique de Constantin était assez habile. Le développement de l'argumentation n'est pas moins spirituel. S'il est insensé de dire que le premier conseiller ne puisse pas recevoir le khagan, il est également insensé de prétendre que la première créature, l'homme, ne puisse pas recevoir Dieu qui, pourtant, s'est fait abriter par la fumée, le nuage et l'orage, dans lesquels il est apparu à Moïse et à Job. La Rédemption du genre humain était nécessaire car, comme les Juifs doivent le reconnaître eux-mêmes, le pardon des offenses ne pouvait être donné que par Dieu lui-même.

Ainsi la première partie des discussions portait sur la Trinité, l'Incarnation et la Rédemption. La deuxième, la plus longue, a été consacrée à la loi de Moïse qui, au dire de Constantin, a été abrogée par celle du Nouveau Testament comme la loi de Moïse avait abrogé celle de Noë. On en vient ensuite à discuter sur l'arrivée du Messie. Constantin, pour prouver que Jésus est le Messie attendu, invoque en témoignage les prophètes Malachie (1, 10–11), Zacharie

(9, 9–10), Daniel (2, 44–45), Isaïe (7, 14; 65, 15–16; 66, 7), Michéas (5, 2–3), Jérémie (30, 6–7). Il prouve ensuite que les Israélites ont cessé d'être le peuple élu et que la circoncision n'a plus de valeur. Il défend le culte des images en faisant valoir que même les Israélites possèdent et vénèrent des images des anges et qu'ils rendent les honneurs à l'arche de Moïse qui n'est pourtant qu'un symbole. Il montre ensuite que les prescriptions sur les animaux purs et impurs n'ont plus de valeur.

Le troisième entretien traite de la vraie foi et de la supériorité de la morale chrétienne. On y trouve aussi une allusion aux Sarrasins dont quelques-uns assistaient à la discussion: Constantin explique pourquoi les chrétiens ne peuvent pas vénérer Mahomet quoique celui-ci ait regardé Jésus-Christ comme un prophète. Le biographe se plaît ensuite à insister sur le grand succès de ces discussions. Il aurait été tel que le khagan aurait menacé de mort tous ceux qui continuaient à professer le judaïsme ou l'Islam. Pourtant il corrige lui-même cette exagération car un peu plus loin, il fait déclarer par le khagan dans une lettre à l'empereur que tous ceux qui le veulent peuvent se faire baptiser.

Tels sont l'histoire et l'objet de cette fameuse discussion.[1] Il serait intéressant de comparer cette polémique à d'autres spécimens de ce genre littéraire pour voir dans quelle mesure Constantin ou son biographe conservent leur originalité ou ont subi l'influence d'autres traités antijudaïques.

La littérature antijudaïque est un des plus anciens genres de la littérature chrétienne. En général, les écrits qui la composent suivent une méthode et une forme stéréotypées; ils imitent, pour la plupart, le fameux dialogue avec le Juif Tryphon écrit par Justin au IIe siècle. Aussi la polémique chrétienne et les objections juives restent-elles à peu près les mêmes; on sort rarement de l'argumentation scripturaire et là encore ce sont souvent les mêmes citations des prophètes et d'autres écrits de l'Ancien Testament qui sont mises en valeur pour prouver que Jésus était le Messie promis ou toute autre vérité religieuse.[2]

---

[1] Sur la discussion de Constantin voir aussi la remarque de HARKAVY, *Jüdisch-chazarische Analekten*, Geigers Jüdische Zeitschrift, vol. III, 1864, pp. 204–210.

[2] Voir sur le caractère de la polémique antijudaïque de la première période chrétienne les remarques de A. HARNACK, *Die Altercatio Simonis et Theophili*, Texte und Untersuchungen zur Gesch. d. altchr. Lit., I., Leipzig, 1883, pp. 56 et suiv. Cf. aussi M. FRIEDLÄNDER, *Patriotische uud talmudische Studien*, Wien, 1878, pp. 49 et suiv. Sur les discussions en général voir l'article de B. SULER, dans *Encyklopaedia judaica*, V, col. 1128 et suiv. Cf. aussi F. C. CONYBEARE, *The dialogues of Athanasius and Zacchaeus and of Timothy and Aquila*, Anecdota Oxoniensia 8, Oxford, 1898.

Laissant de côté les écrits polémiques antérieurs à l'époque byzantine, passons en revue ceux qui appartiennent à cette période et opposent christianisme et judaïsme. Quoique les Juifs fussent à Byzance beaucoup mieux traités en général que dans l'empire romain proprement dit et que partout en Occident,[1] on s'en préoccupait pourtant beaucoup dans l'espoir de les convertir. Les persécutions qu'on leur a fait subir avaient plutôt pour motif de les amener à la foi chrétienne que de leur extorquer de l'argent comme c'était souvent le cas dans les Etats occidentaux du Moyen-Age. Jusqu'au Xe siècle, on ne compte à Byzance que trois persécutions générales de Juifs, la première sous Héraclios, la seconde en 723 sous Léon III, la troisième sous Basile Ier, mais chaque fois la polémique antijudaïque a repris.

La première persécution est illustrée par un curieux document, la «Doctrina Jucubi nuper baptizati»,[2] composé en 640. Jacob, l'auteur présumé, y est représenté comme ayant participé sous Phocas aux luttes entre les deux factions du cirque, les Bleus et les Verts, et en ayant profité pour persécuter les chrétiens. Par la suite il serait devenu marchand, aurait mené une vie tranquille et vécu sous des apparences chrétiennes pour dissimuler son véritable caractère. On l'aurait tout de même démasqué et baptisé de force. Alors seulement il aurait commencé à étudier la religion chrétienne et, arrivé à la conviction que Jésus était vraiment le Messie annoncé, il aurait communiqué le résultat de ses expériences et de ses luttes à ses compatriotes également baptisés de force dans les persécutions qui suivirent la prise de Jérusalem par Héraclios. Cette «Doctrina Jacubi» a dû avoir une grande diffusion: elle a été, en effet, traduite en éthiopien et nous en connaissons même une traduction slave utilisée par les deux éditeurs du texte grec, MM. Bonwetsch et Nau.

C'est vers la même époque qu'ont dû être composés les cinq livres contre les Juifs de Léontios de Néapolis à Chypre, traité dont une partie a été lue devant les Pères assemblés au VIIe concile œcuménique (787)[3] et dont nous

---

[1] Voir sur les Juifs à Byzance S. KRAUS, *Studien zur byzantinisch-jüdischen Geschichte*, Leipzig, 1914; ANDREADÈS, Οἱ Ἑβραῖοι ἐν τῷ Βυζαντινῷ κράτει, Ἐπετηρίς, VI, 1929, pp. 23–43; IDEM, *Les Juifs et le fisc dans l'Empire byz.*, Mélanges Diehl, Paris, 1930, pp. 14 et suiv. Cf. aussi F. CUMONT, *Une formule grecque de renonciation au judaïsme*, Wiener Studien, XXIV, 1902, pp. 462–472; IDEM, *La conversion des Juifs à Byzance au IXe siècle*, Journal du ministère de l'Instruction publique de Belgique, Bruxelles, 1913, XXXXII, pp. 8–15.

[2] BONWETSCH, *Doctrina Jacobi nuper baptizati*, Abh. d. k. Ges. d. Wiss. zu Göttingen, Phil. Hist. Kl., N. F., vol. XII, Berlin, 1910; S. GRÉBAUT, *Sargis d'Aberga*, Patr. Or., vol. III, pp. 556–643; NAU, *La didascalie du Jacob*, Patr. Or., vol. VIII, pp. 713 et suiv.

[3] MANSI, XIII, 44–53 (Actio IV).

trouvons quelques fragments dans la Patrologie de Migne.[1] Vers 680 furent publiées à Damas sous le titre «Les Trophées de Damas»[2] certaines discussions entre Chrétiens et Juifs. C'est en Orient surtout que ces sortes d'écrits ont été en honneur. On sait, par exemple, qu'on attribue à Théodore Abukara lui-même, le fameux défenseur du christianisme contre l'Islam, plusieurs traités antijudaïques.

La deuxième persécution des Juifs byzantins eut lieu, avons-nous dit, en 723, sous Léon III. C'est de cette époque qu'on pourrait dater le traité publié par M. Giffert[3] et qui a dû être composé vers 740, et peut-être aussi le «Dialogue contre les Juifs» attribué à Jérôme, prêtre de Jérusalem.[4]

Sous les autres empereurs iconoclastes la situation changea à Byzance en faveur des Juifs. Léon V surtout leur fut favorable. Michel le Bègue, disait-on, avait même dans sa jeunesse adhéré à une secte judaïsante répandue en Phrygie, son pays d'origine, et il avait été élevé par des Juifs. On sait que les orthodoxes attribuaient aux Juifs une part très active dans les débuts et le développement de l'iconoclasme;[5] aussi les défenseurs des images se tournaient-ils souvent contre eux. Le patriarche Nicéphore, l'énergique iconodoule, est l'auteur d'un livre contre les Juifs; ouvrage important qui serait certainement intéressant pour connaître la mentalité byzantine à ce point de vue au IXe siècle mais qui est malheureusement perdu.[6] A signaler également l'ouvrage exégétique du livre des Prophètes dû à Basile de Neopatrae qui y montre une très vive hostilité contre les Juifs et c'est au IXe siècle qu'il faut rattacher les polémiques attribuées à tort à Anastase le Sinaïte (640–700).[7] Il se peut que la faveur témoignée aux Juifs par certains empereurs iconoclastes et le succès de leur propagande en Khazarie aient enhardi les Juifs et les aient poussés à entreprendre une campagne de prosélytisme à travers l'Empire. Tous ces faits prouvent qu'au IXe siècle Byzance s'intéressait vivement aux Juifs et que les traités polémiques contre le judaïsme étaient tout à fait «à la mode».[8] Nous

[1] *P. G.*, vol. 93, col. 1597–1612.

[2] G. BARDY, *Les Trophées de Damas*, Patr. Or., vol. XV, pp. 174 et suiv.

[3] Ἀντιβουλὴ Παπίσκου καὶ Φίλωνος Ἰουδαίου πρὸς μοναχόν τινα, Marburg, 1889. Cette édition nous est restée, malheureusement, inaccessible.

[4] *P. G.*, vol. 40, col. 847–866; cf. l'article de BATTIFOL dans *la Revue des questions historiques*, vol. 39, 1886, pp. 248–255.

[5] THÉOPHANE, 6215, Bonn, pp. 617 et suiv., de Boor pp. 401 et suiv. Cf. OSTROGORSKI, *Les débuts de la Querelle des Images*, l. c., pp. 235 et suiv.

[6] KRUMBACHER, *l. c.*, p. 72.

[7] KRUMBACHER, *l. c.*, p. 66, *P. G.*, vol. 89, col. 1203–1282.

[8] On trouvera aussi une discussion judaïco-chrétienne dans la *Vie de St Théodore d'Edesse*, éd. de J. POMJALOVSKIJ, l. c., pp. 24 et suiv., 93 et suiv.

trouvons d'ailleurs dans la collection des lettres de Photios une missive destinée à l'archevêque de Bosphore, Antoine, et dans laquelle le patriarche félicite le métropolite des succès remportés dans la christianisation des Juifs de Crimée.[1]

Cet intérêt pour les Juifs, si vif pendant toute la première moitié du IXe siècle, et l'animosité à leur égard — puisque on les rendait en partie responsables des luttes iconoclastes — expliquent la persécution ouverte par l'empereur Basile. Celle-là encore avait pour but la conversion des Israélites au christianisme. Constantin Porphyrogénète[2] qui nous renseigne à ce sujet nous dit que Basile, pour convaincre les Juifs de la vérité de la doctrine chrétienne, aurait organisé des discussions publiques entre les prêtres chrétiens et les représentants des Juifs. Ce souci particulier de Basile à l'égard des Juifs a du reste laissé des traces dans sa législation.[3] Il y a pour nous, en tout cas, une importante remarque à faire: c'est précisément cette persécution qui a marqué le changement d'orientation de la politique byzantine à l'égard des Khazars. Par là s'inaugura la période d'hostilité entre les deux empires, période qui devait se prolonger jusqu'à la dislocation de l'empire khazare par les Russes.[4]

L'intérêt qu'on portait à Byzance,[5] dans la première moitié du IXe siècle, à la question juive suffirait à expliquer la passion avec laquelle Constantin se voua à l'étude du problème, y attachant une importance capitale, jusqu'à y consacrer une grande partie de son activité littéraire. *Sur ce point particulier, son biographe et lui sont tout à fait les enfants de leur époque et de ce passage de la Légende se dégage réellement la mentalité byzantine de la première moitié du IXe siècle.*

On peut facilement imaginer que Constantin, avant d'aller en Khazarie, s'était familiarisé avec la littérature polémique contre les Juifs et il ne serait

---

[1] *P. G.,* vol. 102, col. 828, 829, lib. II, ep. XIII.

[2] *De Bas. imp.,* chap. 45, Bonn, pp. 357 et suiv. Cf. VOGT, *L'Empereur Basile Ier,* Paris, 1912, pp. 302–304.

[3] Voir ZACHARIAE V. LINGENTHAL, *Ius. Graeco-rom.,* II, pp. 111 et suiv., IV, pp. 369 et suiv., V, pp. 364 et suiv.; IDEM, *Imper. Basilii, Const. et Léonis Prochiron,* Heidelberg, 1837, p. 240, tit. 39, col. 31–33.

[4] Cf. V. MOŠIN, *Les Khazars et les Byzantins,* Byzantion, VI, p. 319.

[5] Les discussions avec les Juifs n'étaient pas fréquentes à Byzance seulement; elles l'étaient aussi chez les Arabes. Cf. M. SCHREINER, *Zur Geschichte der Polemik zwischen Juden und Mohamedanern,* Zeitschrift d. deutsch. Morgenland. Ges., vol. 42, 1888, pp. 591 et suiv. GRAF, *Die christl.-arab. Literatur,* l. c., p. 37, parle du livre d'un Nestorien, Ibrâhîm b. Nûḥ Anbârî, contemporain de Mutawakkil, contre les Juifs.

donc pas étonnant de constater dans sa discussion l'influence de certains écrits byzantins antijudaïques. Pourtant, si l'on en vient à un examen plus détaillé, on se trouve assez embarrassé. Il ne faut pas oublier que ce que le biographe nous en a conservé n'est qu'un petit échantillon qui ne nous donne pas une idée très exacte de la discussion ni de l'œuvre de Constantin. D'autre part, nous sommes loin de connaître tous les écrits byzantins antijudaïques; beaucoup sont encore enfouis au milieu des manuscrits de différentes bibliothèques et attendent l'érudit qui les publiera. Il y a là tout un genre littéraire encore mal étudié, les dates et les dépendances mutuelles de quelques-uns des écrits connus devant encore être précisées. Nous avons déjà dit que toute cette littérature polémique est comme stéréotypée; l'emploi des mêmes arguments dans les différentes œuvres ne prouve pas nécessairement que leurs auteurs dépendent l'un de l'autre, l'argumentation, par son caractère même, ne pouvant guère être variée. L'examen que nous faisons de cette partie de la Légende ne peut donc pas prétendre à être définitif.

Il semble pourtant, que nous puissions noter une certaine ressemblance avec les « Trophées de Damas ». Si l'ordre diffère, les sujets traités dans les deux œuvres sont sensiblement les mêmes: dogmes de la Trinité, de l'Incarnation et de la Rédemption, abrogation de la loi de Moïse, prophéties sur le Messie accomplies en Jésus-Christ, question du peuple élu, de la circoncision, du culte des images, des prescriptions rituelles. L'argumentation de Constantin se rapproche étrangement de celle des « Trophées » surtout dans la discussion sur l'Incarnation et la Rédemption; à ce sujet les deux auteurs s'efforcent de prouver que Dieu ne peut être souillé ou corrompu en s'approchant des êtres créés, que personne d'autre que Dieu ne peut pardonner les péchés et que sa descente sur la terre était donc nécessaire.[1] Ce dernier argument est également développé, notons-le, dans le Dialogue de Papiscus.[2]

On peut constater d'autres rapprochements dans la controverse sur le culte des images[3] et sur les prescriptions rituelles de l'Ancien Testament.[4] Les deux apologistes utilisent à ce propos les mêmes passages de l'Ecriture (Gen. 1, 31; Ex. 32, 6). On trouve aussi quelques ressemblances dans l'argumentation tendant à prouver que Jésus est le vrai Messie. C'est même dans cette partie de la discussion qu'on relève le plus grand nombre de citations identiques: Mal.

---

[1] *Les Trophées*, l. c., pp. 226, 227.
[2] *Dial. Pap. et Jas.* 12, l. c., pp. 69 et suiv.
[3] *Vita Const.*, chap. X, PASTRNEK, *l. c.*, pp. 188 et suiv.
[4] *Les Trophées*, *l. c.*, pp. 245–248.

1, 10—11;[1] Dan. 2, 44, 45;[2] 9, 1—2;[3] Is. 7, 14;[4] 65, 15—16;[5] Mich. 5, 2—3.[6]
Dans la controverse sur l'abrogation de la loi de Moïse par celle du Nouveau
Testament une seule citation est identique (Jér. 31, 31 à 33).[7] Il est curieux de
constater que Constantin ne se soit pas davantage servi des Psaumes. On ne
trouve, en effet, qu'une citation du Psaume 40, 10. Il semble avoir eu, par contre,
une prédilection pour Jérémie qu'il cite plus souvent que les autres prophètes.

Nous renonçons à pousser plus loin les rapprochements car, dans l'état
actuel de nos connaissances sur la littérature polémique judéo-chrétienne, on
ne pourrait pas arriver, sur ce point, à des conclusions très sûres. Cet essai
prouve pourtant que la discussion de Constantin et des Juifs répond à la
mentalité byzantine du IXe siècle. Il semble bien que l'influence exercée sur
Constantin par les autres œuvres littéraires du même genre soit plus forte
que celle que nous avions pu constater en examinant sa controverse avec les
Sarrasins mais, malgré tout, les échantillons qui nous ont été conservés par
son biographe trahissent une certaine originalité. Constantin s'est efforcé de
donner aux éléments qu'il a pu trouver dans d'autres écrits une teinte qui
lui fût personnelle en les adaptant aux circonstances et il semble qu'il y ait
réussi.

Il est remarquable que la discussion — qui, suivant la prétendue invitation
du khagan (chap. VIII), devait être dirigée contre les Juifs et les Sarrasins —
ne porte que contre les Juifs. Les Sarrasins ne tiennent qu'une place minime
dans toute la discussion; ils ne sont mentionnés qu'à la fin (chap. XI), Constantin attaquant leur morale relâchée et, trouvant même dans cette argumentation, à s'appuyer sur les Juifs. Il y a là une contradiction apparente avec le
prétendu message du khagan. Mais cela nous confirme dans l'hypothèse que
le biographe de Constantin a confondu deux choses: les discussions qui au
VIIIe siècle sous le règne de Léon III ont réellement opposé à la cour du khagan chrétiens, juifs et musulmans et la controverse que Constantin a eue au

---

[1] Les Trophées, l. c., p. 272.
[2] L. c., pp. 224 et suiv.
[3] L. c., pp. 263 et suiv. Cf. aussi le Dialogue de Papiscus 17, l. c., p. 80, 20.
[4] Les Trophées, p. 206.
[5] L. c., p. 235.
[6] L. c., p. 205.
[7] L. c., pp. 242, 243. L'éditeur des «Trophées de Damas», M. G. Bardy, a attiré l'attention sur
quelques ressemblances existant entre cet écrit et le Dialogue attribué à Anastase le Sinaïte. Mais
comme le Dialogue en question semble ne provenir que de la seconde moitié du IXe siècle, on ne
peut pas le mettre en parallèle avec la discussion de Constantin.

même endroit avec les savants juifs en 861. Tout ce que rapporte le biographe confirme l'adhésion officielle antérieure des Khazars au judaïsme et remarquons, en outre, que les conversions qui suivirent la discussion se produisirent exclusivement parmi les Khazars païens; juifs et musulmans restèrent attachés à leur foi.

Dans sa lettre que l'ambassade a dû transmettre à l'empereur Michel, le khagan assure son allié de son intention de continuer sa politique de bienveillante tolérance à l'égard du christianisme et confirme une fois de plus son alliance avec Byzance. *C'était là le résultat positif de l'ambassade.*

*

Le biographe rapporte ensuite (chap. XII) deux faits qui par leur caractère miraculeux rappellent le style hagiographique: la disparition du goût amer de l'eau à la suite d'une intervention de Constantin et la prédiction de la mort de l'archevêque de Cherson.

Nous avons déjà dit que les traits miraculeux sont peu nombreux dans les Légendes. Mais ces deux détails ne sont pas tout à fait invraisemblables et reposent certainement sur quelque réalité. Il est, en effet, bien possible que l'ambassade, retournant à Cherson en plein été par les steppes caucasiennes, ait manqué d'eau et que celle qu'on trouvait ne fût pas toujours potable. Quant à l'archevêque de Cherson, nous savons qu'il s'appelait Georges. Son nom est mentionné surtout par le Слово на пєрєнєсєнїє[1]. Le biographe nous aide ici à préciser la chronologie des archevêques de Cherson. Georges, d'après cela, est mort dans l'été de 861 et il eut pour successeur Paul qui assista au concile de Photios[2] et dont le nom se trouve aussi dans le catalogue de Le Quien.[3]

L'incident de Phoullae relaté par le biographe au chap. XII a dû, lui aussi, avoir lieu pendant le retour de l'ambassade à Cherson. Ce détail nous donne quelques précisions sur le mélange de races qui constituait la population de Crimée à cette époque. Quel était ce peuple qui, établi près de la ville de Phoullae, vénérait, quoique chrétien, un immense chêne joint à un cerisier et appelé Alexandre comme s'il s'agissait d'un homme? Le biographe semble le distinguer assez nettement des Goths criméens et l'appelle « le peuple de

---

[1] Ed. POGODIN, *l. c.,* p. 320, FRANKO, *l. c.,* p. 245.
[2] MANSI, XVII, 373.
[3] *Oriens christianus,* I., col. 1331.

Phoullae » (въ Фоульсцѣ ѧзъıцѣ). Cette population semble avoir joui d'une certaine autonomie car il est question de son prince (стар҄кишина). Ce ne peut donc pas être des Khazars.

La localité en question était située en dehors du territoire goth et le peuple qui y était établi appartenait au grand groupe des Alains. La présence en Crimée de cet élément ethnique ne doit pas nous surprendre: à l'époque romaine les Alains occupaient le territoire situé au nord du Caucase, depuis la mer Caspienne jusqu'au Don et à la mer d'Azov. Subjugués par les Huns, ils se laissèrent entraîner par leurs maîtres dans les guerres qui accompagnèrent les migrations; leurs campagnes en Gaule et en Espagne sont connues. Une partie resta dans le Caucase et joua – comme nous l'avons vu d'ailleurs – un grand rôle dans la politique byzantine. Ces païens ne furent christianisés que par le patriarche Nicolas Mysticos, au début du Xe siècle.[1] La tribu fixée entre Phoullae[2] et Sougdaea est donc la première qui ait embrassé le christianisme tout en conservant quelques habitudes païennes.

Le culte des arbres sacrés était très répandu parmi les peuples du Caucase. On le constate surtout chez les Tcherkesses et les Abasgues[3] et de chez eux il s'était répandu chez les Alains. L'exemple de ce culte chez les Germains n'a rien à voir avec le cas qui nous occupe car il ne s'agit pas ici comme Tomaschek[4] semble le supposer d'une tribu germanique. Il serait d'ailleurs étonnant de voir les Goths, si profondément pénétrés par le christianisme, attachés encore au IXe siècle aux usages païens.

Il est curieux de constater l'existence de ce culte, au IVe siècle, en Paphlagonie également. Nous en trouvons une preuve dans la Vie de St Hyacínthe de Paphlagonie. La Vie de ce Saint est d'autant plus intéressante pour nous qu'elle offre ici un curieux parallèle avec le récit de la Vie de Constantin. D'après ce témoignage les habitants de la ville d'Amastris vénéraient aussi un arbre qu'ils appelaient Lotus. Hyacinthe fit un long discours pour expliquer aux indigènes la fatuité de leur conduite et, comme il ne réussissait pas à les con-

---

[1] Voir sur les Alains, J. A. KULAKOVSKIJ, Алани, Kijev, 1899; IDEM, Къ исторіи Боспора крим. въ концѣ VI в., Виз. Врем., III, 1896; IDEM, Христіанство у Аланъ, Виз. Врем., V, 1898. Cf. l'article Alania dans le *Dict. d'Hist. et géogr. ecclés.*, I, col. 1334 et suiv.

[2] Il faudra localiser Phoullae avec VASIL'EV, *l. c.*, V, p. 212 près de la Čufût-Kale (Kirkorou) moderne.

[3] Voir MARQUART, *Streifzüge*, p. 15; R. LÖWE, *Die Reste der Germanen am Schwarzen Meere*, pp. 57 et suiv; BROSSET, *Hist. de la Géorgie*. Addit. et éclair., p. 784.

[4] *Die Goten in Taurien*, p. 25. Cf. ce que TOMASCHEK, *l. c.*, p. 25, dit de la flore particulièrement riche et exubérante de ces régions.

aincre, il abattit l'arbre de sa propre main, action courageuse qui lui coûta la vie.[1]

Le culte d'arbres sacrés que nous rencontrons en Paphlagonie au IVe siècle y est très probablement venu aussi des peuplades caucasiennes qui le pratiquaient.

*

Nous avons pu voir que Constantin eut l'occasion, durant son séjour en Crimée et dans la région du Caucase, de bien connaître les problèmes ethniques et religieux relatifs à ces régions. Il profita de ces connaissances lors de sa discussion avec les prêtres latins à Venise (chap. XVI). Pour justifier l'invention d'une écriture spéciale à l'usage des Slaves moraves, il cite un certain nombre de nations qui possèdent leur littérature nationale et «rendent gloire à Dieu dans leur propre langue»: les Arméniens[2], les Perses[3], les Abasgues, les Ibères, les Sougdes, les Goths[4], les Avares[5], les Tources (Τούρϲη), les Khazars, les Arabes[6], les Egyptiens[7], les Syriens[8] et beaucoup d'autres.

---

[1] NICETAS PAPHLAGO, *Laudatio S. Hyacinthi Paphlagoniensis, P. G.,* vol. 105, col. 417 et suiv.; R. COMBEFIS, *Christi Martyrum lecta trias,* Paris, 1666, pp. 7–27.

[2] Sur la liturgie arménienne voir Fr. TOURNEBIZE, *Histoire politique et religieuse de l'Arménie,* Paris, 1900, p. 636. Cf. le curieux renseignement de l'historien arménien Vardan, d'après lequel le grec aurait été remplacé en Arménie par la langue nationale sous le catholicos Jean IV et sur l'ordre du calife Omar (entre 718—720). Voir DÖLGER, *Regesta,* I, p. 34.

[3] La langue liturgique dans les pays d'outre-Euphrate était le syriaque. Cf. L. DUCHESNE, *Origines du culte chrétien,* Paris, 1898 (2e éd.), p. 68.

[4] Constantin pense-t-il ici aux Goths cr3iméens ou à leurs compatriotes dont la liturgie nationale a été favorisée autrefois à Constantinople même par St Jean Chrysostome? En tout cas, le fait que les Goths aient eu leur liturgie nationale devait être connu au IXe siècle même en Occident comme on peut en juger d'après le témoignage de STRABO WALAFRIDUS. Dans son ouvrage *De ecclesiasticarum rerum exordiis et incrementis liber unus,* P. L., vol. 114, col. 927, Strabo, qui vivait dans les couvents de Fulda, St Gallen et de Reichenau († 849), dit notamment: «Et (ut historiae testantur) postmodum studiosi illius gentis (i. e. Gothorum), divinos libros in suae locutionis proprietatem transtulerint, quorum adhuc monumenta apud nonnullos habentur. Et fidelium fratrum relatione didicimus, apud quasdam Scytharum gentes maxime Tomitanos eadem locutione, divina hactenus celebrari officia».

[5] Quant aux Avares, nous manquons de précisions. Constantin et son biographe ont dû apprendre leur christianisation pendant leur séjour en Moravie. Leur conversion doit être placée sous le règne de Charlemagne. Sur leur résidence à cette époque voir plus loin, p. 245.

[6] Sur le christianisme chez les Arabes cf. l'étude de R. AIGRAIN dans le Dict. d'histoire et de géogr. ecclés. (*Arabie,* vol. III, col. 1161 et suiv.). Il semble que les livres liturgiques aient été traduits en arabe sous le seconde calife abbasside (754—775). Cf. J. L. TUNICKIJ, Св. Климентъ епископъ словѣнскій, Sergijev Posad, 1913, p. 242. J. KRAČKOVSKIJ, О переводѣ Библій на арабскій языкъ при халифѣ ал-Ма'мỹнѣ, Христіанскій Востокъ, vol. VI, 1918, pp. 189–196, parle d'une traduction de la Bible de l'hébreu en arabe vers 820–821 par Ahmed-ibn-'Abdallāch. Cf. A. BAUMSTARK, *Die christlichen Litteraturen des Orients,* Leipzig, 1911, II, pp. 12–14.

[7] Sur la liturgie alexandrine v. L. DUCHESNE, *l. c.,* pp. 73 et suiv.

[8] Cf. L. DUCHESNE, *l. c.,* pp. 64 et suiv.

Or, la plupart des peuples énumérés par Constantin habitent la Crimée ou la région du Caucase; c'est le cas des Abasgues, des Ibères, des Sougdes, des Goths, des Tources et des Khazars. Il serait intéressant de trouver quelques précisions quant à l'emploi de la langue nationale dans la littérature et dans la vie religieuse de ces populations. En ce qui concerne les Abasgues, nous en manquons pour ce qui est de l'activité religieuse et nous savons que la littérature abasgue n'a jamais existé. La langue littéraire était, en effet, le géorgien,[1] utilisé de plus par les classes intellectuelles. Cela n'exclut pas l'emploi de la langue nationale dans la liturgie au moins en partie; *en tout cas ils ne se servaient pas du grec.* Pour les Géorgiens (Ibères) la chose est claire.[2] Les Sougdes ne peuvent être que les Alains qui habitaient entre Phoullae et Sougdaea, et qui sous les Khazars semblent avoir joui, avons-nous dit plus haut, d'une certaine autonomie. Les restes d'usages païens que Constantin a trouvés chez eux prouvent que les Alains de Crimée étaient assez fermés aux influences du voisinage et qu'ils tenaient à leurs habitudes nationales. Cela semble donc nous autoriser à supposer que dans la vie religieuse ils laissaient une large place à leur langue nationale. Nous manquons malheureusement d'autres précisions. Les Tourci de la Légende portent un nom vraiment énigmatique. Marquart[3] les identifie avec les Tiverci, tribu slave du Dnjestr, et prétend que le christianisme avait tôt pénétré parmi eux car ils étaient de très bonne heure en contact avec la civilisation byzantine. C'est une hypothèse qui ne satisfait pas tout à fait mais qui peut être acceptée à la rigueur bien qu'il soit probablement difficile de la justifier. Ne pourrait-on pas plutôt penser à une population établie entre Crimée et Dnjestr et appelée turque par la Légende? Dans ce cas on pourrait voir en elle les Huno-bulgares ou peut-être les Magyars qui occupaient la région vers cette époque et chez lesquels on peut supposer également quelques traces de christianisme. On se rappelle l'évêché hunnique que quelques-uns placent justement dans ces régions. Ou seraient-ce plutôt les restes des Huns de Crimée chez lesquels nous placerions de préférence l'évêché en question et que la Légende appelle turques? Pourtant, disons

---

[1] Voir LAURENT, *L'Arménie entre Byzance et l'Islam*, p. 19. Cf. MARQUART, *l. c.*, pp. 174 et suiv., surtout p. 191. Cf. en outre sur les Abasgues: J. DŽANAŠIJA, Религіозныя вѣрованія Абхазовъ, Христіанскій Востокъ, 1915, pp. 72–112; IDEM, Абхозкіи культъ и бытъ, ibidem, 1917, pp. 157–208; MARR, О религіозныхъ вѣрованіяхъ Абхазовъ, ibidem, 1915, pp. 113–140.

[2] Sur la christianisation des Géorgiens voir K. KEKELIDSE, *Die Bekehrung Georgiens zum Christentum*, Morgenland, Heft 18, Leipzig, 1928.

[3] *L. c.*, pp. 190 et suiv.

bien que ce n'est là encore qu'une hypothèse et qui attendra probablement longtemps sa vérification. En ce qui concerne les Khazars enfin, leur langue littéraire, et probablement aussi liturgique, était plutôt l'hébreu. Étant donné la rivalité constatée chez eux entre le judaïsme, l'islamisme et le christianisme on conçoit facilement que les missionnaires chrétiens se soient montrés prêts à donner à l'élément national une place aussi large que possible dans la vie religieuse.

Nous avons vu qu'en général l'Église byzantine était très large d'esprit dans ses efforts de pénétration parmi les peuples relevant de l'empire khazar. Il se peut donc que les renseignements fournis par la Vie de Constantin quant à l'emploi des langues nationales dans la liturgie reposent sur certaines réalités. Remarquons d'ailleurs que le biographe ne parle pas d'une façon expresse des liturgies nationales mais de la littérature en général. Il ne serait pas au fond étonnant qu'il ait un peu exagéré l'importance des éléments nationaux trouvés par lui en Crimée.

*

De retour de la mission khazare, Constantin reprit ses occupations d'autrefois et continua ses cours, « assis dans l'église des Saints-Apôtres ».[1] Il eut l'occasion de faire valoir les connaissances philologiques qu'il avait nouvellement acquises en déchiffrant une inscription hébraïco-samaritaine gravée sur un vase conservé au trésor de Ste Sophie.

L'existence à Byzance d'un monument aussi ancien ne doit pas nous surprendre. On sait que Bélisaire, après avoir détruit l'empire vandale (534), s'empara également des trésors entassés à Rome et comprenant notamment le butin ramené par Titus du Temple de Jérusalem. Ces trésors furent portés en grande pompe au triomphe accordé au général victorieux. Procope[2] rapporte que les ustensiles du Temple furent envoyés par Justinien aux églises de Jérusalem; l'empereur ne voulut pas les garder à Constantinople, un Juif ayant déclaré que ces objets sacrés n'avaient leur place qu'à Jérusalem et porteraient malheur à toute autre ville.

L'anecdote a quelque chose de légendaire[3] mais il semble bien que le trésor en question fut réparti par Justinien entre diverses églises – surtout celles de Jérusa-

---

[1] Voir plus haut p. 81.
[2] *De bello vandallico*, II, chap. 9, Bonn, p. 446, Teubner, p. 457.
[3] Voir ce qu'en dit S. KRAUSS, *Studien zur byz.-jüd. Geschichte*, pp. 106, 107.

lem — et que le trésor de Sainte-Sophie bénéficia notamment de cette distribution.

Il est par conséquent très possible que le vase mentionné par la Légende provienne du butin de Bélisaire.

*

Le récit de la Légende montre que les deux frères admettaient sans restriction le nouveau régime politique byzantin. La Vie de Méthode en apporte, d'ailleurs, encore une preuve. Au chapitre IV le biographe de Méthode affirme qu'on voulut confier à son héros un important archevêché et que, comme il ne voulait pas accepter une telle charge, on le nomma «malgré lui, hégoumène du couvent de Polychron dont le revenu atteint 24 talents d'or et qui héberge plus de 70 frères».

Nous avouons ne pas comprendre comment on a pu voir dans ce passage la preuve d'une rupture entre les deux frères et Photios.[1] Si son refus d'accepter le diocèse qu'on lui offrait avait été motivé par son hostilité à l'égard de Photios, aurait-il accepté de la main du même patriarche la charge d'hégoumène? L'aurait-il pu s'il avait été adversaire de Photios et partisan d'Ignace, le patriarche déposé? Il convient du reste de ne pas oublier qu'à cette époque Photios essayait justement de se créer des amis parmi les moines et de réduire l'opposition que les Studites — et probablement aussi d'autres centres monastiques — avaient affichée à son égard. Que le biographe affirme que Méthode devint hégoumène «malgré lui», cela ne signifie pas grand'chose; la formule est normale en style hagiographique. N'est-il donc pas plus naturel de dire que Méthode tenait, par nature, à la vie monastique — la prière à lui adressée par Constantin mourant de ne pas préférer la vie du couvent au travail qui l'attend en Moravie (Vita Meth., chap. VII) semble bien le prouver — et que c'est pour cela qu'il avait refusé de devenir archevêque? En acceptant la charge d'hégoumène il s'affirmait, lui aussi, partisan de Photios et non pas d'Ignace.

Peut-on identifier le couvent dont Méthode devint le chef? Bilbasov[2] l'a déjà tenté. Il s'agit évidemment d'un monastère des environs du Mont Olympe, près de Sigriane. Il est mentionné dans la vie de St Théophane le Confesseur.[3] C'est là, en effet, que St Théophane fut initié à la vie monastique; le souvenir du fameux confesseur et annaliste byzantin y était donc associé et l'on comprend qu'il ait été particulièrement en estime auprès des moines de l'Olympe.

---

[1] F. GRIVEC, Doctrina de primatu, p. 124.

[2] Кирилъ и Мефодій, St Pétersbourg, 1871, II, p. 80.

[3] Vita S. Theophani Conf., A. S., 23 Mart., chap. II, 13.

Il n'est pas étonnant par conséquent que Photios ait voulu mettre à la tête de ce centre important un hégoumène dont il fût tout à fait sûr.

Il reste pourtant une petite difficulté. La première Vie de Théophane emploie à propos de ce couvent la même dénomination que la Vie de Méthode: *Polychron*. Une deuxième Vie de Théophane, écrite par le patriarche Méthode lui-même[1] et antérieure probablement à la première, l'appelle par contre *Polychnion* (Πολύχνιον). Latyšev,[2] qui a publié cette Vie, déclare que c'est cette seconde dénomination qui est exacte et que le copiste de la première Vie avait fait une faute. La chose est possible; on peut néanmoins n'être pas absolument convaincu. La Vie de Méthode prouverait, en effet, qu'on employait les deux formes et que le couvent s'est appelé non seulement *Polychnion* mais aussi *Polychron*. En tout cas il s'agit certainement du couvent de Sigriane qui appartenait encore au groupe de l'Olympe, puisque nous ne connaissons pas d'autre monastère du même nom. On ne pourrait, d'ailleurs, pas s'expliquer qu'un couvent dont la Vie de Méthode indique l'importance toute particulière soit disparu sans laisser de traces dans les monuments byzantins.

---

[1] *Methodii patr. Const. Vita S. Theophanis Conf.*, Mém. de l'Acad. des sc. de St Pétersbourg, VIIIe série, Cl. Hist. phil., tome XIII, no. 4, pp. 15, 25.

[2] *L. c.*, p. XXV.

CHAPITRE VI.

BYZANCE ET LA GRANDE MORAVIE.

(V. C., chap. XIV, XV; V. M., chap. V.)

I. Les relations commerciales entre Rome et les pays transdanubiens. — Les anciennes routes commerciales. — Les influences de la culture byzantine en Pannonie du VIe au IXe siècle. — Ces influences se sont-elles propagées au delà du Danube? — Le commerce byzantin chez les Avares et les Bulgares.

II. Le but politique de l'ambassade de Rastislav à Constantinople. — L'entente politique de la Moravie et de Byzance en face de l'alliance germano-bulgare. — Les conséquences dans le domaine ecclésiastique. — Les campagnes de 864; leurs conséquences pour les Bulgares et les Moraves. — L'attitude du St Siège. — Continuation des relations entre Byzance et la Grande-Moravie.

III. Rareté des renseignements byzantins sur la Grande-Moravie. — Les rapports de Constantin Porphyrogénète et leur valeur historique.

I.

Les relations entre Byzance et la Grande-Moravie — sur lesquelles les Légendes de Constantin et de Méthode nous apportent des renseignements si précis — constituent l'une des pages les plus curieuses de l'histoire byzantine. Quel spectacle, en effet, que celui de Byzance à peine sortie des querelles iconoclastes et menant, en Asie Mineure, en Italie et dans la Méditerranée, une lutte acharnée contre les Arabes tandis qu'avec la conscience de sa mission civilisatrice elle porte la foi chrétienne et sa haute culture aux Khazars, aux Russes et aux Moraves. Le fait qu'au IXe siècle Byzance ait pénétré si loin vers le nord-est semble tellement surprenant que nous serions enclins à en douter si nous n'en trouvions pas la preuve dans l'histoire des Slaves.

Tous les détails de cette pénétration ne sont pas encore éclaircis. Il serait en particulier intéressant de savoir quelles ont été les relations entre Byzance et la Moravie avant la fameuse ambassade de Rastislav et de connaître exactement la nature de cette ambassade. Etant donné l'hostilité qui existait entre Allemands et Moraves d'une part, entre Byzantins et Bulgares d'autre part, ces pourparlers moravo-byzantins avaient-ils un autre but que celui qu'indiquent les Légendes sur Constantin et Méthode?

Les textes que nous possédons ne sont pas très abondants. Byzance, où l'on s'attendrait surtout à trouver des renseignements, nous laisse presque sans ressources; nous ne disposons en effet que d'un seul rapport byzantin sur la Moravie, celui de Constantin Porphyrogénète, rapport d'importance il est vrai, mais écrit un siècle après les événements, assez obscur par ailleurs et nécessitant un examen approfondi. L'étude du problème apparaît donc comme assez difficile.

*

Il semble au premier abord presque incompréhensible que se soient développées entre Byzantins et Slaves les relations étroites dont parlent les Vies des deux frères grecs et la distance entre les deux pays paraît venir à l'appui de cette opinion a priori. Y a-t-il, avant le milieu du IXe siècle, trace de relations entre les deux états? Comment, dans sa résidence lointaine, Rastislav pouvait-il avoir des renseignements sur Byzance? Sa connaissance de l'Empire byzantin devait pourtant être assez étendue s'il s'adressait à l'empereur pour lui demander de façon précise l'envoi de missionnaires connaissant le slave...

Rien d'étonnant à ce que bien des historiens aient trouvé tout cela suspect, d'autant plus que les Légendes de Constantin et de Méthode restent encore les seules à parler de relations de ce genre. Ce qu'il faudrait établir pour faire disparaître ces légitimes suspicions, c'est la continuité des relations commerciales de l'ancienne Pannonie et des pays situés de l'autre côté du Danube avec Rome, et Byzance son héritière, seul grand centre de civilisation resté intact à travers les catastrophes résultant des grandes invasions. C'est donc ce problème qu'il nous faut aborder.

On sait que la région danubienne et même la vallée de la Morava fournissaient au commerce romain une assez bonne clientèle. La culture romaine pénétrait dans une très large mesure ces pays qui se trouvaient à proximité de la vieille route commerciale menant à la mer Baltique et aux pays de l'ambre. Dès le règne d'Auguste nous constatons l'existence d'un important centre d'échanges sur le Danube, non loin de la future capitale de la Grande-Moravie. La voie par laquelle s'effectuait ce trafic traversait le Danube à Carnuntum

(Petronelle) et suivait la vallée de la Morava pour aborder ensuite la Silésie. Les découvertes archéologiques nous permettent de constater l'existence jusqu'au IVe siècle de notre ère d'échanges commerciaux dans ces régions; des pièces romaines allant de César à cette époque ont été trouvées, en effet, jusque dans la région de Ratibor.[1]

Les relations économiques entre l'empire romain et les pays au-delà du Danube, Bohême, Moravie et Slovaquie actuelles notamment,[2] se révèlent particulièrement intenses pendant la première moitié du Ier siècle. Alors que le commerce de ces régions était d'abord plutôt dirigé vers l'Ouest et le Sud-ouest – vers la vallée du Rhin et la Gaule – un changement presque complet d'orientation s'est produit vers le début de l'ère chrétienne; ce furent dès lors les provinces romaines danubiennes, la Pannonie notamment, qui en accaparèrent presque exclusivement le marché. Les fortifications romaines du Danube devinrent de véritables bases pour les commerçants romains. Le point le plus avancé était sans doute le castellum situé près de Mušov,[3] en Moravie méridionale, dont la garnison – des détachements de la Xe Légion – avaient à tenir en respect les tribus germaniques, Marcomans et Quades en particulier.

En dehors des nombreux objets de provenance romaine que les archéologues ont pu découvrir en Moravie et en Bohême, on est étonné de la quantité de pièces de monnaie romaines provenant des quatre premiers siècles et également trouvées dans ces pays.[4]

Le territoire de l'actuelle Slovaquie était lui aussi très intéressé à ces relations.[5] Une vieille route commerciale le parcourait, traversant le Danube à Brigetio (près de Komárno), suivant les vallées de la Nitra, du Váh et de la Kysuca pour franchir la passe de Jablunkov et de là se diriger vers la Mer Baltique.[6]

---

[1] W. GÖTZ, *Die Verkehrswege im Dienste des Welthandels*, Stuttgart, 1888, p. 374.

[2] Voir pour les détails J. SCHRÁNIL, *Die Vorgeschichte Böhmens und Mährens*, Berlin, 1928 pp. 249–271. Cf. aussi L. NIEDERLE, *Slovanské starožitnosti*, I, pp. 501 et suiv. E. ŠIMEK, *Čechy a Morava za doby římské*, Praha, 1923.

[3] J. DOBIÁŠ, *Nález římských cihel u Mušova*, Niederlův Sborník, Praha, 1925.

[4] J. SCHRÁNIL, *Soupis nálezů antických mincí v Čechách*, Památky archeologické, vol. XXVIII, 1916. ČERVINKA, *Morava v pravěku*, Brno, 1902, pp. 283–292.

[5] Cf. V. CHALOUPECKÝ, *Staré Slovensko*, Bratislava, 1923, pp. 19 et suiv. J. DOBIÁŠ, *Epigrafická studie k dějinám a národopisu českoslov. území v době římské*, Čas. Musea král. česk., vol. XCVII, 1923.

[6] Sur cette route voir surtout l'étude de J. DOBIÁŠ, *Příspěvek k výkladu Ptolemaiovy mapy Velké Germanie*, Sborník čsl. společnosti zeměvědecké, 1921, pp. 75–82. IDEM, *Ještě jednou k rovnici Laurgaricio = Trenčín*, Český Čas. Hist., vol. 29, 1923, pp. 457–460, où l'auteur défend son opinion et répond aux critiques formulées par V. CHALOUPECKÝ (*Český Čas. Hist.*, vol. 28, 1922, pp. 498, 499).

De nombreux objets d'origine romaine y prouvent l'intensité de ces relations.[1]

Il a toujours été entendu que les relations auxquelles nous faisons allusion intéressaient les tribus germaniques occupant alors ces territoires. Pourtant, récemment une nouvelle théorie a apparu d'après laquelle l'influence de la culture romaine s'était, dans une certaine mesure, fait sentir également sur les tribus slaves qui, à partir du IIe siècle très probablement, c'est-à-dire à la suite des guerres entre Romains et Marcomans, s'infiltrèrent progressivement dans ces pays qu'évacuaient les Germains. Ces influences se manifestent, disait-on, surtout dans la céramique vieille-slave.[2] Il semble néanmoins, que cette théorie ait peu de chance de pouvoir être maintenue. La plus ancienne culture des Slaves occidentaux n'a pas de contact immédiat avec la culture provinciale romaine. Les Slaves paraissent plutôt appartenir, par toute leur culture primitive — et dès que nous constatons leur existence dans l'histoire — à la sphère de la culture orientale et byzantine.[3] En ce qui concerne leur présence dans les régions danubiennes, il faut remarquer qu'au IVe siècle encore on peut constater, d'après une importante trouvaille archéologique faite à Cejkov (Czéke), dans le département de Vinkovec en Slovaquie,[4] la présence des Vandales au moins dans certaines régions slovaques.

On ne peut donc pas parler de l'influence directe de la culture romaine sur les Slaves transdanubiens. Les grands mouvements nationaux qui ont fait sombrer

---

[1] Mentionnons surtout l'inscription de Trenčín datant des environs de 179 et attestant le séjour de 855 soldats de la IIe Légion dans ces régions, ainsi que quelques souvenirs trouvés à Děvín et prouvant qu'une partie de la XIVe Légion était stationnée près de Bratislava (F. EISNER, *Výzkum na Děvíně*, Obzor praehistorický, I, 1922, pp. 57–59). Voir surtout J. DOBIÁŠ, *Archeologické nálezy jako prameny pro dějiny styků Říma s územím dnešního Slovenska*, Obzor praehistorický, I, 1922, pp. 65–90; cf. IDEM, *Dva příspěvky k topografii válek markomanských a kvádských*, Český Čas. Hist., vol. XXVII, 1921, pp. 143–156; IDEM, *Římský nápis na hradní skále trenčínské*, Slovenská Vlastivěda, vol. II, 1922, pp. 6–10; J. EISNER, *Hlavní úkoly archeolog. výzkumu v Podkarp. Rusi*, Obzor praehistorický, vol. II, 1923, pp. 119–123; IDEM, *Drobné nálezy z římského tábora na « Leányváru » u Komárna*, ibidem, II, pp. 43; IDEM, *Slovensko a Podkarpatská Rus v době hradištní*, ibidem, vol. IV, 1925, pp. 47–70; IDEM, *Nové nálezy na Slovensku a v Podkarp. Rusi (r. 1925)*, ibidem, vol. V–VI, 1926, 1927, pp. 60–68. Mentionnons en outre la découverte toute récente à Kisváros, près de Vinkovec, de 1000 deniers d'argent romains. Les pièces les plus anciennes de ce trésor remontent à l'époque de Néron, les plus récentes datent de Marc-Aurèle.

[2] Voir L. NIEDERLE, *Život starých Slovanů*, Praha, 1923, III, pp. 310 et suiv. IDEM, *Rukovět slovanské archeologie*, Praha, 1931, p. 245.

[3] Cf. J. SCHRÁNIL, *Ku které kulturní oblasti náleželi západní Slované ve svých dějinných počátcích*, Zborník radova na III Kongresu slovenskih geografa i etnografa u Jugoslaviji 1930, Zagreb, 1931, pp. 260-262.

[4] E. BENINGER, *Der Wandalenfund von Czéke–Cejkov*, Annalen des naturhistorischen Museums in Wien, Wien, 1931, pp. 183–224.

la domination romaine en Pannonie et trembler l'Italie elle-même ont d'ailleurs pour longtemps rompu les liens qui rattachaient à Rome les pays habités par ces Slaves. La grande voie par laquelle étaient passé le commerce et, à sa suite, la civilisation romaine Rome–Aquilée–Petavione–Alicano–Savaria–Scarbantia–Carnuntum[1] était bloquée, lors des grandes invasions, par les tribus germaniques se ruant sur l'Italie. Aussi les peuplades slaves qui, pendant cette période, prenaient définitivement possession des pays transdanubiens et, traversant le fleuve, occupaient la Pannonie jusqu'au lac Balaton étaient-elles complètement coupées des anciens foyers de civilisation. L'archéologie confirme d'ailleurs ce fait, au moins en ce qui concerne les Slaves des régions au delà du Danube. La culture de ces populations était extrêmement pauvre autant qu'on puisse en juger par les objets trouvés dans les tombes de l'époque. On constate même quelque chose de très caractéristique: le commerce de ces pays change de nouveau de direction et se tourne encore une fois vers l'ouest et le sud-ouest comme avant la période romaine. Les influences constatées alors sont en effet des influences occidentales, apportées par les marchands francs. Celles de Rome, et de Byzance qui a succédé à la vieille capitale, semblent avoir cessé de se faire sentir.[2]

*

C'est bien Byzance qui, en Pannonie a, très tôt, substitué son influence à celle de Rome pour en sauvegarder l'héritage, au moins dans le domaine de la civilisation. L'anarchie dans laquelle sombrait cette région[3] n'empêche pas que nous y trouvions encore sous Justinien les traces de l'influence byzantine. La Pannonie était alors, depuis la seconde moitié du VIe siècle, le domaine des Avares dont les Slaves installés dans le pays étaient devenus les sujets et qui de là tenaient sous leur domination toutes les populations voisines. Ce sont précisément les Slaves qui, on le sait, furent à l'avant-garde des expéditions avares contre l'empire byzantin.

Les Avares ne pouvaient pas échapper à l'influence de Byzance avec laquelle pourtant ils n'avaient que des rapports hostiles. Ils n'étaient pas dénués de toute civilisation; d'Asie ils en avaient apporté une qu'on appelle souvent

---

[1] K. MILLER, *Itineraria romana*, Stuttgart, 1916, col. 413 et suiv Cf. aussi M. P. CHARLESWORTH, *Trade-routes and commerce of the Roman Empire*, 2e éd., Cambridge, 1926, pp. 170 et suiv.

[2] Cf. ce qu'en dit L. NIEDERLE, *Byzantský obchod a země české v IX. a X. stol.tí*, Pekařův Sborník, Praha, 1930, I, p. 34.

[3] Voir là-dessus l'étude de A. ALFÖLDI, *Der Untergang der römischen Herrschaft in Pannonien*, Ungarische Bibliothek, Berlin, 1924, surtout vol. I.

aujourd'hui la civilisation de Keszthely, d'après l'endroit où furent faites les plus nombreuses découvertes archéologiques les concernant, et qui a des ressemblances, dans l'ornementation notamment, avec celle des Sarmates et des Huns.[1] Mais les objets de provenance avare sont souvent accompagnés, dans les gisements explorés, par d'autres dont l'origine byzantine ne peut pas être mise en doute. Il faut évidemment y voir la preuve de relations commerciales actives entre Avares et Byzantins; on ne peut pas, en effet, considérer ces objets comme provenant du butin rapporté des expéditions, beaucoup servant normalement aux besoins quotidiens.

On peut même aller plus loin encore et supposer, avec M. L. Niederle,[2] qu'une grande partie des objets dont l'ornementation est nettement «barbare» est due à des artistes et à des artisans byzantins. Il est, en effet, vraisemblable que ces derniers se soient souvent conformés, pour de pures raisons d'intérêt commercial, au goût de leurs clients barbares. Le fait ne serait pas unique: nous savons qu'il s'est produit dans les relations avec les Scythes et avec les Sarmates. Des artisans byzantins ont même pu s'installer dans le pays, au milieu des barbares, pour y travailler à la manière byzantine mais au goût de ceux qui les entouraient; on a découvert à Fölnak[3] les restes de l'atelier d'un orfèvre byzantin.

Ces nombreuses trouvailles prouvent donc que la Pannonie, même sous la domination avare, fournissait une excellente clientèle au marché byzantin entre le VIe et le IXe siècle. On ne peut pas expliquer autrement ce mélange d'objets barbares et byzantins exhumés sur tout le territoire de l'ancienne Pannonie et en particulier dans certains endroits très déterminés.[4] On peut par conséquent supposer avec raison que l'argent byzantin circulait sans interruption en Pannonie,[5] même après l'époque de Justinien où les trouvailles de monnaie byzantine sont particulièrement nombreuses. Si les pièces d'époque postérieure sont plus rares, cela s'explique par la prépondérance prise par le système du troc plutôt que par un arrêt des relations économiques.[6]

---

[1] Voir A. ALFÖLDI, *Der Untergang*, l. c., II, pp. 23 et suiv. N. FETTICH, *Das Kunstgewerbe der Avarenzeit in Ungarn*, Archeologia hungarica, I, Budapest, 1926, pp. 40 et suiv. Cf. aussi Z. TAKÁCS, *Mittelasiatische Spätantike und «Keszthelykultur»*, Jahrbuch der Asiatischen Kunst, vol. II, 1925, pp. 60–68.

[2] *Příspěvky k vývoji byzantských šperků v IV.–X. stol.*, Praha, 1930, pp. 88 et suiv. Une opinion semblable a été formulée par L. V. ČERVINKA, *Slované na Moravě*, p. 196.

[3] FETTICH, *l. c.*, pp. 62 et suiv. (tab. no. IV).

[4] À Fénék et à Keszthely par exemple.

[5] J. HAMPL, *Altertümer des frühen Mittelalters in Ungarn*, Braunschweig, 1905, I, pp. 24 et suiv.

[6] *Ibidem*, p. 53.

C'est à la lumière de ces constatations qu'on doit examiner le très curieux témoignage de Suidas sur le commerce des Avares. Parlant des Bulgares, Suidas rapporte la réponse faite par les Avares à Krum qui leur demandait pourquoi leur puissance s'était écroulée; parmi les différentes raisons qu'ils donnaient, ils faisaient une place au commerce: «Comme tous s'adonnaient au commerce», disaient-ils, «l'un trompait l'autre.»[1]

W. Heyd[2] a certainement sous-estimé la valeur de ce témoignage en refusant d'y voir une allusion au commerce international, et en estimant qu'il s'agit «seulement d'un simple trafic entre Avares, dont l'objet était le produit du butin.» L'archéologie a démontré que le témoignage de Suidas sur les Avares et leur commerce doit être pris au sérieux et qu'il repose, malgré quelques inexactitudes, sur des réalités.

*

Une fois établi la continuité des influences culturelles byzantines en Pannonie du VIe au IXe siècle, une question se pose, à savoir si les influences constatées chez lez Avares à cette époque atteignirent également les Slaves de la Pannonie et des pays transdanubiens? En ce qui concerne les Slaves de Pannonie et des pays alpins soumis aux Avares, la chose paraît relativement simple. Ils ont certainement beaucoup appris de leurs maîtres, avec lesquels ils commençaient du reste à se fondre et M. L. Niederle a raison de supposer[3] que «dans les tombes des VIIe et VIIIe siècles qui contiennent des objets de caractère avare (keszthely) sont également enterrés des Slaves». Les découvertes archéologiques permettent de constater les mêmes influences en Croatie, en Albanie, dans les Alpes, en Carniole, en Styrie et en Autriche.[4]

Plus compliquée est la question des Slaves transdanubiens. Jusqu'à une époque récente on n'avait pas de preuves tout à fait sûres de la domination des Avares sur ces pays. Ces dernières années, pourtant, l'archéologie a réussi à jeter un peu plus de clarté sur la question. On a découvert, en effet, en plusieurs endroits situés au delà du Danube, des tombeaux dont le caractère avare

---

[1] *Suidae Lexicon*, éd. BERNHARDY, I, col. 1017: εἶτα ἡ πραγματεία· πάντες γὰρ ἐγένοντο ἔμποροι, καὶ ἀλλήλους δολιούμενοι.

[2] *Histoire du commerce du Levant*, Leipzig, 1885, I, p. 82.

[3] *Rukověť slovanské archeologie*, Praha, 1931, p. 263. Voir aussi l'article de J. EISNER dans les *Památky archeologické*, vol. XXXV, 1927, pp. 579–589, sur les Slaves en Hongrie (*Slované v Uhrách*).

[4] Voir ce qu'en dit J. L. ČERVINKA, *Slované na Moravě*, p. 197. On y trouvera aussi les indications bibliographiques sur ces découvertes. Cf. aussi M. ABRAMIĆ, *Die Wichtigkeit der Denkmäler im Museum von Knin für Geschichte und Kunstgeschichte des frühen Mittelalters in Dalmatien*, Actes du IIIe congrès international d'Études byzantines, Athènes, 1932, pp. 376 et suiv.

:mble sûr car ils ressemblent en tous points à ceux qui ont été mis au jour sur
: territoire de l'ancienne Pannonie. Le plus important cimetière de ce genre
été découvert en Slovaquie à Děvínská Nová Ves, près de Bratislava.[1] A côté
es cavaliers, enterrés avec leur monture et d'origine avare évidemment, on
ouve les tombes plus modestes de simples soldats, Slaves certainement éta-
lis là avant l'arrivée des envahisseurs et assujettis par ces derniers. Cette dé-
ouverte n'est pas isolée et l'on peut, dès maintenant, établir la liste des loca-
tés — généralement situées en Moravie méridionale — où l'on a mis au jour
non des tombeaux du moins des objets présentant les mêmes caractères que
es trouvailles de provenance nettement avare: Pohořelice et Dolní Dunajo-
ice, près de Mikulov; Hradiště, près de Znojmo; Vlkoš, près de Kyjov;
taré Zámky, près de Líšeň; Krumvíř, près de Klobouky, et Mistelbach, en
asse Autriche, habitée aussi à cette époque par l'élément slave.[2]

La conséquence de ces découvertes est très importante pour notre thèse:
. en résulte, en effet, qu'avec la domination avare la civilisation avare et la
ivilisation byzantine ont fait sentir leur influence au delà du Danube, d'une
açon peut-être limitée mais certaine. On ne peut donc plus parler d'une in-
erruption complète des contacts ayant existé entre ces pays et Byzance. Il est
mportant de le constater dès maintenant car, au fond, c'est un empire slave,
elui de la Grande-Moravie, qui s'est partagé avec les Francs et les Bulgares
'héritage des Avares.

Nous croyons utile, avant de passer à la question essentielle de notre étude,
e récapituler les principales phases de l'évolution historique des pays qui
ous intéressent afin de mettre le mieux possible les choses au point. La
uissance avare commençant à décroître dans la première moitié du VIIe siècle
. la suite du grave échec éprouvé devant Constantinople en 624, les Slaves des
Alpes jusqu'au Danube et à la vallée de la Morava se révoltèrent sous la con-
luite de Samo.[3] Les Slaves du Sud trouvèrent dans les Croates, peut-être appelés

---

[1] Voir le compte-rendu de M. F. EISNER, dans la revue Bratislava, I, 1927, pp. 164–168 (Zpráva
výzkumu pohřebiště v Děv. Nové Vsi u Bratisl. r. 1926).
[2] Voir pour les détails J. L. ČERVINKA, l. c., pp. 184, 197, tables nos. 70–72. Cf. aussi SCHRÁNIL,
, c., table LXIII.
[3] Sur l'empire de Samo voir l'étude de J. J. MIKKOLA, Samo und sein Reich, Archiv f. slav. Phil.,
KLII, 1928, pp. 77–97. L'auteur croit que le centre de l'empire se trouvait sur le Danube, en Au-
riche, et qu'il s'est étendu de là très loin vers le Nord et le Sud. B. HORÁK dans son étude Samova
íše (L'Empire de Samo) publiée dans le Časopis pro dějiny venkova, vol. X, 1924, nos 3 et 4, pp.
.29–132, place le centre de l'empire de Samo non plus dans les Alpes ou en Bohême comme on

par Byzance[1], de nouveaux maîtres qui les débarrassèrent du joug avare et les Slaves de l'Est, conduits par Kuvrat, suivirent, entre 635 et 641, l'exemple de ceux du Sud.

Dès la seconde moitié du VIIe siècle, et jusqu'à la fin du VIIIe, la puissance avare se trouve ainsi limitée à la Pannonie et au territoire compris entre Tisza et Danube. Les tribus Slaves d'au-delà du fleuve continuent probablement à reconnaître la suprématie avare après la dislocation de l'empire éphémère de Samo, mais la main de leurs maîtres ne pèse certainement plus aussi lourdement sur eux. On sait que les campagnes de Charlemagne, entre 788 et 796, ont mis complètement fin à l'empire avare et, au début du IXe siècle, les Avares disparaissent complètement de l'histoire. Tout le territoire sur lequel s'étendait autrefois leur domination doit désormais reconnaître la suprématie franque. Mais ce n'est pas encore là le résultat définitif de l'évolution. Petit à petit, trois centres commencent à se dessiner parmi les Slaves libérés. Les tribus slaves de la Pannonie et de l'Ouest sont amenées par une évolution naturelle à graviter de plus en plus autour de l'empire franc tandis que les tribus entre Danube et Tisza sont jointes par Krum à l'empire bulgare. Au nord-est une nouvelle constellation se dessine peu à peu comprenant les Slaves de la vallée de la Morava et des affluents de gauche du Danube. Ces tribus se trouvaient aux confins de l'empire avare et l'on peut supposer avec juste raison que la puissance des Avares n'y était pas aussi solidement assise qu'en Pannonie, au moins au VIIIe siècle. C'est d'ailleurs la pression avare qui, d'après toute vraisemblance, a hâté le processus de cristallisation des nombreuses tribus de Moravie par exemple, tribus qui, au moment de leur entrée dans l'histoire, apparaissent comme formant une unité ethnique sous le nom commun de Moraves.

Les conditions nécessaires à la formation d'un centre politique étaient plus favorables chez les Moraves que chez les autres Slaves. Ils étaient assez éloignés du centre de l'empire avare, circonstance qui a probablement facilité leur révolte sous la conduite de Samo. Après la dislocation de l'empire fondé par ce

---

le faisait jusqu' alors dans des études qui restaient très vagues, mais dans la vallée de la Morava et dans la vallée du Danube, en Autriche. Ses arguments semblent très sérieux et ces deux études marquent un important progrès vers la solution définitive du problème.

[1] CONST. PORPH., *De adm. imp*, chap. 31, pp. 147 et suiv. Nous sommes de plus en plus convaincu que ce que dit Constantin Porphyrogénète de l'arrivée des Croates et des Serbes repose sur quelques réalités. Voir dans notre livre *Les Slaves, Byzance et Rome*, pp. 71 et suiv., ce que nous avons dit de ses affirmations sur la christianisation des Croates.

ernier, les Slaves de la vallée de la Morava ont très probablement dû comme les autres, nous l'avons dit plus haut, reconnaître de nouveau la suzeraineté avare mais cette suzeraineté ne pesait certainement plus sur eux aussi lourdement qu'auparavant. D'ailleurs tout ce qui avait servi à Samo pour édifier son empire n'a pas disparu et a pu faciliter la création d'un nouvel organisme politique dès que les circonstances se sont montrées plus favorables. Les Slaves de la vallée de la Morava étaient, d'autre part, assez éloignés du centre de l'empire franc dont ils durent reconnaître la suprématie à la fin du VIIIᵉ siècle, après la débâcle des Avares. Ce nouveau groupement dont le centre se trouvait très probablement sur le cours moyen de la Morava, tout près de l'ancienne route commerciale qui allait de Carnuntum à la Baltique, eut, en outre, la chance de trouver, au début du IXᵉ siècle, en la personne de Mojmír[1] un chef qui sut très habilement profiter de tous ces avantages. Il est important de noter tout de suite que ce groupement devait par la force des choses graviter de plus en plus vers le Sud, vers l'ancienne Pannonie où siégeaient autrefois ses maîtres. Les conditions géographiques présageaient de cette évolution que l'histoire a confirmée. Ainsi, il devait tôt ou tard entrer dans la sphère d'influence de la civilisation byzantine qui se faisait fortement sentir en Pannonie du VIᵉ au IXᵉ siècle et en même temps se heurter à la puissance franque qui non seulement lui barrait la route dans l'intérieur de la Pannonie en mettant la main sur les Slaves qui l'habitaient mais qui voulait aussi affermir son autorité dans son propre territoire.

De l'autre côté, à Byzance même, un grand changement se prépare. L'Empire commence à se ressaisir et à reprendre des forces. La renaissance qui s'opère en lui lui redonne confiance dans la supériorité de sa civilisation. Ayant conjuré au moins pour un temps le danger arabe, Byzance commence à se tourner vers l'Occident et se heurte aux Francs dans l'ancienne Dalmatie. Le résultat de ce conflit est la reprise de Venise et des villes côtières dalmates. Venise devient bientôt un centre important qui se charge de faire passer les articles byzantins et orientaux dans les pays subalpins et dans la partie nord-ouest de l'ancienne Pannonie. Les influences byzantines peuvent donc pénétrer maintenant en Moravie de deux côtés: par l'ancienne voie romaine – dont le point de départ est Venise et non plus Aquilée – et par la route qui venait de Con-

---

[1] Nous ne serions pas du tout étonné si quelqu'un mettait en avant l'hypothèse que la dynastie de Mojmír avait des rapports avec les descendants de Samo ou d'un autre seigneur d'origine étrangère. Les cas de cette sorte sont si fréquents chez les Slaves qu'une telle hypothèse ne serait pas tout à fait invraisemblable. Pourtant, dans l'état actuel de nos connaissances relatives à cette époque on aurait beaucoup de mal à la vérifier.

stantinople en suivant le cours du Danube à l'intérieur des pays slaves. C'es
surtout celle-là qui présentera de l'importance. Elle continue de fonctionne
et devient même encore plus praticable.

*

Même après la disparition des Avares les intermédiaires ne manquaient pa
pour se charger de transporter la marchandise byzantine plus loin vers le
Nord-est. Les Bulgares s'empressèrent de prendre leur succession; il est même
étonnant de voir les khagans bulgares porter un si vif intérêt aux conditions
dans lesquelles doivent se développer les relations commerciales entre Byzance
et leur pays. En offrant, en 812, la paix à Michel II, Krum se dit prêt à la
conclure aux mêmes conditions que celles qui avaient déjà été offertes par Kormisoch à Constantin V. La dernière de ces conditions concerne les rapports
commerciaux bulgaro-byzantins: les commerçants des deux pays munis de pas-
seports en règle circuleront librement, les autres verront leurs propriétés con-
fisquées au profit de l'Etat.[1] Il semble qu'en 716 Terbel ait déjà conclu la paix
avec Théodosios aux mêmes conditions, ce qui prouverait que les relations
commerciales entre les deux pays n'avaient pas cessé même pendant les années
les plus mouvementées. Les documents archéologiques qui le confirment abondent; il suffit de rappeler les résultats des fouilles d'Aboba-Pliska[2] et les inscriptions gréco-bulgares de la première moitié du IXe siècle.[3] On peut difficilement imaginer que ce commerce, objet de si grandes préoccupations de la
part de khagans demi-barbares, ait été uniquement limité aux pays bulgares et
n'ait pas intéressé les régions transdanubiennes.

La chose paraît d'autant plus sûre que, dans la première moitié du IXe siècle,
l'empire morave naissant entra en relations avec les Bulgares. Il paraît plus
que probable que les deux jeunes puissances se rencontrèrent pendant cette
époque, le prince morave Mojmir ayant annexé les régions de la rive gauche du
Danube à son empire entre 833 et 836 après avoir chassé Pribina de Nitra.

---

[1] THÉOPH., 6305, Bonn, p. 775, de Boor, p. 497: ... τοὺς δὲ ἐμπορευομένους εἰς ἑκατέρας τὰς
χώρας διὰ σιγιλλίων καὶ σφραγίδων συνίστασθαι, τοῖς δὲ σφραγίδας μὴ ἔχουσιν ἀφαιρεῖσθαι
τὰ προσόντα αὐτοῖς, καὶ εἰσκομίζεσθαι τοῖς δημοσίοις λόγοις. Cf. BURY, *A History*, pp. 338–339,
348., ZLATARSKI, История на Бълг. държава, Sofia, 1918, I, pp. 178, 196, 262.

[2] Матеріалы для болгарскихъ древностей Абоба-Плиска TH. USPENSKIJ, K. ŠKORPIL,
Mémoires de l'Inst. archéol. russe de Constantinople, X, Sofia, 1905. V. BURY, *A History*, pp. 332
et suiv.

[3] Voir l'édition de ces inscriptions faites par V. BEŠEVLJEV dans l'*Annuaire du Musée National
de Sofia*, 1924–1925, pp. 381–428 (Грьчкиятъ езикъ въ прабълг. надписи).

es frontières bulgare et morave se touchèrent quelque part dans la région de
Tisza. A cette époque, leurs relations mutuelles durent être pacifiques sinon
amicales, les Bulgares ayant bien des raisons d'être occupés ailleurs et leur expan-
ion étant plutôt dirigée vers le nord-ouest où ils se heurtaient aux Francs. Dès
24, Francs et Bulgares se disputaient la suprématie sur certaines tribus slaves,
es Timočans et les Braničevci surtout.[1] Nous ne savons pas quel fut le résultat
éfinitif de cette rivalité ni la date à laquelle le conflit se régla; 845 paraît
harquer le terminus ad quem, car à cette date une ambassade bulgare fut en-
oyée auprès de Louis.[2] Il est permis de supposer que le territoire entre Drave
t Save resta au pouvoir des Bulgares.

Nous pouvons constater, en outre, la présence d'une armée bulgare sur le
Dnjepr,[3] armée qui devait probablement opérer contre les Magyars dont les
bandes se trouvaient à cette époque entre Don et Dnjepr et exerçaient de ce
ôté une pression sur la grande Bulgarie. Mais nous ne savons rien d'une hos-
ilité se manifestant au delà de la Tisza. Une inscription d'Omortag, célébrant
a mémoire du tarkan Onegavon noyé pendant la traversée de cette rivière,[4]
end pourtant vraisemblable l'hypothèse de relations entre les Bulgares et les
ribus slaves qui occupaient l'autre rive. Le commerce byzantin pouvait donc
dans cette période pénétrer tranquillement en Moravie, sinon directement par
l'ancienne voie danubienne, du moins par l'intermédiaire des Bulgares, et cela
d'autant plus facilement que Bulgares et Moraves paraissent en 853 agir de
concert contre les Francs.[5]

Si donc nous admettons — et nous croyons en avoir présenté des raisons
satisfaisantes — la pénétration de produits byzantins jusqu'en Moravie, nous ne
nous étonnerons pas que les renseignements sur Byzance soient également
parvenus au delà du Danube et que les Slaves de ces contrées aient pu avoir
sur Byzance des connaissances assez précises.

---

[1] Voir notre ouvrage, *Les Slaves, Byz. et Rome*, pp. 49, 50.

[2] *An. Fuld.*, M. G. H. Ss., I, p. 364.

[3] Абоба-Плиска, *l. c.*, p. 190. Il s'agit du kopan Okosès noyé dans le Dnjepr. BEŠEVLJEV, *l. c.*, p. 407.

[4] Абоба-Плиска, l. c., p. BEŠEVLJEV, l. c., p. 408. MARQUART, *Streifzüge*, pp. 116 et suiv., BURY, *A History*, pp. 395 et suiv.

[5] Voir plus loin, p. 227. En 892 Arnulf demanda aux Bulgares de cesser de vendre du sel aux Moraves (*An. Fuld.*, M. G. H. Ss. I, p. 121). Ces relations commerciales existaient certainement depuis très longtemps et elle ne se limitaient pas seulement à cet article. Voir ce qu'en dit L. HAUPTMANN, *Postanek in razvoj frankovskich mark ob srednji Donavi*, Časopis za slov. jezik, književnost i zgodovino, vol. II, 1920, pp. 241 et suiv.

Il faut bien dire qu'une telle conclusion aurait paru fantaisiste, il y a seulement quelques années. Il y a bien peu de temps, en effet, que les problèmes soulevés par la civilisation avare par exemple ont été à peu près résolus grâce à de nombreuses trouvailles archéologiques et l'on pouvait antérieurement nier le caractère avare de la civilisation dite de «keszthely».[1] Les archéologues étaient habitués à regarder comme une sorte d'accident le changement de direction que nous avons signalé plus haut à propos des échanges commerciaux entre pays transdanubiens et régions méridionales dans la période allant du Ier au IVe siècle. Il y avait une opinion générale, à savoir qu'après l'écroulement de l'empire romain le commerce de ces pays s'était de nouveau tourné vers le nord-ouest, vers l'empire franc. Pour ce qui était de l'influence byzantine — même à une époque postérieure — on ne consentait à l'admettre que dans une mesure très limitée, les Francs étant d'ailleurs considérés comme jouant presque toujours le rôle d'intermédiaires et les relations directes jugées inexistantes.

Comment, avouons-le, aurait-on pu accepter avec confiance les hypothèses qui ont maintenant pris tant de force alors que la possibilité de relations entre Byzantins et Slaves transdanubiens n'était pas confirmée de façon satisfaisante par l'archéologie? Jusqu'à une époque récente, en effet, la Grande-Moravie n'avait livré que très peu d'objets dont l'origine byzantine fût certaine. Ceux qu'on avait trouvés en 1896 dans quelques tombeaux de Rybĕšovice près de Rajhrad ou ceux qu'on avait exhumés à Předmostí, près de Přerov, et à Náměšť[2] ne constituaient que de maigres documents et ne pouvaient vaincre le scepticisme des archéologues.[3] L'ambassade de Rastislav à Byzance restait toujours quelque chose d'énigmatique.

Depuis quelques années pourtant, les découvertes archéologiques relatives aux relations des Slaves qui nous intéressent et de Byzance se sont faites plus nombreuses,[4] et ce sont surtout les fouilles entreprises en 1927 à Staré Město

---

[1] HAMPEL, *Altertümer.* I, pp. 23 et suiv., l'attribuait surtout aux Sarmates et en partie aussi aux Huns, Avares et Magyars.

[2] J. L. ČERVINKA, *Morava za pravĕku*, pp. 315 et suiv. En Bohême les trouvailles avaient été faites surtout à Kolín et à Želenky. Voir SCHRÁNIL, *Nĕkolik příspĕvků k poznání kult. proudů v zemích českých*, Obzor praehistor. (Niederlův Sborník); IV, 1925, pp 160—194, IDEM, *Die Vorgeschichte*, tables n°s LXIV–LXVI.

[3] Par ex. L. NIEDERLE, *Byzantské šperky v Čechách a na Moravĕ*, Památky archeologické, XXXV, 1927, pp. 339 et suiv. M. L. Niederle a, bien entendu, changé d'opinion depuis lors comme il l'a reconnu lui-même dans son étude *Byzantský obchod a zemĕ české, l. c.*, p. 36.

[4] L'importance de ces découvertes a été particulièrement mise en lumière par un archéologue morave, M. L. V. ČERVINKA, dans son volume *Slované na Moravĕ*, p. 164, tables n°s VI, VIII, XV, XVIII. Nous reprocherons pourtant à cet archéologue d'avoir si longtemps attendu pour rendre pu-

près de l'endroit où une vieille tradition veut qu'ait été établi le centre de
empire de Rastislav – qui ont apporté de grandes surprises. On a découvert là
n grand cimetière slave, proche des fortifications datant de l'époque de l'empire
norave, et les objets trouvés dans cette nécropole sont, en grande partie, de pro-
enance nettement byzantine. De nombreux tombeaux avaient malheureusement
té détruits avant 1927; l'examen systématique de ce qui reste, examen contrôlé
par l'Institut archéologique de Prague, montre, bien qu'il ne soit pas encore
erminé, que les objets livrés par les 318 tombeaux explorés constituent la plus
grande découverte archéologique byzantine faite, ces dernières années, en de-
nors du territoire de l'Empire.[1]

Ces objets de Staré Město répondent pour la plupart au besoin de luxe:
boucles d'oreilles en bronze doré, argent ou or, boutons de bronze, de verre ou
d'or pur parmi lesquels se trouvent des pièces vraiment splendides, anneaux
byzantins, pendentifs d'or et d'argent, un diadème(?) en or incrusté et orné
de pierreries d'allure orientale, etc. Les nombreuses perles de verre et les col-
liers montrent que l'importation orientale elle-même pénétra jusque ici en
passant, du reste, peut-être par Byzance. En tout cas tant d'objets, dont l'origine byzantine ne peut être mise en doute, prouvent que les rapports commerciaux entre Byzance et l'empire de Grande-Moravie étaient très fréquents.
M. L. Niederle date ces trouvailles des IXe et Xe siècles. Il nous semble pourtant que certains de ces objets pourraient très bien être du VIIIe ou de la première moitié du IXe.[2] Les tombeaux n'appartiennent pas tous à la même époque
et il sera probablement impossible de les dater d'une façon absolument précise.
Il est d'ailleurs très curieux que les objets de caractère religieux y soient extrêmement rares; on n'y a trouvé jusqu'à présent que deux croix de fabrication byzantine (tombeaux n°s 243 et 278). Ceci semblerait indiquer que le cimetière
daterait en grande partie des débuts du christianisme, par conséquent du début
du IXe siècle, le christianisme devant vraisemblablement être déjà très forte-

---

bliques les découvertes en question dont il doit avoir eu connaissance depuis longtemps. Serait- ce
intentionnel? Nous n'osons pas le croire. Il ne semble pourtant pas saisir la grande portée de ces
découvertes. Cf. aussi le livre de SCHRÁNIL, *Die Vorgeschichte*, p. 284, tables nos. LXIII–LXXI.

[1] Les trouvailles ont été décrites par MM. L. NIEDERLE et A. ZELNITIUS dans les *Zprávy
státního ústavu archeologického*, I, Praha, 1929, pp. 1–35 (*Slovanské pohřebiště v Starém Městě u Uh.
Hradiště*), puis par A. ZELNITIUS dans le *Sborník Velehradský*, Nová Řada, II, 1931, pp. 12–25,
III, 1932, pp. 45–53.

[2] M. L. NIEDERLE (*Zprávy, l. c.*, p. 25) reconnait lui-même que par exemple l'anneau trouvé
dans le tombeau n° 121 présente certains détails de fabrication qui n'ont été en usage que du VIIe
au IXe siècle.

ment implanté dans la seconde moitié du siècle dans un centre aussi important que la colonie de Staré Město. L'existence de haches rappelant les haches avares laisse aussi supposer qu'une partie du cimetière doit être datée de la fin du VIIIe ou du début du IXe siècle.[1] Après de telles découvertes archéologiques, il paraît bien qu'on ne pourra plus considérer comme tout à fait énigmatique ce que les Légendes de Constantin et de Méthode rapportent de l'ambassade de Rastislav. Rastislav pouvait avoir sur Byzance des connaissances assez précises grâce aux commerçants originaires de l'Empire qui ne s'arrêtaient pas au Danube, comme on l'a si longtemps et si généralement cru, mais poussaient plus loin, dans l'intérieur de la Grande-Moravie, accompagnés peut-être par des interprètes slaves de foi chrétienne.

II.

Examinée à la lumière des documents archéologiques, l'ambassade de Rastislav à Byzance apparaîtra moins énigmatique. S'il n'y a plus lieu de s'étonner de la possession par le prince morave des connaissances qu'implique l'envoi à Byzance de ses ambassadeurs, il reste néanmoins à savoir si ces derniers n'avaient pas d'autre mission que l'évangélisation.

L'étude de ce problème permet de constater le changement brusque qui s'opère au début de la seconde moitié du IXe siècle dans les relations bulgaro-franques. La paix conclue entre Francs et Bulgares paraît, en effet, avoir été confirmée par l'ambassade bulgare envoyée en 845 auprès de Louis le Germanique et les relations pacifiques duraient certainement encore en 852, les Annales mentionnant cette année-là une autre ambassade analogue. Or une attaque bulgare contre les Francs est signalée en 853, dans des termes malheureusement assez obscurs. Les Annales de Bertin[2] disent à ce sujet: «Bulgari *sociatis sibi Sclavis*, et, ut fertur, a nostris muneribus invitati, adversus Hludovicum, Germaniæ regem, acriter promoventur, sed Domino pugnante vincuntur.» Quels étaient donc ces Slaves alliés des Bulgares et envahissant le territoire franc? Etaient-ce

---

[1] Laissons, bien entendu, le dernier mot aux archéologues. Des trouvailles ultérieures trancheront peut-être la question. Tout ce problème appelle, du reste, on le voit bien, une révision complète. Il serait même bon de revoir certains objets provenant des fouilles antérieures et déposés dans des musées de province ou dans des collections privées. On en découvrirait probablement plus d'un de provenance byzantine mais mal classé en raison des idées erronées de l'époque sur les relations commerciales entre Byzance et la Grande-Moravie.

[2] *M. G. H. Ss.*, I, p. 448.

es Slaves de Moravie et s'agirait-il, par conséquent, d'une alliance bulgaro-morave? Il est bien difficile de trancher la question. Un grand nombre d'historiens tchèques l'ont admis mais Novotný s'est récemment déclaré contre cette thèse, sans du reste apporter d'arguments très convaincants.[1] N'est-il pas remarquable que, vers la même époque, Rastislav ait commencé à adopter une attitude moins loyale à l'égard des Francs et, par exemple, à accueillir les mécontents sur son territoire, comme le confirme la plainte formulée contre lui au synode de Mayence[2] dans l'affaire d'Albgis? Dès 854[3] Louis se prépare d'ailleurs à l'attaquer et l'année suivante il met son plan à exécution. N'y a-t-il pas là de quoi laisser croire à une entente plus ou moins ouverte entre Moraves et Bulgares, l'initiative de l'accord semblant, il est vrai, devoir être attribuée aux Bulgares et non à Rastislav?

Peu importe, du reste, qu'il s'agisse d'une entente avec les Moraves ou d'autres Slaves. Ce qui est surtout intéressant ce sont les événements qui suivirent l'attaque bulgare. Nous ne savons pas quelles furent pour les Bulgares les conséquences de la défaite. Peut-être durent-ils rendre à Louis dès cette date et non plus tard, en 864 comme le suppose Marquart,[4] le territoire entre Drave et Save.

En tout cas nous n'entendons plus parler après cette campagne malheureuse d'autres tentatives des Bulgares qui semblent abandonner leurs alliés de la veille, les Moraves. La cause paraît devoir en être cherchée dans les guerres qu'ils eurent à mener jusqu'en 860 contre les Croates et les Serbes.[5] Il ne serait même pas invraisemblable de penser que c'était Louis qui avait lui-même provoqué cette diversion en excitant les Croates et les Serbes, pour se débarrasser des Bulgares, au moins durant certain temps, et avoir les mains libres contre Rastislav. Celui-ci lui donnait en effet beaucoup de mal. Tous les efforts de Louis pour l'abattre restaient sans résultat.[6] Rastislav affirmait de plus en plus ses goûts pour l'indépendance et les choses empirèrent encore pour Louis le Ger-

---

[1] *České dějiny*, Praha, 1912, I, p. 299; Čes. Čas. Hist., IX, p. 175. Critique de l'histoire de Bretholz. Cf. aussi ce qu'en dit S. RUNCIMAN, *A History of the first Bulgarian Empire*, London, 1930, p. 92.

[2] G. FRIEDRICH, *Codex diplom. et epistol. regni Bohemiae*, Praga, 1907, I, no. 5, p. 4.

[3] NOVOTNÝ, *l. c.*, I, pp. 302 et suiv.

[4] *Streifzüge*, p. 117. Il convient en effet de remarquer qu'en 864 Louis le Germanique ayant besoin des Bulgares aurait été plutôt enclin à leur faire des concessions.

[5] L'historien bulgare M. ZLATARSKI, История, II, pp. 8 et suiv., place ces campagnes entre 854 et 860, ce qui semble correspondre parfaitement à la réalité.

[6] Voir sur ces campagnes contre Rastislav notre ouvrage, *Les Slaves, Byz. et Rome*, pp. 151 et suiv. On trouvera des détails chez V. NOVOTNÝ, *České dějiny*, I, pp. 301 et suiv.

manique quand son fils Carloman se mit en révolte et, après une soumission de très courte durée en 862,[1] pactisa de nouveau avec le prince morave. Son pouvoir étant dangereusement menacé, Louis le Germanique se vit obligé de chercher des alliés. Il se tourna naturellement vers Boris et réussit à le gagner à sa cause après des pourparlers qui doivent se placer en 862, mais sur lesquels nous n'avons pas de détails. En 863 les troupes de Louis et de Boris feignirent une attaque contre Rastislav pour tromper sa vaillance et affirmer l'entente germano-bulgare; les effets furent immédiats et Carloman dut se soumettre.[2] Rastislav comprenant très exactement l'importance du danger qui le menaçait n'osa pas s'exposer davantage pour le prince rebelle. Il l'abandonna, pour gagner du temps sans doute et ne pas exciter outre mesure le roi de Germanie.

Ce nouveau changement brusque dans l'orientation de la politique bulgare est difficilement explicable. Les documents contemporains ne nous en donnent pas de raison satisfaisante. Peut-être Boris commençait-il à redouter la puissance croissante de son voisin et ancien allié? peut-être les succès de Rastislav le rendaient-ils jaloux? Peut-être donc le changement de politique n'est-il brusque qu'en apparence et se préparait-il depuis un certain temps déjà sans que nous puissions évidemment le déceler d'après les événements? Il faut du reste remarquer que, si Boris avait à choisir entre Byzance et les Francs, il devait opter pour ces derniers, l'influence franque étant certainement moins dangereuse pour son pays que celle de Byzance. On comprend par là qu'il ait sacrifié à l'alliance franque l'amitié des Moraves qui ne pouvait pas lui apporter d'avantages comparables.

Rastislav devait s'être aperçu, bien 'avant 863, de l'évolution de Boris et, sachant bien qu'il lui serait difficile de résister à une attaque combinée de deux armées, il avait également cherché des alliés. Ce qui lui importait avant tout c'était de se débarrasser des Bulgares. Or, il n'y avait qu'un seul état susceptible d'entrer dans ses vues, parce qu'ayant de grands intérêts en Bulgarie, et c'était Byzance. C'est donc de ce côté qu'il s'était tourné.

Les pourparlers moravo-byzantins occupèrent sans doute l'année 862 et c'est de cette année-là qu'il faut dater l'ambassade dont parlent les deux Légendes puisque aussi bien elle coïncide avec les autres données de ces œuvres. La mission de Constantin auprès des Khazars ayant eu lieu à la fin de 860 et en 861, les deux frères ne pouvaient certainement pas être revenus avant l'été; leur retour à Constantinople doit donc se placer très vraisemblablement dans

---

[1] *Annal. Fuld.*, M. G. H. Ss., I, p. 374. Cf. aussi S. RUNCIMAN, l. c., 102.

[2] *Annal. Fuld.*, M. G. H. Ss., I, pp. 374, 375.

a seconde moitié de 861, avant l'hiver. Comme la Légende signale un certain intervalle entre le retour des deux frères et l'arrivée de l'ambassade morave, cette dernière a dû être reçue à Constantinople en 862 – sans doute vers la fin de l'année – époque où le rapprochement entre Francs et Bulgares commençait à devenir une réalité. Elle a dû passer quelque temps à Byzance, peut-être pendant l'hiver 862–863, et au début de 863 les envoyés byzantins ont pu faire leur apparition en Moravie. Ce rapide exposé suffit à montrer que l'ambassade de Rastislav à Byzance avait surtout un but politique, la conclusion d'une alliance militaire contre les Bulgares eux-mêmes alliés aux Francs. Certains jugeront peut-être cette idée paradoxale; elle n'en est pas moins parfaitement exacte. Rastislav possédant des renseignements détaillés sur Byzance et sur la politique impériale à l'égard des Bulgares, ses voisins devenus ses ennemis, il est absolument logique qu'il ait profité de ses connaissances et ait demandé à Constantinople l'appui qui lui était nécessaire.[1]

Pour nier le caractère politique de l'ambassade morave on prétendait en général qu'il eût été absurde de la part d'un politicien aussi réaliste que Rastislav de se lancer dans une aventure avec Byzance dont il ne pouvait attendre aucun secours étant donné la distance. Argument qui n'est pas justifié: Rastislav – précisément parce que politique très réaliste – savait parfaitement ce qu'il pouvait attendre de l'Empire et l'alliance qu'il a conclue pour contrecarrer l'entente germano-bulgare lui a profité en même temps qu'à l'empereur.

Nous n'avons qu'à examiner de près pour nous en persuader les événements qui se sont déroulés en 864. C'est cette année-là que Louis le Germanique voulut enfin réaliser ses projets et porter un grand coup à Rastislav. Une lettre du pape Nicolas[2] – réponse probable à l'ambassade de l'évêque Salomon – nous apprend que Boris devait venir à Tulln, y rencontrer Louis et confirmer l'alliance. Les deux princes devaient donc probablement attaquer de concert Rastislav. Or, chose curieuse, nous n'entendons plus parler de Boris ni de son armée et nous voyons Louis le Germanique mener seul les opérations. Les écrivains byzantins nous donnent l'explication de ce fait bizarre et c'est à eux qu'il faut

---

[1] Lorsque nous composions notre ouvrage, *Les Slaves, Byzance et Rome*, (pp. 147 et suiv.), nous avions été frappé du fait que les relations entre Byzance et la Moravie paraissaient si rares et nous avions dû nous en tenir exactement au rapport des Légendes qui étaient notre unique source. Les considérations énumérées plus haut et basées sur les résultats nouveaux et inattendus des fouilles archéologiques nous ont amené à changer d'opinion et à voir dans les pourparlers moravo-byzantins une démarche essentiellement politique.

[2] *P. L.*, vol. 119, col. 875.

s'adresser, bien que leurs témoignages soient très confus pour les événements datant de 863–864[1] donc antérieurs à la christianisation des Bulgares.

Le Continuateur de Georges le Moine[2] mentionne, de façon énigmatique, une incursion bulgare en territoire byzantin. Quel en était le but? Les sources n'en disent rien. Boris voulait-il se procurer des vivres pour remédier à la famine dont son pays paraît avoir souffert vers 863?[3] C'est possible, mais le fait qu'il se soit tourné non contre les Francs mais contre Byzance avec laquelle il était en paix jusqu'alors paraît significatif. On est certainement autorisé à mettre cet événement en rapport avec le rapprochement bulgaro-franc dont les conséquences se sont manifestées dans les relations entre Bulgares et Byzantins. Boris, enfin décidé à s'appuyer sur les Francs, devient plus arrogant à l'égard de l'Empire.

Mal lui en prit. Dès 864, les Byzantins font une incursion brusquée sur son territoire et la flotte impériale se livre en même temps à une démonstration sur la côte bulgare. On connaît la conséquence de ces opérations: Boris capitule, abandonnant subitement tous ses plans de guerre contre Byzance et, promettant de se faire chrétien, entre ainsi avec son peuple dans la sphère d'influence de la civilisation byzantine. Dénouement bien inattendu en vérité.

La confusion même des témoignages apportés sur ces évènements par les écrivains byzantins font que les historiens n'y attachaient pas, en général, une bien grande importance. Tout était incertain, même la date de la christianisation des Bulgares. C'est la découverte d'une inscription gréco-bulgare[4] se rapportant à l'histoire de la conversion de Boris qui a quelque peu éclairci la question en nous permettant de dater cette conversion d'une façon précise. Il en résulte que la paix entre les Byzantins et les Bulgares fut conclue en 864 et que quelques-uns des boiars se firent baptiser cette même année tandis que Boris promettait de faire de même et, de fait, recevait le baptême l'année suivante, avant septembre 865. Nous pouvons grâce à ce renseignement dater également la campagne byzantine contre les Bulgares; elle est de 864, c'est à dire contemporaine de l'expédition entreprise contre Rastislav par Louis le Germanique.

---

[1] Voir ce que nous avons dit de ces témoignages dans *Les Slaves, Byzance et Rome*, pp. 186 et suiv.
[2] Bonn, p. 814.
[3] C'est ainsi que nous avons déjà expliqué l'incident (*Les Slaves, Byzance et Rome*, p. 187).
[4] V. M. ZLATARSKI, Намѣренията въ Албания надписъ съ името на българския князъ Бориса-Михаила, Slavia, II (1923–1924), pp. 61–91. *Idem*, История, II, pp. 23 et suiv., excellente mise au point de la question.

Ce qui est suggestif c'est de constater que le Bulgare s'était rendu pour ainsi dire à merci et à peu près sans avoir résisté. On ne peut pas expliquer cette attitude, qui contraste singulièrement avec l'humeur belliqueuse de Boris en 863, uniquement par le fait que la Bulgarie avait été affaiblie par la famine qui avait sévi dans le pays à supposer encore qu'on accorde crédit – ce qui est possible – au récit des annalistes byzantins. Mais les faits ne deviennent-ils pas parfaitement compréhensibles si on les met en rapport avec ce que nous savons de l'alliance bulgaro-franque contre Rastislav et si l'on suppose que Boris, au moment de l'invasion byzantine, se préparait pour la campagne à mener en liaison avec Louis et que son armée était peut-être déjà en marche vers la Moravie? Surpris par la manœuvre de Michel III il n'avait plus qu'à se soumettre et à abandonner son alliance avec les Francs avant même qu'elle ait porté ses premiers fruits.[1]

Tout cela montre bien que l'alliance politique avec Byzance fut profitable à Rastislav. Ce dernier se trouvait débarrassé du grand danger qui l'avait menacé. Les Bulgares, désormais, tout en restant en bons rapports avec les Francs – Boris, on le verra, hésitant entre les formes occidentale et orientale du christianisme va encore chercher à se rapprocher d'eux – ne s'engageront plus dans aucune aventure militaire contre la Moravie. Les Byzantins de leur côté n'avaient pas à se plaindre d'une alliance qui détournait les Bulgares de l'Occident, les faisait entrer dans leur sphère d'influence et, le cas échéant, leur donnait les moyens de les tenir en respect.

*

Il est extrêmement intéressant de voir les conséquences de ces négociations sur l'évolution religieuse de la Moravie et de la Bulgarie, politique et religion ayant dans ces deux pays une évolution parallèle. Louis le Germanique s'est efforcé de gagner Boris à la foi chrétienne en lui offrant ses services s'il se décidait à embrasser le christianisme. Nous possédons à ce sujet des textes tout à fait explicites au premier plan desquels le rapport de l'évêque Salomon au pape Nicolas Ier et la réponse du Pontife, toute pleine de l'espoir que l'entreprise de Louis réussira et promettant les prières du Pape pour la conversion de la Bulgarie. Bien que les témoignages datent de 864, il est plus que vraisemblable que les négociations sont plus anciennes; elles remontent certainement à la même époque que les pourparlers d'ordre politique et l'on

---

[1] Cf. S. RUNCIMAN, *A History of the first Bulgarian Empire*, p. 103.

comprend que Boris ait mieux aimé accepter le baptême des Francs plutôt que des Byzantins pour être plus indépendant de l'Empire qu'il avait toujours à redouter.

Les accords politiques de Rastislav avec Byzance sont également renforcés d'arrangements d'ordre religieux: des missionnaires grecs sont envoyés dans son pays. Nous pouvons accepter sans hésitation l'affirmation des Légendes qui attribuent à Rastislav l'initiative de la mission. Le prince morave avait plus d'une raison de prendre ses missionnaires ailleurs que chez les Allemands avec lesquels il était continuellement en guerre et l'on peut, d'ailleurs, affirmer avec vraisemblance que même s'il n'en avait pas demandé, les Byzantins en auraient envoyé, suivant en cela l'usage d'une époque où toutes relations politiques étaient confirmées et comme assurées par des liens religieux.

On comprend pourquoi les Byzantins répondirent si promptement aux désirs de Rastislav. La nouvelle orientation des Bulgares vers les Francs était encore plus inquiétante pour eux que pour Rastislav. Bardas vit bien le danger politique; Photios d'autre part était sûrement inquiet de se voir devancé par les Francs sur les frontières mêmes de son patriarcat et cela au début de sa carrière alors qu'un tel insuccès pouvait lui être funeste. On peut dire que par l'implantation du christianisme grec en Moravie, les Byzantins voulaient sans doute faire pression sur les Bulgares.

Il semble bien, en effet, que les craintes de Byzance étaient justifiées. On était en Occident plus que jamais sûr du succès de cette grande entreprise; on se félicitait déjà de ce nouveau progrès du christianisme romain, d'autant plus qu'il était marqué presque aux portes de Constantinople. Le pape Nicolas Ier entrait sans restriction dans les vues politiques de Louis, s'en promettant un bénéfice dans le domaine religieux. Il n'est donc pas étonnant qu'il ait complètement abandonné Rastislav à son sort en envoyant à Louis le Germanique sa bénédiction apostolique pour la campagne de 864.[1] Le prince morave dut d'ailleurs s'en apercevoir; il essaya vainement de détacher le pape du souverain allemand et de l'intéresser à son peuple en lui demandant, probablement en 862, de lui envoyer des missionnaires pour remplacer les prêtres germaniques qui évangélisaient son pays et dont il redoutait plutôt l'activité. La froideur avec laquelle sa demande fut accueillie à Rome lui montra clairement qu'il n'avait rien à attendre de ce côté-là, au moins pour le moment, et il se jeta presque dans les bras de Byzance. Nous n'avons, il est vrai, pas d'autre témoignage sur la dé-

---

[1] *P. L.,* vol. 119, col. 872.

marche de Rastislav à Rome que celui de la Légende de Constantin citant la lettre d'Hadrien, successeur de Nicolas, où il y est fait allusion, mais nous n'avons pas de raisons de rejeter un témoignage qui, comme on le voit, correspond parfaitement aux efforts de Rastislav pour trouver des alliés contre Louis le Germanique et à la politique du Saint-Siège alors en plein accord avec celle de Louis.

A Rome on semble avoir été tellement sûr de soi que le pape jugea même le moment opportun pour réclamer à Byzance la juridiction sur tout le territoire de l'ancien Illyricum détaché du patriarcat de Rome par Léon l'Isaurien. Il le fit par une lettre envoyée à Michel en 860 et dont la teneur est extrêmement confiante. Il persista dans ces vues même plus tard tout en prenant à l'égard de Photios une position extrêmement hostile. C'est ainsi que recommence la grande lutte pour l'Illyricum, lutte qui a eu de si grandes conséquences pour la question morave et sur laquelle nous aurons l'occasion de revenir de façon approfondie dans le prochain chapitre.[1]

Mais tous les espoirs qu'on entretenait à Rome et à la cour de Louis furent déjoués par la manœuvre byzantine en Bulgarie, manœuvre à laquelle Rastislav avait contribué. Il se peut d'ailleurs que les lettres pontificales aient ouvert les yeux des Byzantins en leur montrant les conséquences possibles de l'implantation du christianisme romain en Bulgarie et aient ainsi hâté la décision du gouvernement impérial d'intervenir par les armes en Bulgarie et de renforcer ses liens avec les Moraves.

Il est inutile de dire que nous assistons ici à un drame très intéressant. Le lien qu'on y découvre entre la politique et la religion mérite surtout être signalé. On peut se faire par là une idée plus nette du travail intense effectué dans les bureaux du ministère impérial des affaires étrangères et apprécier davantage les qualités des hommes d'état byzantins de l'époque. On est même étonné de voir Rastislav, prince demi-barbare, jouer un rôle si remarquable dans ces combinaisons et l'on est amené à rendre également hommage à ses talents d'homme d'état.

On croit souvent que l'arrivée des missionnaires grecs en Moravie n'a constitué qu'un épisode isolé et que les relations entre les deux pays sont restées limitées à peu près à cela. Il y a là une erreur. Les récentes découvertes archéologiques prouvent qu'elles se sont multipliées pendant la seconde moitié du

---

[1] Voir ci-dessous, p. 264 et suiv.

IXe siècle et même, ce qui paraît étonnant, au début du Xe siècle, après que l'empire de Grande-Moravie eût été détruit par les efforts combinés des Germains et des Magyars. On ne peut donc plus prétendre qu'une fois en Moravie les deux frères aient perdu tout contact avec leur pays d'origine; il paraît même vraisemblable que ce séjour ne leur apparaissait que comme provisoire et qu'ils avaient l'intention de retourner à Constantinople aussitôt leur mission achevée.[1] La Vie de Méthode semble au moins l'indiquer dans un passage très ambigu à la fin du chapitre V: «Et au bout de trois ans ils revinrent tous deux de Moravie après (y) avoir formé des élèves.» La Vie de Constantin de son côté affirme que le Philosophe «après avoir passé en Moravie quarante mois, s'était mis en route pour faire consacrer ses disciples». Ces deux passages sont expliqués, on le sait, de façons très différentes. Nous serions aujourd'hui enclin à y voir l'indice du désir des deux frères de se rendre à Constantinople et d'y faire consacrer leurs disciples. Ils choisirent le chemin qui traverse la Pannonie, pays de Kocel, pour essayer d'intéresser ce prince à leur œuvre et s'embarquer ensuite à Venise. Il est remarquable que les deux Légendes ne disent pas un mot du but du voyage et fassent intervenir le pape après avoir indiqué le déplacement des deux frères et leur séjour à Venise. Cela indique qu'ils avaient bien l'intention de se rendre à Constantinople et que c'est vraiment l'intervention pontificale qui les empêcha d'exécuter leur dessein et les décida à aller à Rome. Constantin et Méthode n'avaient aucune raison de ne pas déférer à cette invitation. Ils étaient certainement au courant des tentatives antérieures de Rastislav pour se rapprocher du pape et avaient pu se rendre compte de la grande place tenue par le pape dans la politique de l'Europe occidentale. L'opposition violente du clergé allemand à leur égard leur a certainement fait penser que leur œuvre serait fatalement compromise et vouée à un échec si le pape adoptait également une attitude hostile. Nous verrons du reste plus loin les raisons qui influencèrent le pape en leur faveur et le poussèrent à les inviter à venir à Rome et à se montrer si prévenant à leur égard.

C'est, en tout cas, cette intervention du pape qui empêcha les deux frères de réaliser leurs projets primitifs et de retourner à Constantinople. Les événements prirent ensuite une tournure tout à fait inattendue; Constantin venant à mourir, Méthode étant emprisonné par l'épiscopat allemand jaloux et la si-

---

[1] Voir ce que nous en disons plus loin pp. 294.

tuation politique morave changeant complètement, le survivant des deux frères ne put rentrer à Constantinople qu'à la fin de sa vie.

III.

Ce qui explique la rareté des renseignements byzantins relatifs à la Moravie, c'est précisément le revirement provoqué dans l'évolution de cette région par l'intervention du Saint-Siège. Dès que la politique pontificale eut exploité les résultats obtenus en Moravie par la mission byzantine de 863, Byzance perdit tout intérêt au développement religieux de ce pays. La distance l'empêchait de lutter pour essayer d'y reprendre pied et elle comprenait d'ailleurs qu'il s'agissait au fond d'un territoire appartenant à la zone du patriarcat romain. Il lui fallut donc se contenter d'un seul résultat tangible en grande partie dû à ses manœuvres politico-religieuses en Moravie, la christianisation de la Bulgarie. C'est sur la Bulgarie que se concentra l'attention byzantine, avec d'autant plus de force que le Saint-Siège, comme nous le reverrons plus loin, alla jusqu'à la lui disputer aussi. Les luttes pour la Bulgarie combinées avec celles qui se livraient autour du trône patriarcal et à propos de la juridiction sur l'ancien Illyricum oriental ont absorbé toute l'attention du monde ecclésiastique et politique de Byzance, mais partout les Byzantins ont trouvé la papauté plus que jamais résolue à faire valoir ses droits et ses prétentions en face de l'Église d'Orient.

Tous ces faits ont fait passer les affaires moraves à l'arrière plan des intérêts byzantins et il n'est pas étonnant que nous n'en trouvions pas d'écho dans les documents byzantins de l'époque. Ce manque de renseignements, que nous déplorons, n'est d'ailleurs pas un fait isolé; nous avons déjà vu que pour l'époque dont nous nous occupons l'historiographie byzantine présente plusieurs autres lacunes du même genre et beaucoup moins excusables. Nous avons pu constater nous-mêmes, par exemple, que les Byzantins nous renseignaient particulièrement mal sur leurs relations avec les Khazars vers cette époque et qu'ils omettaient complètement de mentionner le fait pourtant si gros de conséquences que fut la judaïsation de leurs alliés de l'extrême Nord-est. Mais ce qui est encore plus surprenant c'est le manque de renseignements sur les rapports avec les Arabes vers le milieu du IXe siècle. Les documents byzantins ne parlent même pas de la grande victoire remportée par le logothète Théoctiste devant Damiette en 853; ce sont les Arabes qui nous informent de cet audacieux coup de main de la marine byzantine. Voilà incontestablement des omissions plus graves et plus surprenantes que le silence observé à propos des affaires moraves qui ne présentaient certainement pas pour les Byzantins le même intérêt que leurs relations avec les Khazars ou les Arabes.[1]

*

Nous ne possédons – du côté byzantin – qu'un seul rapport sur la Moravie, celui de Constantin Porphyrogénète. Dans son *Administration de l'Empire*, Constantin parle de l'empire morave en cinq endroits, aux chapitres XIII, XXXVIII, XL, XLI et XLII.[2] Ces mentions nombreuses sembleraient indiquer que l'histoire de la Moravie était assez bien connue de l'empereur écrivain et pourtant, si nous y regardons d'un peu plus près, nous sommes un peu déçus. Constantin ne parle jamais directement de la Grande-Moravie. Il est bien vrai que le chapitre XLI s'intitule Περὶ τῆς χώρας τῆς Μωραβίας, mais on sait ce qu'il faut penser des titres des différents chapitres de l'Administration. Dans son excellente étude sur ce traité du Porphyrogénète, Bury[3] a démontré brillamment que ce n'étaient, à l'origine, que des remarques marginales, ne répondant à rien de systématique, destinées à faciliter l'usage du livre au lecteur mais défigurant plutôt, en fait, la composition originale de l'ouvrage.

Il convient, d'autre part, de remarquer que ce que Constantin nous dit de la Grande-Moravie n'est qu'une partie de son rapport sur d'autres peuples, Petchenègues et Hongrois notamment, ce qui est tout naturel, l'ouvrage de l'empereur étant destiné à fournir à Romanos,[4] l'héritier du trône, des renseignements sur les peuples et les états avec lesquels l'Empire se trouvait en contact au Xe siècle. L'empire morave n'existant plus à l'époque où Constantin composait son ouvrage (entre 948 et 952), l'écrivain impérial n'avait plus de raisons d'en parler.

Il n'a d'ailleurs choisi dans l'histoire de la Moravie que ce qui lui paraissait présenter un intérêt pédagogique, le récit de son tragique écroulement dû à la discorde de ses gouvernants. Il raconte au chapitre XLI que Svatopluk mourant s'étant fait apporter trois verges liées en faisceau invita ses trois fils à les briser. Personne n'y réussissant, il les sépara et on les brisa alors facilement.

---

[1] Cf. ce que nous avons dit dans *Les Slaves, Byzance et Rome*, p. 182, du silence de Photios à propos de la mission morave.

[2] Bonn, pp. 81, 170, 173, 175–177.

[3] *The Treatise De administrando imperio*, Byz. Zeitschr., vol. XV., 1910, p. 522.

[4] Cf. RAMBAUD, *L'empire grec au Xe siècle*, Paris, 1870, pp. 170–174.

On ne pouvait pas mieux faire comprendre à l'héritier du trône impérial les malheurs que la discorde peut entrainer pour l'avenir d'un pays.

On sait suffisamment ce qu'il faut penser de cette histoire. Légendaire, elle n'est même pas de l'invention de Constantin qui n'a fait qu'appliquer à Svatopluk un vieux conte grec déjà reproduit, sous une autre forme, dans les fables d'Esope.[1]

Ceci dit, examinons les autres passages de l'ouvrage quant à leur valeur et à leur origine. Au chapitre XIII, Constantin limite comme suit le territoire hongrois:[2] «Voici les peuples qui sont voisins des Turcs (Magyars): à l'ouest la Frankia, au nord les Patzinakites (Petchenègues) et au sud la Grande-Moravie, c'est-à-dire l'empire de Svatopluk que les Turcs ont complétement détruit et occupé. Les Croates avoisinent en outre les Turcs vers les montagnes.»

Le renseignement que Constantin nous donne sur la Moravie au chapitre XL diffère sensiblement du premier:[3] «Les Turcs, chassés par les Petchenègues, se sont fixés dans le pays qu'ils habitent encore aujourd'hui. Ce territoire comporte quelques vieux monuments: d'abord le pont de l'empereur Trajan, là où commence la Turquie, puis, à trois jours de marche de ce pont, Belegrada où se trouve la tour du saint et grand Empereur Constantin puis, là où le

---

[1] Voir la courte remarque de V. TILLE, *Povídky o smrti Svatoplukové*, Český čas. hist., vol. V, 1899. IDEM, *Svatopluk et la parabole du vieillard et de ses enfants*, Revue des études slaves, vol. V, 1925, pp. 82–84.

[2] Bonn, p. 81: Ὅτι τοῖς Τούρκοις τὰ τοιαῦτα ἔθνη παράκεινται, πρὸς μὲν τὸ δυτικώτερον μέρος αὐτῶν ἡ Φραγγία, πρὸς δὲ τὸ βορειότερον οἱ Πατζινακῖται, καὶ πρὸς τὸ μεσημβρινὸν μέρος ἡ μεγάλη Μοραβία ἤτοι ἡ χώρα τοῦ Σφενδοπλόκου, ἥτις καὶ παντελῶς ἠφανίσθη παρὰ τῶν τοιούτων Τούρκων καὶ παρ' αὐτῶν κατεσχέθη. Οἱ δὲ Χρωβάτοι πρὸς τὰ ὄρη τοῖς Τούρκοις παράκεινται.

[3] Bonn, pp. 173, 174: οἱ δὲ Τοῦρκοι παρὰ τῶν Πατζικανιτῶν διωχθέντες ἦλθον καὶ κατεσκήνωσαν εἰς τὴν γῆν εἰς ἣν νῦν οἰκοῦσιν. ἐν αὐτῷ δὲ τῷ τόπῳ παλαιά τινα ἔστι γνωρίσματα· καὶ πρῶτον μέν ἐστιν ἡ τοῦ βασιλέως Τραϊανοῦ γέφυρα κατὰ τὴν τῆς Τουρκίας ἀρχήν, ἔπειτα δὲ καὶ Βελάγραδα ἀπὸ τριῶν ἡμερῶν τῆς αὐτῆς γεφύρας, ἐν ᾗ καὶ ὁ πύργος ἐστι τοῦ ἁγίου καὶ μεγάλου Κωνσταντίνου τοῦ βασιλέως· καὶ πάλιν κατὰ τὴν τοῦ ποταμοῦ ἐκδρομήν ἐστι τὸ Σέρμιον ἐκεῖνο τὸ λεγόμενον, ἀπὸ τῆς Βελαγράδας ὁδὸν ἔχον ἡμερῶν δύο, καὶ ἀπὸ τῶν ἐκεῖσε ἡ μεγάλη Μοραβία ἡ ἀβάπτιστος, ἣν καὶ ἐξήλειψαν οἱ Τοῦρκοι, ἧς ἦρχε τὸ πρότερον ὁ Σφενδοπλόκος. ταῦτα μὲν τὰ κατὰ τὸν Ἴστρον ποταμὸν γνωρίσματά τε καὶ ἐπωνυμίαι· τὰ δέ ἀνώτερα τούτων, ἐν ᾧ ἐστιν ἡ πᾶσα τῆς Τουρκίας κατασκήνωσις, ἀρτίως ὀνομάζουσι κατὰ τὰς τῶν ἐκεῖσε ῥεόντων ποταμῶν ἐπωνυμίας. οἱ δὲ ποταμοί εἰσιν οὗτοι, ποταμὸς πρῶτος ὁ Τιμήσης, ποταμὸς δεύτερος ὁ Τούτης, ποταμὸς τρίτος ὁ Μορήσης, τέταρτος ὁ Κρίσος, καὶ πάλιν ἕτερος ποταμὸς ἡ Τίτζα. πλησιάζουσι δὲ τοῖς Τούρκοις πρὸς μὲν τὸ ἀνατολικὸν μέρος οἱ Βούλγαροι, ἐν ᾧ καὶ διαχωρίζει αὐτοὺς ὁ Ἴστρος ὁ καὶ Δανούβιος λεγόμενος ποταμός, πρὸς δὲ τὸ βόρειον οἱ Πατζινακῖται, πρὸς δὲ τὸ δυτικώτερον οἱ Φράγγοι, πρὸς δὲ τὸ μεσημβρινὸν οἱ Χρώβατοι.

fleuve se termine, la localité nommée Sermion, à deux journées de marche de Belegrada puis, au delà, la Grande-Moravie, sans baptême, que les Turcs ont détruite et où régnait auparavant Svatopluk. Tels sont les monuments et les choses mémorables sur le fleuve de l'Istros. Ceux qui se trouvent au delà, et où habitent les Turcs, sont nommés aujourd'hui d'après les fleuves qui y coulent. Ce sont les cours d'eau suivants: le premier est le Timis (Temes), deuxième le Tout, le troisième le Moris (Maros), le quatrième le Kris (Körös) et encore un autre, la Tisza. Les voisins des Turcs sont les Bulgares à l'est, où ils sont séparés par le fleuve Istros appelé aussi Danubios, au Nord les Petchenègues, à l'ouest les Francs et au Sud les Croates.»

Ce que Constantin dit de la Moravie au chap. XLII[1] correspond à peu près au passage précédent. «De Thessalonique jusqu'au fleuve du Danube, là où se trouve la ville nommée Belegrada, il y a huit journées de marche si on ne voyage pas vite mais commodément. Les Turcs habitent en terre morave de l'autre côté du Danube, mais aussi de ce côté-ci, entre le Danube et la Save.» La mention de la Moravie au chapitre XXXVIII[2] est sans grande importance: «au bout de quelque temps les Petchenègues attaquèrent les Turcs et les poursuivirent, avec leur prince Arpade. Les Turcs fuyant et cherchant de nouveaux habitats envahirent la Grande-Moravie, en chassèrent les habitants, s'y établirent et ils la tiennent encore aujourd'hui».

Si nous comparons les trois rapports (chapitres XIII, XL, XLII), qui doivent nous indiquer la situation géographique de la Moravie, nous avons l'impression au premier abord que Constantin n'avait pas d'idées très nettes à ce sujet. Ces passages de l'Administration ont beaucoup tracassé les historiens. Deux essais faits pour coordonner des renseignements aussi décousus ont été particulièrement appréciés. Dans ses «Streifzüge»[3] devenues classiques, Marquardt pense que Constantin a, par erreur, fait entrer la Pannonie dans la Grande-Moravie puisque «Svatopluk — dit-il — n'a jamais été en possession incontestée

---

[1] Bonn, p. 177. Ἰστέον ὅτι ἀπὸ Θεσσαλονίκης μέχρι τοῦ ποταμοῦ Δανούβεως, ἐν ᾧ τὸ κάστρον ἐστὶ τὸ Βελέγραδα ἐπονομαζόμενον, ἔστιν ὁδὸς ἡμερῶν ὀκτώ, εἰ καὶ μὴ διὰ τάχους τις ἀλλὰ μετὰ ἀναπαύσεως πορεύηται. καὶ κατοικοῦσι μὲν οἱ Τοῦρκοι πέραθεν τοῦ Δανούβεως ποταμοῦ εἰς τὴν τῆς Μοραβίας γῆν, ἀλλὰ καὶ ἔνθεν μέσον τοῦ Δανούβεως καὶ τοῦ Σάβα ποταμοῦ.

[2] Bonn, p. 170. μετὰ δέ τινας χρόνους τοῖς Τούρκοις ἐπιπεσόντες οἱ Πατζινακῖται κατεδίωξαν αὐτοὺς μετὰ τοῦ ἄρχοντος αὐτῶν Ἀρπαδή. οἱ οὖν Τοῦρκοι τραπέντες καὶ πρὸς κατοίκησιν γῆν ἐπιζητοῦντες, ἐλθόντες ἀπεδίωξαν οὗτοι τοὺς τὴν μεγάλην Μοραβίαν κατοικοῦντας, καὶ εἰς τὴν γῆν αὐτῶν κατεσκήνωσαν, εἰς ἣν νῦν οἱ Τοῦρκοι μέχρι τῆς σήμερον κατοικοῦσιν.

[3] L. c., pp. 116 et suiv. L'opinion à laquelle ont adhéré entre autres, V. CHALOUPECKÝ, Staré Slovensko p. 31, et L. HAUPTMANN, l. c., pp. 238–241.

de la Pannonie»; et pour faire cadrer les trois textes avec cette hypothèse, il présume que le dernier devrait être lu comme suit: ... ἀλλὰ καὶ ἔνθεν εἰς τὴν τῆς Μοραβίας τὴν μέσον τοῦ Δανούβεως καὶ τοῦ Σάβα ποταμοῦ. (... mais aussi de ce côté-ci, en pays morave, entre Drave et Save).

Mais Géza Fehér[1] s'est élevé contre cette altération d'un texte qui est parfaitement intelligible et qui, pour lui, correspond tout a fait à la vérité. Ce dernier auteur croit en effet que Constantin confond dans les deux premiers passages la Grande-Moravie avec un pays slave situé au Sud, confusion due à la tradition des Slaves du Sud qui ont été les premiers à placer à «Morava» en Pannonie le siège de Méthode après la disparition de la Grande-Moravie et confusion qu'on constate bien dans quelques légendes postérieures relatives à Méthode.

La solution proposée par G. Fehér semble être, au premier abord, la plus conforme à la réalité. Constantin a, on le sait, puisé ses renseignements sur l'histoire des Slaves du Sud dans la tradition primitive des Croates et des Serbes;[2] il connaissait en outre l'existence d'une Moravie au Sud,[3] comprenant le territoire situé aux environs du confluent de la Morava serbe et du Danube.

Cette solution semble être également appuyée par le fait que Constantin ne confond pas, comme certains l'ont pensé, Moravie et Pannonie, puisqu'il constate au chapitre XXVII[4] que les Lombards occupaient autrefois la Pannonie, territoire habité aujourd'hui par les « Turcs », qu'il répète au chapitre XXX qu'à l'époque où il écrit la Pannonie est habitée par les Turcs,[5] alors qu'elle appartenait autrefois aux Avares dont les restes s'y trouvent encore, et qu'enfin, plus loin encore, il distingue nettement les Croates de Dalmatie et ceux de Pannonie.[6] Enfin le chapitre XLII nous montre surtout la distinction très nette établie par Constantin, l'auteur expliquant, nous l'avons vu, que les Hongrois n'habitaient pas seulement de l'autre côté du Danube sur le territoire de l'ancienne Grande-Moravie, mais aussi de ce côté-ci, entre le Danube et la Save, en Pannonnie. Ce passage ne laisse place à aucune équivoque et nous voyons bien indiqué que la Grande-Moravie – proprement dite – ne comprenait que la rive gauche du Danube. Les conquêtes de Svatopluk en Pannonie, sur les-

---

[1] *Ungarns Gebietsgrenzen in der Mitte des 10. Jhs.,* Ung. Jahrbücher, vol. II, 1922, pp. 52, 53. Cf. aussi N. SCHÖNEBAUM, *Die Kenntnis der byzantin. Geschichtsschreiber von der ältesten Geschichte des Ungarn vor der Landnahme,* Ungar. Bibliothek, I, vol. 5, Berlin, 1922, pp. 33 et suiv.

[2] Il l'indique lui-même dans le chap. 31, Bonn, p. 150: λέγουσιν οἱ αὐτοὶ Χρωβάτοι ...

[3] *De cerimoniis,* II, Bonn, chap. 48, p. 691: lettre εἰς τὸν ἄρχοντα Μοραβίας.

[4] *L. c.,* p. 119.

[5] *L. c.,* p. 141.

[6] *L. c.,* p. 144.

quelles nous aurons encore à revenir dans le prochain chapitre,[1] n'étaient donc qu'éphémères.

La démonstration de G. Fehér[2] doit par conséquent être admise et l'opinion de Marquardt définitivement abandonnée. Il y a pourtant encore un certain nombre de points qui n'ont pas éveillé l'attention de Fehér. Si Constantin a puisé dans la tradition des Slaves du Sud ses renseignements sur la Moravie et confond au chapitre XIII la Moravie avec un territoire situé plus au Sud, pourquoi, abandonnant ses sources dans la rédaction des chapitres XL et XLII, situe-t-il exactement la Grande-Moravie non pas au Sud mais au Nord, au delà du Danube? Car le chapitre XL, contrairement à ce que Fehér semble croire et malgré le manque de précision de Constantin, doit être lui aussi interprété comme se rapportant à un territoire situé au Nord du Danube. Les mots καὶ ἀπὸ τῶν ἐκεῖσε ἡ μεγάλη Μοραβία... « loin au delà de l'arc de Trajan, de Belgrade et de Sirmium se trouve la Grande Moravie... », ne peuvent pas désigner un pays situé au Sud de ces points remarquables mais plutôt le territoire de la rive gauche du fleuve; ces termes généraux (καὶ ἀπὸ τῶν ἐκεῖσε) semblent indiquer une longue distance que Constantin n'ose plus évaluer comme il l'a fait pour les trois endroits énumérés plus haut.

Les mots τὰ δὲ ἀνώτερα τούτων ne doivent pas nous dérouter. Il faut évidemment compléter γνωρισμάτων, c'est-à-dire le pont de Trajan, Belgrade et Sirmium. La Moravie n'est pas un γνώρισμα, un monument classique, mais seulement une ἐπωνυμία, un nom, un souvenir historique.[3]

---

[1] V. plus loin, p. 277. Le chap. 42 est intéressant d'un autre point de vue. Constantin y décrit, sans doute, deux importantes routes commerciales partant de Thessalonique. La première allait à Belgrade et c'était par elle que passaient les articles byzantins pour la Bulgarie et la Moravie. La Vie, de Méthode l'appelle «la voie morave» (chap. V, PASTRNEK, l. c., p. 226: ... пѫть сѧ ꙗтъ Мораввсканго ...) C. JIREČEK, Die Heerstrasse von Belgrad nach Constantinople, Prag, 1877, p. 75, croyait qu'à Byzance on appelait, au IXe siècle, cette route la «voie morave» κατ' ἐξοχήν. Dans notre ouvrage, Les Slaves, Byz. et Rome, p. 153, nous nous sommes montré sceptique sur cette dénomination. Pourtant si l'on tient compte des échanges commerciaux très actifs entre la Moravie et Byzance confirmés par les récentes découvertes, il se peut que l'opinion de Jireček soit fondée. La seconde route commerciale, que l'empereur décrit au chap. XLII, allait à Distra, longeait le cours du Danube et la côte de la mer Noire, traversait le Dnjestr, Boug et le Dnjepr pour atteindre Sarkel sur le Don. Constantin donne beaucoup plus de renseignements sur cette seconde route que sur la première.

[2] L. c., pp. 52, 53.

[3] Encore moins peut-on chercher dans cette description de Constantin la preuve de l'existence sur le Danube, d'une grande place forte qui, appelée «Grande-Moravie», aurait été la capitale de l'empire morave et devrait être identifiée avec l'Ostergom (Gran) hongrois (F. ROBENEK, Morava, metropole sv. Methoděje, Hlídka, 1927, 1928). L'auteur de cette hypothèse prétend que Constantin n'avait l'intention d'énumérer dans ce passage que les places anciennes — γνωρίσματα — et que par consé-

Ce qui suit semble d'ailleurs le confirmer. En énumérant les fleuves de Hongrie, l'Empereur omet tout à fait ceux qui traversent le territoire de la Grande-Moravie, également occupé par les Hongrois, énumère seulement les fleuves de la grande plaine hongroise et s'arrête à la Tisza. Le reste, ce qui se trouve au delà de la Tisza, c'est le territoire de la Grande-Moravie qu'il a déjà mentionné plus haut; inutile donc de le mentionner une seconde fois.

Rien non plus au chapitre XLI n'indique que Constantin ait pris la Moravie pour un pays méridional. Ce qu'il en dit à la fin du chapitre, à savoir qu'après la catastrophe la population morave avait cherché refuge chez ses voisins, Bulgares, Turcs et Croates, a sa raison d'être même pour une Moravie située au Nord du Danube, les Bulgares, les Turcs (Magyars) et les Croates étant bien en effet dans ce cas ses voisins.

Ceci établi, seul le passage du chapitre XIII peut être équivoque. Peut-on le rattacher à la tradition des Slaves du Sud? Nous ne le croyons pas davantage. Constantin a puisé, il est vrai, dans cette tradition mais seulement beaucoup plus loin, aux chapitres XXIX à XXXVI. On s'attendrait donc plutôt à ce que Constantin se conformât à cette tradition dans les renseignements qu'il donne aux chapitres suivants, XL, XLI ou XLII, ce qui, nous l'avons vu, n'est pas le cas.

---

quent la Grande-Moravie doit être aussi une place forte mémorable, détruite par les Hongrois. Car Constantin paraît avoir tout à fait conscience de ce que la Moravie n'est pas un γνώρισμα, un monument, une place mémorable; il ajoute à la fin du passage: «ce sont là les monuments et les choses mémorables au delà du Danube», puis il continue à énumérer les autres choses mémorables situées au delà de ces monuments. Mais il n'énumère pas des monuments et des places fortes, il cite des fleuves, rien d'autre dans la plaine hongroise ne méritant d'être mentionné. Tout ce passage, on le voit, doit être étudié dans son ensemble et non pas d'une façon fragmentaire. Le contexte exclut la possibilité de la désignation par Constantin d'une ville, capitale de la Moravie, située sur le Danube. M. Robenek, reprenant une ancienne hypothèse, localise l'empire morave en Pannonie, sur la rive droite du Danube. C'est de là que, d'après lui, il se serait étendu sur la rive gauche. L'empire morave aurait donc, tout simplement, remplacé l'ancien empire avare, détruit par Charlemagne. Pareille solution du problème est très attirante car elle expliquerait mieux les rapports de la Moravie et de Byzance; elle est malheureusement contredite, et souvent d'une façon formelle, par les sources contemporaines beaucoup plus sûres que certaines sources très postérieures, datant d'une époque où la Grande-Moravie avait depuis longtemps disparu et sur lesquelles M. Robenek — entre autres — base son hypothèse. Nous ne pouvons pas entrer ici dans les détails. Nous sommes d'accord avec lui sur une chose, à savoir que les problèmes posés par les relations de la Bohême — héritière de la Grande-Moravie — et de la Hongrie au Xe siècle et par la liturgie slave en Hongrie, après l'occupation du pays par les Magyars, ainsi que les débuts du christianisme chez ces derniers, ont besoin d'être révisés à fond. (Cf. F. ROBENEK, *Moravské privilegium krále Jana*, Hlídka, 1927, IDEM, *Sv. Prokop a tradice Velkomoravská*, Hlídka, 1928, IDEM, *Apoštolská práva králů uherských a privilegium ecclesiae Moraviensis*, Hlídka, 1929, IDEM, *Svatohavelský mnich o avarských hrincích*, Hlídka, 1931. Voir aussi J. VAŠICA, *Sv. Václav v památkách církevně-slovanských*, Hlídka, 1929.)

Tout le chapitre XIII n'a rien à voir avec la tradition des Slaves du Sud. Si nous le considérons d'un peu près, nous voyons qu'il est inséré comme «en passant» dans un long traité relatif aux peuples fixés à l'Extrême-Nord et à l'Extrême-Est de Byzance, entre le Caucase et les Carpathes. Mention de la Moravie n'est faite qu'à propos des Hongrois, voisins des Petchenègues, et ce sont ces derniers qui donnent à Constantin l'occasion de parler des Hongrois à cet endroit. Toute la première partie de l'ouvrage impérial, du chapitre Ier au chapitre XIII, constitue au fond un traité indépendant. L'auteur l'indique d'ailleurs lui-même au chapitre XIII;[1] ayant terminé son examen, il donne à son fils quelques directives au sujet de la façon dont il devra accueillir certaines demandes de ces peuples très attirés par les richesses de l'Empire et il débute par ces mots: «Si les Khazars, ou les Turcs, ou les Rhôs, ou tout autre peuple scythe ou peuple du Nord formulent une demande...»; tout ce qui précède n'est donc qu'un traité sur les «Scythes» et les peuples du Nord.

Constantin, on le sait, ne doit pas être regardé comme l'unique auteur de sa compilation diplomatico-historico-géographique. Il a puisé ses renseignements en premier lieu dans les rapports officiels des différents ambassadeurs byzantins, rapports déposés aux archives du «ministère des affaires étrangères», c'est-à-dire dans les bureaux du logothète τοῦ δρόμου. Il se contente souvent de recopier purement et simplement ces rapports provenant d'époques différentes; quelquefois il essaye avec plus ou moins de succès de les coordonner. Sa compilation présente, pour ces raisons, un aspect très fragmentaire et Constantin n'est jamais arrivé à une rédaction définitive de son ouvrage, bien qu'ayant probablement l'intention de le faire.

Bury a tenté le premier de distinguer dans l'ouvrage du Porphyrogénète les différentes sources qui ont servi de base à l'illustre compilateur et de déterminer aussi l'époque de rédaction des diverses parties.[2] Il a bien vu que les treize premiers chapitres ont été composés les premiers. Examinons donc d'un peu plus près cette partie de l'ouvrage.

---

[1] L. c., p. 82: εἰ ἀξιώσουσί ποτε καὶ αἰτήσονται εἴτε Χάζαροι εἴτε Τοῦρκοι εἴτε καὶ Ῥῶς ἢ ἕτερόν τι ἔθνος τῶν βορείων καὶ Σκυθικῶν...

[2] L. c. Le travail de BURY restera pour longtemps capital sur ce sujet. MANOJLOVIĆ, Studije o spisu «De admin. imperio» cara Konst. VII Porfirogenita, Rad jugoslov. Akad., 1910, pp. 1–65 a essayé à son tour de distinguer les différentes sources et de dater l'ouvrage. On peut y trouver quelques heureuses suggestions, mais l'ensemble n'est pas si heureux que le travail de Bury. Il faudra enfin se référer à l'ouvrage de C. A. MACARTNEY, The Magyars in the ninth century, Cambridge, 1930, dans lequel l'auteur apporte, pp. 135–151, quelques suggestions nouvelles dont quelques-unes méritent de retenir l'attention.

Constantin commence par dépeindre les Petchenègues comme les voisins des possessions byzantines de Crimée et comme très dangereux pour l'Empire si l'on entrait en guerre avec eux. Il dit ensuite, aux chapitres II à VI, quelques mots des voisins des Petchenègues, Russes, Turcs, Bulgares, Chersonites (!), en soulignant surtout le rôle que ces peuples peuvent jouer à l'égard des Petchenègues. Aux chapitres VII et VIII il donne quelques directives aux ambassadeurs envoyés chez ces derniers et leur indique comment ils doivent procéder dans leurs négociations. Il insère ensuite tout un long chapitre, le chapitre IX, sur les Russes et leur commerce avec Byzance. Les chapitres X à XII concernent les Khazars. Constantin y énumère les peuples qui peuvent être employés contre eux, Uzes, Alains et Bulgares Noirs. Enfin, le chapitre XIII fait brièvement allusion aux Turcs et à leurs voisins et Constantin termine son énumération en répétant que les Petchenègues sont les plus dangereux ennemis des Turcs (Hongrois).

Or, en lisant attentivement cette première partie de l'Administration, on a nettement l'impression qu'elle repose sur les rapports des ambassadeurs byzantins envoyés chez les Petchenègues et sur les renseignements concernant les routes commerciales suivies par les Russes, renseignements qu'on pouvait obtenir facilement auprès des Chersonites ou des commerçants russes de Constantinople. Il parle aussi assez longuement de Cherson et indique par quels moyens protéger contre les Khazars les possessions de l'Empire dans la péninsule. Les renseignements sur les Petchenègues sont assez sommaires et paraissent remonter à une époque où les Byzantins n'étaient pas encore très au courant de l'histoire et des habitudes de ce peuple; mais ils ont un but pratique, la défense des intérêts byzantins, en Crimée surtout. Ils ne sont pas aussi complets que ceux que nous trouvons plus loin au chapitre XXXVII dans un long passage sur les Petchenègues qui doit être mis en rapport avec celui qui suit (Chap. XXXVIII–XLII) et qui concerne les Hongrois. Les deux traités doivent avoir été composés vers 948–949[1] ou 951–952,[2] à une époque où les Byzantins avaient pu recueillir ces renseignements détaillés par l'intermédiaire des Hongrois avec lesquels ils se trouvaient alors en relations très suivies. Mais les renseignements des chapitres I à XIII doivent avoir pour origine un document beaucoup plus ancien, datant de la fin du IXe siècle très probablement. A cette époque, les Hongrois étaient déjà entre le Dnjestr, le Sereth, la mer Noire et les Carpathes,

---

[1] Telle est l'opinion de MACARTNEY, *l. c.*, p. 85.
[2] C'est ce que pense BURY, *l. c.*, p. 574.

les Petchenègues les ayant obligés à quitter leurs établissements de la région comprise entre Don et Dnjepr. Ils ont dû même apparaître sur la Tisza peu après 860, année où Constantin constatait leur présence en Crimée, car dès 862 ils font une première incursion sur le territoire de Louis le Germanique. Nous devons ce renseignement à Hincmar et à ses Annales,[1] dont le témoignage est confirmé par les Annales Majores Sangallenses.[2] Une nouvelle source, découverte récemment, les Annales d'Admont,[3] parlent en outre de deux batailles livrées par les Germains aux Hongrois en 881, l'une près de Wenia, l'autre à proximité d'une localité appelée Calmite. Vers la même époque, un peu plus tard peut-être, doit être placée la rencontre de Méthode avec un prince hongrois, rencontre dont parle la Légende de Méthode au chapitre XVI:[4] « Quand le roi des Hongrois vint dans les régions danubiennes, il voulut le voir. Bien que certains disent et pensassent qu'il ne serait pas libéré sans peine, il [Méthode] se rendit auprès de lui. Et lui le reçut, comme un prince, avec honneur, solennité et gaîté. Il lui parla comme il convient de parler à de tels hommes et il le congédia avec amour, lui disant en l'embrassant et en lui offrant de nombreux cadeaux: Père vénérable, souviens toi continuellement de moi dans tes prières.» Ce passage de la Légende, souvent suspecté, doit être accepté aujourd'hui sans hésitation au moins dans ce qu'il a d'essentiel. La présence des Hongrois dans le voisinage de la Moravie vers cette époque ne peut plus être mise en doute. Les Annales d'Admont fournissent à ce point de vue un solide appui.

C'est donc vers la fin du IXe siècle qu'on peut considérer réellement la Moravie comme voisine des Hongrois et, par suite, le renseignement de Constantin doit avoir sa source dans un document datant de cette époque, probablement un rapport sur les Petchenègues et sur leurs voisins. Bury[5] a donc

---

[1] *M. G. H. Ss.*, I, p. 453 : sed et hostes antea illis populis inexperti, qui Ungri vocantur, regnum eiusdem populantur. MACARTNEY, *l. c.*, p. 71 prétend que les Magyars ont été poussés à cette occasion, par les Moraves désireux de trouver des alliés dans leur lutte avec les Germains.

[2] *M. G. H. Ss.*, I, p. 76: Gens Hunorum christianitatis nomen aggressa est.

[3] E. KLEBEL, *Eine neu aufgefundene Salzburger Geschichtsquelle*, Mitteilungen der Gesellschaft für Salzburger Landeskunde, 1921. Cf. les remarques de K. SCHÜNEMAN dans les *Ung. Jahrbücher*, 1922, II, pp. 221, 222.

[4] PASTRNEK, *l. c.*, p. 236.

[5] *L. c.*, p. 564. G. FEHÉR, *l. c.*, pp. 44 et suiv., s'efforce de dater de 943—944 l'ambassade du clerc Gabriel mentionnée au chapitre VIII (p. 74). C'est le rapport de ce clerc qui, à son sens, servit de base à la première partie de l'*Administration*. Cette opinion est acceptée par MACARTNEY, *l. c.*, p. 146. La suggestion de Fehér, suivant laquelle l'empereur Romain Lécapène se serait efforcé de conjurer le danger que représentaient les Petchenègues en essayant de dresser contre eux les Hon-

eu parfaitement raison de faire remonter la documentation de Constantin à ce sujet à l'époque qui a précédé l'occupation de la Hongrie actuelle par les Magyars.

On comprend aussi dans ces conditions que les Francs soient énumérés parmi les voisins des Hongrois bien qu'ils semblent séparés d'eux par le territoire de la Grande-Moravie. Puisque les Hongrois faisaient dès cette époque des incursions en territoire franc, l'informateur de Constantin pouvait prendre les deux peuples pour voisins.[1]

Il est possible somme toute d'accepter le rapport de Constantin tel qu'il est. Il y a évidemment une inexactitude. Les indications géographiques ne sont pas tout à fait précises — la Moravie n'était pas exactement au Sud des Hongrois mais plutôt vers l'Ouest-sud-ouest, et le territoire franc qui allait jusqu'au Danube devrait être aussi plutôt placé vers le Sud-ouest — mais cela n'est pas

---

grois, est évidemment très ingénieuse et séduisante mais elle n'est malheureusement confirmée ni par la Chronique de Nestor (chap. XXVII, éd. de MIKLOSICH I, pp. 25—26, trad. de LÉGER, p. 35), ni par les sources byzantines de l'époque. Le Continuateur de GEORGES LE MOINE (Bonn, p. 917) nous apprend seulement que les Hongrois envahirent le territoire byzantin en avril 943, que leur invasion fut arrêtée par la diplomatie du patrice Théophane et qu'une trêve de cinq ans fut conclue. L'auteur ne parle pas d'autres négociations avec les Hongrois. Il paraît singulier que le gouvernement ait employé pour ces pourparlers un autre ambassadeur qui aurait été Gabriel. Théophane paraissait plus indiqué puisqu'il avait réussi à conclure la paix quelques mois auparavant. Nous croyons donc qu'il faut dater cette ambassade de l'époque de Léon VI, mais il sera probablement difficile de préciser davantage. BURY, l. c., p. 568, pense à l'époque postérieure à 898, mais ce n'est qu'une hypothèse gratuite. D'ailleurs même si l'on accepte la date de 943—944, cela ne signifie pas que toute la première partie de l'ouvrage de Constantin doive être datée de cette époque. Constantin a employé pour son traité plusieurs rapports mais la base de la première partie est un rapport de la fin du IXe siècle.

[1] Les Hongrois auraient-ils occupé, d'une façon plus ou moins stable, et dès 880—889, quelques territoires sur la Tisza? REGINO (M. G. H. Ss., I, ad a. 889), p. 340, semble l'insinuer: « Primo quidem Pannoniorum et Avarum solitudines pererrantes, venatu ac piscatione victum quotidianum quaerunt. Deinde Carantaniorum, Marahensium ac Bulgarorum fines irrumpunt.» Dans ce cas-là le rapport de Constantin serait encore plus compréhensible. MACARTNEY, l. c., p. 150, place dans la région entre Tisza et Danube, peu propre alors à l'agriculture, marécageuse, les derniers Avares qui y vivaient sous la suzeraineté morave à l'époque de Svatopluk au moins. (Cf. aussi GROT, Моравія и Мадьяры, l. c., pp. 84 et suiv.) Ce n'est pas impossible et l'on trouverait ainsi l'explication de la plainte formulée par les Bavarois contre les Moraves, à savoir que ceux-ci avaient accepté un grand nombre de Hongrois et les avaient incités «avec leurs pseudo-chrétiens» — ce seraient donc les Avares — à attaquer les Bavarois (Epistola episcoporum Bavariensium ad Joannem papam IX scripta a. 900, P. L., vol. 131, col. 36, PASTRNEK, l. c., pp. 276, 277). La supposition de MACARTNEY, l. c., que la «Landnahme» des Hongrois aurait été faite dès 895, n'est pas justifiée. Voir sur le sort de la Moravie de 894 à 906 NOVOTNÝ, České dějiny, I, pp. 416—432. Cf. aussi GROT, l. c. pp. 395 et suiv.

très grave. Cette imprécision, nous la constatons encore chez Constantin à propos d'autres régions; le même passage, par exemple, nous montre le territoire des Petchenègues comme se trouvant au nord de celui des Hongrois, au lieu du Nord-est.

Encore quelques mots sur les Croates dont le territoire avoisinait celui des Hongrois «vers les montagnes». Cette expression énigmatique a donné lieu à différentes explications. Ceux qui voient dans ce passage un rapport basé sur la situation politique telle qu'elle était après l'occupation de la Moravie par les Hongrois, pensent généralement aux Croates du Sud.[1] D'autres y voient l'empire tchèque que Constantin identifie avec la Croatie Blanche.[2] Pourtant, le renseignement utilisé par Constantin peut très bien dater d'avant l'établissement des Hongrois en Moravie et en Pannonie. Il s'agit ici en effet de la Croatie Blanche, le centre primitif des Croates du Sud. On ne peut pas douter de l'existence d'un empire slave entre les Carpathes et la Vistule.[3] Ceux qui l'ont créé sont donc les Croates qui d'après la tradition sont les voisins des Hongrois «vers les montagnes», c. à d. vers les Carpathes. Déjà Westberg[4] avait pensé à cet empire, en émettant même l'idée que c'est Svatopluk qui mit probablement fin à son indépendance.

Ainsi, tous les renseignements donnés par Constantin sur la Moravie au chapitre XIII peuvent se concilier avec ce que nous savons de la fin du IXe siècle et c'est ce qui nous incite très sérieusement à croire que l'empereur écrivain suit à ce sujet une source datant de cette époque. Les explications de C. A. Macartney[5] pour prouver que le passage en question a été rédigé le dernier et a pour base les passages précédents nous semblent trop artificielles et trop forcées pour pouvoir être acceptées.

Somme toute, les renseignements de Constantin sur la Moravie sont tous véridiques bien que se rapportant à différentes époques. Le Porphyrogénète nous les a présentés tels qu'il les a trouvés mais il s'est aperçu qu'il y avait désharmonie entre les deux indications fournies sur la position géographique de la Moravie et c'est pourquoi il a ajouté, comme entre parenthèses, au chapitre

---

[1] Par exemple récemment C. A. MACARTNEY, *l. c.*, p. 148.

[2] Cf. WESTBERG, *Ibrahim ibn Ja'kub's Reisebericht über die Slavenländer*, Mémoires de l'Académie imp. des sciences de St Pétersbourg, VIIIe série, Cl. Phil.-hist., tome 8, 1899, pp. 97 et suiv. CHALOUPECKÝ, *l. c.*, p. 31.

[3] Cf. NIEDERLE, *Slov. Starožitnosti*, II, pp. 250 et suiv.

[4] *L. c.* Nous trouvons peut-être dans la Légende de Méthode chap. XI, où l'hagiographe parle d'un prince païen sur la Vistule, l'écho de cet événement.

[5] *L. c.,* pp. 147 et suiv.

XIII, que la Moravie ne formait plus à son époque la frontière du territoire hongrois puisqu'elle avait été occupée par les Magyars.

Mais ces renseignements de Constantin le Porphyrogénète n'apportent, au fond, rien de nouveau sur l'histoire morave. On n'y trouve aucune indication sur les rapports entre la Moravie et Byzance au IXe siècle. Ils nous confirment plutôt dans l'impression que l'empire morave était tout à fait oublié à Byzance au Xe siècle. On y gardait peut-être encore un vague souvenir de son prince le plus puissant, Svatopluk, mais rien de plus. Les documents byzantins ne parlent plus de la Moravie.

Ainsi là encore c'est dans la littérature vieille-slave et non pas dans les documents byzantins que nous sommes réduits à chercher des renseignements sur cet important chapitre de l'histoire de Byzance. Les Légendes de Constantin et de Méthode complètent très heureusement cette lacune de l'historiographie et nous renseignent fidèlement sur cette phase de l'évolution byzantine.

CHAPITRE VII.

LE DIOCÈSE DE MÉTHODE ET LA LUTTE AUTOUR DE L'ILLYRICUM.

(V. M. chap. VIII, IX, X, XII, XIII.)

I. L'évolution de l'Illyricum. — Le vicariat de Thessalonique. — Sirmium. — Un vicariat de Salone? — Justiniana Prima. — Les derniers vestiges de la juridiction pontificale dans l'Illyricum. — Bouleversements dus aux invasions.

II. La nouvelle situation politique. — Le travail de l'Eglise franque sur le territoire de l'ancien Illyricum. — La tentative d'Hadrien Ier pour reprendre l'Illyricum. — Les efforts de Nicolas Ier. — L'évêché de Nin. — La christianisation des Bulgares et la lutte pour l'Illyricum.

III. La politique d'Hadrien II à l'égard de l'Illyricum. — Le diocèse de Sirmium et son rôle dans la lutte. — La politique de Jean VIII. — Méthode en Pannonie et à Constantinople. — Jean VIII, Branimir et Svatopluk.

I.

Le chapitre précédent nous a permis de constater un brusque changement dans la politique pontificale à l'égard du nouvel empire slave de Grande-Moravie. En 867, un mois avant sa mort, le pape Nicolas Ier qui, en 862 probablement, avait répondu avec tant de froideur à la demande et aux propositions de Rastislav, invite à venir à Rome les missionnaires grecs qui se trouvent alors à Venise où ils attendent vraisemblablement l'occasion de s'embarquer pour Constantinople. Cette invitation devait, du reste, comporter des propositions concrètes de la part du pape puisque nous voyons les deux frères abandonner leur dessein primitif et partir pour la ville de St Pierre. La réception qui leur était réservée à Rome par le successeur de Nicolas Ier, Hadrien II, dépassa tout ce qu'ils pouvaient attendre et l'on ne peut pas voir dans le seul fait qu'ils apportaient avec eux les reliques de St Clément — circonstance qui leur a attiré la sympathie générale — la raison d'un changement de politique aussi brusque et aussi complet. Les décisions d'Hadrien II étaient sans précédent dans l'histoire et elles devaient avoir sur l'évolution ultérieure des Slaves une importance capitale. Le pape non seulement sacrait les disciples des missionnaires grecs mais il sanctionnait leur grande innovation, la liturgie nationale, et il mettait sur pied pour Méthode une nouvelle organisation ecclésiastique en rétablissant la métropole de Sirmium.

Rien d'étonnant à ce qu'un changement aussi inattendu dans l'attitude du Saint Siège ait paru énigmatique à de nombreux historiens qui sont allés jusqu'à en nier la réalité. Il devait y avoir comme enjeu, dans le drame qui se déroulait en Europe centrale dans la seconde moitié du IXe siècle, quelque chose de plus important que quelques tribus slaves se dérobant à l'emprise de l'Empire germanique. Le Saint-Siège n'aurait pas pour si peu abandonné sa politique de la veille, qui lui valait bien d'autres avantages, et risqué un conflit avec une puissance dont il était l'allié jusqu'alors. Il y avait bien d'autres raisons, très sérieuses, à ce revirement; l'épisode moravo-pannonien n'est que l'écho d'une lutte longue et acharnée menée par les papes pour recouvrer la juridiction directe sur tout le territoire de l'ancien Illyricum. Ce n'est qu'une bribe de cette politique ecclésiastique de grand style inaugurée par l'énergique Nicolas Ier et continuée par ses successeurs, Hadrien II et Jean VIII. Nous nous condamnerions à ne pas comprendre la politique pontificale à l'égard de l'œuvre de Constantin et de Méthode en Moravie si nous nous refusions à admettre ce point de vue.

Notre ouvrage sur «Les Slaves, Byzance et Rome»[1] nous a permis d'attirer pour la première fois l'attention des historiens sur ce fait et d'ébaucher une modeste esquisse de l'histoire de cette lutte dans le courant du IXe siècle en montrant la répercussion sur la restauration du diocèse de Sirmium. La question reste pourtant encore si peu connue, bien que très importante, et si curieuse à constater qu'elle mérite, pensons-nous, une nouvelle étude plus approfondie.[2]

*

Nous touchons ici à un important chapitre de l'histoire de l'Eglise. La lutte pour l'Illyricum est un conflit dont les origines remontent loin dans le passé. L. Duchesne nous a déjà donné une courte histoire de cette province dans

---

[1] Pp. 201 et suiv.

[2] L'étude qui va suivre a déjà été en partie publiée par nous dans les « *Mélanges Ch. Diehl*», Paris, 1930, sous le titre *La lutte entre Byzance et Rome à propos de l'Illyricum au IXe siècle*, pp. 61–80, mais nous avons eu depuis la possibilité de poursuivre nos recherches sur ce point.

l'ancienne Église[1] et les différentes phases de la lutte dans l'antiquité nous sont ainsi connues. On sait également combien la rivalité entre papes et patriarches à propos de la juridiction sur ce territoire a contribué à envenimer la querelle entre les deux Églises et à rendre définitif leur désaccord.

Bien des détails encore ont pourtant échappé à l'attention des historiens; aussi croyons-nous nécessaire de remonter, dans la présente étude, jusqu'aux origines de la rivalité et d'esquisser l'évolution du conflit jusqu'au VIIIe siècle.[2] Cette vue d'ensemble nous permettra de mieux comprendre les conditions dans lesquelles la lutte a été reprise à la fin de ce siècle et les répercussions qu'elle a eues sur le développement de l'œuvre des deux frères.

Les origines de la question illyrienne remontent au IVe siècle. On sait qu'en 379,[3] Gratien détacha de l'Empire d'Occident les diocèses civils de Dacie et de Macédoine pour les remettre à l'empereur d'Orient, Théodose. Cette situation devint définitive en 389, à la suite d'un nouveau partage entre le fils de Gratien, Valentinien II, et Théodose. Ce changement dans l'administration civile devait avoir de graves conséquences pour l'administration ecclésiastique. Les provinces de ces deux diocèses, Mésie première, Dacie Ripuaire et intérieure, Dardanie, Prévalitane, les deux Épires, première et seconde Macédoine, Achaïe et Crète, relevaient directement — au point de vue ecclésiastique — de l'évêque de Rome. Elles ressortissaient donc du patriarcat romain bien que le titre de patriarche n'ait été employé que plus tard. Or, il était évident que désormais les provinces illyriennes allaient subir de plus en plus l'influence de l'évêque de Byzance qui avait l'avantage de siéger dans la capitale de l'Empire et dont les prétentions commençaient à inquiéter les papes. Pour contrecarrer cette attraction et faciliter les relations entre Rome et les provinces considérées, le pape Damase jugea bon d'installer en Illyricum un représentant per-

---

[1] L. DUCHESNE, *Histoire ancienne de l'Église*, Paris, 1911, I, pp. 259 et suiv., II, pp. 227 et suiv., 283 et suiv. Voir l'article de VAILHÉ dans *le Diction. de Théol. cath.*, III (Église de Constantinople, col. 350 et suiv.). Cf. A. HARNACK. *Die Mission und Ausbreitung des Christentums in den ersten drei Jhten*, Berlin, 1915, pp. 237 et suiv.

[2] Pour·les détails, on peut consulter: L. DUCHESNE, *Les Églises séparées, l'Illyricum ecclésiastique*, Paris, 1905; LEPORSKIJ, Исторія Ѳессалоникскаго екзархата, Saint-Pétersbourg, 1901; J. ZEILLER, *Les origines chrétiennes dans les provinces danub.*, Paris, 1918; VAILHÉ, *Annexion de l'Illyricum au patriarcat œcuménique*, Échos d'Orient, vol. X, 1911, p. 10 et ss.; O. TAFRALI, *Thessalonique des origines au XIVe siècle*, Paris, 1919.

[3] ZEILLER, *loc. cit.*, p. 5. Voir pourtant ce qu'en dit A. ALFÖLDI, *Der Untergang der Römerherrschaften Pannonien*, I, pp. 69–76. Il ne parle que du partage de 389.

sonnel et choisit Acholius, évêque de Thessalonique. Sous les papes Sirice et Innocent, cette institution se précisa; les droits qu'exerçaient les évêques de Thessalonique sont surtout énumérés dans les lettres du pape Innocent à Anysius et à son successeur Rufus. Les vicaires du pape consacraient et confirmaient les conciles provinciaux d'Illyricum et jugeaient en première instance toutes les questions ecclésiastiques soulevées dans leur vicariat, sauf bien entendu recours à Rome.[1]

Cette solution du problème était la meilleure qu'on pût envisager. On peut même dire qu'elle était ingénieuse puisque, en conservant leur suprématie sur l'Illyricum, les papes oposaient au rival dangereux qu'était pour eux l'évêque de Constantinople un autre prétendant, le vicaire de l'Illyricum, évêque de Thessalonique, la plus importante ville de l'Empire d'Orient après Byzance. En stipulant que les droits des vicaires devraient être renouvelés chaque fois qu'un changement se produirait au siège de Rome comme à l'évêché de Thessalonique, les papes se mettaient en garde contre tout accroissement de l'esprit d'indépendance des évêques de Thessalonique et renforçaient les liens qui unissaient ces derniers à Rome.

*

Il restait encore à l'Empire d'Occident une partie de l'Illyricum, l'Illyricum occidental, c'est-à-dire les provinces de Norique, de Pannonie et de Dalmatie, dont la ville la plus importante était Sirmium: Sirmium, ancienne résidence impériale, devait garder, même au point de vue religieux, un grand prestige; le titulaire de ce siège, Anemius, pouvait en effet, au concile d'Aquilée,[2] en 381, tenir ce langage hautain: *Caput Illyrici nonnisi civitas est Sirmiensis: ego igitur episcopus illius civitatis sum.*

---

[1] Lettre de Sirice à Anysius (MANSI, VIII, 750)... etiam dudum huiusmodi literas dederamus, ut nulla licentia esset sine consensu tuo in Illyrico episcopos ordinare praesumere. Le Pape Innocent à Anysius (*Ibidem* 751): Cui etiam antecessores tanti et tales viri praedecessores mei episcopi, id est, sanctae memoriae Damasus, Syricius... atque supra memoratus vir Anastasius ita detulerunt, ut omnia quae illis partibus gererentur, sanctitati tuae, quae plena iustitiae est, traderent cognoscenda; meam quoque parvitatem hoc tenere iudicium, eamdemque habere voluntatem te decet recognoscere.
.. Innocent à Rufus (*ibidem*): ut prudentiae gravitatique tuae commitendam curam causasque, si quae exoriantur, per Achaiae, Thessaliae, Epiri veteris, Epiri novae et Cretae, Daciae Mediterraneae, Daciae Ripensis, Moesiae, Dardaniae et Praevalis ecclesias Christo Domino annuente censeam ... Arripe itaque, dilectissime frater, nostra vice per suprascriptas ecclesias, salvo earum primatu, curam: et inter ρsos primates primus quidquid eos ad nos necesse fuerit mittere, non sine tuo postulent arbitratu. cf. F. STREICHHAN, *Die Anfänge des Vikariates von Thessalonich,* Zeitschrift der Savigny-Stiftung Rechtsgesch., kan. Abt., vol. 43, 1922, pp. 330–384.
[2] Voir les actes de ce concile dans *P. L.,* vol. XVI, col. 916—939.

En Occident l'organisation métropolitaine s'était développée beaucoup plu
tard qu'en Orient de sorte que jusque dans le haut Moyen-Age nous n'avon
pas de témoignages sur la hiérarchie ecclésiastique. Nous póuvons pense
malgré tout que le fait d'être résidence impériale donnait, en réalité, à Sirmiur
une certaine préséance par rapport aux autres évêchés illyriens et le rôle jou
par lui dans les querelles théologiques du IVe siècle à propos de l'arianism
accrut encore cette importance. Ce qui rehaussait le prestige de ce siège au
yeux des gens de cette époque, c'était la tradition qui le reliait aux temp
apostoliques; on croyait généralement que la chrétienté de Sirmium avait ét
fondée par Epaenetos et Andronique dont parle Saint Paul dans son Épîtr
aux Romains (XVI, 5, 7; 14).[1] On sait que ces revendications étaient légen
daires; elles n'en renforçaient pas moins l'influence et l'importance de l'Églis
de Sirmium. Nous verrons d'ailleurs, plus loin, combien ces légendes étaien
ancrées dans les esprits.

Il est impossible de dire jusqu'où s'étendait le prestige des évêques de Sir
mium. Avant le partage de l'Illyricum, leur influence s'est peut être manifesté
aussi sur les évêchés voisins de Mésie et de Dacie;[2] mais après il n'en pouvai
certainement plus être question. La revendication d'Anemius au concile d'Aquilé
paraît indiquer qu'il se rendait compte des conséquences de ce changement e
qu'il voulait maintenir ses droits. Ce qui est certain pourtant c'est qu'après le
partage Sirmium gardait toujours son prestige en Illyricum occidental. Mai
bientôt la situation commença à changer. Des peuplades barbares firent leu
apparition dans l'Illyricum occidental.[3] La Pannonie et le Norique furent en
grande partie perdus de sorte que Sirmium, la capitale de l'ancien Illyricum
se trouva à quelques pas de la frontière de l'Empire. Citadelle avancée, la vill
était exposée à de nouvelles invasions barbares.

*

D'autre part Sirmium, qui représentait le reste de l'Illyricum occidental
était trop près des frontières de l'Empire d'Orient. Il est donc parfaitemen
possible que le pape Zosime ait voulu chercher d'autres liens pour rattache
cette partie de l'Illyricum à son patriarcat. Afin de compléter le système ima

---

[1] SALAGIUS, *De statu ecclesiae pannonicae*, Quinque-Ecclesiis, 1777—1781, vol. II; FARLATI
Illyricum sacrum, Venetiis, vol. VII, p. 454 et suiv. ZEILLER, *loc. cit.*, p. 31 et suiv.

[2] Voir FARLATI, *loc. cit.*, VII, pp. 462, 464. Sur les évêques de Sirmium, *ibidem*, p. 465 et ss.
SALAGIUS, *loc. cit.*, III, chap. 1, pp. 1—109; ZEILLER, *loc. cit.*, pp. 143 et suiv.

[3] Sur ces invasions, voir BURY, *History of the Later Rom. Emp.*, I, pp. 271 et suiv.

giné par Damase il a pu envisager pour elle la création d'un autre vicariat mais il n'a pas songé à Sirmium: son choix s'est porté sur Salone. J. Zeiller dans son article, *Une ébauche de vicariat pontifical sous le pape Zosime*,[1] a discuté cette question. Au premier abord, la chose peut paraître pour le moins surprenante mais, si nous tenons compte de la situation dans cette province ecclésiastique et de la manière d'agir et de voir de Zosime, il faut admettre que le projet devient vraisemblable.

Il est donc parfaitement possible que nous ayons dans la lettre de Zosime à Hesychius, évêque de Salone,[2] un projet de nouveau vicariat pour l'Illyricum occidental. Les conclusions de Zeiller sont parfaitement autorisées, d'autant plus que nous constatons sous le pontificat de Zosime un fait en partie analogue: la création d'un autre vicariat pour la Gaule à Arles.

Les successeurs de Zosime n'ont pas suivi la même voie. Le nouveau vicariat n'est resté qu'une ébauche. Cet essai est néanmoins intéressant et il prouve, une fois de plus, l'intérêt que portaient les papes à cette région de leur patriarcat.

Les événements ont d'ailleurs prouvé que les craintes du pape Zosime étaient parfaitement justifiées. Sirmium et ce qui restait des provinces pannoniennes furent rattachés à l'Empire d'Orient entre 424 et 437. On ne sait pas si ce changement portait aussi sur le Norique et la Dalmatie. Le *praefectus praetorio Illyrici* eut probablement depuis ce moment sa résidence à Sirmium.[3]

Cette situation ne dura pas. En 448, les Huns brisèrent la résistance de l'armée impériale et Sirmium fut détruit. Le siège de la préfecture du prétoire dut être transporté à Thessalonique. Ainsi tout l'Illyricum oriental et ce qui restait de l'Illyricum occidental étaient réunis sous le même régime politique.

En ce qui concerne le fonctionnement du vicariat, les craintes des papes à l'égard des évêques de Constantinople s'étaient également trouvées justifiées. Le titulaire de Constantinople, Atticus, avait obtenu de l'empereur Théodose la publication d'une loi datée du 14 juillet 421,[4] d'après laquelle les évêchés de l'Illyricum oriental devaient passer dans l'obédience de l'évêque de Constantinople. Cette loi figure dans le code théodosien, preuve que Proclus qui gouvernait alors l'Église de Constantinople persistait dans les revendications d'Atticus. Elle trouva même place dans le Code justinien,[5] mais elle resta lettre

---

[1] *Revue Historique*, 1927, pp. 326—332.

[2] *P. L.*, vol. XX, col. 669–673; JAFFÉ, *Regesta*, Lipsiae, 1885, n°. 339, p. 50.

[3] DUCHESNE, *Illyricum ecclésiatique*, p. 240. Au moins la *Novelle XI* de Justinien semble l'affirmer.

[4] O. SEECK, *Regesten der Kaiser und Päpste*. Stuttgart, 1919, p. 345.

[5] *Cod. Theod.*, XVI, 2, 45, *Cod. Just.*, XI, 21.

morte. Les papes réussirent à maintenir leur suprématie sur l'Illyricum et n⟨ tinrent aucun compte de la loi de Théodose.

De même, le schisme d'Acace (484–519) montra une fois de plus l'attrac⟨ tion dangereuse que Constantinople exerçait sur les provinces grecques d⟨ l'Illyricum. Les évêques de Thessalonique adhérèrent au schisme, se confor⟨ mant ainsi à l'attitude de l'épiscopat byzantin, et cessèrent d'être vicaires d⟨ pape. D'ailleurs, malgré ces complications les papes réussirent à maintenir le⟨ relations, au moins avec les provinces latines de l'Illyricum, et, finalement, c⟨ fut la cause des pontifes romains qui l'emporta.

Il est curieux de remarquer que, vers la même époque, l'évêque de Salon⟨ rentrait en scène comme prétendant à une sorte de vicariat pour remplacer le⟨ titulaires de Thessalonique, vicaires déchus. Pourtant le titre d'archevêque attri⟨ bué par Denys le Petit à Etienne, évêque de Salone, est discutable,[1] de sorte qu'i⟨ n'est pas permis d'en tirer des conclusions précises.

*

Le dernier grand changement dans l'organisation ecclésiastique de l'Illyri⟨ cum est dû à l'intervention de l'empereur Justinien. On connaît l'histoire d⟨ l'élévation de Justiniana Prima, bourgade natale de l'empereur. La nouvell⟨ cité devait en même temps devenir le siège de la préfecture et gouverner au⟨ point de vue ecclésiastique tout le diocèse de Dacie et ce qui restait de la Pan⟨ nonie (*Novelle XI*, publiée le 14 avril 535).[2] Suivant l'arrangement interven⟨ plus tard entre l'empereur et le pape Vigile, le vicariat de l'Illyricum fut par⟨ tagé entre Justiniana Prima et Thessalonique. Désormais, d'après la *Novelle* 13⟨ du 18 mars 545,[3] le titulaire de Justiniana Prima devait avoir sous sa juridictio⟨ les évêques des deux Dacies, de Prévalitane, de Dardanie, de Mésie Supérieure⟨ et de Pannonie.[4] Sirmium ne compte plus. Nous pouvons supposer que la vill⟨

---

[1] ZEILLER, *loc. cit.* pp. 380 et suiv.; cf. BULIĆ-BERWALD, *Kronotaxa Solinskih biskupa*, Zagreb⟨ 1912, 1913, pp. 46–50.

[2] *Corpus juris civilis*, III, Novellae, Novella XIII. Castelliano, viro beatissimo, episcopo Prima⟨ Justinianae, éd. SCHOEL, Berlin, 1904, p. 94.

[3] *Ibidem*, p. 665 et suiv.

[4] BURY, *loc. cit.*, p. 360 et ss. GELZER, *Das patriarchat von Ochrida*, Leipzig 1902; DUCHESNE⟨ *l'Illyricum eccles.*, p. 239 et suiv. Sur Justinina Prima, voir les publications les plus récentes de B. GRA⟨ NIĆ, *Die Gründung des autokephalen Erzbistums von Justiniana Prima durch Kaiser Justinian I*, Byzantion⟨ II (1925), pp. 123–140; G. NOVAK, *Kde ležela Justiniana prima* (Où se trouvait Just. Pr.), Sborní⟨ Bidlǔv, Praha 1928, pp. 47–57; cf. aussi le résumé de la communication de J. ZEILLER (*Le site a⟨ Justiniana Prima*) au IIIᵉ congrès d'études byzantines (Actes du IIIᵉ congrès internat. d'ét. byz.⟨ Athènes, 1932, p. 174).

avec ce qui restait de la Pannonie fut subordonnée au moins nominalement à Justiniana Prima. En 582, enfin, Sirmium succomba sous les coups des Avares.[1] Sa gloire disparut pour toujours.

La nouvelle situation de l'Illyricum dura jusqu'au début de VIIe siècle. Le vicariat de Justiniana Prima fonctionna tant bien que mal; nous trouvons dans les actes des papes de cette époque un nombre de preuves juste suffisant pour constater qu'il ne reste pas dans le domaine de la théorie,[2] mais ses jours étaient comptés et nous en perdons toute trace après l'année 602. Les invasions avares et slaves portèrent un coup terrible aux provinces danubiennes; les Slaves semèrent la dévastation et le désordre en Épire, en Achaïe et jusqu'aux hauteurs du Taygète. Pendant cette triste période, une des plus tristes de l'histoire de Byzance et de l'Église orientale, seuls quelques sièges épiscopaux survécurent dans les provinces les plus exposées. Thessalonique les dominait tous.

Malgré cette dévastation de l'Illyricum, l'idée de la suprématie directe des patriarches de Rome sur ces contrées ne fut pas oubliée. Nous en trouvons un curieux écho dans la demande adressée par l'empereur Héraclius au pape Honorius et tendant à l'envoi de prêtres dans les contrées qui, jadis grecques, étaient habitées maintenant par des païens, Croates et Serbes. C'est bien à tort que cette demande d'Héraclius, rapportée par Constantin Porphyrogenète[3], a été souvent mise en doute par des historiens slaves.[4] L'empereur Héraclius n'avait agi que conformément aux traditions séculaires consacrées par des lois et des arrangements entre ses prédécesseurs et les papes.

D'ailleurs longtemps encore après Héraclius on se rendait compte que l'Illyricum relevait directement des patriarches romains au point de vue ecclésiastique. Au VIe concile œcuménique (681),[5] on voit les évêques de Thessalonique, de Corinthe et de Gortyne en Crète se considérer toujours comme vicaires et légats du St Siège, preuve que la juridiction directe des papes sur tout l'Illyricum oriental était généralement reconnue. Aussi les papes exercèrent-ils cette

---

[1] Voir E. STEIN, *Studien zur Gesch. d. byz. Reiches*, pp. 109–113; sur les rapports de Byzance avec les Avares et les Slaves à cette époque voir HAUPTMANN, *Les rapports des Byzantins avec les Slaves et les Avares pendant la seconde moitié du VIe siècle*, Byzantion, IV, pp. 173 et suiv.

[2] Surtout dans les lettres de Grégoire le Grand. *Gregorii Papae Registrum*, M. G. H., Ep. I, ép. III, 6, V, 3, XI, 29, XII, 20; ZEILLER, *loc. cit.*, p. 389 et suiv.

[3] Voir plus loin, p. 263.

[4] Surtout par JIREČEK, *Geschichte der Serben*, Gotha, 1911, I, p. 172. Voir sur ce sujet notre livre *Les Slaves, Byzance et Rome au IXe siècle*, p. 73.

[5] MANSI, XI. 669: Jean de Thessalonique, Etienne de Corinthe et Basile de Gortyne. Ils s'appellent tous légats du St Siège et Jean de Thessalonique s'intitule en plus vicaire.

juridiction sans aucune contestation jusque dans la seconde moitié du VIIe siècle. Le dernier acte qui en témoigne fut l'intervention du pape Vitalien dans l'affaire de Jean, évêque de Lappa, comme l'indiquent, en 668, ses lettres à Paul, évêque de Crète.[1]

Quel fut le sort de l'Illyricum occidental? Les débris de l'organisation ecclésiastique de ces contrées étaient abandonnées à eux-mêmes. L'éclat de Sirmium qui tenait ces évêchés dans sa dépendance s'était évanoui pour toujours. Une tendance s'y manifesta bientôt: se rallier à un centre qui fût plus franchement situé en Occident et qui grâce à sa position, fût plus à l'abri des invasions, le siège métropolitain d'Aquilée. Siscia, il est vrai, paraît avoir subi l'attraction de Salone, dont l'importance allait croissant et qui avait montré à plusieurs reprises sa volonté de remplacer dans une certaine mesure Sirmium déchu. Les autres évêchés, Aguontum, Virunum, Celeia, Teurnia de Norique, Scarbantia, et Aemona de Pannonie, se rangeaient derrière Aquilée.

Mais cette situation dura peu. Bientôt de nouveaux envahisseurs s'annoncèrent, Avares et Slaves. Les dernières traces de vie de cette organisation ecclésiastique apparaissent dans les actes du concile de Grado tenu en 579. Voici les titulaires qui signèrent les actes du concile: Leonianus de Tiburnia, Aaron d'Aguontum, Patricius d'Aemona, Virgile de Scarbantia.[2] Jean de Celeia et Patricius d'Aemona prirent en outre part au synode qui se tint à Marano dans le Frioul (581–590) au sujet des Trois Chapitres.[3] Virunum, Teurnia et Aguontum paraissent exister encore en 591, car les suffragants du patriarcat d'Aquilée parlent de ces villes dans une lettre adressée à l'empereur Maurice.[4]

Puis plus rien. Le flot avaro-slave poussa — au début du VIIe siècle — jusqu'en Dalmatie. Toute cette province florissante fut détruite, la puissante Salone mise à sac; la population effrayée dut chercher refuge dans les îles et à Spalato, derrière les murs du palais de Dioclétien.

Nous trouvons un dernier vestige de l'ingérence directe des papes en Dalmatie sous le pontificat de Jean IV. Le pape était d'origine dalmate et s'intéressait naturellement d'une façon spéciale au sort de son malheureux pays. On sait qu'en 641–642 il envoya l'abbé Martin en Dalmatie et en Istrie pour re-

---

[1] JAFFÉ, *Regesta*, I, nos 2090, 2091, 2092, 2093, p. 235. MANSI. XI, 16, 19. Deux lettres à Paul, une à Vaanès «cubiculario et imperiali chartulario», une à Georges, évêque de Syracuse.

[2] *M. G. H. Ss. Lang.*, p. 393.

[3] ZEILLER, *l. c.*, p. 395.

[4] J. FRIEDRICH, *Die ecclesia Augustana in dem Schreiben der istrischen Bischöfe von Kaiser Mauritius vom J. 591*, Sitzungsber. d. k. bayr. Akad., phil. hist. Kl., 1906, pp. 327–357.

cueillir les reliques des saints dans les églises détruites par les Avares et les Slaves. La mission de Martin réussit parfaitement.[1] Cette circonstance semble indiquer que l'entreprise d'Honorius avait déjà eu quelques succès parmi les Croates de Dalmatie puisqu'il était possible à Martin de circuler librement dans ces contrées.

Il se peut bien que les papes se soient efforcés de continuer l'œuvre d'Honorius. La lettre adressée par le pape Agathon à l'empereur Constantin Pogonat, avant le concile de 680, mentionne la présence de missionnaires romains parmi les Slaves.[2] Le texte mérite sans doute quelque créance. Quels peuvent être ces Slaves? Le VIIe siècle a vu certaines tentatives de l'Eglise latine, celle de St Colomban par exemple qui, ayant entrepris l'évangélisation des Slaves des Alpes en 621, y renonça bientôt sur l'intervention d'un ange,[3] ou celle, également vaine, de St Amand vers 630.[4] Agathon ne peut pas avoir eu en vue ces deux tentatives, tombées sans doute depuis longtemps dans l'oubli. Nous sommes donc réduits à ne penser qu'aux Croates, si toutefois nous voulons ajouter crédit à ses paroles.

Mais il est bien difficile d'énoncer les résultats de ces missions chez les Croates. Il semble que le succès n'ait pas été très grand car Constantin Porphyrogénète parle d'une nouvelle christianisation de ce peuple après qu'il eut secoué le joug franc.[5]

---

[1] DUCHESNE, *Liter pontificalis*, I, p. 330: «Johannes natione Dalmata ... temporibus suis misit per omnem Dalmatiam seu Istriam multas pecunias per sanctissimum et fidelissimim Martinum abt batem propter redemptionem captivorum qui depredati erant a gentibus. Eodem tempore fecit ecclesiam beatis martyribus Venantio, Anastasio, Mauro et aliorum multorum martyrum, quorum reliquia de Dalmatias et Istrias adduci praeceperat, et recondidit eas in ecclesia suprascripta, iuxta fontem Lateranensem. Cf. BULIĆ, *Sv. Venancie prvi biskup solinski*, Vjestnik hrv. archeol. društva, Zagreb, N. S., vol. XV, p. 68.

[2] MANSI, XI, col. 770, *P. L.*, vol. 87, col. 1224: ... in medio gentium, tam Langobardorum quamque Sclavorum, nec non Francorum, Gallorum et Gothorum atque Britannorum, plurimi confamulorum nostrorum esse noscuntur, qui et de hoc curiose satagere non desistunt, ut cognoscant quid in causa apostolicae fidei peragatur: qui, quantum prodesse possunt, dum in consonantia fidei nobiscum tenentur, tantum, quod absit, si quid scandali in fidei capitulo patiantur, inveniuntur infesti atque contrarii.

[3] Jonae Abbatis Elnonensis, S. Columbani, Vita, *P. L.*, vol. 87, col. 1042, B. KRUSCH, *Jonae Vitae Sanctorum Columbani, Vidastis, Johannis*, Scriptores rerum german., Hannover, 1905, pp. 216, 217: «Interea cogitatio in mentem ruit ut Venetiorum, qui et Sclavi dicuntur, terminos adiret ... Cumque haec votis patrandum inesset, angelus Domini per visum apparuit.»

[4] A. S., Febr. (d. 6), I, col. 861.

[5] *De adm. imp.*, chap. 30, Bonn, p. 145. Il serait exagéré de voir dans le rapport de Constantin sur la première christianisation des Croates la preuve de la conclusion d'un pacte entre ces derniers et le pape Agathon, pacte par lequel les Croates auraient promis de ne jamais faire de guerre agres-

Voilà tout ce que nous savons du sort de l'Illyricum et des efforts des papes pour y maintenir leur juridiction. Par la suite nous n'entendons plus parler de rien. La catastrophe qui a balayé l'ancien ordre de choses dans ces contrées fut si violente que même les villes côtières qui avaient sauvé leur existence ne se relevèrent que très lentement.[1]

La destruction de l'organisation écclésiastique de l'Illyricum eut de grandes conséquences sur l'évolution ultérieure de l'Église entière. Les provinces ecclésiastiques de cette région formaient, peut-on dire, comme un pont entre l'Église latine et l'Église grecque. L'Illyricum oriental renforçait, en effet, dans l'Église byzantine les influences du génie grec en face des idées orientales dont l'emprise apparaissait de plus en plus. Mais pendant les VIIe et VIIIe siècles ces provinces ne pouvaient participer à l'évolution de la vie religieuse de l'Église byzantine que dans une faible mesure et c'est ce qui explique que l'influence de l'Asie Mineure y soit devenue prédominante.[2] L'orientalisation de Byzance

---

sive (S. SAKAĆ, *Iz slavne hrvatske prošlosti, Ugovor pape Agatona i Hrvata proti navalnom ratu*, Zagreb, 1931). Voir ce que nous disons plus loin de ce prétendu pacte. Les arguments par lesquels l'auteur veut attribuer cette sorte de «Kellog-pacte» — l'expression est de lui — au pape Agathon ne sont pas convaincants. Le témoignage de Constantin a, il est vrai, une certaine valeur et nous avons déjà montré ce qu'il faut en déduire, mais il ne faudrait pas en exagérer l'importance. N'oublions pas que pendant tout le VIIIe siècle nous n'entendons rien dire ni des Croates ni de leur «pacte». Le renouvellement de 879 semble plutôt nier l'existence d'un traité antérieur. Tout ce qu'on pourrait en conclure — et c'est déjà beaucoup — c'est que les missionnaires romains ont réussi à persuader les Croates de laisser en paix les villes côtières et de ne pas se montrer hostiles aux Byzantins. Mais c'est tout et rien ne nous autorise à aller plus loin. Soulignons pourtant le mérite de M. Sakać d'avoir attiré l'attention sur les relations du pape Agathon avec les Slaves. Cf. aussi les intéressantes remarques de J. GAY, *Notes sur la crise du monde chrétien après les conquêtes arabes. Les deux patriarcats de Rome et de Byzance. Premiers essais de missions romaines chez les Slaves*, Mélanges d'archéologie et d'histoire, vol. XLV, 1928, p. 2.

[1] Nous nous permettons d'attirer ici l'attention sur la communication de GRGO NOVAK au IIIe congrès international des études byzantines à Athènes (*Const. Porphyr. und Thomas Archidiakon über die Zerstörung röm. Städte in Dalmatien*, Actes du IIIe congrès internat. d'ét. byz., Athènes, 1932, p. 145). Contrairement à ce qu'on était habitué à croire, G. Novak affirme que Spalato n'était pas une nouvelle fondation, créée par les réfugiés de Salone, mais que la ville existait déjà aux IIIe et IVe siècles. La légende relative à sa fondation après la destruction de Salone a été forgée à Spalato même et devait renforcer les prétentions de ses évêques qui réclamaient en Dalmatie les mêmes droits que ceux des anciens évêques de Salone en arguant qu'ils en étaient les successeurs. Sur la destruction de Salone en 615, voir *Bulletino di archeol. et stor. dalm.*, 1906, pp. 268 et suiv., 1910, pp. 136 et suiv.

[2] Voir notre étude *Quomodo incrementum influxus orientalis in imperio byzantino s. VII–IX dissensionem inter ecclesiam Romanam et Orientalem promoverit*, Acta congressus orientalis Pragensis, Praha, 1930, pp. 159–172.

en a été précipitée au point de vue tant politique que religieux, et cela au moment où l'Église occidentale sauvait avec peine les débris de l'héritage romain et, sous l'afflux des peuples nouveaux, se «barbarisait» de plus en plus. Les provinces ecclésiastiques de l'Illyricum qui auraient pu ralentir cette évolution ayant été détruites, il n'y avait plus d'intermédiaires entre les deux mondes déjà si différents et les deux Églises devaient naturellement s'éloigner de plus en plus l'une de l'autre. On sait quelle en a été la conséquence dans l'histoire de l'Église en général.

II.

Au lieu de constituer un pont entre les deux Églises, l'Illyricum devint bientôt de nouveau l'objet de luttes acharnées qui devaient les séparer davantage encore et précipiter la catastrophe finale. En réponse à l'excommunication lancée contre lui par les papes Grégoire II et Grégoire III, Léon III en 731 détacha du patriarcat romain toutes les provinces qui restaient sous la domination byzantine,[1] Illyricum, Italie du Sud, Sicile et Crète, pour les rattacher au patriarcat byzantin. Il confisqua en outre le patrimoine pontifical en Calabre et en Sicile.

Telle a été la fin de la juridiction directe des papes en Illyricum. En même temps commençait la dernière phase de la lutte autour de ces provinces ecclésiastiques, lutte qui devait durer plus d'un siècle et qui est marquée par quelques épisodes dramatiques.

Mais, en attendant, il fallait du temps pour que le calme revînt dans les provinces dévastées. Ce n'était pas chose facile et pendant longtemps on ne pouvait plus songer à la réorganisation ecclésiastique de ces contrées.

*

Sur le territoire de l'ancien Illyricum occidental, les Avares étaient les maîtres. Il fallut l'entrée en scène de nouveaux acteurs, les Francs, pour changer définitivement la situation et faire renaître la vie religieuse dans cette région. La puissance des Avares, déjà affaiblie par l'insurrection des Slaves, leurs vassaux, sous la conduite de Samo (vers 623), par l'échec subi sous les murs de Constantinople (626) et par l'intervention des Croates, mais toujours établie d'une façon redoutable dans la plaine de Hongrie et de Sirmium, fut brisée complètement

---

[1] THÉOPH., 6224, Bonn, p. 631, de Boor, p. 410. DÖLGER, *Corpus des griech. Urkunden*, München, 1924, I, p. 36.

et définitivement par Charlemagne.[1] Les Slovènes et les Croates qui habitaient le territoire de l'ancien Norique, des Pannonies et même de la Dalmatie, devinrent sujets du roi des Francs. Sirmium devint également franc. La situation commençait ainsi à s'éclaircir.

Mais, il fallut d'abord faire agir Charlemagne. En effet, avant de pouvoir aborder les problèmes d'ordre ecclésiastique, il fallut régler plusieurs questions d'ordre politique. Après la défaite des Avares, Charlemagne entama contre l'Empire byzantin une guerre qui traîna jusqu'en 812. La première phase se termina par la paix de Königshofen (803), d'après laquelle l'empereur Nicéphore cédait à Charlemagne l'ancienne province de Dalmatie, habitée par les Croates, se réservant seulement la suprématie sur Venise ainsi que sur les îles et les villes côtières dalmates. La tentative de Charlemagne en 806 pour étendre sa suprématie sur le reste des possessions byzantines échoua et le traité d'Aix-la-Chapelle (812) confirma celui de Königshofen.[2]

Ces questions politiques réglées, on pouvait songer à une réorganisation ecclésiastique. Ici, encore, c'est Charlemagne qui en prit l'initiative. Les Avares, après la défaite à eux infligée par Erich, margrave de Frioul, qui noya dans le sang leur insurrection, avaient exprimé aussitôt leur désir de devenir chrétiens.[3] Salzbourg devint archevêché et métropole de la Bavière,[4] et son rôle fut désormais de s'occuper des nouveaux sujets de l'Empire. Alcuin, dont on connaît le rôle à la cour de Charlemagne, entra aussitôt en pourparlers avec Arno, évêque de Salzbourg, et Paulin, Patriarche d'Aquilée. Avec Arno, la chose fut facile. Dès 796, il accompagnait Pépin dans son expédition contre les Avares et s'occupait de la christianisation du pays conquis entre Raabe et Drave.[5] Paulin, lui, se fit prier. Deux lettres que lui adressa Alcuin sur cette

---

[1] Voir plus haut, p. 220.

[2] Sur ces événements consulter l'étude de G. MANOJLOVIĆ, *Jadransko pomorje u svjetlu istočnorimske povijesti*, I, Rad, kn. 150, 1902, p. 1–102.

[3] KOS, *Gradivo za zgodovino Slovencev v srednjem veku*, Ljubljana, 1902, n° 291.

[4] JAFFÉ, *Regesta*, I, 2495, 2496, 2498, 2503, 2521, pp. 308–310.

[5] *De Conversione Bogoariorum et Carantaniorum libellus*, M. G. H. Ss., XI, p. 6; PASTRNEK, *l. c.*, p. 267. A. BRACKMANN dans son intéressante étude sur cette période, (*Die Anfänge der Slavenmission und die Renovatio Imperii des Jahres 800*, Sitzungsber. d. preus. Akad. d. Wiss., Phil.-hist. Kl., vol. IX, 1931, pp. 72—87), est frappé par le fait que Charlemagne s'efforce, à cette occasion, de gagner l'alliance du pape pour son entreprise d'évangélisation du territoire conquis. Il en tire d'intéressantes conclusions sur l'idée que Charlemagne se faisait du rôle de l'«imperium». Mais l'attitude de Charlemagne ne peut-elle pas être aussi expliquée par le fait qu'il savait que ces territoires relevaient de la juridiction directe du Saint-Siège et qu'il ne pouvait donc pas y agir en maître absolu comme il faisait chez les Saxons? M. Brackmann souligne d'ailleurs aussi que Léon III, quoique très lié avec Charle-

affaire restèrent sans réponse. Enfin, à la suite de la troisième, il se laissa persuader et promit son concours.[1] On lui confia surtout les Slovènes de Carniole. Après sa mort survenue en 802, son successeur Ursus réclama tout le territoire qui, autrefois, avait été soumis à la juridiction d'Aquilée. Charlemagne s'interposa et décida que désormais la Drave séparerait le territoire de Salzbourg de celui d'Aquilée. Mais comme, après la mort d'Ursus (807), le litige entre les deux villes avait repris, Charlemagne intervint encore une fois et publia, en 811, le fameux capitulaire qui trancha la question pour toujours en confirmant la décision antérieure.[2] Le christianisme poussa des racines assez solides parmi les Slovènes et les Croates évangélisés par les missionnaires francs. Le prince des Slovènes de Carinthie Borouth et le prince des Croates pannoniens Vojnomir durent accepter le christianisme.[3] La christianisation fit bientôt de si grands progrès parmi les Croates, qu'on dut procéder à la création d'un évêché spécial pour eux, celui de Nin sur lequel nous aurons l'occasion de revenir.

Des renseignements assez nombreux sur les efforts de l'Église de Salzbourg parmi les Slovènes de Carniole et de Carinthie figurent au « Libellus de conversione Bagoariorum et Carantanorum »,[4] composé en 870 pour défendre les intérêts que la dite Église possédait dans ces régions. L'activité des évêques de Salzbourg s'étendait sur tout le territoire de l'ancienne Pannonie jusqu'au Danube et, entre 821 et 836, l'archevêque Adalram bénit même une église située sur l'autre rive du Danube, à Nitra, territoire du prince Pribina. Quand ce dernier, après de nombreuses aventures, eut obtenu de Louis le Germanique le territoire de la Pannonie inférieure, l'activité des missionnaires salzbourgeois devint particulièrement intense parmi la population slave qui l'habitait. Sous Pribina et son fils Kocel plus de trente églises y furent construites par les soins des princes et des archevêques Liutpram (836—859) et Adalvin (859—873). Au château des princes — Mosabourg sur le lac Balaton — siégeaient aussi les prêtres auxquels les archevêques avaient confié successivement le ministère pastoral de ces contrées. C'étaient les prêtres Dominique et Svarnagal ainsi que l'archiprêtre

magne, a agi avec une extrême prudence dans cette affaire. Il a pris ses précautions en soulignant, dans sa lettre aux évêques de la nouvelle métropole de Salzbourg, le rôle joué par le Saint-Siège dans l'élévation de cette ville (*l. c.*, pp. 79, 87).

[1] *M. G. H. Ep.*, IV, 143; KOS, *loc. cit.*, n° 299.

[2] BÖHMER-MÜHLBACHER, *Regesta imperii*, Innsbruck, 1899, I, p. 206, n. 461 (448).

[3] Voir ŠIŠIĆ, *Geschichte der Kroaten*, I, pp. 60 et suiv.

[4] M. G. H. Ss., XI, pp. 6.–14. Cf. Réimpression chez PASTRNEK, *l. c.*, pp. 264–273.

Altfrid.[1] L'activité prolongée des archevêques de Salzbourg en Pannonie semblait, pour le moment, avoir mis fin à la juridiction directe des papes sur cette partie de l'Illyricum occidental.

Même sur la côte dalmate la situation s'éclaircissait, mais non au profit du Saint-Siège. D'après Jireček,[2] le décret de Léon III enlevant les évêchés de l'Illyricum au pape ne s'étendait pas à la Dalmatie — hypothèse qui peut, d'ailleurs, difficilement être soutenue. En tout cas, les évêchés des villes côtières furent obligés par la suite de suivre l'évolution politique et de se rallier à Byzance. Spalato fut érigé en évêché, comme héritier de Salone, vers la moitié du VIIIe siècle[3] et, la côte dalmate étant byzantine, il releva par la force des choses du patriarcat de Constantinople.[4] En effet, Pierre, premier évêque de

---

[1] Voir, pour les détails, L. HAUPTMANN, *Mejna grofia Spodnjepanonska*, Razprave, I, Ljubljana, 1923, pp. 311 et suiv. Tout récemment les missions de Salzbourg dans ces territoires ont été étudiées par J. CIBULKA, *Sv. Václav stavebník*, Sborník svatováclavský, Praha, 1933 chap. Ier. Il résulte de cette étude que ces missions avaient le même caractère que les autres missions de l'Église franque. Au château du prince se trouvait l'église principale desservie par le prêtre qui était à la tête de la mission; le pays comprenait quelques églises appartenant à des seigneurs. D'autres n'étaient que des oratoires privés et une partie seulement était desservie par les prêtres. La construction des églises se développait avec la colonisation progressive des barons francs. Sur la résidence de Pribina et de Kocel voir J. L. ČERVINKA, *Slované na Moravě*, pp. 112 et suiv.

[2] JIREČEK, *Die Romanen in den Städten Dalmatiens während des Mittelalters*, Sitzungsberichte d. k. Akad. d. Wissenschaften, Phil. hist. Klasse, vol. XXXXVIII-XXXXIX. Wien, 1902, p. 46. Voir plus haut, p. 253, ce que nous avons dit du rattachement du Norique et de la Dalmatie à l'Empire d'Orient.

[3] Voir BULIĆ-BERWALDT, *loc. cit.*, p. 116 et suiv. Sur Jean de Ravenne qui, d'après la légende, devait être archevêque de Spalato au VIIe siècle, voir *ibid.*, pp. 108 et suiv. Si l'on peut parler d'un autre évêque, prédécesseur de Pierre, il faut le placer au plus à la fin du VIIIe siècle. Cf. aussi le résumé français de cet ouvrage dans les *Anal. Bol.*, vol. 33, 1914 (CH. SEGVIĆ, *Chronologie des évêques de Salone*, pp. 265 et suiv.).

[4] Nous ne trouvons, en effet, aucune trace de rapports entre Rome et les villes dalmates avant 879. Aussi la lettre de Jean VIII, qui date de cette année-là et dont nous aurons l'occasion de parler plus loin, laisse-t-elle supposer dans les rapports entre Rome et la Dalmatie une longue interruption, due aux invasions. M. G. H., *Ep.* VII, p. 157. Voir ce qu'a dit ŠIŠIĆ, *Povijest Hrvata*, pp. 681 et suiv., de la juridiction de Byzance sur la Dalmatie. Pourtant ANTUN S. DABINOVIĆ, *Kada je Dalmacija pala pod jurisdikciju carigradske patrijaršije*, Rad, 1930, pp. 235 et suiv., prétend que la Dalmatie s'était séparée de Byzance en 829 et que par là même l'Église dalmate était redevenue romaine. Elle ne redevint byzantine au point de vue politique et ecclésiastique qu'en 868. L'argumentation de M. Dabinović laisse à désirer. Parmi les documents dont nous disposons, il y en a surtout un qui pourrait être cité à l'appui de la thèse suivant laquelle les papes avaient quelque chose à faire en Dalmatie, et particulièrement chez les Croates; c'est le rapport de Constantin Porphyrogénète sur la seconde christianisation des Croates. Sa clarté n'est pourtant pas suffisante. On ne sait pas au juste qui est ce Κοτζίλις dont parle l'écrivain impérial. Si c'est Cadolah, nous sommes au début du IXe siècle; si c'est Kocel, nous devons dater ce détail des environs de 873. La question

Spalato, après la catastrophe que nous connaissons, relevait de Byzance. C'est là une nouvelle perte pour Rome. Le reste de l'ancien Illyricum, qui se conserva malgré tout, était, au moins pour le moment, perdu pour les papes.

En ce qui concerne les autres contrées, elles se réorganisèrent au point de vue ecclésiastique; mais, malgré la victoire de l'orthodoxie, elles restèrent attachées au patriarcat byzantin. Le décret de Léon III était la seule chose que l'Église de Byzance eût conservée des luttes iconoclastes et qu'elle était décidée à défendre à tout prix. Les populations slaves dont la conversion avait peut-être été ébauchée avant les luttes iconoclastes — on ne sait pas jusqu'à quel point on peut ajouter foi au récit de Constantin Porphyrogénète[1] — rejetèrent le christianisme après avoir reconquis leur liberté.[2]

*

Tant qu'avaient duré les luttes iconoclastes, les réclamations des pontifes romains au sujet de l'Illyricum avaient été moins fréquentes car il y avait d'autres biens encore plus importants à sauvegarder. Pourtant le pape Hadrien Ier réclame, dans sa lettre adressée en 785 à Irène,[3] la restitution du patrimoine de Calabre et de Sicile et les « consecrationes archiepiscoporum et episcoporum sicut olifana constet traditio nostræ diœcesis existenses penitus canonice sanctæ Romanæ nostræ restituantur ecclesiæ », c'est-à-dire la juridiction directe sur tout l'ancien Illyricum. La situation parut favorable pour les réclamations du pape car Irène avait établi, avec l'aide du Saint-Siège, le culte des images. Mais naturellement aucune suite ne fut donnée, à Byzance, à cette intervention; la

n'est pas claire malgré les efforts de Hauptmann (voir plus loin p. 275) qui veut prouver qu'il s'agit ici de Cadolah. En ce qui concerne les villes dalmates, nous savons seulement qu'elles furent presque abandonnées à elles-mêmes jusqu'en 868, mais cela ne signifie pas qu'elles ne reconnaissaient pas, au moins nominalement, la suprématie de Byzance.

[1] Sur la christianisation de ces Slaves voir CONSTANTIN LE PORPHYROGÉNÈTE, De admin. imp., chap. 29, Bonn, p. 128, 129; ibid., chap. 31, Bonn, p. 148: ὁ δὲ βασιλεὺς Ἡράκλειος ἀποστείλας καὶ ἀπὸ Ῥώμης ἀγαγὼν ἱερεῖς, καὶ ἐξ αὐτῶν ποιήσας ἀρχιεπίσκοπον καὶ ἐπίσκοπον καὶ πρεσβυτέρους καὶ διακόνους, τοὺς Χρωβάτους ἐβάπτισεν. Ibidem, ch. 32 (Bonn, p. 153): οὓς (τοὺς Σέρβλους) ὁ βασιλεὺς πρεσβύτας ἀπὸ Ῥώμης ἀγαγὼν ἐβάπτισε, καὶ διδάξας αὐτοὺς τὰ τῆς εὐσεβείας τελεῖν καλῶς αὐτοῖς τῶν χρόνων πίστιν ἐξέθετο.

[2] Sur leur défection THÉOPHAN. CONTIN., De Basilio Macedone, chap. 52, Bonn, p. 288, 289: οἱ πλεῖστοι δὲ τὴν ἐπὶ πλέον ἀπόστασιν ἐνδεικνύμενοι καὶ τοῦ θείου βαπτίσματος ἑαυτοὺς ἠλλοτρίωσαν, ὡς ἂν μηδὲν ἐνέχυρον τῆς πρὸς Ῥωμαίους φιλίας καὶ δουλώσεως ἔχοιεν. Il est difficile de dire jusqu'à quel point ces rapports sont vrais et s'ils ont également trait aux Croates. Mais ils semblent correspondre en tout cas à quelque réalité, au moins en ce qui concerne les Serbes.

[3] MANSI XII, 1073, JAFFÉ, Regesten, n° 2448, p. 299.

lettre du pape, on le sait, ne fut même pas lue en entier devant le concile.[1] Parmi les passages supprimés figurait, entre autres, la réclamation du pape à propos des patrimoines enlevés par Léon III et de son droit à consacrer tous les évêques et archevêques de l'Illyricum. Adrien s'en plaint amèrement dans la missive adressée à Charlemagne après 787: « Dudum quippe quando eos (l'empereur Constantin et Irène) pro sacris imaginibus erectione adhortati sumus, simili modo et de dioecesi tam archiepiscoporum sanctæ catholicæ et apostolicæ Romanæ ecclesiæ, quas tunc cum patrimoniis nostris abstulerunt, quando sacras imagines deposuerunt et nec responsum quodlibet exinde dederunt: et in hoc ostenditur, quia ab uno capitulo ab errore reversi, ex aliis duobus in eodem permaneant errore. »[2] Ainsi cette première tentative des papes se terminait par un échec.

Pendant longtemps nous n'entendons plus parler de rien. Mais, vers le milieu du IXe siècle, la situation change. La lutte reprend dans d'autres conditions et sous d'autres aspects. La position des papes n'est pas facile car ils doivent réclamer des provinces devenues tout à fait byzantines aux patriarches avec lesquels ils veulent néanmoins rester en bonnes relations.

*

C'est l'énergique pape Nicolas Ier qui inaugure une nouvelle et dernière phase dans la lutte pour l'Illyricum. On connaît l'intrépidité déployée par ce grand pontife pour défendre les droits de son siège. Selon toute vraisemblance, il commença par revendiquer le pouvoir sur l'ancien Illyricum occidental. Car c'est ainsi que nous devons, semble-t-il, expliquer la fondation d'un évêché indépendant pour les Croates dalmates, innovation qui n'est pas tout à fait claire. Un fragment de lettre de Nicolas semble faire remonter cette fondation au moins à l'année 852 et les listes de donation des princes croates Trpimir (852) et Mutimir (892) semblent indiquer que l'évêché aurait existé peut-être même avant cette date.[3]

En effet, nous relevons une indication relative aux débuts de l'Église de Nin dans les actes du concile de Spalato de 928. On y dit notamment: *Nonensis vero ecclesia non episcopum antiquitus sed archipresbyterum sub (iuris) dictione episcopi*

---

[1] C.. HEFELE-LECLERCQ, *Histoire des Conciles*, III, pp. 748 et suiv.

[2] JAFFÉ, *l. c.*, I, n°. 2448, p. 299. MANSI, XIII, 808.

[3] Voir plus loin la lettre. Pour les donations: *Documenta historiae chroaticae periodum antiquam illustrantia* de F. RAČKI, Zagreb, 1877, n°s 2 et 12, pp. 2, 14.

abuisse dignoscitur.[1] Il est possible que les patriarches d'Aquilée aient envoyé d'abord dans le pays croate des chorévêques, suivant en cela la méthode de leur collègue de Salzbourg[2] qui avait mis à la tête du clergé de Nin un archiprêtre, soumis à la juridiction d'Aquilée.

On peut donc imaginer deux hypothèses. Il se peut que la lettre du pape[3] se rapporte à la fondation de l'évêché de Nin. Dans ce cas, nous avons la preuve que Nicolas réclamait le droit de fonder un nouvel évêché sur le territoire de l'ancien Illyricum. Sans se soucier d'Aquilée dont les prêtres avaient travaillé longtemps dans le pays et l'avaient christianisé, le pape subordonna cet évêché directement à Rome.

Si l'évêché de Nin a été fondé par les métropolitains d'Aquilée, la lettre du pape apparaît comme un blâme, parce qu'il l'a été *sine apostolicae sedis nutu;* ce qui équivaut à une réclamation du Saint-Siège au sujet du territoire de l'ancien Illyricum.[4]

En tout cas, même si nous ne voulons pas donner une telle valeur à ce fragment de lettre de Nicolas, nous verrons plus loin qu'un de ses successeurs, Jean VIII, le fit et qu'il réclama énergiquement le droit des papes de consacrer directement les évêques de Nin.

*

Si nous pouvons exprimer quelques doutes en ce qui concerne son initiative en Dalmatie, nous pouvons du moins voir, d'une façon tout à fait claire, quels ont été ses sentiments à l'égard de l'ancien Illyricum oriental. Il les proclama hautement dans sa lettre adressée, le 25 Septembre 860, à l'empereur Michel, en protestation contre l'élévation de Photios au patriarcat de Constantinople. Le passage mérite d'être cité en entier:[5]

---

[1] RAČKI, *loc. cit.,* n°, 150, p. 195.

[2] Nous connaissons plusieurs de ces chorévêques qui travaillaient parmi les Slovènes: Modeste (vers 770), Otton (vers 830), Oswald (vers 860), Voir KOS, *loc. cit.,* I, pp. 356, 357, II. pp. 125, 132 (no. 166), 144 (no. 188); cf. *M. G. H., Ep.,* VI, p. 660.

[3] *M. G. H., Ep.,* VI, p. 659: «Ecclesia, id est catholicorum collectio, quomodo sine apostolicae sedis instituetur nutu, quando iuxta sacra decreta nec ipsae debent absque praeceptione papae basilicae noviter construi, quae ipsam catholicorum intra semet amplecti catervam dinoscuntur?»

[4] M. PEROJEVIĆ dans son article, *Ninski biskup Thedozije,* Prilog Vjesniku za archeologiju i historiju dalmatinsku, 1922, Spalato, pp. 6, 18, prétend que Nin était toujours rattaché à Aquilée. Cette opinion ne nous paraît pas justifiée. Il se peut que cet évêché ait été fondé par Aquilée et qu'on ait longtemps conservé cette tradition à Nin, mais les papes réclamaient la juridiction directe sur cet évêché. Cela résulte de la lettre du pape Nicolas Ier et surtout de celles de Jean VIII.

[5] *M. G. H., Ep.* VI, pp. 438, 439.

« Oportet enim vestrum imperiale decus, quod in omnibus ecclesiasticis utilitatibus vigere novimus, ut antiquum morem, quem nostra ecclesia habuit, vestris temporibus restaurare dignemini, quatenus nostra sedes per episcopos vestris in partibus constitutos habuit, videlicet Thessalonicensem, qui Romanæ sedis vicem per Eperum veterem Eperumque novam atque Illiricum, Macedoniam, Thessaliam, Achaiam, Daciam ripensem, Daciam mediterraneam, Misiam, Dardaniam et Prævalim, beato Petro apostolorum principi contradicere nullus præsumat; quæ antecessorum nostrorum temporibus, scilicet Damasi, Siricii, Innocentii, Bonifacii, Cælestini, Xysti, Hilarii, Simplicii, Felicis atque Hormisdæ sanctorum pontificum sacris dispositionibus augebatur. Quorum denique institutiones ab eis in illis partibus destinatas per nostros missos, ut rei veritatem cognoscere queatis, vestræ augustali potentiæ dirigere curavimus. Præterea Calabritanum patrimonium Siculumque, quæ nostræ ecclesiæ concessa fuerunt et ea possidendo optinuit et disponendo per suos familiares regere studuit, vestris concessionibus, unde luminaria et concinnationes ecclesiæ. Dei fiere debent, terrena quavis potestate subtrahantur; sed domui Dei restituta meritum redditoris multiplicent et suscipientis votum spiritualis desideriis lucris exerceatur. Inter ista et superius dicta volumus, ut consecratio Syracusano archiepiscopo nostra a sede impendatur, ut traditio ab apostolis instituta nullatenus vestris temporibus violetur. »[1]

Cette réclamation énergique correspond tout à fait à la mentalité de Nicolas qui ne connaissait pas de compromis quand il s'agissait des droits de son Siège. La lutte pour l'Illyricum est alors reprise sur toute la ligne. Mais si nous examinons froidement la réclamation du pape, nous ne pouvons pas dissimuler qu'elle ne vient pas très à propos. La situation s'était radicalement transformée en Orient. L'état de choses introduit par Léon l'Isaurien existait depuis plus d'un siècle et la tradition d'autrefois, qui d'ailleurs a toujours été sujette à contestation de la part des patriarches de Constantinople, était tombée dans l'oubli. L'Église byzantine, si éprouvée par les invasions slaves pendant les deux siècles passés, commençait à se ressaisir et à se réorganiser. Elle devait compter sur elle-même dans cette œuvre difficile. Aussi ne peut-on pas s'attendre à ce que les patriarches et les empereurs byzantins aient abandonné facilement aux papes les provinces byzantines autrefois soumises au patriarcat romain.[2] La victoire

---

[1] La restitution du patrimoine de Calabre et de Sicile a été réclamée même par le pape Hadrien Ier, en 785. Mansi, XII, 1073; Jaffé, Ewald, *Regesten*, no. 2448, p. 299. V. plus haut, p. 263.

[2] Voir, sur cet effort de réorganisation des provinces dévastées, notre ouvrage, *Les Slaves, Byz. et Rome* pp. 80–98.

de l'orthodoxie n'y a rien changé. Nous avons vu quelle a été à ce propos pendant le concile de Nicée la mentalité de Constantinople.

La même chose arriva à Nicolas Ier. La réponse de Michel III est remplie d'insultes à l'adresse du pape. Sa requête, en ce qui concerne l'Illyricum, ne fut pas jugée digne de réfutation.[1] Nicolas d'ailleurs paraît avoir compris. Du moins ne répéta-t-il plus sa demande d'une façon aussi explicite dans les lettres qu'il adressa plus tard à Constantinople.[2] Dans sa longue réponse aux insultes de Michel III, réponse datée du 28 septembre 865, il ne parlait des privilèges du Siège de Rome que d'une façon générale, sans préciser ce qu'il avait en vue.[3] Il avait compris qu'il aurait été imprudent d'exciter davantage les esprits des gens de Constantinople car des intérêts plus importants étaient en jeu — l'unité de l'Église, la primauté du pape. Il préféra agir.

C'est ainsi qu'il eut la satisfaction de voir revenir au patriarcat romain une partie au moins de l'Illyricum oriental, les provinces occupées par les Bulgares. L'empressement avec lequel il répondit aux demandes de Boris-Michel nous montre l'intérêt qu'il avait pour ce pays et la satisfaction avec laquelle il voyait son rêve se réaliser partiellement malgré les efforts de l'empereur et du patriarche. La prévenance du pape et sa réponse paternelle à toutes les requêtes bulgares, si naïves fussent-elles,[4] remplirent Boris de joie au moins pour quelque temps.

Tout s'annonçait donc bien. On pouvait espérer constituer en Bulgarie une base pour la conquête de l'Illyricum tout entier ou au moins des parties occupées par les Slaves. En même temps le pape avait obtenu, par cette intervention rapide en Bulgarie, un autre avantage: il avait évincé l'épiscopat allemand qui se félicitait déjà d'y étendre son activité, Boris, pour plus de sûreté, s'étant adressé non seulement au pape mais aussi à Louis le Germanique.

III.

On comprend donc l'empressement avec lequel Nicolas, rongé par la maladie mais toujours actif, avait invité les deux frères grecs Constantin et Méthode à Rome. On l'avait probablement informé de la présence à Venise de ces Grecs qui étaient à la recherche d'un consécrateur pour leurs disciples. Craignant de

---

[1] MANSI, XV, 187—216; DÖLGER, *Corpus der griechischen Urkunden.* A, I, p. 56.
[2] *Mon. Germ. Hist., Ep.* VI, pp. 441 et suiv.
[3] *Ibidem,* pp. 456 et suiv.
[4] *Ibidem,* pp. 568 et suiv.

les voir se tourner vers Constantinople, il s'empressa de les inviter à se rendre à Rome où ils pourraient trouver ce qu'ils cherchaient.

La prévenance témoignée par Hadrien II, le successeur de Nicolas, à l'égard des missionnaires de Moravie s'explique tout autrement si nous la considérons du point de vue romain. Elle correspond parfaitement à la tendance, qui s'était manifestée à Rome dès le pontificat de Nicolas Ier, d'étendre le plus possible le patriarcat et de faire échec à Byzance. La peur de Byzance a certainement influencé la décision favorable du pape en ce qui concerne la liturgie slave. N'est-ce pas l'écho de ces craintes et des luttes avec Byzance que nous apporte le passage suivant de la lettre par laquelle le pape reconnaissait la liturgie slave: « Eux (Constantin et Méthode), *apprenant que vos pays appartenaient à notre Siège apostolique, n'ont rien tenté de contraire aux canons* mais sont venus auprès de nous, apportant les reliques de saint Clément.[1] »?

L'intérêt de l'affaire était d'autant plus grand que le prince Kocel qui gouvernait la Pannonie sous la suprématie allemande avait exprimé le désir que son territoire fût rattaché à l'évêché qu'on devait fonder pour Méthode. On aurait ainsi regagné une partie de l'Illyricum occidental. Il aurait été certainement plus avantageux pour le Saint-Siège de rattacher ce territoire directement à Rome sans passer par l'épiscopat allemand qui commençait à devenir quelquefois encombrant. Une telle décision parut pourtant trop hardie et Hadrien envoya auprès de Kocel Méthode porteur de la lettre mentionnée et non consacré évêque; il devait entrer en contact avec les princes slaves intéressés, Kocel, Rastislav de Moravie et son neveu Svatopluk, et voir sur place ce qu'on pouvait organiser.

La *Vita Methodii*,[2] qui relate ce voyage est donc très bien renseignée. Ce récit ne contient rien d'invraisemblable; il correspond, au contraire, tout à fait à la situation au IXe siècle.

Les pourparlers entre Méthode et les princes slaves ayant abouti, Méthode retourna à Rome, accompagné de vingt nobles de l'entourage de Kocel. La campagne de Louis le Germanique contre Rastislav (868-869) – peu heureuse

---

[1] *Vita Methodii*, chap. VIII, F. PASTRNEK, *l. c.*, p. 228; *M. G. H., Ep.*, VI, p. 763. Voir notre livre, pp. 201 et suiv. Ces mots paraissent justement prouver l'authenticité de ce passage de la *Vie*. On voit que l'auteur était parfaitement au courant des sentiments qui à ce moment dominaient l'opinion de la chancellerie pontificale. « Ces Grecs n'ont pas violé les canons comme leurs compatriotes qui ont détaché du patriarcat romain tout l'Illyricum. » C'est ce qui nous porte à croire que ce passage peut être la traduction de la lettre authentique.

[2] Chap. VI, PASTRNEK, *loc. cit.*, pp. 227 et suiv.

our les Allemands — le fait que Louis se laissa absorber par les affaires de l'héritage de Lothaire et sembla abandonner les régions de l'Est, puis l'espoir d'être protégé par le pape (dont ils s'exagéraient peut-être la puissance) sont probablement les raisons qui ont décidé les princes slaves et surtout Kocel à demander au pape une réorganisation ecclésiastique de leur pays.[1]

Quand Méthode arriva à Rome au printemps de 870, il trouva le pape consterné par une fâcheuse nouvelle reçue de Bulgarie: Boris, exaspéré par le refus répété du pape de lui donner un patriarche ou au moins un archevêque de son choix, se tournait de nouveau vers Byzance, naturellement accueilli avec une joie extrême par l'empereur Basile et le pieux patriarche Ignace. La conscience de Boris — très délicate, paraît-il, au moins sur certaines questions — fut tranquillisée par une décision du concile de Constantinople, habilement introduite par les Byzantins.[2]

On comprend le désappointement d'Hadrien. La plus belle conquête que son prédécesseur lui eût léguée était perdue. Byzance s'implantait de nouveau dans cette partie de l'ancien Illyricum. Dans sa déception, le pape cherchait les moyens de ramener les Bulgares à l'obédience de Rome.[3] Rien d'étonnant qu'il ait reçu avec joie Méthode qui lui apportait de si bonnes nouvelles. L'idée lui vint d'utiliser la personne de ce Grec pour atteindre son but. Sa personnalité, la liturgie slave qu'il avait créée, et le voisinage de la Moravie par rapport à la Bulgarie lui semblaient tout à fait susceptibles de faire revenir les Bulgares. Il pensait pouvoir réussir en installant dans leur voisinage un diocèse slave, avec des privilèges que même les Byzantins ne pouvaient accorder aux Bulgares.

Il fut donc décidé de donner au diocèse qu'on préparait pour Méthode la

---

[1] Comparer ce que nous en disons dans notre livre, *Les Slaves, Byz. et Rome* pp. 204 et suiv.

[2] MANSI, XVI, 10 et suiv. La fâcheuse nouvelle a été apportée à Rome probablement par Anastase. Celui-ci quitta Constantinople avec les légats pontificaux immédiatement après la clôture du concile, c'est-à-dire au mois de mars. On sait que la décision concernant la Bulgarie a été votée le 3 mars, c'est à dire après la clôture officielle. Anastase qui se sépara des légats à Dyrrhachium, prit le bateau pour Sipontum. De là il se rendit à Bénévent pour renseigner Louis sur les résultats de sa mission. Il était peut-être déjà à la fin du printemps à Rome. On peut s'imaginer qu'il a renseigné le pape immédiatement après son arrivée à Bénévent et l'on est parfaitement autorisé à supposer que le pape était au courant de ce qui s'était passé dès la fin du printemps, bien avant l'aarivée des légats qui, tombés entre les mains des pirates, ne furent délivrés qu'en décembre de la même année. L'objection faite par Mgr Grivec à cette interprétation (*Bogoslovni Vestnik*, 1927, p. 266) est donc sans fondement. Cf. LAPÔTRE, *De Anastasio bibliothecario*, Paris, 1885, pp. 252–256, et notre livre *Les Slaves, Byz. et Rome*, p. 206.

[3] Voir ses lettres à l'empereur Basile (du 10 novembre 871) et à Ignace (de la même année) M. G. H. Ep., VI, pp. 760, 762. Cf. *Liber pontif.*, éd. DUCHESNE, II, p. 185.

plus grande étendue possible afin de le rendre limitrophe de la Bulgarie. Pour donner à cette création un fondement juridique, *le pape — toujours fidèle à la politique de ses prédécesseurs — jugea bon de restaurer l'ancien ordre de choses dans cette partie de l'Illyricum occidental et il ressuscita le diocèse de Sirmium.*

Nous apprenons cette création uniquement par le récit de la *Vita Methodii.* Et encore ce récit est-il bien laconique: «Kocel reçut Méthode avec grand honneur et le renvoya au pape accompagné de vingt hommes, tous nobles, avec charge de le prier de l'ordonner évêque de Pannonie, au siège de saint Andronique, l'un des soixante-dix disciples. Ce qu'il fit.»[1]

Le dénoûment est donc bien surprenant. Ainsi réapparaît sur le champ de bataille où s'opposent Byzance et Rome, à propos de l'Illyricum, l'ancien Sirmium, surgissant presque comme un *deus ex machina.*[2] Il est curieux de constater quel prestige cette ville avait conservé aux yeux de Rome même, quoique sa gloire eût disparu depuis longtemps.

Nous ne pouvons douter de cette création du diocèse de Sirmium. Même si nous hésitions à ajouter foi à ce récit — trop court malheureusement — de la *Vita Methodii,* nous pourrions nous référer à d'autres documents dont l'authenticité paraît aujourd'hui incontestable, les lettres du successeur d'Hadrien, Jean VIII.

Il faut bien reconnaître d'ailleurs, si l'on regarde les choses en toute impartialité, que cette réorganisation de l'Illyricum occidental engageait le pape dans une voie extrêmement dangereuse. Cette ingérence dans les affaires pannoniennes devait forcément provoquer une protestation de la part de l'épiscopat et du gouvernement de la Germanie et nous devons avouer que les réclamations de l'épiscopat germanique étaient fondées; pendant plus d'un demi-siècle la papauté l'a laissé évangéliser la Pannonie et a profité des services ainsi rendus à la chrétienté et brusquement le pape lui demande l'abandon de tout le pays. Pendant tout ce temps Rome abandonnait à leur sort les Slaves de l'Illyricum ou du moins nous ne connaissons aucune tentative directe de sa part pour évangéliser ces tribus. La chose est, du reste, surprenante car la cour pontificale n'avait jamais perdu la conviction que ces pays faisaient partie de l'ancien Illyricum et relevaient directement des papes.[3]

---

[1] *Vita Methodii,* chap. VIII, PASTRNEK, *l. c.,* p. 230.

[2] Ce détail nous paraît une nouvelle preuve de l'autenticité du récit de *la Vita Methodii.* L'auteur de *la Vie* était merveilleusement au courant et justement sa brièveté plaide en faveur de sa sincérité.

[3] Cf. ce que nous avons dit plus haut, p. 260 de l'attitude de Léon III à l'égard des demandes de Charlemagne.

D'où vient cette sollicitude inattendue subitement éprouvée à leur égard?

Il est vrai que le développement de la politique du St Siège à l'égard de l'Illyricum, depuis le milieu du IXe siècle, rend cette attitude tout à fait logique, mais pourquoi risquer un conflit avec l'empire germanique? Hadrien a évidemment voulu suivre ici encore la ligne de conduite qui avait été tracée par Nicolas Ier[1] et qui visait au démembrement des grandes formations ecclésiastiques, dangereuses par leur indépendance même, et à leur subordination directe au Siège apostolique. La restauration du diocèse pannonien était pour l'Église germanique le signal qu'on allait l'atteindre par cette politique. De ce point de vue, la lutte engagée par l'épiscopat allemand prend un aspect un peu différent car c'est, dans un certain sens, la lutte pour la liberté de l'Église germanique.

Dans cet engagement, les forces étaient assez mal distribuées. Les évêques allemands avaient derrière eux le souverain et tout l'Empire; le pape s'appuyait sur les princes des jeunes organismes politiques slaves dont il surestimait peut-être la puissance. Malgré tout, cela valait la peine pour Rome de risquer le conflit. Il n'y avait, au fond, presque rien à y perdre et il y avait par contre beaucoup à gagner.

Dès le début pourtant, les Allemands prirent brutalement le dessus. On connait le sort du premier et unique titulaire du nouveau diocèse pannonien. Hadrien avait raison d'hésiter et de s'instruire avant de le fonder. Les évêques allemands, alarmés par cette démarche inattendue du pape, rédigèrent, vers 870, un mémoire spécial destiné probablement à Louis le Germanique — dont ils voulaient attirer l'attention sur le danger qui les menaçait — et peut-être aussi au pape. On réussit à provoquer un revirement politique dans les pays slaves en excitant Svatopluk contre Rastislav. Méthode, à peine rentré dans son diocèse, fut pris, jugé par les évêques allemands sans égard aux règles canoniques et enfermé dans un couvent.[2]

*

A Rome, on s'intéressait au sort de Méthode, car on demanda de ses nouvelles à Anno, évêque de Freisingen,[3] mais ce n'est qu'après une captivité de deux ans et demi que le pape apprit le triste sort du métropolitain. Jean VIII

---

[1] Voir la belle étude de H. V. SCHUBERT, *Die sogen. Slavenapostel Constantin und Methodius*, Heidelberg, 1916, dans laquelle il a resumé les principales phases de cette rivalité entre les papes et l'empire occidental (pp. 10 et suiv.).

[2] *Vita Methodii*, chap. IX, PASTRNEK, *l. c.*, p. 230 et suiv.

[3] C'est ce qui résulte de la lettre de Jean VIII à l'évêque Arno.

se montra très énergique: Méthode dut être rétabli dans ses droits par ceux-là mêmes qui les avaient violés.

Mais, chose curieuse, quoique le pape ait pu se convaincre qu'il serait difficile de réaliser l'idée de son prédécesseur, il persista dans la même voie. Dans les lettres concernant le diocèse de Pannonie, nous trouvons quelques détails précieux sur le caractère et la fondation de cette organisation ecclésiastique.

Dans la lettre que le légat Paul d'Ancône, chargé du règlement de l'affaire, devait remettre à Louis, nous lisons notamment:[1] «Inter cætera: Multis ac variis manifestisque prudentia tua poterit iudiciis comprehendere Pannonicam diocesim ab olim apostolicæ sedis privilegiis deputatam, si apud excellentiam tuam iustitia Dei locum, sicut decet, invenerit. Hoc autem synodalia gesta indicant, hoc ystoriæ conscripte demonstrant. Verum quia quibusdam hostilium turbationum simultatibus impedientibus illuc ab apostolica sede non est diu ex more directus antistes, hoc apud ignaros venit in dubium . . .

Et infra: Nemo autem de annorum numero resultandi sumat fomentum, quia sanctæ Romanæ, cui Deo auctore servimus, ecclesiæ privilegia, que in firma Petri stabilitatis petra suscepit, nullis temporibus angustantur, nullis regnorum particionibus prejudicantur. Sed et venerande Romane leges divinitus per ora piorum principum promulgate rerum eius prescriptionem nonnisi post centum annos admittunt.»

L'instruction donnée au légat n'est pas moins énergique et claire:[2]

1. «Ipse nosti, o gloriosissime rex, quod Pannonica dioeceses apostolice sedi sit subiecta, licet bellica clades eam ad tempus ab illa subtraxerit et gladius ad horam hostilis subduxerit. Verum reddita ecclesiis pace reddi debuerunt et iura, quæ cum pace reddita tyrannicus unicuique furor ademerat, id ipsum sancto papa Leone in decretis cannonicis, cum de reintegrando nuptiarum federe scripserat, innuente ac dicente: remotis malis, que hostilitas intulit — unicuique id, quod legitime habuit, reformetur.

2. Nam non solum inter Italiam ac ceteras Hesperies provincias verum etiam intra totius Illyrici fines consecrationes ordinationes et dispositiones apostolica sedes patrare antiquitus consuevit, sicut nonnula regesta et conscriptiones synodales atque ipsarum qùoque plurima ecclesiarum in his positarum monimenta demonstrant.

---

[1] *Mon. Germ. Hist., Ep.*, VII, p. 280, 281.
[2] *Ibidem*, p. 284.

272

3. *Item.* Porro si de annorum numero forte causatur, sciat Ludovicus rex,
uia inter christianos et eos, qui sunt unius fidei, numerus certus affixus est.
eterum ubi paganorum et incredulorum furor in causa est, quantalibet pre-
:reant tempora, iuri non præiudicat ecclesiarum . . .»

Le pape défend donc la juridiction directe du patriarche romain sur la Pan-
onie. On voit même dans l'instruction que le pape donne à Paul une allusion
l'affaire des évêques qui ont − contre toutes les prescriptions du droit ca-
on − osé juger et condamner Méthode: «Præsertim cum inter archiepiscopos
ausa versetur et conveniens non sit, ut inter utrumque alius nisi *patriarcha*
idex inveniatur.»[1]

De même, Carloman reçoit une lettre relative à l'affaire du diocèse de Pan-
onie:[2] «Itaque reddito ac restituto nobis Pannoniensium episcopatu, liceat
redicto fratri nostro Methodio, qui illic a sede apostolica ordinatus est, secun-
um priscam consuetudinem libere, quæ sunt episcopi gerere.»

Ces lettres remplacent pour nous la charte de fondation − ou plutôt de
enouvellement − du nouveau diocèse. Jean VIII maintient la création de son
rédécesseur dans toute son étendue; il nomme Méthode, dans ses lettres de
ette époque, archevêque de Pannonie et il lui reconnaît même la dignité de
égat auprès des peuples slaves,[3] dignité qu' Hadrien lui avait conférée. Il ne
ait qu'une concession aux réclamations du clergé allemand: il retire le privilège
le la liturgie slave. Mais il tient tellement à cette nouvelle création et il attribue
ine si grande importance à l'œuvre de Méthode qu'il revient plus tard sur
a décision et renouvelle le grand privilège.

Il nous est malheureusement très difficile d'indiquer les limites de cette
iouvelle création ecclésiastique. Nous n'avons que quelques indices d'après
esquels nous pouvons essayer de les fixer, la *Vita Methodii* d'abord qui parle
lu siège de Saint-Andronique et nomme Méthode, héritier de Sirmium; des
locuments dans lesquels Jean VIII insiste surtout sur la Pannonie, et nous
avons, en outre, que le territoire du diocèse en question devait comprendre

---

[1] Le pape reproche également à Anno, évêque de Freissingen, d'avoir usurpé les droits du pa-
riarche en jugeant Méthode (*M. G. H., Ep.* VII, p. 286): «Usurpasti enim tibi vices apostilice sedis
:t *quasi patriarcha* de archiepiscopo tibi iudicium vindicasti». Méthode a aussi pleinement conscience
le défendre les droits du Siège de Rome. Il dit à ses adversaires et juges, qui l'accusent d'avoir
isurpé leur territoire: «Si je savais qu'il fût à vous, je l'éviterais, mais *il appartient à Saint Pierre*».
Vita Methodii, chap. IX, Pastrnek, *l. c.*, p. 230.

[2] *M. G. H., Ep.* VII, p. 281.

[3] Nous apprenons que Méthode était légat par les lettres de Jean à l'évêque Hermanrich et
ı Anno «legatione apostolicae sedis ad gentes fungentem»; *ibidem*, p. 286.

273

le pays de Kocel et la Moravie. Était-ce là tout le territoire sur lequel s'étendait autrefois le prestige de Sirmium? Nous nous heurtons à de grandes difficultés car nous ne connaissons même pas l'étendue de l'ancien diocèse dont cette ville était le chef-lieu.

En tout cas, nous croyons qu'il faut éliminer tout l'ancien Illyricum oriental. L'époque à laquelle Sirmium pouvait se vanter d'être *caput totius Illyrici* était trop éloignée et il est invraisemblable de songer à une telle possibilité au IXe siècle, après tant de changements et de bouleversements.

Il faut, en outre, éliminer les territoires où existait une organisation ecclésiastique c'est-à-dire, croyons-nous, l'ancienne province de Norique et de Dalmatie. En Norique, Salzbourg, rivalisant avec Aquilée, travaille depuis longtemps; en Dalmatie existe un évêché croate de Nin et des évêchés sur le littoral. N'oublions pas que le pape insiste surtout sur la dénomination «diocèse de Pannonie», *archiepiscopus pannoniensis,* etc.

Nous pouvons donc, avec juste raison, limiter ce diocèse au territoire de l'ancienne Pannonie avec Sirmium. Il touchait au Sud le territoire de la Croatie dalmate qui avait son évêché national à Nin.

Il est possible, sinon très probable, que sa juridiction s'étendît également sur le territoire de l'ancienne Mésie supérieure car, parmi les lettres de Jean VIII, nous en trouvons une, adressée au prince Mutimir et dont voici la teneur:[1]

«... *Admonemus te, ut progenitorum tuorum secutus morem, quantum potes ad pannoniensium reverti studeas diœcesim. Et quia iam illic, deo gratias, a sede beati Petri apostoli episcopus ordinatus est, ad ipsius pastoralem recurras solicitudinem.*» Nous aurions été très reconnaissants à Jean VIII s'il avait précisé d'une façon plus claire le territoire que gouvernait ce Mutimir. S'il est vrai, comme certains le prétendent, qu'il gouvernait la Croatie pannonienne, on aurait ici une preuve que le diocèse de Méthode comprenait ce pays et que le pape, connaissant les difficultés de la situation, jugeait préférable de lui adresser une missive spéciale pour l'encourager à se joindre au nouveau diocèse. S'il s'agit d'un prince serbe, on comprend encore mieux pourquoi le pape lui envoie cette lettre, car il n'était pas évident au premier abord que son territoire fît parti du nouveau diocèse.[2] Il était situé,

---

[1] *M. G. H., Ep.* VII, p. 282. Voir notre livre précité, p. 260.

[2] PEROJEVIĆ, *l. c.,* pp. 14 et suiv., affirme que la lettre en question avait été adressée à Mutimir, frère de Zdeslav, et que le pape s'efforçait de liquider ainsi le conflit entre les partis byzantin et franco-romain en Croatie dalmate. Cette conjecture nous paraît très fantaisiste et sans fondement. On comprend beaucoup mieux ces questions si on les étudie du point de vue de la politique générale des papes.

:n partie au moins, sur le territoire de l'Illyricum oriental. Nous serions plutôt
·nclin à croire qu'il s'agit ici d'un prince serbe et que le territoire de Sirmium
`aisait partie du pays gouverné par Kocel.[1]

Résoudre ce problème d'une façon définitive, vu le manque d'autres documents plus précis, serait téméraire. Le pape, ne l'oublions pas, s'efforçait cer-
·ainement d'étendre le plus possible vers le Sud le diocèse pannonien pour
;auver le maximum de territoire de l'ancien Illyricum.[2]

*

On croit, en général, que ce diocèse n'était qu'une création sans base solide
·t que Méthode n'a pas pu mettre le pied en Pannonie après son retour en Mo-
·avie. Certains pensent même que le pape Jean VIII avait abandonné — lui aussi —
;on projet puisque dans sa lettre à Svatopluk datée de 880 il ne traite plus
Méthode que d'évêque de Moravie. Ce n'est pas exact. *Le pape n'a jamais abandonné son projet.* Il n'a pas voulu insister, eu égard aux difficultés soulevées par
·es Allemands, pour que Méthode travaillât en Pannonie[3] mais il n'est pas revenu formellement sur sa politique. Il attendait, espérant que le temps lui
donnerait raison. Dans sa lettre à Méthode, datée de juillet 879, il l'appelle archevêque de Pannonie et dans celle d'avril 881 «archiepiscopus pro fide»,
c'est-à-dire évêque missionnaire dont le diocèse n'était pas bien défini. Et le
temps travaillait, en effet, pour le pape. Sirmium perdu pour les Francs entre
873 et 879,[4] redevenait bulgare. C'était une bonne occasion pour Jean VIII d'essayer de reprendre pied dans cette partie de la Bulgarie. La région appartenait,

---

[1] En ce qui concerne le sort de Kocel après 873, voir Sišič, *l. c.*, I, pp. 95 et suiv. La thèse contraire est soutenue par HAUPTMANN, *Mejna grofija Spodnjepanonska*, Razprave, Ljubljana, 1923,
pp. 311 et suiv. Cf. notre livre, pp. 226 et suiv. En tout cas, rien ne nous autorise à supposer que
les Allemands aient mis Kocel à mort après les événements de 873. Le pape Jean VIII lui adressa,
cette même année, une lettre dont nous possédons un fragment (*M. G. H., Ep.* VII, p. 282). Les
évêques allemands menacèrent Kocel, d'après la *Vita Methodii* (chap. X, Pastrnek, *l. c.*, p. 231), de
sévir contre lui s'il ne modifiait pas sa politique à l'égard de Méthode. Mais ils auraient difficilement
pu avoir l'audace de le mettre à mort après l'énergique intervention du pape en faveur de Méthode.
La Légende n'aurait pas omis de le mentionner pour mieux montrer l'acharnement avec lequel les
Allemands poursuivaient l'œuvre de Méthode.

[2] Le pape paraît avoir été très bien renseigné sur ces contrées. En 878, il écrit à Boris à propos
d'un évêque de Belgrade, Serge, Slave de naissance. *M. G. H., Ep.*, VII, p. 60. Le pape ne renonce
pas à son droit et il annonce à Boris la déposition de Serge.

[3] Nous voyons, en effet, Diotmar l'archevêque de Salzbourg, travailler en 874 «ad Petowa
Chozwini comitis» (KLEBEL, *Eine neu aufgefundene Salzb. Geschichtsquelle, l. c.,* p. 37). Il n'est pas
sûr que ce Chozwin soit Kocilj ou un autre prince de son territoire ou encore son successeur.

[4] Voir HAUPTMANN, *Mejna grofija spodnjepan., l. c.*, pp. 347 et suiv.

au point de vue ecclésiastique, à la métropole de Pannonie dont le titulaire était Méthode. Il y eut probablement entente entre ce dernier et le pape à en juger d'après le passage de la lettre envoyée par le Souverain Pontife à l'archevêque en 880: « cum Deo duce reversus fueris ».[1] Peu après Méthode est en route pour Constantinople et le biographe parle de ce voyage de la façon suivante: Leur malice [des ennemis de Méthode] n'était pas encore satisfaite, de sorte qu'ils propageaient ces propos: « L'empereur, lui aussi, est monté contre lui. S'il tombait entre ses mains, il n'en sortirait pas vivant ». Suit l'invitation adressée par Basile à Méthode de venir à Constantinople.[2]

Or, disons-le et repétons-le, il est impossible de comprendre les bruits qui couraient ainsi sur Méthode si l'on ne songe pas à une région où les intérêts byzantins pouvaient être en conflit avec ceux de Méthode. L'empereur n'avait rien à faire en Moravie. Il paraît donc impossible qu'on puisse penser à ce pays. Mais il en va tout autrement si l'on pense à Sirmium. Là, les intérêts byzantins et ceux de Méthode se mêlaient, la Bulgarie étant desservie par le clergé byzantin, et évidemment aussi Sirmium, nouvellement conquis. Des missionnaires grecs travaillant dans la région étaient bien surpris d'y trouver un compatriote qui revendiquait ce pays pour son diocèse.[3] De là, les bruits dont parle la Vie de Méthode.[4]

Dans ce cas, le voyage de Méthode à Constantinople devient tout à fait compréhensible et parfaitement logique car il y avait à régler des questions touchant des intérêts communs. D'après la Légende, Méthode en sortit avec honneur. Car « l'empereur combla tous ses désirs, lui accordant tout sans

---

[1] M. G. H., Ep., VII, p. 244.

[2] Chap. XIII, PASTRNEK, l. c., p. 234. Voir notre ouvrage Les Slaves, Byz. et Rome, pp. 271 et suiv.

[3] Méthode pouvait très aisément communiquer avec cette partie de son diocèse, car le territoire entre Danube et Tisza appartenait, à cette époque, à la Grande-Moravie. La Bulgarie et la Moravie se touchaient probablement quelque part au-delà de l'embouchure de la Tisza, dans le Banat actuel. Cf. A. HUBER, Beiträge zur älteren Geschichte Österreichs, Mitteilungen des Institutes f. öst. Geschichtsforschung, vol. II, 1881, pp. 372–274 et surtout C. A. MACARTNEY, The Magyars, pp. 149 et suiv.

[4] La seule objection qu'on pourrait faire valoir contre cette interprétation est que le biographe attribue ces bruits malveillants aux mêmes ennemis dont il a parlé dans le chapitre précédent (chap. XII). Ce sont, d'après la Légende, les mêmes personnes qui prétendaient que Méthode avait perdu la confiance du pape. Il se peut pourtant bien que les bruits sur l'hostilité de l'empereur à l'égard de Méthode soient nés dans le même milieu. Le parti de Wiching voulait discréditer Méthode aux yeux de Moraves et de Svatopluk en prédisant l'insuccès de l'action de Méthode dans la région de Sirmium et en attirant l'attention du prince sur le danger des complications politico-religieuses avec l'empire byzantin.

en lui refuser; après l'avoir embrassé et lui avoir donné de riches cadeaux, l'accompagna solennellement à son siège, ainsi que le patriarche».[1]

On voit ici encore Méthode défendre son droit, avec son énergie habituelle, même à l'égard de ses compatriotes et finalement il l'emportera comme il l'a mporté à Rome.

Le diocèse de Pannonie n'était donc pas une création théorique. Il fonction-ait comme il pouvait. Méthode était peut-être obligé d'éviter la partie occi-lentale de la Pannonie, proche de Salzbourg, où travaillaient les évêques alle-nands, car il aurait été dangereux de tomber encore une fois entre leurs mains. Mais il travaillait certainement dans le Sud où l'influence du clergé allemand l'était pas bien implantée.

On ne sait pas ce qui serait arrivé si le revirement qui s'ensuivit en Mora-rie et à Rome après la mort de Méthode (885), n'avait pas détruit l'œuvre de ce Grec intrépide, que le génie de son frère lui avait léguée, car le prince de Grande-Moravie, Svatopluk, commençait — à partir de 883 — à se tailler de gros morceaux en Pannonie et les ajoutait à son royaume. Jean VIII avait donc raison d'attendre et de ne pas quitter le champ de bataille après le pre-mier échec.

*

Les soucis relatifs à la Pannonie n'absorbaient pas toute l'activité de Jean VIII. Il fit l'impossible pour compléter son œuvre de récupération et de réor-ganisation de l'Illyricum. Dans ses nombreuses lettres, on voit comme dans un kaléidoscope, tous ses efforts, tous ses espoirs et même toutes ses décep-tions. En première ligne, il veut affirmer l'œuvre de Nicolas en Dalmatie. Cette phase de la lutte pour l'Illyricum au IXe siècle étant mieux connue, nous pouvons nous borner à un résumé des principaux faits.[2]

Pendant que Jean s'efforçait de réorganiser la Pannonie et de ramener les Bulgares à son patriarcat, les Byzantins prirent l'offensive sur le point où il s'y attendait le moins, en Croatie dalmate. Depuis l'avènement de Basile, le prestige de Byzance s'était beaucoup accru sur le littoral adriatique et dans les pays voisins. Grâce à son intervention, les tribus slaves les plus réfractaires — comme les fameux pirates, les Narentanes — furent baptisées. Le point culmi-nant de l'influence byzantine dans les Balkans est l'année 875. Cette année-là,

---

1 Voir plus loin p. 329 sur l'abandon de la Bulgarie par l'Empire et le patriarche à la sphère de l'influence romaine. Si l'on regarde les choses de ce point de vue on comprend mieux le succès de Méthode à Constantinople.

2 Pour les détails, voir ŠIŠIĆ, *Geschichte der Kroaten*, pp. 98 et suiv., et notre livre *l. c.*, p. 216—233.

Zdeslav, fils de Trpimir, qui s'était réfugié à Constantinople, avait renversé les fils de Iljko qui y gouvernaient alors et s'était proclamé prince avec, bien entendu, l'appui de Byzance.[1] A Rome, on ne se doutait pas du danger qui menaçait les intérêts du Saint-Siège. Car, tôt ou tard, le changement politique aurait été suivi par un regroupement dans le domaine ecclésiastique; l'évêché de Nin serait devenu byzantin. Heureusement pour Rome, cet état de choses ne dura pas longtemps et l'opposition à l'intrus émana même de l'Église croate. L'année suivante, Zdeslav fut tué et Branimir prit le pouvoir. Le pape pouvait remercier Théodose, évêque élu de Nin, le prince Branimir et le peuple croate.[2]

*

Nous devons attirer ici l'attention sur un détail qui mérite d'être particulièrement remarqué et qui n'a pas été, jusqu'à maintenant, apprécié à sa juste valeur par les historiens de la papauté. Le pape, dans ces deux lettres adressées à Branimir et à son peuple, félicite les Croates dalmates d'avoir décidé de se placer sous la protection spéciale de Saint Pierre et il les invite même à confirmer leurs bonnes intentions par un véritable «pacte» avec le Saint-Siège. Les passages sont extrêmement curieux et nous tenons pour cette raison à les citer ici in-extenso. Le pape écrit dans sa première lettre, en date du 7 juin 879: « En relisant les lettres de ta Seigneurie, que tu nous as envoyées par Jean le vénérable prêtre et fidèle, nous avons appris — et c'est plus clair que le soleil — quelle foi et quelle sincère dévotion tu montres à l'égard des Saints Pierre et Paul et à notre propre égard. Et puisque, par la grâce de Dieu, en fidèle fils de Saint Pierre et comme notre fils à nous aussi qui — par la faveur divine — tenons la place de Pierre, tu désires être toujours fidèle et obéissant en tout, comme tu le déclares si humblement, nous remercions dignement ta Seigneurie par ces lettres apostoliques et nous te recevons avec un amour paternel comme notre fils bien aimé qui retourne dans le giron de la puissance apostolique, ta Mère, dont la source si pure et si douce de sainte prédication a abreuvé tes pères. Nous te serrons en esprit dans nos bras paternels et nous voulons te combler de notre bienveillance apostolique pour que, par la grâce et la bénédiction divines, par celles des Saints Pierre et Paul, les premiers apôtres, et par les nôtres, tu sois toujours sain et sauf en face des ennemis, visibles et invisibles qui ne cessent de tendre des embûches et d'empêcher le salut des

---

[1] Voir notre livre, *Les Slaves, Byz. et Rome*, pp. 229 et suiv.

[2] Voir les lettres adressées à Théodose, à Branimir et au peuple croate, dans *M. G. H., Ep.*, VII, pp. 151 et suiv.

hommes, et pour que tu puisses obtenir plus facilement la victoire désirée sur tes ennemis.[1] »

Dans la seconde lettre, adressée au peuple croate et datée du 7 juin 879, le pape répète à peu près ce qu'il disait dans celle qui était destinée au prince.[2]

Plus importante est la troisième lettre, écrite probablement vers 881. Après avoir exprimé de nouveau sa joie que les Croates aient, encore une fois, témoigné leur fidélité à Saint Pierre et à son successeur par l'intermédiaire de l'évêque de Nin, Théodose, le Pape y 'dit notamment: «...Et à cause de cela nous ordonnons qu'après le retour de votre cher évêque vous ne manquiez pas de nous envoyer rapidement des plénipotentiaires qui en votre nom à tous nous certifient à nous et au Siège apostolique ce que vous aurez mandé, afin que nous puissions à notre tour dépêcher avec eux notre envoyé spécial à qui, selon les habitudes et les usages de notre Église, tout votre peuple pourra jurer fidélité[3] ».

Ces passages en disent long car ils témoignent de rapports tout spéciaux entre les Croates dalmates et le Saint-Siège. Il s'agit de quelque chose de nouveau dans les relations des peuples avec la Papauté et non pas, comme on l'a prétendu[4] récemment, du renouvellement d'un « pacte » ancien, conclu sous le pape Agathon. Le Saint-Siège n'aurait certainement pas manqué, s'il en avait été ainsi, de le souligner alors qu'au début de la troisième lettre le pape parle de cette décision des Croates comme d'un fait tout récent et encore sans

---

[1] *M. G. H., Ep.* VII, p. 152: «Relegentes nobilitatis tuae litteras, quas per Johannem venerabilem presbyterum, communem fidelem, nobis mandasti, quantam fidem et sinceram devotionem circa ecclesiam sanctorum apostolorum Petro et Pauli et circa nos habeas, luce clarius novimus. Et quia Deo favente quasi dilectus filius sancto Petri et nobis, qui per divinam gratiam vicem eius tenemus, fidelis in omnibus et obediens esse cupias et humiliter profiteris, tuae nobilitati dignas valde gratias his nostri apostolatus litteris agimus paternoque amore utpote karissimum filium ad gremium sanctae sedis apostolicae matris tuae, de cuius videlicet purissimo fonte patres tui melliflua sanctae praedicationis potavere fluenta, redeuntem suscipimus et spiritualibus amplectimur ulnis atque apostolica volumus benignitate fovere, ut gratiam et benedictionem Dei sanctorumque Petri et Pauli apostolorum principum et nostram super te habens diffusam a visibilibus et invisibilibus hostibus, qui saluti humanae insidiari et impedire non cessant, salvus semper ac securus existas optatamque de inimicis victoriam facilius possis habere.»

[2] *M. G. H., Ep.*, VII, pp. 165, 166.

[3] *M. G. H. Ep.* VII, p. 258: «Quapropter mandamus, ut revertente ad vos dilecto episcopo vestro idoneos legatos vestros praesentaliter ad nos dirigere non praetermittatis, qui pro parte omnium vestrum nos et sedem apostolicam certificent de his que mandastis, ut et nos cum illis missum nostrum dirigamus ad vos, quibus secundum morem et consuetudinem ecclesiae nostrae universus populus vester fidelitatem promittat.»

[4] S. SAKAČ, *Ugovor pape Agathona, l. c.,* pp. 58 et suiv.

précédent: «immensas Deo gratias referentes magno gaudio sumus repleti, qui vos *nunc* ad tantam gratiam perducere et inter oves suas connumerare dignatus est...»[1]

Les Croates ne sont pas, d'ailleurs, les seuls à avoir adopté cette attitude à l'égard du Saint-Siège. Presque en même temps, les Moraves, avec leur prince Svatopluk, se mettent sous la protection particulière du Saint-Siège comme en témoigne une lettre du pape à Svatopluk en juin 880.[2]

«Nous faisons savoir à ta Diligence,» écrit le Pape «que, par l'intermédiaire de notre confrère Méthode, le très révérend archevêque de l'Église morave, venu avec ton fidèle Zemižizň aux pieds des Saints apôtres Pierre et Paul et en notre présence pontificale, nous en témoigner dans un langage clair, nous avons appris la sincérité de ta dévotion et le désir de tout ton peuple à l'égard du Siège apostolique et de notre paternité. Car, sous l'impulsion de la grâce divine, *vous avez négligé les autres princes de ce siècle et choisi, toi, tes nobles fidèles et tout le peuple de ton pays, pour patron, pour appui en toutes choses et pour défenseur, Saint Pierre, prince de l'ordre apostolique, ainsi que son vicaire.* Tu veux en toute piété et avec l'aide de Dieu demeurer définitivement sous la protection de Pierre et de son vicaire, auxquels tu te soumets, en fils tout dévoué. Pour cette grande foi et pour cette dévotion que toi et ton peuple manifestez ainsi, nous ouvrons nos bras apostoliques, nous t'embrassons comme notre unique fils avec un grand amour et nous te recevons avec tous tes fidèles dans notre giron paternel, comme étant les ouailles du Seigneur qui nous sont confiées. Nous désirons vous nourrir gracieusement de la nourriture de vie et nous voulons te recommander

---

[1] Voir ce que nous en avons dit plus haut p. 263. Le rapport de Constantin Porphyrogénète fait sans doute allusion à cet événement.

[2] *M. G. H., Ep.* VII, p. 222: «Industriae tuae notum esse volumus, quoniam confratre nostro Methodio reverendissimo archiepiscopo sanctae ecclesiae Marabensis una cum Semisisno fideli tuo ad limina sanctorum apostolorum Petri et Pauli, nostramque pontificalem praesentiam veniente atque sermone lucifluo referente didicimus tuae devotionis sinceritatem et totius populi tui desiderium, quod circa sedem apostolicam et nostram paternitatem habetis. Nam divina gratia inspirante contemptis aliis saeculi huius principibus beatum Petrum apostolici ordinis principem vicariumque illius habere patronum et in omnibus adiutorem ac defensorem pariter cum nobilibus viris fidelibus tuis et cum omni populo terrae tuae amore fidelissimo elegisti et usque ad finem sub ipsius et vicarii eius defensione colla summittens pio affectu cupis auxiliante Domino utpote filius devotissimus permanere. Pro qua scilicet tanta fide ac devotione tua et populi tui apostolatus nostri ulnis extensis te quasi unicum filium amore ingenti amplectimur et cum omnibus fidelibus tuis paternitatis nostrae gremio veluti oves Domini nobis commissas recipimus vitaeque pabulo clementer nutrire optamus atque nostris assiduis precibus omnipotenti te Domino commendare studemus, quatenus sanctorum apostolorum suffragantibus meritis et in hoc saeculo adversa omnia superare et in caelesti postmodum regione cum Christo Deo nostro valeas triomphare.»

par nos prières incessantes à la toute-puissance divine pour que, par les mérites des Saints apôtres, tu puisses vaincre l'adversité dans ce monde puis triompher au ciel avec le Christ notre Dieu.»

En comparant ces textes, on conçoit facilement qu'il s'agit ici d'une chose identique, au moins aux yeux du pape. Ce dernier se déclare protecteur de deux peuples, récemment gagnés au christianisme. Le fait est très significatif et son importance ressort encore mieux si nous le considérons du point de vue de la politique pontificale telle qu'elle se manifestait surtout sous les règnes de Nicolas Ier, de Grégoire VII et d'Innocent III. Nous voyons ici un premier pas fait par la papauté vers la réalisation de la théocratie. Les bases théoriques de cette idéologie ont été posées par Nicolas I[er][1] qui avait d'ailleurs tiré parti lui même d'idées fournies par quelques uns de ses prédécesseurs, Sirice, Innocent Ier, Félix III et Gélase Ier notamment. Les évêques francs Günther de Cologne et Thietgaud de Trier nous ont laissé une formule qui exprime la stupéfaction des contemporains à l'égard de ces prétentions: Imperatorem totius mundi se facit.[2] Nicolas a fait aussi tout ce qui lui était possible pour la réalisation de son noble rêve et jamais, avant lui, la papauté n'avait exercé sur le monde une si grande influence. Jean VIII, nous le voyons, s'efforçait d'être le fidèle disciple de Nicolas. Il fut le premier à rattacher au Saint-Siège deux jeunes états et il est curieux de noter que ces deux états étaient slaves. La politique de Nicolas et de Jean, tombée dans l'oubli au cours du Xe siècle, ne sera plus reprise que par Grégoire VII qui aura la joie de recevoir la Hongrie en fief des mains mêmes de St Étienne et la Russie de celles de Dimitrij tandis que des tentatives du même genre étaient faites par le Danemark. C'est Innocent III qui a fait triompher l'idée déjà proclamée par Nicolas Ier et ainsi nous voyons qu'un détail de l'histoire des Croates et des Moraves au IXe siècle tel que celui auquel nous nous sommes attaché présente une réelle importance si on le considère du point de vue de l'évolution de la puissance pontificale au Moyen-Âge.

---

[1] Il semble, en effet, qu'on doive attribuer cette idée à Nicolas. Il a même essayé de la réaliser en Bulgarie. Nous lisons au moins dans l'introduction aux Actes du VIIIe concile (Mansi, XVIII, 11, P. L., vol. 129, col. 20) que Boris-Michael avait juré, en se tirant les cheveux, de rester toujours fidèle à Saint Pierre et à son vicaire. Mais il n'a pas tenu sa promesse.

[2] *Annal. Bert.*, M. G. H., Ss., I, p. 68. Voir sur la politique de NICOLAS J. ROY, *Principes du pape Nicolas Ier sur les rapports des deux puissances*, Études d'histoire du Moyen-Âge, dédiées à G. Monod, Paris, 1896, pp. 95—105. G. HAUCK, *Kirchengeschichte Deutschlands*, L'éd., Leipzig, 1900, II, pp. 533 et suiv. et surtout E. PERELS, *Papst Nikolaus I. u. Anastasius Bibliothecarius*, Berlin, 1920, pp. 70—180.

Revenons, ceci dit, à l'histoire du conflit pour l'Illyricum et retraçons en quelques mots pour compléter notre esquisse les dernières phases d'une lutte que Jean VIII mena avec acharnement.

Le succès remporté en Croatie encouragea Jean VIII à essayer de ramener à lui les évêchés byzantins du littoral. Mais la lettre adressée au métropolitain de Spalato resta sans effet. Même si elles l'avaient voulu, ces villes du littoral n'auraient pas pu écouter son appel car les escadres de Basile, qu'elles avaient vues plusieurs fois croiser dans l'Adriatique, leur donnaient à réfléchir. Malgré la tentative de Théodose de Nin, qui se fit élire aussi évêque de Spalato, la Dalmatie du littoral n'entra dans l'obédience romaine qu'en 925.

Encore moins heureux furent les efforts du pape pour regagner la Bulgarie. Il avait entamé ses réclamations par une lettre assez violente à Boris-Michel,[1] en 872 ou 873, le menaçant d'excommunication s'il persistait à adhérer à Constantinople. Une autre lettre partit pour la Bulgarie en 874–875.[2] Une missive identique arriva à Basile, qui devait envoyer Ignace à Rome. Un acte de politesse de la part de Boris, qui lui envoya des présents et une ambassade, encouragea le pape et lui donna un certain espoir. En avril 878, le pape dépêcha en Bulgarie deux évêques qui devaient liquider l'affaire. Ils étaient porteurs de lettres destinées à Boris, à son conseiller intime, Pierre, et à un autre prince bulgare. Ils devaient même aller à Constantinople pour transmettre une lettre menaçante à Ignace, à l'empereur et au clergé grec.[3] La lettre destinée à Ignace est très instructive. Sa teneur rappelle d'une façon surprenante les instructions données par le pape en 873 au légat Paul d'Ancône et la lettre que celui-ci devait transmettre à Louis le Germanique dans l'affaire du diocèse de Pannonie. Le pape y emploie[4] les mêmes arguments que dans les lettres de 873: «Nullus autem ignorat regionem Uulgarum a sanctæ memoriæ Damaso papa et deinceps usque ad paganorum irruptionem a sedis apostolicæ præsulibus, quantum ad ecclesiasticæ provisionis attinet privileginum, moderatam, præsertim cum hoc nonnulla scripta, sed præcipue diversorum pontificum Romanorum res gestæ, quae in archivis antiquitus nostræ reservantur Ecclesiæ, clarius attestentur. De his autem, quæ bellica clades et gravissimi hostilitatis incursus intulisse noscuntur, nil præstantius sentiendum est, quam quid clarissima Ecclesiæ tuba, sanctus videlicet Leo nostræ sedis antistes, edocuit et decrevit, cum ait: Adhi-

---

[1] M. G. H., Ep. VII, p. 277.
[2] Ibidem, pp. 294, 296.
[3] Ibidem, p. 58–67.
[4] Ibidem, p. 62.

benda, inquiens, curatio est, ut vulnera quæ adversione hostilitatis illata sunt, religionis maxime ratione sanentur; qui statu rerum auxiliante Domino in meliora converso iterum dicit: Remotis malis, quæ hostilitas intulit, unicuique id quod legitime habuit, reformetur omnique studio procurandum est, ut recipiat unusquisque, quod proprium est...» Il menaçait le patriarche d'excommunication s'il ne révoquait pas, dans le délai d'un mois, tout le clergé grec de Bulgarie. Heureusement la mort de saint Ignace (23 octobre 877) simplifia la situation.

Une dernière tentative fut faite par Jean VIII qui, après la mort d'Ignace, posa comme conditions de la reconnaissance de Photios l'abandon de la Bulgarie par les Grecs. Il paraît que cet arrangement eut quelque succès. Du moins Jean ne se plaint plus de Photios comme il se plaignait d'Ignace.[1]

Mais ce fut en vain. Boris ne voulait plus entendre parler du Saint-Siège. Satisfait de l'impression que son coup de théâtre avait provoqué à Rome, où l'on ne voulait pas suivre ses fantaisies, il resta fidèle à l'Église de Byzance. Jean VIII se rendait compte qu'il n'y avait plus rien à faire pour regagner l'ensemble de l'Illyricum oriental car nous ne trouvons dans ses nombreuses lettres aucune réclamation à ce sujet; il se bornait à faire de nouveau la conquête de la Bulgarie. Mais, là aussi, il n'enregistra que des échecs. Après sa mort, le changement trop fréquent des pontifes et la décadence de plus en plus prononcée de la papauté empêchèrent la continuation de la lutte.

Ainsi se termina cette dernière phase de la lutte pour l'Illyricum. On en resta où on en était au début du IXᵉ siècle; on avait finalement réussi à sauver l'Illyricum occidental, mais l'Illyricum oriental était perdu pour toujours.

Ce qui nous importe grandement, au terme de ce rapide aperçu, c'est de constater que même à propos d'un détail de l'histoire des relations entre les deux Églises de Rome et de Byzance, les Légendes de Constantin et de Méthode nous fournissent des renseignements précieux et sûrs que les historiens ont, à tort, trop longtemps négligés.

---

[1] Voir ce que nous en disons plus loin, pp. 319 et suiv.

CHAPITRE VIII.

L'«ORTHODOXIE» DE CONSTANTIN ET DE MÉTHODE.

I. Les Byzantins et les couvents grecs à Rome. — Les papes et les moines orientaux. — Les deux frères et les moines grecs de Rome. — Les couvents grecs en Italie. — Les pélerinages byzantins «ad limina apostolorum» au IXe siècle. — L'influence du séjour à Rome sur les deux frères.

II. L'opinion des deux frères sur la Primauté pontificale. — Le titre d'«apostolicus» dans les Légendes et son emploi en Occident et en Orient au IXe siècle. — Méthode ne reconnaissait-il pas le VIIe concile oecuménique? — Les «scholies» vieux-slaves sur la Primauté du pape; leur auteur. — L'importance de l'Introduction à la Vie de Méthode. — Les deux frères et leur doctrine sur la procession du Saint-Esprit.

III. Les deux frères et Photios. — La politique orientale de Jean VIII d'après le témoignage d'Anastase. — Les conditions de la reconnaissance de Photios par Jean VIII. — Jean VIII et ses successeurs ont-ils rompu avec Photios? — Les lettres de Jean VIII interpollées par Photios? — Les Actes du concile photien et les lettres du pape falsifiées au XIVe siècle?

I.

Ce que nous avons déjà dit montre suffisamment les relations qui ont existé entre les deux frères, le patriarche Photios et le Saint-Siège. La façon dont les Légendes présentent les choses est juste et correspond parfaitement à la mentalité byzantine du IXe siècle; et pourtant c'est justement le respect manifesté par l'auteur des Légendes à l'égard non seulement de l'empereur et du patriarche mais aussi du pape, qui, semblant surprenant à bien des historiens, a contribué à discréditer ces textes à leurs yeux. Expliquant ces passages d'après leur propre façon de voir, les uns ont cru y découvrir une tendance «photianiste» très prononcée, les autres y ont vu la preuve irréfutable que les deux frères s'étaient séparés de Photios et s'étaient entièrement rangés du côté

le Rome comme il convenait à de fidèles partisans d'Ignace. C'est ainsi que
es Légendes ont fourni elles-mêmes matière à controverse autour de l'« orthodoxie » de leurs héros, controverse qui a mis aux prises un grand nombre de
savants et qui ne paraît pas encore définitivement close. Essayons donc d'appliquer notre méthode à ce problème pour voir si, en l'étudiant du point de vue
de l'évolution byzantine au IXe siècle, il n'est pas possible d'y apporter quelque lumière.

*

Le fait que le schisme a commencé au IXe siècle, sous l'impulsion de Photios, a largement faussé les notions que nous possédons sur les relations entre
les deux Églises à cette époque. On est souvent enclin à croire que les rapports
n'ont été ni fréquents ni amicaux puisque un seul homme a pu soulever presque tout l'Empire contre les pontifes romains. Inutile de dire que ces conceptions ne correspondent pas à la réalité et qu'il faut avoir aujourd'hui, sur
les débuts du schisme, des idées un peu différentes de celles qui avaient cours
il y a seulement quelques dizaines d'années. Les relations entre l'Église
d'Orient et l'Église d'Occident étaient au IXe siècle, et malgré l'incident que
provoqua l'avènement de Photios, non seulement fréquentes mais souvent très
amicales.

Les principaux artisans de l'entente étaient les moines, les moines grecs
naturellement.

C'étaient, en premier lieu, ceux qui étaient établis à Rome même où la colonie grecque était assez nombreuse pour posséder un quartier à elle,[1] quartier
qui s'étendait aux pieds du Palatin et de l'Aventin, le long de la voie d'Ostie,

---

[1] Il est à regretter que les établissements des Grecs à Rome et en Italie n'aient pas encore trouvé
l'historien qui en montrerait l'importance pour les relations entre les deux Églises. Nous n'avons
qu'un petit nombre d'essais traitant seulement de quelques aspects du sujet. En premier lieu, pour ces
couvents grecs de Rome, il faut mentionner le travail de L. DUCHESNE, *Libraires byzantines à Rome*, Mélanges d'archéologie et d'histoire, vol. VII, 1888, pp. 297 et suiv., travail qui peut servir de
base pour l'étude des couvents grecs romains, et l'étude de L. BRÉHIER, *Les colonies d'Orientaux en
Occident*, Byz. Zeitschr., vol. 12, 1903, pp. 4–39. On trouvera quelques maigres indications dans GRE-
GOROVIUS, *Geschichte der Stadt Rome im Mittelalter*, Stuttgart, 4e éd., II, 170, 175, 392, III, 52, et
chez H. GRISAR, *Rome beim Ausgang der antiken Welt*, Freiburg i. B., 1901, n°s. 399 et suiv. Cf. aussi
les trois pages qu'a consacrées à ce problème Mgr M. D'HERBIGNY, *Quelques sujets d'études pour
les byzantinistes yougoslaves à Rome*, Deuxième congrès international des études byzantines, Belgrade,
1929, et notre essai, *De sancto Cyrillo et Methodio in luce historiae byzantinae*, Acta V. Conventus Velehradensis, Olomouc, 1927, pp. 151 et suiv. Voir plus loin la bibliographie pour les couvents grecs
en Italie.

du Vélabre à la Marmorata. Cette colonie grecque exista de façon permanent du VIIe au Xe siècle. Le nombre des Grecs de Rome était déjà assez considé rable avant le VIIe siècle,[1] mais il s'était surtout accru à cette époque, l'Itali étant redevenue byzantine et un grand nombre de fonctionnaires grecs s'étan établis dans la ville.[2] Cette colonie avait, bien entendu, ses propres églises don la plus connue était celle de Ste Marie in Cosmedin. Le nom même de l'églis est grec (κοσμιδίον). Le cas n'est d'ailleurs pas isolé; une place de l'Aventir s'appelait ad Balcernas, Blanchernas, en souvenir de la fameuse église de Con stantinople. Les environs de cette église – qui fut reconstruite au VIIIe sièclc par Hadrien Ier – étaient appelés « in schola graeca » et la rive du Tibre « Rip graeca »[3]. Les églises de Sainte-Anastasie,[4] de Saint-Georges au Vélabre[5] et dc Saint-Césaire in palatio étaient aussi des églises grecques. L'influence qu'exerçai cette colonie grecque sur l'Église romaine des VIIe et VIIIe siècles est visiblc à considérer seulement le grand nombre de papes d'origine grecque et orien tale: huit papes grecs et cinq papes syriens se sont succédé à cette époque.

Les églises que nous avons citées supposaient d'autre part, bien entendu, l'existence d'un clergé assez nombreux et bien organisé.

Encore plus importants pour les relations des deux Églises devaient être les couvents grecs dont quelques-uns devinrent particulièrement fameux. Le pape Paul Ier (757–767)[6] avait fondé à Rome la communauté grecque des Sts Etienne et Sylvestre et fait décorer aussi l'église qui l'avoisinait. Le pape Pascal Ier (817–824) fonda le couvent grec de Ste Praxède,[7] le pape Léon III (847–855) celui des Sts Etienne et Cassien.[8] On connaît en outre les couvents de Sainte-Lucie de Renatis,[9] de Sainte-Marie in Campo Martio,[10] fondé en 750 pour les religieuses grecques et rendu fameux par les reliques de St Grégoire de Naziance qu'on croyait y conserver.

---

[1] Voir ce qu'en dit L. BRÉHIER, l., c., pp. 3 et 4.

[2] CH. DIEHL, Études sur l'administration byzantine dans l'exarchat de Ravenne, Paris, 1888, p. 277. DUCHESNE, Liber Pontificalis, I, p. 224.

[3] GREGOROVIUS, Geschichte der Stadt Rome im Mittelalter, III, pp. 488 et suiv.

[4] Sur la Vie grecque de Sainte Anastasie, traduite du latin en grec à Rome, voir DUCHESNE, Librairies byz., l. c., p. 299.

[5] Cf. P. BATIFFOL, Inscriptions byzantines de Saint-Georges au Vélabre, Mélanges d'archéologie et d'histoire, vol. VII, 1887, pp. 419–431.

[6] Liber Pontificalis, I, pp. 464 et 465.

[7] Liber Pontif., II, p. 54.

[8] Ibidem, II, p. 113.

[9] Voir la remarque de L. DUCHESNE sur ce couvent, dans le Lib. Pont., II, p. 39. Les moines grecs y vinrent au VIIe siècle.

[10] GREGOROVIUS, l. c., II, 239, III, 32, VII, 732.

Également célèbre était le monastère de St Césaire; on sait qu'à l'époque de la domination byzantine l'église de St Césaire in palatio, sur le Palatin, était l'église officielle de la cour et des hauts fonctionnaires qui y résidaient;[1] nous rencontrons les moines grecs dans un couvent proche de l'église au début du IXe siècle, alors que la gloire du Palatin avait déjà disparu. C'est ce dont témoigne pour 828 le notaire d'Eginhard. Ce dernier était descendu dans ce couvent pendant son séjour à Rome, où il était venu pour voler les reliques de St Marcelin et de St Pierre, mode d'activité très en vogue au Moyen-Age et pour lequel on a inventé l'élégante expression de « translatio reliquiarum ». Il trouva, d'ailleurs, pour sa pieuse entreprise un appui de la part de Basile, moine grec qui séjournait dans ce couvent.[2] Au IXe siècle le même couvent donna asile à Saint Blaise, venu à Rome probablement après 880 et dont la Vie nous a conservé le nom de l'hégoumène grec du monastère, Eustratios de Cyzique,[3] ainsi que d'autres moines grecs, Luc, Syméon et Joseph. Au Xe siècle ce couvent hébergea encore St Sabas, envoyé à Rome par le patrice d'Amalfi pour intercéder auprès d'Otton III en faveur de l'antipape Philagate[4] et mort pendant son séjour. Particulièrement célèbre au XIIe siècle, où nous le voyons nommé avant tous les autres couvents romains également fameux, le couvent de St Césaire dut conserver sa communauté grecque jusqu'au XIIIe, et peut-être jusqu'au XIVe siècle. Ce n'est qu'au XVe ou au XVIe qu'il disparut sans laisser de traces.[5]

On connaît, par ailleurs, le couvent grec de St Erasme sur le Mont Cœlius[6] et les Actes du IIIe concile de Constantinople (680) témoignent de l'existence d'une communauté grecque à Rome, dans la maison Arsica (δόμου ʾΑρσικίας).[7] L'existence du couvent grec de St Sabas est également connue.[8]

---

[1] Voir L. DUCHESNE, *Le Palatin chrétien*, Nuovo Bulletino di archeologia cristiana, vol. VI, 1900, pp. 17–28.

[2] EGINHARDI Abbatis *Historia translationis bb. Marcelini et Petri*, P. L., vol. 104, col. 542 et suiv. Les Grecs agissaient d'ailleurs de même à Rome. Déjà St Grégoire le Grand se plaignait dans une de ses lettres (*P, L.*, vol. 77, col. 712, Ep. IV, 30) que des moines grecs eussent, pendant la nuit, volé des reliques dans le cimetière de St Paul-Hors-les Murs pour les emporter chez eux.

[3] *A. S.*, Nov., IV, p. 662.

[4] PITRA, *Anallecta*, I, p. 311.

[5] DUCHESNE, *l. c.*, pp. 19 et suiv.

[6] DE ROSSI, *Il monastero di S. Erasmo, presso S. Stefano Rotondo nella casa de' Valerii sul Celio*, Roma 1886.

[7] Mansi, XII, 212 (Actio I).

[8] P. STYGER, *Die Malereien in der Basilika des hl. Sabas auf dem kleinen Aventin im Rome*, Rom, 1914. Cf. DUCHESNE, *Lib. Pont.*, I, p. 481.

Un des plus anciens monastères grecs de Rome était celui de Sᵗ Anastase ad Aquas Sylvias,[1] fondé au VIᵉ siècle par Narsès lui-même et situé près de Sᵗ Paul-Hors-les-Murs. Il resta grec jusque vers la fin du Moyen-Age. Il paraît avoir été d'abord consacré à la Sainte Vierge puis avoir pris le nom de Sᵗ Anastase au VIIᵉ siècle, quand la tête de ce martyr perse eût été déposée dans l'église correspondante. Le pape Hadrien Iᵉʳ (772–795)[2] en reconstruisit «l'ygumenarchium» et plusieurs autres parties, détruites par un incendie.

Les moines des couvents grecs de Rome prenaient une part très active à la vie religieuse de l'Église romaine. Le rôle joué par eux sous Martin Iᵉʳ lors du concile romain tenu en 649 au palais de Latran est particulièrement remarquable. Ils agissent tous d'un commun accord, comme s'ils formaient une communauté organisée. Ils demandent à être introduits devant les évêques qui, assemblés avec le pape, délibèrent sur la condamnation du «Type» de l'empereur Constant. Introduits sur l'ordre du pape, ils déposent une confession commune de foi orthodoxe et demandent que les Actes du concile soient traduits en grec. Les signatures apposées sous la confession de foi nous permettent de connaître les noms de cinq hégoumènes, de cinq prêtres, de dix diacres et de dix-sept moines grecs. Ce ne sont pas tous des nouveaux venus, arrivés à Rome pour l'affaire en question, mais, comme le déclare le primiciaire des notaires, Théophylacte, ils y étaient pour la plupart établis depuis un certain nombre d'années. Les couvents nommés dans le document en question sont ceux de Sᵗ Sabas de Jérusalem, de la Laure de Sᵗ Sabas d'Afrique (τῆς εὐαγοῦς λαύρας, τῆς διακειμένης κατὰ τὴν Ἄφρων φιλόχριστον χώραν), de Sᵗ André, des Arméniens (également appelé Renati) et celui «ad Aquas Sylvias». Les trois derniers doivent être des couvents grecs de Rome.[3]

---

[1] Voir H. GRISAR, *Rom beim Ausgang der antiken Welt*, pp. 613 et suiv. (nᵒ 399).

[2] *Liber Pont.*, I., pp. 512, 513.

[3] Mansi, X, 903–910. L. BRÉHIER, *Les colonies d'Orientaux*, l.c., p. 7, qui a puisé aussi dans ce texte, a commis ici une petite erreur. Il a vu dans le couvent de la Laure de Sᵗ Sabas un couvent grec de Rome. Or, il s'agit ici d'un couvent africain, comme l'indique la remarque citée plus haut (MANSI, X, 904). Le pape expédia d'ailleurs ensuite une lettre à l'Église de Carthage pour lui faire connaître les décisions prises et il la confia à Théodore – celui-là sans doute qui est mentionné dans les Actes comme abbé du monastère en question – et Leontius «religiosos monachos sanctae Laurae» (Lettres du pape Martin Iᵉʳ, *P. L.*, vol. 87, col. 147). La μονὴ τῶν Κιλικῶν mentionnée dans les mêmes Actes n'est pas, comme Bréhier semble le croire, «un monastère romain des Ciliciens». C'est le même que celui qui est connu sous le nom de couvent de Sᵗ Anastase ad Aquas Sylvias. La remarque des Actes indique simplement que les moines grecs de ce couvent – voisin de l'église Sᵗ Paul – provenaient pour la plupart de Cilicie, la patrie de Sᵗ Paul.

Parmi les délégués envoyés par le pape Agathon au IIIe concile de Constantinople (680) figuraient entre autres, notons-le aussi, Georges, prêtre et moine du couvent de «Renati», ainsi que Conon et Étienne, prêtres et moines d'un autre couvent grec de Rome, τοῦ δόμου ᾿Αρσικίας.[1] Au IIe concile de Nicée (787) c'est Pierre, prêtre et hégoumène du monastère grec de St Sabas, qui représenta officiellement le Saint-Siège en compagnie d'un archiprêtre, son homonyme[2].

Nous voyons enfin que même au IXe siècle les moines grecs de Rome étaient très estimés par les papes. Nous pouvons en juger par l'épisode que conte le Liber Pontificalis.[3] Le pape Hadrien II, celui qui montra tant de prévenances à l'égard des deux frères, offrit un grand banquet en l'honneur des moines grecs. Contrairement aux habitudes et au protocole observé par ses prédécesseurs il s'assit à table avec eux et il exposa aux assistants sa politique relative aux affaires d'Orient, déclarant qu'il voulait continuer celle du défunt pape Nicolas et qu'il demandait leurs prières dans ce but. Sa manière d'agir excita un grand enthousiasme qui se manifesta par de bruyantes acclamations. Il paraît presque sûr que Constantin et Méthode ont pris part à ce banquet qu'on doit dater du début du pontificat d'Hadrien, du vendredi 20 février après la Septuagésime de 868.[4]

Cette étude sur les couvents grecs de Rome n'est pas sans intérêt pour l'histoire de Constantin et de Méthode. Elle nous montre d'abord la mentalité des Romains et celle du pape Hadrien en particulier à l'égard des moines grecs. On peut voir qu'il n'y avait pas d'hostilité préconçue contre ces religieux au contact desquels on était habitué. Le même exposé nous indique d'autre part que les deux frères ont trouvé un appui sérieux dans les communautés grecques établies à Rome. La Légende de Constantin connaît très bien l'existence d'une colonie grecque dans cette ville puisque, au chapitre XVIII, elle nous montre

---

[1] MANSI, XI, 212 (I Actio).

[2] MANSI, XIII, 380. Cf. Liber Pontif., I, p. 292.

[3] Vol. II, p. 176 et suiv.

[4] Voir ce qu'en dit Mgr D'HERBIGNY, l. c., p. 6. Duchesne a déjà exprimé l'idée, en commentant ce passage du Liber Pontificalis, que des banquets de ce genre étaient en usage à cette époque. Pourtant le banquet en question a dû avoir une importance particulière car le pape, contrairement aux habitudes établies par le cérémonial, tint non seulement à servir lui-même ses hôtes, mais à manger avec eux. On voit d'après cela l'importance qu'attachait Hadrien à la question orientale et il est évident qu'il voulait être appuyé, dans sa politique, par les moines grecs de Rome. Parmi les invités il y avait du reste des moines de tous les patriarcats et d'autres, «chargés de mission des princes séculiers».

le pape Hadrien invitant à l'enterrement de Constantin-Cyrille «tous les Grecs séjournant à Rome».[1]

C'est dans un de ces couvents grecs que les deux frères reçurent l'hospitalité pendant leur séjour prolongé dans la ville de St Pierre et c'est dans l'un de ces couvents que Constantin reçut pour mourir l'habit monacal. Il est impossible de préciser d'une façon définitive quel était ce couvent car nous cherchons en vain, dans les Légendes, un indice susceptible de nous orienter de façon sûre. Il n'est pas impossible que ce fût le couvent de Ste Praxède, construit seulement au IXe siècle par le pape Pascal (817–824)[2] mais « superflue et abundanter ditatus » par le même pontife. La Légende de Constantin indique, en effet, que les livres slaves sont déposés dans l'église de Santa Maria Maggiore, alors tout près du couvent de Ste Praxède. Mais ce fait peut être aussi expliqué par la prédilection personnelle du pape Hadrien pour cette église. C'est là, on le sait, qu'il était en train de prier lorsque le clergé et le peuple vinrent le chercher pour le conduire au « Lateranense patriarchium » — le palais du pape — et l'installer sur le trône pontifical.[3]

On pourrait d'ailleurs penser aussi au couvent de St Césaire du Palatin qui semble, nous l'avons vu, avoir souvent accueilli les moines qui venaient à Rome.

L'église dans laquelle les disciples des deux frères furent ordonnés[4] et dans laquelle Méthode reçut plus tard la consécration épiscopale n'est pas davantage identifiable. Mais notons les églises où la Vie de Constantin nous apprend que les nouveaux ordonnés célébrèrent la liturgie en slavon. La liste est assez curieuse. Il s'agit, en effet, de l'église St Pierre, but de nombreux pélerins même grecs, de Ste Pétronille,[5] puis, probablement à proximité, de St André[6] — qui devait son nom au patron de Constantinople, une légende fausse mais alors acceptée comme vraie par tous les Grecs faisant de lui le premier évêque et le fondateur du patriarcat — enfin de l'église St Paul hors les Murs où, à cause de son éloignement, ils passèrent la nuit en chantant les psaumes pour pouvoir y dire encore une fois la messe le lendemain. Ils reçurent peut-être, du reste, à cette occasion, l'hospitalité au couvent grec ad Aquas Sylvias.

---

[1] PASTRNEK, *l. c.*, p. 214.

[2] D'HERBIGNY, *l. c.*, p. 4.

[3] *Lib. Pont.*, II, p. 174.

[4] A. LAPÔTRE, *Hadrien II et les fausses décrétales*, Revue des questions historiques, tome 24, 1880, p. 413, date l'ordination du 5 janvier 868.

[5] Voir *Grisar*, *l. c.*, n° 81, Gregorovius, *l. c.*, I, 310, II, 307.

[6] Était-ce l'église de St André Catabarbara ou plutôt l'église du couvent grec de St André?

Il est à remarquer que les Légendes ne disent pas un mot de la consécration épiscopale de Constantin et ce silence est le meilleur argument à l'appui de la thèse suivant laquelle Constantin n'aurait pas été ordonné évêque; il est, en effet, inimaginable qu'un hagiographe n'ait pas mentionné un fait aussi honorifique et aussi glorieux. La tradition d'après laquelle Constantin aurait été ordonné évêque et qui est surtout conservée par la Légende italique[1] date du reste d'une époque où le souvenir des évènements n'était peut-être plus très précis. Les messes en slavon dont parle la Légende sont les premières messes des quatre nouveaux ordonnés – Méthode et trois de ses disciples – ainsi que de Constantin. Les deux Légendes, notons-le, se complètent sur ce point, l'une indiquant que cinq messes furent célébrées et l'autre qu'il y avait quatre nouveaux ordonnés. N'oublions pas qu'il s'agissait ici d'un événement nouveau et important, l'introduction de la liturgie slave; on comprendra sans peine que le pape ait chargé l'évêque Arsène et le bibliothécaire Anastase d'assister les nouveaux ordonnés et de voir si tout se passait conformément aux usages de l'Église romaine. C'est ainsi qu'il faut expliquer la présence de ces deux personnages importants aux premières messes slaves chantées à Rome et non pas par la consécration d'un nouvel évêque qui aurait été Constantin et qu'ils auraient assisté[2].

*

Nous pourrions nous rendre encore mieux compte des sympathies romaines pour les moines grecs et des services rendus par ceux-ci aux deux Églises si noux connaissions l'histoire des couvents grecs d'Italie et surtout de ceux de l'Italie méridionale. Il reste beaucoup à faire sur ce point mais ce que nous en savons suffit pourtant déjà à montrer que les relations entre les deux Églises étaient beaucoup plus fréquentes et beaucoup plus amicales que ne l'indiquent les actes officiels. Les moines grecs étaient établis non seulement dans l'Italie du Sud mais dans la Pentapole, à Capoue, à Bénévent et dans les environs de Rome.[3]

---

[1] PASTRNEK, *l. c.*, p. 243.
[2] Comme le veut S. SAKAĆ, *l. c.*, p. 62.
[3] Voir sur les influences grecques en Italie: DIEHL, *L'Histoire de l'Administration*, l. c., pp. 241–288; J. GAY, *L'Italie méridionale et l'Empire byzantin*, Paris, 1904; CHALANDON, *Histoire de la domination normande en Italie et en Sicile*, Paris, 1907; E. BENEDETTI, *L'influenza bizantina nell' Italia inferiore*, Roma, 1919; P. GIAMBATTISTA DA S. LORENZO, *Le Colonie della Magna Grecia in Calabria*, Roma e l'Oriente, VIII, pp. 308 et suiv., IX, pp. 24, 78, 166 et suiv.; P. COCO, *Vestigi di grecismo in Terra d'Otranto*, Ibidem, vol. XII–XIX. Sur les couvents grecs voir surtout l'étude de SOKO-

Le nombre des moines de l'Italie méridionale s'est particulièrement accru pendant les querelles iconoclastes[1]. Mais comme il s'agit là d'un territoire byzantin, nous pouvons en négliger l'examen. Ce qui est beaucoup plus important pour notre sujet et qui illustre parfaitement le caractère amical des relations, ce sont les nombreux pélerinages de Grecs «ad limina apostolorum»; même aux VIIIe et IXe siècles, le nombre en est assez important.[2] Sous le patriarcat de Taraise, St Cosme vient à Rome[3] en pélerinage. A la 8e session du VIIIe concile œcuménique, le moine Basile de Jérusalem accusé d'avoir représenté le patriarche de cette ville au concile de Photios déclare n'avoir quitté Jérusalem que pour faire ses dévotions à Rome.[4] Nous connaissons par ailleurs le pélerinage de St Hilarion,[5] celui de St Joseph l'Hymnographe[6] envoyé en mission par St Grégoire le Décapolite et qui visita également le tombeau des Apôtres,[7] celui d'un certain moine Blasile, venu de Constantinople au début du IXe siècle avec plusieurs de ses disciples comme nous l'apprend la «Translatio reliquiarum Ss.Marcellini et Petri».[8] On sait aussi que le futur patriarche Méthode,[9] prédécesseur d'Ignace, a lui-même séjourné à Rome. Mais particulièrement mouvementé fut le pélerinage de St Blaise;[10] désireux de se rendre

---

LOV, Состояніе монашества, l. c., étude importante qui, bien que vieillie, méritait le respect des savants occidentaux. Voir aussi N. PROTASOV, Греческое монашество въ южной Италіи, Богословскій Вѣстникъ, 1915. Cf. P. BATIFFOL, *L'abbaye de Rossano*, Paris, 1891; G. ROBINSON, *History and Cartulary of the Greek monastery of St. Elias*, London, 1928; K. LAKE, *The greek monasteries in south Italy*, Journal of theological Studies, IV, pp. 345 et suiv., 517 et suiv., V, pp. 22 et suiv., 189 et suiv. M. J. BRUN, Византійцы въ южной Италіи въ IX. и X. вв., Очерки изъ исторіи византійской културы, Императорскій Новороссійскій Университетъ, Записки, vol. 37, 1883. Cf. aussi l'étude de A. VACCARI, *La Grecia nell' Italia meridionale*, Orientalia christiana, vol. III, 3, 1926, étude un peu décevante qui ne donne pas ce que promet le titre.

[1] Voir surtout SOKOLOV, *l. c.* p. 55.

[2] Nous y avons déjà fait allusion dans notre communication *De sancto Cyrillo et Methodio, l. c.*, p. 153.

[3] Sa Vie a été publiée par PAPADOPOULOS - KERAMEUS, Ἀνάλεκτα ἱεροσολ. σταχυλογίας, 1897 (le pélerinage p. 299).

[4] MANSI XVI, 135, 136. Cf. HEFELE-LECLERQ, *Hist. des conc.* IV, 1, p. 512.

[5] PEETERS, *S. Hilarion d'Ibérie*, l. c., p. 255: «consilium cepit inde Romam ire pergendi ut sepulchrum veneraretur sanctorum et praeclarissimorum principum apost. Petri et Pauli». Il resta à Rome pendant 2 ans. N'oublions pas qu'il s'agit ici d'un contemporain de Constantin et de Méthode qui ont dû le rencontrer au Mont Olympe. Il va de l'Olympe à Rome après avoir vénéré la Croix à Constantinople.

[6] *P. G.*, vol. 105, col. 953.

[7] Voir notre édition de la Vie, p. 56.

[8] *P. L.*, vol. 104, col. 542 et suiv.

[9] *P. G.* vol. 100, col. 1243.

[10] *A. S.*, Nov. IV. p. 656–673, surtout p. 662.

à Rome, le saint avait rencontré un moine qui, ayant la même intention, s'était déclaré prêt à l'accompagner mais l'avait ensuite vendu à des marchands d'esclaves qui l'emmenèrent en Bulgarie; ce n'est qu'après avoir recouvré sa liberté que Saint Blaise put accomplir son vœu.

Il est également question de pélerinages romains dans les Vies de St Élie le Jeune,[1] de St Michel le Syncelle[2] et des 63 Martyrs de Jérusalem.[3]

Peu de temps après le concile de 869 l'abbé du couvent de la Ste Vierge à la Source (Πηγή) près de Constantinople voulut se rendre à Rome en accomplissement d'un voeu.[4] L'empereur Basile Ier lui remit une lettre de recommandation destinée au pape, dans laquelle l'empereur s'étonnait d'être sans nouvelles des légats apostoliques qui avaient assisté au concile et quitté Constantinople depuis longtemps déjà. On sait quelles aventures avaint eu ces légats, tombés aux mains de pirates slaves et dépouillés de tout, y compris des Actes du concile.

Or, si nous comparons tous ces récits, nous constatons qu'on considérait à Byzance les pélerinages romains comme méritoires et qu'ils étaient au fond chose très courante. Il ne faut pas chercher la raison de tels déplacements uniquement dans la persécution iconoclaste qui sévissait à Constantinople; ils sont les uns antérieurs, les autres postérieurs à ces luttes. Les pélerinages ne sont pas d'autre part accomplis seulement par des moines des patriarcats orientaux mais aussi par des religieux de Constantinople et du Mont Olympe, fait qui mérite d'être particulièrement souligné.

Tous ces faits prouvent qu'il n'y avait pas à Byzance, vers cette époque, d'animosité prononcée contre Rome. La Vieille Rome restait très honorée des pieuses gens, des moines surtout, parce qu'elle était le lieu de sépulture du prince des Apôtres. Dans ces conditions rien d'étonnant à ce que Constantin et Méthode aient partagé à son égard les sentiments de leurs compatriotes. Très heureux d'effectuer le pélerinage qui paraissait enviable à un grand nombre de leurs coreligionnaires, n'ayant aucune antipathie pour Rome, ils ont reçu avec plaisir du pape Nicolas une invitation qui marquait le début d'une nouvelle politique pontificale à l'égard des Slaves.

---

[1] A. S., Aug III, col. 484–509.

[2] M. GEDEON, Βυζαντινόν ἑορτολόγιον, p. 233, SCHMIDT, Кахріе Джами, p. 231.

[3] A. PAPADOPOULOS-KERAMEUS, Συλλογή, I, p. 141.

[4] MANSI XVI, 203. Cf. HEFELE-LECLERQ, *Histoire des conciles* IV, 1, p. 535.

Il paraît, du reste, vraisemblable qu'ils aient considéré leur voyage à Rome comme un simple épisode et soient restés résolus à regagner Constantinople, après avoir réglé avec le Saint-Père les affaires de l'Église morave. Telle est, du moins, l'impression que laisse le récit des Légendes. Nous voyons, en effet, sans que cela puisse être mis en doute, que ni Constantin, ni Méthode n'ont été consacrés évêques en 868; la Légende de Constantin (chap. XV) dit d'ailleurs expressément que ce dernier avait seulement l'intention de faire sacrer ses disciples. Elle nous montre aussi, après la mort de Constantin, tous les préparatifs achevés pour le transfert du corps à Constantinople et Méthode – qui devait naturellement l'accompagner – ne renonçant à son projet et n'admettant l'inhumation à Rome que sur l'insistance des évêques romains. Remarquons bien qu'alors (février 869), Méthode n'était toujours pas évêque.[1] Constantin avait cru nécessaire de demander à son frère, en mourant, de renoncer à retourner au Mont Olympe et de continuer plutôt le travail commencé en Moravie.

On croirait bien, à lire les Légendes, que les deux frères n'ont changé d'avis que pendant leur séjour à Rome, en raison surtout des prévenances du pape. Les évènements qui se sont déroulés entre temps à Constantinople – la chute de Photios – ont peut-être aussi contribué à prolonger leur séjour. Constantin en a probablement profité pour adapter, d'une façon définitive, les livres liturgiques en traduisant en slavon, avec l'aide de quelques-uns de ses disciples qui connaissaient le latin, le sacramentaire latin[2]. Son séjour à Rome a dû faire

---

[1] La Légende italique (chap. 8., PASTRNEK, *l. c.*, p. 243) dit aussi que les deux frères avaient l'intention de faire consacrer quelques-uns de leurs disciples comme évêques; mais elle affirme au chapitre suivant que ce sont les deux frères qui furent sacrés évêques. Il y a là une contradiction visible.

[2] Le problème du rite primitif de la nouvelle chrétienté morave n'est pas tout à fait résolu. Tout semble pourtant indiquer que l'Église slave de Moravie se conforma, pour l'essentiel au moins, au rite romain. Voir notre ouvrage, *Les Slaves, Byz. et Rome*, pp. 168, 169. Récemment, C. MOHLBERG (*Il Messale glagolitico di Kiew – sec. IX – ed il suo prototipo romano del sec. VI – VII*, Atti della Pontificia Accademia Romana di archeologia, serie III, Memorie, volume II, Roma, 1928, pp. 207–320) a trouvé à Padoue un sacramentaire romain ayant pour base le sacramentaire de Grégoire le Grand et ressemblant étrangement, sans leur être tout à fait identique, aux Fragments de Kiev qui sont les restes d'un missel slave traduit du latin. Il est donc vraisemblable que nous ayons, dans le sacramentaire de Padoue, le prototype du missel slave traduit par Constantin. Fr. UŠENIČNIK qui s'est dernièrement occupé de ces deux documents (*Najstarejši glagolski spomenik in liturgija sv. Cirila in Metoda*, Bogoslovni Vestnik, Ljubljana, 1930, pp. 235–253), a démontré que l'auteur des Fragments de Kiev ne comprenait pas tout à fait l'esprit de la liturgie romaine et devait être prêtre de rite oriental. G. IL'INSKIJ (*Byzantino-slavica*, vol. III, 1931, p. 342) prétend pourtant que les deux frères traduisirent d'abord en slave le missel oriental et que la traduction des livres liturgiques latins en slave ne fut faite que

apparaître clairement à son esprit ce qu'il avait pu déjà entrevoir en Moravie, à savoir la nécessité pour la nouvelle chrétienté slave de se conformer au rite romain.

II.

L'attitude adoptée à l'égard de Rome par les deux frères s'explique suffisamment par les observations [qui précèdent. Il n'y avait, de leur côté, aucune animosité a priori contre la Vieille Rome qui demeurait très en estime auprès des fidèles de l'Église d'Orient et dont les reliques saintes attiraient toujours un grand nombre de pèlerins byzantins.

Mais ce qu'il faut éclaircir c'est le degré d'estime des deux frères pour la Ville de St Pierre et pour le pape. Sont-ils devenus «romains» au point d'abandonner tous les usages et les croyances de l'Église qui les avait formés? La question est importante, Photios ayant transporté jusque dans le domaine doctrinal la controverse avec les papes.

Nous avons déjà dit que les opinions des spécialistes sur ce point sont souvent diamétralement opposées, les uns prétendant que les Légendes trahissent une tendance «photianiste» très nette, les autres affirmant que leurs auteurs professaient, sur ces points particuliers, des doctrines identiques à celles qui avaient cours à Rome.

On peut bien trouver, dans les Légendes, certaines expressions qui semblent autoriser cette seconde opinion. Mgr Grivec[1] a déjà attiré l'attention sur un détail en apparence curieux, l'emploi fréquent du titre «apostolicus» attribué au pape, et y a vu avec raison la preuve des relations cordiales qui unissaient au St Siège les deux frères et leurs élèves. Mais ce même auteur est allé plus loin encore et a cru découvrir la preuve que les deux frères étaient partisans du patriarche Ignace. L'emploi du mot «apostolicus», a-t-il dit, était en contradiction avec la tendance officielle qui prévalait alors dans les bureaux du patriarche et qui restreignait le plus possible le pouvoir de l'évêque de Rome, successeur de St Pierre. St Théodore le Studite est, au contraire, celui qui, en Orient, a le plus souvent employé un titre qui exprimait si bien les prérogatives du pape; les moines byzantins suivant l'exemple de leur réformateur employaient le même mot qui est devenu ainsi «l'expression caractéristique d'une théologie et termi-

---

par un de leurs disciples désireux d'atténuer l'opposition suscitée par l'innovation des deux frères. Mais son argumentation ne paraît pas probante.

[1] *Doctrina byzantina de primatu*, l. c., pp. 46 et suiv.

nologie des moines orientaux». C'est parce que les deux frères étaient moines, admirateurs du fameux Studite et partisans d'Ignace comme la plupart de leurs confrères, qu'ils professaient la même doctrine à l'égard du pape et employaient les mêmes expressions.

L'argumentation semble bien construite et apparaît au premier abord comme très suggestive. Nous nous voyons pourtant obligé d'y apporter quelques corrections.

Reconnaissons d'abord le mérite de Mgr Grivec d'avoir attiré l'attention des spécialistes sur un tel détail[1]. Nous sommes de même parfaitement d'accord avec lui pour voir dans l'expression «apostolicus» la preuve des sentiments respectueux et cordiaux des deux frères et de leurs biographes à l'égard du Saint-Siège. Cette expression exprime indiscutablement mieux qu'aucune autre les droits des successeurs de St Pierre dans l'Eglise. Mais ce serait aller trop loin que de vouloir y trouver confirmation de la thèse suivant laquelle Constantin et Méthode seraient des Studites partisans d'Ignace. Nous avons déjà dit combien il est erroné d'abord de mettre «dans le même sac» tous les moines byzantins du IXe siècle et, quant à l'expression en elle-même, s'il est vrai qu'elle fut très souvent employée par le Studite à l'égard du pape,[2] on ne peut dire qu'elle soit «devenue générale dans les couvents grecs grandement influencés par Théodore le Studite dont les écrits étaient souvent lus». Nous sommes en effet très surpris de n'en trouver aucun autre exemple dans l'hagiographie contemporaine et dans la littérature monastique de l'époque. On a beau ne pas connaître tous les écrits de ce genre, le fait est significatif et les monuments littéraires qui nous sont accessibles sont assez nombreux pour expliquer notre étonnement. C'est une constatation qui n'est nullement en faveur de la thèse suivant laquelle les biographes des deux frères, en employant le titre d'«apostolicus», se seraient tout simplement conformés aux usages établis dans les couvents grecs.

C'est pour ce motif qu'il faut abandonner la théorie de Mgr Grivec et

---

[1] Il n'est d'ailleurs pas le premier qui l'ait vu. Déjà VORONOV, *l. c.*, pp. 76 et suiv., en a parlé. En comparant avec l'ouvrage de Voronov le traité de Mgr Grivec, on a d'ailleurs l'impression que ce dernier s'est sur ce point beaucoup inspiré du savant russe et s'est malheureusement borné à «corriger» les résultats des recherches de Voronov, pour les faire cadrer avec sa propre théorie, sans fouiller à fond le problème. La référence du *Du Cange* latin concernant le mot «apostolicus», dont Mgr Grivec s'est contenté pour déclarer à plusieurs reprises, (*l. c.*, pp. 58, 113), que ce titre n'est pas usité en Occident à cette époque, est inexacte.

[2] Voir les références GRIVEC, *l. c.*, p. 53, DOBROKLONSKIJ, Препод. Θεοδοръ, *l. c.*, pp. 819 et suiv.

chercher ailleurs les raisons de l'emploi d'un tel titre par les deux frères et leurs biographes. Ces derniers ont bien subi l'influence du milieu dans lequel ils vivaient; mais ce n'était pas le milieu des couvents grecs de l'Olympe ou de Byzance; c'était celui dans lequel ils se trouvaient depuis leur arrivée en Moravie. Il n'est pas exact, comme le prétend l'auteur de la théorie «orientale»[1], que ce titre ait été inusité dans les lettres pontificales et autres documents occidentaux de l'époque et qu'on ne trouve dans ceux-ci que le mot «papa». C'est là une profonde erreur et il n'est pas même vrai que le titre d'«apostolicus» fût inconnu en Moravie et en Pannonie où les Slaves n'auraient employé que le mot «papež». Il s'agit au contraire d'un titre très usité en Occident, non seulement à Rome mais aussi dans l'empire franc et parmi le clergé germanique, rival de Constantin et de Méthode en Pannonie et en Moravie.

Mgr Grivec prétend que le titre d'«apostolicus», en tant que substantif désignant le pape, a été employé pour la première fois par Paul Diacre dans sa biographie de St Grégoire le Grand.[2] On sait que cet auteur vivait au Mont Cassin et qu'il composa son ouvrage vers 790. Or Paul Diacre n'est ni le premier ni le seul à employer ce titre à cette époque.[3] Nous le trouvons, en effet, chez Cassiodore,[4] dans la Vita Wilfridi I ep. Eboracensis,[5] écrite entre 711 et 731, dans la Vita Corbiniani ep. Baiuvariorum auctore Abbeone,[6] dans les Actes du concile romain de 743,[7] dans un diplôme délivré par Charlemagne en 776 pour le couvent de Tarfa,[8] dans la Vita Amandi ep. II, auctore Milone,[9] dans la Passio Kiliani

---

[1] L. c., p. 58.

[2] P. L., vol. 75, col. 54, 55, 58.

[3] Nous ne pouvons pas entrer ici dans les détails et faire l'histoire de l'évolution des titres donnés aux papes. Le raccourci, quoique incomplet, qu'en donne Mgr Grivec, l. c., pp. 47 et suiv., est suffisant pour notre démonstration.

[4] M. G. H., Anct. ant., XII, Cassiodori Viarum VIIII, p. 280, apostolicus pontifex, p. 281: apostolici papae Johannis.

[5] M. G. H., Ss. rer. Merov., VI, p. 226: Agathone apostolico papa.

[6] Ibid., p. 565: apostolici (= papae) doctrina, p. 566: sanctissimus apostolicus. Cf. aussi p. 602 pareille expression dans la seconde Vie du IXe siècle.

[7] M. G. H., Leg., I, p. 22: Zacharias apostolicus papa.

[8] M. G. H., Dipl. Car., I, dipl. n° 111, p. 157: domnus Adrianus apostolicus. Cf. aussi quelques diplômes attribués faussement à Charlemagne n° 225 (a. 774), p. 300: consilio domni apostolici, no. 238 (a. 782), p. 330: in privilegio domni Leonis apostolici, n° 254, (a. 797) p 366: a domno apostolico Leone, n° 264 (a. 802), p. 384: privilegia apostolicorum Romanae sedis, n° 266 (a. 802), p. 389: ab apostolico papa.

[9] M. G. H., Ss. rer. Mer., V, p. 451: Cui etiam praefatus apostolicus (= Martinus), p. 452: iamdictus apostolicus, p. 459: apostolici (= papae).

Mart. Wirziburgensis,[1] dans la Vita Huodberti episcopi Salisburgensis,[2] dans la Vita Frodoberti Abb. Cellensis.[3]

Ces exemples sont déjà très instructifs; mais on en trouvera un grand nombre d'autres, non moins intéressants, dans les Annales de l'Empire qui remontent au IXᵉ siècle. Citons seulement ceux qui sont les plus suggestifs: Annales Laurissenses (Einhardi An.),[4] Chronicon Moissiacense,[5] Annales Fuldenses,[6] Hincmari Remensis Annales,[7] Reginonis Chronicon,[8] Vita Hludovici imperatoris[9], Annales Lauresham enses[10].

Pareilles expressions sont également employées par le Bibliothécaire Anastase dans son Introduction au VIIIᵉ concile œcuménique.[11] Il faut noter aussi

---

[1] *Ibid.*, p. 724: apostolicus vir Johannes.

[2] *Ibid.*, VI, p. 244: unitas apostolicorum virorum (c'est-à-dire des papes), a ... beatissimo papa apostolico Johanne, p. 245: domnis apostolicis s. Agathone et electo Benedicto.

[3] *Ibid.*, V, p. 86: ex praecepto apostolici.

[4] M. G. H., Ss., I, p. 138 (a. 754): supra dictus apostolicus Stephanus, p. 138 (a. 775): per apostolicam invitationem ..., p. 168 (a. 787): ... valde honorifice ... a domno apostolico Hadriano receptus ..., ... minime apostolicus credebat, p. 170 (a. 786): apostolicus vero cum cognovisset ..., p. 180 (a. 794): missi domni apostolici Hadriani.

[5] *Ibid.*, p. 304 (a. 801): Leo apostolicus, ... apostolicus Leo ..., p. 305 (a. 801): ... ab apostolico more antiqu. prius ..., cum apostolico Leone, ... cum domno apostolico Leone ...

[6] *Ibid.*, p. 375 (a. 859): ad Nicolaum apostolicum ..., p. 378 (a. 864): contra domnum apostolicum ..., in praesentiam apostolici viri Nicolai ..., p. 380 (a. 867): policitus est apostolico ..., Nicolaus apostolicus ..., p. 412 (a. 896): ... successit apostolicus nomine Stephanus ..., extra solitum sepultarae apostolici locum ..., p. 414 (a. 899): Wichingus ... ab apostolico destinatus episcopus.

[7] *Ibid.*, p. 460 (a. 863): Carolus missos domni apostolici Nicolai recipit ..., epistolas domni apostolici ..., domnus apostolicus ..., ab apostolico sunt damnati ..., p. 462 (a. 863): per deprecationem domni apostolici ..., domnus apostolicus ..., p. 462 (a. 864): legatos ... apostolicus ... degradavit, p. 463 (a. 864): quod audiens apostolicus ..., apostolico misit ..., si apostolicus nollet ..., p. 464 (a. 864): deux fois: apostolicus recipere noluit ..., p. 465: ad apostolicum dirigunt ..., ad apostolicum vadit ..., p. 466: ab apostolico restitui ..., p. 468 (a. 865): nihil horum idem apostolicus agere voluit ..., coangelicus Nicolaus apostolicus ..., domni Nicolai apostolici ..., p. 499 (a. 876): epistolae a domno apostolico ..., ad missos apostolici ..., p. 500 (a. 876): missi apostolici ..., nepos apostolici ..., epistola apostolici ..., ab apostolico transmissa dona ..., legati apostolici, p. 501: legati apostolici, p. 502 (a. 877): Johannes apostolicus.

[8] *Ibid.*, p. 561 (a. 794): ... missi apostolici, p. 587 (a. 874): datis apostolico Johanni et Romanis magnis muneribus.

[9] *Ibid.*, p. 38 (a. 800): ipso apostolico Leoni, ipsum apostolicum.

[10] M. G. H. Ss., II, p. 619: contra Leonem apostolicum, apostolici Leonis ..., p. 620: Leonem apostolicum ..., apostolicus Leo ..., apostolicus domnus ..., p. 621: trois fois domnus apostolicus, p. 628: missos ab apostolico directos.

[11] MANSI, XVI, 7: apostolatus vester: apostolicae memoriae papam Nicolaum, 8: ferentem etiam legationem ab apostolicis meritis ... 11: cum apostolicus ille pontifex. L'expression «apostolica

particulièrement que le titre d'«apostolicus» est très souvent employé par un autre document concernant l'histoire des deux frères, la Légende dite italique qui date du IXᵉ siècle.[1] Ajoutons encore que même le représentant du pape au concile de Photios en 879, le cardinal Pierre,[2] emploie à plusieurs reprises pareille terminologie en parlant du Souverain pontife.

On trouve, de plus, cette titulature dans les documents officiels, pontificaux et autres, de l'époque. Par exemple, dans la lettre de Jean VIII à l'empereur Basile[3], dans le «commonitorium» de Jean VIII aux légats envoyés au concile de Photios[4], dans la lettre d'Etienne (VI) à Athanase, évêque de Naples[5], dans celle de Louis II à Basile Iᵉʳ[6].

Ces exemples pourraient encore être complétés. Mais bornons-nous à ceux que nous avons cités et qui montrent de façon très claire l'emploi absolument courant du titre d'«apostolicus» dans l'Église occidentale des VIIIᵉ et IXᵉ siècles. Employé non seulement à Rome mais dans l'empire franc et sur le territoire germanique, il a dû être également en usage en Moravie où l'a introduit le clergé germanique. Le biographe de Constantin et de Méthode s'est donc tout simplement conformé aux usages de l'Eglise occidentale et, en parlant du pape, il a employé le titre qui était alors courant. Toutes les com-

---

sedes» y revient d'ailleurs sans cesse. Remarquons que même la lettre des évêques bavarois, adressée en 900 au pape Jean X, révèle l'influence de cette titulature, très employée au IXᵉ siècle (PASTRNEK, *l. c.*, p. 277: Vos ... apostolica potestate armati ..., apostolicarum rerum procurator).

[1] PASTRNEK, *l. c.*, p. 243: litteris apostolicis ..., venerabilis apostolicus ..., apostolicum virum ..., praecepit antem sanctus apostolicus ..., ipsi quoque apostolico ..., p. 244: ... apostolice pater ..., non est visum apostolico ..., convenientes ad apostolicum, placuit ... apostolico. Mgr Grivec, *l. c.*, p. 56, paraît croire que cet emploi du titre d'«apostolicus» par la Légende italique doit être expliqué par la dépendance existant entre cette partie du texte et la légende slavonne de Constantin. Ce serait un argument si, comme Mgr Grivec le prétend, l'emploi de ce titre avait été une particularité presque exclusive des Légendes de Constantin et de Méthode. Mais nous voyons que ce n'est pas le cas. L'auteur de la Légende italique se conforme tout simplement, en ce qui concerne ce détail, aux usages du temps. Sa titulature rappelle celle que nous avons rencontrée dans d'autres documents du IXᵉ siècle. L'identité des renseignements concernant la mort de Sᵗ Cyrille et les circonstances qui accompagnèrent son enterrement ne prouve pas nécessairement que l'auteur de la Légende italique se soit inspiré de la légende slavonne. Il semble plutôt que les deux auteurs aient puisé leurs informations à la même source, la tradition romaine qui s'était greffée sur la mort et l'enterrement du Saint grec devenu vite si populaire dans la Ville éternelle. Cette coïncidence serait plutôt la preuve de l'exactitude des renseignements apportés ici par la Légende de Constantin.

[2] MANSI, XVII, 390, 392: apostolicus papa, apostolicus dominus, apostolicus.

[3] *M. G. H., Ep.,* VII, p. 171: ab apostolico (voluerunt divisi) manere ...

[4] *Ibid.,* p. 188: deux fois Ἰωάννης ὁ ἀποστολικὸς πάπας ... μετὰ τοῦ ἀποστολικοῦ.

[5] *Ibid.,* p. 337: ... si domnus apostolicus ... deleverit ...

[6] *Ibid.,* p. 392: ... patris nostri apostolici papae.

binaisons tendant à établir l'origine orientale de ce titre et toute les déductions qu'on a pu en tirer ne reposent, on peut le dire, sur rien et doivent être abandonnées.[1]

Il est toutefois très important de constater que les biographes des deux frères se sont conformés en ce qui concerne ce détail particulier, si important pour l'interprétation de la doctrine catholique sur la primauté, aux usages de l'Église occidentale. Ce ne serait certainement pas être trop hardi que d'en tirer la preuve des sentiments de respect, de reconnaissance et de cordialité manifestés, comme nous l'avons déjà dit, par les deux frères à l'égard des Souverains pontifes; il ne faut d'ailleurs pas non plus en exagérer la portée, puisqu'il s'agit d'un titre devenu général au IXe siècle.

*

L'introduction à la Vie de Méthode (chap. I) vient encore à l'appui de la thèse suivant laquelle les deux frères reconnaissaient la primauté des papes. Le biographe, en effet, y énumère entre autres les six conciles œcuméniques qui ont défini la foi orthodoxe et, à cette occasion, nomme toujours en premier lieu les papes sous le pontificat desquels ces assemblées ont été convoquées. C'est même au pape Sylvestre qu'il attribue expressément l'initiative de la réunion du premier synode de Nicée bien que ce dernier ait été convoqué par l'empereur Constantin le Grand. Ce rôle prépondérant attribué aux successeurs de St Pierre est significatif et personne ne pourra contester que ce soit une preuve de la reconnaissance de la primauté romaine.

Mgr Grivec[2] a très justement déjà attiré l'attention sur ce détail. Il n'y a rien

---

[1] Ne pourrait-on même pas aller encore plus loin et penser que Théodore le Studite, en employant ce titre, a subi certaines influences occidentales? Il paraît au moins très suggestif que Théodore soit en Orient à peu près le seul à employer le mot « apostolicus» dans le sens qui nous intéresse à une époque où il devient très fréquent en Occident. On sait, d'ailleurs, que Théodore était en rapports suivis avec Rome, les moines grecs de cette ville lui servant d'intermédiaires comme il résulte de la lettre expédiée par lui à Basile, archimandrite d'un couvent grec de Rome (*P. G.* vol. 99, ep. l. I., ep. XXXV, col. 1028 et suiv.). Cf. aussi la lettre à Epiphane, ep. l. II, ep. XXXV, col. 1209, qu'il envoie à Rome. Il est assez probable que l'usage du titre d'« apostolicus» dans les écrits de Théodore doive être expliqué par ces influences. Mgr GRIVEC, *l. c.*, p. 55, n'exclut du reste pas cette influence. Remarquons, d'autre part, que Théodore connaissait bien aussi la théorie sur la pentarchie (pouvoir des cinq patriarches) dans le gouvernement de l'Eglise, théorie qui était si courante en Orient et qui obscurcissait l'idée de la primauté du pape (cf. ses lettres: Ep. l. II, 62, 63, 106, 121, 129; *l. c.*, col. 1280, 1282, 1292, 1396, 1417). Sur sa doctrine concernant la primauté, voir S. SALAVILLE, *Quae fuerit S. Theodori Studitae doctrina de Beati Petri Apost. deque Romani Pontificis primatu*, Acta II. conventus Velehradensis, Pragae, 1910, pp. 123–134.

[2] *L. c.*, pp. 115 et suiv.

là d'ailleurs de surprenant puisque, à cette époque, la position dominante du pape dans l'Eglise était, on le sait, généralement reconnue par l'Eglise d'Orient.[1] Il paraît que même dans cette dernière il était d'usage de nommer toujours le pape ou ses représentants avant les autres patriarches quand on énumérait les conciles œcuméniques. On constate, au moins, ce fait dans l'Histoire de Georges le Moine.[2] Le biographe de Méthode aurait donc ici encore suivi une habitude génerale, reconnue par l'Église officielle qui, dans les protocoles des sessions conciliaires, mettait aussi les papes ou leurs représentants en premier lieu. L'idée suivant laquelle, d'autre part, les conciles ne pouvaient être appelés œcuméniques sans la confirmation du pape a été exprimée de la façon la plus claire par le diacre Etienne dans sa Vie d'Etienne le Jeune écrite en 807: l'auteur fait déclarer par son héros que le synode iconoclaste ne pouvait prétendre à l'épithète d'œcuménique puisqu'il n'avait pas été approuvé par les patriarches de Rome, d'Alexandrie, d'Antioche et de Jérusalem; et, mentionnant le patriarche de Rome, Etienne ajoute: «... il existe un canon qui interdit de décider des affaires ecclésiastiques sans le pape de Rome.»[3]

*

La doctrine de la primauté pontificale est particulièrement bien exposée dans deux scholies vieux-slaves relevés par A. Pavlov en 1897[4] sur deux ma-

---

[1] Voir pour les détails J. PARGOIRE, L'Église byzantine, pp. 44 et suiv., 189 et suiv., 289 et suiv. VORONOV, l. c., pp. 75 et suiv., reconnaît aussi que la position prééminente des papes dans l'Eglise était alors généralement reconnue par l'Eglise orientale. Il faut souligner la loyauté avec laquelle il traite cette question et il faut remarquer − les textes cités par Voronov l'indiquent nettement − qu'il ne s'agissait pas seulement d'une espèce de primauté purement honorifique.

[2] Citons ici, à titre documentaire, toutes les mentions de Georges le Moine à propos des conciles œcuméniques et des papes [Ed. de Boor, Leipzig (Teubner), 1904, II]: Le premier concile œcuménique, p. 509: ... ταύτης ἡγοῦντο Σιλβέστρου τοῦ τῆς πρεσβυτέρας Ῥώμης τοποτηρηταί, Βίτων καὶ Βικεντίων πρεσβύτεροι..., IIe concile, p. 575: ... ἐπὶ Δαμάσου πάπα Ῥώμης, ἧς ἡγοῦντο Τιμόθεος Ἀλεξανδρείας, Μελέτιος Ἀντιοχείας, Κύριλλος Ἱεροσολύμων καὶ Γρηγόριος ὁ Θεολόγος... IIIe conc., p. 605: ... ἧς ἡγοῦντο Κύριλλος Ἀλεξανδρείας διέπων καὶ τὸν τόπον Κελεστίνου τοῦ Ῥώμης., .. IVe conc., p. 612: ... ἧς ἡγοῦντο Λέοντος μὲν τοῦ ἁγιωτάτου πάπα Ῥώμης (τοποτηρηταί) Πασχάσιος καὶ Λουκίνσιος ἐπίσκοποι καὶ Βονιφάτιος πρεσβύτερος... Ve conc., p. 629: ... ἐπὶ Βιγιλίου τοῦ ἁγιωτάτου πάπα Ῥώμης διὰ λιβέλλου τὴν ὀρθὴν πίστιν κυροῦντος..., VIe conc., p. 726: ἧς ἡγοῦντο Θεόδωρος καὶ Γεώργιος πρεσβύτεροι καὶ Ἰωάννης διάκονος τοποτηρηταὶ Ἀγάθωνος πάπα Ῥώμης... VIIe conc., p. 769: ... ταύτης ἡγοῦντο Πέτρος πρεσβύτερος τοῦ ἁγίου ἀποστόλου Πέτρου καὶ Πέτρος πρεσβύτερος καὶ ἡγούμενος μονῆς τοῦ ἁγίου Σάβα τὸν τόπον ἐπέχοντες Ἀδριανοῦ πάπα Ῥώμης...

[3] Vita S. Stephani Junioris, P. G., vol. 100, col. 1144: ... καίπερ κανόνος προκειμένου, μὴ δεῖν τὰ ἐκκλησιαστικὰ δίχα τοῦ Πάπα Ῥώμης κανονίζεσθαι.

[4] Анонимная греческая статья о преимуществахъ Константинопольскаго патриаршаго

nuscrits contenant la traduction du Nomocanon grec appelé «quatuordecim titulorum », le même qui fut plus tard réédité et augmenté par Photios. A la fin de cette version slave de l'édition ancienne, antérieure à celle de Photios, était ajouté un chapitre « sur les privilèges du très saint siège de la ville de Constantinople ». Ce chapitre contenait d'abord le 28e canon du concile de Chalcédoine concernant la position de Constantinople dans l'Église orientale, des fragments des canons 9 et 17 du même concile ainsi que des extraits de lois de Justinien attribuant certains privilèges au siège patriarcal de la capitale byzantine. Le 28e canon est suivi d'un commentaire qui dépasse de beaucoup le sens du texte conciliaire et affirme que le siège de Constantinople avait été mis par Chalcédoine après celui de Rome parce qu'à l'époque la Vieille Rome tenait encore le gouvernail de l'Empire, mais que, la situation politique ayant changé depuis et le siège du gouvernement ayant été transféré à Constantinople, la primauté dans l'Église devait être également transférée au siège de cette ville. On sait que les deux collections de droit canonique grec, celle qu'on attribue à Jean le Scholastique et celle du Nomocanon, contenaient souvent des suppléments; Pavlov a réussi à retrouver l'original grec sur lequel a été faite la traduction slave de ces suppléments. Mais la version slave contient deux scholies supplémentaires qui suivent la note relative au 28e canon et la contredisent de façon très explicite en défendant la primauté du pape. Ils rappellent en effet d'abord que le canon en question n'a pas été reconnu par le pape Léon et défendent l'origine divine de la primauté romaine: les empereurs, disent-ils, ont bien siégé à Milan et à Ravenne — on peut y voir encore leurs palais — et pourtant la primauté n'a pas été transférée à ces deux villes; si, de plus, les Pères de Chalcédoine n'ont osé conférer à Jérusalem, pour honorer Jésus-Christ, le roi des rois, que le titre d'archevêché et ne lui ont pas attribué les privilèges du patriarcat, comment auraient-ils pu oser, pour honorer un roi terrestre, transférer à Constantinople les droits divins et éternels de Rome? Il est certain que, sans le consentement du pape, aucun concile ne peut être appelé œcuménique. Pour terminer, l'auteur de ces intéressants scholies fait, du reste, appel aux lettres du pape Léon le Grand à l'empereur Marcien, à Pulchérie et à l'évêque de Constantinople, Anatole, qui ont traité le même sujet.

On voit bien que ces scholies ont une grande portée. Or il est remarquable

престола и древнеславянскій переводъ ея съ двумя важными дополненіями, Виз. Врем., vol. IV, pp. 143–159.

qu'on n'ait pas encore trouvé l'original grec de cette version vieille-slave; ceci explique que l'éditeur de ces textes les attribue à Méthode qui les aurait composés en grec, deux manuscrits slaves nous en ayant conservé la traduction.

Le Père Jugie[1] qui s'est, lui aussi, occupé de ces scholies les a également attribués à Méthode, qui les aurait composés directement en slave, ce qui ferait qu'on ne puisse pas en avoir de texte grec. Mgr Grivec, conformément à sa théorie sur l'opposition existant entre une théologie monacale – influencée par celle d'Alexandrie et d'Antioche – et la théologie officielle du bureau patriarcal de Constantinople, a imaginé[2] que l'original grec de ces scholies fut élaboré à la fin du VIIIe siècle dans les couvents grecs où, suivant lui, on défendait âprement la primauté des papes contre les patriarches qui s'efforçaient d'en atténuer autant que possible la portée. Nous avons déjà eu l'occasion de dire combien peu fondées nous apparaissent toutes ces théories relatives aux influences d'Alexandrie et d'Antioche sur les moines byzantins et combien il est risqué de parler d'opposition entre la théologie des moines grecs et celle des patriarches. L'auteur a d'ailleurs de lui même pensé qu'il s'était un peu avancé et dans une autre étude[3] il a attribué les scholies en question à Constantin qui les aurait composés à Rome et en grec entre 867 et 869. Mgr Grivec prétend que les deux frères ont dû, à cette époque, exposer leur doctrine sur la primauté puisque leurs relations avec Photios, qui inaugurait sa campagne antiromaine, les rendait suspects et c'est Méthode qui, par la suite, aurait probablement traduit en slave le texte grec de son frère.

Que penser de toutes ces hypothèses? Il nous semble que la dernière qui attribue la rédaction des scholies à Constantin est la moins vraisemblable. Nous avons déjà dit[4] quelle était la situation à Rome vers 867 et quels étaient les sentiments des papes à l'égard de l'œuvre des deux frères en Moravie. Les prévenances qu'on avait pour eux à Rome cadrent mal avec cette hypothèse.

Les scholies qui nous intéressent ont pourtant été composés en Occident et peut-être à Rome même; certains détails le montrent bien. La mention, faite à deux reprises, des lettres du pape Léon nous montre d'abord à quelles sources l'auteur a puisé. Mais, d'autre part, un Oriental aurait difficilement pu parler,

---

[1] *Le plus ancien recueil canonique slave et la primauté du pape*, Bessarione, 1918. Cf. aussi *Le 28e canon de Chalcédoine*, Ibid., vol. I, pp. 875–885, *Rome et le 28e canon de Chalcédoine*, ibid., pp. 215–224.

[2] *Doctrina byzantina de primatu*, l. c., pp. 87 et suiv.

[3] *Orientalische und römische Einflüsse in den Scholien der Slavenapostel Kyrillos und Methodios*, Byz. Zeitschr., vol. XXX, 1929, pp. 287–294.

[4] Voir plus haut, pp.

à cette époque, des palais impériaux de Milan et de Ravenne. Quant à la mention du patriarcat de Jérusalem elle ne prouve pas nécessairement que l'auteur fût un Oriental pur ou un Grec influencé par les traditions orientales très au courant des luttes qui furent menées pour la reconnaissance du patriarcat de Jérusalem. L'auteur fait tout simplement allusion à l'approbation – par les Pères du concile de Chalcédoine (VIIᵉ session)[2] – d'une convention survenue entre le patriarche d'Antioche et l'évêque de Jérusalem, convention d'après laquelle cette dernière ville avec les diocèses de Palestine était déclarée autonome.

On aurait, du reste, l'impression, au premier abord, que la notice dont nous nous occupons fut composée peu après le concile de Chalcédoine, quand les Grecs ont commencé à interpréter à leur façon le 28ᵉ canon; mais puisqu'il semble bien que le chapitre ajouté à la collection du Nomocanon ne fut probablement rédigé qu'au début du VIIIᵉ siècle, il nous faut dater de la même époque la composition des scholies. Il semble, d'autre part, possible de tenir les couvents grecs de Rome pour le lieu où ils ont été rédigés si, comme il est très vraisemblable, on admet que la version slave suppose un original grec. Les moines helléniques de la Ville éternelle vivaient dans un milieu très différent de Byzance et on comprendrait fort bien qu'ils n'eussent pas, sur la primauté des papes, des idées aussi radicales que celles d'une partie de leurs compatriotes. Nous avons vu avec quelle bienveillance certains papes – des VIIIᵉ et IXᵉ siècles précisément – les traitaient. Cette attitude ne pouvait qu'influencer très avantageusement l'évolution de leurs opinions sur la primauté romaine, opinions dont ils avaient d'ailleurs apporté la base même de leur milieu d'origine. C'est à Rome que, dans ces conditions, Méthode ou l'un de ses élèves en aurait fait connaissance et les aurait traduits en slave, utilisant peut-être même un exemplaire du Nomocanon écrit dans un des couvents grecs de la ville.[3]

---

[1] Comme le veut GRIVEC, *l. c.*, pp. 90 et suiv.

[2] MANSI, VII, 180–184.

[3] Attirons l'attention sur l'intéressante étude de N. P RUTKOVSKIJ sur ce problème (Латинскія схоліи въ кормчихъ книгахъ, Seminarium Kondakovianum, vol. III, 1929, pp. 149–168). On y trouvera aussi, pp. 151–155, une bonne édition grecque et slavonne des scholies. M. Rutkovskij est assez sceptique quant à l'attribution de ces scholies à Méthode et serait plutôt enclin à les dater de l'époque qui suit la mort de l'apôtre slave. Il y verrait même volontiers la trace de la « censure » exercée par les adversaires latins désireux de donner aux décisions de Chalcédoine, traduites en slave dans le recueil de droit canon, une interprétation « latine ». L'étude de M. Rutkovskij apporte quelques suggestions intéressantes mais nous ne partageons pas son opinion sur l'origine des scholies. Il est regrettable que l'auteur n'ait pas connu les travaux de Mgr Grivec sur ce sujet. Celui-ci a d'ailleurs ignoré également l'étude dont nous parlons dans son dernier article de la Byz. Zeitschr.

Voilà comment nous serions, quant à nous, très porté à résoudre les difficultés signalées. Ce n'est évidemment – nous ne le cachons pas – qu'une hypothèse, mais qui a peut-être l'avantage d'être moins invraisemblable que les autres. Si, manquant de précisions sur ce point particulier, nous devons renoncer à atteindre la certitude absolue, nous devons en tout cas rattacher à la mémoire de Méthode les scholies dont nous venons de nous occuper. Ils constituent un document qui illustre sa doctrine en ce qui concerne la place du pape dans l'Église, doctrine dont il avait, lui aussi, apporté de sa patrie les éléments essentiels et dont l'évolution pendant son séjour en Occident a été si heureuse.

*

Nous pouvons maintenant revenir à l'Introduction à la Vie de Méthode et surtout au passage concernant les conciles œcuméniques, car nous y retrouverons la mentalité orientale. L'auteur mentionne bien le pape en premier lieu mais il attribue également une place importante aux empereurs et à certains patriarches orientaux qui y ont joué un rôle particulièrement éminent. Parlant du deuxième concile œcuménique il mentionne le pape Damase et St Grégoire de Naziance en même temps que l'empereur Théodose, à l'occasion du troisième concile le pape Célestin et le patriarche d'Alexandrie Cyrille qui était, on le sait, le véritable chef de la campagne des orthodoxes contre Nestorios, patriarche de Constantinople, et il n'oublie pas davantage l'empereur. A propos du concile de Chalcédoine, le pape Léon, le patriarche de Constantinople Anatole et l'empereur Marcien sont cités. Le patriarche de Constantinople n'est pas mentionné à propos des Ier, Ve et VIe conciles. Mais le nom de l'empereur figure toujours. Remarquons pourtant que le biographe date du règne de Justin au lieu de celui de Justinien le cinquième concile tenu en 553. Il est certain qu'un auteur occidental n'aurait pas fait une telle place dans les conciles œcuméniques aux patriarches orientaux et aux empereurs.

Cette mentalité byzantine se révèle aussi à la fin du même passage. Parmi les hérétiques condamnés par le sixième concile figure en effet le nom du pape Honorius, frappé à cause de son attitude peu décidée à l'égard du monothélisme; on comprend que les Orientaux aient saisi avec empressement l'occasion de donner une «leçon» aux patriarches de Rome et qu'ils n'aient jamais manqué depuis de joindre avec une certaine satisfaction le nom du malheureux Honorius à ceux des hérétiques parmi lesquels figurait une longue liste de patriarches orientaux. Tous les conciles qui suivirent celui de 553 se plurent par exemple à répéter la condamnation du pape, le synode de 692 «in Trullo», le VIIe concile œcuménique de 787, le VIIIe concile convoqué en 869 pour réhabiliter Ignace, et presque tous les écrivains grecs firent de même.

En Occident au contraire on s'efforçait bien entendu de diminuer la portée de cette condamnation et il est curieux de voir que cette question préoccuppait à un haut degré les esprits dans la Rome du IXe siècle. Le pape Hadrien II[1] s'en est occupé et Anastase le Bibliothécaire a entrepris dans son opuscule *Collectanea ad Johannem Diaconum*[2] de réhabiliter la mémoire du malheureux pape.

Il est donc intéressant de constater que sur ce point particulier l'auteur de la Vie de Méthode ne s'est pas laissé influencer par l'opinion du Saint-Siège mais a continué à professer celle de ses compatriotes.[3]

*

Il paraît singulier qu'à cette occasion le biographe de Méthode ne parle que de six conciles œcuméniques alors que l'Église de Constantinople en comptait sept. Il en résulte qu'il ne reconnaissait pas comme concile général celui de 787, le deuxième tenu à Nicée. Ne pourrait-on pas voir ici la preuve que le biographe, et peut-être aussi son héros, se conformaient sur cet autre point aux usages de l'Église romaine?

On sait que les Actes du IIe concile de Nicée ont été très mal accueillis surtout par l'épiscopat franc. La cause de cette méfiance était surtout la mauvaise traduction latine qui faussait le véritable sens des décisions conciliaires concernant le culte des images. La confirmation du concile par le Saint-Siège tarda pour la même raison ainsi qu'à cause des dissensions suscitées entre les Églises romaine et byzantine par l'affaire «mœchienne». Protocolairement on ne reconnaissait donc à Rome que six conciles œcuméniques bien qu'on acceptât en fait les décisions de l'assemblée de 787.

A l'époque de la composition de la Vie de Méthode les difficultés devaient pourtant avoir été réglées car, le bibliothécaire Anastase ayant procuré une nouvelle traduction des Actes, rien ne s'opposait à ce que le concile fût reconnu comme œcuménique. Cela indique donc au moins que la question ayant, sous

---

[1] MANSI, XVI, 126.

[2] *P. L.*, vol. 129, col. 557 et suiv. Voir plus loin, p. 317.

[3] Mgr. GRIVEC *(l. c.)*, probablement par excès de prudence, a passé ce petit détail complètement sous silence. Il a eu tort car on sait que cette malheureuse affaire d'Honorius ne compromet nullement l'infaillibilité pontificale, les propos d'Honorius à l'égard du monothélisme n'ayant pas été une «definitio ex cathedra». Consulter sur ce point HEFELE-LECLERQ, *Histoire des conciles*, vol. III, 1, pp. 515 et suiv., et surtout l'excellente étude de E. AMANN dans le *Dict. de Théol. cathol.*, vol. VII. 1, col. 93-132 (Honorius Ier).

Jean VIII, perdu son intérêt pour Rome, aucune pression ne pouvait plus être faite à ce sujet sur les deux frères du côté romain.[1]

Faudrait-il rechercher dans les pratiques de l'Église byzantine les raisons de cette singulière méfiance du biographe de Méthode? On sait que le IIe concile de Nicée était officiellement rangé par cette Église parmi les conciles œcuméniques, mais cette reconnaissance n'était pas générale. Le premier qui mit en doute l'œcuménicité de ce synode ne fut en effet personne autre que Théodore le Studite, l'intrépide défenseur du culte des images. Il en énumère lui-même les raisons dans sa lettre à Arsène,[2] élevant notamment des doutes quant à la représentation des patriarches orientaux et de celui de Rome; on sait d'ailleurs que l'antipathie du Studite à l'égard du patriarche Taraise, qu'il ne trouvait pas assez zélé, influait pour beaucoup sur son opinion. Il est vrai qu'il changea d'avis et dans une autre lettre, adressée à Pierre de Nicée,[3] déclara de façon très explicite reconnaître l'œcuménicité de l'assemblée en question. Dans ces conditions il sera bien difficile de prétendre que le biographe de Méthode suivait, en omettant le VIIe concile, l'exemple de Théodore; il est pourtant vrai que les disciples de ce dernier sont souvent allés plus loin que leur maître en particulier à l'époque qui nous occupe et il se peut que ce soient surtout eux qui, par opposition aux chefs de l'Église de Constantinople, aient refusé de reconnaître l'œcuménicité du VIIe concile. Mais ce serait trop s'avancer que de dire que le biographe de Méthode était de ce groupe. Il semble bien que le septième concile n'ait pas trouvé auprès d'une partie des moines le même accueil que les six précédents. L'auteur de la Vie de St Léon de Catane, par exemple, qui a dû composer cette Vie autour de l'année 787, ne parle que de six conciles œcuméniques. St Michel le Syncelle, allant de Jérusalem à Constantinople, rencontra, en Séleucie, quelques moines qui refusaient, eux aussi, de reconnaître le septième concile comme œcuménique et qui avaient rayé des dyptiques le nom du patriarche Taraise.[5] Le Saint les «convertit» d'ailleurs, ce que l'auteur de la Vie considère comme un grand mérite. Ce fait doit être relevé car Michel est un moine oriental du patriarcat de Jérusalem et l'on sait que les patriarches orientaux hésitaient aussi à reconnaître l'œcuménicité du

---

[1] Cf. l'importante notice de G. LAEHR en ce qui concerne la reconnaissance du VIIe concile (*l. c.*, pp. 429–431). Voir ce que nous en disons plus loin, p. 315.

[2] Ep. lib. I., ep. 38, *P. G.*, vol. 99, col. 1044.

[3] *P. G.*, vol. 99, col. 1412. Il reconnaît aussi le septième concile dans son testament.

[4] LOPAREV, *l. c.* vol. 11, p. 122, *A. S.* Février, III, col.223.

[5] SCHMIDT, Кахріе-джами, l. c., p. 233, LOPAREV, *l. c.*, vol. 17, p. 216.

VIIᵉ concile – auquel ils n'avaient pas été légalement représentés – puisque Photios les invita particulièrement à le faire par son encyclique de 867.[1] Ainsi donc même dans les patriarcats orientaux les opinions étaient partagées.

On ne peut par conséquent pas, du fait que le biographe de Méthode ne cite que six conciles œcuméniques, conclure – comme on l'a pourtant essayé[2] – qu'il était studite ou que les moines de Constantinople subissaient sur ce point encore l'influence des traditions des patriarcats orientaux, plus favorables à Rome. Cela ne signifie pas non plus que celui qui ne reconnaissait pas le septième concile était en opposition à Photios; s'il est vrai que c'est ce dernier surtout qui insista, au concile de 879,[3] pour que tous les fidèles de Byzance reconnussent l'œcuménicité du IIᵉ synode de Nicée, il ne faisait que suivre ainsi l'exemple d'Ignace et du concile de 869.[4] Celui donc qui ne reconnaissait pas l'œcuménicité de l'assemblée de 787 était également en contradiction avec Ignace qui, comme patriarche, défendait le point de vue de son Église.

L'attitude du biographe de Méthode à l'égard du VIIᵉ concile œcuménique n'est pas «archaïque» suivant l'expression de Mgr Grivec; elle n'est pas due non plus à une hostilité quelconque contre Photios; elle signifie tout simplement que l'écrivain, et peut-être Méthode également, restèrent fidèles à une pratique qui n'était pas exceptionnelle alors à Byzance et continuèrent à partager les doutes d'un certain nombre de leurs compatriotes – moines surtout – à l'égard de l'œcuménicité du VIIᵉ concile. Ils persistèrent d'autant plus dans cette opinion que les milieux où ils vécurent depuis leur départ de Constantinople étaient sinon du même avis qu'eux,[5] du moins indifférents quant à ce détail.

*

Mgr Grivec[6] voit dans ce passage de la Vie de Méthode un fragment d'une catéchèse du Saint. Il semble que même ici il en exagère un peu l'importance. C'est tout à fait la mentalité de l'époque d'insérer dans les écrits une profession de foi orthodoxe ou au moins d'y énumérer les hérétiques condamnés par les conciles pour les anathématiser de nouveau, et c'était tout particulière-

---

[1] P. G., vol., col. 740.

[2] GRIVEC, l. c., pp. 119 et suiv.

[3] MANSI, XVII, 494.

[4] MANSI, XVI, 181.

[5] En 880 encore, Jean VIII, qui pourtant fut très favorable à la reconnaissance du VIIᵉ concile, dit dans sa lettre à Svatopluk (M. G. H., Ep., VII, p. 223, PASTRNEK, l. c., p. 256) que Méthode professait la foi établie par les *six* conciles œcuméniques.

[6] L. c., p. 115.

ment l'habitude des hagiographes. Nous avons déjà fait allusion à une pareille profession de foi dans la biographie de Léon de Catanae; on en trouve une longue dans les deux biographies du fameux héros du Mont Olympe, St Joannikios[1] et Pierre, le premier biographe du Saint, se contente tout simplement de copier mot à mot la profession de foi du patriarche Nicéphore,[2] ce qui ne l'empêche pas de décrire la stupéfaction des assistants qui admiraient l'érudition théologique de Saint Joannikios comme si cette déclaration avait été son œuvre. Le biographe de Saint Etienne le Jeune[3] a inséré de son côté dans la Vie de son héros une longue énumération des hérétiques parmi lesquels figure d'ailleurs Honorius aux côtés de Mahomet – bien mauvaise compagnie pour l'infortuné pape.

C'est encore quelque chose d'analogue que nous donne la biographie de St Théodore d'Edesse:[4] le Saint, qui reconnaît déjà sept conciles œcuméniques, énumère les différents hérétiques de façon absolument analogue au passage correspondant de la Vie de Méthode et n'oublie pas davantage d'y insérer le nom d'Honorius.

Tout le premier chapitre de la Vie de Méthode correspond d'ailleurs, parfaitement au schéma suivi, en général, par les hagiographes byzantins. Ceux-ci avaient l'habitude de comparer leurs héros à des personnages bibliques particulièrement connus et remarquables.[5] Presque toujours étaient mentionnés ainsi les patriarches Abraham, Isaac, Jacob, Joseph l'Égyptien, Job, le prophète Élie, Moïse, David, Jean le Baptiste. Cette comparaison était faite de préférence à la fin des biographies mais souvent aussi au début ou, si une bonne occasion se présentait, dans le courant même de l'exposé. Le biographe de Méthode s'est conformé à cette habitude: dans le premier chapitre il énumère Enoch, Noë, Abraham, Isaac, Jacob, Joseph l'Égyptien, Job, Moïse, Aaron, Jésus Nave, Samuël, David, Salomon, Élie, Jean-Baptiste et les martyrs, puis ayant encore ajouté à cette liste celle des Pères des six conciles œcuméniques, les papes en tête, il ajoute (chap. II) qu'à la fin Dieu a envoyé aussi au monde son héros Méthode, qu'il n'hésite pas à comparer à tous les saints personnages déjà énumérés. C'est tout à fait stéréotypé et pourtant on perçoit une certaine origi-

---

[1] A. S., Nov. III, pp. 376, 378, 417–420.

[2] Publiée par le CARD. MAI, *Patrum nova bibliotheca*, vol. V, pp. 22—27. Cf. aussi la profession de foi attribuée à Nicéphore et publiée par PAPADOPOULOS-KERAMEUS, Ἀνάλεκτα ἱεροσολ. σταχυλ., 1891, I, pp. 454–460.

[3] P. G., vol. 100, col. 1109.

[4] POMJALOVSKIJ, *l. c.*, p. 47.

[5] Voir ce qu'en dit LOPAREV, *l. c.*, vol. 17, p. 35.

nalité, le biographe donnant ainsi, en quelques mots, un raccourci historique de toute l'œuvre du salut jusqu'à son époque. Mais même dans cette présentation qui peut paraître originale au premier abord, il est possible de trouver certaines analogies avec d'autres œuvres de l'hagiographie byzantine. Nous voudrions surtout attirer l'attention sur l'Introduction à la Vie de Sᵗ Théodore de Sykéon[1] et à celle de Sᵗ Eustratios.[2] Partout, c'est la même idée: Dieu n'a jamais cessé d'envoyer au monde de grands hommes pour servir de guides et de modèles de vertus, les patriarches, les prophètes, d'autres hautes personnalités encore, et, à la fin, le Saint dont le biographe raconte la vie.

Le biographe de Méthode présente tous ces personnages comme paralysant par leur exemple l'activité du diable qui veut, à toutes les époques, séduire les hommes; ce détail encore est stéréotypé et se reproduit dans de nombreuses œuvres de l'hagiographie byzantine. C'est le μισόκαλος δαίμων[3] qui apparaît si souvent dans presque toutes les biographies pour tenter les hommes et susciter des difficultés à l'action des Saints.

Voilà pourquoi nous trouvons quelque peu exagéré de voir dans ce passage le raccourci d'une catéchèse de Méthode; c'est simplement un morceau qui a de multiples analogies dans l'hagiographie byzantine. Mais c'est justement pour cela que ce texte est important, puisqu'il nous donne la preuve que l'auteur de la Vie de Méthode est passé par l'école byzantine. La constatation est d'autant plus intéressante que la teneur de cette Vie apparaît comme beaucoup plus « occidentale » que celle de la Vie de Constantin, constatation explicable par le fait que le biographe de Méthode devait décrire l'activité de son héros en Occident tandis que la Vie de Constantin avait à s'occuper surtout de la carrière du Philosophe à Byzance.

Le biographe de Méthode montre encore à un autre endroit qu'il était attaché aux habitudes et aux croyances de l'Église byzantine. Aux chapitres I et XII[4] il proclame nettement qu'il suit, dans la doctrine sur la procession du Saint-Esprit, l'interprétation de l'Église orientale. Il déclare, en effet, dans le premier chapitre que le Saint-Esprit procède du Père et cite à l'appui de cette affirmation le passage de l'évangile de Sᵗ Jean (15, 26): «L'Esprit de la Vérité qui procède du Père». Au chapitre XII il traite le clergé germanique

---

[1] THEOPHILOU JOANNOU, Μνημεῖα ἁγιολογικά, pp. 361–362.

[2] PAPADOPOULOS-KERAMEUS, Ἀνάλεκτα ἱεροσολυμιτ. σταχυολογ., 1897, IV, p. 368 (ch. 2).

[3] Voir LOPAREV, l. c., p. 27; PROCHÁZKOVÁ-SUCHÁ, Poměr t. zv. pannonských legend, l. c., p. 45, pp. 62 et suiv., qui ont très justement attiré l'attention sur ce fait.

[4] PASTRNEK, l. c., pp. 217, 234.

d'adhérent à l'hérésie «hyopatérique». Cela veut dire, sans doute, qu'il lui reproche d'être trop intransigeant dans l'interprétation de ce mystère de la foi chrétienne et, anticipant sur une décision conciliaire, de joindre au symbole de foi du concile de Nicée regardé comme inviolable la formule «qui ex Patre Filioque procedit».

On sait que le clergé franc était, en effet, très intransigeant sur ce point et qu'il exaspérait et provoquait les Grecs par son attitude. A Rome on s'efforçait de calmer les esprits des Occidentaux et, tout en approuvant l'idée exprimée par la formule du Filioque, on ne permettait pas son adjonction au symbole de Nicée.

Méthode était entré en conflit avec le clergé germanique à cause de cette doctrine. On l'avait même accusé d'hérésie, il avait dû se rendre auprès du pape en 880 pour se justifier et il y avait pleinement réussi.[1] Pourtant son biographe continue à professer la doctrine de l'Église orientale. Comment expliquer ce fait? Méthode avait-il complètement renoncé à la formule grecque et adhéré à la formule latine? Il ne le semble pas car, même après ce sérieux incident, cette question n'a pas été tout à fait liquidée en Moravie. Le pape Etienne V (VI)[2] envoyant en 885, après la mort de Méthode, ses légats dans ce pays pour y régler les affaires ecclésiastiques, insiste, dans les instructions qu'il leur donne, sur le «Filioque» et sur la récitation de cette formule dans la confession de foi. Il ne reste donc qu'à supposer que le pape Jean VIII s'était contenté de la formule employée par les Pères grecs, «per Filium», celle de Méthode lui-même, qui peut être au fond conciliée avec la doctrine de l'Église latine sur la procession du Saint-Esprit. Le fait que Méthode ait refusé d'ajouter le Filioque comme le faisaient en Moravie ses adversaires n'a pas pu aggraver sa situation à Rome puisque l'Église romaine ne le faisait pas non plus à cette époque. La largeur d'esprit avec laquelle Jean VIII a traité cette question en 880 s'explique par l'attitude prise alors par lui à l'égard de Photios et des Grecs en général. S'il n'avait pas admis la formule de Méthode, il aurait dû logiquement rompre aussi ses relations avec les Grecs qui la professaient tous. Cette doctrine n'était pas seulement celle de Photios,[3] elle était générale à By-

---

[1] Voir les lettres du pape Jean VIII à Méthode et Svatopluk concernant cette affaire, *M. G. H., Ep.*, VII, pp. 161. 222 et suiv.

[2] *M, G. H., Ep.*, VII, p. 353, PASTRNEK, *l. c.*, p. 259.

[3] GRIVEC a parfaitement raison (*l. c.*, p. 143) quand il affirme que l'expression υἱοπατορία, employée par Photios dans sa *Mystagogia* (*P. G.*, vol. 102, col. 293) pour désigner l'hérésie de Sabellius et également par la Vie de Méthode, ne signifie pas que le Saint ou son biographe étaient partisans

311

zance et Photios a seulement exploité cette circonstance dans la campagne qu'il a menée contre Rome. Mais en 880, à l'époque où Méthode était accusé à Rome pour les mêmes croyances, Photios était réconcilié avec le pape et – nous aurons plus loin[1] l'occasion d'y revenir d'une façon plus approfondie – il resta en bons termes avec Jean VIII. Quant à la question du «Filioque» on l'avait abandonnée pour le moment. Photios ne la reprit que plus tard quand il se fut de nouveau brouillé avec le Saint-Siège. On comprend donc que, dans ces conditions, Jean VIII n'ait pas été particulièrement enchanté du fait que les Francs provoquaient une nouvelle affaire; il était d'autant plus enclin à se contenter des explications de Méthode qu'il avait compris les services appréciables que cet homme pouvait lui rendre dans sa politique destinée à regagner les Bulgares et avec eux une partie au moins de l'Illyricum.

Somme toute, on voit bien que l'attitude des deux frères à l'égard de Rome est tout à fait correcte[2] et correspond parfaitement aux idées qu'on avait alors

---

de Photios. Mais cela ne signifie pas non plus qu'ils étaient ignatiens. Rappelons que St Michel le Syncelle fut vers 814 envoyé à Rome par Thomas, patriarche de Jérusalem, pour saisir le pape de l'affaire du «Filioque» soulevée, au dire du biographe, par les moines francs de Jérusalem. On sait que Michel ne put pas s'acquitter de sa mission car il fut arrêté à Constantinople pour son opposition à l'iconoclasme. Voir LOPAREV, *l. c.*, vol. 17, p. 215, SCHMIDT, *l, c.* p. 231 et suiv. Sur le «Filioque» cf. HERGENRÖTHER, *Photius*, I, pp. 684–711, II, 633 et suiv.

[1] Pp. 317 et suiv.

[2] Nous avons tenu à souligner ce détail car on en a douté. M. BRÜCKNER, *Cyrill und Method*, (Archiv f. slav. Phil., 1918, p. 171), nous a reproché, et dans les termes véhéments qui lui sont coutumiers, de lui avoir imputé pareilles idées. Parlant du voyage de Méthode à Constantinople, nous écrivions, en effet (*Les Slaves, Byz. et Rome*, p. 272): «Est-il argument plus éloquent de la fausseté tout à fait grecque avec laquelle les deux frères dupèrent le Saint-Siège pendant tout leur séjour en Occident? (Brückner).» Nous n'avons pas, ce faisant, cité un passage précis de M. Brückner; nous avons tout simplement traduit l'impression générale qu'ont ressentie de nombreux savants à la lecture de ses ouvrages sur Sts Cyrille et Méthode. Qu'il nous suffise de rappeler, si notre affirmation a besoin d'être justifiée, quelques propos de cet auteur: «Die sonst ganz überflüssige Glagolica ist somit nur zu dem Zwecke einer Täuschung Roms erfunden worden» (*Thesen zur Cyrillo-Meth. Frage*, ibidem, vol. 28, 1906, p. 220) ou encore: «So gewinnt die mährische Episode eine ganz neue Bedeutung für die Kirchengeschichte Europas: sie wäre ein wohldurchdachter, trefflich ausgeführter Vorstoß der griechischen Kirche gegen Rom, ein Meisterstück des Photius vielleicht eher als des Cyrill, der dann nur sein Werkzeug, Handlanger, gewesen wäre. Rom ließ sich wirklich überrumpeln und täuschen, zumal der schwächliche Johannes VIII, aber schließlich wurde die impostura entdeckt und Svętopełk entledigte sich der lästigen Diener einer fremden Kirche» . . . . . (*l. c.*, p. 221). Si nous avons mal interprété la pensée de M. Brückner, nous le regrettons mais peut-être avions nous quelque excuse... M. Brückner range d'ailleurs parmi nos «Nachbeter» M. P. A. Lavrov, le célèbre académicien russe, qui s'est déclaré d'accord avec nous. C'est pour nous un honneur dont nous sentons toute la valeur et que nous apprécions d'autant

même en Orient sur la place tenue dans l'Église par les patriarches de la Vieille Rome. La bienveillance des papes pour Constantin et pour Méthode n'a pu qu'augmenter la vénération qu'ils professaient à l'égard du Saint-Siège et ceci apparaît surtout dans le fait qu'ils se sont conformés à certains usages occidentaux, en ce qui concerne notamment la titulature des papes. Quant aux autres habitudes ils sont restés fidèles aux croyances de leur Église d'origine et d'autant plus facilement qu'elles pouvaient très bien se concilier avec celles de l'Église romaine. Rien dans leur attitude ne méritait donc de reproches.

III.

Mais ce qui semble, aux yeux de certains, compromettre le plus la mémoire des deux frères, c'est leur attitude à l'égard de Photios. Nous avons vu que leurs relations avec lui avaient été cordiales avant leur départ pour la Moravie et qu'ils étaient alors – sans qu'on puisse en douter – ses partisans plus ou moins convaincus. Rien ne nous autorise à supposer qu'ils aient rompu avec lui lorsqu'il se fut brouillé avec Rome. Constantin et Méthode n'approuvaient certainement pas sa campagne – le premier des deux avait du reste déjà prouvé en une autre occasion que son amitié pour Photios n'allait pas jusqu'au dévouement aveugle – mais, chose curieuse, leurs biographes ne se permettent aucune invective contre le patriarche et lui témoignent plutôt du respect. Il y a là un fait qu'il faut prendre en considération si l'on veut juger l'attitude des deux frères eux-mêmes dans toute cette affaire et n'y aurait-il que cela on pourrait déjà avoir quelques doutes et émettre certaines critiques. Mais ce qui paraît révéler davantage encore les véritables sentiments des Saints, c'est la visite de Méthode à Constantinople et sa rencontre si empreinte de cordialité avec «l'auteur du

---

plus qu'il est fait à un «Anfänger» par quelqu'un qui est au terme de sa carrière. Nous regrettons de ne pas pouvoir remercier l'auteur par des compliments analogues : ses idées sur l'histoire des deux frères ont – à part quelques-unes – été généralement et très nettement rejetées, non seulement par la «grubaja čaď» – nous citons très exactement cette fois M. Brückner – mais par des spécialistes fort renommés. Qu'on nous excuse aussi de n'avoir pas attaqué directement le professeur berlinois et de n'avoir pas combattu ses idées. Il a toujours manifesté à l'égard des Byzantins un mépris si profond et méconu leur histoire d'une façon telle que nous avons jugé inutile d'entamer une polémique. Nous savons, du reste, apprécier à leur juste valeur les travaux de M. Brückner, dont le nom aura toujours une place marquée dans l'histoire des recherches cyrillo-méthodiennes. Ses «extempore» ont tiré les idéalistes de leurs doux rêves et les ont forcés à regarder les choses en face. Le lecteur saura apprécier lesquelles de ces «Wahrheiten» et «Thesen» se trouvent confirmées par notre méthode et lesquelles devront être qualifiées d'«Hypothesen, desto kühner, je unbegründeter».

schisme»; c'est vraiment là ce qui semble autoriser les reproches les plus vifs. Il y a donc un problème qui se pose d'une façon évidente: *Comment expliquer l'attitude des deux frères à l'égard de Photios? Comment la concilier avec leur propre «orthodoxie»?*

La clef de l'énigme doit être cherchée dans la politique orientale de Jean VIII, sous le règne de qui Méthode effectua son voyage à Constantinople. On a longtemps cru que Jean VIII, après avoir essayé de se rapprocher de Photios et avoir finalement constaté la fourberie du patriarche byzantin, l'avait excommunié à son tour et avait renouvelé contre lui toutes les censures déjà prononcées par les pontifes, ses prédécesseurs. Or, cette conception ne se justifie pas; comme Lapôtre[1] et Amann[2] l'ont déjà fait entrevoir Jean VIII après la réconciliation survenue entre le patriarche et le St Siège n'a plus changé d'attitude à l'égard de Photios et n'est jamais revenu sur sa décision primitive.

Sa politique orientale est d'ailleurs très curieuse à étudier. Les affaires d'Orient l'ont préoccuppé au plus haut degré pendant tout son règne. L'ultime but de sa politique orientale a été la reconquête d'une partie au moins de l'Illyricum occupée par les Bulgares. Son prédécesseur avait échoué au moment précis où il remportait une éclatante victoire sur son rival oriental Photios et c'était l'humble Ignace pour la réhabilitation duquel Nicolas Ier et Hadrien II avaient soulevé l'Église entière qui — par une cruelle ironie de la destinée — avait enlevé au Saint-Siège le beau morceau qu'il croyait posséder à jamais. Quand la fâcheuse nouvelle était arrivée à Rome, l'indignation contre les Grecs avait été générale. On les avait accusés d'avoir manqué à leur parole et trompé les Bulgares; on avait parlé avec beaucoup d'amertume de la «fides graeca». Nous trouvons dans l'Introduction à la traduction des Actes du VIIIe concile œcuménique[3] l'écho fidèle des sentiments des Romains à l'égard des Grecs. Anastase y accuse publiquement ces derniers d'avoir déjà falsifié à plusieurs reprises les Actes des conciles et ne craint pas de présenter comme le trait essentiel du caractère grec l'absence de tout scrupule quant à la parole donnée. Les menaces d'Hadrien II ne détournèrent pourtant de la voie qu'ils suivaient ni Ignace ni l'empereur. Nous avons vu comment Hadrien, alarmé par cette brusque offensive grecque, s'était efforcé d'empêcher tout au moins les progrès de l'influence byzantine dans le voisinage de la Bulgarie, en Pannonie et en Moravie, mais la mort l'avait empêché de continuer la lutte.

---

[1] *L'Église et le Saint-Siège à l'époque carolingienne*, Paris, 1895, pp. 68 et suiv.

[2] *Jean VIII*, Dict. de Théol. cath., vol. VIII, col. 601–613.

[3] MANSI, XVII, 1 et suiv.; P. L., 129, col. 9 et suiv.; M. G. H., Ep., VII, pp. 403 et suiv.

Jean VIII devait la poursuivre. Bien qu'assez mal renseignés sur les débuts de sa politique orientale nous pouvons néanmoins tirer parti de quelques indications qui nous sont fournies par Anastase le Bibliothécaire. Dans son introduction à la traduction du VIIe concile œcuménique – traduction dédiée à Jean VIII et écrite en 873[1] – Anastase tient à l'égard des Grecs un langage tout différent de celui auquel nous faisons ci-dessus allusion. Il oublie les invectives dont abonde son introduction au VIIIe concile, écrite en 871, et il se montre, on peut le dire, amical. Ce changement d'attitude indique évidemment une évolution de la politique orientale du St Siège, survenue sous le nouveau pape. Jean VIII cherchait incontestablement à obtenir à l'amiable une entente avec les Byzantins. C'est encore Anastase qui nous fait connaître, dans le même document, un décret spécial du pontife récemment intronisé reconnaissant en bloc les canons apostoliques, les règles et les institutions de tous les pères et de tous les conciles qui n'avaient pas encore été approuvés par le Saint-Siège. Cette reconnaissance excluait naturellement les canons et les institutions qui allaient à l'encontre des décrets pontificaux, mais il faut reconnaître que c'était néanmoins un beau geste de la part de Jean VIII puisque, deux ans plus tôt, Anastase reprochait encore très vivement aux Grecs d'avoir ajouté aux décrets conciliaires de nombreux canons non reconnus par Rome et les accusait d'avoir falsifié certains de ces décrets. La même décision pontificale réglait également la question du VIIe concile œcuménique qui se trouvait formellement reconnu. Enfin dans son Introduction Anastase donnait du titre du patriarche œcuménique une interprétation acceptable par Rome, et qu'il disait tenir des Grecs eux-mêmes.

On sait qu'Anastase a toujours été le défenseur convaincu de la politique des papes et que son activité littéraire a même été fortement influencée par les nécessités politiques.[2] Son introduction à la traduction des Actes du VIIe concile œcuménique doit donc être regardée comme reflétant fidèlement la politique de Jean VIII. Anastase approuvait d'autant plus volontiers cette politique qu'il savait apprécier les grandes qualités des Grecs et leur haute culture. Il semble même qu'il soit allé encore plus loin. Malgré le changement apporté à la tactique pontificale Jean VIII ne réussissait pas en effet à obtenir ce qu'il désirait si vivement: Ignace restait intraitable et continuait à envoyer ses prêtres en Bulgarie. Les relations entre pape et patriarche devenaient de plus

---

[1] MANSI, XII, 981 et suiv.; P. L., vol. 129, col. 195 et suiv.; M. G. H., Ep., VII, pp. 416 et suiv.
[2] Voir surtout LAEHR, l. c. Laehr (pp. 429 et suiv.) a été le premier à attirer l'attention sur l'importance des ces deux introduction d'Anastase pour la connaissance de la politique pontificale.

en plus tendues et on en arrivait presque à la rupture. Or, Anastase essaya de se rapprocher de Photios. Nous possédons une lettre de ce dernier au Bibliothécaire romain,[1] très obscure, il est vrai, mais rédigée sur un ton amical. On peut discuter[2] sur son interprétation, mais il faut reconnaître que la réponse du patriarche suppose une correspondance aussi amicale de la part d'Anastase. Cette correspondance doit être datée de l'époque qui suivit la déchéance de Photios car ce n'est qu'à l'occasion du VIIIe concile qu'Anastase avait pu faire personnellement la connaissance du patriarche déchu. Le fait que le bibliothécaire romain soit entré en relations avec ce dernier a tellement surpris Hergenröther qu'il l'a accusé de fourberie. Mais, si l'on tient compte de la politique inaugurée par Jean VIII à l'égard des Grecs et de ses infructueuses tentatives pour faire céder Ignace, la situation s'éclaire et la chose devient non seulement compréhensible mais logique. Anastase tout à fait pénétré des idées de son maître, tenta – probablement de son propre gré, car nous n'osons pas affirmer que le pape lui ait donné des directives en ce sens — de se rapprocher de Photios. C'était là un excellent moyen de faire pression sur Ignace qui devait craindre de la part de Rome un revirement à son égard. Photios ayant de nouveau gagné la faveur de l'empereur qui lui avait confié l'éducation de ses enfants, il était à prévoir qu'à la mort d'Ignace, déjà très âgé, il poserait de nouveau sa candidature. Anastase était un politique assez avisé pour prévoir une telle évolution dans un avenir très prochain. Il est donc assez vraisemblable qu'il ait fait un premier pas dans le but de faciliter le rapprochement entre Photios et le Pape dans le cas où Ignace continuerait à faire la sourde oreille malgré les invitations pontificales de plus en plus pressantes et aussi de plus en plus menaçantes.

Nous serions d'autant plus enclin à attribuer ces intentions à Anastase qu'il travaillait à la même époque, à un rapprochement avec les Grecs dans une autre affaire également importante, le dogme de la procession du Saint-Esprit. Il a réuni dans ses « Collectanea »[4] un certain nombre de documents ayant trait au monothélisme, des extraits des lettres de Maxime le Confesseur notamment. Le choix en est fait conformément à un dessein qu'Anastase révèle indirectement dans l'introduction, dédiée à Jean le Diacre; se basant sur Maxime le Confesseur, il s'efforce d'expliquer par les difficultés de la traduction gréco-latine ou latino-grecque les points de vue divergents des deux Églises sur la

---

[1] P. G., vol. 102, col. 877, 880.

[2] Cf. ce qu'en dit Hergenröther, vol. II, l. c., pp. 229 et suiv.; LAPÔTRE, De Anastasio bibliothecario, Paris, 1885, pp. 283 et suiv.; LAEHR, l. c., p. 432.

[3] L. c., II, p. 229.

[4] P. L., vol. 129, col. 557 et suiv.

procession du Saint-Esprit et il est vraiment curieux de constater la légèreté avec laquelle il traite une question qui a bouleversé si profondément les esprits dans les deux Églises. Hergenröther[1] a trouvé cette manière d'agir tout à fait coupable et a presque accusé Anastase d'hérésie. Or si l'on envisage la chose du point de vue de la politique orientale de Jean VIII, elle nous apparaît sous un jour tout différent. On constate que le pape Jean ne désirait pas faire rebondir la controverse dogmatique et qu'on se contentait de l'explication énoncée ci-dessus pour affirmer son désir de paix et d'entente.

Dans les mêmes Collectanea Anastase touche encore à une autre question également importante, l'infaillibilité du pape, et il s'efforce de réduire à néant la principale objection des Grecs contre les prérogatives pontificales, à savoir le cas du pape Honorius.

On voit par tout cela que les écrits théologiques et historiques d'Anastase datant de 871—874 sont très importants pour la connaissance de la politique pontificale à l'égard de l'Orient. Ce sont les seuls documents qui nous renseignent sur l'attitude de Jean VIII dans les premières années de son pontificat. On peut en déduire que la politique orientale du nouveau pape a été, dès le début, orientée dans le sens de la conciliation et de l'entente.

*

La voie était ainsi préparée pour une reprise de relations aves Photios dans le cas où, suivant toute vraisemblance, il remonterait sur le trône patriarcal. L'unité de l'Église était facile à refaire, le désir de paix se manifestant des deux côtés. Jean VIII après la mauvaise expérience faite avec Ignace qu'il pouvait pourtant — pour de bonnes raisons — considérer comme un « romanophile » n'était pas a priori hostile à l'idée d'essayer de conclure un accord avec Photios — à certaines conditions, bien entendu — et Photios de son côté ne pouvait pas risquer une fois de plus un conflit avec Rome, car il s'était déjà brûlé les doigts en s'approchant trop maladroitement du feu. Il ne pouvait pas ne pas comprendre que sa réconciliation avec Rome affermirait sa position à Byzance au point de la rendre presque inébranlable et il y voyait aussi une satisfaction personnelle sur un point auquel il était très sensible, la réparation de sa défaite de 868.

La volonté de l'empereur était, d'autre part, d'un grand poids. C'est pour

---

[1] L. c.

317

aggner les sympathies de l'Occident que Basile avait sacrifié Photios aprè s'être emparé du trône impérial par un meurtre. Il n'avait nullement l'intentio de briser avec Rome en réinstallant Photios en 879. Le chagrin que lui cau sait la mort de son fils Constantin avait annihilé son énergie; il était don d'autant moins enclin à permettre de nouvelles complications susceptibles d troubler sa vie et d'aggraver la situation de l'Empire.

C'est aussi que la réconciliation entre Photios et le Saint-Siège s'était effec tuée dans les conditions que l'on sait. Photios avait même eu la satisfaction d voir sa réhabilitation proclamée dans des formes aussi solennelles que l'avai été sa déchéance, devant une assemblée de plus de 300 évêques, dans un con cile considéré comme œcuménique au même titre que celui de 868.

Laissons de côté, pour le moment, les circonstances qui accompagnèren cette réhabilitation, ainsi que l'histoire du concile. On sait que les circonstance peuvent être pour plus d'une raison qualifiées de dramatiques et que l'histoir du concile pose plusieurs problèmes non encore éclaircis. Une chose paraît pourtant de toute façon, bien établie: Jean VIII avait reconnu Photios.

Peut-on maintenant s'étonner qu'un ancien ami du patriarche ait commu niqué avec lui alors que le pape lui-même ne trouvait rien d'anormal à l reprise des relations avec l'ancien adversaire? Evidemment non, mais la ques tion n'est pas tout à fait aussi simple. On dit que le pape fut dupé par le rus Grec. Photios aurait gagné les légats – plusieurs autres cas montrent que cel n'aurait pas été difficile — et ceux-ci dépassant leurs instructions se seraien montrés trop indulgents pour lui. Jean VIII s'en aperçut, blâma la conduite d ses représentants et envoya à Constantinople, en 880, Marin, évêque de Cère pour enquêter sur ce qui s'était passé pendant le concile. Se basant sur le rap port de Marin, défavorable à Photios, Jean VIII, au début de 881, aurait pro noncé l'anathème contre le patriarche[1].

Si telle avait été l'évolution des choses, le cas de Méthode redeviendrai grave, mais les arguments par lesquels on s'efforce de prouver que le pap Jean VIII rompit avec Photios sont loin d'être sûrs. Il n'est d'abord pas exac que le pape ait blâmé ses légats. On se base pour l'affirmer sur la lettre d Jean VIII à Photios dans laquelle, à la suite du concile, le pape dit en effet: «si fortasse nostri legati in eadem synodo contra apostolicam praeceptio nem egerunt nec nos recipimus nec judicamus alicuius existere firmitatis»

---

[1] Cf. surtout HERGENRÖTHER, *Photius*, II. pp. 571–578.
[2] *P. L.* vol. 126, col. 911; *M. G. H., Ep.*, VII, p. 228.

mots qu'il répête dans la lettre envoyée en même temps à l'empereur Basile.[1]

Or, la phrase incriminée ne signifie nullement que le pape ait désapprouvé ses légats dans un sens défavorable à Photios. Le ton général de la lettre est très amical – dans la seconde partie au moins – et le pape y exprime sa grande satisfaction d'apprendre que Photios a rempli les conditions exigées. On a plutôt l'impression que le pape s'excuse auprès du patriarche de l'attitude de ses légats qui, par excès de prudence ou de sévérité, l'ont froissé ainsi que l'empereur. La lettre du pape n'est qu'une réponse à une missive de Photios dans laquelle ce dernier s'était plaint, entre autres choses, de l'attitude des légats.

Il serait, d'ailleurs, difficile de comprendre comment les légats – qui, ayant constaté, à leur arrivée à Constantinople, la mort d'Ignace et la réinstallation de Photios s'étaient abstenus de tout commerce avec le patriarche, – auraient si vite changé d'attitude et seraient allés jusqu'à tromper leur maître. Le pape avait été plus heureux dans son choix que son prédécesseur Nicolas et il avait choisi comme légats des gens qui ne marchandaient pas avec leur conscience.

On ne peut pas non plus prouver que le pape ait prononcé solennellement l'anathème contre son rival du Bosphore, le document qui en parle étant très sujet à caution. Il s'agit en effet d'un pamphlet intitulé pompeusement: «Synodica pontificum romanorum Nicolai, Hadriani, Joannis, Martini, Stephani, Formosi, in Photium praevaricatorem decreta».[2] C'est l'œuvre d'un ignatien, ennemi acharné de Photios et l'on ne peut vraiment pas prendre au sérieux les vehémentes accusations qui y sont rassemblées; le parti-pris y est trop visible. Les défenseurs de la primauté du pape devraient être les premiers à se méfier de ce texte; une pièce jointe, intitulée «Breviarium synodi octavae» va jusqu'à contester au pape le droit suprême d'absoudre Photios.[3]

Quant au fait que le pape ait délégué à Constantinople l'evêque Marin, pour enquêter sur place, il est relaté dans une lettre du pape Etienne V à l'empereur Basile.[4] En admettant l'authenticité de cette lettre la mission en question a eu très probablement lieu en 869—870 et non pas en 880. Rien ne prouve en tout cas que le pape pense à l'époque qui a suivi la réhabilitation de Photios.

Jean VIII n'a pas changé d'avis et n'a pas excommunié Photios. Sa politique orientale était fixée dès le début de son pontificat et il y est resté fidèle jusqu'à la mort. Il est bien vrai que cette politique ne rencontra pas à Rome

---

[1] *P. L.*, vol. 126, col. 910. *M. G. H., Ep.*, VII, p. 230.
[2] MANSI, XVI, 446 et suiv.
[3] *Ibid.*, 451.
[4] MANSI, XVI, 423, *M. G. H., Ep.*, VII, p. 374.

une approbation unanime et que le parti antigrec y restait assez fort. Mais Jean VIII savait le tenir en respect et était assez énergique pour forcer les critiques à se taire lorsqu'ils devenaient trop violents. L'hypothèse de Lapôtre[1] suivant laquelle le pape se serait défendu par serment, prononcé du haut de la chaire en présence de l'empereur Charles le Gros, contre ceux qui lui reprochaient son attitude à l'égard de Photios, apparaît non fondée et E. Amann[2] a eu raison de la rejeter comme trop romanesque.[3]

Photios n'aurait d'ailleurs certainement pas passé sous silence le changement d'attitude du pape à son égard. Or, tout ce que nous pouvons dire de l'attitude de Photios envers Jean VIII est que le patriarche gardait un excellent souvenir de ses relations avec le pontife; dans sa « Mystagogie »[4] par ex. il est très élogieux pour « son » Jean qu'il qualifie de « vaillant » (ἀνδρεῖος). Photios n'aurait pas prodigué ces éloges si le pape avait en réalité changé d'attitude à son égard et l'avait excommunié.

Le même passage nous autorise à nous avancer davantage encore et à conclure que le second successeur de Jean VIII, Hadrien III, adopta à l'égard du patriarche une conduite analogue. Photios dit notamment que Hadrien III lui annonça son avènement en lui envoyant la confession de foi orthodoxe, dans laquelle il avait omis la fameuse formule du « Filioque ». On peut en déduire avec raison que les relations entre le Saint-Siège et Photios étaient bonnes entre 884 et 885. Le fait que Photios ne mentionne pas, à cette occasion, le premier successeur de Jean VIII, Marin Ier, ne signifie pas nécessairement que les relations entre Rome et Byzance aient été rompues par ce pontife, entre 882 et 884. On le croit généralement parce qu'on suppose que Marin fut le principal auteur de la prétendue brouille entre Jean VIII et Photios. Nous avons déjà dit que son ambassade de 880 était très peu vraisemblable et que les aventures de Marin à Constantinople mentionnées par la lettre d'Etienne V à Basile citée plus haut se rapportent à l'ambassade de 869, à l'occasion du VIIIe concile œcuménique.[5] Les sentiments de Marin à l'égard

---

[1] *L'Europe et le Saint-Siège*, pp. 68, 152, 153.

[2] *Jean VIII*, Dict. de théol. cath., vol. VIII, col. 609.

[3] Dans sa lettre à Charles le Gros, datée de juillet 880, le pape fait allusion aux adversaires de sa politique orientale (*P. L.*, vol. 126, col. 908, *M. G. H.*, *Ep.*, VII, p. 225). Pourtant cette allusion ne vient nullement à l'appui des affirmations contenues dans le « Breviarium ».

[4] *P. G.*, vol. 102, col. 380; cf. aussi col. 820.

[5] Entre la VIIIe et la IXe session du concile on constate, en effet, un intervalle de trois mois. On peut l'expliquer par les incidents que provoqua l'intervention brutale et peu loyale de l'empereur voulant enlever aux légats le Libellus apporté par eux de Rome et signé par les évêques grecs. La

des Grecs n'ont pas été très cordiaux à cause des mauvaises expériences qu'il avait faites à Constantinople. Basile, d'ailleurs, a dû garder de lui un très mauvais souvenir. On sait que l'attitude intrépide des légats pontificaux au concile de 869 avait brouillé ses plans, ce qu'il ne pouvait pas oublier. On peut donc bien imaginer que les Byzantins n'aient pas été très satisfaits de voir Marin monter sur le trône de Sᵗ Pierre. Il est même possible que Basile et Photios se soient refusés à reconnaître le nouveau pape dont la désignation était du reste irrégulière aux yeux de bien des gens.[1]

Marin modifia radicalement sur bien des points la ligne politique de Jean VIII. Nous n'avons pourtant pas d'arguments décisifs permettant d'affirmer une rupture des relations entre Rome et Byzance.[2] Une telle initiative ne paraît devoir être attribuée qu'au pape Étienne V.[3] Mais, avec Étienne V nous arrivons au mois de septembre 885, c'est-à-dire à une époque postérieure à la mort de Méthode, décédé le 6 avril de cette même année. *Comment continuer dès lors à s'étonner que le Saint ait vécu en bons termes avec Photios que reconnaissaient non seulement Jean VIII mais ses successeurs ?*

*

Ici pourrait s'arrêter notre démonstration. Ce que nous venons de dire des relations existant entre le Saint-Siège et Photios suffit largement, croyons-nous, à expliquer l'attitude de Méthode à l'égard du patriarche et à l'excuser aux yeux des plus sévères.

Nous nous voyons néanmoins obligé d'aborder — sans chercher à les traiter à fond — les problèmes soulevés par la réconciliation de Jean VIII et de Pho-

---

situation n'a été alors rétablie que par l'intervention de l'ambassadeur de Louis II, Anastase le Bibliothécaire. Cf. HEFELE-LECLERQ, *Hist. des conciles*, IV, 1, pp. 514, 516. Il se peut bien que Marin ait été alors confiné pour un mois par l'empereur comme le prétend Étienne V (VI) dans sa lettre. C'est ainsi que nous expliquons aujourd'hui l'histoire de Marin (cf. notre livre, *Les Slaves, Byz. et Rome*, p. 285).

[1] Beaucoup arguaient en effet de ce que le canon de l'Église défendant le transfert d'un évêque à un autre siège avait été violé dans le cas de Marin, ancien évêque de Cère.

[2] Voir l'excellente étude de E. AMANN dans le *Dict. de théol. cath.*, sur *Jean VIII* (vol. VIII, col. 601–613, surtout col. 604 et suiv.) et sur *Marin Iᵉʳ* (vol. IX, col. 2476, 2477).

[3] On s'explique mieux ainsi également le changement complet de la politique d'Étienne V à l'égard de l'œuvre de Méthode en Moravie. Voir sa lettre à Svatopluk, *M. G. H., Ep., VII*, pp. 352 et suiv. Cf. notre livre *Les Slaves, Byz. et Rome*, pp. 287 et suiv., et l'étude de G. LAEHR, *Das Schreiben Stephans V an Sventopulk von Mähren*, Neues Archiv der Ges. f. ält. deutsche Geschichtskunde, vol. 47, 1928, pp. 159–173. L'exposé de G. Laehr, même si nous ne pouvons pas nous déclarer d'accord avec lui sur tous les points, mérite une attention toute particulière.

tios. Ce n'est en effet qu'après les avoir éclaircis que nous pourrons proclamer au-dessus de tout soupçon « l'orthodoxie » de Méthode.

Nos principales sources sont les Actes du concile de 879 et les lettres de Jean VIII.[1] Or, on sait qu'il y a, entre ces deux catégories de documents des divergences qu'on n'a pas encore pu expliquer de façon satisfaisante. Le texte latin des lettres, conservé dans le registre pontifical, est tout différent des textes grecs figurant parmi les documents conciliaires. La recension latine des lettres du pape à l'empereur, au concile et à Photios diffère même sur quelques points essentiels de la recension grecque. D'après le texte latin le pape déclare ne reconnaître Photios que par une miséricordieuse indulgence, pour satisfaire au désir unanime de la majorité de l'Eglise orientale et lui redonner la paix, sous la seule condition que Photios, d'une part, exprime de façon convenable devant le concile le regret de sa conduite passée et de son action contre l'unité de l'Eglise et que l'assemblée tout entière d'autre part se prononce pour la réhabilitation. Il est, du reste, entendu que les Actes du VIIIᵉ concile resteront intacts.[2]

Le texte grec au contraire omet tout ce qui pourrait être désagréable aux Grecs et à Photios. L'éloge du patriarche y est fait d'une façon éloquente et solennelle; le concile de 869—870 y est déclaré nul et non avenu et rien n'est dit des satisfactions que doit donner Photios avant d'obtenir le pardon.

Cette divergence entre les deux textes est déjà très grave mais il y a plus. Aux Actes grecs du concile est ajoutée une lettre du pape à Photios dont la teneur compromet gravement Jean VIII. Le pape y explique son opinion sur le «Filioque». Il assure Photios que lui-même n'ajoute rien au Symbole, qu'il condamne catégoriquement «comme transgresseurs des oracles divins et comme corrupteurs de la doctrine du Christ et des saints Pères» les partisans du «Filioque» et qu'il les met aux côtés de Judas puisque, par leur attitude, ils divisent l'Église et déchirent le corps du Christ. S'il est vrai que la doctrine de l'Église occidentale sur la procession du Saint-Esprit n'est pas expressément niée, la teneur générale de la lettre est néanmoins telle que son auteur peut paraître n'admettre à ce sujet que le point de vue de l'Église orientale.

---

[1] MANSI, XVII, 365–530; M. G. H., Ep., VII, pp. 166–190.

[2] Voici le passage principal de la lettre à Photios: Et cum non sit reprehensibilis erga correctum quantacumque miseratio, satisfaciens coram synodo misericordiam secundum consuetudinem postulaveris ac si evidenti correctione utaris ... et si omnes uno voto, uno consensu, una misericordia in tua restitutione convenerint, veniam pro pace sanctae Constantinopolitanae ecclesiae tibi concedimus (M. G. H., Ep., VII, p. 184, P. L., vol. 126, col. 871).

Comment mettre tout cela en accord avec la dignité du Pape et quelle version des lettres pontificales faut-il considérer comme authentique? Celle qui concerne la procession du Saint Esprit a été examinée surtout par le cardinal Hergenröther dans sa fameuse histoire de Photios.[1] Elle a été considérée par lui comme un faux et il sera bien difficile de réfuter ses arguments. Il est, en effet, très singulier que la lettre en question n'existe que dans le texte grec et qu'on n'en trouve pas trace dans le registre pontifical qui paraît pourtant être complet pour les années 879 à 882. Ce qui la rend encore plus suspecte et ce qui nous la fait déclarer également comme fausse, c'est le fait qu'aucun auteur grec ou latin ne la cite avant le XIVe siècle; les manuscrits grecs dans lesquels elle a été conservée ne datent d'ailleurs au plus tôt que de cette époque.

Ce faux ne peut du reste pas être attribué à Photios car si le patriarche l'avait confectionné pour rendre sa doctrine plus solide, il l'aurait certainement inséré parmi les documents du concile, très probablement dans le protocole de la VIe session. Or dans sa «Mystagogie», Photios semble ignorer l'existence de cette lettre. Il n'en souffle pas mot et il ne parle que des légats de Jean VIII qui, au concile de 879 ont signé le symbole sans addition du «Filioque».[2]

Cette argumentation est bien pauvre et on ne comprendrait pas que Photios n'ait pas cité une lettre du pape susceptible de lui fournir un argument autrement explicite et fort.

Dans ces conditions nous sommes autorisés a conclure non seulement que cette lettre est un faux et que Jean VIII n'a rien à voir avec elle, mais également qu'elle n'est pas l'œuvre de Photios. Nous devons en conscience et en toute impartialité déclarer sur ce point le patriarche innocent.

Ces constatations vont nous faciliter l'examen des autres lettres pontificales dont les deux versions — latine et grecque — sont si différentes. On sait quelle a été jusqu'à une époque toute récente l'opinion la plus répandue sur la valeur de ces documents. D'un coté on considérait le texte grec comme un faux qu'on attribuait à Photios;[3] de l'autre on supposait que ce texte n'était que la

---

[1] *L. c.*, II, pp. 541 et suiv.

[2] *P. G.*, vol. 102, col. 380, 381: ὁ κεχαριτωμένος τῆς Ῥώμης ἀρχιερεὺς διὰ τῶν αὐτοῦ θεοσεβεστάτων καὶ περιδόξων τοποτηρητῶν Παύλου καὶ Εὐγενίου καὶ Πέτρου τῶν ἀρχιερέων καὶ ἱερέων Θεοῦ ἐν τῇ καθ' ἡμᾶς συνόδῳ παραγεγονότων ὡς ἡ καθολικὴ τοῦ θεοῦ Ἐκκλησία καὶ οἱ πρὸ αὐτοῦ τῆς Ῥώμης ἀρχιερεῖς τὸ τῆς πίστεως ἀποδεχόμενος σύμβολον γνώμῃ καὶ γλώσσῃ καὶ χερσὶν ἱεραῖς τῶν εἰρημένων περιφανεστάτων καὶ θαυμασίων ἀνδρῶν ὑπέγραψέ τε καὶ ἐπεσφραγίσατο.

[3] V. surtout HERGENRÖTHER, *l. c.*, II, pp. 396 et suiv.

traduction d'une seconde rédaction des lettres pontificales, rédaction faite à Rome même par le pape avant le départ des légats pour Constantinople. Cette hypothèse était surtout mise en avant par M. Amann.[1] Le fait qu'on ne puisse pas soupçonner les légats pontificaux d'avoir trahi le Pape ni même d'avoir outrepassé ses instructions semble plaider en faveur de cette thèse. Une altération aussi évidente des textes qu'ils avaient apportés de Rome n'aurait certainement pas pu leur échapper et ils auraient vraisemblablement protesté.

Pourtant ni la première ni la seconde de ces solutions ne nous paraît satisfaisante et en nous basant sur la lettre adressée par Jean VIII à Photios en 880, après le concile[2], il nous semble bien qu'on doive en chercher une troisième. Nous avons déjà dit que le ton de la lettre en question est amical. Le pape y exprime d'abord sa grande joie de constater que l'Église a retrouvé la paix, puis il manifeste son étonnement de ce qu'au concile certaines de ses instructions n'aient pas été observées et que plusieurs aient été modifiées sans qu'il puisse d'ailleurs indiquer l'auteur de ces opérations.

Ces mots sont significatifs. Le pape semble confirmer par là ce qu'on dit généralement à savoir que Photios avait altéré le texte des lettres pontificales qui devaient être traduites en grec et lues devant l'assemblée. La suite de la lettre semble pourtant laisser entrevoir que les changements auxquels Jean VIII fait allusion n'étaient pas très graves. Photios, dans une lettre à laquelle le pape répond, s'était plaint qu'on exigeât de lui des excuses solennelles au concile, c'est-à-dire l'humiliation réservée aux grands pécheurs; le Pape l'engage à ne pas prendre la chose au tragique, mais il ne dit pas que Photios ait refusé d'obéir; au contraire il s'exprime ainsi: «Igitur laudabilis tua prudentia, quae dicitur humilitatem scire, non moleste ferat, quod ecclesiae Dei miserationem iussa est postulare, quin potius se, ut exaltetur, humiliet et fraternum discat erga sui miserentem servare affectum...».

Photios s'était donc humilié en demandant pardon – d'une certaine façon – devant l'assemblée ecclésiastique.[3]

---

[1] *Jean VIII*, l. c., col. 607.

[2] *M. G. H., Ep.*, VII, p. 228, *P. L.*, vol. 126, col. 210, 211.

[3] L'interprétation donnée par LAPÔTRE, *l. c.*, p. 68, à ce texte est insuffisante et ne peut pas être acceptée. Le pape a été, il faut le dire, très habile en exigeant que Photios présentât des excuses non pas à lui, mais au concile. Par là il a gagné des alliés parmi les Pères du concile, satisfaits de pouvoir intervenir comme arbitres. Leur jugement devait être confirmé par le pape. Dans ces conditions, il a été presque impossible à Photios de se dérober et il a dû avaler la pilule. Mais, la trouvant trop amère, il s'était permis de l'adoucir un peu en interprétant, devant le concile, les lettres pontificales dans un sens aussi favorable que possible à sa personne.

Si notre explication est juste, nous devons pourtant constater que dans le texte des Actes que nous possédons aujourd'hui on ne trouve pas la moindre trace de ce geste du patriarche et que même le texte grec des lettres pontificales omet complètement de mentionner ce que le pape, dans le texte latin, pose comme condition à sa reconnaissance de Photios.

Cette constatation est très surprenante et nous sommes logiquement amené à supposer deux interpolations des lettres pontificales. L'une a été faite pendant le congrès, probablement lors de la traduction des documents en grec. Le pape en a eu connaissance et il s'en est plaint à Photios, mais très discrètement puisqu'il n'a même pas osé indiquer le véritable auteur, ou du moins le responsable de cette opération, c'est-à-dire le patriarche lui-même. Puisqu'il n'a pas fait trop grise mine on peut conclure que l'interpolation critiquée ne touchait pas à l'essentiel des idées exprimées; Photios n'avait d'ailleurs pas la conscience absolument en repos et il jugea prudent de s'excuser auprès du pape en faisant ressortir que les conditions lui avaient paru vraiment humiliantes, laissant entendre par là qu'il avait cru pouvoir les atténuer légèrement. Les légats pontificaux avaient du reste fait des difficultés et demandé que les instructions du pontife fussent exécutées à la lettre; leur attitude avait peut-être été trop cassante, ce qui avait froissé la cour en même temps que Photios à qui le pape, au fond, donnait raison sur ce point.

La seconde interpolation – qui a complètement altéré le sens des idées exprimées dans l'original latin – a dû être fait plus tard et non pas par Photios.

On comprend l'importance des conclusions auxquelles nous amène l'examen de la lettre de 880 et cette importance même nous oblige à ne nous y tenir que si nous trouvons d'autres arguments susceptibles de venir à l'appui de la thèse envisagée.

Mais précisément nous possédons un témoignage du XIIᵉ siècle montrant qu'en dehors du texte latin des trois lettres pontificales de 879, tel qu'on le trouve dans le registre, on en connaissait un autre ressemblant sur plusieurs points au texte grec conservé dans les Actes. Yves de Chartres nous a en effet conservé un fragment de la lettre du pape[1] qui nous permet d'affirmer qu'au XIIᵉ siècle on connaissait en Occident la deuxième rédaction des lettres, rédaction qu'il faut attribuer à Photios. Yves de Chartres aurait-il extrait ce texte des Actes du concile qu'on devait avoir en Occident – les légats les ayant certainement apportés à Rome – mais qui disparurent par la suite?

---

[1] MANSI, XVII, 527–530. Cf. HEFELE-LECLERQ, *l. c.*, p. 570.

Le témoignage d'Yves de Chartres n'est pas isolé. Nous en possédons d'autres, plus explicites et plus importants, qui vont nous permettre de préciser l'époque de la troisième rédaction des lettres et les points principaux sur lesquels a porté la nouvelle interpolation.

Le premier en date est celui du patriarche Michel d'Anchialos (1169—1177) qui fit échouer les efforts de l'empereur Manuel Comnène pour amener l'union des deux Églises et qui nous a conservé un document illustrant la dernière tentative impériale pour rallier le patriarche et son synode à l'idée de l'union. Ce document est rédigé sous forme de dialogue et le patriarche y répond aux différentes objections de l'empereur.[1]

A la fin l'empereur invoque l'exemple de Photios qui après avoir attaqué les Latins s'est réconcilié avec eux. Le patriarche comprend parfaitement que ce précédent est très embarrassant; il concède que Photios ait pu être appelé souvent «bon diviseur et mauvais unisseur» mais il le défend en affirmant qu'il n'a consenti à l'union qu'après avoir constaté que les Latins étaient revenus de leur erreur au sujet de la procession du Saint-Esprit.

Pour appuyer ce qu'il avance, le patriarche affirme que les Latins avaient envoyé à Photios un symbole de foi «rédigé conformément à l'orthodoxie» et il déduit d'un canon du concile de 879 qu'ils avaient voué à l'anathème tous ceux qui en matière doctrinale ne pensaient pas comme Photios. Voici la teneur du canon invoqué[2]: «Le saint et œcuménique synode a décrété que si un clerc ou un laïque ou un évêque d'Italie, séjournant en Asie, en Europe ou en Lybie, se trouve frappé par une censure de déposition ou d'anathème de la part du très saint pape Jean, qu'ils soient tous également frappés du même degré de censure par le très saint patriarche de Constantinople, c'est-à-dire ou déposés, ou anathématisés ou privés de communion. Et que de même, si notre très saint patriarche Photios excommunie, dépose ou anathématise certains clercs ou laïcs, évêques ou prêtres, dans n'importe quel diocèse, que le très saint pape Jean et son Église romaine les considèrent comme frappés de la même censure. Les privilèges qui conviennent au très saint siège de l'Église de Rome ou à son préposé ne doivent en aucun cas être touchés soit maintenant, soit dans l'avenir».

Michel estime qu'en vertu de ce canon les Latins, en vouant à l'anathème tous ceux qui ne pensent pas comme Photios, sont revenus de leurs «hérésies»

---

[1] Publié par CHR. LOPAREV, Объ уніатствѣ императора Мануила Комнина, Виз. Врем., vol. 14, pp. 334–357.

[2] MANSI XVII, 497 (cinquième session).

et que dans ces conditions Photios est parfaitement autorisé à les admettre dans sa communion.

Le Père V. Grumel,[1] qui a été le premier à attirer l'attention sur ce curieux passage, s'étonne avec raison de la pauvreté d'une telle argumentation. Pourquoi Michel n'utilise-t-il pas la lettre de Jean VIII sur la procession du Saint Esprit ou les Actes de la VIe session du concile tels que nous les connaissons aujourd'hui? Il y aurait trouvé des arguments autrement forts pour sa thèse et il n'aurait pas eu besoin d'étayer sa plaidoirie pour Photios de matériaux aussi fragiles. Il n'y a qu'une solution, c'est que Michel d'Anchialos ne connaissait ni la prétendue lettre de Jean VIII, ni la version actuelle des Actes du concile de Photios et nous nous croyons, de ce fait, autorisé à supposer que la troisième édition des lettres du Pape remaniée, considérablement augmentée et accompagnée d'une revision des Actes du concile, date d'une époque postérieure à 1177.

Il se peut même que ce soit justement le reproche fait à Photios d'avoir oublié ses premières attaques, justifiées au yeux des Grecs, et d'avoir repris les relations avec les Latins sans tenir compte de leurs «erreurs» qui ait inspiré l'auteur de l'interpolation.[2]

En tout cas, la rédaction originale des Actes du concile photien semble avoir été en usage au moins jusqu'à la fin du XIIIe siècle. C'est à cette conclusion que nous amène en effet une étude approfondie des ouvrages du patriarche catholique Jean XI Beccos (1275–1282). Au Père V. Laurent[3] revient l'honneur d'avoir attiré, pour la première fois, l'attention sur ce détail important. On sait qu'après le concile unioniste de Lyon (1274) Jean, qui connaissait bien l'histoire du schisme et les écrits des Pères, fut le principal défenseur de l'union des Eglises. Or il affirme que l'attitude de Photios à l'égard des Latins ne peut pas être invoquée comme exemple par les adversaires de cette Union. Photios a bien attaqué les Latins en les accusant surtout d'hérésie quant à la procession du Saint-Esprit, mais il s'est rétracté pour être reconnu par Jean VIII. Cette rétractation fut faite «devant un synode de plus de 300 arche-

---

[1] Le «Filioque» au concile photien de 879–880, Échos d'Orient, vol. 33, 1930, pp. 257–264.

[2] Il est en outre significatif que Michel Glycas, contemporain de Michel d'Anchialos, ignore également les deux documents en question. Dans son traité sur le «Filioque», (Κεφάλαια εἰς τὰς ἀπορίας τῆς Γραφῆς, éd. S. Eustratiades, Athènes, 1906, pp. 341, 342), il appuie sa thèse de l'autorité des conciles auxquels participèrent les papes, sans pourtant mentionner le concile photien. V. Grumel cite aussi (l. c., p. 263) un passage de Nicétas le Chartophylaque de Nicée qui n'est pourtant pas assez explicite. (P. G., vol. 120, col. 717).

[3] Le cas de Photios dans l'apologétique du patriarche Jean XI Beccos (1275–1282) au lendemain du deuxième concile de Lyon, Échos d'Orient, vol. 33, 1930, pp. 396–415.

vêques» et Photios «livra à l'anathème tout ce qu'au temps de la discorde il avait fait ou dit contre l'Église romaine».[1]

Cette affirmation de Jean Beccos est très suggestive. Elle laisse entrevoir que le patriarche avait sous les yeux un texte des Actes du concile de Photios différent de celui que nous possédons aujourd'hui; il faut bien convenir en effet qu'il n'a pu trouver ailleurs ce qu'il avance. Ce texte qui parlait d'une rétractation de ce que Photios avait dit et écrit contre les Romains serait le même que celui que les légats apportèrent à Jean VIII et c'est après l'avoir étudié que Jean VIII aurait écrit au patriarche de Constantinople en protestant contre les modifications qu'on s'était permises, mais en exprimant aussi sa satisfaction de ce que Photios avait fait «amende honorable».

L'impression qui se dégage des écrits de Beccos est encore confirmée par la lecture de l''Ιστορία δογματική[2] de Georges le Métochite, son élève et son interprète fidèle. Georges le Métochite est encore plus précis que Beccos et dit notamment:[3] «...Dès qu'au gouvernail de la nacelle romaine apparut Jean, l'habile pilote, qui pour Photios fut gracieux de nom et de fait..., aussitôt Photios se retrouva lui-même et chanta la palinodie, comme on dit, marchant droit dans la voie qu'on lui avait ouverte. Ainsi déposant sa rancune, il pourvut pour le mieux à l'entente unanime: non pas à la légère, comme il l'avait fait dans la lutte, non pas seul, comme on l'avait vu faire pour le schisme..., mais dans un certain ordre, avec une mise en scène canonique et un examen synodal de plus de trois cents évêques accourus alors. Tout fut réglé pour le mieux: le pape gardait les privilèges à lui reconnus dès le début et devait les conserver dans la suite...».

Ces mots en disent long. Nous pouvons en conclure avec V. Laurent[4] qu'à la fin du XIIIe siècle on connaissait encore à Byzance le texte primitif des Actes du synode photien, texte que nous ne possédons plus. C'est précisément parce que les unionistes s'en servaient comme d'une arme contre leurs adver-

---

[1] *Ad Theodosium Sugdaiae episc.*, lib. III, chap. III. P. G., vol. 141, col. 328; voir l'argumentation du patriarche *ibid.*, ed. 324–330. Cf. *Refutatio photiani libri de Spiritu Sancto*, chap. XXXIII, P. G., vol. 141, col. 852–856.

[2] Surtout tit. I, nos. 6–10, 31, lib. III, n° 67, éd. MAI, *Nova Patrum Bibl.*, vol. VIII, pp. 9–13, 44, vol. X, pp. 353, 354.

[3] *Ibid.*, lib. I, n° 6; MAI, vol. VIII, p. 9. Nous reproduisons ici la traduction française que M. Laurent (*l. c.*, p. 410) a donné de ce passage.

[4] Nous renvoyons aussi pour les détails et surtout pour l'examen de l'œuvre de Beccos à son intéressante étude citée plus haut.

saires que ces derniers en ont fait une nouvelle édition en l'expurgeant de tout
ce qui pouvait à leurs yeux compromettre Photios et c'est à la même occasion
que les lettres du Pape à Photios ont été interpolées pour la seconde fois,
d'une façon qui en changeait souvent complètement le sens primitif. Au XIVe
siècle on ne connaissait que la rédaction actuelle des Actes du concile.[1]

*

L'examen auquel nous venons de nous livrer paraît bien confirmer les conclusions que nous avions tirées de l'étude de la lettre pontificale de 880. Si
nous sommes dans le vrai, il faudra corriger l'opinion qu'on s'était faite de
Jean VIII. On l'a souvent considéré comme un homme trop inconstant et on
lui reprochait son attitude changeante à l'égard de Photios. On voyait dans sa
politique orientale le signe d'une grande faiblesse et le commencement de la
décadence du Saint-Siège. Il semble qu'il faille revenir sur ce jugement in-
justifié et trop sévère. Jean VIII a montré dans sa politique orientale une
grande clairvoyance et ses initiatives ont été couronnées de succès. Il a non
seulement réuni l'Église orientale à l'Église occidentale, mais au moins théoriquement il a rattaché la Bulgarie au patriarcat romain, comme cela résulte
clairement de la lettre datée d'août 880 et adressée par le pape à l'empereur
Basile.[2] Dans cette missive, le pontife déclare expressément: «...tertio vobis
grates multas referimus, quia Uulgariorum diocesim pro amore nostro gratanti
animo sancto Petro, ut iustum erat, permiseritis habere». Après cet exposé on
comprend également mieux que le pape ne se plaigne plus de Photios ou
de l'empereur; la réconciliation était complète et sincère. A Byzance on s'était
réellement décidé à sacrifier la Bulgarie pour rétablir la paix dans l'Eglise et
Boris, en refusant d'accepter le nouvel ordre de choses, agissait de sa propre
initiative. On ne peut pas reprocher à Jean VIII que les circonstances aient
été souvent plus fortes que sa volonté.

Quant à Méthode, son cas, considéré à la lumière de ces faits, devient aussi
tout à fait clair – on comprend même mieux pourquoi Photios et l'empereur

---

[1] MANUEL CALÉCAS (P. G., vol. 152, col. 207) ne connaît que les Actes tels que nous les avons
et il déclare la VIe session apocryphe. Cf. HERGENRÖTHER, l. c., II, p. 537. On voit que le problème réclame un examen approfondi et une revision complète. Elle ne pourra être faite tant qu'on
n'aura pas également comparé les autres textes polémiques de l'époque, trop souvent négligées. Nous
ne pouvons pas ici pousser cette étude plus à fond. Nous laissons à d'autres le soin de l'achever et
nous répétons qu'on ne pourra qu'alors déclarer définitifs les résultats acquis.

[2] M. G. H., Ep. VII, pp. 228–230.

donnèrent satisfaction à sa demande en ce qui concerne la partie méridionale de son immense diocèse – et, somme toute, le problème de «l'orthodoxie» des deux frères qui semble à première vue si délicat peut être résolu sans grandes difficultés. *Tout ce que les Légendes nous rapportent de l'attitude des deux frères à l'égard du pape et à l'égard de Photios cadre parfaitement avec l'évolution historique des relations entre les deux Églises au cours du IXe siècle.*

CONCLUSION.

Parvenu au terme de notre étude, nous ne reprendrons pas point par point les résultats auxquels nous sommes arrivé et qui ont été suffisamment soulignés dans le courant de l'ouvrage mais nous voudrions attirer l'attention sur quelques-uns d'entre eux, sur ceux, notamment, qui se rapportent à l'auteur des Légendes.

Dire quel est cet auteur est chose bien malaisée et les spécialistes sont à ce sujet très partagés. L'esprit dans lequel les deux œuvres ont été rédigées permet néanmoins d'affirmer avec une certitude presque absolue qu'il s'agit sinon d'un Byzantin, du moins de quelqu'un qui a vécu un certain temps à Byzance et qui a été élevé dans les traditions de l'Eglise byzantine. La chose est absolument claire pour la Légende de Constantin et — nous l'avons montré — l'Introduction à la Vie de Méthode révèle une origine analogue.

Mais nous pouvons aller plus loin et préciser l'époque à laquelle les auteurs des Légendes vivaient à Byzance. Tout ce que l'historiographe de Constantin dit de la jeunesse de son héros et de sa carrière montre qu'on a affaire à un contemporain connaissant jusque dans le détail l'évolution de l'Empire à cette époque et la mentalité des Byzantins du IXe siècle. Il appartenait au milieu intellectuel et avait grandement profité des bienfaits de la renaissance littéraire qui se manifestait à l'époque ; l'influence des écrits hagiographiques du temps est indéniable et il en a souvent adopté les procédés.

L'auteur de la Vie de Méthode fait également étalage, dans son Introduction, de cette érudition théologique dont on était si fier à Byzance mais, tout en se conformant au style hagiographique courant, il sait rester assez original. Plus sobre que l'hagiographe de Constantin, il touche parfois à la sécheresse et paraît ne pas se sentir à l'aise d'avoir à dépeindre un milieu qu'il connaît mal ; à part l'Introduction qui lui permet de montrer ses sentiments et ses capacités, il se borne, le plus souvent, à noter les faits et non pas tous les faits mais ceux que ne mentionne pas la Vie de Constantin dont l'antériorité se revèle ainsi.

Il n'y a pas de preuves irréfutables démontrant une identité d'auteur pour

331

les deux Vies, comme le pensent un grand nombre de slavisants[1] et pourtant l'hypothèse est tentante. Jagić[2] est partisan de la dualité mais ses arguments consistant surtout en quelques divergences relevées entre les deux Légendes ne suffisent pas à nous convaincre. On ne peut nier que le style de la Vie de Méthode diffère un peu de celui de l'autre ouvrage et nous y verrions un sérieux indice en faveur d'une double origine, mais il faudrait aussi que la Vie de Méthode ait une autre introduction, car c'est justement cette partie préliminaire qui revèle la même mentalité byzantine, le même goût des lettres, la même prédilection pour la théologie. A tout bien considérer, nous préférons expliquer comme nous l'avons fait plus haut les différences de style entre les deux œuvres proprement dites et admettre l'identité d'auteur.

Si, en tout cas, on ne veut pas se prononcer sur ce point particulier, on doit reconnaître que les deux biographies sont sorties de la même école gréco-slave constituée en Moravie au IXe siècle.

Les Légendes ont beau faire éclater aux yeux la mentalité parfaitement byzantine de leurs auteurs, on ne peut en effet pas hésiter à affirmer que ces derniers étaient des Slaves et non des Grecs. Dans leurs introductions ils parlent de la race slave comme de la leur (V. C., chap. I,[3] V. M., chap. II) et les passages relatifs à l'invention de l'Écriture slave ou à l'emploi du slavon comme langue liturgique sont suffisamment explicites.

D'aucuns ont pensé que les Légendes avaient été d'abord écrites en grec et traduites en slave.[4] Voronov,[5] le principal défenseur de cette théorie, s'est surtout attaché à prouver que les deux écrits révèlent un original grec. Nous avons déjà dit[6] que ces arguments ne prouvent rien et que les hellénismes sur lesquels on s'est basé peuvent aussi bien s'expliquer en supposant que les

---

[1] VORONOV, *l. c.*, pp. 26–46; VONDRÁK, *Studie z oboru církevně-slovanského písemnictví*, Praha, 1903; P. A. LAVROV, *Die neuesten Forschungen über den slavischen Klemens*, Archiv f. slav. Phil., vol. 27, 1903, pp. 350 et suiv.

[2] *Kleine Zusätze zum Studium der Werke des slavischen Klemens*, Archiv f. slav. Phil., vol. 27, 1903, pp. 384 et suiv. Cf. BRÜCKNER, *Die Wahrheit über die Slavenapostel*, p. 10.

[3] JAGIĆ, *l. c.*, p. 39 pense que ce passage pourrait bien être appliqué aux Byzantins et que l'auteur y fait allusion à la « von den Ikonoklasten zerfleischte byzantinische Christenheit ». Or seuls ceux qui ne connaissent pas la situation religieuse de Byzance à cette époque pourraient se contenter d'une telle explication. Nous excluons quant à nous absolument l'idée que ce passage puisse être appliqué aux Byzantins. C'est bien des Slaves que parle l'auteur.

[4] Miklosich, Voronov, Jagić (Arch. f. slav. Phil., vol. IV, pp. 97 et suiv.) et autres. Cf. *Pastrnek, l. c.*, pp. 14, 15.

[5] L. c., pp. 47–70.

[6] Voir plus haut, p. 68.

Légendes ont été composées directement en slave,[1] les Slaves byzantins employant évidemment de nombreuses tournures de ce genre.

De l'origine slave des auteurs à celle des héros il y a une distance qu'on a parfois beaucoup trop aisément franchie. Toutes les tentatives[2] visant à faire des deux frères des représentants de la race slave doivent être absolument désavouées y compris celle, toute récente, de V. Pogorělov.[3] Ce dernier a invoqué des arguments d'ordre philologique; la parfaite connaissance du slave et de l'esprit de la langue jusque dans ses moindres détails – connaissance qui s'affirme chez les deux frères – plaide à son sens en faveur de l'origine slave de Constantin, et de même certaines inexactitudes trouvées dans la traduction slave de l'Écriture Sainte[4] et qui ne peuvent pas avoir été commises par un Grec. Que ces arguments ne soient pas décisifs c'est ce qu'a déjà démontré Mgr Grivec;[5] les inexactitudes invoquées concernent surtout des passages très difficiles de l'Écriture Sainte qui peuvent avoir été mal compris même par un Grec d'origine.

Quant à la complète connaissance du slave par les deux frères, elle pourrait à la rigueur s'expliquer par une hypothèse très plausible suggérée par de nombreux philologues et reprise par Mgr Grivec, à savoir que peut-être leur mère était d'origine slave. Hypothèse très plausible, disons-nous; il ne faut pas oublier, en effet, l'énorme place tenue par l'élement slave dans l'Empire à cette époque et qui permet d'admettre facilement que la famille du drongaire Léon ait eu certaines attaches avec la race slave. Il est pourtant curieux de constater que les biographes ne mentionnent pas que Constantin et Méthode avaient du sang slave dans les veines; c'est un détail qui aurait certainement accru la sympathie des Slaves pour lesquels les auteurs composaient les Vies en question, et ceci nous rend assez sceptique sur la justification définitive de cette hypothèse. Remarquons en outre que Constantin, désigné

---

[1] P. A. LAVROV, Кирило та Методій в давньо-слов'янському письменстві, Kyjev, 1928, pp. 405 et suiv., a apporté de nombreux arguments à l'appui de cette thèse et son argumentation a été complétée par V. POGORĚLOV, На какомъ языкѣ были написаны, такъ называемыя, Паннонскія житія?, Byzantinoslavica, vol. IV, 1932, pp. 13 et suiv.

[2] On trouvera l'exposé de ce problème dans le livre de Kiselkov, Славянските просветители Кирил и Методий, Sofia, 1923, pp. 12–22. L'auteur prouve une fois de plus l'origine grecque de nos héros.

[3] O národnosti apoštolov slavianstva, Bratislava, vol. I, 1927, pp. 183–193.

[4] Sur l'art de traducteur de Constantin voir BERNEKER, Kyrills Übersetzungskunst, Indogermanische Forschungen, vol. 31, 1912; cf. aussi WEINGART, Dva drobné příspěvky o literární činnosti Konstantinově-Kyrillově, Časopis pro moderní filologii a literaturu, vol. V, 1916, pp. 13–17.

[5] O národnosti slovanských apoštolů, Ibidem, pp. 510, 511.

par les Légendes comme le principal inventeur de l'alphabet slave, a toujours écrit en grec et n'a pas contribué dans la même mesure que son frère à enrichir la littérature slavonne. Il a pourtant dû être plus longtemps que Méthode sous l'influence de leur mère puisque c'est sans doute elle qui l'avait accompagné à Constantinople où il était allé continuer ses études. Quant à Méthode il s'était familiarisé avec les Slaves surtout au cours des années passées par lui comme fonctionnaire de l'état dans la région du Strymon et en Moravie. On n'aura probablement jamais de certitude absolue sur ce point[1] mais une chose est, en tout cas, sûre, c'est que Constantin et Méthode étaient Grecs de nationalité. Le témoignage des Légendes qui les présentent comme tels est pour nous décisif; nous n'avons aucune raison de nous séparer d'elles à propos de ce détail puisqu'elles ont toujours par ailleurs été pour nous des guides sûrs.

Il sera difficile d'obtenir plus de précisions sur l'auteur des Légendes. La méthode que nous avons constamment appliquée et qui consiste à étudier les Vies du point de vue byzantin ne peut naturellement rien apporter de nouveau à ce sujet. Il est un fait certain à nos yeux, c'est que Méthode a collaboré à la composition de la Vie de Constantin. Il ne paraît pas qu'il en soit le véritable auteur — car nous ne trouvons pas la moindre allusion à ce fait qui serait digne de remarque — mais il a, sans aucun doute, fourni au biographe les matériaux nécessaires. Cette Vie a donc dû être composée bien avant la mort de Méthode. Par qui? C'est ce que nous ne saurons probablement jamais d'une façon sûre. Etait-ce Clément comme l'ont pensé certains?[2] Ce n'est pas impossible mais il faudrait pour en être sûr comparer les écrits de ce dernier avec le style et l'esprit des Légendes, et c'est naturellement une étude que nous laissons aux philologues. En tout cas, on doit penser à un élève des deux frères, un de ceux qui les avaient accompagnés depuis Byzance jusqu'en Moravie et qui furent chassés de Moravie après la mort de Méthode, Clément, Naum, Angélaire ou Laurence. Ce sont là les prêtres slaves qui sont nommés expressément dans la Vie de Clément, ceux qui sont très probablement venus de Byzance avec les deux frères et contre lesquels on a sévi parce qu'ils étaient étrangers. Nous exclurions volontiers Gorazd de la liste des auteurs possibles

[1] A. BUDILOVIČ, Нѣсколко мыслей о греко-славянскомъ характерѣ дѣятельности свв. Кирила и Меѳодія, Меѳодіевскій юбіл. сборникъ, Varsovie, 1885, voit dans les deux frères des Gréco-slaves. Cf. aussi, dans le même recueil, l'étude de K. J. Grot, Взглядъ на подвигъ славянскихъ первоучителей съ точки зрѣнія ихъ греческаго происхожденія.

[2] Vondrák, Lavrov, Pastrnek et autres. Nous n'insisterons pas sur les fantaisies de Mgr Snopek qui a inventé un Clément-Chrabr, photianiste, pour faire de lui l'auteur recherché. *Studie cyrillometho-dějské* Brno, 1906, pp. 11 et. suiv.; *Die Slavenapostel*, Kroměříž, 1918, pp. 5 et suiv.

— même en ce qui concerne simplement la Vie de Méthode, composée peu après la mort du Saint — car il était morave et ne portait certainement pas l'empreinte byzantine que révèle même l'introduction à la seconde des deux Vies.

*

Il nous faut encore souligner un fait qui intéressera surtout les byzantinistes. Les Légendes de Constantin et de Méthode illustrent clairement le processus de l'assimilation des autres nationalités au sein de l'Empire byzantin. On y voit l'attrait exercé par la civilisation byzantine sur les Slaves par exemple et la facilité avec laquelle ceux-ci s'appropriaient les fruits de cette haute culture. Ils se vantaient de posséder la civilisation et la religion de Byzance, ils parlaient grec mais ils ne perdaient pourtant pas le sentiment de leur race propre. Ainsi l'assimilation des éléments allogènes se faisait lentement, sans emploi de la force, suivant une méthode dont les résultats confirment l'excellence, et l'on comprend que les Bulgares aient finalement succombé à la force d'attraction émanant de cette civilisation qui les fascinait et que pour rester en communion avec la culture byzantine et l'Église grecque Boris ait rejeté toutes les offres faites par Rome.

Les deux Légendes permettent d'apprécier le degré de culture auquel Byzance éleva les Moraves. Très supérieure à celle que les Germains et Rome leur offraient, cette civilisation n'a pas dû sombrer complètement lors de la catastrophe politique. Des vestiges en ont dû subsister et la civilisation des Tchèques du Xe siècle a dû en être influencée. Il y a là un fait, longtemps négligé et qu'on commence à reconnaître.[1]

Mais nous devons surtout en terminant rendre hommage à la sincérité des biographes de Constantin et de Méthode. Presque tous les renseignements qu'ils nous fournissent, sur la vie de leurs héros et sur l'époque à laquelle ils ont vécu, ont été vérifiés par l'étude de l'évolution religieuse et politique de Byzance au IXe siècle. La comparaison de ces renseignement et des documents byzantins de la même époque nous a donné des idées beaucoup plus précises sur la jeunesse des deux frères et sur la carrière de Constantin à l'Université de Constantinople. Ce sont même des renseignements nouveaux et dont les byzantinistes devront tenir compte que la Légende nous a apportés sur la réorganisation de l'enseignement supérieur à Constantinople. Nous avons pu de même préciser la fonction vraisemblablement occupée par Constantin à la cour

[1] Cf. J. PEKAŘ, *Sv. Václav*, 1929, pp. 12 et surtout 16. (Publié aussi dans le Český Čas. hist., vol. XXXV.)

patriarcale. Resterait à préciser l'époque de l'ordination sacerdotale de Constantin, sur laquelle la Légende ne nous dit rien de net contrairement à ce qu'on pensait en général.

Les deux ambassades — auprès des Arabes et auprès des Khazars — auxquelles, sur la désignation du gouvernement, Constantin participa avant d'aller en Moravie, apparaissent comme tout à fait véridiques. Les byzantinistes trouveront même, dans ce que disent les Légendes des relations de l'Empire avec ces deux nations, d'heureuses suggestions qui jettent une lumière nouvelle sur ces intéressants chapitres de l'histoire de Byzance. La Légende de Constantin est, dans la littérature byzantine, le seul texte qui fasse allusion à la judaïsation des Khazars.

Les renseignements relatifs aux relations des deux frères avec Rome et avec Photios correspondent aussi parfaitement à la réalité et le scepticisme qu'on gardait jusqu'à maintenant quant à leur valeur n'est pas fondé. La façon dont les auteurs présentent les choses montre qu'il s'agit de contemporains transmettant les faits tels qu'il se sont déroulés et ne soupçonnant pas l'évolution ultérieure des problèmes qu'ils ont vu naître. Il n'y a aucune tendance ni dans un sens ni dans l'autre et seule la méconnaissance de l'histoire des relations entre Rome et Byzance à cette époque a pu faire naître la défiance généralement manifestée à l'égard des renseignements qu'ils nous ont transmis.

Loin de persister dans cette défiance, nous rendrons au contraire hommage à l'esprit critique des auteurs des Légendes. Les deux Vies auxquelles nous avons consacré cette étude sont parmi les meilleurs documents historico-littéraires slaves et byzantins du IXᵉ siècle. Ce sont des textes de premier ordre qui témoignent clairement de l'évolution de Byzance et de l'Europe centrale à cette époque. On les a trop longtemps négligées; il est temps de leur donner la place d'honneur qu'on leur a si injustement déniée et à laquelle elles ont incontestablement droit.

APPENDICE.

LES DOCUMENTS RELATIFS À CONSTANTIN
ET À MÉTHODE.

———

I. Tradition manuscrite de la Légende de Constantin et de Méthode. — Éditions des deux Légendes.

II. Autres documents slavons sur les deux frères. — Uspenie. — Prologues et éloges. — Écrit slavon sur la translation des reliques de St Clément. — Les Vies de St Naum et de St Clément.

III. Les sources latines. — La Légende italique. — Écrits d'Anastase. — Documents pontificaux. Légendes postérieures.

I.

La Vie de Constantin nous est parvenue dans de nombreux manuscrits qui datent tous d'une époque postérieure à celle de sa rédaction. Le plus ancien ne remonte, en effet, qu'au XVe siècle. Ce fait peut, au premier abord, paraître surprenant; il ne doit pourtant pas susciter la méfiance à l'égard de ce document. Le cas n'est pas du tout isolé dans la tradition manuscrite des monuments littéraires vieux-slaves; il est au contraire très fréquent et nous avons d'autres ouvrages qui, composés au Xe siècle, nous sont parvenus uniquement dans des manuscrits du XVIe ou du XVIIe. L'ancienneté des deux Vies de Constantin et de Méthode est surtout prouvée par la langue elle-même qui correspond visiblement aux origines de la littérature slavonne.

*

Il est aisé de passer rapidement en revue les manuscrits qui nous ont conservé la Vie de Constantin.

1° C'est d'abord un manuscrit du couvent basilien de St Onoufrie de Lvov, manuscrit datant de la seconde moitié du XVe siècle et contenant entre autres écrits, pour la plupart patristiques, quinze chapitres de la Vie qui nous intéresse. La langue révèle une rédaction serbo-slavonne basée pourtant sur un modèle bulgaro-slavon. C'est surtout pour cette raison que ce manuscrit jouit d'une certaine autorité auprès des slavisants et a été pris pour base par Miklosich et Pastrnek dans leurs éditions de la Vie de Constantin.

2° Un second texte est daté de façon exacte; il a été copié en 1469 par un certain diacre Vladislav du couvent *Notre-Dame de Žegligov* au pied de la Crna Gora ou près de Skopl'e. Il appartient, lui-aussi, au groupe serbo-slavon.

3° Ce même Vladislav a copié de nouveau la Vie de Constantin en 1479 et cet exemplaire, de dix ans postérieur au précédent, se trouve dans la bibliothèque du *couvent de Rylle en Bulgarie*.

Ce manuscrit, de rédaction serbo-slavonne comme les deux précédents, entre avec ceux-ci dans une sorte de groupe à part. Les autres, de rédaction russo-slavonne, sont les suivants:

4° Celui du *Vatican* remontant au XVIe ou au XVIIe siècle (Vat. Slavo 12).

5° Un autre Ms. du couvent basilien de *St Onoufrie de Lvov*, datant, celui-là, du XVIe ou du XVIIe siècle. Il porte une remarque indiquant que la Vie a été copiée sur un Ms. du couvent serbe de Chil'anda r.

6° Le Ms. no 19 de *l'Académie théologique de Moscou*, du XVe siècle.

7° Le recueil no 478 des Ms. de la bibliothèque de *Ste Sophie de Novgorod*, du XVe siècle.

8° Le Ms. no 1318 de *l'Académie de Théologie de Saint-Pétersbourg*, datant de 1541 et contenant le ménologe russe de Makarij.

9° Le Ms. no 179 de la *Bibliothèque synodale de Moscou*, contenant également le ménologe et écrit sur l'ordre du tzar Ivan Vasil'evič vers 1553.

10° Le Ms. no 311(9) du *Couvent de Čudov à Moscou*, établi en 1600.

11° Le Ms. no 874 (411) de la *Bibliothèque de la Laure* dite *Troicko-Sergieva*, écrit vers 1630.

12° Le Ms. no 63 de *l'Académie de Théologie de Moscou*, du XVIIe siècle.

13° Le Ms. no 14 (1253) de *l'Académie de Théologie de Saint-Pétersbourg*, du XVIIe siècle.

14° Le Ms. no 162 de la *Collection V. M. Undolskij*, du XVIIIe siècle, simple copie de celui qui a été décrit plus haut au no 7.

15° Le Ms. du *Grand ménologe de Makarij* conservé à la bibliothèque synodale de Moscou. La Vie est insérée à la date du 14 février.

16° Le même Ms. avec date du 14 octobre.

17° Le Ms. no 593 de *l'Académie de Théologie de Moscou*.

18° Le Ms. no 509 contenant le ménologe et conservé à la bibliothèque de *l'Académie de Théologie de Kazan'*.

19° Le recueil de *E. V. Barsov*, datant de la première moitié du XVe s.

20° Le Ms. n° 1603 (472) de la Bibliothèque synodale et provenant du *Monastère de Chilandar*.

21° Le Ms., des XVᵉ—XVIᵉ siècles, qui se trouve à Zagreb dans la *Collection de Mihalović*.

Outre ces manuscrits, Lavrov[1] en mentionne encore quatre, l'un qui est conservé à la *Bibliothèque de la Société des Amis de la littérature ancienne*, un autre dans la *collection de Nikolskij*, puis celui du *Musée Rumjancev* (n° 1770) provenant du séminaire d'Olonĕc et enfin le manuscrit n° 621 de *l'Académie de Théologie de Kazan'*.

Or tous ces textes, bien qu'existant dans deux rédactions — serbo-slavonne et russo-slavonne — indiquent une source commune, bulgaro-slavonne. Ils présentent tous de nombreuses variantes intéressantes pour un philologue, mais sans importance pour un historien, puisque ne concernant jamais les dates ni les événements historiques[2].

Quelques indices montrent que la Vie de Constantin était connue bien avant le XVᵉ siècle, époque qui nous a laissé les plus anciens manuscrits. Dans un recueil vieux-russe[3] de 1076 on recommande, en effet, déjà la lecture de la Vie et quelques fragments de l'œuvre sont en outre conservés dans les bréviaires croates glagolitiques remontant au IXᵉ siècle.[4] Il semble que ces leçons aient été composées d'après un texte datant du IXᵉ ou du Xᵉ siècle.[5]

*

Les manuscrits qui nous ont transmis la Vie de Méthode ne sont pas aussi nombreux et tous sont de la même recension russo-slavonne :

1° Le Ms. de *l'Église d'Uspenski de Moscou*, provenant du XIIᵉ ou du XIIIᵉ siècle.

2° Le Ms. du ménologe conservé à la *Bibliothèque de l'Académie de Théologie de Moscou* et datant de la fin du XVᵉ siècle.

3° Le Ms. du ménologe, n° 94, de *la même Bibliothèque*, datant du XVIᵉ siècle.

---

[1] Материалы по истории возникновения древнейшей слав. письмен., Труды слав. комиссии, I, Академия наук СССР., Leningrad (1930, pp. XIX et suiv).

[2] Nous indiquons quelques variantes au cours de la traduction. Attirons ici encore l'attention sur une variante – curieuse mais sans importance – du Ms. de la Vie de Constantin Vat. Slavo 12. D'après ce Manuscrit, Constantin aurait occupé à Sainte Sophie non pas la charge de bibliothécaire, c'est-à-dire de chartophylaque, mais celle de sceuophylaque. C'est évidemment une erreur.

[3] O. BODJANSKIJ, О времени происхожденія слав. письменъ, Moscou, 1855, p. 37.

[4] BRČIĆ, *Dvie službe rimskoga obreda za svetkovinu Cirila i Metuda*, Zagreb, 1870.

[5] Voir pour les détails PASTRNEK, *l. c.*, pp. 8 et suiv.

4° Le Ms. du menologe, n° 91, de la *Bibliothèque synodale de Moscou*, du milieu du XVIᵉ siècle.

5° Le Ms. n° 313 (11) du *Monastère de Čudov de Moscou*, écrit en 1600.

6° Le Ms. n° 804 de la *Bibliothèque synodale de Moscou*, écrit entre 1646 et 1654.

7° Le Ms. n° 63 du recueil conservé à la *Bibliothèque de l'Académie de Théologie de Moscou*.

8° Le Ms. du Grand ménologe *de Makarij* de la *Bibliothèque synodale de Moscou*.

La tradition manuscrite de la Vie de Méthode ne s'étend donc pas au delà du XIIᵉ siècle, mais nous trouvons dans les Annales russes de Nestor[1] la preuve de l'existence antérieure de cette œuvre. Une partie de la Vie y est en effet insérée, mais sous une forme différente révélant une tradition nationale bulgare.

*

Le premier écrivain qui ait rendu les deux Vies accessibles au public a été *Dmitrij Rostovskij* qui composa, à la fin du XVIIᵉ siècle, une biographie des deux frères d'après les deux Légendes. Cette biographie fut publiée en 1700 dans la collection intitulée: Книга житій святыхъ. *A. L. Schlözer* attira l'attention du monde occidental sur ces nouveaux textes dans son ouvrage: Nestors russische Annalen, Sᵗ Petersbourg, 1816, II, pp. 233 et suiv. Mais son exposé resta inaperçu et Dobrovský[2] rejeta même très nettement ces renseignements nouveaux. Ce n'est que plus tard que l'intérêt des spécialistes fut éveillé, grâce surtout aux travaux de *A. V. Gorski*[3] et de l'évêque *Filarète*,[4] travaux qui furent réimprimés dans le Recueil de Pogodin, publié à l'occasion du jubilé cyrillo-méthodien de 1865.[5]

Le premier essai d'édition critique a été fait par *P. J. Šafařík* en 1851.[6] Šafařík prit pour base de son édition de la Vie de Constantin le Ms. indiqué plus haut au n° 3 et utilisa en outre les Mss. nᵒˢ 1, 2, 5 et, en partie, le n° 4, c'est-à-dire surtout les textes de rédaction serbo-slavonne. Cette édition de la Vie de Constantin fut réimprimée par Miklosich.[7]

[1] BODJANSKIJ, *l. c.*, pp. 62—65.

[2] *Cyrill und Method*, Prag, 1823, pp. 7 et suiv.

[3] Москвитанинъ, 1843, n° 6, pp. 406–434.

[4] Кириллъ и Меѳодій, славянскіе просвѣтители, Moscou, 1846.

[5] Кирилло-Меѳодіевскій Сборникъ, *l. c.*, pp. 5–42, 43–80.

[6] *Památky dřevního písemnictví Jihoslovanů*, Praha, 1851.

[7] *Chrestomathia palaeoslovenica*, Vindobonae, 1861, pp. 55–78. La traduction latine de la Vie de

Une nouvelle édition des deux Vies fut entreprise par *O. Bodjanskij*.[1] Ce savant russe recueillit surtout les manuscrits de tradition russo-slavonne de la Vie de Constantin et imprima, les uns après les autres, ceux que nous avons énumérés aux nos 6, 7, 8, 9, 10, 11, 12, 13, 14, 15, 16, 17, 18, 19 et 20. Parmi ceux du groupe serbo-slavon il ne publia que le Ms. n° 3.

Une autre édition, la plus appréciée des spécialistes jusqu'à une époque récente, fut tentée par *Miklosich* lui-même[2]. Ce dernier prit comme base de son édition de la Vie de Constantin le manuscrit n° 1 du couvent de Sᵗ Onoufrie de Lvov et, ce manuscrit ne contenant que quinze chapitres de la Vie, il publia les trois autres chapitres en se référant au Ms. n° 3 du couvent de Rylle.

J. Perwolf a donné en 1873[3] une nouvelle édition des deux Vies dans les «Fontes rerum bohemicarum», en s'appuyant sur le Ms. n° 6 pour la Vie de Constantin et sur les manuscrits utilisés par Bodjanskij pour celle de Méthode.

Une nouvelle édition est due à *F. Pastrnek* et date de 1902.[4] Il s'est basé, pour la Vie de Constantin, sur l'édition de Miklosich mais en tenant compte des éditions antérieures et pour la Vie de Méthode, sur le manuscrit le plus ancien, règle suivie — notons-le — par tous les autres éditeurs. C'est sur les mêmes bases que les deux Vies ont été publiées par *A. Théodorov-Balan*.[5]

Tout récemment l'académicien *Lavrov*[6] a entrepris une nouvelle édition, plus complète que toutes les précédentes. Il a publié la Vie le Constantin, séparément d'après les deux récensions, russo-slavonne et serbo-slavonne. Il a pris pour base de la version russe le Ms. n° 6 et s'est appuyé pour la version serbe sur les deux manuscrits de Vladislav (nos 2 et 3). Le procédé de M. Lavrov n'a pas été très heureux bien qu'on puisse distinguer maintenant d'une façon plus précise les deux rédactions de la Vie qui nous intéresse.

Méthode, faite par Miklosich, a servi de base à E. DÜMMLER pour son étude : *Die pannonische Legende vom hl. Methodius*, Archiv f. Kunde öster. Geschichtsquellen, Wien, 1854 vol. XIII. La traduction a été également réimprimée par GINZEL, *Geschichte der Slavenapostel Cyrill und Method u. der slav. Liturgie*, Wien, 1861, 20 et suiv. (Anhang).

[1] Чтенія моск. дух. Акад., 1863–1864, 1865.

[2] MIKLOSICH, *Vita s. Methodii, russico-slovenice et latine*, Vindobonae, 1870; E. DÜMMLER et FR. MIKLOSICH, *Die Legende vom hl. Cyrillus*, Denkschr. d. k. Akad., Wien, 1870.

[3] *Fontes rerum bohemicarum*, Praha, 1873, nos 1 et 2, avec une traduction tchèque.

[4] *Dějiny slovanských apoštolů Cyrilla a Methoda*, Praha, 1902.

[5] Кирилъ и Методи, Университетска Библиотека, vol. 1, Sofia, 1920.

[6] V. l'ouvrage cité plus haut, p. 341.

Pour compléter les notions relatives aux documents concernant les deux frères, il nous faut passer en revue, à titre purement documentaire, les autres écrits slaves, grecs et latins qui se rapportent à l'histoire de Constantin et de Méthode.

Parmi les documents slaves il faut mentionner d'abord le Ꙋспєнїє св. Ки-ѳилла[1] (Sur la mort de St Cyrille), trouvé par Hilferding dans un recueil des XVe—XVIe siècles. Ce document n'est qu'un extrait de la Vie de Constantin et ne s'écarte de l'original que sur quelques points. C'est ainsi qu'il attribue à Constantin avant la mission arabe la conversion des Slaves de la Brĕgalnica en Macédoine, population à qui notre héros aurait donné des livres slavons avant d'aller en Moravie. Il attribue d'autre part à Constantin le mérite d'avoir converti le khagan khazar et, d'après lui, Kocel aurait été le prince des Lechs (кнєзь Лѣшкын) tandis que Sava, élève de Constantin, aurait été évêque du même territoire. Ajoutons qu'il nomme, outre Sava, les principaux élèves du Saint: Angellaire, Gorazd et Naum. La mention des Slaves de la Brĕgalnica trahit sans doute l'origine de cet extrait.

On connait encore sur Cyrille et Méthode quelques courtes biographies dites «prologues». Elles ont, du reste, pour sources la tradition des deux Vies mais représentent plutôt l'état tardif de cette tradition, avec de nombreux traits légendaires. L'un de ces prologues est notamment caractérisé comme «La légende de Thessalonique».[2]

Les services liturgiques (слоѵжꙑба) en l'honneur de nos Saints et les éloges (похвала) qu'on a conservés, n'apportent rien d'intéressant pour l'historien.[3]

Plus important est un document vieux-slave dont nous avons déjà eu l'occasion de parler, le Слово на пєрєнєсєнїє, la Translation des reliques de St Clément. Il est probable que nous n'avons ici que la traduction d'un ouvrage grec de Constantin consacré au même sujet. Nous avons examiné plus haut[4] les

---

[1] Voir la meilleure édition dans LAVROV, Материалы, l. c., pp. 154–157.

[2] Voir sur ces prologues V. JAGIĆ, Вопросъ о Кириллѣ и Меѳодіи въ слав. филологіи, Записки Имп. Акад. Наукъ, vol. 51, 1885, n° 38; PERWLOF, Fontes, vol. I, pp. 69–75, LAVROV, l. c., pp. 100 et suiv.; JORDAN IVANOV, Български Старини, Sofia, 1931, pp. 281 et suiv.

[3] Voir JAGIĆ, l. c.; ŠAFAŘÍK, l. c., pp. 28—30; PERWOLF, Fontes, l. c., pp. 53—68: LAVROV l. c., pp. 108 et suiv; J. IVANOV, l. c., pp. 290 et suiv.

[4] Pp. 196 et suiv. Aux éditions citées à cet endroit ajoutons en celle de LAVROV, Материалы, l. c., pp. 148—153.

données de ce document en les comparant à celles d'autres documents, la Vie de Constantin et la légende italique, et avec les données de la lettre du bibliothécaire Anastase à l'évêque Gauderich de Velletri. Il semble être plus que vraisemblable que le document slave n'est que la traduction d'un ouvrage de Constantin sur l'invention des reliques, ouvrage dont parle surtout Anastase dans la lettre à Gauderich pour qu'il l'a traduit en latin.[1]

On parle aussi des deux frères et de leur œuvre dans les différentes chronographies slaves. Toutes ces mentions sont basées sur la même tradition qui a son origine dans les deux Légendes. Nous avons dit que la Chronographie de Nestor, par exemple, emploie, entre autres sources, la Légende de Méthode, mais sous une forme différente révélant une tradition nationale bulgare postérieure.

Il faut encore mentionner le très populaire petit *écrit attribué au moine Chrabr* et qui a pour but de défendre l'écriture slavonne inventée par Constantin.[2]

On peut y joindre un important document, découvert durant ces dernières années et qui nous renseigne sur le sort de certains disciples des deux frères, la *Vie de St Naum*[3], source à laquelle peut être ajoutée une *Vie slavonne de St Clément d'Ochrida*.[4]

Mais plus importante encore est la *Vie grecque de St Clément* qui, attribuée au métropolitain d'Ochrida, Théophylacte († 1107), a dû en réalité être composée en slavon par un élève de Clément, remaniée plus tard et publiée en grec sous le nom de Théophylacte.[5] Nous possédons, d'ailleurs, en dehors de cette longue Vie un texte plus court appelé Légende d'Ochrida.[6]

---

[1] Voir sur ce texte slave PASTRNEK *l. c.*, pp. 24–30.

[2] Voir JAGIĆ *l. c.* 39 ; l'édition la plus récente a été donnée par LAVROV, *l. c.* pp. 162–164.

[3] Cf. les éditions les plus récentes de LAVROV, *l. c.* pp. 181 et suiv. et de J. IVANOV, *l. c.*, pp. 305 et suiv.

[4] LAVROV *l. c.* pp. 193–195. Cette vie n'est qu'une traduction de la Légende d'Ochrida.

[5] Voir ce que nous avons dit de cette Vie dans notre livre *Les Slaves, Byz. et Rome*, p. 313. La Vie a été publiée notamment par F. MIKLOSICH en 1847 (*Vita S. Clementis ep. Bulgarorum graece*, Vindobonae). L'édition la plus accessible est celle de la patrologie de Migne (*P. G.*, vol. 126, col. 1194 et suiv.) où l'on trouvera l'indication des éditions anciennes. Cf. aussi *Bibliotheca graeca*, Bruxelles, 1909, p. 51. La traduction latine de Miklosich a été réimprimée par PASTRNEK, l. c., pp. 278–286. Sur l'auteur de la Vie voir N. L. TUNICKIJ, Св. Климентъ епископъ словенскій, Sergiev Posad, 1913. Le même auteur a donné une nouvelle édition de la Vie (Матеріалы для исторіи жизни и дѣятельности учениковъ свв. Кирилла и Меѳодія, vol. I, Sergiev Posad, 1918.

[6] Sur son auteur voir TUNICKIJ, Св. Климентъ , pp. 89 et suiv. ; notre livre, *Les Slaves, Byz. et Rome*, l. c., p. 313. Cf. G. BALASČEV, Клименъ епископъ словѣнски. Sofia, 1898. CF. J. IVANOV, *l. c.* pp. 314 et suiv.

Énumérons pour terminer les principales sources latines. C'est en premier lieu *la Légende dite italique ou romaine*, intitulée *Vita cum translatione s. Clementis*,[1] qui a longtemps joui de la meilleure réputation auprès des historiens des deux frères mais qui doit céder la place aux Vies slavonnes de Constantin et de Méthode. La tradition manuscrite ne date, il est vrai, que du XVIIᵉ siècle. Pourtant la « Legenda aurea » de Jacques de Voragine (archevêque de Gênes, 1292—1298) nous prouve qu'elle était connue au XIIᵉ siècle, l'auteur parlant de faits rapportés par la Légende italique et indiquant comme source la Chronique de Monte Cassino de Léon d'Ostie, mort entre 1115 et 1118. Il faut regretter que la *Vita s. Clementis écrite par l'évêque Gauderich de Velletri* ne nous ait pas été conservée en entier car, dans le troisième livre de son ouvrage, Gauderich parlait de la translation des reliques de Sᵗ Clément par Constantin. On n'en connait que quelques fragments[2] et le troisième livre manque complètement. Il est également impossible pour cette raison de dire quelles sont les relations existant entre la Légende italique et la Vie rédigée par Gauderich et de savoir jusqu'à quel point la Légende dépend du récit de l'évêque. Nous avons vu que la Légende italique différait sur certains points des Légendes slavonnes. Il ne faudra, très probablement, voir en elle qu'un document postérieur à l'ouvrage de Gauderich, ayant peut-être profité des renseignements apportés par ce dernier mais représentant, dans son ensemble, une seconde étape de la tradition romaine relative aux deux frères.

Gauderich a dû avoir des renseignements précis et il est difficile d'imaginer que celui qui concerne le prétendu sacre de Constantin comme évêque puisse provenir de lui. Contemporain des apôtres de la Moravie, il a demandé ses renseignements à un homme qui devait être particulièrement au courant de tout ce qui s'était passé, durant le séjour de Constantin à Rome, Anastase le Bibliothécaire.

Nous avons, en effet, une *lettre d'Anastase à Gauderich* dans laquelle le Bibliothécaire annonce qu'il traduit l'ouvrage de Constantin sur l'invention des reliques de Sᵗ Clément et donne quelques autres détails à ce sujet. Cette *lettre*,

---

[1] A. S., Mars, vol. II, fol 19—21. DOBROVSKÝ, *Mährische Legende*, Prag, 1826; POGODIN, Сборникъ, pp. 327 et suiv.; *Fontes rer. boh.*, I, pp. 93—99; PASTRNEK, *l. c.*, pp. 239—245.

[2] *Florilegium Cassinense*, pp. 574 et suiv.; *Bibliotheca Cassinensis*, vol. 4, pp. 267 et suiv. Cf. ce qu'en dit LAEHR, *Briefe und Prologe, l. c.*, p. 455.

ainsi qu'une autre adressée par lui *à Charles le Chauve,* constitue un important document pour l'histoire de Constantin.[1]

Les lettres des papes Jean VIII et Étienne V concernant l'affaire de Méthode sont aussi d'une grande importance.[2] C'est surtout la découverte des restes du Régistre de Jean VIII – contenant les lettres relatives à l'affaire des deux frères – qui a contribué à redonner quelque crédit aux Légendes de Constantin et de Méthode. On a été, en effet, surpris de voir quelques renseignements importants de ces Légendes confirmés, de façon inattendue, par un document dont l'autorité est aujourd'hui hors de doute.[3]

Deux autres écrits latins se rapportant à la même affaire — *Libellus de conversione Bagoariorum et Carantanorum,* écrit en 870 ou 871 et *Epistola episcoporum Bavariensium ad Johannem P. IX scripta a 900[4]* — doivent par contre être consultés avec précaution, car ils révèlent trop le parti-pris de leurs auteurs à l'égard de Méthode.

Également important est le raccourci de l'histoire de Constantin et de Méthode que nous trouvons dans la Légende de Sᵗ Venceslas composée en Bohême au Xᵉ siècle, et atribuée à Christian.[5] C'est pour nous un précieux document qui montre que le souvenir des deux frères n'avait pas disparu d'un pays successeur de la Grande-Moravie, même à une époque où les Tchèques étaient déjà entrés définitivement dans la sphère d'influence de l'Église et de la culture occidentales. C'est sur ce récit qu'est basée la courte histoire de Constantin et de Méthode figurant dans la *Légende de Sᵗᵉ Ludmila,* dite aussi « *Diffundente sole* ».[6] Les autres Légendes latines, très postérieures, la « *Legenda Moravica* » notamment, et les

---

[1] J. FRIEDRICH, *Ein Brief des Anastasius Bibl. an den Bischof Gaudericus,* Sitzungsber. d. k. b. Akad. d. Wiss., Phil.-hist. Cl., vol. 3, 1892. *M. G. H., Ep.* VII, pp. 433, 436 et suiv.; PASTRNEK, *l. c.,* pp. 245–249. Ajoutons y encore ce que Anastase, dans son introduction au VIIIᵉ concile (*Mansi,* XVI, 6), dit des relations entre Photios et Constantin.

[2] PASTRNEK, *l, c.,* pp. 249 et suiv. La plus récente édition (1928) par E. CASPAR dans les *M. G. H. Ep.,* VII, pp. 160, 161, 222 et suiv., 243, 281–286, 352–358.

[3] Voir sur le Registre de Jean VIII A. LAPÔTRE, *L'Europe et le Saint-Siège,* pp. 1–30 et CASPAR, *Studien zum Register Johann VIII,* Neues Archiv der Gesellschaft für ält. deutsche Geschichte, vol. 36, 1911.

[4] M. G. H. Ss., vol. XI. pp. 1–15; PASTRNEK, *l. c.,* pp. 264 et suiv. MANSI, XVIII, 206–208; P. L., vol. 131, col. 34–38; PASTRNEK, *l. c.,* pp. 274–279.

[5] J. PEKAŘ, *Die Wenzels- und Ludmilla-Legenden und die Echtheit Christians,* Prag, 1906; aux pp. 89 et suiv. texte de la Légende. Cf. notre petit livre sur Venceslas, *Sᵗ Venceslas, duc de Bohême,* Prague, 1929; pp. 9 et suiv.

[6] Cf. J. PEKAŘ, *Die Wenzels- und Ludmilla-Legenden,* pp. 71 et suiv. Le texte dans les *Fontes rerum bohemicarum,* I, pp. 191 et suiv.

mentions des deux frères dans les chroniques et autres documents sont sans grande importance.[1]

Somme toute, il ressort bien de ce rapide examen que les deux Légendes slavonnes dites à tort pannoniennes, sont les plus importants documents relatifs à l'histoire de Constantin et de Méthode. C'est ce qui nous a incité à en donner ci-après la traduction française, établie d'après l'édition Miklosich-Pastrnek, avec indication des variantes importantes susceptibles d'intéresser l'historien.[2]

---

[1] Voir sur elles J. DOBROVSKÝ, *Cyrill una Methoa*, pp. 26 et suiv. ; IDEM, *Mährische Legende von Cyrill und Method*, Prag, 1926. Pour le texte de la «Légende morave», *Fontes rerum bohem.*, I, pp. 100–107.

[2] Les mots ou expressions ne figurant pas dans le texte original et pourtant nécessaires à la compréhension sont indiqués entre crochets [ ]; les mots apportant seulement un éclaircissement sont mis entre parenthèses ( ).

Les références à la Bible sont données d'après la Vulgate.

VIE DE CONSTANTIN.

Le quatorzième jour du mois de février.

Mémoire et Vie de notre bienheureux docteur Constantin le Philosophe,
premier éducateur du peuple slavon.

Père, donnez votre bénédiction!

CHAPITRE I.

Dieu miséricordieux et indulgent, qui patiente jusqu'à ce que les hommes
aient fait pénitence pour que tous soient sauvés et parviennent à la connaissance
de la vérité[1] — car il ne désire pas la mort du pécheur même endurci dans le mal,
mais sa pénitence et sa vie — (Dieu) ne permet pas que le genre humain défaille,
succombe aux tentations du démon et périsse. A toutes les époques, dans tous
les temps, il ne cesse au contraire de nous accorder sa grâce multiple, et il l'a
fait depuis les origines jusqu'à nos jours, d'abord par l'intermédiaire des patriar-
ches et des Pères, puis par les prophètes, et après eux par les apôtres et les mar-
tyrs, par des hommes justes et savants qu'il a choisis dans cette vie toute
troublée. Car, comme il l'a dit,[2] le Seigneur connaît les siens, ceux qui sont bien
à lui: «Mes brebis entendent ma voix, et je les connais, et je les appelle par leurs
noms, et elles me suivent. Je leur donne la vie éternelle.» Et c'est ce qu'il a fait
aussi dans notre race en nous donnant un tel Maître, celui qui a éclairé notre
nation dont la faiblesse obscurcissait la raison ou qui, plutôt, séduite par le
diable, ne voulait même pas marcher à la lumière des commandements divins.
Sa Vie, même contée en raccourci, montrera ce qu'il était afin qu'en l'entendant
celui qui le voudra devienne pareil à lui, c'est-à-dire, après avoir banni la pa-

[1] 1 Tim. 2, 4.
[2] Jean 10, 27, 28.

349

resse, plein de ferveur, conformément à la parole de l'Apôtre: « Soyez mes imitateurs comme je suis celui du Christ. »[1]

CHAPITRE II.

Les parents de Constantin.

Dans la ville de Thessalonique vivait un homme noble et riche qui s'appelait Léon et qui était revêtu de la dignité de drongaire sous les ordres du stratège. Il était orthodoxe et observait scrupuleusement les commandements divins, tel Job autrefois. Il vivait avec son épouse qui lui avait donné sept enfants, dont le plus jeune, le septième, fut Constantin, notre maître et notre docteur. Après sa naissance celui-ci fut confié à une nourrice pour être élevé; mais pendant toute la période de l'allaitement, le petit ne voulut pas prendre d'autre sein que celui de sa mère. C'était là quelque chose de providentiel pour que l'enfant, bon rejeton d'une bonne souche, fût nourri d'un lait pur. Puis, ces excellent parents se mirent d'accord pour ne plus user du droit conjugal et s'imposer la continence. Ils vécurent ainsi dans le Seigneur comme frère et sœur, fidèles à leur décision, pendant quatorze ans, jusqu'à ce que la mort les eût séparés. Et quand lui fut appelé à comparaître devant le tribunal, la mère pleurant sur son petit garçon disait: « Je n'ai pas de plus grande préoccupation que cet enfant; comment l'élever? » Mais il lui dit: « Crois-moi, mon épouse, j'ai confiance en Dieu qui lui donnera pour père et recteur celui qui gouverne tous les chrétiens. » Et c'est ce qui arriva.

CHAPITRE III.

L'enfance.

A l'âge de sept ans l'enfant eut un songe qu'il raconta ainsi à son père et à sa mère: « Le stratège ayant rassemblé toutes les jeunes filles de notre ville me dit : Choisis librement, parmi elles, l'épouse digne de toi qui pourra te servir de soutien. Les ayant toutes regardées et attentivement considérées, j'en distinguai une — la plus belle — dont le visage resplendissait, qui était magnifique sous sa riche parure d'or et de pierres précieuses et qui s'appelait Sophia, c'est-à-dire la Sagesse. C'est elle que je choisis. » L'ayant entendu, ses parents lui dirent: « Fils, observe la loi de ton père et ne rejette pas l'enseignement de ta mère;[2] car l'obligation de la Loi [est une] lampe et une lumière.[3] Dis à la Sa-

---

[1] *1 Cor. 4, 16.*
[2] *Proverb. 6, 20.*
[3] *Proverb. 6, 23.*

gesse: Sois ma sœur et fais de l'intelligence ton amie:[1] *car la Sagesse resplendit plus que le soleil;*[2] *et si tu l'amènes à toi pour qu'elle soit ton épouse, tu seras par elle libéré de nombreux maux. »*

Et quand ils l'eurent confié aux instituteurs, il devança tous les élèves dans les lettres, excellant par sa mémoire rapide, à l'étonnement de tous.

Un jour, suivant l'usage des enfants des riches, amateurs de chasse, il sortit avec eux dans les champs, emmenant son faucon. Quand il l'eut lâché, un vent dû à la divine providence souleva et emporta [l'oiseau]. L'enfant en fut tout rempli de tristesse et de douleur et, pendant deux jours, il ne prit aucune nourriture. Ainsi Dieu miséricordieux mû par son amour des hommes, ne voulant pas l'habituer aux choses de cette vie, s'est facilement emparé de lui. De même qu'il s'était jadis emparé de Plakidas à l'occasion d'une chasse au cerf, de même il s'est emparé de Constantin en se servant d'un faucon. Méditant sur la vanité de cette vie, l'enfant fit pénitence et dit: « La vie est donc ainsi faite qu'au lieu de joie, ce soit la douleur qui vienne? Dès aujourd'hui je suivrai une autre route, meilleure que celle-ci et je ne perdrai plus mes journées dans les troubles de cette vie. »

S'étant voué à l'étude, il restait dans sa maison, apprenant par cœur les livres de Saint Grégoire le Théologien. Il fit sur le mur le signe de la croix et écrivit en l'honneur de Saint Grégoire un encomion ainsi composé: « O Grégoire, vous qui êtes homme selon le corps, mais ange selon l'âme! Vous qui êtes homme d'après le corps, vous êtes apparu comme un ange. Pareille à celle d'un séraphin votre bouche glorifie Dieu en illuminant la terre par l'explication de la vrai foi. Recevez-moi donc, moi qui m'approche de vous avec amour et confiance, soyez mon Maître et celui qui doit m'éclairer. » Voilà ce qu'il promettait.

S'étant trop aventuré dans de nombreux sermons et dans une grande science, il n'en pouvait pas comprendre le sens profond. Et il tomba dans un grand chagrin. Il y avait alors un étranger, très versé dans la grammaire. Il vint donc le trouver et après s'être prosterné à ses pieds il le pria en se donnant à lui: « Fais une bonne œuvre et apprends-moi l'art grammatical. » Mais celui-là dissimulait son talent; il lui dit: « Jeune homme, ne te fatigue pas; car je me suis juré de ne jamais de ma vie enseigner cela à personne. » L'enfant s'étant de nouveau prosterné devant lui, dit en pleurant: « Prends tout ce qui me revient de la maison de mon père, et instruis moi. » Mais comme l'autre ne voulait pas

[1] Proverb. 7, 4.
[2] Sapient. 7, 29.

351

l'exaucer, il rentra chez lui et se mit en prières pour obtenir ce que son cœur désirait.

Or, Dieu a bientôt réalisé le désir de ceux qui le craignent. Ayant appris sa beauté, son intelligence et l'ardent désir d'étude qui était en lui, le ministre impérial appelé logothète l'envoya chercher pour qu'il fut élevé avec l'empereur. Le jeune garçon, à cette nouvelle, se mit joyeusement en route. Sur le chemin il récita cette prière après s'être prosterné: « Dieu de nos pères et Seigneur miséricordieux, vous qui avez tout créé par votre parole et votre sagesse, vous qui avez voulu que l'homme règne sur les créatures faites par vous,[1] donnez-moi la Sagesse qui est au pied de vos trônes,[2] pour que je connaisse ce qui vous est agréable et que je sois sauvé. Car je suis votre serviteur et le fils de votre servante. »[3] Il récita encore le reste de la prière de Salomon et, s'étant levé, dit « Ainsi soit-il ».

CHAPITRE IV.

Études à Constantinople. *Quand il fut arrivé à Constantinople, on le confia aux instituteurs pour recevoir l'instruction. Et après y avoir appris la grammaire en trois mois, il s'attaqua aux autres sciences. Il étudia Homère et la géométrie ainsi que — auprès de Léon et de Photios — la dialectique et toutes les autres disciplines philosophiques. Il apprit même, outre cela, la rhétorique et l'arithmétique, l'astronomie, la musique et les autres arts helléniques. Il les apprit tous aussi bien que s'il n'en avait étudié qu'un seul. La vitesse s'ajoutait à l'assiduité, l'une concurrençant l'autre. C'est ainsi que la science et les arts se perfectionnent. Plutôt que sa science il montrait un doux visage, ne parlant qu'avec ceux dont il pouvait tirer quelque profit et évitant ceux qui dévient vers le mal. Il regardait et ne faisait que ce qui pouvait lui permettre d'atteindre les choses célestes au lieu des biens terrestres et de s'envoler de ce corps pour vivre avec Dieu.*

Le logothète, voyant sa manière d'être, lui donna pouvoir sur sa maison et lui accorda libre accès au palais impérial. Un jour il lui posa la question suivante: « Je voudrais connaître, philosophe, ce qu'est la philosophie? » Mais lui répondit promptement: « C'est la connaissance des choses divines et humaines [qui nous enseigne] jusqu'à quel degré on peut s'approcher de Dieu et nous apprend que les choses sont créées à l'image et à la ressemblance de Dieu. » C'est pour cela qu'il l'aima encore davantage et l'interrogeait sur toutes choses, [lui], un

[1] *Sapient. 9, 1—2.*
[2] *Sapient. 9, 4.*
[3] *Sapient. 9, 5, Ps. 115, 6.*

tel homme, si grand et si vénérable. [Constantin] lui ouvrit toute la discipline philosophique, expliquant en quelques mots une grande doctrine.

Vivant dans la chasteté il devenait plus cher à tous qu'il devenait cher à Dieu. Le logothète, en lui accordant tous les honneurs et les marques de respect, lui offrit une masse d'or, mais lui ne voulut pas l'accepter. « Ta beauté et ta sagesse me forcent à t'aimer » lui dit-il une fois. « J'ai une fille spirituelle, que j'ai tenue au baptème, jolie et riche, noble et issue d'une grande famille. Si tu veux, je te la donnerai pour épouse. Tu recevras même maintenant de l'empereur une grande dignité et une haute charge mais tu peux attendre encore davantage car tu seras vite stratège. » Le Philosophe lui répondit: « C'est un grand cadeau pour ceux qui le désirent mais pour moi rien n'est meilleur que l'étude, grâce à laquelle j'amasserai la science et rechercherai l'honneur des ancêtres ainsi que la richesse. » Quand le logothète eut entendu ces mots, il alla trouver l'impératrice et lui dit: « Ce jeune philosophe n'aime pas cette vie. Ne nous séparons [pourtant] pas de lui, mais faisons lui tondre les cheveux pour qu'il entre dans les ordres et devienne bibliothécaire auprès du patriarche, à Sainte-Sophie. Gardons-le au moins ainsi. » Et c'est ce qu'ils firent.

Après être resté avec eux un court laps de temps, il s'en alla sur [les bords de] la Mer Étroite et s'y cacha dans un monastère. Ils le cherchèrent pendant six mois et ne le retrouvèrent qu'avec peine. Ne pouvant par lui imposer cet office, on le pria d'accepter une chaire de docteur et d'enseigner la philosophie aux indigènes et aux étrangers en toute autorité et avec l'appui [officiel]. Et il accepta.

L'entrée dans les ordres.

CHAPITRE V.

Le patriarche Jannès suscita une hérésie en disant qu'aucun honneur ne devrait être rendu aux saintes images. On convoqua donc un synode, on le condamna comme ne disant pas la vérité et on le déclara déchu de son siège. Mais il dit: « Ils m'ont chassé de force, mais sans me vaincre, car personne ne peut résister à mes paroles. » L'empereur, ayant pris conseil de ses patrices,[1] envoya le philosophe contre lui en disant: « Si tu peux le vaincre, jeune homme, tu auras ta chaire. » Lui, voyant le philosophe physiquement jeune, et ignorant la maturité de son intelligence, voyant aussi ceux qui étaient envoyés avec lui, leur dit: «Vous êtes indignes de mon escabeau. Comment aurais-je donc à

Discussion avec l'ex-patriarche Jannès.

[1] Tel est, du moins, le texte qu'on lit dans la plupart de manuscrits. Quelques uns ont pourtant au lieu de « patrices », « patriarche ». C'est évidemment une erreur. Cf. LAVROV, Материалы l. c., pp. 6, 43.

discuter avec vous? » *Et le Philosophe de lui dire: « Ne suis pas l'habitude des hommes, mais considère les préceptes divins. Tel tu es formé par Dieu de terre et d'esprit, tels nous sommes. Regarde donc la terre, ô homme, et ne t'enorgueillis pas. » De nouveau Jannès répondit: « Il ne convient pas de chercher des fleurs en automne ni de provoquer au combat un vieillard, un Nestor, comme [on ferait d'] un jeune homme. » Mais le Philosophe lui répartit: « Tu parles toi-même contre tes intérêts. Dis-nous à quel âge l'âme est plus forte que le corps? » Lui dit: « Dans la vieillesse. » Et le Philosophe: « A quel combat te provoquons-nous alors? A un combat physique ou spirituel? » Lui dit: « Spirituel. » Le Philosophe répondit alors: « C'est donc toi qui seras le plus fort. Ne nous raconte pas de telles histoires, car nous ne cherchons pas des fleurs et nous ne te provoquons pas au combat à une époque qui n'est pas convenable. » Le vieillard, couvert de honte, retourna le sujet de la conversation en disant: « Explique-moi, jeune homme, pourquoi on ne vénère et on ne baise pas une croix mutilée, alors que vous n'avez pas honte de vénérer une image [de Saint] peinte seulement jusqu'à la poitrine? » Mais le Philosophe de répliquer: « La croix se compose de quatre parties et s'il lui en manque une, elle n'a plus sa forme propre. L'image, elle, montre rien que par le visage la forme et la figure de celui qu'elle doit représenter. Celui qui la regarde ne voit pas la figure du lion ou de la panthère mais le prototype. » Le vieillard répliqua: « Pourquoi donc vénérez-vous la croix même sans inscription, alors qu'il existe plusieurs croix, si vous ne vénérez l'image que lorsqu'elle porte inscrit le nom de celui qu'elle représente? » A cela le Philosophe répondit: « Chaque croix a une forme pareille à celle de la croix du Christ, mais les images n'ont pas toutes la même forme. » Le vieillard dit alors: « Puisque Dieu a dit à Moïse: „Ne faites pas de représentations quelconques?"[1], pourquoi en faites-vous pour les vénérer? » A quoi le Philosophe répliqua: « S'il avait dit: „Ne faites aucune (πᾶς, omnis) représentation", tu aurais raison; mais il a dit: „pas de représentations quelconques" (παντοῖος, omnis generis), c'est-à-dire, indignes. » Ne pouvant rien opposer à cet argument, le vieillard se tut, rempli de honte.*

CHAPITRE VI.

La mission arabe.   *Par la suite, les Agarènes, qu'on appelle Sarrasins, blasphémèrent contre l'unité divine de la Sainte-Trinité, en disant: « Comment vous, chrétiens,*

---

[1] *Exod.* 20, 4.

qui croyez en un seul Dieu, le coupez-vous de nouveau en trois (parties), en disant qu'il est Père, Fils et Esprit? Si vous pouvez expliquer cela de façon claire, envoyez des hommes qui puissent discuter à ce sujet et nous convaincre. » Le Philosophe avait alors vingt-quatre ans. L'empereur convoqua le sénat et après l'avoir appelé il lui dit: « Entends-tu, mon Philosophe, ce que les Agarènes impies disent contre notre foi? Puisque tu es, pour ainsi dire, le serviteur et l'élève de la Sainte-Trinité, va là-bas, discute avec eux, et Dieu, qui peut tout faire et qui est loué dans la Trinité, Père, Fils et Saint-Esprit, te donnera la grâce et la force de la parole. Qu'il te fasse apparaître comme un nouveau David en face de Goliath, qu'il vainquit avec trois pierres, et qu'il te ramène chez nous, après t'avoir rendu digne de la gloire céleste. » Quand il eut entendu cela, Constantin dit: « Ce sera avec joie que je me mettrai en route pour la cause de la foi chrétienne. Car qu'est-ce qui m'est plus doux en ce monde que vivre et mourir pour la Sainte-Trinité? » Et, lui ayant adjoint l'asecrète Georges, ils l'envoyèrent.[1]

Arrivés là-bas, ils virent ce que ceux-là (les Agarènes) avaient fait d'étonnant et d'impur pour tourner en dérision et railler tous les chrétiens qui habitaient ces régions et qu'ils accablaient fort. Ils avaient peint à l'extérieur des portes de tous les chrétiens des figures de diables, et se moquaient d'eux par ces signes ignobles. Ils interrogèrent le Philosophe: « Peux-tu, Philosophe, expliquer ce que cela signifie? » Mais lui dit: « Je vois des images de diables; je suppose donc qu'il s'agit de maisons de chrétiens, car [les démons], ne pouvant pas habiter avec eux, s'enfuient hors de leur présence. Mais là où ce signe ne se trouve pas à l'extérieur [c'est que les démons] sont à l'intérieur avec les gens. »

Au cours du dîner, les Agarènes, gens sages et versés dans les lettres, connaissant la géométrie, l'astronomie et les autres disciplines, le questionnèrent pour le tenter, en disant: « Vois-tu, Philosophe, le miracle par lequel Mahomet le divin prophète, après nous avoir transmis le joyeux message de Dieu, a converti une multitude d'hommes? Nous observons tous sa loi sans la transgresser en quoi que ce soit. Mais vous, Chrétiens, en détenant la loi du Christ, votre prophète, vous l'observez et la suivez l'un d'une certaine façon, l'autre d'une façon différente, comme il plait à chacun de vous. » A cela le Philosophe répondit: « Notre Dieu est comme les profondeurs d'une mer; le prophète a même dit de lui: „Qui pourra expliquer son origine? Sa vie est enlevée de la terre."[2]

Discussion avec les Arabes.

---

[1] MS de Rylle et de Lvov: Ils envoyèrent donc avec lui l'asecrète et Georges le Palatin. Cf. l'édition de ce manuscrit faite par LAVROV, Материалы, p. 45. Voir plus haut, pp. 93 et suiv.
[2] Cf. Is. 53, 8.

En le cherchant, beaucoup d'hommes entrent dans ces profondeurs et, comme ils sont fort intelligents, ils reçoivent, lui aidant, les richesses de la Sagesse et après avoir accompli cette traversée, ils reviennent; les faibles, de leur côté, essaient de traverser pour ainsi dire sur des navires pourris, les uns se noient, les autres respirent tout juste, fatigués, se balançant à peine à cause de leur extrême faiblesse. Votre [mer] est si étroite et si facile à atteindre que n'importe qui, grand ou petit, peut la traverser. Cela ne dépasse pas les moyens humains et n'importe qui peut le faire. Lui (Mahomet) ne vous a rien interdit. Puisqu'il n'a pas réfréné votre irascibilité et votre sensualité, mais au contraire les a relâchées, dans quel abîme vous a-t-il précipités! Celui qui est sage le comprendra. Le Christ n'a pas fait ainsi; il a soulevé ce qui est lourd des [régions] inférieures aux [régions] supérieures et, par la foi et la grâce divine, il instruit l'homme. Créateur de toutes choses, il a créé l'homme entre les anges et les bêtes, le distinguant de la bête par la parole et l'intelligence, des anges par l'irascibilité et la sensualité. Si quelqu'un approche donc d'une de ces limites, il participe aux choses supérieures ou aux choses inférieures.» Ils le questionnèrent alors de nouveau: «Comment louez-vous Dieu en trois [personnes] puisqu'il est unique? Dis-le nous si tu le sais. Car vous l'appelez Père, Fils et Esprit. Si vous parlez ainsi, adjoignez-lui aussi une épouse, pour qu'il puisse procréer des dieux nombreux.» Mais le Philosophe répliqua à cela: «Ne prononcez pas des blasphèmes impies. Car nous avons bien appris des prophètes, des pères et des maîtres à louer la Trinité, Père, Fils et Esprit, trois substances en une (seule) essence. En ce qui concerne le Verbe, il s'est incarné dans [le sein de] la Vierge et il est né pour notre salut, comme en témoigne même Mahomet, votre prophète, lorsqu'il écrit: „Nous avons envoyé notre esprit à la vierge en lui donnant la faculté d'enfanter."[1] C'est de là que je vous apporte un argument sur la Trinité.» Vaincus par ces paroles, ils changèrent de sujet en disant: «C'est comme tu le dis, ô hôte! Mais puisque le Christ est votre Dieu, pourquoi ne faites-vous pas ce qu'il ordonne? Car il est écrit dans vos livres évangéliques: „Priez pour vos ennemis, faites le bien à ceux qui [vous] haïssent, et présentez votre joue à ceux qui frappent."[2] Or vous, loin d'agir ainsi, vous aiguisez des armes hostiles contre ceux qui vous font de telles choses.» Le Philosophe opposa à cela: «Si une loi a deux préceptes, lequel s'y soumet entièrement, celui qui n'en observe qu'un ou (celui qui observe) les deux?»

---

[1] Alcoran, sura 19, 17.
[2] Lc. 6, 27—29; Matth., 5, 44.

Et ils répondirent: « Celui qui [observe] les deux. » Et le Philosophe [d'ajou-
ter]: « Dieu a dit: „Priez pour ceux qui calomnient", puis il a dit: „Personne ne
peut faire preuve d'un plus grand amour dans cette vie que celui qui donne son
âme pour les autres."[2] Nous agissons donc ainsi à cause des autres pour que,
leurs corps étant captifs, leur âme ne le devienne pas également. » Ils dirent
encore: « Le Christ a payé tribut pour lui et les autres. Pourquoi ne voulez-vous
pas faire ce qu'il a fait? Et même si vous vous défendez de le faire, pourquoi
ne pas payer le tribut au moins pour vos frères et vos alliés, au peuple ismaélite,
si grand et si puissant? Nous demandons peu de choses, une seule pièce d'or,
et, tant que la terre subsistera, nous serons en paix avec vous comme personne
autre. » Le Philosophe répondit: « Si quelqu'un, marchant sur les traces de son
maître, veut suivre exactement les mêmes traces que lui, et si quelqu'un
d'autre, allant à sa rencontre, s'efforce de l'en empêcher, est-ce que celui-là est
son ami ou (son) ennemi? » Ils répondirent: « (Son) ennemi. » Et le Philo-
sophe dit: « Quand le Christ payait le tribut, quel est l'Empire qui existait, celui
des Ismaélites ou celui des Romains? » Et ils répondirent: « Celui des Romains. »
Lui dit alors: « Il ne faut donc pas nous en vouloir si nous payons tous le tribut
aux Romains. » Ils lui posèrent par la suite, pour [le] tenter, encore beaucoup
d'autres questions sur tous les arts qu'eux-mêmes connaissaient. Mais il répon-
dit à toutes et les vainquit même sur ces points. Ils lui dirent: « Comment sais-
tu tout cela? » Mais le Philosophe leur dit: « Un homme, ayant puisé de l'eau
dans la mer, la portait dans une outre et se vantait, disant aux étrangers: „Voyez
vous cette eau que personne d'autre que moi ne possède?" Mais un homme
[qui habitait le bord] de la mer arriva et lui dit: „Es-tu fou de te vanter ainsi
d'une outre fétide? Nous en avons (toute) une mer." C'est ainsi que vous
agissez, car c'est de nous que tous les arts sont sortis. »

Après cela, faisant des miracles, ils lui montrèrent un jardin planté autrefois
et sortant de terre. Et quand il leur eût expliqué comment cela se faisait ils lui
montrèrent de nouveau toutes sortes de richesses, des maisons faites d'or, d'ar-
gent, de pierres précieuses et de perles, en disant: « Vois-tu, Philosophe, ce
miracle! Le pouvoir et la richesse de l'Ameroumnès, seigneur des Sarrasins, sont
grands et nombreux. » Mais il leur dit: « Il n'y a rien là d'extraordinaire. Gloire
et louanges à Dieu qui a créé toutes ces choses et les a données aux hommes
comme consolation. Elles sont à Lui et à personne d'autre. »

---

[1] *Luc. 6, 28.*
[2] *Joan., 15, 13.*

A la fin, revenant à leur malice, ils lui donnèrent du poison à boire. Mais Dieu le miséricordieux qui a dit: « Même s'ils boivent quelque breuvage mortel, il ne leur fera point de mal, »[1] le libéra et le reconduisit sain et sauf dans son pays.

CHAPITRE VII.

Sa démission de professeur.

Peu de temps après il renonça à toute cette vie et se fixa en un lieu tranquille. Il se concentra sur lui-même; il ne garda rien pour le lendemain mais distribua tout aux pauvres et s'en remit à Dieu qui s'occupe chaque jour de tous. Un jour de fête, son serviteur lui ayant déclaré: « Nous n'avons rien, ce saint jour » il lui dit: « Celui qui nourrissait les Israélites dans le désert nous donnera à manger ici. Va donc, invite au moins cinq pauvres et espère en l'aide de Dieu. » Et quand vint l'heure du repas, un homme apporta une quantité de comestibles de tous genres et dix pièces d'or. Et il rendit grâces à Dieu pour tout cela.

Au Mont Olympe.

Et après s'être rendu au (Mont) Olympe auprès de son frère Méthode, il se mit à vivre et à prier Dieu sans cesse, n'entrant en conversation qu'avec les livres.

CHAPITRE VIII.

Des émissaires [envoyés par] les Khazars arrivèrent alors auprès de l'empereur, en disant: « Nous reconnaissons dès l'origine un Dieu, supérieur à toutes choses, nous l'adorons [en nous tournant] vers l'est et nous observons [en plus] d'autres habitudes honteuses. Les Hébreux nous conseillent d'adhérer à leur foi et à leurs traditions, mais d'un autre côté les Sarrasins nous entraînent à leur croyance en nous offrant la paix[2] et de nombreux cadeaux et en disant: „Notre croyance est meilleure que celle de tous les peuples." C'est pourquoi nous nous adressons à vous, en vertu de notre vieille amitié et de notre amour. Puisque vous êtes une grande nation et que vous tenez votre Empire de Dieu, nous vous prions, en demandant votre conseil, de nous envoyer un homme versé dans les lettres, pour que, s'il réfute les [arguments des] Hébreux et [des] Sarrasins, nous adhérions à votre foi. »

---

[1] Mc. 16, 18.

[2] Ces mots rappellent étrangement les rapports de quelques écrivains arabes sur la propagande musulmane chez les Khazars. Les sources arabes relatives à la judaïsation des Khazars vont en effet jusqu'à affirmer que ce peuple n'obtint la paix qu'à condition d'embrasser l'islamisme. Cf. ce que nous en avons dit plus haut, p. 170.

Alors l'empereur chercha le Philosophe et l'ayant trouvé, il lui communiqua le message des Khazars, en disant: « Philosophe, va chez ces gens, fais leur un discours, réponds-leur sur la Sainte-Trinité avec l'aide de celle-ci; aucun autre [que toi] n'est capable de le faire d'une façon digne. » Mais lui répondit: « Si vous me l'ordonnez, Seigneur, j'irai à pieds sans chaussures et sans rien porter de ce que le Seigneur défendait à ses disciples. » A quoi l'empereur répliqua: « Si tu devais agir de ta propre initiative, tes paroles conviendraient parfaitement. Mais puisque tu connais la majesté et la puissance impériales, tu iras avec honneur et avec l'appui de l'Empereur. »*

Constantin se mit aussitôt en route et il arriva à Cherson. Là il apprit la langue et les lettres hébraïques et ayant traduit huit parties de la grammaire, il en acquit une science encore plus grande. Là vivait un certain Samaritain qui venait le voir, discutait avec lui et [une fois] lui montra des livres samaritains qu'il avait apportés. Les ayant obtenus par ses prières, le philosophe s'enferma chez lui, se mit à prier et ayant reçu de Dieu l'intelligence, il commença à lire les livres sans faire de faute. Voyant cela, le Samaritain poussa de grandes exclamations et dit: « En effet, ceux qui croient au Christ reçoivent vite le Saint-Esprit et la grâce. » Et ayant immédiatement fait baptiser son fils, il reçut lui-même, ensuite, le baptême.*

Il (Constantin) trouva là également l'évangile et le psautier écrits en lettres russes et un homme parlant cette langue. Après avoir parlé avec lui il s'appropria le génie de la langue et la comparant avec la sienne, il discerna les lettres, voyelles et consonnes. Ayant adressé à Dieu une prière, il commença à lire et à parler de telle sorte que de nombreuses personnes l'admiraient en louant Dieu.*

Entendant dire alors que Saint Clément reposait toujours dans la mer, il se mit à prier et dit: « Je crois en Dieu et j'ai confiance en Saint Clément; je réussirai à le trouver et à l'enlever de la mer. » Ayant obligé l'archevêque on prit un bateau et en compagnie de tout le clergé et d'hommes pieux, on alla vers le lieu [où devait être le Saint]. Et, la mer redevenant très calme, à leur arrivée, ils se mirent à sonder en chantant. Immédiatement on sentit une forte odeur d'huile et d'encens, puis apparurent les saintes reliques. Ils les relevèrent avec beaucoup de respect et, comme il l'écrit dans son Invention, les portèrent dans la ville au milieu des louanges de tous les citoyens.*

Un seigneur khazar, venant avec une armée, entoura une ville chrétienne et y mit le siège. Ayant appris la chose, le Philosophe se transporta sans retard auprès de lui, lui parla et le calma par ses exhortations. Ayant promis de se faire baptiser, [le Khazar] parti sans avoir causé le moindre tort à ces gens.*

La mission khazare.

A Cherson.

Les lettres russes.

Découverte des reliques de Saint Clément.

Le Philosophe reprit sa route. Alors qu'il faisait sa prière de la première heure, des Hongrois l'entourèrent, hurlant comme des loups et voulant le tuer. Mais lui ne se laissa pas intimider; il n'interrompit pas sa prière, et prononça seulement le « Kyrie eleison », car il avait déjà terminé l'office. Eux, l'ayant considéré, se calmèrent, sur un ordre divin, et commencèrent à s'incliner devant lui. Après avoir entendu de sa bouche des paroles d'exhortation, ils le relâchèrent avec toute sa suite.

CHAPITRE IX.

Ayant pris un bateau il se mit en route pour [le pays des] Khazars, près du marais Méotide et vers les portes Caspiennes des montagnes du Caucase. Les Khazars envoyèrent alors à sa rencontre un homme astucieux et malin qui engagea avec lui une joute oratoire et lui dit: « Pourquoi persistez-vous dans
une mauvaise habitude en prenant toujours comme empereurs des personnages différents provenant de familles différentes? Nous le faisons, nous, d'après la famille. » Mais le Philosophe lui répondit: « Dieu, à la place de Saül qui ne faisait rien d'agréable pour lui, a bien choisi David qui lui plaisait ainsi que la famille de David. » Alors il reprit: « Pourquoi donc, les livres en mains, récitez-vous d'après eux toutes les paraboles? Nous ne faisons pas ainsi, nous récitons toute la sagesse par cœur, comme si nous l'avions engloutie, et nous ne nous enorgueillissons pas comme vous de l'Ecriture. » Mais le Philosophe lui dit: « Voici ce que je te réponds sur ce point. Si tu rencontres un homme nu qui te dit: „J'ai de nombreux vêtements et beaucoup d'or," le croiras-tu, en le voyant nu? » Et il dit: « Non. » Il dit alors: « Je te dis la même chose: puisque tu as englouti toute la sagesse, dis-nous combien il y a de générations jusqu'à Moïse et combien d'années ont duré les générations une par une? » Ne pouvant pas répondre à cela, il se tut.

Une fois arrivé, on voulut se mettre à table chez le khagan; on l'interrogea donc: « Quelle est ta dignité pour que nous puissions te placer d'après ton rang? » Lui dit: « J'ai eu un ancêtre très grand et très célèbre, qui était placé près de l'empereur, mais ayant lui-même refusé la place d'honneur qu'on lui avait donnée, il fut chassé. Ayant émigré à l'étranger, il devint pauvre et c'est là qu'il m'engendra. Et moi, j'ai cherché [à atteindre] la dignité qu'avait autrefois mon ancêtre, mais je n'ai pas réussi à la réoccupper, car je suis le neveu d'Adam. » Eux répondirent alors: « C'est bien dit et c'est vrai, notre hôte. » Depuis ce temps ils commencèrent à l'honorer davantage.

Le khagan, ayant pris la coupe, dit: « Buvons au nom du Dieu unique, Première partie de la controverse. créateur de toutes choses. » Le Philosophe, ayant alors saisi la coupe, dit: « Je bois au nom du Dieu unique et de son Verbe, de Dieu qui, par son verbe, a créé toutes choses, par lequel les cieux ont été consolidés, et de l'Esprit vivifiant qui leur donne toute leur force. » Alors le khagan lui répondit: « Nous sommes absolument du même avis et nous ne différons que sur ce point: Vous vénérez la Sainte-Trinité, et nous un seul Dieu, [d'après] les livres que nous avons reçus. » La Ste Trinité. Le Philosophe dit alors: « Les livres prêchent le Verbe et l'Esprit. Si quelqu'un t'honore, sans honorer ta parole et ton esprit, et si un autre honore les trois, lequel est le plus respectueux? » Lui dit alors: « Celui qui honore les trois. » Le Philosophe répondit: « Nous faisons donc ce qu'il y a de mieux, en procédant à une démonstration par les faits et en obéissant aux prophètes. Car Isaïe a dit: Ecoute-moi, Jacob et Israël, que j'appelle; je suis le premier et je suis pour l'éternité. Maintenant le Seigneur et son Esprit m'ont envoyé. »[1]

Et les Juifs, debout autour de lui, dirent: « Dis-nous donc, comment une L'incarnation. femme peut renfermer Dieu dans ses entrailles, Dieu qu'elle ne peut voir et encore moins enfanter? » Mais le Philosophe montrant du doigt le khagan et son premier conseiller dit: « Si quelqu'un disait que le premier conseiller ne peut pas recevoir le khagan et s'il ajoutait que le dernier des serviteurs peut le recevoir et lui rendre honneur, comment appellerions-nous [cet homme], dites-le moi, un fou ou un homme raisonnable? » Et ils dirent: « Un grand fou, certes. » Alors le Philosophe leur dit: « Laquelle des créatures visibles est supérieure à toutes les autres? » Ils lui répondirent: « L'homme, car il a été créé à l'image de Dieu. » Alors le Philosophe reprit: « Comment donc pourrions-nous ne pas qualifier de stupides les gens qui disent que Dieu ne pourrait pas être contenu par l'homme? Il l'a bien été par la mer, les nuages, l'orage et la fumée lorsqu'il est apparu à Moïse et à Job. Comment en effet pourrait-on donner des remèdes à un autre que celui qui est malade? Le genre humain, étant tombé dans le vice, par qui pouvait-il être rénové sinon par le Créateur lui- La Rédemption. même? Répondez-moi! Si un médecin veut appliquer aux malades un emplâtre, l'appliquera-t-il à un arbre ou à une pierre? Et guérira-t-il un homme de cette façon? Et comme l'a dit Moïse [sous l'impulsion de] l'Esprit-Saint, lorsqu'il priait les mains étendues: „Au milieu du tonnerre des pierres et des appels des trompettes n'apparaissez plus, Seigneur miséricordieux, mais habitez [plu-

---

[1] Is. 48, 12, 16.

tôt] en nous et faites disparaître nos pêchés." Car c'est Aquila qui parle ainsi. »
Là-dessus ils sortirent de table après avoir fixé le jour où ils discuteraient de toutes ces choses.

CHAPITRE X.

Seconde partie de la controverse.

La loi de Moïse

Quand ils furent de nouveau assis en présence du khagan, le Philosophe dit: « Je suis seul parmi vous, sans parents et sans amis, et nous discutons de Dieu qui a tout en ses mains, même nos cœurs. Que ceux d'entre vous qui sont éloquents nous parlent donc et nous expliquent ce qu'ils ont compris; qu'ils posent des questions sur ce qu'ils n'ont pas compris et nous le leur expliquerons. » Alors les Juifs firent cette réponse: « Nous aussi nous observons dans l'Ecriture la lettre et l'esprit. Dis-nous quelle loi Dieu a d'abord donnée aux hommes, celle de Moïse ou celle que vous observez? » Et le Philosophe de répliquer: « Si vous posez cette question, est-ce pour [dire] que vous observez la première loi? » Ils répondirent: « Parfaitement, car il convient [d'observer] la première loi. » Mais le Philosophe dit: « Si vous voulez observer la première loi, abandonnez donc complètement la circoncision. » Et ils lui dirent: « Pourquoi tiens-tu un tel langage? » Mais le Philosophe dit: « Dites-moi sans ambages si la première loi a été donnée dans la circoncision ou non? » Ils lui répondirent: « Nous pensons que ce fut dans la circoncision. » Mais le Philosophe dit: « Dieu, immédiatement après le précepte [donné à] Adam et la chute [de ce dernier], n'a-t-il pas donné à Noë une loi en appelant de ce nom le pacte? Car il lui a dit: „Voici, je conclus mon pacte avec toi et avec ta postérité et avec toute la terre," [1] un pacte contenant trois commandements, à savoir: „Mangez, comme l'herbe verte, tout ce qui est sous le ciel, tout ce qui est sur la terre et tout ce qui est dans l'eau; il n'y a que la viande, dont l'âme est dans le sang, que vous ne mangerez pas"; et „Que quiconque répandra le sang d'un homme voie répandre le sien en compensation". [2] Comment donc, en opposition à ces préceptes, dites-vous observer la première loi? » Mais les Juifs lui répondirent: « C'est la première loi de Moïse que nous observons; Dieu ne l'a pas appelée loi mais pacte, de même qu'il a appelé défense [et non pas loi le précepte] antérieur [donné] à l'homme dans le paradis et d'une autre façon à Abraham sous le nom de circoncision et non de loi. La loi est une chose, le pacte en est une autre, car le créateur les a désignées toutes deux de façon différente. » Mais le Philosophe leur

---

[1] Gen. 9, 9.
[2] Gen. 9, 3—6.

répliqua: « *Même à ce sujet je vous dirai que la loi est appelée pacte. Car Dieu a dit à Abraham: Je donnerai ma loi dans votre chair — il appela aussi cela un signe [d'alliance] — pour qu'elle existe entre moi et vous.*[1] *De même il s'adresse de nouveau à Jérémie en ces termes: Ecoute donc ce pacte, car tu parleras, dit-il, aux hommes de Juda et aux habitants de Jérusalem et tu leur diras: Voici ce que dit le Seigneur Dieu d'Israël: Maudit soit l'homme qui n'écoute pas les paroles de ce pacte, que j'ai imposé à vos pères le jour où je les ai fait sortir de la terre d'Egypte.* »[2] Les Juifs répondirent à cela: « *C'est aussi notre opinion que la loi est également appelée pacte, et ceux qui ont observé la loi de Moïse ont tous plu à Dieu. Nous aussi, en l'observant, nous pensons qu'il n'en est pas autrement, mais vous, qui avez établi une autre loi, vous foulez aux pieds la loi divine.* » Le Philosophe leur dit alors: « *Nous agissons bien. Si Abraham, en effet, n'avait pas suivi la circoncision, mais observé le pacte de Noé, on ne l'appellerait pas ami de Dieu; et Moïse, lorsqu'il a plus tard écrit de nouveau la loi, n'a pas observé la première. Ainsi nous suivons leur modèle et nous observons la loi donnée par Dieu, pour que le commandement divin demeure bien établi. Lorsqu'en effet il a eu donné la loi à Noé, il ne lui a pas dit qu'il en donnerait encore une autre, mais [qu'] elle durerait éternellement dans l'âme vivante. De même quand il a eu donné sa promesse à Abraham, il ne lui a pas annoncé: J'en donnerai encore une autre à Moïse. Comment observez-vous donc la loi? Car Dieu s'écrie par [la bouche d'] Ezéchiel: Je la changerai et je vous donnerai une autre loi.*[3] *Et Jérémie*[4] *a dit ouvertement: Voici, des jours viendront, dit le Seigneur, et je conclurai avec la maison d'Israël et la maison de Juda une nouvelle alliance, qui ne sera pas établie d'après l'alliance que j'ai conclue avec vos pères dans les jours que je les ai pris par la main pour les conduire hors de la terre d'Egypte, parce que même eux ne sont pas restés dans mon alliance et je les hais parce que ceci est mon pacte que je conclus avec la maison d'Israël après ces jours-là, dit le Seigneur. Je mettrai mes lois dans leurs pensées et les inscrirai dans leurs cœurs et je serai leur Dieu et ils seront mon peuple. Et le même Jérémie*[1] *a dit encore: Ainsi parle le Seigneur: Placez-vous sur les routes, regardez et demandez quels sont les sentiers du Seigneur éternel, voyez quelle est la voie de l'éternité et suivez-la; et vous obtiendrez ainsi la purification de vos âmes. Et ils dirent: Nous ne la suivons pas. J'ai placé parmi vous des sentinelles, écoutez la*

---

[1] *Gen. 17, 7—13.*

[2] *Jér. 11, 2—4.*

[3] *Cf. Ézéch. 7, 26; 36, 26.*

[4] *Jér. 6, 16—19.*

*voix de la trompette. Et ils dirent: Nous ne l'écoutons pas. Que les nations
et les pasteurs des troupeaux écoutent donc. Et aussitôt:[1] Ecoute, terre: Voilà, je
fais venir sur ce peuple le malheur, fruit de son apostasie, car ils n'ont pas écouté
mes paroles et ils ont méprisé ma loi que les prophètes avaient prêchée. Je ne
démontrerai d'ailleurs pas seulement par cet argument que la loi a cessé [d'être
valable] mais aussi, et très clairement, par beaucoup d'autres raisons [tirées]
des prophètes. »*

Le Messie.   *Les Juifs lui répondirent: « Tout Juif sait que cela arrivera certainement, mais
l'heure de l'Oint n'a pas encore sonné. » Mais le Philosophe leur dit: « Comment avancez-vous cela, alors que vous voyez que Jérusalem a été détruite, que
les sacrifices ont cessé et que tout ce que les prophètes avaient prédit à votre
sujet s'est accompli? Car Malachie[2] s'écrie clairement à votre sujet: Ma volonté
n'est pas avec vous, dit le Seigneur tout-puissant; je n'accepterai plus de sacrifices de vos mains, parce que de l'Orient à l'Occident mon nom est glorifié
parmi les nations, et partout l'encens est offert à mon nom ainsi que des of-
frandes convenables car mon nom est grand parmi les nations, dit le Seigneur
tout-puissant. » Mais eux répondirent: « Cela c'est toi qui le dis; tous les peuples
ne seront-ils pas bénis en nous et circoncis dans la ville de Jérusalem? » Le
Philosophe dit: « Que dit donc Moïse: Si, dociles, vous obéissez pour observer
la loi en tous points, vos frontières iront de la mer Rouge à la mer des Philistins
et du désert au fleuve d'Euphrate.[3] Nous, peuples, nous sommes bénis dans celui
qui est sorti d'Abraham et qui tire son origine du rameau de Jessé qu'on considère comme l'espoir des peuples comme la lumière de toute la terre et de toutes
les îles, nous qu'illustre la gloire divine mais, [comme] le proclament hautement les prophètes, conformément à une loi autre que celle [dont vous parlez]
et en des lieux différents. Car Zacharie[4] a dit: Réjouis-toi, fille de Sion,
voici ton roi viendra à toi, doux, monté sur un ânon, sur le petit d'une
ânesse qui a connu le joug. Et encore: Il dispersera les chars d'Ephraïm et les
chevaux de Jérusalem, il annoncera la paix aux nations et sa puissance ira des
limites de la terre aux extrémités de l'univers. Et Jacob a dit:[5] Il y aura toujours
un prince de la lignée de Juda, un chef sortant de son sein, jusqu'à ce que vienne
celui qu'il doit servir et qui sera l'espoir des peuples. Puisque vous voyez toutes*

---

[1] *Jér.* 6, 19.
[2] *Mal.* 1, 10—11.
[3] *Deuter.* 11, 22—24.
[4] *Zach.* 9, 9—10.
[5] *Gen.* 49, 10.

ces choses conduites à leur terme et achevées, qui d'autre attendez-vous? Daniel, instruit par un ange, a dit en effet: Soixante-dix semaines jusqu'à ce que le Christ soit le chef, cela signifie quatre cent quatre-vingt-dix ans pour que s'accomplissent la vision et la prophétie. Qu'est-ce donc, d'après vous, que le royaume de fer mentionné symboliquement par David? » Ils répondirent: « Celui de Rome. » Et le Philosophe leur demanda: « Quelle est cette pierre qui s'est séparée de la montagne sans [l'intervention d'une] main humaine? »[1] Et ils répondirent: « L'Oint [du Seigneur]. » Et ils ajoutèrent: « Si nous admettons, d'après les prophètes et d'autres arguments, qu'il soit, comme tu le dis, déjà venu, comment donc l'Empire romain subsiste-t-il aujourd'hui? » Le Philosophe répliqua: « Il ne subsiste plus, il a passé comme tout le reste, selon l'image; notre Empire n'est pas celui de Rome, mais celui du Christ, comme l'a dit le prophète:[2] Dieu suscitera un royaume céleste qui ne sera jamais détruit et qui ne passera pas à un autre peuple. Il brisera et anéantira tous les royaumes, mais lui-même durera éternellement. N'est-ce pas le royaume chrétien [qui existe] maintenant, ainsi appelé du nom du Christ? Les Romains eux vénéraient les idoles. Mais ceux-là [les Chrétiens] qu'ils soient d'une nation ou d'une autre, d'une race ou d'une autre, gouvernent au nom du Christ, comme le démontre aussi le prophète Isaïe,[3] lorsqu'il vous dit: Vous avez fait de votre nom un objet de dégoût pour mes élus, mais le Seigneur vous fera mourir, et à ceux qui le servent il donnera un nom nouveau qui sera béni dans le monde entier. Ils béniront le vrai Dieu et ceux qui jurent sur la terre, jurent par le Dieu qui est au ciel. Les prédictions de tous les prophètes, faites clairement à propos du Christ, ne sont-elles pas accomplies? Isaïe[4] indique en effet sa naissance d'une vierge lorsqu'il dit: Voilà qu'une vierge va concevoir dans son sein et donner naissance à un fils dont le nom sera Emmanuel, c'est-à-dire: Dieu est avec nous. Et Michée a dit:[5] Et toi Bethléem, terre de Juda, tu n'es nullement la plus petite des principautés de Juda, car de toi sortira un chef qui paîtra Israël, mon peuple. Son origine remonte aux temps anciens, aux jours de l'éternité. C'est pourquoi il les donnera jusqu'au temps de celle qui s'apprête à enfanter, et elle enfantera. Et Jérémie:[6] Informez-vous et voyez si un mâle enfante, parce que

---

[1] Dan. 2, 45.
[2] Dan. 2, 44.
[3] Is. 65, 15—16.
[4] Is. 7, 14; cf. Mat. 1, 23.
[5] Mich. 5, 2—3; cf. Matth. 2, 6.
[6] Jér. 30, 6, 7.

ce jour est grand, tel qu'il n'y en a pas eu de semblable, et Jacob aura des jours difficiles, mais par là il sera sauvé. Et Isaïe a dit:[1] Avant que celle qui devait enfanter eût enfanté, avant que l'enfantement fût venu, elle évita les douleurs et donna le jour à un mâle. »

Le peuple élu.

Mais les Juifs de répliquer: « Nous sommes, nous, les descendants bénis de Sem, bénis par le père Noë; et vous, vous n'êtes pas [ses descendants]. » Mais il donna les explications suivantes: « La bénédiction de votre père n'est autre chose que la louange de Dieu, mais elle ne l'atteint nullement. C'est en effet ainsi: Béni soit le Seigneur Dieu de Sem; mais à Japhet de qui nous sommes, il a dit: Que le Seigneur étende Japhet et qu'il habite dans les tentes de Sem. »[2] Et donnant des explications d'après les prophètes et les autres livres il ne les abandonna pas avant qu'ils eussent eux-mêmes déclaré: « C'est bien comme tu le dis. »

Mais ils reprirent: « Comment vous, qui placez votre espoir en un homme, vous imaginez-vous que vous êtes bénis alors que les Livres maudissent un tel [homme?]. » Le Philosophe répondit: « David est-il donc maudit ou béni? » Et ils dirent: « Tout à fait béni bien entendu. » Le Philosophe dit donc: « Nous aussi nous espérons dans le même que lui. Car il dit dans les psaumes:[3] L'homme de ma paix en qui j'ai espéré. Cet homme est le Christ Dieu. Celui qui espère en un homme ordinaire, nous aussi nous le considérons comme maudit. »

La circoncision.

Ils abordèrent alors un nouveau sujet en disant: « Comment vous, chrétiens, rejetez-vous la circoncision, alors que le Christ ne l'a pas refusée mais l'a observée suivant la loi? » Le Philosophe répondit: Celui qui a dit autrefois à Abraham: „Que ce soit un signe [d'alliance] entre moi et vous"[4] celui-là, lorsqu'il est arrivé, a fait cesser ce signe qui avait été observé depuis cette [époque] jusqu'à lui. Il n'a pas permis que cela se prolonge et il nous a donné le baptême. » Et ils dirent: « Pourquoi donc, dans la période antérieure, d'autres qui n'ont pas reçu ce signe, mais celui d'Abraham, ont-ils plu à Dieu? » Le Philosophe répondit: « Personne parmi eux, Abraham mis à part, n'apparaît comme ayant eu deux femmes et c'est pour cela qu'il (Dieu) coupe son membre, assignant [ainsi] des limites à ne plus dépasser, mais donnant, au moyen du premier mariage d'Adam, un exemple à tous les autres pour qu'ils aillent vers ce but. Il fit encore de même avec Jacob des cuisses duquel il tarit la veine parce

---

[1] *Is.* 66, 7.
[2] *Gen.* 9, 27.
[3] *Ps.* 40, 10.
[4] *Gen.* 9, 12.

366

qu'il avait quatre femmes. Comprenant la raison de cet acte il lui imposa le nom d'Israël, c'est-à-dire l'esprit qui regarde Dieu, et il ne paraît plus en effet avoir eu de relations avec sa femme. Abraham lui ne l'a pas compris. »

Mais les Juifs lui demandèrent encore: « Comment pouvez-vous vous ima- Le culte des images giner plaire à Dieu alors que vous adorez des idoles? » Le Philosophe répondit: « Apprenez d'abord à distinguer les noms, ce qu'est une image et ce qu'est une idole; et, le sachant, n'attaquez pas les Chrétiens. Car vous avez dans votre langue dix expressions pour l'image. Mais je vais vous interroger à mon tour: N'[était-ce] pas une image que le tabernacle vu et emporté par Moïse sur la montagne, et n'a-t-il pas fait par son art l'image de l'image,[1] une image ressemblante, remarquable par ses agrafes, ses peaux, ses tapis de poils et ses Chérubins? Et parce qu'il a ainsi agi, dirons-nous que vous honorez un arbre, des peaux, des tapis de poils et que vous vénérez ces choses-là et non pas Dieu, qui a donné alors une telle image? [Et dirons-nous] la même chose du temple de Salomon,[2] parce qu'il contenait des images des chérubins et des anges et des représentations de beaucoup d'autres [choses ou personnages]? Ainsi nous, Chrétiens, nous rendons des honneurs, en faisant les images de ceux qui ont plu à Dieu, et en distinguant ce qui est bon des figures diaboliques; les livres blâment en effet ceux qui sacrifient leurs fils et leurs filles et ils [leur] annoncent la colère de Dieu, mais ils adressent des louanges à d'autres qui sacrifient leurs fils et leurs filles. »

Mais les Juifs reprirent: « Comment n'agissez-vous pas contre Dieu, vous qui Prescription rituelles. mangez la viande des porcs et des lièvres? » Il leur répondit: « Le premier pacte prescrivait:[3] Vous mangerez tout comme l'herbe verte, car tout est pur pour les purs, mais de ceux qui sont souillés la conscience est également souillée.[4] Et Dieu dit dans la Genèse:[5] Voici, tout est très bon. Mais à cause de votre voracité, il a fait exception pour certaines choses. Car, a-t-il dit, Jacob a mangé, et il s'est rassasié et il a failli, le bien aimé. Puis:[6] Les hommes s'assirent pour manger et pour boire et ils levèrent pour jouer. »

Entre beaucoup [de choses] nous avons exposé celles-ci en résumé et de mémoire. Celui qui voudra rechercher ces discours en entier et dans leur texte authentique, les trouvera dans les livres de Constantin dans la mesure où les a

---

[1] Cf. Ex. 36.
[2] 2 Par. 5.
[3] Deut. 14, 7—8.
[4] Tit. 1, 15.
[5] Gen. 1, 31.
[6] Ex. 32, 6.

traduits l'archevêque Méthode, notre Maître, en les divisant en huit homélies.
Il y découvrira la force de la parole [inspirée] par la grâce divine, pareille à une
flamme dévorante en face des adversaires.

Le khagan des Khazars et les nobles ayant entendu ces paroles douces et
saintes, lui dirent: « C'est Dieu qui t'a envoyé ici pour notre édification; ayant
appris par lui tous les livres, tu as expliqué toutes choses, les unes après les
autres, nous rassasiant tous des paroles de miel de l'Ecriture Sainte. Nous
sommes des illettrés, mais nous croyons que tu es de Dieu. Et si tu veux tran-
quilliser nos âmes, donne-nous en paraboles toutes les explications d'après les
questions que nous te poserons. » Et ils se séparèrent pour se reposer.

CHAPITRE XI.

**Troisième
partie de la
controverse.
La vraie foi.**

S'étant réunis le lendemain, ils lui dirent: « Homme vénérable, montre nous
donc par des paraboles et des arguments quelle est la meilleure foi de toutes. »
Le Philosophe leur répondit: « Deux époux étaient en grand honneur auprès
d'un certain empereur et très aimés [par ce dernier]. Mais ayant commis des
fautes, ils furent expulsés du pays et exilés. Après avoir ainsi vécu de nom-
breuses années, ils engendrèrent des enfants dans la pauvreté. Ces enfants s'étant
réunis discutaient du chemin à suivre pour retrouver les honneurs passés. Mais
l'un parlait d'une certaine façon, le second d'une autre et le troisième émettait
encore un avis différent. Quel avis adopter? Le meilleur, n'est-il pas vrai? »
Mais ils dirent: « Pourquoi dis-tu cela? Chacun pense que son avis est meilleur
que les autres. Les Juifs croient que le leur est meilleur, les Sarrasins de même,
d'autres également. Dis [-nous] donc lequel nous jugerons le meilleur? » Le
Philosophe dit: « Le feu éprouve l'or et l'argent, mais l'homme par sa raison
distingue le mensonge de la vérité. Dites-moi quelle fut la cause de la première

**La morale
chrétienne.**

chute. N'est-ce pas le regard, un fruit doux et le désir de la divinité? » Et ils
dirent: « C'est vrai. » Mais le Philosophe dit: « Si donc quelqu'un tombe ma-
lade pour avoir mangé du miel ou bu de l'eau froide, et si un médecin vient et
lui dit: „Mange encore beaucoup de miel et tu seras guéri" ou s'il dit à celui
qui a bu de l'eau: „Bois de l'eau froide, plonge toi nu dans le froid et tu seras
guéri," et si un autre médecin ne tenant pas le même langage recommande un
médicament contraire — au lieu du miel une chose amère et la diète, au lieu
de quelque chose de froid quelque chose de tiède et de chaud — lequel est
le meilleur médecin? » Tous répondirent: « Celui qui prescrit des médicaments
contraires. La douceur lascive de cette vie doit être en effet mortifiée par l'amer-

tume, et l'orgueil par l'humilité, car on doit guérir par [l'opposition] des contraires. Nous disons que l'arbre qui a produit d'abord une épine produira par la suite un doux fruit. » Mais de nouveau le Philosophe répondit: « C'est bien dit. Car la loi du Christ montre l'âpreté de la vie divine, mais ensuite, dans les demeures éternelles, elle porte des fruits au centuple. »

L'un d'eux, un conseiller, connaissant bien la malice des Sarrasins, demanda au Philosophe: « Dis-moi, [notre] hôte, pourquoi vous ne vénérez pas Mahomet? Car il a beaucoup loué le Christ dans ses livres, le Christ dont il a dit qu'il est né d'une vierge, sœur de Moïse,[1] [qu'il était] un grand prophète, qu'il a ressuscité des morts et qu'il guérissait toutes les maladies avec une grande puissance. »[2] Mais le Philosophe répliqua: « Que le khagan soit notre juge! Disnous donc, si Mahomet est prophète, comment nous pouvons croire Daniel. Car ce dernier a dit: « Jusqu'au Christ toute vision et toute prophétie cesseront. Lui donc [Mahomet], qui est apparu après le Christ, comment peut-il être prophète? Si nous l'appelons prophète, nous devons rejeter Daniel. » Beaucoup d'entre eux dirent alors: « Ce que Daniel a dit, il l'a dit dans l'esprit de Dieu. Quant à Mahomet, nous savons tous que c'est un menteur et un fléau pour le salut des hommes, lui qui a proféré ses pires erreurs dans la malice et l'impudence. »

Et le premier conseiller figurant parmi eux dit à ses amis Sarrasins: « Avec l'aide de Dieu notre hôte a abattu tout l'orgueil des Juifs et a jeté le vôtre comme une chose sordide de l'autre côté du fleuve. »[3] Et il ajouta pour tout le peuple: « De même que Dieu a donné à l'empereur chrétien le pouvoir sur tous les peuples et la sagesse la plus grande, de même il leur a donné la foi, et sans elle personne ne peut vivre la vie éternelle. Gloire à Dieu dans les siècles des siècles! » Et tous dirent: « Ainsi soit-il! » Le Philosophe, tout en larmes, leur dit alors à tous: « Frères, pères, amis et enfants! Dieu vous a donné la faculté de comprendre et la réponse qui convient. S'il reste un contradicteur, qu'il vienne et qu'il nous convainque ou qu'il se laisse convaincre. Que celui qui se conforme à ces préceptes soit baptisé au nom de la Sainte-Trinité. Celui qui ne veut pas, loin de moi ce pêché, celui-là verra le jour du jugement, quand l'Ancien des jours sera assis pour juger toutes les nations en tant que Dieu. »[4] Ils lui répondirent: « Nous ne sommes pas nos propres ennemis. Mais bientôt

Mahomet, vrai prophète?

Conversions.

---

[1] *Alcoran, Sura 3, 35; 19, 27.*

[2] *Sura 3, 48.*

[3] *Les Manuscrits de rédaction russo-slavonne font dire par le conseiller à ses amis juifs que le Philosophe a abattu l'orgueil des Sarrasins.*

[4] *Dan. 7, 10.*

nous ordonnerons que dorénavant celui qui le peut, soit baptisé à son gré. Mais celui d'entre vous qui s'incline vers l'occident, ou qui prie suivant l'usage des Juifs, ou qui garde la foi sarrasine, celui-là sera bientôt mis à mort par nous. » Et ils se séparèrent avec joie.

Environ deux cents de ces hommes furent baptisés et rejetèrent les abominations des païens ainsi que les liaisons illégitimes. Et le khagan écrivit à l'empereur une lettre dont voici la teneur: « Seigneur, tu nous as envoyé un homme qui nous a enseigné la foi chrétienne par la parole et par l'exemple. Convaincus qu'elle est la vraie foi, nous avons ordonné que ceux qui le veulent soient baptisés et nous espérons nous-même arriver à ce résultat. Nous sommes tous alliés et amis de ton Empire et prêts à te servir là où tu auras besoin [de nous]. »

Et, prenant congé du Philosophe, le khagan lui offrit de nombreux cadeaux mais lui ne les accepta pas et dit: « Donne-moi tous les prisonniers grecs que tu as ici. Ceci m'est plus précieux que tous les dons. » En ayant rassemblé près de deux cents, ils les lui donnèrent et il se mit en route avec joie.

CHAPITRE XII.

Retour de l'ambassade.
Etant arrivés dans le désert,[1] ils ne pouvaient pas supporter la soif. Ils trouvèrent de l'eau dans une lagune mais ne purent la boire car elle était semblable au fiel. Quand tous se furent séparés pour chercher de l'eau, il dit à son frère Méthode: « Je ne peux plus supporter la soif, puise de cette eau. Car celui qui autrefois pour les Israëlites changea l'eau saumâtre en eau douce, nous réservera aussi une consolation. » En ayant pris, ils la trouvèrent douce comme le miel et fraîche, et, en buvant, ils louèrent Dieu qui donne de telles choses à ses serviteurs.

A Cherson.
A Cherson, comme il se trouvait à table avec l'archevêque, le Philosophe dit: « Père, donne-moi une bénédiction comme me la donnerait mon propre père. » Comme quelques-uns demandaient chacun de son côté la raison de son acte, le Philosophe répondit: « En vérité, il se rendra demain de chez nous vers le Seigneur, et il nous abandonnera. » Ceci arriva et sa parole s'accomplit.

L'incident de Phoullae.
Dans le pays des gens de Phoullae il y avait un grand chêne associé à un cerisier. Ils sacrifiaient sous lui, en l'appelant du nom d'Alexandre et sans permettre aux femmes d'approcher ni de participer aux sacrifices qu'on lui offrait. Ayant appris la chose, le Philosophe se rendit sans retard auprès d'eux et restant

---

[1] *La légende ajoute même « sans eau ».*

debout au milieu d'eux il leur dit: « Les Hellènes sont entrés dans la peine éternelle parce qu'ils adoraient comme Dieu le ciel et la terre, et ce sont pourtant de grandes et bonnes choses. Vous donc qui adorez un arbre, pauvre chose destinée à être brûlée, comment voulez-vous être libérés du feu éternel? » Ils lui répondirent: « Nous ne venons pas de commencer à agir ainsi; nous avons hérité cette pratique de nos pères et nous recevons de lui tout ce que nous demandons, surtout une pluie abondante. Comment oserions-nous donc faire ce que personne de nous n'a jamais osé? Car si quelqu'un osait faire cela, il verrait bientôt la mort et nous ne verrions plus jamais de pluie. » Le Philosophe leur répondit: « Dieu parle de vous dans les Livres, et vous, comment l'abandonnez-vous? Car Isaïe[1] s'écrie à la face de Dieu: Je viens pour rassembler toutes les nations et toutes les langues; elles viendront et elles verront ma gloire; je mettrai un signe parmi elles et d'elles j'enverrai le salut vers les nations, à Tarsis, à Ful, à Lud, à Mosoch, à Tubal et en Hellade et aux îles lointaines qui n'ont pas entendu mon nom, et elles publieront ma gloire parmi les nations. [Ainsi] parle le Seigneur tout puissant. Et encore:[2] Voici, j'enverrai de nombreux pêcheurs et chasseurs, et ils vous chasseront des collines et des rochers de pierre. Mes frères, reconnaissez Dieu, votre créateur. Voici l'évangile du Nouveau Testament divin, dans lequel vous êtes baptisés. » Les ayant exhortés par de douces paroles, il les invita à couper l'arbre et à le brûler. Leur prince s'inclina et alla baiser l'Evangile et tous [firent] de même. Après avoir reçu du Philosophe des cierges blancs, ils s'approchèrent de l'arbre en chantant et le Philosophe, ayant pris une hache et l'ayant frappé à trente-trois reprises, ordonna à tous de le frapper, de le déraciner et de le brûler. La même nuit une pluie fut envoyée par Dieu; tout joyeux, ils louèrent Dieu, et Dieu s'en était beaucoup réjoui.

CHAPITRE XIII.

Le Philosophe partit pour Constantinople; ayant vu l'empereur, il vivait paisiblement et, se tenant dans l'église des Saints-Apôtres, il priait Dieu. Il y a à Sainte-Sophie un calice fait d'une pierre précieuse, œuvre de Salomon, sur lequel figurent en caractères hébraïques et samaritains des vers que personne n'avait pu ni lire ni traduire. Le Philosophe, l'ayant pris, les lut et les traduisit.

La coupe de Salomon

---

[1] Is. 66, 18—20.
[2] Jér. 16, 16.

371

Le premier vers est ainsi conçu: Mon calice, mon calice, prédis jusqu'où l'étoile, sois utilisé pour boire par le Seigneur premier-né, qui veille la nuit. Puis le second vers: Pour la dégustation du Seigneur, faite d'un autre bois; bois et enivre-toi avec joie et écrie-toi alleluia. Et ensuite le troisième vers: Voici le prince et l'univers assemblé verra sa gloire, et David [est] roi parmi eux. Puis un chiffre est écrit: neuf cent dix. L'ayant déchiffré de façon précise, le Philosophe trouva que de la douzième année du règne de Salomon à la naissance du Christ [se sont écoulés] neuf cent quatre-vingt-dix ans. Et c'est là une prophétie relative au Christ.

CHAPITRE XIV.

L'ambassade de Rastislav.   *Pendant que le Philosophe se réjouissait en Dieu, un nouvel événement survint ainsi qu'une besogne nullement inférieure aux précédentes. Rastislav, le prince morave, poussé par Dieu, prit en effet conseil de ses seigneurs et des Moraves et envoya [des messagers] auprès de l'empereur Michel, en disant: « Notre peuple a renié le paganisme et observe la loi chrétienne, [mais] nous n'avons pas de maître capable de nous instruire de la vraie foi chrétienne, dans notre langue, pour que d'autres régions encore, voyant cela, nous imitent. Envoie [-nous] donc, Seigneur, un tel évêque et un tel maître, car de chez vous vers toutes les régions émane toujours la bonne loi. » Ayant convoqué son conseil, l'empereur manda Constantin le Philosophe et lui tint ce discours: « Je sais que tu es fatigué, [mon] Philosophe, mais il te faut aller là-bas. Car nul autre que toi ne peut accomplir cette besogne. » Et le Philosophe répondit: « Quoique je sois fatigué et malade de corps, je m'y rendrai avec joie, s'ils ont des lettres pour leur langue. » Mais l'empereur lui dit: « Mon grand-père et mon père et beaucoup d'autres encore, ne les ont pas trouvées bien qu'ils les aient cherchées. Comment moi pourrais-je donc les découvrir? » Mais le Philosophe dit: « Qui peut écrire sur l'eau une homélie et être traité d'hérétique? » A quoi l'empereur et Bardas, son oncle, répondirent: « Si tu le veux, Dieu peut te le donner, lui qui donne à tous ceux qui demandent en toute confiance et qui ouvre à ceux qui frappent. »[1] Le Philosophe partit et, suivant une vieille habitude, se mit à prier avec d'autres compagnons. Bientôt Dieu lui apparut, [Dieu] qui exauce les prières de ses serviteurs. Et alors il composa des lettres et commença à écrire la*

---

[1] Lc. 11, 9.

372

parole de l'évangile: *Au commencement était le Verbe et le Verbe était avec
Dieu et le Verbe était Dieu,*[1] *et ainsi de suite.*

L'empereur s'en réjouit, rendit grâces à Dieu avec ses conseillers et envoya   Le message
Constantin, porteur de nombreux cadeaux, après avoir écrit à Rastislav la lettre   impérial.
suivante: « *Dieu qui veut que chacun parvienne à la connaissance de la vérité*[2]
*et atteigne une plus grande dignité, ayant vu ta foi et ton zèle, a agi, même
maintenant à notre époque, et a revélé des lettres dans votre langue — ce qui
n'avait pas encore existé sauf dans les premiers temps — pour que vous aussi
vous soyez comptés parmi les grands peuples qui louent Dieu dans leur langue.
Nous t'avons donc envoyé celui à qui Dieu les a révélées, homme pieux et orthodoxe, très lettré et philosophe. Accepte ainsi un don plus grand et plus précieux
que n'importe quel or, quel argent, quelles pierres précieuses et quels trésors,
[qui sont choses] qui passent. Efforce-toi d'affermir avec lui la parole et de
rechercher Dieu de tout ton cœur. Ne repousse pas le salut commun; incite-les
tous au contraire à ne pas s'attarder mais à entrer dans la voie de la vérité, pour
que toi même, les ayant amenés par ton travail à la connaissance de Dieu, puisses
en recevoir ta récompense, que tu puisses laisser ton souvenir aux autres générations dans les siècles actuels et futurs pour toutes les âmes qui croiront au
Christ, notre Dieu, de maintenant jusque dans l'éternité, et ceci à l'exemple de
Constantin, le grand empereur.* »

CHAPITRE XV.

Quand il fut arrivé en Moravie, Rastislav le reçut avec honneur et, ayant ras-   L'arrivée
semblé des élèves, les [lui] confia pour qu'il les instruisit. Ayant bientôt tra-   en Moravie
duit[3] *l'ordre ecclésiastique, il leur apprit l'office du matin, les heures, les vêpres,*   (863?)
le petit office du soir et l'office des sacrements. Et, selon le mot du prophète,[4]
*les oreilles des sourds s'ouvrirent pour entendre les paroles de l'Ecriture et les
muets se mirent à parler clairement. Et Dieu se réjouit de cela et le diable en
fut rempli de honte.*

Tandis que se développait ainsi la doctrine divine, le Mauvais, envieux de-   Les adver-
puis les origines, le diable maudit, ne supporta pas cet heureux événement, mais   saires de
la liturgie
slave.

---

[1] *Joan.* 1, 1.

[2] *1 Tim.* 2, 4.

[3] *Le Ms. de Rylle et les autres Mss. de tradition serbo-slavonne (Lavrov l. c., p. 61) ont ici*
пріемъ, *c'est-à-dire il accepta.*

[4] *Is.* 35, 5; 32, 4.

étant entré dans ses instruments [d'iniquité] il se mit à exciter beaucoup de gens en leur disant: « Cela ne glorifie pas Dieu. Si cela lui était en effet agréable, n'aurait-il pas pu faire en sorte que dès les origines ceux-ci glorifiassent Dieu en fixant leurs paroles au moyen de [ces] lettres? Il n'a choisi que trois langues, l'hébreu, le grec et le latin, pour rendre grâces à Dieu. » Ceux qui parlaient ainsi étaient des clercs latins, archiprêtres, prêtres et disciples. Mais les combattant, comme David avait combattu les étrangers, il les vainquit grâce aux paroles de l'Écriture et il les appela „gens aux trois langues" [et Pilatiens] parce que Pilate avait ainsi rédigé l'inscription [de la croix] du Seigneur. Ils ne disaient pas seulement cela; ils enseignaient encore une autre impiété en affirmant que sous la terre vivent des hommes à grandes têtes, que tout reptile est la créature du diable, que si quelqu'un tue une vipère, il est par là absous de neuf péchés et que, si quelqu'un tue un homme, il doit boire pendant trois mois à une écuelle de bois, sans toucher à un verre. Et ils ne défendaient pas les sacrifices conformes à l'usage ancien ni les liaisons illégitimes. Mais par le feu de sa parole il consuma tout cela comme des épines, en disant: « Le prophète dit à ce sujet: Offre à Dieu un sacrifice de louange et donne au Très-Haut tes prières; mais ne délaisse pas l'épouse de ta jeunesse. Car si tu la délaisses après l'avoir haïe, l'iniquité enveloppera tes passions, dit le Seigneur tout puissant.[1] Et veillez par votre esprit à ce que personne de vous ne délaisse l'épouse de sa jeunesse. Mais vous avez fait ce que je hais, puisque Dieu a témoigné entre toi et l'épouse de ta jeunesse que tu as délaissée. Et elle est ta part et l'épouse de ton contrat.[2] Et dans l'Evangile le Seigneur [dit]:[3] Vous avez appris qu'on dit aux anciens: Tu ne commettras pas d'adultère. Mais moi je vous dis que quiconque a regardé une femme pour la convoiter a déjà commis une iniquité avec elle dans son cœur. Et encore:[4] Je vous dis que celui qui a répudié sa femme, sauf pour cause d'infidélité, lui fait commettre une iniquité et celui qui épouse une femme répudiée par son mari commet un adultère. Et l'apôtre dit:[5] Ce que Dieu a uni, que l'homme ne le sépare pas. »

Chez Kocel.   *Ayant passé quarante mois en Moravie, il partit pour faire consacrer ses disciples. En route, Kocel, prince de Pannonie, l'accueillit et ayant pris un grand plaisir aux lettres slaves, jusqu'à les apprendre, il [lui] confia environ cinquante*

---

[1] Cf. Mal. 2, 15—16.
[2] Mal. 2, 14.
[3] Matth. 5, 27—28.
[4] Matth. 5, 32.
[5] Matth. 19, 6.

élèves, pour qu'ils les apprennent [aussi]. Il le combla d'honneurs, et l'accompagna. Mais Constantin ne reçut de Rastislav et de Kocel ni or, ni argent ni rien d'autre. Il [leur] transmit la parole de l'Evangile sans [demander de] récompense. A eux deux il ne demanda que neuf cents captifs qu'il remit en liberté.

CHAPITRE XVI.

Pendant qu'il était à Venise, des évêques, des prêtres et des moines s'étaient rassemblés contre lui, tels des corbeaux en face du faucon, et ils avaient développé l'hérésie des trois langues, en disant: « Dis-nous, homme, comment tu as fabriqué des livres pour les Slaves et comment tu les enseignes, alors que personne avant toi n'avait découvert [le moyen], pas même les apôtres, ni le pape romain, ni Grégoire le Théologien, ni Jérôme, ni Augustin? Nous d'ailleurs, nous ne connaissons que trois langues qui permettent de louer Dieu dans les livres, l'hébreu, le grec et le latin. » Mais le Philosophe répondit: « Est-ce que la pluie ne tombe pas, envoyée par Dieu, également sur tout le monde? Est-ce que le soleil ne jette pas sa lumière de la même façon sur tout le monde?[1] Est-ce que nous ne respirons pas dans l'air tous de la même façon? N'avez-vous pas honte de ne fixer que trois langues et d'ordonner [ainsi] que tous les autres peuples et les autres nations restent aveugles et sourds? Dites-moi si vous faites [ainsi] de Dieu un impotent qui ne peut pas faire [cela] ou un envieux qui ne [le] veut pas? Nous savons de nombreux peuples qui connaissent l'écriture et qui louent Dieu, chacun dans sa propre langue. On sait que ce sont les suivants: les Arméniens, les Perses, les Abasgues, les Ibères, les Sougdes, les Goths, les Avares, les Turces, les Khazars, les Arabes, les Égyptiens, les Syriens et beaucoup d'autres encore. Si vous ne voulez pas le comprendre par cet argument, apprenez le jugement de l'Écriture. David s'écrie en effet: Chantez au Seigneur, toute la terre, chantez au Seigneur un chant nouveau, et encore:[2] Remplissez toute la terre d'allégresse pour le Seigneur, chantez, exultez et chantez, et une autre fois:[3] Que toute la terre t'adore et qu'elle te loue et qu'elle chante ton nom, ô Très-Haut, puis:[4] Louez le Seigneur, vous tous les peuples; et louez-le, vous tous les hommes; et que chaque esprit loue le Seigneur. Et il dit

A Venise.

Les liturgies nationales.

Preuves tirées de l'Ecriture.

---

[1] *Matth.* 5, 45.
[2] *Ps.* 32, 3; 65, 1; 97, 4.
[3] *Ps.* 65.
[4] *Ps.* 116, 1; 150, 6.

dans l'Évangile:[1] A tous ceux qui l'ont reçu, il a donné le pouvoir de devenir enfants de Dieu. Et encore au même endroit:[2] Ce n'est pas pour eux seulement que je prie mais encore pour ceux qui croient en moi à cause de leur parole, afin que tous soient un, comme toi, Père, tu es en moi et comme je suis en toi. Et Mathieu dit:[3] Tout pouvoir m'est donné dans le ciel et sur la terre. Allez donc, enseignez toutes les nations, et baptisez au nom du Père et du Fils et du Saint-Esprit, en leur apprenant à observer tout ce que je vous ai ordonné. Et voici, je suis avec vous tous les jours jusqu'à la consommation des siècles, ainsi soit-il. et Marc[4] encore: Allez par tout le monde et prêchez l'Évangile à toute la Création. Celui qui croira et qui sera baptisé sera sauvé, mais celui qui ne croira pas sera condamné. Et voici les miracles qui accompagneront ceux qui auront cru: en mon nom ils chasseront les démons et ils parleront de nouvelles langues. Et il vous parle aussi, à vous, docteurs des lois:[5] Malheur à vous, scribes et pharisiens, vous hypocrites, vous qui fermez aux hommes le royaume des cieux. Car vous n'y entrez pas vous-mêmes et vous empêchez d'y entrer ceux qui le veulent. Et encore:[6] Malheur à vous, scribes, car vous avez pris la clef de la science, mais vous mêmes vous n'êtes pas entrés, et ceux qui voulaient entrer, vous les avez empêchés. Et Paul dit aux Corinthiens:[7] Je veux que vous parliez tous les langues mais, encore plus, que vous prophétisiez. Car celui qui prédit est plus grand que celui qui parle des langues à moins que ce dernier n'interprète pour que l'Église recoive l'édification. Et maintenant, frères, de quelle utilité pourrais-je vous être si je venais à vous, parlant des langues, mais ne vous parlant pas par révélation, ou par connaissance, ou par prophétie, ou par doctrine? Et si les objets inanimés qui rendent un son comme une flûte ou une harpe ne donnaient pas des sons distincts, comment saurait-on ce qu'on chante ou ce qu'on joue sur la harpe? Et si la trompette rendait un son confus, qui se préparerait au combat? De même vous, si par la langue vous ne donniez pas une parole distincte, comment saurait-on ce qui se dit? Vous parlerez en l'air. Si nombreux, en effet, que puissent être, par exemple, dans le monde les divers sons, aucun d'eux n'est sans signification. Si donc je ne connais pas le sens du

---

[1] Joan.1, 12.

[2] Joan. 17, 20—21.

[3] Matth. 28, 18—20.

[4] Mc. 16, 15—17.

[5] Matth. 23, 13.

[6] Lc. 11, 52.

[7] 1 Cor. 14, 5—40.

son, je serai un barbare pour celui qui parle et celui qui parle sera pour moi un barbare. De même vous, puisque vous aspirez aux biens spirituels, tâchez d'en avoir en abondance pour l'édification de l'Église. Celui qui parle une langue [étrangère] prie pour qu'elle soit expliquée. Car si je prie dans [cette] langue, mon esprit est en prière, mais mon intelligence reste stérile. Que [faire] donc? Je prierai par l'esprit et je prierai aussi avec l'intelligence. Je chanterai par l'esprit, mais je chanterai aussi avec l'intelligence. Si tu bénis par l'esprit un homme sans intelligence, comment celui-ci pourra-t-il dire „Ainsi soit-il" après ta bénédiction, s'il ne sait pas ce que tu dis? Tu rends bien d'excellentes actions de grâce, mais l'autre n'est pas édifié. Je rends grâces à Dieu de ce que je parle plus de langues que vous tous. Mais, dans l'église, j'aime mieux prononcer cinq mots avec mon intelligence, pour instruire aussi les autres, que dix mille mots en une langue [étrangère]. Frères, ne soyez pas des enfants quant à l'intelligence. Soyez des petits [enfants] pour ce qui est de la malice, mais à l'égard de l'intelligence, soyez [des hommes] faits. Il est écrit dans la loi:[1] Je parlerai à ce peuple dans d'autres langues et avec d'autres bouches, mais même ainsi ils ne m'écouteront pas, dit le Seigneur. C'est ce qui fait que les langues ne sont pas un signe pour les fidèles mais pour les infidèles. Les prophéties au contraire ne sont pas pour les infidèles mais pour les fidèles. Si toute l'Église se rassemblait sur une place et si tous se mettaient à parler en langues [étrangères], et si un illettré ou un infidèle entraient ne diraient-ils pas que vous êtes fous? Mais si tous prophétisent et s'il entre un illettré ou un infidèle, il sera convaincu par tous, jugé par tous, les secrets de son cœur seront révélés et alors, tombant la face contre terre, il adorera Dieu en confessant que Dieu en vérité est en vous. Qu'y a-t-il donc, frères? Quand vous vous rassemblez, chacun de vous a le psaume, ou la doctrine, ou l'apocalypse, ou [sa] langue, ou l'interprétation; que tout [cela] soit fait pour l'édification. Si quelqu'un parle en langue [étrangère], que cela se fasse par deux ou, au plus, par trois, et par parties, et que quelqu'un explique. Mais s'il n'y a pas d'interprète, qu'il se taise dans l'église, et qu'il parle à lui-même et à Dieu. Quant aux prophètes, que deux ou trois parlent et que les autres jugent. Si quelqu'un de ceux qui sont assis a une révélation, que le premier se taise. Car vous tous pouvez prophétiser, l'un après l'autre, pour que tous apprennent et que tous soient exhortés. Et les esprits des prophètes sont soumis aux prophètes. Car Dieu n'est pas [un Dieu] de discorde, mais de paix. C'est ainsi dans toutes les églises des Saints. Vos femmes doivent

---

[1] Is. 28, 11—12.

se taire dans les églises. Il ne leur est, en effet, pas permis de parler; elles doivent obéir, comme la loi même le dit.[1] Mais si elles veulent apprendre quelque chose, qu'elles interrogent leurs maris à la maison. Car il n'est pas convenable que la femme parle dans l'église. Est-ce que la parole de Dieu est sortie de chez vous? Est-ce qu'on ne la trouve qu'en vous? Si quelqu'un croit être prophète ou intelligent, qu'il connaisse ce que je vous écris car ce sont les commandements du Seigneur. Si quelqu'un ne comprend pas, qu'il ne comprenne pas! Frères, efforcez-vous donc de prophétiser mais ne défendez pas de parler en langues [étrangères]. Que tout soit fait dignement et suivant l'ordre. Et il dit ailleurs:[2] Toute langue doit confesser que le Seigneur Jésus-Christ [est] dans la gloire de Dieu le Père, ainsi soit-il. »

Par ces paroles et par d'autres encore, plus fortes, il les confondit, puis les quitta et s'en alla.

CHAPITRE XVII.

Voyage à Rome (867). Le pape de Rome, renseigné sur lui, l'envoya chercher. Et quand il arriva à Rome, l'„apostolicus" Hadrien alla en personne à sa rencontre, accompagné de tous les citoyens, tous portant des cierges, car il apportait aussi les reliques de Saint Clément, martyr et pape romain. Dieu fit alors de très célèbres miracles. Un paralytique fut en effet guéri et beaucoup d'autres furent délivrés de diverses maladies. Des prisonniers même, qui avaient invoqué le Christ et Saint Clément, furent libérés par ceux qui les avaient capturés.

L'ordination des disciples. Le pape prit les livres slavons, les consacra et les déposa dans l'église de la Sainte Vierge, qu'on appelle Phatne. Et l'on chanta sur eux la sainte liturgie. Puis le pape ordonna à deux évêques, Formose et Gondrique (Gauderich), de sacrer les disciples slavons. Et après leur ordination ils chantèrent la liturgie en langue slavonne dans l'église de l'apôtre Pierre; le lendemain ils chantèrent dans l'église de Sainte Pétronille et le surlendemain dans l'église de Saint André, puis dans l'église du grand docteur catholique, l'apôtre Paul. Ils [y] chantèrent toute la nuit, glorifiant [Dieu] en slavon. Et le lendemain ils [chantèrent] de nouveau la liturgie sur son saint sépulcre, aidés par l'évêque Arsène, qui était l'un des sept évêques, et par Anastase le Bibliothécaire. Et le Philosophe ne cessait d'en rendre dignement grâces à Dieu avec ses disciples.

Les Romains ne cessaient d'aller à lui et de le questionner sur toutes sortes de choses. Et ils recevaient de lui une double et même une triple explication.

[1] Gen. 3, 16.
[2] Phil. 2, 11.

Un Juif qui était également venu discuta avec lui; et il lui dit un jour: « Le Christ n'est pas encore venu, si l'on en juge par le nombre d'années dont parlent les prophètes et où il naîtra d'une vierge. » Mais ayant dénombré toutes les années depuis Adam, en suivant les générations, le Philosophe lui démontra clairement qu'il était [déjà] venu et combien il y a eu d'années depuis cette époque jusqu'à nos jours. Alors l'ayant renseigné, il le congédia.

CHAPITRE XVIII.

De nombreux travaux l'accablèrent et il tomba malade. Endurant la maladie L'entrée au *pendant de longs jours, il eut une fois une vision divine et il se mit à chanter* couvent. *ce qui suit: « De ceux qui m'ont dit: Nous allons entrer dans la maison du Seigneur,[1] mon esprit s'était réjoui et mon cœur avait exulté. » Et ayant revêtu ses habits de cérémonie, il resta ainsi toute la journée, se réjouissant et disant: « Dès maintenant je ne suis plus le serviteur ni de l'empereur ni de qui que ce soit sur terre, mais seulement celui de Dieu tout puissant. Je n'étais pas, j'ai commencé à exister et je serai pour l'éternité, ainsi soit-il. »*

Le lendemain il revêtit le saint costume monacal et, ayant pris la lumière à la lumière, il se donna le nom de Cyrille. Et il resta cinquante jours ainsi vêtu.

Quand l'heure se fut approchée, à laquelle il devait recevoir la paix et partir Mort de *pour les demeures éternelles, il éleva les mains et, tout en larmes, adressa à* Constantin *Dieu une prière: « Seigneur, mon Dieu, vous qui avez créé tous les choeurs des* (14 fév. *anges et toutes les puissances incorporelles, vous qui avez étendu le ciel et* 869). *formé la terre et qui avez appelé du non-être à l'être tout ce qui existe, vous qui exaucez toujours ceux qui font votre volonté, qui vous craignent et qui observent vos commandements, exaucez ma prière et conservez votre fidèle troupeau auquel vous m'aviez préposé, moi qui suis votre incapable et indigne serviteur. Libérez de la malice impie et païenne ceux qui prononcent des blasphèmes contre vous. Détruisez l'hérésie des trois langues, augmentez votre Église par [l'accession d'] une multitude et rassemblez-les tous dans l'unité. Faites [d'eux] un excellent peuple, uni dans la vraie foi qui est la vôtre et dans la vraie confession, et inspirez leurs cœurs de la parole de votre enseignement. Car c'est votre don, si vous nous avez acceptés, nous qui sommes indignes pour la prédication de l'Évangile de votre Christ, nous qui nous aiguisons pour les bonnes œuvres et faisons ce qui vous est agréable. Ceux que vous m'avez*

---

[1] Cf. Ps. 121, 1.

donnés, je vous les rends comme les vôtres. Régissez-les de votre droite puissante et couvrez-les du toit de vos ailes pour que tous louent et glorifient votre nom, le nom du Père et du Fils et du Saint-Esprit, ainsi soit-il. »

Il donna alors à tous un baiser saint et dit: « Béni soit Dieu qui ne nous livre pas comme proie aux dents [de nos adversaires invisibles] mais qui a rompu leurs filets et qui nous a libéré de la perdition. »

Et il s'endormit ainsi dans le Seigneur, âgé de quarante-deux ans, le quatorze février, indiction seconde, l'année six mille trois cent soixante-dix-sept de la création du monde.

Les obsèques. Et l'„apostolicus" ordonna que tous les Grecs qui étaient à Rome, ainsi que les Romains, se rassemblassent avec des cierges, chantassent sur son corps et l'enterrassent exactement [de la même façon] qu'ils l'auraient fait pour le pape lui-même. Ainsi firent-ils.

Mais Méthode, son frère, adressa à l'„apostolicus" la prière suivante: « Notre mère nous a fait jurer que celui de nous deux qui mourrait le premier serait ramené par l'autre au monastère de son frère et enterré là-bas. » Le pape ordonna alors de le déposer dans un cercueil et de l'enfermer avec des clous de fer. Et il le tint ainsi pendant sept jours tandis qu'il faisait les préparatifs pour le voyage. Mais les évêques romains dirent à l'„apostolicus": « Puisque, après avoir visité de nombreux pays, Dieu l'a amené ici et a reçu ici son âme, il convient qu'il y soit enterré comme un homme honorable. » Et l'„apostolicus" dit: « A cause de sa sainteté et de son amour, je le ferai enterrer, contrairement à l'usage romain, dans ma sépulture, dans l'église du saint apôtre Pierre. » Et son frère dit: « Puisque vous ne m'avez pas écouté et ne me l'avez pas donné, qu'il repose, si cela vous plaît, dans l'église de Saint Clément, avec qui il vint ici. » Et l'„apostolicus" ordonna qu'il fût fait ainsi.

Quand les évêques se furent assemblés avec tout le peuple pour lui faire de dignes funérailles, ils dirent: « Ouvrons le cercueil et voyons si on ne lui a rien enlevé. » Mais malgré tous leurs efforts la volonté de Dieu les empêcha d'ouvrir la bière. C'est pourquoi ils le déposèrent avec son cercueil dans le sépulcre, à droite de l'autel, dans l'église de saint Clément où commencèrent à se faire de nombreux miracles.

A ce spectacle, les Romains rendirent, davantage encore, hommage à sa sainteté et le vénérèrent plus qu'avant. Ayant peint une image sur son sépulcre ils commencèrent à allumer, jour et nuit, une lumière au-dessus de lui, louant Dieu qui honore ainsi ceux qui le célèbrent. A lui gloire, honneur et vénération dans les siècles des siècles, ainsi soit-il.

380

VIE DE MÉTHODE.

———

Le sixième jour du mois d'avril.

Commémoration et vie de notre vénérable père et docteur,
Méthode, archevêque morave.

Père, donnez votre bénédiction!

———

CHAPITRE I.

Dieu miséricordieux et tout puissant qui a fait passer du non-être à l'être Introduction. *toutes les choses, visibles et invisibles, et qui les a ornées d'une telle beauté qu'on peut, en la regardant avec quelque réflexion, reconnaître en partie et comprendre celui qui a produit des œuvres si admirables et si nombreuses. Car la magnificence et la beauté des œuvres permettent d'en connaître l'auteur,[1] celui que les anges célèbrent en chantant de leur voix trois fois sainte et que tous les orthodoxes honorent dans la Sainte-Trinité, Père, Fils et Saint-Esprit, c'est-à-dire en trois substances qu'il est possible d'appeler trois personnes, mais en une seule divinité. Car avant que le temps ait été, avant toute heure et avant toute année, au-dessus de toute intelligence et de toute compréhension incorporelle, le Père a lui-même engendré le Fils, comme l'a dit la Sagesse:[2] « Avant toutes les collines, j'ai été engendrée. » Et dans l'Évangile le Verbe divin a dit lui-même de sa bouche très pure, après avoir pris corps pour notre salut dans les derniers temps:[3] « Je suis dans le Père et le Père est en moi. » De ce Père procède aussi le Saint-Esprit, comme le Fils l'a dit lui-même de sa voix divine:[4] « L'Esprit de la Vérité qui procède du Père. »*

[1] Cf. Rom. 1, 20.
[2] Prov. 8, 25.
[3] Joan. 14, 11.
[4] Joan. 15, 26.

Ce même Dieu acheva toute la création, suivant le mot de David:[1] « Les cieux ont été consolidés par la parole du Seigneur et toute leur force par le souffle de sa bouche. » Comme il l'a dit, ils ont été faits, il a commandé et ils ont été créés.[2] Avant toutes choses il a créé l'homme en prenant de l'humus de la terre, en [lui] inspirant de lui-même l'âme par un souffle vital et en [lui] donnant une intelligence raisonnable et le libre arbitre, pour qu'il entre dans le paradis. A titre d'expérience il lui donna un commandement pour qu'il devînt immortel s'il l'observait, et pour que, s'il le transgressait, il mourût de sa [propre] volonté, et non sur l'ordre de Dieu. Le diable, ayant vu l'homme ainsi honoré et élevé à la place d'où son orgueil l'avait fait choir, fit en sorte que [cet homme] transgressât la règle, fût chassé du paradis et fût condamné à mort. Et depuis lors le diable commença à troubler et à tenter le genre humain par toutes sortes d'embûches.

Mais Dieu dans [sa] grande miséricorde et [son] amour n'a pas abandonné l'homme jusqu'à la fin; chaque année, en tous temps il a choisi des hommes dont il a révélé aux gens les actions et les luttes pour qu'ils s'exhortent tous au bien, en se conformant à eux, tel Enoch qui, le premier, osa prononcer le nom du Seigneur. Par la suite, ayant été agréable à Dieu, Enoch mourut.

Dans sa génération se trouva Noé le Juste qui dans son arche échappa au déluge pour que la terre fût remplie et embellie par la créature de Dieu. Abraham, après la division des peuples, quand tous se furent perdus dans l'erreur, connut Dieu, s'appela son ami et reçut cette promesse: « Dans ta postérité seront bénies toutes les nations de la terre. »[3] Isaac, comme le Christ, fut conduit sur une montagne pour être sacrifié. Jacob détruisit les idoles étrangères[4] et il vit une échelle [allant] de la terre jusqu'au ciel et par laquelle montaient et descendaient les Anges de Dieu; bénissant ses fils, il prophétisait à propos du Christ. Joseph en Égypte rassasia le peuple et parut [agréable] à Dieu. Job l'Aphsitidique est qualifié, par l'écriture, de juste, de véridique et de irrépréhensible, lui qui a été béni par Dieu pour avoir accepté la souffrance et l'avoir supportée. Moïse, en compagnie d'Aron, faisant partie des prêtres de Dieu, fut appelé Dieu du Pharaon; il accabla l'Égypte, il fit sortir les gens de Dieu au moyen d'un nuage lumineux pendant le jour et d'une colonne de feu pendant la nuit et il divisa la mer. [Eux] traversèrent à pieds secs, mais il noya les

---

[1] Ps. 32, 6.
[2] Cf. Ps. 32, 9.
[3] Gen. 22, 18; 26, 4.
[4] Gen. 35, 2—4.

382

Égyptiens. Et dans le désert il abreuva d'eau ceux qui en manquaient, il [les] rassasia même de pain angélique et d'oiseaux. Et il parla à Dieu face à face, comme il est possible à l'homme de parler avec Dieu; il donna aux gens la loi écrite par le doigt de Dieu. Jésus Nave répartit la terre entre les gens de Dieu, après avoir combattu leurs adversaires. Les Juges remportèrent également de nombreuses victoires. Samuel, ayant reçu la grâce divine, fit l'onction au roi et l'institua par la parole de Dieu. David paissait les hommes dans la paix et il leur apprit les chants divins. Salomon, ayant reçu de Dieu la sagesse plus [libéralement] que tous les hommes, composa de nombreuses [et] bonnes paraboles, bien qu'il ne les eût pas terminées seul. Élie révéla par la famine la méchanceté des hommes et ressuscita un mort; il fit même descendre du feu du ciel et brûla beaucoup de gens; il consuma même par un feu miraculeux des victimes pour les sacrifices et, ayant tué des prêtres iniques, il entra au ciel sur un char de feu et sur des chevaux, après avoir donné à [son] disciple un double esprit. Élisée, ayant pris [son] manteau, opéra un double miracle. Les autres prophètes, chacun à son époque, prédirent des choses extraordinaires qui devaient se réaliser.

Jean qui, après les précédents, fut le grand médiateur entre l'ancien et le nouveau Testament, celui qui baptisa le Christ, est devenu témoin et prédicateur pour les vivants et pour les morts. Pierre et Paul, ainsi que les autres disciples du Christ, après avoir traversé le monde entier comme un éclair, ont illuminé toute la terre. Après eux les martyrs ont effacé de leur sang la souillure et les successeurs des saints Apôtres, en baptisant les rois, ont anéanti le paganisme après bien des combats et bien des efforts. Le vénérable Silvestre, assisté de trois cent dix-huit Pères et soutenu par le grand empereur Constantin, réunit le premier concile à Nicée. Il vainquit Arius et l'anathématisa, [lui] et l'hérésie qu'il avait dressée contre la Sainte-Trinité, comme jadis Abraham avec trois-cent dix-huit serviteurs avait battu les rois et reçu de Melchisédech, roi de Salem, la bénédiction, le pain et le vin. Car il était le prêtre de Dieu le très-haut.[1] Damase et le théologien Grégoire, avec cent cinquante Pères et le grand empereur Théodose, confirmèrent à Constantinople le saint symbole, c'est-à-dire « je crois en un seul Dieu », et après avoir excommunié Macedonius ils l'anathématisèrent, [lui] et l'hérésie qu'il prêchait contre le Saint-Esprit. Célestin et Cyrille avec deux cents Pères et un autre empereur déracinèrent à Éphèse Nestorius et toute l'hérésie qu'il proclamait contre le Christ. Léon et Anatole, avec

---

[1] *Gen. 14, 18.*

l'empereur orthodoxe Marcien et six cent trente Pères, anathématisèrent à Chal-cédoine le non-sens et l'hérésie d'Eutychès. Vigile ainsi que le pieux Justin et cent soixante-cinq Pères, ayant convoqué le cinquième concile...,[1] portèrent condamnation après examen. Agathon, le pape apostolique, avec deux cent soi-xante-dix Pères et le vénérable empereur Constantin, jugula, au sixième concile, de nombreux perturbateurs et, [en accord] avec tous les Pères, [les] ayant chassés, il les anathématisa, à savoir Théodore de Pharan, Serge et Pyrrhos, Cyre d'Alexandrie, Honorius de Rome, Macaire d'Antioche et leurs autres auxi-liaires; ayant basé la foi chrétienne sur la vérité, ils la consolidèrent.

CHAPITRE II.

Après tous ceux-là, Dieu miséricordieux, qui veut que tout homme soit sauvé et parvienne à la connaissance de la vérité, a suscité pour le bon service, à notre époque et pour notre nation dont personne ne s'était en aucune façon occupé, notre maître, le bienheureux éducateur Méthode dont les mérites et les luttes, en comparaison de ces hommes qui furent agréables à Dieu, ne pour-ront pas nous rendre honteux. Il fut en effet égal à certains [de ces hauts per-sonnages], de peu inférieur à certains autres, supérieur à l'autres encore, dépas-sant les éloquents par son activité et les plus actifs par sa parole. S'étant rendu pareil à tous il montra en lui les manières de tous, la crainte de Dieu, l'obser-vation des préceptes, la pureté du corps, les prières fréquentes et la sainteté, la parole forte et pacifique — forte pour les adversaires mais pacifique pour ceux qui acceptaient l'admonestation — la colère, la simplicité, la grâce, l'amour, la souffrance et la patience. Il est devenu tout pour tous afin d'amener tout le monde au salut.[2]

La famille de Méthode.

Il était, dans les deux lignées, d'une famille non pas modeste mais très bonne, respectée et connue d'abord de Dieu, de l'empereur et de toute la région de Salonique. [Cela] ressortait, d'ailleurs, même de son aspect physique. C'est pourquoi même les juristes, l'aimant depuis son enfance, parlaient de lui avec respect, jusqu'à ce que l'empereur, ayant appris sa sagacité, lui eût donné une principauté slave à gouverner. Je dirais donc que ce fut comme s'il pré-

Méthode devient archonte.

voyait qu'il l'enverrait chez les Slaves comme éducateur et comme premier arche-vêque et afin qu'il apprît à connaître toutes les coutumes slaves et s'y habituât petit à petit.

[1] Tous les manuscrits comportent ici une lacune.
[2] 1 Cor. 9, 22.

CHAPITRE III.

Ayant passé de nombreuses années dans cette principauté et ayant vu bien des tempêtes, bien des troubles dans cette vie, il échangea les obscurités terrestres contre les idées célestes. Car il ne voulait pas troubler [son] âme bienheureuse par des choses qui ne durent pas éternellement. Quand il en eut trouvé l'occasion, il abandonna la principauté et s'en alla au Mont-Olympe, où vivent les saints pères. S'étant tonsuré il revêtit un costume noir et obéit dans l'humilité, observant pleinement la règle monacale et s'occupant des livres.

CHAPITRE IV.

Quand l'époque fut venue, l'empereur manda le Philosophe, son frère, [pour l'envoyer] en Khazarie et celui-ci le prit avec lui comme auxiliaire. Car il y avait des Juifs qui blasphémaient beaucoup la foi chrétienne. Il dit: « Je suis prêt à mourir pour la foi chrétienne » et il obéit, et allant [avec lui] il servit comme un esclave son frère cadet, auquel il obéissait. Lui par la prière, le Philosophe par la parole, ils vainquirent et couvrirent de honte [les Juifs].

L'empereur et le patriarche, voyant le bon combat [qu'il livrait] sur le chemin de Dieu, [voulurent] le persuader de se laisser sacrer archevêque à un poste d'honneur où l'on avait besoin d'un tel homme. Lui n'ayant pas voulu, ils le contraignirent et l'établirent comme abbé dans un couvent qui s'appelle Polychron, dont la mesure (le revenu) est de quatorze boisseaux d'or et où habitent plus de soixante-dix pères.

CHAPITRE V.

Il arriva à cette époque que Rostislav, le prince slave, et Svatopluk dépêchèrent de Moravie auprès de l'empereur Michel pour lui dire: « Par la grâce de Dieu nous sommes sains; chez nous sont venus pour enseigner de nombreux chrétiens, des Italiens, des Grecs, des Germains qui nous ont instruits de différentes façons. Mais nous Slaves, [nous sommes] des gens simples et nous n'avons personne pour nous enseigner la vérité et nous expliquer la pensée [de l'Écriture]. Envoie-nous donc, seigneur, un homme capable de nous enseigner toute la vérité. » L'empereur Michel dit à Constantin le Philosophe: « Entends-tu, ô Philosophe, cette parole? Aucun autre que toi ne peut le faire. Voici pour toi de nombreux cadeaux, vas-y et emmène ton frère Méthode l'hégoumène.

385

Car vous êtes tous deux de Salonique et tous les Saloniciens parlent bien le slave. »

L'Invention des lettres slaves.

Ils ne pouvaient évidemment pas refuser à Dieu et à l'empereur, selon la parole de Saint Pierre qui a dit: « Craignez Dieu et vénérez l'empereur.»¹ Mais quand ils eurent entendu la grande parole, ils se mirent à prier avec d'autres, empreints du même esprit qu'eux. Et alors après Dieu révéla au Philosophe l'écriture slavonne. Ayant immédiatement combiné les lettres et composé un sermon il prit le chemin de la Moravie, emmenant Méthode avec lui. De nouveau [celui-ci] se mit à obéir humblement au Philosophe, à le servir et à enseigner avec lui. Et au bout de trois ans ils s'en revinrent de Moravie, après avoir formé des élèves.

CHAPITRE VI.

A Rome.

Ayant entendu parler de tels hommes, et désirant les voir comme des anges de Dieu, l'„apostolicus" Nicolas les envoya chercher. Il bénit leur enseignement, après avoir déposé l'Evangile slavon sur l'autel du saint apôtre Pierre; et il conféra la prêtrise au bienheureux Méthode.

Beaucoup de gens se moquaient des livres slavons en disant: « Il n'appartient à aucune nation d'avoir son écriture propre sauf aux Juifs, aux Grecs et aux Romains, conformément à l'inscription apposée par Pilate sur la croix du Seigneur. » Mais ceux-là, l'„apostolicus" les appela Pilatiens et trilinguistes et il les anathématisa. Et il ordonna à un évêque qui souffrait de la même maladie, d'ordonner parmi les disciples slaves trois prêtres et deux lecteurs.

CHAPITRE VII.

Mort de Constantin.

Après de longues journées le Philosophe, allant au Jugement, dit à son frère Méthode: « Voici, frère, nous étions tous les deux attachés au même joug, traçant le même sillon. Je tombe sur le champ, après avoir terminé ma journée, mais toi, tu aimes beaucoup la Montagne. Ne veuille pas, à cause de la Montagne, abandonner ton enseignement. Comment peux-tu, en effet, être mieux sauvé? »

---

¹ *1 Pierre 2, 17.*

CHAPITRE VIII.

Kocel, ayant envoyé [une ambassade] auprès de l'„apostolicus" Intervention de Kocel.
demanda que ce dernier lui dépêchât Méthode, notre bienheureux éducateur. Et l'„apostolicus" dit: « Ce n'est pas seulement à toi mais à tous ces pays slaves que je l'envoie comme éducateur [envoyé] par Dieu et par le saint apôtre Pierre, premier successeur et portier du royaume céleste. » Et il l'envoya après avoir écrit la lettre suivante: « Hadrien, évêque et serviteur de Dieu, à Rostislav, Svatopluk et Kocel. Confirmation de la liturgie slave.

Gloire à Dieu dans les lieux élevés et paix sur la terre aux hommes de bonne volonté![¹] Nous avons entendu dire à votre sujet des choses qui concernent l'âme et que pour votre salut nous avions ardemment souhaitées par la prière. [Nous avons appris] comment Dieu a soulevé vos cœurs pour que vous le cherchiez et [comment] il vous a montré qu'on doit le servir non pas seulement par la foi mais par les bonnes œuvres. Car la foi sans les œuvres est chose morte[²] et ceux-là errent, qui s'imaginent connaître Dieu alors qu'ils renient par leurs œuvres. Ce n'est pas seulement au Saint-Siège que vous avez demandé un éducateur, c'est aussi au pieux empereur Michel. Et il vous a envoyé le bienheureux Philosophe Constantin et son frère, alors que nous ne le pouvions pas. Lorsqu'ils ont appris que votre pays appartenait au Siège apostolique, ils n'ont rien fait contre le canon, mais ils sont venus à nous, en apportant même les reliques de Saint Clément. Nous nous en sommes trois fois réjoui, et, ayant réfléchi, nous avons décidé d'envoyer dans vos régions, après l'avoir sacré avec ses disciples, Méthode, notre fils, homme de parfaite intelligence et orthodoxe. Il a mission de vous enseigner comme vous l'avez demandé, en expliquant l'Écriture dans votre langue, et suivant absolument tout l'ordre ecclésiastique, la sainte messe comprise, et par conséquent également compris le service et le baptême, ainsi qu'avait commencé [à le faire] par la grâce de Dieu et sur la prière de Saint Clément, Constantin le Philosophe. Et si, de même, quelqu'un d'autre peut enseigner d'une manière digne et orthodoxe, que cela soit saint et béni par Dieu, par nous et par toute l'Église catholique et apostolique, afin que vous puissiez apprendre facilement les commandements divins. Observez seulement cette coutume: qu'au cours de la messe on dise l'épître et l'évangile d'abord en romain (latin) puis en slavon, pour que la parole de l'Écriture soit remplie: „Toutes les nations louez le Seigneur"[³], et ailleurs: „Tous racontent dans des

---

[¹] Lc. 2, 14.
[²] Jac. 2, 17.
[³] Ps. 116, 1.

langues diverses les grandes œuvres de Dieu, selon que le Saint-Esprit leur donnait de s'exprimer."[1] *Et si l'un des maîtres assemblés chez vous, et de ceux qui plaisent aux oreilles*[2] *et passent de la vérité aux erreurs, osait vous séduire d'une autre façon, en blâmant l'écriture de votre langue, que celui-là soit exclu non seulement de la communion, mais aussi de l'Église,*[3] *jusqu'à ce qu'il se corrige. Car ceux-là sont des loups, et non pas des brebis, qu'il faut reconnaître à leurs fruits et dont il faut se garder.*[4] *Quant à vous, mes enfants bien-aimés, écoutez l'enseignement divin et ne repoussez pas les commandements de l'Église, pour devenir, en compagnie de tous les Saints, de vrais adorateurs de Dieu, notre Père céleste. Ainsi soit-il. »*

**Méthode,
évêque de
Sirmium.**

Kocel le reçut avec de grands honneurs et l'envoya, accompagné de vingt nobles, auprès de l',,apostolicus", pour être sacré à l'évêché de Pannonie, siège de St Andronique, apôtre de soixante-dix [disciples]. Et ce fut ce qui eut lieu.

CHAPITRE IX.

Par la suite le vieil ennemi, envieux du bien et adversaire de la vérité, souleva contre lui (Méthode) le cœur de l'assassin du roi morave, ainsi que tous les évêques [qui lui dirent]: « Tu enseignes dans notre territoire. » Et il répondit: « Oui, si je savais qu'il fût à vous, j'éviterais de le faire, mais il appartient à Saint Pierre. Et, en vérité, si, par jalousie et par ambition, vous sortez des anciennes frontières, contrairement aux canons, en dressant des obstacles à l'enseignement divin, craignez que, voulant percer avec la tête une montagne de fer, vous ne perdiez le cerveau. » Ils lui dirent: « Si tu parles avec colère, tu te porteras mal. » Il répondit: « Je dis la vérité en présence des empereurs et je n'[en] rougis pas, mais vous, vous faites votre volonté contre moi. Car je ne suis pas meilleur que ceux qui, disant la vérité, ont perdu cette vie au milieu de multiples souffrances. »

**L'emprison-
nement par
les évêques
allemands.**

Bien des paroles ayant été échangées sans qu'ils ne pussent rien lui opposer le roi dit avec bienveillance: « N'importunez pas mon [cher] Méthode. Il est tout en sueur, comme s'il se tenait près d'un poêle. » Et Méthode dit: « Certai-

---

[1] *Act. Ap. 2, 4, 11.*

[2] *Cf. 2 Tim. 4, 3, 4.*

[3] *Nous acceptons ici l'émendation du texte telle qu'elle a été proposée par Šachmatov, Arch. f. slav. Phil., vol. 27, 1905, p. 141 et par Brückner, Die Wahrheit, p. 13. Miklosich avait proposé: « qu'il soit excommunié, mais qu'on le renvoie seulement au jugement de l'Église ».*

[4] *Matth. 7, 15, 16.*

nement, seigneur. Un jour, des gens ayant rencontré un philosophe en sueur, lui
dirent: „Pourquoi sues-tu?" Il leur dit: „J'ai discuté avec des gens grossiers." »
Ils se querellèrent à propos de ce mot puis se séparèrent mais, l'ayant envoyé
en Souabe, ils le retinrent deux ans et demi.

CHAPITRE X.

[L'écho de ces évènements] parvint jusqu'à l'„apostolicus". A cette nouvelle, L'interven-
il lança l'excommunication contre eux, tous évêques du roi, pour les empêcher tion pontifi-
de célébrer la messe, c'est-à-dire le service [liturgique], tant qu'ils le retien- cale et la libération.
draient prisonnier. Ils le relâchèrent donc après avoir dit à Kocel: « Si tu le
gardes près de toi, tu auras affaire à nous. » Mais ils n'échappèrent pas au ju-
gement de Saint Pierre car quatre d'entre eux moururent.

Il arriva alors que les Moraves, ayant appris que les prêtres allemands qui
vivaient au milieu d'eux ne leur voulaient pas de bien mais complotaient contre
eux, les chassèrent tous et députèrent auprès de l'„apostolicus" [pour lui dire]:
« Puisque autrefois nos pères ont reçu le baptême de Saint Pierre, donne nous
Méthode pour archevêque et pour maître. » L'„apostolicus" envoya immédiate-
ment ce dernier, et le prince Svatopluk, l'ayant reçu en compagnie de tous les
Moraves, lui confia toutes les églises et le clergé de toutes les villes.

Depuis ce jour l'enseignement divin commença à se développer largement,
le clergé à augmenter dans toutes les villes et les païens à croire dans le vrai
Dieu en rejetant leurs erreurs. De même le pays morave commença à s'étendre
davantage de tous côtés et à combattre ses ennemis avec le succès dont eux-
même parlent toujours.

CHAPITRE XI.

Il y avait également en Méthode un don prophétique. Comme beaucoup de Prophéties
ses prophéties se sont accomplies, nous en conterons une ou deux. de Méthode.

Un prince païen, très puissant, établi sur la Vistule, raillait les chrétiens et
les tourmentait. [Méthode] lui fit dire par un envoyé: « Il serait bon, fils, que
tu te fasses baptiser de ton propre gré et dans ton pays pour ne pas être fait
prisonnier et baptisé de force en territoire étranger, en te souvenant alors de
moi. » Et c'est ce qui arriva.

Une autre fois, comme Svatopluk guerroyant contre les païens n'agissait pas
mais temporisait, la messe de Saint Pierre, c'est-à-dire le service [liturgique],
étant proche, il lui envoya quelqu'un pour lui dire: « Si tu me promets de passer

près de moi avec ton armée le saint jour de Pierre, j'ai confiance en Dieu qu'il te les livrera sous peu », ce qui en effet arriva.

Un homme, très riche, un conseiller, épousa une de ses parentes,[1] sa belle-sœur, et [Méthode] malgré des exhortations, des explications et des avertissements répétés ne réussit pas à les séparer; car d'autres, qui se disaient serviteurs de Dieu, les séduisaient secrètement, les flattant à cause de leur fortune, pour finalement les faire rompre avec l'Église. Il dit: « Il viendra un temps où ces flatteurs ne pourront plus [vous] aider; vous vous souviendrez alors de mes paroles mais il n'y aura plus rien à faire. » Soudain, après leur séparation d'avec Dieu, une catastrophe fondit sur eux, et il fut impossible de retrouver leur place car l'aquilon les avait emportés comme de la poussière et les avait dispersés. D'autres événements analogues [se produisirent] qu'il expliquait clairement au moyen de paraboles.

CHAPITRE XII.

Machinations contre Méthode. Impatient de tout cela, le vieux criminel, jaloux du genre humain, souleva contre Méthode un certain nombre de gens — tels Dathan et Abiron contre Moïse — les uns ouvertement, les autres clandestinement, ceux-là qui atteints par l'hérésie hyiopatérique détournent les plus faibles du droit chemin, en disant: « C'est à nous que le pape a donné le pouvoir, et il ordonne de repousser cet homme ainsi que sa doctrine. »

Sa réhabilitation. Ayant rassemblé tous les Moraves ils ordonnèrent de lire la lettre devant eux, pour qu'ils fussent avisés de son expulsion. Le peuple — c'est là une habitude humaine — tomba dans la tristesse et le chagrin, [à la pensée] d'être privé d'un tel pasteur et d'un tel maître. Ne faisaient exception à ce deuil que les faibles, agités par l'imposture comme les feuilles par le vent. Ayant honoré la lettre de l',,apostolicus", ils trouvèrent écrit: « Notre frère Méthode, le Saint, est orthodoxe et accomplit une œuvre apostolique. En ses mains Dieu et le Siège apostolique ont mis tous les pays slaves, pour que celui qu'il anathématisera soit anathématisé et que celui qu'il bénira soit sanctifié. » Ils se séparèrent alors, couverts de honte comme un brouillard.

CHAPITRE XIII.

Voyage à Constantinople. Leur malice n'était pas encore satisfaite. Ils dirent: « L'empereur lui en veut et s'il l'attrape, il n'en sortira pas vivant. » Dieu miséricordieux ne voulut pas

---

[1] Brückner, Die Wahrheit, p. 80, propose de traduire ici « sa commère — seine Mitpathin ».

laisser son serviteur sous le coup d'un tel blâme; il mit une inspiration au cœur de l'empereur — car le cœur de l'empereur est toujours dans la main de Dieu — et celui-ci envoya la lettre suivante: « Révérend Père, je désire vivement te voir. Fais-nous donc ce plaisir et hâte-toi de venir auprès de nous pour que nous te voyions pendant que tu es encore de ce monde et que nous accueillions tes prières. » Méthode se rendit immédiatement là-bas et l'empereur le reçut avec beaucoup d'honneurs et beaucoup de joie. Il fit l'éloge de sa doctrine et garda auprès de lui un prêtre et un diacre, disciples de Méthode, munis de leurs livres. Autant Méthode forma de voeux, autant il en combla, ne lui refusant rien. L'ayant pris en affection et lui ayant remis de nombreux cadeaux, il l'accompagna de nouveau solennellement jusqu'à son siège, de même que le patriarche.

CHAPITRE XIV.

Au cours de tous [ses] voyages il courut bien des périls, du fait du diable, dans le désert parmi les bandits, sur mer au milieu des vagues déchaînées par le vent, sur les fleuves sur des fonds sableux inattendus, de sorte que la parole de l'apôtre s'accomplit à son propos:[1] En péril de la part des brigands, en péril sur la mer, en péril sur les fleuves, en péril parmi les faux frères, dans le travail et dans la peine, exposé à de nombreuses veilles, à la faim et à la soif, et à tous les autres tourments dont se souvient l'Apôtre.

La vie mouvementée de Méthode.

CHAPITRE XV.

S'étant ensuite éloigné de tout bruit et s'en étant remis à Dieu de tous ses soucis, il désigna d'abord parmi ses disciples deux prêtres, scribes exercés, et traduisit rapidement du grec en slavon l'ensemble des livres [saints], ceux des Machabées exceptés; [il mit] six mois, ayant commencé au mois de mars [et travaillé] jusqu'au vingt-sixième jour du mois d'octobre. Quand il eut terminé il rendit à Dieu les hommages qui lui étaient dûs et il le glorifia pour lui avoir accordé pareille grâce et un tel succès. Ayant, avec son clergé, célébré les saints mystères, il honora la mémoire de Saint Démétrios. Avec le Philosophe il n'avait en effet traduit auparavant que le psautier et l'évangile ainsi que les écrits apostoliques et un choix de services ecclésiastiques. A cette époque il traduisit même le nomocanon, c'est-à-dire la règle de la loi, et les livres des Pères.

Traduction de l'Écriture Sainte en slavon.

---

[1] 2 Cor. 11, 26, 27.

391

CHAPITRE XVI.

Rencontre avec le chef des Magyars.

Quand le roi des Hongrois vint dans les régions danubiennes, il voulut le voir. Malgré certains qui disaient et pensaient qu'il ne serait pas aisément libéré, il (Méthode) se rendit auprès de lui. Et ce dernier le reçut comme un prince, avec honneur, solennité et gaîté. Il lui parla comme on doit parler à de tels hommes et il le congédia affectueusèment, lui disant en l'embrassant et en le comblant de dons: « Père vénérable, souviens-toi toujours de moi dans tes prières. »

CHAPITRE XVII.

Il liquida ainsi toutes les causes [de difficultés surgissant] de toutes parts; il ferma la bouche aux bavards et termina sa course, conservant la foi en attendant la couronne de justice.[1] Et parce qu'il était particulièrement aimé et affectionné de Dieu, le moment commença à approcher où il se reposerait à l'abri des troubles et serait récompensé de tant de peines. On lui posa la question suivante: « Père vénérable, lequel de tes disciples juges-tu [digne] de te succéder dans ton enseignement? » Il leur montra l'un de ses disciples intimes, du nom de Gorazd, en disant: « Celui-ci est un homme libre de votre pays, très versé dans les livres latins et orthodoxe. [Son choix] fera donc la volonté de Dieu et sera agréable à vous comme à moi. »

Désignation de Gorazd comme successeur.

Tout le peuple s'étant assemblé le dimanche des Rameaux, il alla à l'église, et si faible qu'il fût, il bénit l'empereur, le prince, le clergé et tous les assistants. Et il dit: « Mes enfants, gardez-moi jusqu'au troisième jour. » Il en fut ainsi. A l'aurore du troisième jour, il dit: « Seigneur, je remets mon âme entre vos mains.[2] Dans les bras des prêtres il s'endormit le 6 avril, indiction troisième, l'an 6393 de la création du monde.

La Mort (6 avril 884).

Ses disciples, après avoir tenu conseil et lui avoir rendu les honneurs qui lui étaient dûs, célébrèrent le service ecclésiastique en latin, en grec et en slavon, et le déposèrent dans l'église cathédrale. Il rejoignit ainsi ses pères, les patriarches, les prophètes et les apôtres, les éducateurs et les martyrs. Le peuple, s'étant assemblé en une foule innombrable, l'accompagna avec des cierges, pleurant le bon maître et le bon pasteur; tous [étaient présents], hommes et femmes, petits et grands, riches et pauvres, libres et esclaves, veuves et orphelins, étran-

Les funérailles.

---

[1] Cf. 2 Tim. 4, 7.
[2] Cf. Lc. 23, 46.

gers et indigènes, malades et bien portants; il était en effet devenu tout pour tous, afin de les conduire tous au salut.[1]

Toi, donc, tête sainte et bienheureuse, dans tes prières regarde vers nous qui soupirons après toi, délivre tes disciples de tout danger, en étendant l'enseignement et en expulsant l'hérésie; ainsi pourrons-nous, après la vie de ce monde — comme il convient à notre vocation — nous tenir avec toi, nous qui sommes ton troupeau, debout à la droite du Christ notre Dieu, de qui nous aurons obtenu la vie éternelle. A lui gloire et honneur dans les siècles des siècles. Ainsi soit-il!

———————

———————

[1] Cf. 1 Cor. 9, 22. Voir également ci-dessus, chap. II.

INDEX BIBLIOGRAPHIQUE.

Principales abréviations employées dans les notes ou dans l'index du volume.

Anal. Bol. = Analecta Bollandiana.

Arch. f. slav. Phil. = Archiv für slavische Philologie.

A. S. = Acta Sanctorum des Bollandistes.

Bonn = Corpus scriptorum historiae byzantinae, dit la Byzantine de Bonn (C. S. H. B.).

Byz. Zeitschr. = Byzantinische Zeitschrift.

Čes. Čas. Hist. = Český časopis historický.

M. G. H. = Monumenta Germaniae Historica. *Auct. ant.* = Auctores antiquissimi; *Ep.* = Epistolae;
　　　　Dip. = Diplomatica; *Ss.* = Scriptores; *Ss. rer. Merov.* = Scriptores rerum Merovin-
　　　　giarum.

Mansi = Conciliorum amplissima collectio, éd. Mansi.

P. G. = Patrologia graeca de l'Abbé Migne, 140 vol., Paris, 1844—1865.

P. L. = Patrologia latina de l'Abbé Migne, 221 vol., Paris, 1844—1864.

Teubner = Bibliotheca Teubneriana.

Труды = Труды Кіевской духовной Академіи.

Виз. Врем. = Византійскій Временикъ.

Ж. М. Н. П. = Журналъ Министерства народнаго просвѣщенія, Спб.

Nous nous sommes, dans cette bibliographie, conformé à l'usage, depuis longtemps établi, c'est-à-
dire de désigner généralement les ouvrages grecs par les titres latins.

SOURCES ET DOCUMENTS.

Acta graeca S. Eustathii Mart., éd. A. MANCINI, Studi storici, vol. VI, Livorno, 1897.

Acta graeca Ss. Davidis, Symeonis et Georgii, éd. VAN GHYEN, Anal. Bol., vol. XVIII, 1899, pp.
218 et suiv.

Acta S. Macarii hegem. monast. Pelecetes, éd. VAN GHYEN, Anal. Bol., XVI, 1897, pp. 154 et suiv.

Acta 42 martyrum Amoriensium, éd. V. VASILEVSKIJ et P. NIKITIN, Записки имп. Ак. наукъ, VIIIᵉ sér. VII, 2, 1905; éd. A. VASIL'EV, Греческій текстъ житія 42 Амор. муч.,
Ibid., sér. III, 3, 1898.

AGATHONIS *diaconi peroratio in Acta V syn.*, éd. F. COMBEFIS, *Graeco-lat. patrum Bibliothecae
novum Auctarium*, Paris, 1648, vol. II.

ANASTASIUS BIBLIOTHECARIUS, *Collectanea ad Johannem Diaconum*, P. L., vol. 129, col. 557
et suiv.

— *Epistola ad Gaudericum episcopum Velletrensem*, publiée par FRIEDRICH, *Ein Brief des*

Anast. Bibl. an der Bisch. Gaud. v. Vel., Sitzungsber. d., Bayr. Akad. d. Wiss., Phil. hist., Kl., 1892, pp. 392—442.

— *Epistolae sive praefationes*, P. L., vol. 129, col. 1 et suiv., MANSI, XVI, 1 et suiv. Nouvelle édit. de E. PERELS et G. LAEHR dans les M. G. H., Ep. VII, pp. 395 et suiv.

Ἀντιβουλὴ Παπίσκου καὶ Φίλωνος Ἰουδαίου πρὸς μοναχόν τινα, éd. MAC GIFFERT, Marburg, 1899.

ANASTASII SINAÏTAE *Viae dux*, P. G., vol. 89.

ANNA COMNENA, *Alexiadis*, vol. I, Bonn, 1839 (C. S. H. B.).

Annales Bertiniani, M. G. H., Ss., I, pp. 423 et suiv.

Annales Fuldenses, M. G. H., Ss., I, pp. 343—415.

Annales Laurissenses (Einhardi An.), M. G. H., Ss., I, pp. 135—218.

Annales Laureshamenses, M. G. H., H., Ss., II.

Annales regum Francorum, M. G. H., Ss., I.

S. ATHANASII *Apologia ad Constantinum*, P. G., vol. 25, col. 535 et suiv.

— *Apologia contra Arianos*, ibid., col. 239 et suiv.

— *Historia Arianorum ad monachos*, ibid., col. 691 et suiv.

AL-BALÂDHURI, *Kitâb Futûḥ al-Buldâne*, éd. PH. K. HITTI, *The origins of the islamic states*, traduction anglaise, New York, 1916.

BALSAMON, voir Théodore.

BAR-HEBRAEI (GEORGII ABULFARAGII) *Chronicon syriacum*, éd. P. Bruns et G. Kirsch, Leipzig, 1789.

BARTHOLOMEUS EDESSENUS, *Confutatio Agareni et Mohamedis*, P. G., vol. 104, col. 1383 et suiv.

BONWETSCH, *Doctrina Jacobi nuper baptizati*, Abh. d. k. Ges. d. Wiss. zu Göttingen, Phil. Hist. Kl., N. F. vol. XII, Berlin, 1910.

Βυζαντινὸν Ἑορτολόγιον, éd. GEDEON, Constantinople, 1899.

CASSEL (P.), *Der chazarische Königsbrief aus dem 10. Jahrh.*, Berlin, 1877.

CASSIODORI *Viarum VIIII*, M. G. H., Auct. ant., XII.

CHRISTIAN, *Vita et Passio sancti Venceslai et sanctae Ludmilae*, éd. J. PEKAŘ, *Die Wenzels- und Ludmilalegenden und die Echtheit Christians*, Prag, 1906, pp. 88—125.

Chronicon Salernitanum, M. G. H., Ss., III.

Chronicum Moissiacense, M. G. H., Ss., I.

CHWOLSON D., *Achtzehn hebr. Grabschriften aus der Krim*, Mémoires de l'Acad. des sciences de St Pétersbourg, 1876, VIIe série, tome IX, no 7.

— *Corpus inscriptionum hebraicarum*, St Pétersbourg, 1882.

Codex Theodosianus, éd. TH. MOMMSEN, P. M. MEYER, *Theodos. libri*, Berlin, 1905.

CODINUS (GEORGIUS) CUROPALATES, *De officiis*, Bonn, 1839; P. G., vol. 157, col. 17—428.

CONSTANTINUS PORPHYROGENITUS, *De administrando imperio*, éd. J. Bekker, Bonn, 1840.

— *De ceremoniis aulae byzantinae*, éd. J. REISKE, Bonn, 1829.

— *De thematibus libri duo*, éd. J. BEKKER, Bonn, 1840 (C. S. H. B.).

CONYBEARE (F. C.), *The dialogues of Athanasius and Zacchaeus and of Timothy and Aquilla*, Anecdota Oxoniensia, 8, Oxford, 1898.

Corpus inscriptionum Graecarum, éd. BÖCKH, Berlin, 1828—1877.

De Conversione Bogoariorum et Carantanorum libellus, M. G. H., Ss., XI; PASTRNEK, *Dějiny slov. apoštolů sv. Cyrilla a Meth.*, Praha, 1902, pp. 264—273.

Diplomata Caroli Magni, M. G. H., Dipl. Car.

EGINHARDI Abbatis *Historia translationis bb. Marcelini et Petri*, P. L., vol. 104.

Epistola episcoporum Bavariensium ad Joannem papam IX scripta a. 900, P. L., vol. 131, col. 34—38; PASTRNEK, *Dějiny slov. apoštolů*, Praha, 1902, pp. 274—278.

Fontes rerum bohemicarum, Praha, 1873, vol. 1.

FRIEDRICH, *Codex diplomaticus et epistolarius regni Bohemiae et Moraviae*, Praha, 1906—1908.

GENESIOS, *Regum libri IV*, éd. C. Lachmann, Bonn, 1834 (C. S. H. B.).

GEORG. MON., Χρονικὸν σύντομον; éd. J. BEKKER, Bonn, 1838; éd. C. de BOOR, 2 vol., Lipsiae (Teubner), 1904.

GRÉBAUT (S.), *Sargis d'Aberga*, Patr. Or., vol. III, pp. 556—643.

GREGORIUS ABULFARAGIUS voir BAR HEBRAEUS.

S. GREGORIUS NAZIANZENUS, *Poemata*, P. G., vol. 37.

GREGORII I PAPAE *Registrum Epistolarum* I, II, éd. P. EWALD et L. HARTMANN, M. G. H., Ep. I (Berlin, 1887, 1891).

GREGORIUS DECAPOLITES, Λόγος ἱστορικός P. G., vol. 100, col. 1201—1212.

S. GREGORIUS TURONENSIS, *Historia Francorum*, P. L., vol. 71, col. 161 et suiv., M. G. H., Ss. rer. Merov., vol. I.

HADRIANUS II papa, *Epistolae*, MANSI, XV, col. 819 et suiv.; MIGNE, P. L., vol. 122, 129; M. G. H., Ep., VI.

HARNACK A., *Die Altercatio Simonis et Theophili*, Texte u. Untersuchungen zur Gesch. der altchristl. Lit., I, Leipzig, 1883.

HIEROCLIS *Synecdemus*, éd. G. PARTHEY, Berlin, 1866.

HINCMARI REMENSIS *Annales*, M. G. H., Ss., I, pp. 452—515.

History of the Patriarchs of the Coptic Church of Alexandria, éd. B. EVETTS, GRAFFIN, *Patrologia Orientalis*, vol. I, pp. 494—498.

IBN-AL-ATIR, éd. C. M. FRAEHN, *De Chazaris*, Acta Academiae scient. Petrop., vol. VIII, St. Pétersbourg, 1822, pp. 21 et suiv.; éd. VASILEV, Византія и Арабы, St. Petersbourg, 1902, vol. I, pp. 87—119 (Приложенія).

IBN KORDÂDBEH, *Liber Viarum et regionum*, éd. de Goeje, Lugd. Batav., 1889.

JÂCÛT, *Dictionnaire géographique*. Extrait en allemand dans l'article de F. WÜSTENFELD, *Jâkût's Reisen, aus seinem geograph. Wörterbuch beschrieben*, Zeitschr. d. Deutsch. Morgenl. Ges., vol. XVIII, 1864.

JEAN DE NIKIOU, *Chronique*, texte éth. publié et trad. par ZOTENBERG, Paris, 1883.
— *The Chronicle of John bishof of Nikiu translated from Zotenberg's Ethiopic text* by H. CHARLES, London, 1916.

JOANNES CITRENSIS, *Responsa ad Constant. Cabarilam episc.*, P. G., vol. 119, col. 959—986.

S. JOANNES CHRYSOSTOMUS, *Epistolae, Homiliae*, P. G., vol. 52, 63.

S. JOANNES DAMASCENUS, *Disputatio Christiani et Saraceni*, P. G., vol. 94, col. 1585 et suiv.

JOANNES XI BECCOS (VECCHUS), *Ad Theodosium Sugdaiae episc.*, P. G., vol. 141, col. 289 et suiv.
— *Refutatio photiani libri de Spiritu Sancto*, P. G., vol. 141, col. 725 et suiv.

JOANNES VIII papa, *Epistolae*, P. L., vol. 126, col. 651—966; M. G. H., Ep., VII, 1 (éd. E. CASPAR).

Jus graecoromanum, éd. C. E. ZACHARIAE von LINGENTHAL, vol. I—VII, Lipsiae, 1856—1884.

S. JUSTINUS, *Dialogus cum Tryphone,* éd. G. ARCHAMBAULT, *Texte et documents pour l'étude historique du christianisme,* 2 vol., Paris, 1909.

Κατὰ Μωαμέθ, ,traité anonyme, P. G., vol. 104, col. 1448—1457.
KEDRENOS, voir Cedrenus.

LEO DIACONUS, *Historiae,* Bonn (C. S. H. B.), 1828.
LEONTIOS NEAPOLITANUS, *Contra Judaeos,* P. G., vol. 93, col. 1597—1612 (Fragments).
Les exploits de Digénis Akritas, éd. de SATHAS et E. LEGRAND, Paris, 1875.
J. LEUNCLAVIUS, *Juris graeco-romani tam canonici tam civilis tomi duo,* Frankfurt, 1546.
Liber Pontificalis, éd. L. DUCHESNE, Paris, 1886, 1892.

MAÇOUDÎ, *Les Prairies d'Or,* éd. BARB. DE MEYNARD et DE COURTEILLE, Paris, 1914.
MALALAS JOANNES, *Chronographia,* éd. DINDORF, Bonn, 1831 (C. S. H. B.).
MANSI, *Conciliorum amplissima collectio,* 31 vol., Florence—Venise, 1759 et suiv.
MANUEL CALÉCAS, *Adversus Graecos,* P. G., vol. 152.
S. MARTINUS I PONTIF. ROM., *Epistolae,* P. L., vol. 87, col. 119 et suiv.
MATHIEU D'EDESSE, *Chronique,* éd. DULAURIER, Bibliothèque historique arménienne, Paris, 1858.
MENANDER PROTECTOR, *Fragmenta,* éd. C. MÜLLER, Fragmenta Histor. Graec., vol. IV.
METHODIUS patriarcha, *Epistola adversus Studitas,* P. G., vol. 100, col. 1293 et suiv.
— *Vita S. Theophanis Conf.,* Mém. de l'Acad. des sc. de St Pétersbourg, VIIIe série, Cl. Hist. phil., tome XIII, no 4.
METROPHANES, *Epistola ad Manuelem logothetam,* MANSI, XVI, 413 et suiv.
MICHAEL GLYCAS, Κεφάλαια εἰς τὰς ἀπορίας τῆς Γραφῆς, éd. S. EUSTRADIADES, Athènes, 1906.

Narratio de Theophili imperatoris absolutione, éd. REGEL, Analecta Byzantinorussica, St Pétersbourg, 1891.
Narratio de ss. patriarchis Tarasio et Nicephoro, P. G., vol. 99, col. 1849 et suiv.
NAU (F.), *La didascalie du Jacob,* Patr. Or., vol. VIII, pp. 713 et suiv.
— *Un colloque du patriarche Jean avec l'émir des Agariens,* Journal Asiatique, série 11, vol. 5, 1915, pp. 225—271.
NESTOR, Нестор ова или первоначальная лѣтопись, éd. F. MIKLOSICH, Wien 1860; trad. franç. L. LEGER, *Chronique dite de Nestor,* Paris, 1884, Publications de l'Ecole des Langues Orientales Vivantes, IIe série, 13.
NICEPHORUS, *Breviarum rerum post Mauricium gestarum,* éd. J. BEKKER, Bonn (C. S. H. B.), 1837; éd. C. de BOOR, Lipsiae, 1880 (Teubner).
— *Chronographia brevis,* éd. G. DINDORF, Bonn, 1829; éd. de BOOR, Lipsiae, 1880 (Teubner).
NICEPHORUS CALLISTUS, *Historia ecclesiastica,* P. G., vol. 145, col. 557 et suiv.
NICEPHORUS GREGORAS, *Historiae byzantinae,* éd. J. BEKKER, Bonn, 1855 (C. S. H. B.).
NICETAS BYZANTINUS, *Tractatus contra Saracenos,* P. G., vol. 140.
NICÉTAS CHARTOPHYLAX NICENUS, *Quibus temporibus et quarum criminationum causa a CP Ecclesia sejunxerit se Romana Ecclesia,* P. G., vol. 120, col. 713 et suiv.
NICETAS PAPHLAGO, *In laudem S. Eustathii,* P. G., vol. 105, col. 473 et suiv.
— *Laudatio S. Hyacinthi Paphlagoniensis,* P. G., vol. 105, col. 417 et suiv. FR. COMBEFIS, *Christi Martyrium lecta trias,* Paris, 1666, pp. 7—27.

— *In laudem S. Gregorii Theologi*, P. G., vol. 105, col. 439 et suiv.
— *Vita S. Ignatii patriarchae*, P. G., vol. 105, col. 488 et suiv.
NICOLAI I papae *epistolae et decreta*, P. G., vol. 119; M. G. H., Ep., VI (éd. PERELS).

Успеніе св. Кирилла (Sur la mort de St Cyrille), La meilleure édition LAVROV, Материалы по истории возник. древн. слав. письм., Leningrad, 1930, pp. 154–157.
PAPADOPOULOS A. KERAMEUS, *Monumenta graeca et latina ad historiam Photii patriarchae pertinentia*, Petropoli, 1901, 2 vol.
— 'Ανάλεκτα ἱεροσολυμιτικῆς σταχυολογίας, 5 vol., St Pétersbourg, 1891—1898.
Patrum nicaenorum nomina latine, graece, coptice, syriace, arabice, armeniace, sociata opera ediderunt H. GELZER, H. HITZENFELD, O. CAUTZ, Lipsiae, 1898.
PAULUS DIACONUS, *Vita S. Gregorii papae*, P. L., vol. 75, col. 41 et suiv.
Passio S. Clementis papae, éd. J. B. COTELERIUS, *Ss. Patrum qui temporibus apost. floruerunt opera*, Antverpiae, I, 1698, col. 749—810; P. G., vol. II, 469 et suiv.; FUNK, *Opera Patrum apostolicorum*, Tübingen, 1881, vol. II; FRANKO, Святий Климент у Корсуні, Lvov, 1906, pp. 292 et suiv.
Passio Kiliani Mart. Wirziburgensis, M. G. H., Ss., rer. Mer., V.
PHILOTHÈTE, *Kleitorologion*, publié par BURY, *The Imp. Admin. Syst.*, pp. 131—179.
PHOTIOS, *Epistolae*, P. G., vol. 102; Φωτίου 'Επιστολαί, éd. VALETTA, London, 1864;
— *Myriobiblion*, P. G., vol. 103;
— *Mystagogia de Spiritu Sancto*, P. G., vol. 102;
— *Nomocanonum comment. Theod. Balsamonis*, P. G., vol. 104.
PRISCUS PANITES, *Fragmenta*, éd. C. MÜLLER, Fragmenta histor. Graecor., Paris, 1875, IV.
PROCOPIUS CAESARIENSIS, *De bello Persico et Vandalico*, éd. DINDORF, Bonn, 1833 (C. S. H. B.); éd. J. HAURY, Leipzig, 1905 (Teubner);
— *De bello Gothico*, éd. J. DINDORF, Bonn, 1833 (C. S. H. B.); éd. J. HAURY, Leipzig, 1905 (Teubner);
— *Historia arcana et de aedificiis*, éd. J. DINDORF, Bonn, 1838 (C. S. H. B.); *Anecdota*, éd. J. HAURY, 1906 (Teubner);

Regesta Imperii, I: Die Regesten des Kaiserreiches unter den Karolingern, éd. S. F. BÖHMER et MÜHLBACHER, Innsbruck, 1899—1908.
Regesten der Kaiser und Päpste, éd. O. SEECK, Stuttgart, 1919.
Reginonis Chronicon, M. G. H., Ss., I.
RHALLIS et POTLIS, Σύνταγμα τῶν ἱερῶν κανόνων, Athènes, 1852—1854.
RUBRUQUIS GUIL. DE, *Voyage en Tartarie*, Recueil des voyages de Bergeron, Paris, 1634.

SCHECHTER (S.), *An unknown khazar Document*, Jewish Quarterly Review, New Series, vol. III, 1912—13, pp. 181—219.
Scriptor incertus de Leone Barda, éd. J. BEKKER, Bonn, 1842 (C. S. H. B.).
Слово на перенесеніе, éd. POGODIN, Кирилло-Меѳодіевскій Сборникъ, Moscou, 1865, pp. 319 et suiv.; FRANKO (I.) Святий Климент у Корсуні, Lvov, 1906, pp. 244 et suiv.; LAVROV, Материалы по ист. возн. древн. слав. письм., Leningrad, 1930, pp. 148 et suiv.
SOCRATES, *Historia ecclesiastica*, P. G., vol. 68.
STEPHANUS DIACONUS CONST., *Vita S. Stephani Junioris*, P. G., 100, col. 1069 et suiv.
STEPHANUS V papa, *Epistolae*, MANSI, XVIII; P. L., vol. 129; M. G. H., *Ep.*, VII, pp. 334 et suiv.

STRABO WALAFRIDUS, *De ecclesiasticarum rerum exordiis et incrementis liber unus*, P. L., vol. 114, col. 919 et suiv.

STYLIANOS, *Epist. ad Steph. papam*, MANSI, XVI.

SUIDAS, *Lexicon*, éd. G. BERNHARDY, Halle, 1857, I.

SYMÉON THESSALONICENSIS, *De sacris ordinationibus*, P. G., vol. 155, col. 361 et suiv.

— MAGISTER (PSEUDO), *Annales*, éd. J. BEKKER, Bonn, 1838 (C. S. H. B.).

— MÉTAPHRASTES, *Menologium*, P. G., vol. 114—116.

Synaxarium ecclesiae Constantinopolitanae, éd. H. DÉLÉHAYE, A. S., Nov., Bruxelles, 1902.

Synodica pontificum romanorum Nicolai, Hadriani, Joannis, Martini, Stephani, Formosi, in Photium praevaricatorem decreta, MANSI, XVI, 446 et suiv.

TABARI, éd. VASILEV, Византія и Арабы, St Pétersbourg, 1900, pp. 12—36. (Приложенія).

— trad. par H. ZOTENBERG, Nogent-le-Rotrou, 1874.

THEODORUS STUDITA S., *Adversus iconomachos capitula VII*, P. G., vol. 99.

— *Antirrhetici tres*, P. G., vol. 99, col. 327—351.

— *Epistolarum libri duo*, P. G., vol. 99, col. 903 et suiv.; A. MAI, *Nova Patrum bibliotheca*, tom. VIII.

— *Parva Catechesis*, éd. d'AUVRAY, Paris, 1899.

— *Constitutiones Studitanae*, P. G., vol. 99, col. 1703 et suiv.

THEOPHANES, *Chronographia*, éd. J. CLASSEN, Bonn, 1839 (C. S. H. B.); éd. C. DE BOOR, Lipsiae 1887.

— CONTINUATUS, éd. J. BEKKER, Bonn, 1838 (C. S. H. B.).

THEODOSIUS *de situ terrae sanctae*, éd. GEYER, *Itinera Hierosolymitana* s. III—VIII, Corpus script. eccl. Lat., vol. 39, Vienne, 1898.

THEOPHYLACTUS OCHRID., voir *Vita S. Clementis ep. Bulgar.*

Les Trophées de Damas, éd. G. BARDY, Patr. Or., vol. XV, pp. 174 et suiv.

Vita Amandi ep. II, auctore Milone, M. G. H., Ss. rer. Mer., V; A. S., Tebr. (d. 6), vol. I.

Vita S. Antonii Junioris, Ἐνναγωγὴ τῶν θεοφθόγγων ῥημάτων I, Constantinople, 1861.

Vita S. Antonii Junioris anachoretae, éd. PAPADOPOULOS KERAMEUS, dans la Συλλογὴ Παλαιστίνης καὶ Συριακῆς ἁγιολογίας, St Pétersbourg, 1907, vol. 57 (pp. 186—216).

Vita S. Blasii, A. S., Nov. IV.

Vita S. Clementis Ancyrensis, P. G., vol. 114.

Vita S. Clementis Ochridensis, éd. FR. MIKLOSICH, *Vita S. Clementis ep. Bulgarorum graece*, Vindobonae, 1847, P. G., 126, col. 1194—1240; FR. PASTRNEK, *Dějiny slov. apošt. Cyr. a Meth.*, Praha, 1902, pp. 278—286; N. L. TUNICKIJ, Матеріалы для исторіи жизни и дѣятельности учениковъ свв. Кирилла и Меѳодія, vol. I, Sergiev Posad, 1918.

Vita S. Clementis Romani, éd. A. MINGANA, *A New Life of Clement of Rome*, Some Early Judaeo-Christian Documents in the John Rylands Library, Syriac text ed. with transl. Manchester, 1917, pp. 10—20.

Vita S. Columbani, auctore JONA ABBATE ELNONENSI, P. L., vol. 87, col. 1011 et suiv., éd. B. KRUSCH, *Scriptores rerum germanicarum*, Hannover, 1905.

Vita S. Constantini Hiberiensis, éd. PEETERS, A. S., Nov. IV, pp. 541—563.

Vita S. Constantini Judaei, éd. H. DÉLÉHAYE, A. S., Nov. IV.

Vita Corbiniani ep. Baiuvariorum, auctore ABBEONE, M. G. H., Ss. rer. Merov., VI.

Vita S. Cosmae, éd. PAPADOPOULOS KERAMEUS, Ἀνάλεκτα ἱεροσολ. σταχυολογίας, 1897, IV.

Vita S. Constantini-Cyrilli, éd. P. J. ŠAFAŘÍK, *Památky dřevního písemnictví Jihoslovanů*, Praha, 1851; F. MIKLOSICH, *Chrestomathia palaeoslovenica*, Vindobonae, 1861, pp. 55—78;

O. BODJANSKIJ, Чтенія москов. духов. Акад., 1863—1864, 1865; E. DÜMMLER et R. MIKLOSICH, *Die Legende vom hl. Cyrillus*, Denkschr. d. k. Akad., Wien, 1870, J. PERWOLF, *Fontes rerum bohemicarum*, Praha, 1873, I, n° 1; FR. PASTRNEK, *Dějiny slov. apoštolů Cyrilla a Methoda*, Praha, 1902, pp. 154—215; A. TH. BALAN, Кирилъ и Методи, Университетска Библиотека, vol. 1, Sofia 1920; P. A. LAVROV, Материалы по истории возникновения древнейшей слав. письмен., Труды слав. комиссии, I, Академия наук СССР., Leningrad 1930, pp. 1 et suiv.

Vita S. Cyrilli (Legenda Moravica), éd. dans les Fontes rerum bohem., Praha, 1873, I, pp. 100—107.

Vita S. Demetriani, éd. H. DÉLÉHAYE, A. S., Nov. III.

Vita S. Eliae Junioris de Calabria, A. S., Aug. III, col. 489—507.

Vita S. Eliae Spelaeotis, A. S., Sept. III, 848—887.

Vita S. Eustathii, A. S., Sept. VI, col. 123—135; P. G., vol. 105, col. 376—418, Anal. Boll., III, pp. 66—112; A. MANCINI, *Acta graeca S. Eustathii Mart.*, Studi storici, vol. VI, Livorno, 1897, pp. 339—341.

Vita Euthymii, éd. C. DE BOOR, Berlin, 1888.

Vita S. Euthymii Jun., éditée par Mgr. PETIT, Revue de l'Orient Chrétien, 1903.

Vita Frodoberti Abb. Cellensis, M. G. H., Ss. rer. Mer. V.

Vita S. Georgii ep. Amastridos, éd. V. VASILEVSKIJ, Русско-Визант. изслѣдов., StPétersbourg, 1893, I, pp. 1–73; Труды Васил., II, 1915.

Vita S. Gregorii Decapolitae, éd. F. DVORNÍK, *La Vie de Saint Grégoire le Décapolite et les Slaves macédoniens au IXe siècle*, Paris, 1926.

Vita S. Hilarionis, éd. P. PEETERS, *S. Hilarion d'Ibérie*, Anal. Bol., vol. XXXII, 1913.

Vita Hludovici imperatoris, M. G. H., Ss., II, pp. 607—648.

Vita Huodberti episcopi Salisburgensis, M. G. H., Ss. rer. Merov., vol. VI.

Vita S. Irenae, A. S., Julius (d. 28), vol. VI, pp. 603 et suiv.

Vita S. Joannis Damasceni, P. G., vol. 94, col. 429 et suiv.

Vita S. Joan. ep. Gothiae, A. S., Jun. (dies 26), VII, col. 162—172; éd. V. VASILEVSKIJ, Житіе Іоанна Готск., Рус.-Виз. отрывки, VII, Ж. М. Н. П., 1878, Janvier, pp. 86—154 (Труды Вас., vol. II, pp. 351—427).

Vita S. Joannis Psichaitae, éd. P. VAN DEN VEN, *La Vie grecque de St. Jean le Psichaïte*, Le Muséon, N. S., vol. III.

Vita S. Joanicii auctore PETRO et auctore SABA, éd. VAN DEN GHYEN, A. S., Nov. (dies 4), II.

Vita S. Josephi Hymnographi, P. G., vol. 105; éd. PAPADOPOULOS-KERAMEUS, *Monumenta graeca et latina ad historiam Photii patr. pertinentia*, St Pétersbourg, 1901, vol. II.

Vita S. Joannis eleemosynarii ep. Alexandrini, éd. H. GELZER, *Leontios' von Neapolis Leben des hl. Johannes des Barmherzigen*, Sammlung ausgew. kirchen. u. dogmengesch. Quellenschriften, Freiburg i. B., 1893, Heft 5.

Vita S. Lucae (Junioris) Stylitae, éd. H. DÉLÉHAYE, *Les saints Stylites*, Bruxelles, 1923, pp. 195 et suiv.

Vita S. Macarii, éd. VAN DEN VORST, *La Vie de St Macaire*, Anal. Bol., vol. XVI.

Vita 63 Martyrum Hierosolymitarum, éd. A. PAPADOPOULOS-KERAMEUS, Συλλογὴ παλαιστ. σταχυολογ., vol. I.

Vita S. Methodii patriarchae, P. G., vol. 100, col. 1243 et suiv.

Vita Methodii, archiep. pannoniensis, éd. FR. MIKLOSICH, *Vita S. Methodii russico-slovenice et latine*, Vindobonae, 1870. Pour les autres éditions voir *Vita Constantini-Cyrilli*.

Vita S. Michaelis Sync., éd. GEDEON, Βυζάντινον ἑορτολόγιον Constantinople, 1899; H. S. SCHMIDT, Кахріе-джами, Mémoires de l'Institut russe de Constant., Sofia, 1906, vol. XI.

401

Vita S. Naumi, éd. I. IVANOV, Житіе св. Наума, Български старини, Sofia, 1931, pp. 305 et suiv. ; P. A. LAVROV, Материялы по ист. возникнов. древн. слав. письм., Leningrad, 1930, pp. 181 et suiv.

Vita S. Nicephori patriarchae Const., éd. C. DE BOOR, *Nicephori archiep. Const. opuscula historica. Accedit Ignatii Diaconi Vita Nicephori*, Lipsiae, 1880 (Teubner).

Vita S. Nicetae, A. S., Apr. I (d. 3).

Vita S. Nicolai Stud., P. G., vol. 105, col. 863—925.

Vita S. Philareti eleemosynarii, publiée par A. A. VASIĽEV dans les Mémoires de l'Institut russe de Constantinople, vol. V, 1900, pp. 64 et suiv.

Vita S. Sabae Junioris mon. in Sicilia, publiée par J. COZZA-LUZI, dans les *Studi e documenti di storio e diritto, vol. 12, 1891* (Orestes patr. Hieros. de historia et laudibus Sabae et Macarii Siculorum).

Vita S. Stephani Sugdaeensis, éd. V. VASIĽEVSKIJ, Русско-Визант. изслѣдованія, St Pétersbourg, 1893, I, pp. 74–79 ; Труды Васил., III, 1915.

Vita S. Stephani Junioris, voir STEPHANUS DIAC.

Vita S. Symeonis Stylitae Junioris, éd. H. DÉLÉHAYE, *Les saints Stylites*, Bruxelles, 1923, pp. 238 et suiv.

Vita S. Tarasii, éd. J. A. HEIKEL, *Acta soc. scient. Fennicae*, XVII, Helsingfors, 1889; P. G., vol. 98.

Vita Theodorae Aug., éd. REGEL, *Analecta Byzantino-russica*, St Pétersbourg, 1891, p. 4.

Vita S. Theodori Edess., éd. J. POMJALOVSKIJ, Житіе иже во святых отца наш. Θεοδора, St Pétersbourg, 1892.

Vita S. Théodori Grapti, P. G., vol. 116, col. 653—684.

Vita S. Theodori Siceotae, éd. THEOPHANOU JOANNOU, Μνημεῖα ἁγιολογικά, Venise, 1885, pp. 361—495.

Vita S. Theodori Studitae a MICHAELE monacho, P. G., vol. 99, col. 233—328; Une Vie anonyme ibid., col. 113—232.

Vita S. Theophanis de Sigriana, écrite par MÉTHODE, publiée par GEDEON, Βυζάντινον ἑορτολόγιον, 1899, pp. 290—293 ; LATYŠEV, *Methodii patr. Const. Vita S. Theophanis Conf.*, Mém. de l'Acad. des sc. de St Pétersbourg, VIIIe série, Cl. Hist. phil., tome XIII, no 4; KRUMBACHER, *Eine neue Vita des Théoph. Conf.*, Sitzungsberichte d. k. bayr. Akad. d. Wiss., Phil. Hist. Kl., 1897, pp. 389—399.

Vita Wilfridi I ep. Eboracensis, M. G. H., Ss. rer. Merov., VI.

Vita cum translatione S. Clementis, A. S. Mart. II, col. 19—21; PASTRNEK, *Dějiny sv. ap. slov.*, Praha, 1902, pp. 239—245.

Vitae episcoporum Chersonitanorum, éd. LATYŠEV, Житіе св. еп. Херсонскихъ, St Pétersbourg, 1906.

Y'AKÛBÎ (AHMAD IBN ABÎ Y'AKÛB IBN WADHIH), *Description de Sâmarrâ*, traduction allemande dans l'ouvrage de M. STECK, *Die alte Landschaft Babylonien nach den arabischen Geographen*, Leiden, 1901, pp. 182—220.

Yves de Chartres, MANSI, XVII.

ZONARAS JOANNES, *Annales*, éd. NIEBUHR, PINDER, BÜTTNER-WOBST, Bonn, 1841—1844 (C. S. H. B.); éd. L. DINDORF, Lipsiae, 1868—1875 (Teubner).

BIBLIOGRAPHIE.

ABRAMIĆ (M.), *Die Wichtigkeit der Denkmäler im Museum von Knin für Geschichte und Kunst-geschichte des frühen Mittelalters in Dalmatien,* Actes du IIIᵉ congrès international d'Études byzantines, Athènes, 1932, pp. 376 et suiv.

AIGRAIN (R.), *Arabie,* Dict. d'Histoire et de Géogr. ecclés., vol. III, col. 1161 et suiv.

ALFÖLDI (A.), *Der Untergang der römischen Herrschaft in Pannonien,* Ungarische Bibliothek, Berlin, 1924.

ALLARD (L.), *Histoire des persécutions,* Paris, 1885.

ALLATIUS LEO, *De aetate et interstitiis in colatione ordinum etiam apud Graecos serv.,* Roma, 1638.

AMANN (E)., *Honorius Iᵉʳ,* Dict. de Théol. cathol., vol. VII, 1, col. 93—132.

— *Jean VIII,* Dict. de Théol. cath., vol. VIII, col. 601—613.

ANDRÉADES (A.), *Le recrutement des fonctionnaires et les Universités dans l'Empire byzantin,* Mélanges de droit dédiés à M. Georges Cornil, Paris, 1926, pp. 17—40.

— Οἱ Ἑβραῖοι ἐν τῷ Βυζαντινῷ κράτει, Ἐπετηρίς, VI, 1929, pp. 23—43.

— *Les Juifs et le fisc dans l'Empire byz.,* Mélanges Diehl, Paris, 1930, pp. 14 et suiv.

ANDREJEVA Mlle, Очерки по культурѣ виз. двора въ XIV. вѣкѣ ; Rozpravy král. č. spol. nauk, tř. fil. hist., N. Ř., VIII, č. 3, Praha, 1927.

ARENDZEN (J.), *Theodori Abu Kurra de cultu imaginum libellus,* Bonnae, 1895.

ASSEMANI (J. S.), *Biblioth. Orient.,* 4 vol., Rome, 1719—1728.

AUVRAY (J.), *S. Patris nostri Theodori Studitis praepositi .Parva catechesis,* Paris, 1891.

BACHER, *La conversion des Khazars d'après un ouvrage Midraschique,* Revue des Études Juives, XX, pp. 144—146.

BALASČEV (G.), Климентъ епископъ словѣнски, Sofia, 1898.

BARDY (G.), *Les Trophées de Damas,* Patr. Or., vol. XV, pp. 174 et suiv.

BARTHOLD, Отчетъ о поѣздкѣ въ среднюю Азію съ научною целью 1893—99, Mém. de l'Ac. imp. des sciences de Sᵗ Pétersbourg, VIIIᵉ série, Cl. Hist. phil., vol. 1, 1897.

BATIFFOL (P.), *L'abbaye de Rossano,* Paris, 1891.

— *Inscriptions byzantines de Saint-Georges au Vélabre,* Mélanges d'archéologie et d'histoire, vol. VII, 1887, pp. 419—431.

BAUMSTARK, *Die christlichen Litteraturen des Orients,* Leipzig, 1911.

BEES (N. A.), *Beiträge zur kirchlichen Topographie Griechenlands,* Oriens Christianus, Nouv. Série, 1915, pp. 238—278.

— *Zur Sigilographie der byz. Themen Pelop. und Hellas,* Виз. Врем., vol. XXI.

— Τὸ «Περὶ τῆς κτίσεως τῆς Μονεμβασίας» χρονικόν. Αἱ πηγαὶ καὶ ἡ ἱστορικὴ συμαντικό-της αὐτοῦ, Βυζαντίς, vol. I, 1909.

BENEDETTI (E.), *L' influenza bizantina nell' Italia inferiore,* Roma, 1919.

BENINGER (E.), *Der Wandalenfund von Czéke-Cejkov,* Annalen des naturhistorischen Museums in Wien, Wien, 1931, pp. 183—224.

BERNEKER, *Kyrills Übersetzungskunst,* Indogermanische Forschungen, vol. 31, 1912.

BERTHIEU-DELAGARDE (A. L.), Раскопки Херсонеса, Матеріалы по археологіи Россіи, Sᵗ Pétersbourg, 1893.

BEŠEVLJEV (V.), Гръцкиятъ езикъ въ прабълг. надписи, Annuaire du Musée National de Sofia, 1924—1925, pp. 381—428.

BETHMANN-HOLLWEG (A.), *Gerichtsverfassung u. Prozess des sinkenden röm. Reiches,* Bonn, 1834.

BEURLIER, *Le Chartophylax de la Grande Église de Constantinople,* Compte-rendu du IIIe congrès international scient. des catholiques, Bruxelles, 1895, Ve sect.

Bibliotheca hagiographica graeca, Bruxelles, 1909.

BIŁBASOV (V. A.), Кириллъ и Мефодій, St Pétersbourg, 1871.

BODJANSKIJ (O.), О времени происхожденія слав. письменъ, Moscou, 1855.

BÖHMER-MÜHLBACHER, *Regesta imperii,* Innsbruck, 1899.

BOOR (C. DE), *Nachträge zu den Notitiae,* Zeitschrift für Kirchengeschichte, vol. XII, 1891, pp. 303—322, vol. XIV, 1894, pp. 519—539.

BOUYGES (P. M.), *Le « Kitab Ad-Din Wa-Dawlat » récemment établi et traduit par Mr. A. Mingana est-il authentique?* Lettre à M. le Directeur de la John Rylands Library, Manchester, Beyrouth, 1924.

BRACKMANN (A.), *Die Anfänge der Slavenmission und die Renovatio Imperii des Jahres 800,* Sitzungsber. d. preus. Akad. d. Wiss., Phil.-hist. Kl., vol. IX, 1931.

BRAUN (PH.), *Die Goten am Pontus,* übers. v. F. Remy, Odessa, 1879.

BRČIĆ, *Dvie službe rimskoga obreda za svetkovinu Cirila i Metuda,* Zagreb, 1870.

BRÉHIER (L.), *L'enseignement supérieur à Constantinople dans la dernière moitié du XIe siècle,* Revue internationale de l'enseignement, Paris, 1899, vol. 48, pp. 97—112.

— *Les colonies d'Orientaux en Occident,* Byz. Zeitschr., vol. 12, 1903, pp. 4—39.

— *Les populations rurales au IXe siècle,* Byzantion, vol. I, 1924, pp. 177 et suiv.

— *Notes sur l'enseignement supérieur de Constantinople,* Byzantion, vol. III, pp. 73—93, vol. IV, pp. 14—28.

BROOKS (E. W.), *Arabic Lists of the byzantine themes,* The Journal of Helenic Studies, vol. XXI, 1901, pp. 67—77.

— *Chronica Minora,* II, Paris, 1904.

— *The relations between the Empire and Egypt from a new Arabic source,* Byzant. Zeitschr., XXII, 1913.

BROSSET, *Additions et éclaircissements à l'histoire de la Géorgie,* St Pétersbourg, 1851.

— *Histoire de la Géorgie,* St Pétersbourg, 1849.

BRÜCKNER (J. D.), *Die Wahrheit über die Slavenapostel,* Tübingen, 1913.

— *Thesen zur Cyrillo-Meth. Frage,* Archiv f. slav. Phil., vol. 28, 1906.

— *Cyrill und Method,* Arch. f. slav. Phil., 1928.

BRUCKUS (J. D.), *Die Chazaren,* Encyclopaedia judaica, Berlin, 1930, V, col. 337 et suiv.

— Письмо хазарскаго еврея от X вѣка, Berlin, 1924.

BRUN (M. J.), Византійцы въ южной Италіи въ IX. и X. вв. Очерки изъ исторіи византійской културы, Императорскій Новороссійскій Университетъ, Записки, vol. 37, 1883.

BUDILOVIČ (A.), Нѣсколько мыслей о греко-славянскомъ характерѣ дѣятельности свв. Кирилла и Меѳодія, Меѳодіевскій юбил. сборникъ, Varsovie, 1885.

BULIĆ (F.), *Sv. Venancie prvi biskup solinski,* Vjestnik hrv. archeol. društva, Zagreb, N. S., vol. XV.

BULIĆ—BERWALD, *Kronotaxa Solinskih biskupa,* Zagreb, 1912—1913.

BURY (J. B.), *A History of the Later Roman Empire,* London, 1912.

— *A History of the later Roman Empire from the death of Theodosius I to the death of Justinien,* 2 vol., London, 1923.

— *Romances of Chivalry on Greek soil,* Oxford, 1911.

— *The Constitution of the Later Roman Empire,* London, 1919 (Selected Essays publiés par Temperly).

— *The Great Palace,* Byz. Zeitschr., vol. XXI, 1912.

— *The Helladikoi,* The English Historical Review, vol. VII, 1892.

— *The Imper. Admin. System in the IXth Century,* London, 1911 (Brit. Acad., Suppl. Papers).
— *The Naval Policy of the Roman Empire,* Centenario della Nascita di M. Amari, Palermo, 1910.
— *The relationship of Photius to the Empress Theodora,* The English Histor. Review, 1890, pp. 255—258.
— *The Embassy of John the Grammarien,* Engl. Hist. Review, XXIV, 1909, pp. 296—299.
— *The Treatise De administrando imperio,* Byz. Zeitschr., vol. XV., 1910.

CANALE (M. G.), *Della Crimea, del suo commercio et dei suoi dominatori,* Genova, 1881.
Cambridge Medieval History, vol. II, III, IV.
CANGE DU, *Constantinopolis christiana,* Paris, 1687.
— *Glossarium ad scriptores mediae et infimae graecitatis,* Lugduni, 1688.
CHALANDON, *Histoire de la domination normande en Italie et en Sicile,* Paris, 1907.
CHALOUPECKÝ (V.), *Staré Slovensko,* Bratislava, 1923.
CIBULKA (J.), *Václavova rotunda sv. Víta* (tirage à part du Sborník svatováclavský), Praha, 1933.
CLUGNET (L.), *Les offices et les dignités ecclésiastiques dans l'Église grecque,* Revue de l'Orient Chrétien, III, 1898, pp. 142—150, 260—264, 452—457, IV, 1899, pp. 116—128.
COCO (P.), *Vestigi di gerecismo in Terra d'Otranto,* Rome e l'Oriente, vol. XII—XIX.
COTELIER, *S. Barnabae et aliorum Patrum apost. scripta,* Paris, 1672.
CUMONT (F.), *La conversion des Juifs à Byzance au IXe siècle,* Journal du ministère de l'Instruction publique de Belgique, Bruxelles, 1913, XXXXII.
— *Une formule grecque de renonciation au judaïsme,* Wiener Studien, XXIV, 1902, pp. 462—472.

ČERVINKA (J. L.), *Morava v pravěku,* Brno, 1902.
— *Slované na Moravě a říše velkomoravská,* Brno, 1928.

DABINOVIĆ (ANTUN S.), *Kada je Dalmacija pala pod jurisdikciju carigradske patrijaršije,* Rad, 1930.
DÉLÉHAYE (H.), *Les saints Stylites,* Bruxelles, 1923.
— *La Légende de St. Eustache,* Le Bulletin de l'Académie Royale de Belgique, Classe des Lettres, Bruxelles, 1919.
— *Les Légendes de St. Eustache et de St. Christophore,* Le Muséon, N. S., vol. XIII, 1912, pp. 91—100.
— *Vita S. Pauli Jun.,* Anal. Bol., vol. XI, 1892.
— *Synnaxarium eccl. Const.,* Bruxelles, 1902.
DIEHL (CH.), *Études sur l'administration byzantine dans l'exarchat de Ravenne,* Paris, 1888.
— *Justinien et la civilisation byzantine au VIe siècle,* Paris, 1901.
— *Le Sénat et le Peuple Byzantin aux VIIe et VIIIe siècles,* Byzantion, I, 1924, pp. 201—213.
— *L'Origine du régime des thèmes* (dans « Études byzantines », pp. 276—292), Paris, 1905.
DOBIÁŠ (J.), *Archeologické nálezy jako prameny pro dějiny styků Říma s územím dnešního Slovenska,* Obzor praehistorický, I, 1922, pp. 65—90.
— *Dva příspěvky k topografii válek markomanských a kvádských,* Český Čas. Hist., vol. XXVII, 1921, pp. 143—156.
— *Epigrafická studie k dějinám a národopisu českoslov. území v době římské,* Čas. Musea král. česk., vol. XCVII, 1923.
— *Ještě jednou k rovnici Laurgaricio = Trenčín,* Český Čas. Hist., vol. 29, 1923, pp. 457—460.
— *Nález římských cihel u Mušova,* Niederlův Sborník, Praha, 1925.
— *Příspěvek k výkladu Ptolemaiovy mapy Velké Germanie,* Sborník čsl. společnosti zeměvědecké, 1921, pp. 75—82.

— *Římský nápis na hradní skále trenčínské*, Slovenská Vlastivěda, vol. II, 1922, pp. 6—10.

DOBROKLONSKIJ (A, P.), Преподобный Θеодоръ, Записки Имп. новорос. Университета, Odessa, 1914.

DOBROVSKÝ, *Cyrill und Method*, Prag, 1823.

— *Mährische Legende*, Prag, 1826.

DOBSCHÜTZ (VON), *Methodius und die Studiten*, Byzant. Zeitschr., vol. 18, 1909, pp. 49 et suiv.

DÖLGER (FR.), *Corpus der griech. Urkunden*, München, 1924, I.

— *Der Koditcellos des Christodulos in Palermo*, Archiv für Urkundenforschung, vol. XI, 1929.

DUCHESNE (L.), *Étude sur le Liber pontificalis*, Paris, 1877.

— *Histoire ancienne de l'Église*, Paris, 1911.

— *Les anciens évêchés de la Grèce*, Mélanges d'archéologie et d'histoire, vol. XV, 1995, pp. 375 et suiv.

— *Les Églises séparées, l'Illyricum ecclésiastique*, Paris, 1905.

— *Le Palatin chrétien*, Nuovo Bulletino di archeologia cristiana, vol. VI, 1900, pp. 17—28.

— *Librairies byzantines à Rome*, Mélanges d'archéologie et d'histoire, vol. VII, 1888, pp. 297 et suiv.

DÜMMLER (F.), *Die pannonische Legende vom Hl. Method*, Archiv für Kunde österr. Geschichtsquellen, Band XIII, Wien, 1854.

— *Die Legende vom Hl. Cyrillus*, Denkschr. der Kais. Akad., Wien, 1870.

— *Geschichte des ostfränkischen Reiches*, 3 vol., Leipzig, 1887—1888.

— und MIKLOSICH (FR.), *Die Legende vom hl. Cyrillus*, Denkschriften d. k. Akad. d. Wiss., Phil. hist. Kl., vol. 19, Wien, 1870.

DVORNÍK (FR.), *Deux inscriptions gréco-bulgares de Philippes*, Bulletin de correspondance hellénique, 1928.

— *De sancto Cyrillo et Methodio in luce historiae byzantinae*, Acta V. Conventus Velehradensis, Olomouc, 1927, pp. 151 et suiv.

— *La carrière universitaire de Constantin le Philosophe*, Byzantinoslavica, vol. III, 1931, pp. 59—67.

— *La lutte entre Byzance et Rome à propos de l'Illyricum au IXe siècle*, Mélanges CH. DIEHL, Paris, 1930, pp. 61—80.

— *La Vie de St Grégoire le Décapolite et les Slaves macédoniens au IXe siècle*, Paris, 1926.

— *Les Slaves, Byzance et Rome au IXe siècle*, Paris, 1926.

— *St Venceslas, duc de Bohême*, Prague, 1929.

— *Quomodo incrementum influxus orientalis in imperio byzantino s. VII—IX dissensionem inter ecclesiam Romanam et Orientalem promoverit*, Acta congressus orientalis Pragensis, Praha, 1930, pp. 159—172.

DŽANAŠIJA (J.), Религіозныя вѣрованія Абхазовъ, Христіанскій Востокъ, 1915, pp. 72—112.

— Абхазскій культъ и бытъ, Ibidem, 1917, pp. 157—208.

EBERSOLT (J.), *Le Grand Palais de Constantinople et le Livre des cérémonies*, Paris, 1910.

— *Sanctuaires de Byzance*, Paris, 1921.

EISNER, (F.), *Výzkum na Děvíně*, Obzor praehistorický, I, 1922, pp. 57—59.

— *Drobné nálezy z římského tábora na « Leányváru » u Komárna*, Obzor praehistorický, II, p. 43.

— *Hlavní úkoly archeolog. výzkumu v Podkarp. Rusi*, Obzor praehistorický, vol. II, 1923, pp. 119—123.

— *Nové nálezy na Slovensku a v Podkarp. Rusi (r. 1925)*, ibidem, vol. V—VI, 1926, 1927.

— *Slované v Uhrách*, Památky archeologické, vol. XXXV, 1927, pp. 579—589.

— *Slovensko a Podkarpatská Rus v době hradištní*, Obzor praehistorický, vol. IV, 1925, pp. 47—70.

— *Zpráva o výzkumu pohřebiště v Děv. Nové Vsi u Bratisl. r. 1926*, Bratislava, I, 1927, pp. 164—168.

FARLATI, *Illyricum sacrum*, Venitiis, 1759—1819, 8 vol.

FEHÉR (G.), *Ungarns Gebietsgrenzen in der Mitte des 10. Jhs.*, Ung. Jahrbücher, vol. II, 1922.

FETTICH (N.), *Das Kunstgewerbe der Avarenzeit in Ungarn*, Archeologia hungarica, I, Budapest, 1926.

FILARÈTE, Кириллъ и Меѳодій, славянскіе просвѣтители, Moscou, 1846.

FRIEDRICH (G.), *Codex diplom. et epistol. regni Bohemiae*, Praga, 1907, I.

FORTESCUE (A.), *Le Chartophylax*, Dictionnaire d'archéologie chrétienne (III, col. 1014—1019).

FRAEHN (C. M.), *De Chazaris excerpta ex scriptoribus arabicis*, Sᵗ Pétersbourg, 1822.

FRANKO (I.), Святий Климент у Курсуні, Lvov, 1906. Le traité de J. Franko a été publié aussi dans les Записки Научного Товар. імени Шевченка, vol. 46, 48, 56, 59, 60, 66, 68, 1902–1905.

— *Cyrillo-Methodiana, Beiträge zur Quellengeschichte der cyrillo-methodianischen Legenden*, Archiv für slav. Phil., vol. 28, 1906, pp. 229—255.

FRIEDLÄNDER (M.), *Patriotische und talmudische Studien*, Wien, 1878.

FRIEDRICH (J.), *Die ecclesia Augustana in dem Schreiben der istrischen Bischöfe an Kaiser Mauritius vom J. 591*, Sitzungsber. d. k. bayr. Akad., phil. hist. Kl., 1906, pp. 327—357.

— *Ein Brief des Anastasius bibliothecarius an den Bischof Gaudericus von Velletri, über die Abfassung der « Vita cum translatione S. Clementis Papae »*, ibidem, 1892, pp. 394 et suiv.

— *Über die Sammlung der Kirche von Thessalonik und das päpstliche Vikariat für Illyricum*, Sitzungsber. d. k. sächs. Ges. d. Wissensch., 1891, pp. 771 et suiv.

FUCHS (F.), *Die höheren Schulen von Konstantinopel im Mittelalter*, Byz. Archiv, Nᵒ 8, Leipzig, 1926.

FUNK, *Opera Patrum apostol.*, Tübingen, 1881.

GABOTTO (F.), *Eufemio e il movimento separatista nella Italia Bizantina*, Torino, 1890.

GAY (J.), *L'Italie méridionale et l'Empire byzantin*, Paris, 1904.

— *Notes sur la crise du monde chrétien après les conquêtes arabes. Les deux patriarcats de Rome et de Byzance. Premiers essais de missions romaines chez les Slaves*, Mélanges d'archéologie et d'histoire, vol. XLV, 1928.

GIAMBATTISTA DA S. LORENZO (P.), *Le Colonie della Magna Grecia in Calabria*, Roma e l'Oriente, VIII, pp. 308 et suiv., IX, pp. 24, 78, 166 et suiv.

GELZER (H.), *Die Genesis der byzantinischen Themenverfassung*, Abh. d. k. sächs. Gesellschaft d. Wissensch., Phil. Hist. Kl., vol. 18, Leipzig, 1899.

— *Die kirchliche Geographie Griechenlands vor den Slaveneinbrüchen*, Zeitschrift für wissenschaftliche Theologie, vol. 32, 1892.

— *Nomina patrum Nicaenorum* (éd. Teubner), 1898.

— *Ungedruckte u. ungen. veröffentl. Texte der Notitiae episcop.*, Abh. d. k. bayr. Akad. I Cl., XXI Bd., III Abt., München, 1901.

GERLAND (E.), *Die persischen Feldzüge d. K. Heraklius*, Byz. Zeitschr., III, pp. 330—373.

GIBBON (E.), *The History of the Decline and Fall of the Roman Empire*, éd. J. B. Bury, London, 1905.

GIFFERT MAC, Ἀντιβουλὴ Παπίσκου καὶ Φίλωνος Ἰουδαίου πρὸς μοναχόν τινα, Marburg, 1889.

GINZEL (J.), *Geschichte der Slavenapostel Cyrill und Method,* Leitmeritz, 1857, Wien, 1861.

GHEYN VAN DEN, *Acta graeca Ss. Davidis, Symeonis et Georgii Mytilenae in insula Lesbo,* Anal. Bollandiana, vol. XVIII, 1899.

GOAR J., Εὐχολόγιον *sive rituale Graecorum,* 2e éd., Venice, 1730.

GÖTZ (W.), *Die Verkehrswege im Dienste des Welthandels,* Stuttgart, 1888.

GRAF (G.), *Die arabischen Schriften des Theodor Abû Quarra,* Forschungen zur christl. Liter. u. Dogmengesch., X, Paderborn, 1910.

— *Die christlich-arabische Litteratur bis zur fränkischen Zeit,* Strassburger Theol. Studien, VII, 1, 1905.

— *Des Theodor Abû Kurra Traktat über den Schöpfer u. die wahre Religion,* Beiträge zur Geschichte der Philosophie des Mittelalters, Texte u. Untersuchungen, Band XIV, Heft 1, München i. W., 1903.

GRÉBAUT (S.), *Sargis d'Aberga,* Patr. Or., vol. III, pp. 556—643.

GRÉGOIRE (H.), *Autour de Digénis Akritas, les cantilènes et la date de la recension d'Andros-Trébizonde,* Byzantion, VII, pp. 287—320.

— *Saint Démetrianos, évêque de Chytri,* Byzant. Zeitschr., vol. XVI, 1907.

— *Encore le monastère d'Hyacinthe à Nicée,* Byzantion, vol. V, 1930, pp. 287—293.

— *Inscriptions historiques byzantines,* Byzantion, IV, pp. 437—449.

— *L'épopée byzantine,* Bulletin de l'Académie Royale de Belgique, classe des Lettres, 5e série, vol. XVII (1931), pp. 463—493.

— *Les sources historiques et littéraires de Digénis Akritas,* Actes du IIIe Congrès d'Études byzantines, Athènes, 1932, pp. 281—294.

— *Le tombeau et la date de Digénis Akritas,* Byzantion, VI, pp. 481—508.

— *Mahomet et le Monophysisme,* Mélanges Ch. Diehl, Paris, 1930, pp. 107—119.

— *Michel III et Basile le Macédonien,* Byzantion, V, pp. 328—340.

GREGOROVIUS, *Geschichte der Stadt Rome im Mittelalter,* Stuttgart, 1886.

GRISAR (H.), *Rome beim Ausgang der antiken Welt,* Freiburg i. B., 1901.

GRIVEC (F.), *Doctrina byzantina de primatu,* Opera Academiae Velehrad., vol. X, Kroměříž, 1922.

— *O národnosti slovanských apoštolů,* Bratislava, vol. I, 1927.

— *Orientalische und römische Einflüsse in den Scholien der Slavenapostel Kyrillos und Methodios,* Byz. Zeitschr., vol. XXX, 1929, pp. 287—294.

— *Viri Ciril-Metodove theologije,* Slavia, vol. 2.

GROT, (K. J.), Моравія и Мадьяры, Записки истор.-фил. факулт. имп. С.-Петербургск. Универс. IX, St Pétersbourg 1881.

— Взглядъ на подвигъ славянскихъ первоучителей съ точки зрѣнія ихъ греческаго происхожденія. Меѳодіевскій юбил. сборникъ, Varsovie, 1885.

GRUMEL, (V.), *Le « Filioque » au concile photien de 879—880,* Echos d'Orient, vol. 33, 1930, pp. 257—264.

GUILLAND (R.), *Essai sur Nicéphore Grégoras,* Paris, 1926.

HAMPL (J.), *Altertümer des frühen Mittelalters in Ungarn,* Braunschweig, 1905.

HARKAVY (A.), *Altjüdische Denkmäler aus der Krim,* Mémoires de l'Acad. des sciences de St Pétersbourg, 1876, VIIe série, tome XXIV, no 1.

— Хазарскія Письма, Еврейская библіотека, St Pétersbourg, 1879, vol. VII, ibidem, 1880, vol. VIII; cf. du même auteur, Нѣкоторые данныя, dans les Труды 1. арх. съѣзда въ Казани, 1884.

— *Ein Briefwechsel zwischen Cordova u. Astrachan zur Zeit Swjatoslaw's um 968 — als Beitrag zur alten Geschichte Süd-Russlands,* Russische Revue, VI, 1875, pp. 69—97.

— *Judisch-chazarische Analekten,* Geigers Jüdische Zeitschrift, vol. III, 1861, pp. 204—210.

— Сказаніе евр. писат. о Хозарахъ, St Pétersbourg, 1874.

HARNACK, A. *Die Mission und Ausbreitung des Christentums in den ersten drei Jhten,* Berlin, 1915.

HARTMANN (L. M.), *Untersuchungen zur Geschichte der byzant. Verwaltung,* Leipzig, 1889.

HAUCK (G.), *Kirchergeschichte Deutschlands,* Leipzig, 1900, vol. II.

HAUPTMANN (L.), *Mejna grofija Spodnjepanonska,* Razprave, I, Ljubljana, 1923.

— *Les rapports des Byzantins avec les Slaves et les Avares pendant la seconde moitié du VIe siècle,* Byzantion, IV, pp. 173 et suiv.

— *Postanek in razvoj frankovskih mark ob srednji Donavi,* Časopis za slov. jezik, književnost in zgodovino, vol. II, 1920.

HEFELE-LECLERQ, *Histoire des Conciles,* Paris, 1907 et suiv.

HERBIGNY D' (Mgr. M.), *Quelques sujets d'études pour les byzantinistes yougoslaves à Rome,* Deuxième congrès international des études byzantines, Belgrade, 1929.

HEIKEL (J. A.), *Ignatii Diaconi Vita Tarasii,* Acta Societ. scient. fennicae, Helsingfors, 1891. VII.

HEISENBERG (A.), *Grabeskirche und Apostelkirche,* Leipzig, 1908.

— *Ein jambisches Gedicht des Andreas von Kreta,* Byz. Zeitschr., vol. X, 1901.

HERGENRÖTHER (J.), *Monumenta graeca ad Photium eiusque historiam spectantia,* Ratisbonnae, 1869.

— *Photius, Patriarch von Konstantinople,* Regensburg, 1867.

HEYD (W.), *Histoire du commerce du Levant,* éd. franç. publiée par F. RAYNAUD, Leipzig, 1885, réimpr. 1923.

HIRSCHFELD (H.), *Das Buch Al-Chazari,* Breslau, 1885.

HITTI (PH. K.), *An Arab-Syrian gentleman and Warrior, in the period of the Crusades,* New York, 1929.

HORÁK (B.), *Samova říše,* Časopis pro dějiny venkova, vol. X, 1924, n°s 3 et 4, pp. 129—132.

HUBER (A.), *Beiträge zur älteren Geschichte Österreichs,* Mitteilungen des Institutes f. öst. Geschichtsforschung, vol. II, 1881.

IL'INSKIJ (G.), Одинъ епизодъ изъ корсунскаго періода жизни Конст. Фил., Slavia, vol. III, 1924.

IVANOV (E.), Херсонесъ Тавридскій, Simferopol, 1912, pp. 27 et suiv.

IVANOV (JORDAN), Български Старини, Sofia, 1931.

JAFFÉ (PH.), *Regesta pontif. roman.,* Lipsiae, 1885—1886.

JAGIĆ (V.), *Conversion of the Slavs,* Cambridge Medieval History, London, 1927, IV, pp. 215 et suiv.

— *Cyrillo-Methodiana,* Arch. f. slav. Phil., vol. 28, 1906.

— *Entstehungsgeschichte der kirchenslavischen Sprache,* Berlin, 2e éd., 1913.

— *Kleine Zusätze zum Studium der Werke des slavischen Klemens,* Archiv f. slav. Phil., vol. 27, 1903.

— Константин (Ћирил) и Мефодије, Beograd, 1921, 27 кп. Друштва св. Саве, pp. 1—18.

— Вопросъ о Кириллѣ и Меѳодіи въ слав. филологіи, Записки Имп. Акад. Наук, vol. 51, 1885.

JIREČEK (C.), *Die Heerstrasse von Belgrad nach Constantinople,* Prag, 1877.

— *Die Romanen in den Städten Dalmatiens während des Mittelalters,* Sitzungsberichte d. k. Akad. d. Wissenschaften, Phil. hist. Klasse, vol. XXXXVIII—XXXXIX, Wien, 1902.

— *Geschichte der Serben,* Gotha, 1911, I.

JUGIE (M.), *Le plus ancien recueil canonique slave et la primauté du pape,* Bessarione, 1918.
— *Le 28ᵉ canon de Chalcédoine,* ibid., vol. I, pp. 875—885.
— *Rome et le 28ᵉ canon de Chalcédoine,* ibid., pp. 215—224.

KAŁUŽNIACKI, *Die Legende von der Vision Amphilog's und der* Λόγος ἱστοριχός *des* Greg. *Dekapolites,* Archiv f. Slav. Philol., vol. XXV, 1903.
KEKELIDSE (K.), *Die Bekehrung Georgiens zum Christentum,* Morgenland, Heft 18, Leipzig, 1928.
KISELKOV, Славянските просветители Кирил и Методий, Sofia, 1923.
KLAPROTH, *Mémoire sur les Khazars,* Journal Asiatique, Iᵉ série, vol. III.
KLEBEL (E.), *Eine neu aufgefundene Salzburger Geschichtsquelle,* Mitteilungen der Gesellschaft für Salzburger Landeskunde, 1921. Cf. les remarques de K. SCHÜNEMAN dans les Ung. Jahrbücher, 1922, II.
KOKOVCEV, Новый документъ о хазаро-визант.-русскихъ отношеніяхъ, Ж. М. Н. П.,1913, Novembre (nᵒ XI).
KONDAKOV (N. P.), *Les costumes orientaux à la cour byzantine,* Byzantion, I.
KOS, *Gradivo za zgodovino Slovencev v srednjem veku,* Ljubljana, 1902.
KOPPEN, Крымскій Сборникъ, Sᵗ Pétersbourg, 1837.
KRAČKOVSKIJ (J.), О переводѣ Библій на арабскій языкъ при халифѣ ал-Ма'мунѣ, Христіанскій Востокъ, vol. VI, 1918, pp. 189—196.
KRAUSS (S.), *Studien zur byzantinisch-jüdischen Geschichte,* Leipzig, 1914.
KREMER (VON), *Culturgeschichte des Orients unter den Chalifen,* Wien, 1877.
— *Culturgeschichtliche Streifzüge auf dem Gebiete des Islam,* Leipzig, 1873.
KRUMBACHER (K.), *Eine neue Vita des Theophanes Confessor,* Sitzungsberichte d. b. Akad. d. Wissensch., Phil. hist. Klasse, 1897, vol. I.
— *Kasia,* Sitzungsber. d. k. b. Akademie, Phil. Hist. Kl., I, München, 1896.
— *Geschichte der byzantinischen Litteratur,* München, 1897.
KRUSCH (B.), *Jonae Vitae Sanctorum Columbani, Vidastis, Johannis,* Scriptores rerum german., Hannover, 1905.
KULAKOVSKIJ (J. A.), Къ исторіи готской епархіи въ Крыму въ VIII вѣкѣ, Ж. М. Н. П., 1898, Février.
— Алани, Kijev, 1899;
— Къ исторіи Боспора крим. въ концѣ VI в., Виз. Врем., III, 1896.
— Христіанство у Аланъ, Виз. Врем., V, 1898.
— Друнгъ и друнгарій, Виз. Врем., IX, 1902.
— Къ вопросу о ѳемахъ Византійской имперіи, Изборникъ Кіевскій въ честь пор. Т. Д. Флоринскаго, Kiev, 1904.
— Къ исторіи Боспора Киммерійскаго въ концѣ VI вѣка, Виз. Врем. III, 1896, pp. 1—17.
— Прошлое Тавриды, Kiev, 1914.
KUNIK (E.), О запискѣ готск. топарха, Mémoires de l'Acad. des sciences, Cl. phil. hist., Sᵗ Pétersbourg, vol. XXIV, 1874.
— *Ergänzende Bemerkungen zu den Untersuchungen über die Zeit der Abfassung des Lebens d. h. Georg von Amastris.,* Bulletin de l'Acad. impér. des Sciences de Sᵗ Pétersbourg, vol. 27, 1881, pp. 138—262.
KUTSCHERA (H. v.), *Die Chasaren,* Wien, 1910.

LAEHR (G.), *Briefe und Prologe des Bibliothekars Anastasius,* Neues Archiv der Gesellschaft für ältere deutsche Geschichtskunde, vol. 47, 1927.

— *Das Schreiben Stephans V an Sventopulk von Mähren*, Neues Archiv der Ges. f. ält. deutsche Geschichtskunde, vol. 47, 1928, pp. 159—173.

LAKE (K.), *The greek monasteries in south Italy*, Journal of theological Studies, IV, pp. 345 et suiv., 517 et suiv., V, pp. 22 et suiv., 189 et suiv.

LAMANSKIJ (N.), Славянское житіе Св. Кирилла какъ relig. произведеніе и какъ истори ческій источникъ, Ж. М. Н. П., 1903, Avril, pp. 345—386, Mai, pp. 136—162, Juin, pp. 350—389.

— *Vita Cyrilli*, Archiv f. slav. Phil., vol. 25, 28, 1903, 1906.

LANGLOIS (V. V.), *Collection des Historiens anciens et modernes de l'Arménie*, Paris, 1867—1869.

LAPÔTRE (A.), *De Anastasio bibliothecario*, Paris, 1885.

— *Hadrien II et les fausses décrétales*, Revue des questions historiques, tome 24, 1880.

— *L'Église et le Saint Siège à l'époque carolingienne*, Paris, 1895.

LATYŠIEV (V. V.), Сборникъ греч. надписей христ. врем. изъ Южной Россіи, St Péters-bourg, 1896.

— Житіе св. еп. Херсонскихъ, St Pétersbourg, 1906.

LAURENT (J.), *L'Arménie entre Byzance et l'Islam*, Paris, 1919.

LAURENT (V.), *Le cas de Photios dans l'apologétique du patriarche Jean XI Beccos (1275—1282) au lendemain du deuxième concile de Lyon*, Échos d'Orient, vol. 33, 1930, pp. 396—415.

LAVROV (P. A.), Кирило та Методій в давньо-слов'янскому письменстві, Kyjev, 1928.

— *Die neuesten Forschungen über den slavischen Klemens*, Archiv f. slav. Phil., vol. 27, 1903, pp. 350 et suiv.

— Материалы по истории возникновения древн. слав. письменности, Академия наук СССР., Leningrad, 1930.

LECLERQ (H.), *Dictionnaire d'archéologie et de liturgie*, vol. II (Caucase), col. 2641 et suiv.

LEGER (L.), *Chronique dite de Nestor*, Paris, 1884.

— *Cyrille et Méthode*, Paris, 1868.

LEGRAND (E.), *Bibliothèque grecque vulgaire*, Paris, 1880.

LEPORSKIJ, Исторія Ѳессалоникскаго екзархата, Saint-Pétersbourg, 1901.

LIGHTFOOT (J. B.), *The Apostolic Fathers (St. Clement of Rome)*, vol. I, London 1886—1890.

LOPAREV (CHR.), Объ уніатствѣ императора Мануила Комнина, Виз. Врем., vol. 14, pp. 334—357.

— Описаніе нѣкоторыхъ греч. житій святыхъ, Виз. Врем., vol. IV.

— Византійскія житія святыхъ (VIII—IX в.,) Виз. Врем., vol. XVII—XIX, 1910—1914.

MACARTNEY (C. A.), *The Magyars in the ninth century*, Cambridge, 1930.

MAI (A.), *Nova patrum bibliotheca*, Rome, 1844—1854.

MALOUE (P. L.), *Const. Bacha, Majâmr, Theodoros Abû Quarra*, Beirut, 1904.

MALYŠEVSKIJ. (J.), Свв. Кирилл и Меѳодій, Труды Кіевск. дух. Акад., 1885.

— Логоѳетъ Ѳеоктистъ, Труды кіевск. дух. Академій, 1887, no 2, pp. 265-297.

— Еврей въ южной Руси, Кіевъ въ X—XII вѣкахъ, Труды кіевск. дух. Акад., 1878, juin, pp. 566 et suiv.

— Свв. Кирилъ и Меѳ., Олимпъ на которомъ жили свв. Конст. и Меѳ., Труды, 1886, III, pp. 554 et suiv.

MANOJLOVIĆ (G.), *Jadransko pomorje u svjetlu istočnorimske povijesti*, I, Rad, kn. 150, 1902, pp. 1—102.

— *Studije o spisu « De admin. imperio » cara Konst. VII Porfirogenita*, Rad jugoslov. Akad., 1910, pp. 1—65.

411

MARGOLIOUTH (D. S.), *On « The Book of Religion and Empire »* by *'Ali ben al-Tabari*, Proceedings of the Brit. Ac., vol. XIV, 1930.
— *Umayyads and Abbasids (Jurj'i Zaydán's History of Islamic civilisation, IV)*, Leyde, London, 1907.
MARIN, *Les moines de Constantinople*, Paris, 1897.
— *De Studio coenobio constantinopolitano*, Paris, 1897.
MARKS (N.), Договоры Русскихъ съ Греками и предшествовавшіе заключенію ихъ походы Русскихъ на Византію, Moscou, 1912.
MARR, О религіозныхъ вѣрованіяхъ Абхазовъ, Христіанскій Востокъ, 1915, pp. 113—140.
MARQUART (J.), *Ērānšahr nach der Geogr. des Ps. Moses Chor.* Abh. d. kön. Ges. d. Wissensch. zu Göttingen, Phil. Hist. Kl., Neue Folge, B. III, n° 2, Berlin, 1901.
— *Osteuropäische und Ostasiatische Streifzüge*, Leipzig, 1903.
MARTINOF, *Annus ecclesiasticus graeco-slavicus*, Bruxelles, 1863, *A. S.*, Octobre, XI.
MATRANGA (R.), *Anecdota graeca*, Roma, 1850.
MEYERHOF (M.), *Ali-ibn Rabban al Ṭabarī, ein persischer Arzt d. 9. Jhs. v. Chr.*, Zeitschr. d. Deutsch. Morgenländ. Gesellsch., N. Folge, Bd. 10 (B. 85), Leipzig, 1931.
MIKKOLA (J. J.), *Samo und sein Reich*, Archiv f. slav. Phil., XLII, 1928, pp. 77—97.
MIKLOSICH (FR.), *Lexicon palaeoslovenico-graeco-latinum*, Vindobonnae, 1862—1865.
— *Chronica Nestoris*, Vindobona, 1860.
— *Vita s. Methodii, russico-slovenice et latine*, Vindobonae, 1870.
MINGANA (A.), *The Book of Religion and Empire, a semiofficial defense and exposition of Islām written by order at the court and with assistance of the Caliph Mutawakkil. A. D. 844—861 by Al-Tabari*, Manchester, Univ. Press, 1922.
— *A New Life of Clement of Rome*, Some Early Judaeo-Christian Documents in the John Rylands Library, Syriac text ed. with transl., Manchester, 1917.
— *Remarks on Tabari's semiofficial Defense of Islam*, The Bulletin of the John Rylands Library, IX, 1925, Ibidem, vol. XIV, 1930.
MINGANA et A. GUPPY, *The Genuineness of 'Al-Tabari's Arabic « Appology »* and the Syriac Document on the Spread of Christianity in Central Asia in the John Rylands Library, ibidem.
MILAŠ (N.), *Das Kirchenrecht der morgenländischen Kirche*, Mostar, 1905.
MINNS (M. ELLIS H.), *Saint Cyril really knew Hebrew*, Mélanges de R. P. Boyer (Travaux de l'Inst. Slave, II), Paris, 1925.
MILLER (K.), *Itineraria romana*, Stuttgart, 1916.
MOHLBERG (C.), *Il Messale glagolitico di Kiew — sec. IX — ed il suo prototipo romano del sec. VI—VII*, Atti della Pontificia Accademia Romana di archeologia, serie III, Memorie, volume II, Roma, 1928.
MORAVCZIK (G.), Происхожденіе слова «τζιτζάκιον» Seminarium Kondakovianum, IV, 1931, Praha, pp. 69—76.
— *Zur Geschichte der Onoguren*, Ung. Jahrb., vol. X, 1930, pp. 53—90.
MOŠIN (V. A.), Ἐπαρχία Γοτθίας въ Хазаріи въ VIII вѣкѣ, Труды IV съѣзда русск. археол. организацій за границей, Belgrade, 1929, pp. 149—156.
— Еще о »новооткрытомъ« хазарскомъ документѣ, Сборник Русск. арх. Общ. въ С. X. C. Belgrade, I. pp. 41–60.
— Главныя направленія въ изученіи варяжскаго вопроса, Sborník prací I. sjezdu slov. filologů v Praze 1929, Praha, 1932, pp. 610—625.
— *Hipoteza Lamanskoga o hazarskoj misiji sv. Ćirila*, Južnoslov. filolog, VI (1926—1927).
— *Kad su Hazari prešli na židovsku vjeru*, Riječ, 1931.
— *Les Khazars et les Byzantins d'après l'Anonyme de Cambridge*, Byzantion, VI, 1931.

— Начало Руси, Byzantinoslavica, Praha, vol. III, 1931, pp. 38—58, 285—306.
— Питање о првом покрштењу Руса, Богословље, Beograd, vol. II, pp. 51—72, 122—143.
— *Tmutarakanj, Krh i Smkrc*, Сборникъ въ честь на В. Н. Златарски, Sofia, 1925, pp. 157–162.
— « *Treće* » *rusko pleme*, Slavia, vol. V, 1926—27, pp. 763—781.

MURZAKEVIČ, Херсонесская церковь св. Василія, Записки Одеск. Общ. Ист. и Древн., vol. V, 1863.

NAU (F.), *Opuscules maronites*, I et II, Paris, 1899, 1900.
NEUMANN (C. F.), *Mémoire sur la vie et les ouvrages de David*, Paris, 1829.
NICOLE (J.), *Une ordonnance inédite de l'empereur Alexis Comnène sur les privilèges du χαρτο-φύλαξ*, Byzant. Zeitschr., vol. III, 1894.
NIEDERLE (L.), *Byzantský obchod a země české v IX. a X. století*, Pekařův Sborník, Praha, 1929.
— *Byzantské šperky v Čechách a na Moravě*, Památky archeologické, XXXV, 1927.
— *Manuel de l'antiquité slave*, Paris, 1923.
— *Příspěvky k vývoji byzantských šperků v IV.—X. stol.*, Praha, 1930.
— *Rukovět slovanské archeologie*, Praha, 1931.
— *Slovanské starožitnosti*, Praha, I, 1902—1904, II, 1906—1910, IV, 1924.
— *Život starých Slovanů*, III, Praha, 1923, p. 254.
NIEDERLE (L.) et ZELNITIUS (A.), *Slovanské pohřebiště v Starém Městě u Uh. Hradiště*, Zprávy státního ústavu archeologického, I, Praha, 1929, pp. 1—35.
NIKITIN, Сказанія о 42 Амор. мученикахъ, Mémoires de l'Acad. des sciences de St Péters-bourg, Cl. hist. phil., VIIIe série, 1905, vol. VII.
NOVAK (GRGO), *Const. Porphyr. und Thomas Archidiakon über die Zerstörung röm. Städte in Dalmatien*, Actes du IIIe congrès internat. d'ét. byz., Athènes, 1932.
NOVOTNÝ (V.), *České dějiny*, Praha, vol. I, 1912.

OSTROGORSKI, *Les débuts de la querelle des images*, Mélanges Ch. Diehl, Paris, 1930.
— *Studien zur Geschichte des byz. Bilderstreites*, Breslau, 1929.
OUSELEY (W.), *The Oriental Geographie of Ibn Haukal an arabian Traveller of the Tenth Century* (Eng. Translation), London, 1800.

PANČENKO, Каталогъ моливдовуловъ, Mém. de l'Inst. archéol. russe de Const., XIII.
— Памятникъ Славянъ въ Вiѳунiй, Mémoires de l'Institut archéologique russe de Constan-tinople, vol. VIII, 1902.
PÄCHTER, *Beziehungen zur Antike in Theodoros Prodromos Rede auf Isaak Komnenos*, Byz. Zeitschr., vol. XVI, 1907.
PAPADOPOULOS-KERAMEUS, *Monum. graeca et latina ad hist. Photii pertinentia*, St Péters-bourg, 1899.
— Ψευδονικέτας ὁ Παφλαγὼν καὶ ὁ νόθος βίος τοῦ πατριάρχου Ἰγνατίου, Виз. Врем, vol. VI, 1899, pp. 13—38.
— Θεοφάνης Σικελός, Byz. Zeitschr., IX, 1909.
PARCHOMENKO (V.), Начало христіанства Руси, Poltava, 1913.
PARGOIRE (L.), *Les débuts du monach. à Const.*, Revue des questions historiques, vol. 65, 1899.
— *L'Église byzantine de 527 à 847*, Paris, 1905.
— *Les monastères de St Ignace*, Bulletin de l'Institut archéol. russe de Const., vol. VII, 1901.
— St *Mamas, le quartier russe de Constantinople*, Échos d'Orient, vol. XI, 1908.

— *Les Saints Mamas de Constantinople,* Bulletin de l'Institut archéologique russe de Constantinople, t. IX, 1904, pp. 261—316.

— *Théophane le Chronographe et ses rapports avec St Théodore Stud.,* Виз. Врем., vol. IX.

PARTHEY, *Hieroclis Synecdemos et Notitiae graecae episcop.,* Berlin, 1866.

PASTRNEK (F.), *Dějiny slovanských apoštolů Cyrilla a Methoda,* Praha, 1902.

PAVLOV (A.), Анонимная греческая статья о преимуществахъ Константинопольскаго патриаршаго престола и древнеславянскій переводъ ея съ двумя важными дополненіями, Виз. Врем., vol. IV.

PEETERS (P.), St *Hilarion d'Ibérie,* Anal. Bol., vol. XXXII, 1913, pp. 253 et suiv.

— St *Romain le Néomartyr d'après un document géorgien,* Anal. Bol., vol. 30, 1911.

— *Traductions et traducteurs dans l'hagiographie orientale,* Anal. Bol., vol. 40, 1922.

PEKAŘ (J.), *Sv. Václav,* Praha 1929 (publié aussi dans le Český Čas. hist., vol. XXXV).

PERELS (E.), *Papst Nikolaus I u. Anastasius Bibliothecarius,* Berlin, 1920.

PERNICE (A.), *L'imperatore Eraclio,* Firenze, 1905.

PEROJEVIĆ (M.), *Ninski biskup Theodozije,* Prilog Vjesniku za archeologiju i historiju dalmatinsku, Spalato, 1922.

PETIT (L.), *Vie et office de St. Euthyme le Jeune,* Revue de l'Orient Chrétien, 1903.

PITRA (Card. J. B.), *Anallecta sacra Spicilegio Solesmensi parata,* Paris, 1876.

POGODIN (M.), Кирилло-Меөодіевскій Сборникъ, Moscou, 1865.

POGORĚLOV (V.), На какомъ языкѣ были написаны, такъ называемыя, Паннонскія житія? Byzantino-slavica, vol. IV, 1932, pp. 13—21.

— *O národnosti apoštolov slavianstva,* Bratislava, vol. I, 1927, pp. 183—193.

POLONSKAJA (N. D.), Къ вопросу о христіанствѣ на Руси до Владимира, Ж. М. Н. П., 1917, vol. IX, pp. 33—80.

POMJALOVSKI (I.), Житіе иже во святыхъ отца наш. Өеодора, St Pétersbourg, 1892.

PROCHÁZKOVÁ-SUCHÁ, *Poměr t. zv. pannonských legend k legendám byzantským stol. 8.—10.,* Časopis Matice Moravské, 1915.

ROTASOV (N.), Греческое монашество въ южной Италіи, Богословскій Вѣстникъ, 1915.

RAMBAUD (A.), *L'empire grec au Xe siècle,* Paris, 1870.

RAČKI (F.), *Documenta historiae chroaticae periodum antiquam illustrantia,* Zagreb, 1877.

REGEL, *Analecta Byzantino-russica,* St Pétersbourg, 1891.

ROBENEK (F.), *Apoštolská práva králů uherských a privilegium ecclesiae Moraviensis,* Hlídka, 1929.

— *Morava, metropole sv. Methoděje,* Hlídka, 1927, 1928.

— *Moravské privilegium krále Jana,* Hlídka, 1927.

— *Prokop a tradice Velkomoravská,* Hlídka, 1928.

— *Svatohavelský mnich o avarských hrincích,* Hlídka, 1931.

ROBINSON (G.), *History and Cartulary of the Greek monastery of St. Elias,* London, 1928.

ROSSI (DE), *Le pitture scoperte in S. Clemente,* Bolletino di archeologia cristiana, II, 1864.

— *Il monastero di S. Erasmo, presso S. Stefano Rotondo nella casa dei Valerii sul Celio,* Roma, 1886.

ROSTOVCEV (M. J.), Еллинство и иранство на югѣ Россіи, St Pétersbourg, 1918.

— *Skythien u. der Bosporus,* Berlin, 1931.

ROUILLARD (GERM.), *L'administration civile de l'Égypte byzantine,* 2e éd., Paris, 1928.

RUNCIMAN (S.), *A History of the first Bulgarian Empire,* London, 1930.

RUTKOVSKIJ (N. P.), Латинскія схоліи въ кормчихъ книгахъ, Seminarium Kondakovianum, vol. III, 1929, pp. 149—168.

414

SAJDAK (J.), *Historia critica scholiastarum et commentatorum Gregorii Naz.*, Meletemata Patristica, I, Cracoviae, 1914.

SAKAĆ (S.), *Iz slavne hrvatske prošlosti, Ugovor pape Agatona i Hrvata proti navalnom ratu.* Zagreb, 1931.

SAKELLIANOS (A.),Τὰ Κυπριακά, I, Athènes.

SALAGIUS, *De statu ecclesiae pannonicae*, Quinque-Ecclesiis, 1777—1781.

SALAVILLE (S.), *Quae fuerit S. Theodori Studitae doctrina de Beati Petri Apost. deque Romani Pontificis primatu*, Acta II. conventus Velehradensis, Pragae, 1910, pp. 123—134.

SCHLÖZER (A. L.), *Nestors russische Annalen*, St Pétersbourg, 1816.

SCHLUMBERGER (G.), *Mélanges d'archéologie byzantine*, Paris, 1895.

— *Sigillographie de l'Empire byzantin*, Paris, 1884.

SCHMIDT (H. J.) Кахріе-джами, Извѣстія русск. археол. Института въ Константинополѣ, Sofia, 1906, vol. XI.

SCHÖNEBAUM (N.), *Die Kenntnis der byzantin. Geschichtsschreiber von der ältesten Geschichte des Ungarn vor der Landnahme*, Ungar. Bibliothek, I, vol. 5, Berlin, 1922.

SCHRÁNIL (J.), *Die Vorgeschichte Böhmens und Mährens*, Berlin, 1928.

— *Ku které kulturní oblasti náleželi západní Slované ve svých dějinných počátcích*, Zbornik radova na III Kongresu slovenskich geografa i etnografa u Jugoslaviji 1930, Zagreb, 1931, pp. 260—262.

— *Několik příspěvků k poznání kult. proudů v zemích českých*, Obzor praehistor. (Niederlův Sborník), IV, 1925, pp. 160—194.

— *Soupis nálezů antických mincí v Čechách*, Památky archeologické, vol. XXVIII, 1916.

— *Země české za doby knížecí*, Praha, 1932.

SCHREINER (M.), *Zur Geschichte der Polemik zwischen Juden und Mohamedanern*, Zeitschrift d. deutsch. Morgenländ. Ges., vol. 42, 1888, pp. 591 et suiv.

SCHUBERT (H. V.), *Die sogen. Slavenapostel Constantin und Methodius*, Heidelberg, 1916.

SCHULTZE (K.), *Das Martyrium des hl. Abo von Tiflis*, Texte und Untersuchungen zur Gesch. d. altchristl. Liter., N. F. XIII, 1905.

SCHÜRER (E.),*Die Juden im bospor. Reiche u. die Genossenschaften der* σεβόμενοι θεὸν ὕψιστον, Sitz. ber. der Ak., Berlin 1897.

SEECK (O.), *Regesten der Kaiser und Päpste*, Stuttgart, 1919.

SEGVIĆ (Ch.), *Chronologie des évêques de Salone*, Anal. Bol., vol. 33, 1914, pp. 265 et suiv.

SIMCHOWITCH (J. NAPTALI), *Studien zu den Berichten arabischer Historiker über die Chazaren*, Berl. Dissert., 1920 (voir le compte rendu de U. PALLÔ dans *l'Ung. Jahrbücher*, vol. II, 1922, pp. 157—160.

SKABALLANOVIČ (N.), Византійская наука и школы въ XI вѣкѣ, Христіянское Чтеніе, 1884, I, pp. 344—369, 730—770.

SNOJ, *Staroslavenski Matejev evangelij*, Bogoslovna Akademia, Ljubljana, Razprave, II, 1922, pp. 4 et suiv.

SNOPEK (FR.), *Studie cyrillomethodějské*, Brno, 1906.

— *Die Slavenapostel*, Kroměříž, 1918.

SOKOLOV, Состояніе монашества въ виз. церкви съ полов. IX до начала XIII в., Kazań, 1894

STECK (M.), *Die alte Landschaft Babylonien nach den arabischen Geographen*, Leiden, 1901.

STEIN (E.), *Geschichte des späträmischen Reiches*, Wien 1928.

— *Studien zur Geschichte des byzantinischen Reiches vorn. unter d. K. Justinians II. u. Tiberius Const.*, Stuttgart, 1915.

STEINSCHNEIDER, *Polemische u. apolog. Literatur*, Deutsche Morgenländische Gesellschaft, Bd. 6, Leipzig, 1859.

415

STRANGER (G. LE), *A Greek Embassy to Bagdhad in 917 A. D., translated from the Arabian MS. of A Khâtib, in the Br. Mus. Library,* The Journal of the Royal Asiatic Society of Great Britain and Ireland, 1897, pp. 35—45.

— *The Lands of the Eastern Caliphate,* Cambridge, 1930 (réimpression).

STREICHHAN (F.), *Die Anfänge des Vikariates von Thessalonich,* Zeitschrift der Savigny-Stiftung für Rechtsgesch., kan. Abt., vol. 43, 1922, pp. 330—384.

STYGER (P.), *Die Malereien in der Basilika des hl. Sabas auf dem kleinen Aventin in Rom,* Rom, 1914.

SULER (B.), *Disputationen,* Encyklopaedia judaica, V, vol. 1128 et suiv.

ŠAFAŘÍK (FR.), *Památky dřevního písemnictví Jihoslovanů,* I, 2e éd., Praha, 1873.

ŠESTAKOV, Очерки по исторіи Херсона въ VI—X в. (Памятники христ. Херсон.) 1908.

ŠIMEK (E.), *Čechy a Morava za doby římské,* Praha, 1923.

ŠIŠIĆ (F.), *Geschichte der Kroaten,* I, Zagreb, 1917.

— *Povijest Hrvata u vrijeme narodnih vladara,* Zagreb, 1925.

TAFRALI (O.), *Thessalonique des origines au XIVe siècle.* Paris, 1919.

TAKÁCS (Z.), *Mittelasiatische Spätantike und »Keszthelykultur«,* Jahrbuch der Asiatischen Kunst, vol. II, 1925, pp. 60—68.

THEODOROV-BALAN, Към тъй нареченитe Панонски жития, Annuaire de l'Université de Sofia, fac. hist.-phil., tome XIX, 8, Sofia, 1923.

TILLE (V.), *Povídky o smrti Svatoplukově,* Český čas. hist., vol. V, 1899.

— *Svatopluk et la parabole du vieillard et de ses enfants,* Revue des études slaves, vol. V, 1925, pp. 82—84.

TILLEMONT, *Mémoires pour servir à l'histoire ecclésiastique,* Paris, 1693—1712.

TOMASZEWSKI (S.), *Nowa teorja o początkach Rusi,* Kwartalnik Historyczny, vol. 43, 1929, pp. 281—324.

TOURNEBIZE (FR.), *Histoire politique et religieuse de l'Arménie,* Paris, 1910.

TUNICKIJ (J. L.), Св. Климентъ епископъ словѣнскій, Sergijev Posad, 1913.

VACCARI (A.), *La Grecia nell' Italia meridionale,* Orientalia christiana, vol. III, 3, 1926.

VAILHÉ, *Annexion de l'Illyricum au patriarcat oecumenique,* Echos d'Orient, vol. X, 1911, pp. 10 et ss.

— *Église de Constantinople,* Diction. de Theol. cath., III, col. 350 et suiv.

— *St. Michel le Syncelle et les deux frères Grapti,* Revue de l'Orient chrétien, 1901.

VAJS (J.), *Byzantská recense a evangelijní kodexy staroslověnské,* Byzantinoslavica, vol. I, 1929, pp. 1—9, vol. IV, 1932, pp. 1—12.

— *Evangelium sv. Marka a jeho poměr k řecké předloze,* Praha, 1912.

— *Jaký vliv měla latinská vulgata na staroslov. překlad evang.,* Slavia, V, pp. 158—162.

VALLETTA, Φωτίου ἐπιστολαί, London, 1864.

VASILEV (A. A.), *La Russie primitive et Byzance,* L'art byzantin chez les Slaves, Les Balkans, Ier recueil, Paris, 1930.

— Готы в Крыму, Извѣстия гос. Акад. истории матер. культуры, Leningrad, vol. I. 1921, vol. V.

— Византія и Арабы, St Pétersbourg, 1900.

— Славяне въ Греціи, Виз. Врем., vol. V, 1898.

— Греческій текстъ житія сорока двухъ аморійскихъ мучениковъ, Mémoires de l'Académie imper. des Sciences de St Pétersbourg, Cl. hist.-phil., VIIIe série, vol. 3, 1898.

416

VASIL'EVSKIJ, Житіе Стефана Сурожскаго, Труды, III, S Pétersbourg, 1915.

— Записка греческаго топарха, Ж. М. Н. П., 1876, Juin, Труды, vol. II, pp. 136—212.

— Въ защиту подлинности житія патриарха Игнатія и принадлежности его современ- ному автору, Никитѣ Пафлагону, Виз, Врем., vol. VI, 1899, pp. 39—56.

VAŠICA (J.), *Sv. Václav v památkách církevně-slovanských*, Hlídka, 1929.

VIOLLET (M.), Sâmarrâ dans l'Encyclopédie de l'Islâm, Paris.

VOGT, *L'empereur Basile Ier*, Paris, 1908.

VONDRÁK, *Studie z oboru církevně-slovanského písemnictví*, Praha, 1903.

VORONOV (A.), Главнѣйшіе источники для исторіи свв. Кирилла и Меѳодія, Kiev, 1877 (Aussi dans les Труды Дух. Кіевск. Акад. 1877).

VORST (VAN DEN), *La translation de Saint Théodore le Studite et de St Joseph de Thessalonique*, Anal. Bol., XXXII, 1913, pp. 26—62.

— *Note sur St Macaire de Pélécète*, Anal. Bol., vol. XXXII, 1913.

— *Note sur St Joseph l'Hymnographe*, Anal. Bol., vol. 38, 1920.

WEIGAND (E.), *Zur Monogramminschrift der Theotokos-(Koimesis-) Kirche von Nicaea*, Byzan- tion, vol. VI, 1931.

WEIL, *Geschichte der Chalifen*, Mannheim, 1846—1851.

WEINGART (M.), *Byzantské kroniky v literatuře církevně-slov.*, Spisy filos. fak. univ. Komenského, Bratislava, 1922—1924.

— *Dva drobné příspěvky o literární činnosti Konstantinové-Kyrillově*, Časopis pro moderní filo- logii a literaturu, vol. V, 1916, pp. 13—17.

WESTBERG (FR.), *Die Fragmente des Toparcha Goticus*, Записки Имп. Ак. Н., vol. V, no. 2, 1901; la critique de cet auvrage par Th. J. USPENSKIJ, *ibidem*, vol. VI, no. 7, 1904, pp. 243 et suiv.

— *Ibrahim ibn Ja'kub's Reisebericht über die Slavenländer*, Mémoires de l'Académie imp. des sciences de St Pétersbourg, VIIIe série, Cl. Phil.-hist., tome 8, 1899.

— О житіи св. Стефана Сурожскаго, Виз. Врем., vol. 14, 1907, pp. 227—236.

WILPERT (G.), *Le pitture della basilica di San Clemente*, Mélanges d'archéologie et d'histoire, vol. XXVI.

— *Malby v dřevni basilice sv. Klimenta*, Kroměříž, 1906.

WÜSTENFELD (F.), *Jâkût's Reisen, aus seinem geograph. Wörterbuch beschrieben*, Zeitschrift der Deutschen Morgenl. Gesellschaft, XVIII, 1864.

USPENSKIJ (TH.), Византійская табель о рангахъ, Mémoires de l'Institut archéologique russe de Constantinople, vol. III, Sofia, 1898.

— Очерки по исторіи виз. образованности, St Pétersbourg, 1892.

— Первыя страницы Русской лѣтописи и византійскія перехожія сказанія, Записки, имп. Одес. Общ. Ист. и Древн., Odessa, 1915.

USPENSKIJ (TH.)-ŠKORPIL (K.), Матеріалы для болгарскихъ древностей Абоба-Плиска, Mémoires de l'Inst. archéol. russe de Constantinople, X, Sofia, 1905.

UŠENIČNIK (FR.), *Najstarejši glagolski spomenik in liturgija sv. Cirila in Metoda*, Bogoslovni Vestnik, Ljubljana, 1930, pp. 235—253.

ZACHARIAE VON LINGENTHAL, *Jus graeco-rom.*, Lipsiae, 1856—1884.

— *Imper. Basilii, Const. et Léonis Prochiron*, Heidelberg, 1837.

ZEILLER (J.), *Les origines chrétiennes dans les provinces danubiennes de l'empire romain*, Paris, 1918.

— *Une ébauche de vicariat pontifical sous le pape Zosime*, Revue Historique, 1927, pp. 326—332.

ZELNITIUS (A.), *Slovanská pohřebiště ve Starém Městě u Uh. Hradiště*, Sborník Velehradský, Nová Řada, II, 1931, pp. 12—25, III, 1932, pp. 45—53.

ZHISHMAN (J.), *Die Synoden und die Episkopalämter in der morgenländischen Kirche*, Wien, 1867.

ZLATARSKI (V. M.), Намѣрениятъ въ Албания надписъ съ името на българския князъ Бориса-Михаила, Slavia, II (1923—1924), pp. 61—91.

— История на Бълг. държава, Sofia, 1918, I, II, 1927.

ZOEPF (L.), *Das Heiligen-Leben im 10 Jh.*, Leipzig, 1908.

ZOTTENBERG (M. H.), *La Chronique de Jean évêque de Nikiou*, Notices et extraits, Paris, 1879, p. 257, *The Chronicle of John Bishop of Nikia translated* from *Zottenberg's Ethiopic text* by R. CH. CHARLES, London, 1916.

INDEX DES NOMS DE PERSONNES, DE LIEUX ET DE MATIÈRES.

Les mots et les pages figurant dans l'Appendice sont imprimés en italique.

Aaron, 55, 309, *382.*
— évêque d'Aguontum, 256.
Abadija, voir Ovadia.
Abasgues, 156, 158, 172, 175, 176, 206—208, *375.*
Abbeo, 297.
Abdul-Malik ben Marvān, 105.
Abiron, 390.
Abo (Saint), 164.
Aboba-Pliska, 222.
Abou-Kendah, 23.
Abraham, patriarche, 309, *362, 363, 364, 366, 367, 382, 383.*
Abu-Cara, 105, 106, 110.
— Hafs, 86.
— Nah d'Anbar, 106.
— Tammân, 99.
Acémètes (couvent des), 70.
Achaïe, 250, 255, 266.
Achille, abbé photianiste de Stu-dion, 142.
Achmed-ibn-Saïd, 90.
Acholius, évêque, 251.
Adalram, 261.
Adalvin, 261.
Adam, 360, 362, 366, 379.
Adriatique, voir Mer Adriatique.
Aemona, 256.
Aetherius, év. de Cherson, 192, 194.
Aétios, stratège de Thrace et de Macédoine, 7.

Afrique, 87, 288.
Agapios (Saint), 116.
Agarènes (voir aussi Sarrasins), 109, *354, 355.*
Agathodorus, év. de Cherson, 194.
Agathon, chartophylaque, 54, 55, 63.
—, moine au Mont Olympe, 129.
—, notaire au VIᵉ conc., 51.
—, pape, 257, 258, 279, 289, *384.*
Agauron, 115, 121, 132.
Agellianos, tourmarque des Helladiques, 6.
Aguontum, 256.
Ahmed-ibn-'Abdalāch, 207.
Aix-la-Chapelle, 260.
Akameros, archonte des Vélégé-zites, 5, 6.
Akritas, voir Digénis.
Alains, 156, 173, 179, 206, 208, 243.
Albanie (en Arménie), 108.
— (en Europe), 218.
Albgis, 227.
Alcuin, 260.
Alcoran, voir Koran.
Alexandre, ascète, 70.
— le Grand, 23.
— (nom d'un chêne), 205, *370.*
Alexandrie, 50, 56, 58, 86, 130, 131, 301, 303, 305, *384.*

Alexis Comnène, 55, 56, 65, 130.
— Mosélé, césar, 13, 87.
Ali ibn Yahia, 102.
Alicano, 216.
Allard (L.), 192.
Allemagne, 186.
Allemands, 213, 232, 269, 271, 275.
Alpes, 218, 219, 257.
Altfrid, archiprêtre, 262.
Amalfi, 287.
Amand (Saint), 257.
Amann, 314, 320, 324.
Amasis, 62.
Amastris, 27, 31, 156, 172, 173, 174, 206.
ameroumnès, 357.
Ammonios, défenseur de l'Égl., 51, 59, 60.
Amorion, 88.
Amrou, 105.
anachorète, 142.
Anagay, 152.
Anaple, 69.
Anastase le Bibliothécaire, 52, 53, 55, 64, 67, 79, 136, 138, 145, 146, 190, 196, 197, 269, 291, 298, 306, 314, 317, 321, *345, 346, 378.*
Anastase Iᵉʳ, empereur, 4.
— II, empereur, 54.
—, notaire, 61.
— le Sinaïte, 50, 201, 204.

419

Anastasie (Sainte), 286.
Anastasioupolis, 47.
Anatole, patr. de Constantinople, 302, 305, *383*.
Anatolie, 4, 20, 129.
Anatolikoi, 6.
Anazarbas, 92.
Anchialos (Kavala), 13, 326.
Ancien Testament, 182, 198, 199, 203.
Ancône, 272, 282.
Ancyre, 88, 101, 130, 194.
André (Saint), apôtre, 116, 193, 288, 290, *378*.
—, arch. de Crète, 54.
—, notaire au Ve conc., 51.
Andronique (Saint), 252, 270, 273, *388*.
— II, Paléologue, 49, 56.
Andros, 31.
Anemius, év. de Sirmium, 251, 252.
Angélaire, disciple de Méthode, 334, *344*.
Anicète, hebdomadaire, 60.
—, pape, 48.
Annales d'Admont, 244.
— Fuldenses, 298.
— Laureshamenses, 298.
— Laurissenses, 298.
— Sangallenses, 244.
Anne (Sainte), 115.
Anno, évêque de Freisingen, 271, 273.
Antidion (couvent), 116.
Antioche, 58, 59, 98, 105, 130, 301, 303, 304.
—, notaire au Ve conc., 51.
Antiochos, chartophylaque, 63.
Antoine d'Ancyre, 130.
—, archev. de Bosphore, 202.
— Cauleas, patriarche, 26, 84.
— (Saint) d'Ephèse, 130.
—, frère d'Eustratios, 128, 132.
— (Saint), le Grand, 126.
—, hégoum. d'Agauron, 120.
— (Saint), le Jeune, anachorète, 117, 129, 132.

— (Saint), le Jeune, 145.
—, oncle de St Eustratios, 129, 130.
— Ier, patriarche, 130.
— II, patriarche, 130.
— III, patriarche, 130.
—, patrice, 130.
— (Saint) de Sicile, 130.
Anysius, évêque, 251.
Anzène, 88, 102.
apocrisiaire, 59.
Apollonias, 115.
« apostolicus », 1, 295—300, *378, 380, 386, 387—390.*
Apôtres, voir église des Apôtres.
Apside, 35.
Aquila, 362.
Aquilée, 216, 221, 251, 252, 256, 260, 261, 265, 274.
Aquilinus, économe, 59.
Arabes 3, 12, 16, 23, 46, 83, 85—90, 92, 93, 96, 97, 99, 100, 102, 104, 105, 107, 108, 110, 148, 149, 154, 164, 168, 170—172, 174, 176, 179, 181, 182, 202, 207, 212, 235, 236, 336, *375*.
archidiacre, 54, 55, 57, 60, 62.
archihebdomadaire, 60.
archiprêtre, 261, 289, *374*.
archonte, 5, 6, 11, 130.
— de Cherson, 130.
— de Chypre, 11, 12.
— de Dalmatie, 11.
Ardebil, 154, 169.
Arethas, 83, 84.
Arichis, 21.
Ariens, 126.
arithmétique, 25, 28, 30, *352*.
Arius, 383.
Arles, 253.
Armeniakoi, 6, 175.
Arménie, 16, 87, 103, 150, 154, 157, 171, 175, 179, 180.
Arméniens, 133, 150, 171, 175, 207, 288, *375*.
Arno, év. de Salzbourg, 260.

Arnulf, 223.
Arpade, 238.
Arranie, 154.
Arsaber, 72.
Arsakios, 122.
arsenal impérial, 15.
Arsène, évêque, 291, *378*.
—, moine, 307.
—, photianiste, 142.
Arsica, 287.
arts helléniques, 25, *352*.
el-Arûs, 98.
Asace, patriarche, 58, 254.
—, photianiste, 142.
Asad, 87.
Asbestas, voir Grégoire.
Ascold, 178.
asecrète, 44, 93, 96.
Aserbeidjan, 153, 154.
Asie, 216, 326.
— Mineure, 3, 12, 87, 88, 89, 92, 121, 129, 130, 148, 174, 176, 194, 212, 258.
Asphalios, défenseur de l'Égl., 58.
Assyrie, 96, 97.
Astarté, 192.
Asterios, notaire, 58.
astronomie, 25, 26, 28, 30, *352*.
Athanase (Saint), 94, 126.
—, anachorète, 142.
—, év. de Naples, 299.
—, partisan studite, 123.
Athènes, 6, 32, 83, 258.
Athenogenos (Saint), 116.
Athos, voir Mont Athos.
Athroa, 116, 121.
atriklinès, 17.
Attalie, 129.
Atticus, évêque, 253.
Attila, 150.
Auguste, empereur, 213.
Augustin (Saint), 375.
Aurélien, empereur, 130.
Autriche, 218—220.
Avares, 150, 152, 207, 216—222, 224, 239, 245, 255—257, 259, 260.

Aventin, 285, 286.

Baanès, évêque, 180.
Bab-al-Abwab, 151, 183.
Bābek, 88.
Babylonie, 96, 97.
Bacchus (Saint), martyr, 74, 124.
Bagdad, 98—100, 104, 164.
al-Balâhari, 99.
Balata, voir Palata.
Balaton, 216, 261.
Balkans (péninsule balkanique), 89, 165, 277.
Balsamon, voir Théodore.
Banat, 276.
bandon, 10.
el-Barah, 98.
Bardanes, voir Philippikos.
Bardas, césar, 21, 37, 39, 44, 45, 63, 79, 81—84, 94, 101, 102, 132, 136, 139, 141, 146, 148, 232, 372.
Bari, 88.
Barnabas, photianiste, 142.
Barsov, E., V., 340.
Bartholomée d'Edesse, 106.
Basile, archevêque de Thessalonique, 32.
Basile, archimandrite grec de Rome, 300.
—, biographe de St Euthyme, 117, 143.
— Ier, empereur, 10, 12, 21, 69, 102, 108, 111, 129, 134, 139, 147, 200, 202, 269, 276, 277, 282, 293, 299, 318—321, 329.
—, év. de Cherson, 194.
—, év. de Gortyne, 255.
—, frère de St Paul le Jeune, 129.
— (Saint), le Grand, 127, 186.
—, moine géorgien, 134.
—, moine grec de Rome, 287. 292.
—, moine de Jérusalem, 292.
—, moine du Mont Olympe, 129.

— de Neopatrae, 201.
Basrah, 99.
Basse Autriche, 219.
Bavarois, 245.
Bavière, 260.
Beccos, voir Jean XI.
al-Bekri, 168.
Belegrada (Belgrade), 237, 238, 240, 275.
Belendjer, 154.
Bélisaire, 209.
Bénévent, 269, 291.
Benjamin, patriarche jacobite, 105.
Benoît, scriniaire, 51.
Berdaa, 154.
Bersilie (Berylie), 150.
Berthieu-Delagarde, 166, 195.
Bethléem, 365.
Beurlier, 56.
Bible, 108, 207, 348.
bibliophylaque, 50—53, 55, 56, 61.
bibliothécaire (bibliothecarius), 39, 45, 46, 52, 56, 145, 341, 346, 353, 378.
bibliothèque patriarcale, 50, 51, 54.
Bil'basov, 210.
Bithynie, 129, 141, 145.
Blachernes, 60, 286.
Blaise (Saint), 287, 292, 293.
—, chartophylaque, 63, 64, 68, 141.
Bodjanskij, 343.
Boeckh, 101.
Bohême, 214, 219, 224, 241.
boiars, 230.
Bolion (couvent de), 116.
Boniface Ier, pape, 266.
Bonwetsch, 200.
Boor (de), 160, 161, 165—167.
Boris-Michel, 228—332, 267, 269, 275, 281, 282, 329, 335.
Borouth, 261.
Bosphore, 39, 45, 46, 59, 67—73, 142, 148, 319.

— criméen, 152, 153, 157, 158, 162, 165, 167, 171, 173, 183, 191, 192, 202.
Boug, 240.
Boulan, 169, 170.
Bourdās, 156.
Brackmann (A.), 260.
Braničevci, 223.
Branimir, 278.
Bratislava, 215, 219.
Bravlin, 173.
Brĕgalnica, 344.
Bréhier (L.), 288.
Brigetio, 214.
Brousse, 120, 121.
Brückner, 197, 312, 313.
Bruckus, 171.
Bryas, 104.
Bucellarioi, 6.
el-Buhûr, 99.
Bulgares, 7, 9, 13, 155, 165, 213, 218, 219, 222, 223, 226—232, 241, 243, 267, 269, 277, 312, 314, 335.
— Blancs, 156.
— Noirs, 243.
Bulgarie, 98, 111, 139, 223, 228, 231, 233, 235, 240, 267, 269, 270, 275, 276, 277, 282, 283, 293, 314, 315, 329, 340.
— (Grande-), 165.
bureau du patriarche, 60.
Bury, 21, 35, 37, 40, 46, 77, 94, 97, 139, 173, 174, 236, 242—244.
Busir-Gulavar, 155.
Byzance, 1, 10, 15, 17—19, 21, 23, 24, 28, 29, 31, 33, 34, 38, 39, 44, 45, 46, 47, 50, 56, 62, 67, 68, 72, 73, 77, 78, 80, 82, 84, 86, 101—104, 108, 111, 113, 122, 130, 132, 133, 138—140, 147—149, 155, 156, 168, 175—179, 187, 190, 200, 201, 205 209, 212, 213, 216, 219, 220, 221, 224,

225, 226, 228, 230, 232, 235, 241, 242, 243, 247, 250, 251, 255, 258, 262, 263, 268—270, 278, 283, 293, 297, 304, 308, 310, 311, 317, 320, 321, 328, 329, 331, 334, 335, 336.

Byzantins, 1, 4, 12, 35, 64, 77, 85, 89, 92, 96, 101, 103, 104, 111, 131, 138, 150—154—157, 167, 170—174, 176—179, 182, 184, 185, 188, 189, 213, 217, 224, 230—233, 235, 236, 243, 269, 277, 313, 315, 321, 331, 332.

Cabares, 176.
Cacasamba, voir Jean.
Cadme, évêque, 157.
Cadolah, 262, 263.
Caïphe, 76.
Caire, 169.
Calabre, 11, 107, 130, 259, 263, 266.
calife, 86, 88, 97, 98, 100, 105, 109, 154, 164, 166, 168, 207.
Callonymos, notaire du Ve conc., 51.
Calmite, 244.
Caltabellotta, 88.
Cambridge, 169, 181.
Caméniate, voir Jean.
Campus Martius, 286.
cancellaire, 51, 60, 61.
Du Cange, 56.
Capito, év. de Cherson, 194.
Capoue, 291.
Cappadoce, 11, 31, 114.
Carbéas, 95, 101.
Carie, 87.
Carinthie, 261.
Carloman, 228, 273.
Carniole, 218, 261.
Carnuntum, 213, 221.
Carpathes, 242, 243, 246.
Carthage, 57, 288.

Caspienne, voir Mer Caspienne.
Cassia, 21.
Cassiodore, 297.
Castrogiovanni, 89.
Catana, 307.
catepanate de Paphlagonie, 174.
Caucase, 151, 154, 156, 157, 164—166, 172, 180, 183, 206—208, 242, 360.
Cauleas, voir Antoine.
Caverne, au Mont Olympe, 134.
Cédrène, 32, 82.
Cejkov, 215.
Celeia, 256.
Célestin, pape, 266, 305, 383.
centarque des spathaires, 10.
Céphallonie, 11, 12, 88.
Cère, 318, 321.
Césaire (Saint), 286, 287, 290.
César, empereur, 214.
césar, titre byzantin, 13, 83, 87.
Césarée de Bithynie, 129.
Chalcédoine, 50, 58, 302, 304, 305, 384.
Chaldia, 11, 16, 17, 175.
Champs, couvent, 115.
Charasion, 163.
charatophylaque, 49, 51—57, 61—63, 65—67, 327, 341.
charges (offices) ecclésiastiques byz., 49 et suiv.
Charisios, économe, 58.
Charlemagne, 220, 241, 260, 261, 264, 270, 297.
Charles le Chauve, 347.
— le Gros, 320.
Charsia, 89.
Charsianos, 11.
Chartres, 325, 326.
chartrier patriarcal, 51.
chartulaire patriarcal, 10, 62.
— impérial, 256.
Cherson, 11, 12, 16, 130, 141, 152—155, 158—160, 162, 166, 167, 173, 174, 183, 184, 186, 189—191, 193, 194, 196, 197, 205, 243, 359, 370.

Chersonèse, 157, 191, 192, 194, 195.
Chersonites, 243.
Chérubins, 367.
Chilandar, 340, 341.
Chora (couvent de), 124, 131.
chorévêque, 265.
Chosroes Ier, Anošarwan, 151, 164.
Chosrow, 150.
Chozwin (Kocel?), 275.
Chrabr, moine, 334, 345.
Chrétiens (christianisme), 12, 103, 104, 105, 107, 201, 202, 205—209, 241, 263, 281, 355, 365, 367.
Christ (voir aussi Jésus-Christ), 24, 27, 33, 74, 77, 90, 126, 144, 164, 281, 322, 350, 354, 355, 356, 357, 359, 365, 366, 369, 372, 373, 378, 379, 382, 383, 393.
Christophore (Saint), 115.
Chronicon Moissiacense, 298.
Chrysopolis, 70, 142.
Chrysostome, voir Jean.
Chypre, 11, 12, 129, 130, 200.
Chytri, 107.
Chvalizes, 162.
Cibyréotes, 11.
Cilicie, 87, 288.
ciméliarque, 59.
circoncision, 199, 366.
circumstrator, 59.
Clément (Saint) d'Ancyre, 48, 194.
—, archimandrite, 133.
— (Saint), disciple de Méthode, 334, 345.
— (Saint), pape martyr, 190—197, 248, 268, 344, 346, 359, 378, 380, 387.
Cologne, 281.
Colomban (Saint), 257.
colonie grecque de Rome, 286 et suiv.
comes, 10.
— largitionum, 130.

422

— sacrorum officiorum, 192—195.

comitatenses, 95.

commerciaires impériaux, 6.

comte des murailles, 4.

conciles:

    Ier conc. oecum., 157—159, 305, *383*.

    IIe conc. oecum., 192, 194, 305, *383*.

    IIIe conc. oecum., 58, 158, 305, *383*.

    IVe conc. oecum., 50, 58, 302, 304, 305, *383*.

    Ve conc. oecum., 51, 54, 60, 305, *384*.

    VIe conc. oecum., 48, 51, 53, 54, 255, 287, 289, 305, *384*.

    VIIe conc. oecum., 50, 55, 61, 63, 115, 200, 267, 289, 306—308, 315.

    VIIIe conc. oecum., 51, 55, 62, 65, 136, 138, 139, 143, 269, 281, 292, 298, 306, 314—316, 320, 322, 326—329.

— d'Aquilée (381), 251, 252.

— de Constantinople (an 479), 158.

— de Constantinople (an 536), 53, 54, 59, 60, 114.

— de Grado (an 579), 256.

— iconoclaste de 753—754, 73, 162.

— de Lyon (an 1274), 327.

— de Marano (an 581—590), 256.

— de Néocésarée, 46, 61.

— romain (an 649), 53, 288.

— — (an 743), 297.

— de Photios (an 879), 52, 180, 205, 299.

— Quinisexte, 46, 61, 306.

Conon, moine grec de Rome, 289.

Constant, empereur, 288.

Constantin Ier (le Grand), 6, 53, 114, 192, 195, 237, 300, *373, 383*.

— IV (Pogonat), 51, 257, *384*.

— V (Copronyme), 4, 5, 12, 37, 131, 222.

— VI, 5, 20, 21, 125, 264.

— VII (Porphyrogénète), 5, 8, 18, 100, 116, 202, 213, 220, 236—247, 255, 257, 258, 262, 263, 280.

— archidiacre, 54, 55, 57, 60, 61.

Constantin-Cyrille, 1, 3, 12, 14, 15, 18, 19, 21, 22, 24, 25, 27, 31—36, 37, 43—46, 49, 50, 52, 56, 57, 63, 66—69, 71, 73, 77—81, 83—86, 90, 92—94, 97, 98, 100, 103, 109, 110, 113, 131—135, 146—148, 171, 172, 177, 181—190, 195—199, 202—205, 207—210, 228, 234, 244, 267, 268, 289—294, 294, 296, 297, 299, 303, 312, 313, 331, 333, 334, *339—341, 344, 346, 347, 349, 351, 353, 359, 367, 372, 373, 375, 379, 385*, 387.

— de Sicile, 83.

—, fils de Basile Ier, 318.

— Kontomytès, 87.

— le Juif (Saint), 64, 116, 129, 133.

—, lecteur au VIIe conc., 50.

— l'Hibérien, 108.

—, notaire au VIIe conc., 50.

— Ier, patriarche, 60.

—, primiciaire, 61.

—, primic. au VIe conc., 51, 61.

— Serantapechus, 6.

Constantinople, 3, 4, 10, 31, 32, 37, 39, 51, 54, 58, 60, 61, 66, 67, 72, 83, 84, 88, 89, 102, 112, 114, 118, 122, 129, 131, 132, 134, 140—142, 144, 148, 153, 155, 177—181, 188, 190, 192, 207, 209, 219, 222, 228, 229, 232, 234, 235, 243, 248, 251, 253, 259, 262, 265, 266, 267, 268, 276, 278, 282, 284, 289, 290, 292—294, 302, 303, 305—308, 312—314, 318—321, 324, 326, 328, 335, *352, 371, 383*.

continuateur de Georges le Moine, 71, 230, 245.

— de Théophane, 29, 36, 42, 64, 71, 72, 80, 95, 125, 175.

conversion de Boris, 230 et suiv.

Cordoue, 168, 170.

Corinthe, 8, 255.

Corinthiens, 197, *376*.

Corleone, 88.

Corne d'Or, 23.

Cornelius, centurion, 193.

Cosmas, fonctionnaire du thème helladique, 5.

Cosme (Saint), 116, 133, 134.

—, chartophylaque, 53, 62.

—, coubicleisios du VIIe conc., 50.

—, coubiculaire, 62.

—, défenseur de l'Église, 62.

— (Saint), moine, 292.

—, notaire au synode de Menas, 53.

Cosmedin, 286.

coubiculaire (coubicleisios), 12, 50, 62.

— impérial, 256.

couvent τῶν Ἀβραμιτῶν, 115.

couvents du Bosphore:

    τῶν Ἀγαθῶν (du patr. Nicéphore), 70;

    (du patr. Nicéphore) de l'Irénéon (Arémètes), 70;

    St Jean-Baptiste du Phoberon, 69;

    Kleidion, 69, 70, 71, 72, 73;

    St Macaire de Pélécète, 70;

    St Mamas, 68;

    St Michel, 70;

    St Michel Archange de l'Anaple, 69;

423

du patriarche Taraise, 69;
St Philippe, 70.
St Phocas, 69;
de Phoneos, 69;
Skepi, 70;
St Théodore, 70, 142;
couvent de Chora, 124.
— de Chrysopolis, 142.
— de Dalmatos, 137.
couvent de St Hyacinthe de Nicée, 121;
de Kios, 145;
de Maximine, 137.
couvents grecs d'Italie, 299 et
suiv.
couvents grecs de Rome:
Anastase ad Aquas Sylvias;
288, 290;
St André, 288.
Arsica, 287;
St Césaire, 287, 290;
St Erasme, 287;
Etienne et Cassien, 286;
des Sts Etienne et Sylvestre,
286;
Ste Lucie de Renatis, 286.
Ste Marie in Campo Martio,
286;
Ste Praxède, 286, 290;
St Sabas, 287, 289;
couvents du Mont Olympe:
de St Agapios, 116;
d'Agauron, 115, 116, 120,
121, 129, 132;
de St André, 116;
d'Antidion, 116;
de St Athenogenos, 116;
d'Athroa, 116, 120.
τοῦ Βαλεοῦ, 116.
de Bolion, 116;
des Champs, 115;
des Sts Cosme et Damien,
133, 134;
τῶν Ἐλαιοβώμων, 116, 123.
de St Élie, 116, 130;
d'Eristes, 116;
des Eunuques, 116, 128;
de St Eustathios, 116, 133;

de St Helias, 116;
couvent de Ἡράκλης, 116.
de St Hyacinthe, 116.
— τῶν Κεδρῶν, 142.
— τῶν Κελλίων, 116.
— ὁ Κρίλης, 116, 129, 132, 133.
— τῶν Λευκάδων, 116.
— de Medikion, 115, 120.
— de St Nicolas, 116.
— de Πήγη, 141.
— des Sts Pierre et Paul, 116.
— de Πισσαδινόν, 117, 143,
146.
— de Polychnion, 115.
— de Polychron (Polychnion)
148, 210, 211.
— de Saccoudion, 115.
— τοῦ Συμβόλους, 115.
— de Telai, 115.
— Τριχάλιξ, 116.
— τῶν Φλουβουτινῶν, 116.
— de la Ste Vierge, 116, 133.
— de St Zacharie, 117, 129.
couvent d'Osion, 142.
— de Pandimos, 116, 129.
— de Romana, 134.
— de St Sabas d'Afrique, 288.
— de St Sabas de Jérus., 130,
288.
— des Sts Serge et Bacchus,
124.
— de la Ste Vierge à la Source
(Const.), 29, 293.
— de Σπουδεῖον, 130.
— de Studion, 125, 141.
— de Tarfa, 297.
Crania, au Mont Olympe, 134.
Crète, 11, 12, 16, 17, 32, 54,
86, 87, 90, 92, 130, 141,
250, 255, 256, 259.
Crétois, 97.
Crimée, 69, 149, 151—159, 162,
163, 166—168, 171, 173,
174, 176, 183—190, 192,
194, 195, 202, 205—209,
243, 244.
Crna Gora, 340.
Croates, 219, 220, 227, 237,

239, 241, 246, 255, 257,
258—264, 278—281.
Croatie, 218, 274, 277, 282.
— Blanche, 246.
el-Cubh, 98.
Cumans, 151.
curopalate, 94.
Cyclades, 5.
Cyre d'Alexandrie, 384.
Cyriaque, logothète, 59.
Cyrille d'Alexandrie (Saint),
305, 383.
— Philéote (Saint), 70.
Cyzique, 37, 126, 287.
Czéke, 215.

Čudov (couvent de), 340, 342.

Dabinović (A. S.), 262.
Dacie, 250, 252, 254, 266.
Dalmatie, 11, 12, 16, 88, 221,
239, 251, 253, 256—258,
260, 262, 265, 274, 277,
282.
Dalmatos, couvent, 137.
Damas, 31, 78, 105—107, 201,
203.
Damase Ier, pape, 250, 253,
266, 282, 305, 383.
Damien (Saint), 116, 133, 134.
Damiette, 92, 235.
Danemark, 281.
Daniel, prophète, 199, 365, 369.
Danube, 158, 187, 188, 213,
214, 216, 218—220, 222,
223, 226, 238—241, 245,
261, 276.
Dardanie, 250, 254, 266.
Dargecavos, archonte d'Hel-
lade, 6.
Dariel, 154.
Dathan, 390.
David l'Arménien, 83.
— ben Merwan, 105.
— de Lesbos (Saint), 97, 124.
David, roi, prophète, 123, 309,
355, 360, 365, 366, 372,
374, 382, 383.

Dazimonitis, 88.
Décapole, 121.
Décapolite, voir St Grégoire.
défenseur de l'Église, 51, 55, 58, 60, 61.
Déléhaye (H.), 97.
Demas, év. des Magnésiens, 48.
Démétère, sceuophylaque, 55, 62.
Démétrianos de Chytri (Saint), 107.
Démétrios (Saint), 4, *391*.
Démocharés, logothète, 74.
Denys le Petit, 254.
Derbend, 151, 154, 183.
Despoina, 47.
Děvín, 215.
Děvínská Nová Ves, 219.
diaconnesse, 60, 158.
dialectique, 25, 27, 30, *352*.
Diehl (Ch.), 77.
Dieu, 26, 29, 30, 45, 47, 71, 80, 109, 126, 127, 134, 144, 164, 182, 191, 198, 203, 207, 272, 278, 280, 281, 309, 310, *349—393*.
Digénis Akritas, 22, 107.
Dimašqi, 168.
Dimitrij, 281.
Dioclétien, 3, 114, 192, 194, 256.
Diodore, archidiacre, 54.
—, primiciaire, 51, 60.
Dionyse, cancellaire, 51, 61.
Diotmar, archev. de Salzbourg, 275.
Dir, 178.
discussions judaïco-chrétiennes, 198 et suiv.
Distra, 240.
Dizaboul, 152.
Djerrah, 154.
Dobrovský, 342.
Dolní Dunajovice, 219.
domesticus, 10.
domestique des scholes, 130.
Dominique, archiprêtre, 261.
Domitien, empereur, 191, 192.

Don, 151, 156, 172, 173, 176, 183, 189, 206, 223, 244.
Doros (Dory), 155, 156, 161—163, 166, 167, 187.
Dorothé, hégoum., partisan de Photios, 142.
—, ignatien, 142.
Dniepr, 150, 156, 172, 178, 180, 187, 189, 223, 240, 244.
Dniestr, 188, 208, 240, 243.
Drave, 223, 227, 239, 260.
drongaire, 2, 5, 10, 11, 18, 19.
duc de Calabre, 11.
Duchesne (A.), 54, 192, 249, 289.
Dümmler, 14.
dynastie amoréenne, 41.
— isaurienne, 3.
Dyrrhachion, 11, 12, 15, 16, 88, 269.

écoles élémentaires, 25, 26.
économat, 57.
économe, 56, 59, 60.
Écriture Sainte, 26, 131, 168, 198, 203, 333, *360, 362, 368, 373, 375, 385, 387.*
Édesse, 31, 97, 106, 107, 309.
Eginhard, 287.
Église byzantine, 266, 310, 331.
— des Blachernes à Const., 286.
— franque, 262.
— germanique, 271.
— morave, 280, 294.
— occidentale, 299, 300, 322, 329.
— orientale, 311, 322, 329.
— des Quarante Martyrs de Const., 80—82.
— romaine, 313, 327, 328.
— Ste Anastasie de Rome, 286.
— St André Catabarbara, 290, *378.*
— Sts Apôtres, 81, 125, 209, *371.*
— St Jean Baptiste, 116.

— St Césaire in palatio, 286, 287.
— *St Clément à Rome, 380.*
— St Georges du Mont Olympe, 116.
— St Georges au Vélabre, 286.
— Sta Maria Maggiore *(Phatne), 290, 378.*
— Ste Marie in Cosmedin, 286.
— St Pantelémon au Mont Olympe, 117.
— St Paul-Hors-les Murs, 287, 288, 290, *378.*
— Ste Pétronille de Rome, 290, *378.*
— St Pierre de Rome, 290, *378, 380.*
— Ste Sophie de Const., 26, 32, 60, 80, 141, 173, 209, *353, 371.*
— Ste Sophie de Sougdaea, 173.
Égypte, 86, 97, *363, 382.*
Égyptiens, 207, *375, 383.*
Éléa, 129.
Eleutherios Romanus, 48.
El-Haret, 23.
Elias, archonte de Cherson, 130.
— le Jeune de Sicile, 130.
—, métrop. de Crète, 130.
—, patrice, 130.
—, scholiaste, 130.
— Spelacotes, 130.
Élie le Jeune (Saint), 293.
— le Jeune de Calabre, 107.
—, fonctionnaire impér., 155.
—, prophète, 116, 130, 309, *383.*
Élisée, 383.
Elpidia, 47.
Elpidius, év. de Cherson, 194.
Emmanuel, 365.
empire abbasside, 90, 91, 172.
— byzantin, 2, 3.
— franc, 2.
— germanique, 249.
Enoch, patriarche, 309, *382.*
enseignement profane, 30, 32.
— secondaire, 32.

— supérieur, 32.
Epaenetos, 252.
Éphèse, 58, 130, *383*.
Ephraïm, 364.
Éphrem, év. de Tours, 194.
Épiphane, archevêque, 59.
— (catalogue de Saint), 158, 160, 162.
—, coubicleisios, 50.
—, moine studite, 300.
—, patriarche, 59.
Épire, 17, 89, 250, 255, 266.
Érasme (Saint), 287.
Eriche, margrave, 260.
Eristes, 116.
ermites, 128.
Ésope, 237.
Espagne, 23, 87, 88, 206.
Esprit-Saint, 123, 164, 198, 310, 311, 316, 317, 322, 323, 326, 327.
Ethérios, évêque, 157.
Étienne (Saint), 286.
—, bibliophylaque, 50, 51, 61.
—, cancellaire, 51, 61.
—, chartophylaque, 53, 62.
—, commandant de flotte, 155.
—, diacre de Ste Sophie, 26.
—, diacre, hagiographe, 301.
—, év. de Corinthe, 255.
—, év. de Salone, 254.
— (Saint), év. de Sougdaea, 26, 30, 32, 159, 163, 172.
—, fonctionnaire du thème helladique, 5.
—, hégoumène, 114.
—, inspecteur, 51.
— (Saint) le Jeune, 26, 33, 130, 159, 301, 309.
—, moine grec de Rome, 289.
—, notaire au Ve conc., 51.
—, notaire au VIIe conc., 50.
—, notaire au VIIIe conc., 51, 62.
— V, pape, 299, 311, 319, 320, 321, *347*.
—, référendaire au VIIe conc., 50, 62.

— (Saint), roi de Hongrie, 281.
Euchologium grec, 57.
Eudocia, femme de Michel III, 20, 21.
— Ingerina, 20.
Eudocie, femme de Basile Ier, 21.
—, impératrice, 193.
Eugenios, abbé photianiste de Studion, 142.
Eugenius, év. de Cherson, 194.
Euodios, 106, 109.
Eupatère, duc de Cherson, 152.
Euphème, patriarche, 59.
Euphémios, primiciaire, 51, 54.
—, prim. au conc. de Menas, 60.
—, usurpateur, 87, 94.
Euphrate, 364.
Euphrosyné, femme de Michel II, 21.
Europe, 4, 13, 234, 249, 326, 336.
Europe, province ecclés., 161.
Eusèbe, ciméliarque, 59.
Eustathios (Plakidas), 23, 24, 116, 133, 190, *351*.
—, économe, 59.
Eustratios (Saint), 33, 310.
— (Saint), hégoum. d'Agauron, 120, 123, 126, 128, 130, 132, 144, 145.
—, hégoum. de St Césaire, 287.
Euthyme, ignatien, 142.
Euthyme le Jeune, 32, 84, 117, 129, 133, 143, 146, 147.
Eutychès, 384.
Eutychios, 105.
Eutycien, moine du Mont Olympe, 114.
Évangile, 127, *371, 374—376, 379, 381, 386, 387.*
Ezéchiel, 363.
Ezerites, 14.

faucon, 22, 23, 28, *351, 375.*
Fehér (G.), 239, 240, 244.
Félix II, pape, 266.

— III, pape, 281.
Fénék, 217.
fête de l'orthodoxie, 124.
Filarète, évêque, 342.
Filioque, 311 et suiv., 320, 322, 323.
Flavien, sceuophylaque, 58.
Fölnak, 217.
Formose, pape, 319, *378.*
Fossaton, 130.
Foteinos, chartophylaque, 62, 63.
Fragments de Kiev, 294.
Francs, 186, 219, 221, 223, 224, 226, 228—232, 238, 245, 259, 260, 275, 312.
Frankia, 237.
Franko, 194, 195, 197.
Freisingen, 271, 273.
Frioul, 256, 260.
Fuchs (F.), 29, 83.
Ful, 371.
Fulda, 207.

Gabotto, 94.
Gabriel, ambassadeur, 245.
Gaëte, 89.
Gafary, 98.
Gâhiz 'Amr ben Baḥr, 105.
Galatie, 129.
Galerius Maximianus, 114.
Gall (couvent de Saint), 207.
Gargaron, 48.
el-Garîb, 98.
Gauderich de Velletri, 196, *345, 346, 378.*
Gaule, 206, 214, 253.
Gébéon, 140.
Gélase Ier, pape, 281.
Gelzer (H.), 8.
Gênes, 346.
Génésios, 36, 72, 82, 125.
géometrie, 25, 26, 28, 30, *352.*
géométrie, 352.
Georges (Saint), 116, 286.
— (Saint) d'Amastris, 27, 31, 172, 173.
—, archev. de Cherson, 205.

—, chartophylaque, 51, 54, 55, 63.
—, chartulaire d'Amasis, 62.
—, coubicleisios, 62.
—, év. de Cherson, 162.
—, év. de Mytilène, 159.
—, év. de Syracuse, 256.
—, fonctionnaire khazar, 163.
— (Saint) de Lesbos, 97, 124.
— le Métochite, 328.
— le Moine, 35, 80, 81, 230, 301.
—, moine du couv. de Renati, 289.
—, orphanotrophe, 51.
—, orphanotrophe, 62.
— Ier, patriarche, 60.
—• Polaša, 86, 92, 93, 96, 355.
—, le protocancellaire, 10.
—, secrétaire au VIIIe conc., 51.
—, xenodoque, 62.
Géorgie, 159, 164, 165, 180.
Géorgiens (Ibères), 133, 134, 150, 208.
Germain, patriarche, 159.
Germains, 206, 215, 234, 244, 335, 385.
Germanie, 174, 228, 270.
Ghuses, 151.
Gorazd, disciple de Méthode, 334, 344, 392.
Gorski (A. V.), 342.
Gortyne en Crète, 255.
Gothie, 172.
Goths, 152, 153, 155—159, 162, 166, 167, 185, 186, 188, 189, 205—207.
Grado, 256.
Graf (G.), 106.
grammaire (enseignement de la), 25—28, 30, 44, 352.
Gran (Ostregom), 240.
Grande-Moravie, 212, 213, 219, 224, 225, 226, 234, 236, 238—241, 245, 248, 276, 277.
Gratien, empereur, 250.
Grèce, 4, 6, 13, 16.
Grecs, 1, 6, 92, 97, 99, 100,

103, 106, 110, 124, 135, 152, 267—269, 283, 285, 286, 287, 290, 292, 304, 311, 314—316, 321, 322, 327, 332—334, 380, 385, 386.
Grégoire (H.), 97, 101, 102, 110.
— Asbestas, 32, 138, 139, 145.
—, chartulaire, 62.
— (Saint) le Décapolite, 9, 10, 13, 14, 26, 107, 121, 129, 292.
— (Saint) le Grand, pape, 287, 294, 297.
—, hégoumène d'Agauron, 115.
—, moine du Mont Olympe, 129.
— (Saint) de Naziance, 21, 22, 25, 33, 34, 127, 186, 286, 305, 351, 375, 383.
—, notaire, 50.
— II, pape, 259.
— III, pape, 259.
— VII, pape, 281.
— (Saint) de Tours, 193.
Grivęc, 130, 131, 269, 295, 296, 299, 300, 303, 304, 306, 308, 311, 333.
Grod, chef hunnique, 158.
Grumel (V.), 327.
Günther de Cologne, 281.
Gurdezi, 183.

Hadrien, empereur, 191.
— Ier, pape, 263, 286, 288.
— II, pape, 233, 248, 249, 268, 270, 271, 273, 289, 290, 306, 314, 319, 378.
— III, pape, 320.
Halevy, 169.
Hârûn-al-Rašîd, 168, 171.
Hârûn-al-Wâthike, 98.
Has, 186.
Hauptmann, 263.
Hazdaj ibn Šaprūt, 168, 170.
hebdomadaire, 60.
Hébreux, 358.
Helias (Saint), 116.

—, moine du Mont Olympe, 130.
Hellade, 4, 5, 6—8, 11—14, 371.
Helladique, 5, 6.
Hellènes, 371.
hellénisme, 188.
Hellespont, 12.
Hémimont, 161.
Héraclien, syncelle, 59.
Héraclius, empereur, 60, 153, 165, 200, 255.
hérésie « hyopatérique », 311 et suiv., 390.
Hergenrother, 316, 317, 323.
Hermanrich, évêque, 273.
Hermisigénès, économe, 59.
Hermon, év. de Jérusalem, 194.
hésychastes, 128.
Hesychius, évêque, 253.
Heyd (W.), 218.
Hilâl, 100.
Hilarion, abbé de Dalmatos, 137.
— (Saint), moine géorgien, 10, 69, 134, 292.
Hilarius, pape, 266.
Hincmar de Reims, 244, 298.
Homère, 25, 30, 352.
Hongrie, 218, 241, 245, 259, 281.
Hongrois, 236, 239, 241—246, 360, 392.
Honorius Ier, pape, 255, 257, 305, 306, 309, 317, 384.
Hormisdas, pape, 266.
Hradiště près de Znojmo, 219.
Huno-bulgares, 208.
Huns, 150, 152, 158, 162, 165, 166, 206, 208, 217, 224, 253.
Hurramites, 87.
Hyacinthe (Saint), 116, 121, 206.
Hypatios, hégoumène, 114.

Ibères (Géorgiens), 207, 208, 375.

427

Ibn-al-Atir, 168.
— Haukal, 99, 164.
— Rusta, 183.
— Šaprut, 182, 183.
Ibrahîm b. Nûḥ Anbârî, 202.
Ibrahim ben Rāhib, 105.
iconoclastes (iconoclasme), 8, 33, 40, 41, 50, 72, 78, 106, 119—125, 130, 160, 201, 312.
iconodoules, 122, 123, 159, 201.
idolâtrie, 33.
Ignace le diacre, 27, 28, 29.
—, patriarche, 45, 49, 63, 66, 67, 68, 70, 83, 102, 136, 137—147, 210, 269, 282, 283, 285, 292, 295, 296, 306, 314—317, 319.
Ignatiens, 137, 142, 144, 146.
îles chélidoniennes, 89.
Iles des Princes, 141.
Ilinskij, 185.
Iljko, 278.
Illyricum, Illyrie, 4, 6, 9, 167, 233, 235, 249—256, 258, 259, 262—272, 274, 275, 277, 282, 283, 312, 314.
Incarnation, 198, 203.
Indiens, 23.
infaillibilité pontif., 306, 317.
Inkermann, 190.
Innocent Ier, pape, 251, 266, 281.
— III, pape, 281.
inspecteur, 51, 62.
Irène (Sainte), 21.
—, femme de Bardas, 21.
—, impératrice, 5, 6, 7, 9, 20, 263, 264.
Irénéon, Couvent de l', 70.
Isaac II Angelos, 130.
— Ier Comnène, 130.
—, évêque de Chypre, 130.
— le Goth (Saint), 130.
—, moine du Mont Olympe, 130.
—, patriarche, 309, 382.
—, père de St Théophane, 37, 130.

—, photianiste, 142.
Isaïas, protospathaire et stratège du Péloponnèse, 8, 130.
Isaïe de Nicomédie, 122.
—, prophète, 184, 198, 199, 361, 365, 366, 371.
Isboulos, 13.
Ishak, émir de Tiflis, 175.
Isidore, bibliophylaque, 50.
Islam, 104, 106, 108, 167, 168, 170, 171, 199, 201, 209.
Ismaélites, 90, 356.
Israël (v. aussi Jacob), 361.
Israélites, 78, 168, 170, 199, 202, 358, 363, 365, 370.
Istrie, 256.
Istros, 238.
el-Itâchia, 98.
Italie, Italiens, 8, 88, 89, 159, 212, 216, 259, 272, 285, 286, 291, 292, 326, 385.
Itil, 164, 182, 183.
Ivan Vasiľevič, 340.

Jablunkov, 214.
Jachya-al-Armeni, 92.
Jacob, hégoumène, 137.
—, Juif converti, 200.
—, patriarche, 309, 361, 364, 366, 367.
— de Voragine, 197, 346.
Jacobites, 105.
Jagić, 15, 86, 332.
Japhet, 366.
Jâqût, 99.
Jean Aplakès, stratège de Macédoine, 7.
— Baptiste (Saint), 116, 193, 309, 383.
— Baptiste (couvent de), 69.
—, biographe de St Théodore, 75.
— Cacasambas, 123, 126.
— Cachaï, 133.
— Caméniate, 18.
— IIe Cappadox, patriarche, 59.
—, catholicos géorgien, 159.
— IVe, catholicos armén., 207.

— Chrysostome (Saint), 26, 127, 158, 188, 207.
— Citrensis, 57.
— de Damas (Saint), 78, 106, 109.
—, déf. de l'Égl. au conc. de 448, 58.
—, déf. de l'Égl. au conc. de 536, 59.
— le Diacre, 316.
— (Saint), évangéliste, 310.
— (Saint), évêque goth., 156, 159, 161, 162, 167, 188, 194.
—, év. de Lappa, 256.
—, év. de Thessalonique, 255.
— le Magicien, 71.
—, moine, 70.
—, moine d'Agauron, 132.
— Jean ὁ Μονάζων, 58.
— de Nikion, 165.
— IV, pape, 256.
— VIII, pape, 249, 262, 265, 270—274, 277, 281—284, 299, 307, 308, 311, 312, 314—324, 326—329, 347.
— X, pape, 299.
— V, patriarche, 60.
— VI, patriarche, 63.
— VII (Jannès, le Grammairien), patriarche, 41—43, 45, 64, 70—77, 104, 120, 122, 124, 353.
— IX (Beccos), patriarche, 327, 328.
— Ier, patriarche d'Antioche, 105.
—, prêtre, 278.
—, primiciaire, 58.
— le Psichaïte, 29, 31, 159.
— de Ravenne, 262.
—, sacellaire, 50, 62.
— le Scholastique, 302.
— (Antoine le Jeune), stratège du thème des Cyberrhaeotes, 129.
— Tabennisiotès, 58.
— Tzimiscès, voir Tzimiscès.

428

Jérémie, prophète, 193, 199, 204, *363, 365.*
Jérôme, prêtre de Jérusalem, 201.
Jérusalem, 31, 130, 194, 195, 200, 201, 209, 288, 292, 293, 301, 302, 304, 307, 312, *363, 364.*
Jessé, 364.
Jésus-Christ, 198—200, 203, 302, *378.*
— Nave, 309, *383.*
Jireček, 240, 262.
Joachim, déf. de l'Égl., 62.
Joannikios (Saint), 24, 115, 116, 118—123, 125, 130, 132, 133, 136, 137, 145, 309.
Job, moine, 120, 130.
—, patriarche, 198, 309, *361, 382.*
Jonie, 87.
Joseph l'Égyptien, 309, *382.*
—, hégoumène, 142.
— (Saint) l'Hymnographe, 24, 49, 62, 143, 292.
—, khagan khazar, 169, 171, 182—184, 184.
—, moine arménien, 133.
—, moine grec à Rome, 287.
Juda, 363, 364, 365.
judaïsme, 167, 168—172, 182, 199—201, 209.
Judith, femme de Louis le Pieux, 22.
Jugie, 303.
Juifs (v. aussi Israélites), 116, 168, 170—172, 179, 182, 185, 198—202, 204, 209, *362—364, 366, 367, 368, 379, 385, 386.*
Justin, apologète, 199.
Justin Ier, empereur, 152, 305, *384.*
Justiniana Prima, 254, 255.
Justinien Ier, 3, 47, 50, 60, 131, 151, 158, 161, 162, 165, 166, 209, 216, 217,

253, 254, 302, 305.
Justinien II, 12, 154, 155.

Kallinikos Ier, patriarche, 60.
Kamyš, bai à Cherson, 195.
kanikleion, 75.
Kars, 175.
Kaser-al-Hârûnî, 98.
katepano, 16.
Kavala (Anchialos), 13, 326.
Kazan', 340, 341.
Kerč, 153, 166, 173, 183.
Keszthely, 217, 224.
khagan, 13, 149, 152, 153, 164, 168—171, 177—181, 183, 199, 204, 205, 222, *360, 361, 362, 368, 369, 370.*
Kharthli, 164.
Al-Khâtib, 100.
Khazars, Khazarie, 12, 82, 146—157, 159—190, 194, 201, 202, 205—209, 212, 228, 235, 236, 242, 243, 336, *358, 359, 360, 368, 375, 385.*
Khurâsân, 99.
Kijev, 156, 178—180, 187, 294.
el-Kindi, 105.
Kios, 145.
Kisváros, 215.
Kleidion (couvent de), 69—73.
Kleisourarquie de Cappadoce, 11.
— de Charsianos, 11.
— de Sozopolis, 11.
Kleitorologion de Philothète, 12, 17, 18.
klimatas (v. aussi thème de Cherson), 11.
Klobouky, 219.
Kocel, 234, 261, 262, 268—270, 274, 275, *344, 374, 375, 387, 388, 389.*
Kodinos, 52, 56, 57, 58, 62.
Kolín, 224.
Koloneia, 16, 17.
Komárno, 214.
Königshofen, 260.

Konon, moine d'Agauron, 132.
Kontomytès voir Constantin.
Koran, 91, 106, 110.
Kormisoch, 222.
Kosta, 105.
Kotis II, roi du Bosphore, 191.
Kowad, 151.
Krateros, 87.
Kris (Kőrős), 238.
Krum, 8, 218, 220, 222.
Krumbacher, 37.
Krumvíř, 219.
Kuban, 156.
Kulakovskij, 162.
Kura, 154.
Kuvrat, 165, 220.
Kyjov, 219.
Kyriakos, patriarche, 59.
Kysuca, 214.

Laehr (G.), 307, 315, 321.
Lamanskij (N.), 86, 94, 97, 184.
Lamus, 90, 92.
Laodicée, 98.
Lapôtre, 314, 320.
Lappa, 256.
Latins, 326, 327.
Latran, 53, 288.
Latyšev, 194, 211.
Laurence, disciple de Méthode, 334.
—, syncelle, 59.
Laurent, 327, 328.
Lavrov (P. A.), 312, 334, *341, 343.*
Lazare, ignatien, 142.
—, moine khazar, 164.
Lechs, 344.
Leclercq, 65.
lecteur, 50, 54, 60, 61.
Legenda Moravica, 347.
Légende de Ste Ludmila, 347.
— *d'Ochrida, 345.*
— italique, 196, 291, 294, 299, *345, 346.*
— (Vie) de Constantin, 2, 9, 10, 14, 18, 22, 23, 28—31,

429

36, 43, 45, 46, 68, 71, 76—
80, 83, 90, 92, 94, 100, 108,
109, 149, 170, 171, 176,
178, 181—185, 188—190,
195, 198, 202, 203, 209,
232—234, 247, 283—285,
289—291, 294, 295, 299,
310, 330—336, 339—346,
349 et suiv.
— (Vie) de Méthode, 15, 17,
18, 149, 205, 210, 211, 212,
213, 226, 228, 232, 234,
240, 244, 246, 247, 268,
270, 273, 275, 276, 283—
285, 291, 294, 295, 299,
300, 305, 306, 308—311,
310, 311, 330—335, 340—
346, 381 et suiv.
Lekonomantis, voir Jean
le Grammairien.
Léon Bardas, 8.
— de Catana, 307, 309.
— le Diacre, 186.
— le dongaire, père des deux
frères, 2, 10, 17, 37, 333.
— III (l'Isaurien), emp., 3—6,
115, 155, 170, 181, 200,
201, 204, 233, 259, 262—
264, 266.
— IV, empereur, 9, 20, 37,
— V (l'Arménien), emp., 29,
35, 69, 70, 73, 77, 120, 121,
131, 201.
— VI (le Sage), emp., 18, 20,
168, 180, 245.
— d'Ostie, 197, 346.
— Ier, pape, 272, 282, 302,
303, 305, 383.
— III, pape, 260, 270, 286.
— le Philosophe (le Grammairien), 25, 34, 39—45, 79—
83, 104, 352.
— II, prince abasgue, 175.
— Skleros, 8.
—, stratège de Thrace, 4, 7.
Leonianus, évêque, 256.
Leontini, 89.
Léontios de Néapolis, 200.

—, secrétaire, 50.
Leontios, stratège d'Anatolie, 4.
Leontius, moine de St Sabas
d'Afrique, 288.
Lesbos, 47.
Liber Pontificalis, 289.
Libie, 326.
Líšeň, 219.
Liutpram, 261.
Livadia, 162.
logothète, 34, 36, 43, 59, 74,
352, 353.
Lombardie, 21.
Lombards, 239.
Longine, évêque, 158.
Loparev, 145.
Lothaire, 269.
Lotus, arbre sacré, 206.
Loulou, 87, 97.
Louis le Germanique, 226—233,
244, 261, 267—269, 271—
273, 282.
Louis le Pieux, 22, 88, 89, 111,
223, 299, 321.
Luc le Stylite (Saint), 117, 129.
— le Stylite, le Jeune, 48.
—, moine grec de Rome, 287.
Lud, 371.
Ludmila (Sainte), 347.
el-Lulua, 99.
Lvov, 93, 339, 340.
Lyon, 327.

Macaire (Saint), 70, 74.
— (VIe conc. oec.), 54.
— d'Antioche, 384.
—, notaire au Ve conc., 51.
Macartney (C. A.), 246.
Macédoine, 3, 4, 6—8, 11, 250,
266, 344.
Macédoniens, 14.
Macédonius, sceuophylaque, 58.
—, hérétique, 383.
Maçoudi, 23, 99, 164, 168, 172.
Magnaure (Université de), 80,
81.
Magnésiens, 48.
Magnus, économe, 59.

Magyars, 156, 165, 173, 176,
189, 190, 208, 224, 234,
237, 241, 244, 245, 247.
Mahdi, 105.
Mahomet, 109, 110, 199, 309,
355, 356, 369.
Makarij, 340, 342.
Malachie, prophète, 198, 364.
el-Malîh, 98.
Mamas (couvent de St). 68, 69.
Mamûn, 86, 87, 91, 106.
Manichéens, 132.
Manuel Calécas, 329.
— Ier Comnène, 326.
—, logothète, 140.
—, régent, 42, 125.
Marano, 256.
Marc (Saint), évang., 376.
— -Aurèle, 215.
Marcelin (Saint), 287.
Marcien, empereur, 151, 302,
305, 384.
Marcomans, 214, 215.
Mardaïtes, 89.
Maria Maggiore (S.), voir
églises.
Marie, femme de Constantin
VI, 20, 21.
— de Sykéon, 47.
Marin Ier, pape, 318—321.
Marmorata, 286.
Mar Narou, 105.
Marquart, 171, 208, 227, 238,
240.
Martin, abbé, 256, 257.
— Ier, pape, 288.
— II, pape, 153.
Martyropolis, 102.
Martyrs d'Amorion, 106, 109,
110.
— de Jérusalem, 293.
Maslama, 154.
Mathieu, évang., 376.
Matracha (voir Tamatarcha),
180, 181.
Maurice (Maurikios), empe-
reur, 153, 164, 256.
Mauropotamon, 89.

Maxime le Confesseur, 316.
Maximine, 137.
Mayence, 227.
Mčétka, en Géorgie, 159.
Médie, 154, 171.
Medikion, 115.
Méditerranée, 212.
Melchisedech, 383.
Mélétiens, 126.
Melitène, 88, 102.
Memnon, sceuophylaque, 58.
Menander Protector, 152.
Menas, patriarche, 53, 59, 60.
Menodora (Sainte), 114.
ménologe, 340, 342.
Méotide, marais, 360.
Mer Adriatique, 16, 87—89, 282.
— d'Azov, 151, 156, 162, 165, 183, 206.
— Baltique, 213, 214, 221.
— Caspienne, 2, 149, 150, 151, 156, 162, 164, 166, 183, 206, *360.*
— Égée, 5, 11, 12, 13, 37, 87, 92.
— Ionienne, 4.
— de Marmara, 23.
— Noire, 12, 149, 151, 156, 166, 167, 172—175, 240, 243.
— *Rouge, 364.*
mérarque, 10.
Mère de Dieu, 29.
Merwan, 154.
Mésie, 250, 252, 254, 266, 274.
Mésopotamie, 88, 102, 154, 184.
Messie, 198, 199, 200, 203, *364 et suiv.*
Messine, 89.
Méthode (Saint), apôtre des Slaves, 1, 2, 3, 14—18, 37, 42, 45, 52, 112, 113, 131—135, 138, 146, 197, 198, 234, 239, 244, 249, 267, 268—280, 289—294, 296, 297, 299, 301, 303—314, 318, 321, 322, 329, 331,

333—335, *344, 347, 358, 368, 370, 380, 381, 384—392.*
— (Saint), patriarche, 32, 41, 72, 74—76, 122—124, 126, 127, 137—139, 145, 210, 211, 292.
Metrodora (Sainte), 114.
Métrophane, hésichaste de Sicile, 142.
—, ignatien, 140.
Michée, prophète, 199, *365.*
Michel Ier, 129, 131.
— II le Bègué, 8, 9, 12, 21, 29, 35, 36, 41, 101, 104, 120, 131, 201, 222.
— III, 14, 20, 21, 34, 37, 39, 69, 75, 76, 89, 95, 101—103, 108, 110, 113, 132, 139, 164, 181, 205, 231, 233, 265, *372, 385, 387.*
— d'Anchialos, patriarche, 326, 327.
— Archange (couvent de St), 69.
— Attaliata, 95.
—, biographe de St Théodore Stud., 28, 77, 142.
— Glycas, 327.
— Psellos, 31.
— de Synnada, 137.
— le Syncelle, 26, 62, 123, 124, 130, 131, 293, 307, 312.
Migne, 201.
Mihalović, 341.
Miklosich, 79, 93, *340, 342, 345, 348.*
Mikulov, 219.
Milan, 302, 304.
Milinges, 14.
Milo, 297.
Mistelbach, 219.
mittendarii, 95.
Moavide, 107.
Moaviâh, 23, 105, 107.
Modeste, chorévêque, 265.
Modica, 89.
monachisme byzantin, 132.

moines arméniens, 133.
— étrangers au Mont Olympe, 133 et suiv.
— géorgiens, 133 et suiv.
— grecs à Rome, 285 et suiv.
— ignatiens, 141 et suiv.
— du Mont Olympe, 117 et suiv.
— orientaux, 130.
— photianistes, 142 et suiv.
— Sabaïtes, 130.
Moïse, prophète, 55, 76, 118, 198, 199, 203, 204, 309, *354, 360—364, 369, 382, 390.*
— le Khorène, 150.
Mojmír, 221, 222.
Mondello, 89.
monothélisme, 305, 306.
Mont Athos, 133, 135.
— Cassin, 297, *346.*
— Coelius, 287.
— Olympe, 24, 66, 112—116, 118—122, 125, 126, 128—137, 143—147, 210, 211, 292—294, 297, 309, *358, 385.*
Morava, fleuve, 213, 214, 219, 220, 221.
Moravczik, 156.
Moraves, 186, 212, 220, 223, 227, 228, 233, 245, 276, 280, 281, 335, *372, 389, 390.*
Moravie, 77, 103, 207, 210, 213, 214, 219, 220, 223, 227, 229, 231—238, 240—242, 244—247, 249, 268, 269, 274—277, 294, 295, 297, 299, 303, 311, 313, 314, 321, 332, 334, *344, 346, 373, 374, 385, 386.*
— serbe, 239, 240.
Moribason, 31.
Moris (Maros), 238.
Mosabourg, 261.
Moscou, 93, *340—342.*
Mosélé voir Alexis.

431

Mosoch, 371.
Mossoul, 106.
Mošin (V.), 179.
Moyen-Age, 200, 252, 281, 287.
el-Muchtâr, 98.
musique, 25, 28, 352.
Musulmans, 16, 86, 110.
Mušov, 214.
Mutasîm, 86, 87, 88, 91, 98, 99.
Mutawakkil, 91, 97, 99, 103, 107, 108, 130, 202.
Mutawakkilia, 99.
Mutazalites, 91.
Mutimir, 264, 274.
Mysie, 48.
Mytilène, 124, 159.

Náměšť, 224.
Naples, 299.
Narentanes, 277.
Narsès, 288.
Nasr, ambassadeur arabe, 102.
—, le Curde, 87.
Nau, 105, 200.
Naucratios, studite, 33, 74, 123.
Naum, disciple de Méthode, 334, 344, 345.
Neapolis en Asie Mineure, 59, 70.
— à Chypre, 200.
Néocésarée, 46, 61, 142.
Neopatrae, 201.
Néophyte (Saint), 114.
Néron, 215.
Nerse, prince géorgien, 164.
Nerva, empereur, 192.
Nestor, 354.
—, chron. russe, 162, 178, 245, 342, 345.
Nestoriens, 157, 202.
Nestorios, patriarche, 305, 383.
Nicée, 74, 101, 121, 124, 131, 267, 289, 300, 306—308, 311, 327, 383.
Nicéphore, empereur, 4, 8, 9, 12, 20, 197, 260.
—, chartophylaque, 55, 62, 63.
—, patriarche, 4, 5, 28, 33, 44, 46, 70, 78, 125, 127, 129,

142, 149, 201, 309.
— le Philosophe, 83, 84, 142.
—, rhéteur, 26.
—, stratège de Thrace, 4.
Nicétas Paphlago, 23, 24, 32, 33, 63, 136, 137, 141, 145.
— de Byzance, 101, 103, 108, 109, 110.
—, chartophyl. de Nicée, 327.
— Chomiate, 96.
— de Chrysopolis, 142.
— Grégoras, 49, 67.
— de Medikion, 74, 115, 120, 129.
—, notaire du VIIe conc., 50.
—, notaire du VIIIe conc., 62.
— le Philosophe, 83.
Nicolas (Saint), 116.
—, abbé de Studion, 141, 142.
—, frère de St Eustratios, 144.
—, hégoum., partisan de Photios, 142.
— hégoumène τῶν Πισσαδινῶν, 143, 144.
— Mezaritès, 81.
— Mysticos, 206.
— Ier, pape, 43, 110, 229, 231—233, 248, 264—268, 271, 277, 281, 293, 314, 319, 386.
— le Studite, 32, 125.
Nicomédie, 122, 126.
Nicopolis, 17, 89.
Niederle (L.), 217, 218, 224, 225.
Nikolskij, 341.
Nin, 248, 261, 264, 265, 274, 278, 279, 282.
Nitra, 214, 222, 261.
Noë, patriarche, 309, 362, 363, 366, 382.
nomocanon, 302, 304.
Norique, 251, 252, 253, 256, 260, 262, 274.
notaire, 50, 51, 54, 55, 56, 58, 60, 61, 62.
Nouveau Testament, 198, 204, 371, 383.

Novak (G.), 258.
Novgorod, 173, 180, 340.
Novotný (V.), 227.
Nymphodora (Sainte), 114.

Occident, 12, 24, 97, 193, 200, 207, 231, 232, 251, 252, 256, 285, 296, 300, 305, 306, 310, 318, 325, 363.
Ochrida, 345.
Ohienko, 68, 69, 98, 185.
Oka, 156.
Okosès, 223.
Oleg, 180.
Olympe voir Mont Olympe.
Olympias, diaconesse, 158.
Omar, calife, 207.
Omortag, 223.
Onegavon, 223.
Onogures, 162, 165, 166.
Onoufrie (couvent de S), 339, 340, 343.
Opsikion, 11.
ordination sacerdotale, 46 et suiv., 66.
Orient, 12, 24, 121, 133, 201, 235, 251—253, 262, 266, 285, 289, 295, 300, 301, 313, 314, 317, 364.
orphanotrophe, 51, 58, 62.
orphelinat impérial, 37.
Oryphas, amiral, 87.
Osion, 142.
Ostergom (Gran), 240.
ostiaire, 51, 60, 62.
Ostie, 285, 346.
Ostrogorski, 121.
Oswald, chorévêque, 265.
Otton, chorévêque, 265.
— III, empereur, 287.
Oural, 150, 156.
Ovadia (Abadija), khagan khazar, 169, 171, 184.

Padoue, 294.
paganisme, 29, 30.
Palata, 87, 93, 94, 95.
palatin (palatinus), 94, 95, 355.

Palatin, 285, 287, 290.
Palestine, 114, 129, 133, 184, 304.
Pandimos, 116, 129.
Pannonie, 213, 214—217, 220, 221, 234, 238, 239, 241, 246, 251, 252, 254, 255, 256, 260—262, 268, 270, 272—277, 282, 297, 314, *374, 388.*
Panormos, 87.
Pantaléon l'Arménien, 84.
Pantelémon (Saint), 117.
Papadopoulos Kerameus, 143.
papauté (v. aussi St Siège et Rome), 67, 139, 279, 281.
Paphlagonie, 11, 16, 31, 156, 174, 207.
Papias, ostiaire, 51, 62.
Papiscus, 203.
paramonaire, 59.
Pargoire, 50, 115.
Paris, 186.
Pascal Ier, pape, 286, 290.
Pastrnek, 93, 334, *340, 343, 348.*
Patras, 8.
patriarcat romain, 266.
patriarkeion, 51, 53, 57, 59, 60.
patrice, 12.
Patricius, évêque, 256.
Paul d'Ancône, 272, 273, 282.
— (Saint), apôtre, 47, 48, 116, 252, 278, 280, 288, *376, 378, 383.*
—, archev. de Cherson, 205.
—, chartophylaque, 65.
— Diacre, 297.
—, év. de Crète, 256.
—, évêque de Kios, 145.
— le Jeune (Saint), 116, 129.
— Ier, pape, 286.
— II, patriarche, 60.
— III, patriarche, 44.
— IV, patriarche, 64.
—, patrice, 12.
Paulin, patriarche d'Aquilée, **260.**
Pavlov (A.), 301, 302.

Peeters (P.), 134.
Pélécète (convent de), 70, 74.
pèlerinages des Grecs à Rome, 292 et suiv.
Péloponnèse, 4, 6, 8, 9, 11, 13, 88, 89, 161.
péninsule balkanique voir Balcan.
Pentapole, 291.
pentarchie, 300.
Pergamon, 129.
Pépin, 12, 260.
persécutions des Juifs, 200 et suiv.
Perses (Persans), 3, 23, 149, 150, 151, 153, 171, 207, *375.*
Perwolf, 93, *343.*
Petavione (Pettan), 216.
Petchenègues, 16, 151, 156, 172, 173, 176, 189, 236, 237, 238, 242—244, 246.
Pétersbourg (St), 340, 342.
Petronas, 101, 102.
— Kamateros, 174.
Petronelle, 214.
Pétronille (Sainte), 290, *378.*
Phalaridis, 186.
Phanagoria, 153, 179.
Pharaon, 98, *382.*
Phatne, 378.
Phiala (prison de), 120.
Philadelphie, 58.
Philagate, antipape, 287.
Philarète (Saint), 20.
Philète, stratège de Thrace, 7.
Philippe (Saint), 70.
Phillippe, diacre, 193.
—, prêtre, 197.
Philippes, 14.
Philippikos Bardanès (Vardanès), 54, 155.
Philistins, 364.
philosophe (titre de), 83, 84.
philosophie, 25—28, 30, 45, 79, *352.*
Philothète, 12, 16, 18.
Phoberon, 69.

Phocas (couvent de St), 69, 72.
—, empereur, 200.
Phoneos (couvent de), 69.
Photeinos, chartophylaque, 62, 63.
—, stratège de Crète, 86.
Photine, notaire au Ve conc., 51.
Photinos, stratège d'Hellade, 8.
Photios, 25, 39, 43—48, 62—80, 83, 96, 97, 104, 110, 136—147, 177, 178, 180, 181, 202, 210, 211, 232, 233, 236, 265, 283—285, 292, 294, 295, 299, 302, 303, 308, 311—330, 336, *352.*
Phoullae, 156, 162, 163, 184, 205, 206, 208, *370.*
Phrygie, 129.
Pierre Abukis, 119.
— (Saint), apôtre, 116, 191, 248, 266, 272, 274, 278—281, 290, 295, 296, 300, 321, 329, *378, 380, 383, 386, 388, 389, 390.*
—, archiprêtre, 289.
— d'Athroa, 121, 123.
—, biographe de St Joannikios, 115, 116, 121, 123, 125—127, 132, 137, 309.
—, cardinal, 299.
—, conseiller de Boris, 282.
—, déf. de l'Égl., 51, 60.
—, év. de Spalato, 262.
—, hégoum. de St Sabas de Rome, 289.
—, lecteur, 50.
— (Saint), martyr, 287.
— (Saint), moine de Galatie, 129.
—, moine au Mont Olympe, **129.**
— (Saint) de Nicée, 74, 307.
—, notaire du VIe conc., 51.
—, notaire du VIIe conc., 50.
—, protonotaire, 51, 62.
—, scriniaire, 51.
Pilate, 374, 386.

433

Pilatiens, 374.
Plakidas voir St Eustathios.
Platani, 88.
Plato, moine, 132.
—, philosophe, 30.
Platon (Saint), moine, 9, 115.
poésie (poétique), 26, 28.
Pogodin, 342.
Pogorělov, 333.
Pohořelice, 219.
Polaša (v. aussi Palata), 93, 94, 354.
Poljanes, 156, 178.
Polychnion, 115, 211.
Polychron, 210, 211, 285.
Pont-Euxin, 2.
Porphyrogénète, voir Constantin.
Portes Caspiennes, 183, 360.
Poson, 102.
praefectus praetorio Illyrici, 4, 9.
Prague, 225.
Praxède (Sainte), 286, 290.
Předmostí, 224.
Přerov, 224.
Prévalitane, 250, 254, 266.
Pribina, 222, 261, 262.
primauté pontificale, 300—304, 319.
primiciaire (primicerius), 51, 54, 55, 56, 58, 60, 61, 62.
Priscus, 150.
Proclus, évêque, 253.
Procope, fils du stratège de Thessalonique, 10.
—, historien, 95, 161, 209.
prologues, 344.
Propontide, 173.
prosmonaire, 58.
prostitution, 47.
Proterios, économe, 58.
protoasecrète, 44.
protocancellaire, 10.
protomandataire, 10.
protonotaire, 51, 62.
protospathaire, 8, 9, 14, 17, 44, 130.
Prussiada, 145.

Psaumes, 204.
psautier « russe », 185 et suiv.
Psellos d'Andros, 31.
Psicha, 72.
ptochotrophos, 59.
Ptolémée, 23.
Pulchérie, 302.
Pyrrhos, patriarche, 384.

Quades, 214.
quadrivium, 27, 28.
Quien (Le), 205.

Raabe, 260.
Radimiči, 156.
Raguse, 89.
Rajhrad, 224.
Ras-Tarchân, 171.
Rastislav, 213, 224—234, 248, 268, 271, 372, 373, 375, 385, 387.
Ratibor, 214.
Ravenne, 262, 302, 304.
Rédemption, 198, 203.
référendaire, 50, 60, 62.
Reginonis Chronicon, 298.
Reichenau, 207.
Renati, 288, 289.
Rhangabé voir Michel II.
rhéteur, 26.
rhétorique, 25, 26, 27, 28, 30, 352.
Rhin, 214.
Rhodope, 161.
Rhôs, 16, 172, 174, 176, 178, 179, 186, 187, 242.
Rhyndakos, 115.
ripa graeca à Rome, 286.
Robenek, 241.
Romain (Saint), 108.
— Lécapène, 72, 244.
Romains (Roumis), 23, 88, 90, 191, 192, 215, 252, 289, 328, 357, 365, 378, 380, 386.
Romana, couvent géorgien, 134.
Romanos, defenseur de l'Égl., 59.

—, fils de Constantin VII, 236.
—, paramonaire, 59.
Rome, 1, 52, 65, 67, 89, 113, 131, 139, 190, 191, 194, 195, 209, 213, 216, 232— 234, 248, 250, 251, 255, 262, 263, 265, 267—271, 273, 277, 278, 282—295, 299—321, 324—326, 335, 336, 346, 365, 378, 380, 384.
Rostovskij (D.), 342.
Rufus, évêque, 251.
Rumjacev (Musée de), 341.
Russes, 148, 149, 166, 172— 188, 202, 212, 243.
Russie, 22, 281.
Rutkovskij (N. P.), 304.
Ruysbroeck (W.), 187, 196.
Ryběšovice, 224.
Rylle (couvent de), 93, 94, 340, 343.

Sabas (couvent de St), 287— 289.
—, abbé photianiste de Studion, 142.
—, biographe de St Joannikios, 115, 120, 121, 124, 125, 127, 132, 137.
—, biographe de St Macaire, 70.
—, disciple de St Antoine le Jeune, 132.
—, envoyé du duc d'Amalfi, 287.
—, évêque de Dafnousia, 130.
— hégoumène τῶν Πισσάδων, 143.
— le Goth, 130.
— le Jeune de Sicile, 130.
—, moine au Mont Olympe, 130.
Sabellius, 311.
Sabires, 151.
Saccoudion, 115.
sacellaire, 50, 56, 60.
Saintes Écritures voir Écriture Ste.

434

Saint-Siège, 139, 233, 235, 249, 255, 260—265, 268, 271, 272, 273, 278, 279—281, 283, 284, 289, 295, 296, 306, 312, 313, 314, 315, 318, 321, 329, *387, 390.*
Sainte-Sophie de Const., 26, 32, 80, 141, 209, 210.
— *de Novgorod, 340.*
— de Sougdaea, 173.
Sajdak (J.), 34.
Sakać (S.), 258.
Salem, 383.
—, Emir, 105.
Salman Rabiah-al-Bahīlī, 154.
Salomon, évêque, 229, 231.
—, notaire du VIᵉ conc., 51.
—, roi juif, 309, *352, 367, 371, 383.*
Salone, 253, 254, 256, 258, 262.
Salonique voir Thessalonique.
Salzbourg, 260—262, 265, 274, 275, 277.
Samaritains, 185, *359.*
Samarkand, 157.
Sâmarrâ (Samaria), 97—99, 108.
Samo, 219, 220, 221, 259.
Samosata, 95, 101, 102.
Samuel, prophète, 309, *383.*
Sansengo, 88.
Saragures, 150.
Sarkel, 173, 183.
Sarmates, 217, 224.
Sarmatie, 150.
Sarrasins (v. aussi Arabes), 8, 89, 108, 109, 199, 204, *354, 357, 358, 368, 369.*
Sassanides, 151.
Saül, 360.
Sava, él. de Constantin, 344.
Savaria, 216.
Save, fleuve, 223, 227, 238, 239.
Savriel, khazan khazar, 170, 171.
Saxons, 260.
Scarbantia, 216, 256.
sceuophylaque, 55, 56, 58, 59, 60, 62, 141, *341.*
sciences profanes, 26—29, 31, 80.
— sacrées, 26—29, 80.
Schechter, 169.
el-Schîdân, 98.
schisme, 285, 314.
Schlözer (A. L.), 342.
Schlumberger (G.), 7.
schola graeca à Rome, 286.
Scholes, 81, 130.
« scholies » vieux-slaves, 301 et suiv.
scriniaire, 51.
Scythes, 191, 217, 242.
Sebokt, év. jacobite, 105.
secrétaire, 51.
Seigneur (v. aussi Jésus-Christ et Christ), 349, 350, 352, 359, 361, 364, 365, 366, 370, 371, 372, 374, 375, 377—382, 386, 387, 392.
Séleucie, 88, 307.
Sem, 366.
Semender 154, 162, 183.
sénat, 77, 122.
Séon, palatin, 95.
Serbes, 220, 227, 239, 255, 263.
Sereth, 243.
Serge, patriarche, 384.
— (Saint), 74, 124.
—, circumstrator, 59.
—, évêque de Belgrade, 275.
—, moine d'Agauron, 132.
—, patriarche, 53.
—, père de Photios, 136.
—, stratège de Macédoine, 7.
Severjanes, 59, 156.
Sicile, 8, 11, 32, 83, 86—90, 94, 107, 130, 142, 259, 263, 266.
sigillographie byzantine, 6.
Sigriane, 115, 130.
Silésie, 214.
Silvestre, pape, 383.
Simplicius, pape, 266.
Sion, 364.
Sipontum, 269.
Sirice, pape, 251, 266, 281.
Sirmium (Sermion), 238, 240, 249, 251—256, 259—270, 273—276.
Siscia, 256.
Sisinnios, stratège de Thrace, 4, 7.
Skepi (couvent de), 70.
Skopl'e, 340.
Slaves, 6, 8, 9, 13, 14, 17, 18, 44, 68, 83, 85, 88, 89, 97, 98, 113, 154, 156, 177, 185, 207, 213, 215, 216, 218, 219—224, 226, 227, 239, 241, 242, 249, 255, 256—259, 263, 267, 270, 293, 297, 332—335, *344, 375, 384, 385.*
— dans l'armée arabe, 154.
— de l'Hellade, 13.
— du Péloponnèse, 8, 14, 17, 88.
— du Sud, 239, 241, 242.
— stymoniens, 13, 17.
Slovaquie, 214, 215, 219.
Slovènes, 260, 261, 265.
Smoljens, 13.
Snoj, 131.
Snopek (F.), 197, 334.
Sophia *(Sagesse), 19, 350, 351, 352, 355, 381.*
sophisme, 30.
sophiste, 26.
Sophronios, photianiste, 142.
—, sophiste, 26.
Sosthènes (bai de), 69, 70.
Souabe, 389.
Sougdaea, 26, 31, 159, 163, *167,* 172, 173, 206, 208.
Sougdes, 207, 208, *375.*
Sozopetra, 88.
Sozopolis, 11.
Spalato, 256, 258, 262—264, 282.
spathaires, 10.
spatharo-candidat, 102.
Staré Město, 224—226.
Staré Zámky, 219.

Staurakios, fils de l'emp. Nicéphore, 20.
—, logothète, 6, 7.
Stenia, 69.
Strabo, 207.
stratège, 2, 3, 4, 6, 7, 8, 9, 10, 11, 12, 14, 15, 16, 18, 19, 130, 174, *350*.
— de Céphallonie, 12.
— stratège τῶν Κλιμάτων, 174.
— du Péloponnèse, 8, 14, 130.
— de Sicile, 8.
— de Thessalonique, 10.
strator, 37.
Strymon, 7, 13, 17, 18, 334.
Studion, 125, 141.
Studites, 42, 112, 119, 122—128, 137, 138, 141, 142, 145, 210.
Styrie, 218.
stylistique, 34.
stylite, 47, 48, 117.
Suidas, 218.
Suzanne, 126.
Svarnagal, archiprêtre, 261.
Svatopluk, 236—239, 246—248, 268, 271, 275—277, 280, 308, 321, *387, 389*.
Sviatoslav de Kijev, 187.
Sykéon, 47, 310.
Sylaion, 124.
syllogistique, 30.
Sylvestre (Saint), 286, 300, *383*.
Syméon de Lesbos, 47, 48, 49, 75, 76, 97, 124.
— Magister, 71, 124, 136, 137, 145.
—, moine grec à Rome, 287.
—, Stylite, le Jeune, 47.
— de Thessalonique, 56, 57.
synaxaire, 23, 32, 115, 129, 192, 193.
syncelle, 26, 53, 54, 59, 60, 62, 120, 122, 123, 131, 307, 312.
Synnada, 129, 137.
Syracuse, 87, 138, 139, 256, 266.

Syrie, 88, 89, 99, 103, 105, 129, 130.
Syriens, 124, 130, 207, *375*.

Šafařík, 93, 94, *342*.

Tabarāni, 105.
Al-Tabarī, médecin, 108.
Tabarī, 36, 90, 92, 96.
tacticon d'Uspenski, 9, 10, 11, 12, 15—18.
Taman, 153, 171, 173.
Tamatarcha, 153, 162, 166, 168, 171, 179, 180, 181, 183.
Taphriké, 101.
Taraise (Tarasios), patriarche, 27, 28, 44, 46, 69, 292, 307.
Tarente, 88.
Tarfa, 297.
Tarkhou, 162, 164.
Tarse, 129.
Tarsis, 371.
Tawr el-Kendi, 23.
Taygète, 255.
Tmutarakan (voir Tamatarcha), 180.
Tchèques, 335.
Tcherkesses, 206.
Telai, 115.
Terbel, 155, 222.
Terebinthos, 140.
Teurnia, 256.
Thassos, 87.
Thèbes, 6.
Thécla, mère de Théophile, 21.
—, soeur de Michel III, 101.
thème, 2, 3, 4, 5, 7, 8, 9, 10, 11, 14, 16, 18, 88, 95, 129, 174.
— anatolien, 3, 4, 11.
— arménien, 3, 11, 175.
— bucellarien, 3, 11.
— de Céphallonie, 11, 12, 89.
— de Chaldia, 11, 175.
— de Charsia, 89.
— des Cibyréotes, 11, 129.
— de Crète, 11.
— de Dalmatie, 17.

— de Dyrrhachion, 11, 12, 15.
— helladique, 4, 7, 8, 11, 15.
— des Klimatas (de Cherson), 11, 12, 174.
— de Macédoine, 7, 8, 11, 15.
— de la Mer Égée, 11, 12.
— de Nicopolis, 17, 89.
— opsicien, 3, 11.
— des Optimates, 129.
— de Paphlagonie, 11, 174.
— de Péloponnèse, 8, 9, 11, 14, 15, 89.
— de Sicile, 11.
— de Strymon, 17.
— thessalonicien, 9, 10, 11, 15.
— de Thrace, 3, 7, 8, 11.
— thrakésien, 3, 11.
théocratie, 281.
Théoctistos Briennios, 14.
Théoctiste, défenseur de l'Égl., 59.
—, logothète, 12, 14, 17, 32, 34—37, 39, 41—45, 49, 57, 67—69, 71, 79, 80, 82, 88, 89, 90, 92, 98, 101, 113, 122, 125, 172, 175, 176, 235.
— de Medikion, 115.
—, hégoumène, partisan de Photios, 142.
—, hégoum. de Symbolon, 115.
—, moine iconoclaste, 120.
Théodora, impératrice, 14, 17, 20, 21, 36, 37, 39, 41, 43, 71, 72, 89, 101, 122, 124, 132, 136, 155, 176.
Théodore, abbé de St Sabas d'Afrique, 288.
— Abû Quarra voir Abu-Cara.
— Balsamon, 55, 56, 57.
— (couvent de St), 70.
— d'Edesse, 97, 107, 309.
— déf. de l'Égl. au Vᵉ conc., 51, 60.
—, évêque d'Anastasioupolis, 47.
—, év. jacobite, 105.
— (Saint), fondateur du couvent de Chora, 131.

436

— Graptos, 24, 130, 131.
—, hégoum., partisan de Photios, 142.
—, moine oriental, 130, 132.
—, notaire du VIIe conc., 50.
—, notaire du Ve conc., 51.
— Ier, patriarche, 60.
— de Pharan, 384.
—, primiciaire, 51, 61.
— Prodromos, 95.
— Santabarène, 142.
—, secrétaire du VIIIe conc., 51.
— le Studite (Saint), 9, 24, 27, 28, 33, 74, 75, 77, 78, 112, 115, 118—121, 125, 128, 142, 159, 295, 296, 300, 307.
— de Sykéon (Saint), 47, 310.
Theodorov-Balan, 343.
Théodose, auteur de l'ouvrage « De situ terrae sanctae », 193.
—, empereur, 222, 250, 253, 254, 305, 383.
—, év. de Nin, 278, 279, 282.
—, photianiste, 142.
—, sceuophylaque, 62.
Théodote, général, 87.
Théodoule, diacre, 158.
—, notaire, 51.
Théognios, tourmarque d'Hellade, 6.
Théognostos, abbé, 141.
Théophane le Chronogr., 4, 5, 6, 7, 12, 19, 37, 64, 73, 74, 129, 149, 210, 211.
— Graptos, 124, 130.
—, inspecteur, 62.
—, patrice, 245.
—, photianiste, 142.
—, protonotaire, 62.
— de Sicile, 143.
Théophano, femme de Léon VI, 21.
—, femme de Staurakios, 20.
Théophile, empereur, 9, 12, 14, 17, 20, 21, 28, 32, 34, 36, 39, 40—45, 64, 69, 75,

86—89, 101, 102, 104, 122, 129, 131, 172, 175.
—, évêque goth, 158.
Théophobos, général, 87, 175.
Théophylacte, arch. d'Ochrida, 345.
—, drongaire de la flotte, 5.
—, primiciaire romain, 288.
—, référendaire, 62.
—, stratège de Thrace, 4.
—, tourmarque de Péloponnèse, 9.
Théostéricte (Saint), 115.
Thessalie, 4.
Thessalonique, 2, 4, 7, 9, 10, 11, 12, 13, 14, 17, 25, 31, 32, 42, 56, 128, 143, 238, 240, 251, 253—255, 266, 344, 350, 384, 386.
Thietgaud de Trier, 281.
Thomas, notaire, 62.
—, notaire du VIIIe conc., 51.
—, patr. de Jérusalem, 312.
— Ier, patriarche, 60.
— II, partriarche, 63.
Thrace, 3, 5, 7, 8, 11, 14, 15, 161.
Thrakesioi, Thrakesianoi, 6.
Tibère II, 152.
Tibre, 286.
Tiflis, 153, 175.
Tigre, 98, 99.
Timis (Temes), 238.
Timočans, 223.
Timothée, disciple de St Paul, 47, 48.
—, maître à l'école de Ste Sophie, 26.
—, moine d'Agauron, 132.
— Ier, patriarche, 59.
Timothée, patr. syriaque, 105.
Tiridate, 150.
Tisza, 220, 223, 238, 241, 245, 276.
Titus, empereur, 209.
Tiverci, 208.
Tomaschek, 206.
Tomi, 194.

toparque goth, 186, 187.
Tortorsis, roi du Bosphore, 192.
toudoun, 189.
Tources (Turces), 207, 208, 375.
Touricanth, 152.
tourmarque, 5, 9, 10, 18.
tourmarquie de Péloponnèse, 9.
Tours, 193.
Tout, fleuve en Hongrie, 238.
Trajan, empereur, 23, 191, 192, 237, 240.
Transcaucasie, 151, 154.
Trenčín, 215.
Trier, 281.
Trinité (Sainte-), 85, 100, 101, 103, 108, 109, 198, 203, 354—356, 359, 361, 369, 381, 383.
trivium, 27.
Troitzka-Scrigieva Laura, 340.
Trpimir, prince croate, 264, 278.
Tryphon le Juif, 199.
Tubal, 371.
Tulln, 229.
T'u-mên 152.
Turcs, 23, 152, 153, 157, 164.
— -Magars, 237—239, 241, 243.
Tzimiscès, 84, 166, 168.

Ulphila, 185, 187.
Umayad, 105.
Undolskij (V. M.), 340.
Unilas, 158.
Université de Constantinople, 81—84, 140, 146, 147, 335.
Ursus, patr. d'Aquilée, 261.
Uspenie, 343.
Uspenski, 9, 10, 11, 15—18.
Ušamah ibn-Mundaqidh, 23.
Utigures, 152.
Uzes, 243.

Vaanès, cubiculaire imp., 256.
Vagarš, 150.
Váh, 214.
Vajs (J.), 131.

437

Valens, empereur, 130.
Valentin, ambassadeur, 152.
Valentinien II, empereur, 130, 250.
Vandales, 215.
Vardan, hist. arménien, 207.
Vardanès (Philippicus), 155.
Vasil'ev, 94, 97, 101, 153, 162, 165, 166.
Vasil'evskij, 173.
Vatican, 340.
Vélabre, 286.
Vélégézites, tribu slave, 5.
Velletri, 196, *345, 346.*
Ven (P. v. d.), 29.
Venceslas (Saint), 347.
vénerie byzantine, 22 et suiv.
Venise, 12, 207, 221, 234, 248, 260, 267, *375.*
Vénitiens, 88.
Verbe, 198.
Versinikia, 8.

Vierge (Sainte), 116, 133, 134, 288, 293.
Vigile, pape, 384.
Vinkovec, 215.
Virgile, évêque, 256.
Virunum, 256.
Vistule, 246, *389.*
Vitalien, pape, 256.
Vladislav, diacre, 340, 343.
Vlkoš, 219.
Vojnomir, 261.
Volga, 149, 151, 154, 156, 164, 173, 176.
Vondrák, 334.
Voronov, 56, 296, 301, 332.

Waḥîd, 98.
Wâthik, 98.
Wenia, 244.
Westberg, 246.
Wiching, 276.

xenodoche, 59, 62.

Xyste III (Sixtes III), pape, 266.

Y'akúbi, 99.
Yves de Chartres, 325, 326.

Zacharie, prophète, 117, 129, 198, *364.*
Zagreb, 341.
Zapetra, 87.
Zdeslav, 274, 278.
Zecchie, 166, 181.
Zeiller (J.), 253.
Zemižizň, 280.
Zhismann, 65.
Ziebel, 153.
Zoë, 20.
Zoilos, 155.
Zosime, anachorète, 142.
—, pape, 252, 253.

Žegligov, 340.
Želenky, 224.

INDEX DES MOTS GRECS.

Ἀβασγία, 158.
Ἀγαθοί 70.
Ἀκάτιροι Οὗννοι, 150.
ἀνδρεῖος 320.
ἀρχοντία, 12, 15, 16, 17, 18.
ἄρχων, 15, 16, 18, 95.
ἀσεβάρχης, 74.
ἀσηκρῆται, 44.
Ἀστήλ, 160. 162.

Βαλεόν, 116.
βάνδον, 18.
βασιλικὸν μοναστήριον, 116.
βιβλιοθηκάριος, 52, 56.
βιβλιοφύλαξ, 50, 56.
Βιτζινιανᾶς, 129.
Βόσπορος, 158, 168.
βουλωτήριον, 56.

γνώρισμα, 240, 241.
Γοτθία, 160, 163, 168.
γραμματικὴ ἀτελεστέρα, 25.

γραμματικὴ τελεωτέρα, 25.

διάκονος, 51.
διδάσκαλοι, 26.
δομέστικος, 36.
δόμος Ἀρσικίας, 287, 289.
Δόρος, 160.
δοῦλος τοῦ Θεοῦ, 163.
δούξ, 16, 152.
Δωδεκανῆσος, 5.

ἐγκύκλιος παίδευσις (παιδεία) 25, 28.
εἴσω (θύραθεν) σοφία, 27, 80.
ἔκδικος, 58.
Ἐλαιοβῶμοι, 116.
ἐμπειρία, 25.
ἐξκουβίτωρ, 36.
ἔξω (κοσμικὴ) σοφία, 27, 80.
ἐπισκεπτίτης, 51.
ἐπιτραχήλιον, 57.
ἐπωνυμία, 240.

Ζηχία, 158.
Ζιλτζίβουλος, 152.

Ἡράκλης, 116.

Θεόδωρα, 11.
(ἡ) θύραθεν παιδεία, 29.

Ἰαννής, 71.
ἱερεῖς, 64.
ἱερώμενοι, 64.
ἱερωσύνη, 64, 66.
ἱερωσύνην φερών, 63.

καγκελλάριοι, 60.
κανδίδατος, 10.
κανίκλειος, 36.
Κεδροί, 142.
Κελλία, 116,
κλίματα, 174.
κοινὸς διδάσκαλος, 26.
κόμης τῆς ἑταιρίας, 10.

κόμητες, 18.
κοσμιδίον, 286.
Κοτζίλις, 262.
Κούνις, 116.
Κρίλη, 116, 129.

Λεύκαδες, 116.
λογοθέτης τοῦ δρόμου, 7, 242.

μάβρον ναῦρον, 160.
μαθηματικῆς τετρακτύος ἀνά-
λεψις, 28.
μαθητής, 84.
Μάκαρ, 133.
Μαρύκατον, 129.
Μαστράβοι, 180.
Μάτραχα, 168.
μέγας βασιλεύς, 102.
Μεσών, 116.
Μιχαήλ, 11.
μισόκαλος δαίμων, 310.
ὁ Μονάζων, 58.
Μοραβία (ἡ μεγάλη) 240.
μυθῶδες (τὸ), 28.
Μωαμέθ, 107.

Νίκοψις, 158.

ξενοδόχος, 59.

οἰκονομία, 121, 122, 123, 138,
140, 145.

ὁ οἰκουμενικὸς διδάσκαλος, 29.
Ὀνογοῦροι, 160.
ὀρφανοτρόφος, 37.
Οὖννοι, 160.

παιδευταί, 26.
παλατῖνος, 94, 95, 96.
παλάτιον, 94.
παντοῖος, 354.
πᾶς, 354.
πατριαρχεῖον, 50, 51.
περιοδεύτης, 59.
Πηγή, 141, 293.
Πισσαδινόν, 117.
πιστὸς βασιλεύς, 102.
Πολύχνιον, 211.
πρᾶξις τῶν ἑταιρίδων, 47.
πρωτέκδικος, 55.

Ῥετέγ, 160, 162.

Σαμψών, 59.
Σεβαστόπολις, 158, 168.
Σουγδία, 168.
Σπουδεῖον, 130.
στενὴ ὁδός, 109.
Στένον (τό), τὰ Στένα, 68.
στρατιῶται, 95.
Σύμβολον, 186.

Τάγμαν, 163.
τάγματα, 55.

τάκτικον, 11.
Τέρεγ, 162.
τέχνη, 25.
τζιτζάκιον, 156.
Τουρκία, 194.
τούρμα, 18.
Τριχάλιξ, 116.
Τυμάταρχα, 160.

Φαναγορία, 166.
φελώνη, 57.
φιλόσοφος, 83, 84.
Φοῦδ, 185.
Φλουβουτινοί, 116.
Φοῦλλαι, 160, 168.
φύλακες τοῦ παλατίου, 95.

υἱοπατορία ἔρεσις, 311.
ὕπαρχος, 9, 10.
ὕπατος τῶν φιλοσόφων, 84.

Χαλισίοι, 162.
Χαζαρία, 160.
Χαρασίον, 160.
χαρτοφύλαξ, 52.
χειροτονία, 56.
Χέρσων, 158, 162, 168.
Χοτζήροι, 160, 162, 163.
Χουάλη, 160, 162.

Ψιχᾶ, 29, 72.

INDEX DES MOTS VIEUX-SLAVES.

(съ) вьсіакоѭ слѹжьбоѭ и помоштьѭ, 79.

къназь Лъшкын, 344.
кънаженьк словѣньско, 15.
кънажьк, 15.

полата, 94.
полача, 94, 96.
полаша, 94, 96.
поповьство, 66.

послаше, 94.
похвала, 344.
пріемъ, 373.
прогѹшскымн, 186.
рѹгѹсьскымн, 186.

санъ дръжгарьскъін, 19.
Слово на перенесеніе мощен, 196,
197, 205, 344.
слѹжба, 344.
старѣншина, 206.

съборъ, 17.
стратнгъ, 19.
страньнъіѩ, 79.

тоземьцѧ, 79.
Тѹрсн, 207.

фръжьскымн, 186.
(въ) фѹгльсцѣ ѩзъіцѣ, 206.

жзъкок морк, 68.

439

TABLE DES MATIÈRES.

	Page
AVANT-PROPOS	VII

CHAPITRE I. — LA JEUNESSE DE CONSTANTIN ET DE MÉTHODE. (V. C., CHAP. II, III; V. M., CHAP. II.)

I. La réorganisation des provinces européennes de l'Empire du VIIᵉ au IXᵉ siècle. — Les Slaves et l'Empire. — Le thème de Thessalonique. — Une ἀρχοντία slave? — La charge de drongaire ... 1

II. Les concours de beauté à Byzance et le choix de la Sagesse par Constantin. — La vénerie byzantine. — Sᵗ Plakidas. — Motifs hagiógraphiques ... 19

III. Ἡ ἐγγύκλικος παιδεία. — L'enseignement secondaire et l'enseignement supérieur à Byzance au IXᵉ siècle. — L'opposition des moines à la renaissance des études classiques. — La vénération de Sᵗ Grégoire de Naziance à Byzance au IXᵉ siècle. — Le logothète Théoctiste ... 25

CHAPITRE II. — LA CARRIÈRE DE CONSTANTIN À BYZANCE. (V. C., CHAP. IV.)

I. Le rôle de Théoctiste dans la réforme de l'enseignement byzantin. — Léon Mathématicien et Photios dans l'enseignement supérieur ... 39

II. Les ordinations sacerdotales dans l'Église byzantine. — La charge de bibliothécaire. — Le patriarche Ignace et la renaissance littéraire ... 45

III. Les couvents du Bosphore. — Kleidion. — La dispute avec l'ex-patriarche Jean. — La personne de Jean dans l'hagiographie de l'époque. — Les polémiques iconoclastes. — Constantin, successeur de Photios à l'Université. — Le titre de « philosophe » ... 68

CHAPITRE III. — LA MISSION ARABE. (V. C., CHAP. VI.)

I. Byzance et les Arabes vers le milieu du IXᵉ siècle. — La politique de Mutawakkil. Une ambassade byzantine auprès du calife en 850—851? — L'asecrète et Georges Polaša. — Sâmarrâ, résidence du calife ... 85

II. L'envoi des lettres arabes, contre la Sᵗᵉ Trinité. — Date de cet événement. — L'auteur de la Vie en a-t-il eu connaissance? ... 100

III. La littérature polémique contre l'Islame. — La discussion de Constantin. — La Vie des 42 Martyrs d'Amorion ... 104

441

CHAPITRE IV. — AU MONT OLYMPE. (V. C., CHAP. VII, V. M., CHAP. III.)

I. Le coup d'état de 856. — Les couvents du Mont Olympe. — La réforme de Théodore le Studite et l'ascétisme de l'Olympe. — Les moines pendant les querelles iconoclastes 112

II. Les moines du Mont Olympe, les Studites et le patriarche Méthode. — Les contemporaines de Constantin et de Méthode au Mont Olympe. — Le problème des liturgies nationales au Mont Olympe 122

III. L'écho de l'avénement de Photios dans les couvents de l'Olympe. — Critique du témoignage d'Anastase le Bibliothécaire au sujet de l'opposition faite par le Mont Olympe à Photios. — Les moines photianistes. — Réconciliation de Constantin avec le nouveau régime politique; l'intervention de Photios 135

CHAPITRE V. — BYZANCE ET LES KHAZARS VERS 861. (V. C., CHAP. VIII—XIII, V. M., CHAP. IV.)

I. Byzance et les Khazars jusqu'au IXe siècle. — Les Missions byzantines chez les Khazars. — La métropole gothique. — Le judaïsme chez les Khazars 148

II. La politique de Théophile sur les bords de la Mer Noire et à l'égard des Khazars. — Le danger russe, les Khazars et les Byzantins. — L'ambassade byzantine de 860—861 et son caractère politique. — L'itinéraire de l'ambassade. — Les Magyars en Crimée. — L'alphabet « russe ». — Les fausses reliques de Saint Clément 172

III. Discussion de Constantin et des Juifs. — Les Juifs dans l'empire byzantin au IXe siècle. — La polémique judéo-chrétienne. — Retour de l'ambassade. — L'incident de Phoullae. — La liturgie nationale chez les Khazars et chez les peuples de Crimée. — Le couvent de Polychron 198

CHAPITRE VI. — BYZANCE ET LA GRANDE MORAVIE. (V. C., CHAP. XIV; V. M., CHAP. V.)

I. Les relations commerciales entre Rome et les pays transdanubiens. — Les anciennes routes commerciales. — Les influences de la culture byzantine en Pannonie du VIe au IXe siècle. — Ces influences se sont-elles propagées au delà du Danube? — Le commerce byzantin chez les Avares et les Bulgares 212

II. Le but politique de l'ambassade de Rastislav à Constantinople. — L'entente politique de la Moravie et de Byzance en face de l'alliance germano-bulgare. — Les conséquences dans le domaine ecclésiastique. — Les campagnes de 864; leurs conséquences pour les Bulgares et les Moraves. — L'attitude du St Siège. — Continuation des relations entre Byzance et la Grande-Moravie 226

III. Rareté des renseignements sur la Grande-Moravie. — Les rapports de Constantin Porphyrogénète et leur valeur historique 235

CHAPITRE VII. — LE DIOCÈSE DE MÉTHODE ET LA LUTTE AUTOUR DE L'ILLYRICUM. (V. M., CHAP. VIII, IX, X, XII, XIII.)

I. L'évolution de l'Illyricum. — Le vicariat de Thessalonique. — Sirmium. — Un vicariat de Salone? — Justiniana Prima. — Les derniers vestiges de la juridiction pontificale dans l'Illyricum. — Bouleversements dûs aux invasions 248

Page

II. La nouvelle situation politique. — Le travail de l'Église franque sur le territoire de l'ancien Illyricum. — La tentative d'Hadrien Ier pour reprendre l'Illyricum. — Les efforts de Nicolas Ier. — L'évêché de Nin. — La christianisation des Bulgares et la lutte pour l'Illyricum 259

III. La politique d'Hadrien II à l'égard de l'Illyricum. — Le diocèse de Sirmium et son rôle dans la lutte. — La politique de Jean VIII. — Méthode en Pannonie et à Constantinople. — Jean VIII, Branimir et Svatopluk 267

CHAPITRE VIII. — L'« ORTHODOXIE » DE CONSTANTIN ET DE MÉTHODE.

I. Les Byzantins et les couvents grecs à Rome. — Les papes et les moines orientaux. — Les deux frères et les moines grecs de Rome. — Les couvents grecs en Italie. — Les pèlerinages byzantins « ad limina apostolorum » au IXe siècle. — L'influence du séjour à Rome sur les deux frères 284

II. L'opinion des deux frères sur la Primauté pontificale. — Le titre d'« apostolicus » dans les Légendes et son emploi en Occident et en Orient au IXe siècle. — Méthode ne reconnaissait-il pas le VIIe concile oecuménique? — Les « scholies » vieux-slaves sur la Primauté du pape; leur auteur. — L'importance de l'Introduction à la Vie de Méthode. — Les deux frères et leur doctrine sur la procession du Saint-Esprit 295

III. Les deux frères et Photios. — La politique orientale de Jean VIII d'après le témoignage d'Anastase. — Les conditions de la reconnaissance de Photios par Jean VIII. — Jean VIII et ses successeurs ont-ils rompu avec Photios? — Les lettres de Jean VIII interpollées par Photios? — Les Actes du concile photien et les lettres du pape falsifiées au XIVe siècle? 313

CONCLUSION 331

APPENDICE.

LES DOCUMENTS RELATIFS À CONSTANTIN ET À MÉTHODE.

I. Tradition manuscrite de la Légende de Constantin et de Méthode. — Éditions des deux Légendes 339

II. Autres documents slavons sur les deux frères. — Uspenie. — Prologues et éloges. — Écrit slavon sur la translation des reliques de St Clément. — Les Vies de St Naum et de St Clément 344

III. Les sources latines. — La Légende italique. — Écrits d'Anastase. — Documents pontificaux. — Légendes postérieures 346

VIE DE CONSTANTIN 349

VIE DE MÉTHODE 381

INDEX BIBLIOGRAPHIQUE 395

INDEX DES NOMS DE PERSONNES, DE LIEUX ET DE MATIÈRES 419

INDEX DES MOTS GRECS 438

INDEX DES MOTS VIEUX-SLAVES 439

TABLE DES MATIÈRES 441